Сто великих® авантюристов

МОСКВА
«ВЕЧЕ»
2003

Автор-составитель И.А. Муромов

Вниманию оптовых покупателей!

Книги различных жанров можно приобрести по адресу:
129348, Москва, ул. Красной сосны, 24,
издательство «Вече».
Телефоны: 188-88-02, 188-16-50, 182-40-74;
т/факс: 188-89-59, 188-00-73.
E-mail: veche@veche.ru
http://www.veche.ru

С лучшими книгами издательства «Вече»
можно познакомиться на сайте
www.100top.ru

ISBN 5-7838-0437-1

ВВЕДЕНИЕ

Авантюрист — искатель приключений,
беспринципный делец, проходимец.

Словарь иностранных слов

Французская исследовательница Сюзанна Рот выделила основные качества, характеризующие “образцового” искателя приключений: непредсказуемость, импульсивность, сосредоточенность на сегодняшнем дне, вера в удачу, доходящая до суеверия, богатая фантазия, прожектерство, смелость, решительность, даже жестокость, эгоцентричность и общительность, любовь к внешним эффектам, обманам, мифотворчеству, к игре, умению плести интриги.

Золотым веком для авантюристов был XVIII, когда они вращали рулетку мировой истории. Джон Лоу, неизвестно откуда явившийся шотландец, своими ассигнациями разрушил банковскую систему Франции. Шевалье Д’Эон, переодевшись в женское платье, руководил международной политикой. Маленький круглоголовый барон Нейгоф стал первым королем Корсики. Калиостро, деревенский парень из Сицилии, видел Париж у своих ног, хотя долго не мог научиться грамоте. Сен-Жермен, маг без возраста, пользовался неограниченным влиянием у короля Франции. Пугачев под именем Петра III поднял народный бунт и заставил трепетать Екатерину II. А еще были Беньовский, княжна Тараканова, Ванька Каин, Тренк, Бонневаль, Кингстон, Занович. Воистину, золотой век для авантюристов...

Авантюристы...

Они любят рисковать и стараются в собственных авантюрах подчинить себе окружающих. Это умение и настойчивость могут привести таких людей не просто к победе, но и к очень серьезным успехам. Луи-Бонапарт, к примеру, стал сначала президентом, а потом императором Франции.

Они могут появляться под чужими именами. Самозванчества никак нельзя назвать чисто русским феноменом, однако ни в одной другой стране это явление не было столь частым и не играло столь значительной роли во взаимоотношениях общества и государства. В XVII столетии на территории Российского государства действовало около 20 самозванцев, век же восемнадцатый знает примерно 40 случаев самозванства. Причем они часто так “врастали” в свою роль, что в самом деле начинали отождествлять себя с тем, за кого себя выдавали. Так, Пугачев плакал, когда разглядывал привезенный портрет царя Павла, чьим сыном себя считал.

Они выходят в море, чтобы испытать судьбу. Пираты и их сокровища породили целое направление в приключенческой литературе. Впрочем, приключения, выпавшие на долю морских разбойников, существовавших в действительности, нередко превосходят любой авантюрный сюжет.

Они строят финансовые “пирамиды”, плетут политические интриги, создают свои религии, шпионят, подделывают произведения искусства, продают Статую Свободы и Эйфелеву башню...

Стефан Цвейг писал об авантюристах: “Они носят фантастические формы какой-нибудь индостанской или монгольской армии и обладают помпезными именами, которые в действительности являются поддельными драгоценностями, как и пряжки на их сапогах. Они говорят на всех языках, утверждают, что знакомы со всеми князьями и великими людьми, уверяют, что служили во всех армиях и учились во всех университетах. Их карманы набиты проектами, на языке — смелые обещания, они придумывают лотереи и особые налоги, союзы государств и фабрики, они предлагают женщин, ордена и кастратов; и хотя у них в кармане нет и десяти золотых, они шепчут каждому, что знают секрет tincturae auri (приготовления золота). При жадном дворе они показывают новые фокусы, здесь таинственно маскируются масонами и розенкрейцерами, там у каждого князя представляются знатоками химической кухни и трудов Теофраста. У сладострастного повелителя они готовы быть энергичными ростовщиками и фальшивомонетчиками, сводниками и сватами с богатыми связями, у воинственного князя — шпионами, у покровителя искусства и наук — философами и рифмоплетами. Суеверных они подкупают составлением гороскопов, доверчивых — проектами, игроков — краплеными картами, наивных — светской элегантностью, — и все это под шуршащими складками, непроницаемым покровом необычайности и тайны — неразгаданной и, благодаря этому, вдвойне интересной...”

Именно этим людям посвящена настоящая книга.

Гаумата (Лжебардий)

(? — 521 до н. э.)

Мидийский маг (жрец). Выдал себя за тайно убитого Камбисом младшего сына Кира — Бардию (522 год до н.э.). Свергнут и убит заговорщиками во главе с Дарием I.

Персидский царь Камбис, сын царя царей Кира, имел характер гневный и мстительный. Считая своего брата Бардию соперником, он приказал тайно умертвить его. Когда же это было сделано, щедро наградил убийц и на радостях устроил в своем дворце пир. Музыканты играли, певцы пели, поэты читали свои стихи — все славили мудрого и милостивого владыку.

Прошли дни. Камбис и думать забыл об убитом брате. Он царствовал, творил суд и расправу, принимал послов и вел войны. Когда Камбис завоевал Египет, его бессмысленная, тупая жестокость не знала предела. Он разрушал храмы египтян, убивал их священных животных. Как гласит одна египетская надпись тех лет, “величайший ужас охватил всю страну, подобного которому нет”. Но боги, казалось, только ждали момента, чтобы покарать святотатца. И вот момент этот пришел.

Убитый Бардия восстал из мертвых.

В то время в столице Персии жили два брата, владевшие тайнами магии. Одного из них Камбис на время своего отсутствия назначил управляющим царским двором. Его брат, маг Гаумата, внешне очень походил на убитого царевича.

Управляющий решил воспользоваться этим сходством. Он уговорил брата занять царский престол под именем Бардии и взять власть в свои руки. После этого во все стороны были разосланы вестники с призывом к подданным признать царем Бардию.

Камбис находился в Египте с войсками, когда из Персии прибыл гонец и объявил всем, что отныне все должны подчиняться не Камбису, сыну Кира, а Бардии, сыну Кира.

Камбис не поверил своим ушам. В смятении и страхе он вызвал Прексаспа, которому в свое время было приказано убить Бардию. “Так-то ты выполнил мой приказ!”

Убийца, распростертый у входа в шатер, поднял голову.

“Это весть ложная, о царь! Я сам исполнил твой приказ и похоронил Бардию”.

Камбис нахмурился. Только он и убийца доподлинно знали, что Бардия убит, что человек, захвативший власть в Персии, — самозванец.

Через несколько дней Камбис, собираясь в поход против того, кто назвался его братом, случайно поранил себе мечом ногу. Вскоре он умер.

Так человек, принявший имя убитого Бардии, стал полновластным царем страны. Одна за другой все области обширной державы объявили о своей покорности. Армия стала под его знамена. Потому что не было в стране другого человека, который был бы сыном царя царей и в силу этого владыкой над всеми персами.

На базарах и дорогах царства все славили нового царя. На три года освободил он своих подданных от налогов и от тягот военной службы. Только среди знати росло глухое недоумение и недовольство. Почему новый царь не выходит из дворца? Почему он не принимает никого из знатных людей? А что, если этот человек — не Бардия?

У одного из придворных зародилось подозрение, что власть в царстве захватил маг Гаумата. Но мысль эта была слишком страшной, чтобы ее можно было высказать вслух. Дочь этого придворного находилась в гареме царя. Через евнуха он решился послать ей записку.

“Федима, дочь моя, — писал он, — правда ли, что человек, который теперь твой муж, сын Кира?”

“Не знаю, — отвечала дочь, — мы в гареме не знаем чужих мужчин, и раньше Бардии я никогда не видала”.

На другой день, позванивая полученными монетами и бормоча проклятия, евнух прятал на груди новую записку.

“Если сама ты не знаешь сына Кира, — писал придворный, — то спроси Атоссу, кто такой супруг ее и твой, она ведь хорошо знает своего брата”.

Дочь отвечала, что ни с Атоссой, ни с другими женами она не может теперь перемолвиться ни словом. “Как только этот человек, кто бы он ни был, сделался царем, он отделил нас одну от другой”.

Это было уже странно. Но у мага Гауматы был один признак, по которому его нетрудно было опознать. В свое время Кир за какую-то провинность отрезал ему уши.

“Когда он уснет, — писал придворный своей дочери, — ощупай его уши. Если он окажется с ушами, то знай, что супругом имеешь сына Кира. Если без ушей, то ты живешь с магом”. Федима долго боялась сделать это. Если человек этот действительно окажется без ушей и поймет, что тайна его раскрыта, он, несомненно, убьет ее. Наконец, когда настала ее очередь идти к мужу, Федима решилась.

Утром придворному стало известно, что под личиной царя скрывался человек без ушей. Это был маг Гаумата.

Не сразу решился придворный открыть эту тайну своим друзьям. На следующий день в его доме собралось шестеро самых близких. Прежде чем открыть им то, что стало ему известно, придворный потребовал, чтобы они дали клятву сохранить все в тайне. Они поклялись богами в верности друг другу. Узнав же страшную новость, растерялись. “Лучше бы я не приходил сюда и не знал ничего!” — подумал каждый.

Выступить сейчас против мага было невозможно. У них не было ни солдат, ни верных людей. Отложить расправу, пока удастся собраться с силами, тоже было нельзя. Если маг узнает о заговоре, их ждет страшная смерть. Но не всех. Одного из них, кто донесет, маг пощадит. Вот почему каждый, для того чтобы его не опередил другой, прямо из этого дома наверняка поспешил бы во дворец. Об этом думали все, но никто не решался сказать вслух. Пока не заговорил сын царского наместника Дарий, бывший среди них.

"Мы должны действовать сегодня же, — сказал он, — если сегодняшний день будет упущен, я сам донесу обо всем магу!"

Между тем маги тоже не теряли времени даром. Они догадывались, что их тайну могут раскрыть и над ними нависнет опасность. Поразмыслив, братья пришли к выводу, что им надо сделать Прексаспа своим другом и союзником. Он столько натерпелся от Камбиса! Даже сына его не пощадил жестокий царь, убил выстрелом из лука. Маги знали, каким большим уважением пользуется Прексасп у персов, знали и то, что только он знает правду о судьбе сына Кира, брата Камбиса.

Они пригласили Прексаспа на тайную беседу, во время которой наобещали ему златые горы, если он будет заодно с ними. Прексасп поклялся, что не проговорится персам о том, кто на самом деле восседает на троне, и будет выполнять все их задания. Маги тут же дали ему первое поручение: "Завтра мы соберем персов на площади перед царским дворцом. Ты поднимешься на башню и обратишься к собравшимся со словами, что персами правит Бардия, сын Кира, и никто другой. Призовешь их не верить никаким слухам на этот счет".

Прексасп поднялся на башню. Взоры тысяч людей устремились на него. Маги тоже не спускали с него глаз. Праксасп повел речь о предках Кира, потом о самом Кире и о том, как много хорошего сделал для персов этот царь. Маги с нетерпением ждали, когда же наконец он произнесет слова, которые развеют подозрения персов.

Но Прексасп неожиданно громко объявил, что Бардии, сына Кира, нет в живых, а сейчас правят маги. "Плохо придется вам, персы, если вы не избавитесь от них и не расправитесь с ними", — закончил он речь и бросился головой вниз.

А в это время к дворцу уже двигались заговорщики во главе с Дарием. Они не знали, что произошло на дворцовой площади. Когда же узнали о речи Прексаспа и его гибели, стали советоваться, стоит ли нападать на магов при таком стечении народа. И решили, что нельзя упускать удобную возможность.

Они были из знатных фамилий, и стража не посмела чинить им препятствий. Но во внутреннем дворе путь им преградили евнухи, которые обнажили мечи. Заговорщики быстро уложили на месте стражей гарема и бросились во внутренние покои. Братья-маги находились там и обсуждали, что им следует делать. Услышав за дверями крики и звон оружия, они сразу догадались, что случилось. Один из братьев взял в руки лук, другой схватил копье. Они вступили в схватку. Одному из персов маг угодил копьем в глаз, другому нанес удар в бок. Но лук для ближнего боя не годился, и потому схвативший его маг выбежал в соседнюю комнату, захлопнув за собой дверь. Дарий с одним из друзей пустились вдогонку. Они настигли мага, и началась схватка.

В темноте перс и маг упали на пол, тщетно пытаясь одолеть друг друга. Дарий в нерешительности стоял над ними с занесенным мечом, не зная, что делать.

"Бей мечом!" — крикнул заговорщик, который боролся с магом.

"Я могу убить тебя!"

"Убей хоть нас обоих, но маг должен погибнуть!"

Дарий взмахнул мечом и убил мага.

Так повествует об этой странной истории Геродот. Царем Персии стал Дарий. И сегодня на огромной скале по дороге между Тегераном и Багдадом можно видеть высеченный на камне рассказ об этом событии. Надпись эта была сделана по приказу Дария. "Дарий убил мага и стал царем", — гласит заключительная фраза текста. Рассказ Геродота — одно из самых первых упоминаний о самозванцах.

Дарий начертал на Бегистунской скале историю своего царствования, начиная с этого подвига. Это повествование самое драгоценное. Надпись сопровождается барельефом, представляющим царя и девять связанных самозванцев, из которых он одного попирает ногами (это — Лжебардия, о чем свидетельствует особая краткая запись).

Балтазар Косса

(? — 1419)

Граф Беланте, владетель Иськьи и Проциниты, римский папа Иоанн XIII (1410—1415). Один из наиболее развращенных пап эпохи упадка. Известен своими многочисленными любовными приключениями. Юношей занимался пиратством, затем изучал право в Болонье. Студентом был приговорен инквизицией к сожжению на костре. После побега из тюрьмы снова разбойничал, был схвачен. Урбан VI назначил его командующим папских войск. Приняв духовный сан, занимал высшие должности при курии Бенедикта IX. Во время великого раскола стал папой. Собор в Констанце (1415) потребовал его отречения. Бежал, но был арестован. Позже Мартин V назначил его епископом Тускуланским и деканом коллегии кардиналов.

До появления на свет Балтазара его род насчитывал сорок поколений. Коссы сначала были римскими патрициями, а затем — графами Беланте, владетелями обширных земель на берегу Неаполитанского залива. Но к XIV веку род обеднел, а от прежних владений остался лишь остров Искья с несколькими деревнями. Доход от них позволял графам Беланте едва сводить концы с концами, и это надоело старшему брату Балтазара, Гаспару, который стал пиратом и прославился своими многочисленными набегами.

Гаспар долго не соглашался брать в набег 13-летнего брата. Увидев же его в деле, понял, что тот сможет постоять за себя. Младшему Коссе нравилось его новое занятие, когда всего лишь за несколько часов он становился обладателем больших денег.

Но больше товаров и ценностей Балтазара привлекали хорошенькие девушки, которых брали в качестве пленниц на захваченных кораблях или в разграбленных поселениях. Бесправные, как и все пленные, они ничем не могли защитить себя, и Косса брал любую, чтобы на следующий день заменить ее новой, а на третий отдать обеих друзьям, поскольку самого его уже захватила очередная страсть.

Косса до самой смерти (он умер в 54 года) питал слабость к женщинам, разделив ложе с неисчислимым количеством любовниц, среди которых были как малолетние девочки, так и зрелые матроны. Впоследствии, когда его судил католический собор в Констанце, этот факт стал одним из главных пунктов обвинения.

Пиратская жизнь продолжалась семь лет. Балтазар не помышлял расставаться с ней, пока в дело не вмешалась мать — по ее совету юноша поступил в Болонский университет, теологи которого славились на всю Италию.

Способности Коссы скоро заметили все: и преподаватели, и студенты. Он считался первым учеником на факультете, был непревзойденным фехтовальщиком и любимцем женщин. Студенты признали Балтазара своим лидером. Он был зачинщиком всех университетских авантюр и приключений,

Балтазар обожал рискованные свидания с какой-нибудь болонской красоткой, жившей под пристальным присмотром родственников или мужа и оттого особо желанной. Для Балтазара было высшим наслаждением проникнуть через все замки и запоры и провести ночь с очередной любовницей.

Однажды, когда Балтазар возвращался со свидания, на него напал наемный убийца, и только ловкость спасла будущего теолога от смерти. Он отделался лишь ранением в руку и не смог поймать убийцу, который под покровом ночи скрылся в лабиринте узких улиц. Налетчик, вероятно, думал, что достаточно напугал Балтазара и ноги его не будет в опасном районе, но бывший пират на следующую ночь вновь отправился на свидание. Он выяснил, что нападение организовала его бывшая любовница, которая таким образом решила ему отомстить.

Расправа с несчастной женщиной была жестокой. Мужа, кинувшегося защищать супругу, Балтазар убил у нее на глазах, а затем раздел бывшую любовницу донага, связал ее и концом стилета начертил у нее на груди кровавую звезду. Но уйти сразу не успел: на шум и крики сбежались слуги.

Спасаясь от погони, он забежал в чей-то сад и затаился там. Преследователи пробежали мимо, а Косса, уже собравшийся покинуть свое убежище, вдруг заметил в глубине сада дом. Балтазар отворил дверь и увидел молодую женщину необычайной красоты. Заметив раненого незнакомца, она не растерялась, позвала служанку и велела ей промыть и перевязать незнакомцу рану. После чего скрылась в доме.

Женщина эта была уроженка Вероны Яндра делла Скала. Ее дед и отец занимали пост правителя этого города, но в 1381 году в семье случилась трагедия: отец Яндры был убит своим братом, который захватил власть в Вероне. Спасаясь от преследования, семнадцатилетняя Яндра бежала в Болонью, где и прожила четыре года. Таким образом, в год встречи (1385) Балтазара и Яндры ей шел двадцать второй.

Яндра с ранних лет интересовалась магией и чародейством, алхимией и астрологией и умела предсказывать будущее. В те времена такие занятия считались еретическими и жестоко преследовались инквизицией. Яндра рисковала, но ее взял под тайную защиту кардинал ди Санто Кьяре, влюбившийся в нее и поселивший девушку в своем доме.

Вскоре Косса снова навестил Яндру. Но побеседовать они не успели: в дом ворвались люди инквизиции. Косса отбивался и убил двух человек, но силы были неравны, нападавшие схватили Яндру и Балтазара.

Арестованных допрашивал сам великий инквизитор Италии Доменико Бранталино. Яндру обвинили в том, что она отреклась от Спасителя и поклоняется дьяволу, приносит в жертву сатане новорожденных детей; что впала в грех кровосмесительства и спала с сатаной, варила и ела человеческие органы. И все — ради совращения людей.

Потом допрашивали Коссу. Его обвинили в убийстве двух агентов инквизиции во время ареста Яндры, а также в том, что он является ее любовником.

Их ждал костер.

Бывшей любовнице Коссы Име Давероне удалось добиться свидания с ним. Она успокоила Балтазара сообщением, что казнь состоится не раньше чем через три месяца.

Это приободрило Балтазара. Не прошло и месяца со дня ареста, как он оказался на свободе, причем совершил побег с присущей ему дерзостью. Косса убил стражника и в его одежде вышел из тюрьмы, после чего затерялся на улицах Болоньи.

Балтазар встретился с Гаспаром, и они разработали план по спасению Яндры, предусматривавший штурм тюрьмы. Под началом Гаспара насчитывалось сто двадцать пиратов, которые могли захватить не только тюрьму — весь город. Кроме того, пиратам вызвался помочь кондотьер Альберинго Джуссиано. За две тысячи эскудо он давал в подмогу сто своих наемников. Братья стали ждать подходящего момента для нападения.

Яндру освободили в феврале 1385 года. У стен тюрьмы и внутри ее разыгралось настоящее сражение. Балтазар был в очередной раз ранен. Вскочив на лошадей, Косса и Яндра, сопровождаемые друзьями, вырвались из Болоньи.

Балтазар вновь занялся пиратством. Отклонив предложение Гаспара стать его помощником, Косса взял три лодки, которые должны были составить основу будущей эскадры. Затем с несколькими друзьями обошел прибрежные таверны, где набрал экипаж.

Его пиратская карьера продлилась четыре года. Сначала, поскольку в распоряжении Балтазара были только лодки, грабили неподалеку от берега и на самом берегу, но затем пиратам удалось захватить корабль, а вскоре их стало несколько, и флотилия Коссы расширила район действий от северного берега Средиземного моря до южного. В зоне пиратских интересов оказались Тунис, Алжир и Марокко, прибрежные области Испании, Сицилия, Сардиния и Корсика. Грабили как мусульман, так и братьев по вере, христиан. Богатую добычу свозили в родной дом Коссы на острове Искья. Вскоре он оказался переполнен всевозможными товарами, а главное — рабами, торговля которыми приносила огромные деньги.

У пиратов были свои представления о чести. Особенно ревнивы они были в вопросах веры, и хотя в их рядах было не мало тех, кто одновременно служил Богу и мамоне, свобода вероисповедания уважалась всеми. Поэтому поступок, совершенный Балтазаром на острове Лампедуза, вызвал резкое осуждение в пиратской среде.

Остров Лампедуза, расположенный южнее Сицилии, был в те времена своего рода нейтральной территорией для пиратов Средиземноморья. Мусульмане и последователи Христа в равной степени охотно высаживались на остров, отдыхали там и чинили свои корабли. Но главной его достопримечательностью была пещера, служившая приверженцам разных религий одновременно мечетью и церковью. На одной ее стене висело изображение Девы Марии, у противоположной стены находилась могила мусульманского святого. Христиане складывали свои дары у ног Девы, мусульмане — рядом с могилой святого. Все приношения считались неприкосновенными.

Балтазар Косса это “табу” нарушил. Когда он увидел дары, то приказал погрузить их на свои корабли. Пираты роптали, но авторитет Коссы был непререкаем, и товары перекочевали в корабельный трюм. Буквально на следующий день после инцидента в пещере корабли Коссы попали в жесточайший шторм. Они были перегружены — помимо взятого на Лампедузе, в трюмах находилось пятьсот черных рабов — и с трудом преодолевали волны. Балтазар и его люди не раз попадали в штормы, но налетевший шторм был настоящим ураганом. Погибло все: корабли, невольники в трюмах, товары. Вместе с Коссой в лодке спаслись только Яндра, Ринери Гуинджи и одноглазый гигант Гуиндаччо Буанакорса. Более суток их мотало по морю, пока не выбросило полуживых на берег. В лодке Балтазар и Гуиндаччо дали обет, что в случае спасения станут священнослужителями.

Не успели пираты прийти в себя, как были схвачены местными жителями, которых они недавно ограбили. Крестьяне узнали своих обидчиков и сначала избили, а потом отправили в ближайший город Ночеру, где пиратов заключили в крепость.

Косса был опознан как жестокий пират, на протяжении нескольких лет терроризировавший побережье Неаполитанского залива. Его ждало справедливое возмездие.

Но в Ночере Балтазар встретил человека, определившего его дальнейшую жизнь, ставшего, можно сказать, крестным отцом будущего хозяина Ватикана.

Этим человеком был папа Урбан VI.

Папа находился в затруднительном положении. Его теснили сторонники “антипапы”, а в окружении Урбана VI не было человека, которому можно было доверить командование войсками. И вдруг папа узнал, что в городской крепости содержится знаменитый пират Балтазар Косса! “Вот человек, который мне нужен”, — решил Урбан VI и приказал доставить к нему Балтазара.

Урбан VI дал понять пленнику, что он и его друзья могут избежать петли, если окажут его святейшеству кое-какие услуги. Косса ответил папе, что занимался пиратством по неведению и, чтобы искупить причиненное им зло, готов стать священником или монахом — как будет угодно его святейшеству.

Возглавив папские войска, Косса выступил против врагов папы и неожиданным ударом разгромил их, а затем гнал до самого побережья. В Ночеру Балтазар доставил трофеи — одиннадцать катапульт, захваченных у неприятеля.

Урбан VI дал Коссе новое поручение — заняться расследованием дел тех кардиналов, которые поддерживали Климента VII.

Во время процесса Косса выполнял обязанности не только следователя, но и палача, собственноручно пытая престарелых епископов и кардиналов. В конце концов девять из них были задушены или зарезаны, а девять — зашиты в мешки и утоплены. Причем Косса вел следствие, уже будучи посвященным в церковный сан.

Закончив первоочередные дела, Урбан VI поручил Коссе готовить войска для войны с французами и венграми, но она так и не началась: возвращаясь из города Лукка в Рим, папа, по свидетельству историка Западной Церкви Виореджо, упал с мула и вскоре умер.

Новый папа, Петр Томачелли, принявший имя Бонифация IX, был неаполитанцем и ровесником Балтазара, но... весьма недалеким, к тому же безграмотным. Естественно, он не мог обойтись без такого образованного человека, как Косса, проучившегося пять лет в лучшем университете Италии, а потому немедленно назначил его архидиаконом в соборе святого Евстафия. Собор находился в Ватикане, и Косса, таким образом, всегда был "под рукой" у папы.

По мнению секретаря Ватикана Дитриха фон Ниму, Бонифаций IX не мог ничего решить самостоятельно, и всеми делами фактически заправлял Косса. Он составлял папские буллы и энциклики, писал тексты анафем, которые папа направлял своим врагам, устанавливал цены за должности, объявлял аукционы по ним и придумывал другие способы пополнения папской казны.

Балтазар стал незаменимым человеком при папском дворе, и он пользовался выгодами своего положения. Его друзья, спасшиеся вместе с ним при кораблекрушении, а затем из Ночерской крепости, получили выгодные должности, а Яндру Балтазар поселил в один из роскошнейших римских палаццо и навещал ее по ночам, не упуская возможности днем встретиться с другой женщиной.

Он внимательно следил за изменениями в политической жизни. Когда один из противников Бонифация IX, Колонна, организовал против него заговор, Косса встал во главе папского войска. Заговорщики были разгромлены, главных зачинщиков повесили.

27 февраля 1402 года, отдавая должное заслугам Коссы, Бонифаций IX возвел его в сан кардинала. Коссе было всего тридцать семь лет, и он наслаждался жизнью, устраивая поистине царские пиры и развлечения. Вот что об этом писал Дитрих фон Ним: "Неслыханные, ни с чем не сравнимые "дела" творил Балтазар Косса во время своего пребывания в Риме. Здесь было все: разврат, кровосмешение, измены, насилия и другие гнусные виды греха, против которых обращен был когда-то гнев Божий". И далее: "Только в Болонье Коссе удалось совратить более 200 женщин. Он поехал туда по поручению папы для решения различных вопросов, касающихся церкви и политики, но не забыл при этом своих любовных дел. Любовницами его были замужние женщины, вдовы, девушки и монашки, жившие в монастыре. Некоторые из них любили его и по доброй воле становились его любовницами, но некоторые были грубо изнасилованы в монастырях".

В начале 1403 года Косса отправился по поручению Бонифация IX в Болонью. Там он попытался разыскать Иму Даверону, с которой не виделся восемнадцать лет. Но Имы в Болонье не оказалось. По словам ее бывшей служанки, она вышла замуж и переехала жить в Милан.

Из Болоньи Косса отправился в Феррару, где возглавил войско, которое вскоре заняло Болонью, Реджо и Парму — города, отошедшие от Папской области и управлявшиеся местными феодалами. В этой операции Балтазар проявил себя не только как способный военачальник, но и как прекрасный политик и превосходный дипломат, ловко использовавший интригу, обман и предательство. В результате 25 августа 1403 года Болонья, Перуджа и Ассизи — самые богатые приходы Папской области — оказались в подчинении папского легата кардинала Балтазара Коссы.

Во всех военных походах Балтазара сопровождали два старых пирата — Ринери Гуинджи и Гуиндаччо Буанакорса. Первый из них, знакомый с теологией, благодаря поддержке Коссы стал епископом Фано. Гуиндаччо остался простым священником, ибо даже Косса не решался дать ему более высокий сан.

В ноябре 1406 года Балтазара известили о том, что в Риме скоропостижно скончался от апоплексического удара папа Иннокентий VII, преемник Бонифация IX, правивший всего два года.

Э. Фанчелли писал: “Все знали, что папа Иннокентий VII постоянно завидовал политическим успехам своего легата и помышлял о том, чтобы лишить его управления Болоньей. И когда он умер, поползли слухи, что он отравлен Коссой и его единомышленниками. Со временем эти слухи подтвердились”.

В ноябре 1406 года конклав избрал папой Анджело Коррариро, который принял имя Григория XII. Первым протокол об избрании папы подписал Балтазар Косса.

Григорий XII находился в зависимости от всесильного кардинала. Он во всем советовался с ним, оставил его своим легатом в Болонье. Это был наиболее видный и значительный пост в папском государстве. Косса стал первым из кардиналов. Но постепенно Григорий XII стал тяготиться опекой Коссы и, чтобы ослабить его влияние в среде высших священнослужителей, назначил новых кардиналов. Отношения между папой и первым кардиналом резко обострились. Григорий XII предал Балтазара Коссу анафеме и лишил звания и прав легата. Жители Болоньи и Романьи освобождались от клятвы верности Коссе.

В ответ на это Косса объявил себя абсолютным и независимым властелином областей, которыми он ранее управлял от имени папы. Кроме того, он приступил к объединению священнослужителей и правителей государств, недовольных правлением папы Григория XII.

15 июня 1409 года двадцать четыре кардинала, десять из которых были сторонниками папы Бенедикта XIII, правившего в Авиньоне, и четырнадцать — папы Григория XII, собрались в Пизе, чтобы низложить обоих пап и избрать одного. Косса проделал громадную подготовительную работу, большинство церковных сановников, присутствовавших на нем, высказались за то, чтобы верховным понтификом стал достойнейший из них — Балтазар Косса. Но он отказался от этой чести, мотивируя свой отказ тем, что есть более достойный кандидат на столь высокий пост — грек Петр Филарг, который был его ставленником.

Авторитет Коссы сделал свое дело, и 7 июля 1409 года Петр Филарг стал папой под именем Александра V. Один из историков папства так высказался на этот счет: “Косса давно уже мог быть избран папой, но он решил отказаться от престола и предпочел поставить под удар Петра Филарга, зная, что он, заняв папский престол, станет послушным орудием в руках могущественного кардинала и легата в Болонье. Действуя так, Косса заботился главным образом о себе и своих родственниках. Три его брата, известные пираты, заняли высшие военные должности в папском государстве. Сам же Косса, как советник и наставник папы Александра V, приобрел еще большее могущество. Он руководил внешней политикой святого престола. И в случае смерти престарелого Александра V он должен был унаследовать святой престол".

В эти же дни Косса встретил Иму. Узнав о соборе, она уговорила мужа приехать в Пизу и вот уже десять дней жила в городе, тайно приходя к дому, где поселился Косса, в надежде увидеть возлюбленного.

Балтазар снял лучший дворец в городе, чтобы там встречаться с Имой. Их идиллия продолжалась почти месяц, пока Яндра не выследила любовников. Нанятый ею убийца четыре раза ударил Иму стилетом. Негодяя схватили и заставили назвать имя заказчика убийства. Хотя раны Имы оказались несмертельными, Косса отравил Яндру...

По странному совпадению в один день с Яндрой, 3 мая 1410 года, умер и папа Александр V, и теперь уже никто не стоял на пути Коссы к престолу апостола Петра. Требовалось лишь собрать кардиналов, которые утвердили бы избрание Коссы, но прежде он расправился с епископом Фано, своим старым другом. Он верно служил Коссе, но был любовником Яндры и сообщил ей, где живет Има, а этого Косса простить не мог. Он убил Фано в спальне его дома, после чего отправился хлопотать по делу о своем избрании.

Конклав кардиналов собрался в Пизе 17 мая 1410 года и состоял из семнадцати человек. Большинство из них были подкуплены Коссой, он обещал им, в случае если они поддержат его кандидатуру, привилегии и льготы.

Неожиданностей не случилось: бывший пират был избран папой. Возведение на престол должно было состояться 25 мая. Косса решил, что станет Иоанном XIII, поскольку симпатизировал Иоанну XII, занимавшему папский престол за сто лет до него.

Став папой, Косса прежде всего обеспокоился пополнением собственной казны, которую он изрядно поистратил на содержание своего предшественника Александра V, а также на подкуп кардиналов.

Косса установил специальные "тарифы", по которым покупались индульгенции по отпущении грехов. Так, если человек убил мать, отца или сестру, он мог искупить этот грех, купив индульгенцию стоимостью в один дукат. За убийство жены полагалось выплатить 2 дуката, жизнь простого священника стоила 4 дуката, жизнь епископа — 9, грех отравления — 1,5, прелюбодеяние — 8, а скотоложство — 12 дукатов.

И так далее. Список "тарифов" поистине бесконечен, и состояние Иоанна XIII увеличивалось не по дням, а по часам.

Новому папе было уже сорок пять лет, он был обременен государственными делами, однако давняя страсть — любовь к женщинам — не ослабевала в нем. И в поисках все более и более сладострастных утех Иоанн XIII совершил очередное преступление перед людьми и Богом — сделал своей любовницей 14-летнюю внучку, до этого соблазнив свою сестру и мать.

Связь папы с внучкой Динорой продолжалась два года, а затем Иоанн XIII нашел своей любовнице новое применение. Поскольку он давно враждовал с неаполитанским королем Владиславом, то решил поправить положение с помощью Диноры, отправив ее неаполитанскому королю в качестве наложницы.

Владиславу понравилась юная красавица, и когда он приблизил ее к себе, Иоанн XIII велел своему аптекарю приготовить любовное снадобье и отослать его Диноре. Снадобье, по словам папы, должно было еще крепче привязать друг к другу Владислава и Динору; на самом же деле оно было ядом, отведав которого Динора и Владислав отошли в мир иной. Иоанн XIII избавился от политического противника, заплатив за смерть Диноры тысячу флоринов — именно столько запросил аптекарь за изготовление снадобья.

Но деяния такого рода никогда не отягощали сознания Балтазара Коссы. В это время к нему приехала Има. Она ушла от мужа, чтобы никогда больше не покидать любовника. Косса обрел полное спокойствие духа и занялся неотложными государственными делами.

16 ноября 1414 года в вольном имперском городе Констанце под председательством папы Иоанна XIII открылся церковный собор. На церемонию съехалось сто пятьдесят делегатов со всей Европы.

Среди членов собора были распространены сведения о преступлениях Коссы. Узнав об этом, Иоанн XIII тайно отправил гонца к своему союзнику, герцогу Фридриху Австрийскому, с просьбой дать ему убежище в случае его бегства из Констанца.

Собор постановил, что отныне высшим церковным органом станет съезд церковных иерархов (то есть собор), которому будет подчиняться и папа. 20 марта 1415 года, почувствовав шаткость своего положения, Иоанн XIII, переодетый конюхом, направился в город Шафхаузен, резиденцию Фридриха Австрийского. Приехав туда и расположившись в неприступной городской крепости, он отправил письмо императору Сигизмунду, в котором сообщал о своем бегстве. Иоанн XIII рассчитывал на то, что это известие приведет к роспуску собора, поскольку на нем отсутствовал папа.

Собор не распустили, а к папе направили для переговоров послов, которые должны были убедить его вернуться в Констанц. А также напомнить о том, что еще совсем недавно папа обещал отречься от престола, если это будет выгодно Церкви. В Констанце считали, что наступил именно такой момент.

Но Иоанн XIII потребовал за свое отречение высокую плату: сохранить за ним Болонью и прилегающие к ней земли, он должен остаться кардиналом с доходом в тридцать тысяч золотых дукатов в год, ему должны выдать индульгенцию с прощением всех его грехов — не только совершенных, но и тех, которые он может совершить в будущем.

Выслушав папу, послы тотчас отбыли в Констанц, где обо всем доложили императору Сигизмунду. Император, человек решительный, приказал немедленно готовиться к войне с Фридрихом Австрийским. Сигизмунда поддержали церковные иерархи, по настоянию которых собор предал Фридриха анафеме. А спустя некоторое время тридцать тысяч воинов Сигизмунда выступили в направлении Шафхаузена.

Иоанн XIII и Фридрих Австрийский бежали из города, а сам город сдался на милость имперских войск, которые стали разорять и грабить владения Фридриха.

Тем временем в Констанце продолжались заседания собора, и два из них были посвящены допросам свидетелей по обвинению Коссы. Свидетели давали такие показания, что даже видавшие виды следователи не решились внести их в обвинительный акт. Его тщательно отредактировали, и все равно он содержал 54 пункта.

Однако все эти обвинения предъявить было некому, поскольку Иоанн XIII все еще находился на свободе. Обладая колоссальным состоянием, он привлек на свою сторону некоторых крупных феодалов, в том числе правителей Бургундии и Лотарингии. Но силы все равно были неравны, и скоро союзники папы один за другим стали сдаваться Сигизмунду.

17 мая 1415 года Иоанн XIII был пленен во Фрибурге, куда он бежал из Шафхаузена. А тремя днями раньше на специальном заседании собора папа

был лишен всех прав и передан в руки правосудия. 29 мая суд вынес окончательное решение по делу Иоанна XIII. В нем бывший папа назывался неисправимым грешником, безнравственным распутником, вором, убийцей, кровосмесителем, нарушителем мира и единства Церкви.

Коссу заключили в Готлебенскую крепость, находившуюся в швейцарском городе Тургау. Папу-расстригу ожидала камера-одиночка с единственным окном, выходившим в крепостной коридор. Всякое общение с миром запрещалось, и единственным, кого теперь видел Косса, был тюремный надзиратель, приносивший заключенному пищу.

Новый папа Мартин V приказал перевести своего бывшего друга в еще более надежное узилище в город Мангейм, где он должен был находиться под неусыпным наблюдением курфюрста пфальцского Людвига III, давнего врага Коссы.

Условия содержания в Мангейме были очень суровы. Коссу охраняли два немца. Балтазар же не знал немецкого языка, и заключение превратилось для него в пытку. Если бы не Има, которая, подкупая тюремщиков, навещала Коссу, он вряд ли бы выдержал обрушившееся на него испытание.

Через несколько лет с помощью верной Имы Косса договорился с курфюрстом пфальцским, что тот выпустит его на свободу за 38 тысяч золотых флоринов. Сумма была громадная, но речь шла о жизни и смерти, и торговаться не приходилось. К тому же состояние Коссы, награбленное им в разные годы и разными способами, было громадным.

Вместе с Имой Косса сначала перебрался в Бургундию, затем в Савойю и только оттуда — в Италию. Он остановился в одном из городов Лигурии. Косса отправил во Флоренцию Иму с письмом к своему бывшему кардиналу папе Мартину V. На тот случай, если папа по каким-либо причинам не прочитает письмо, Име был дан наказ просить влиятельных людей во Флоренции выступить ходатаями перед Мартином V.

Има исполнила все в точности, и Коссе было дозволено приехать во Флоренцию. Он был принят папой, просил у него прощения и обещал никогда не претендовать на престол святого Петра. Но, верный себе, попросил у Мартина V откупного. И получил — красную кардинальскую шапку — шапку первого кардинала.

Оставалось последнее и очень важное дело — вернуть деньги, оставленные когда-то на хранение почтенному гражданину Флоренции — Джованни Медичи, одному из основателей знаменитого впоследствии дома. Именно ему Косса, а точнее папа Иоанн XIII, перед тем как отправиться на собор в Констанц, оставил на хранение свое поистине несметное состояние. Когда же он встретился с Джованни и попросил его вернуть деньги, тот, не моргнув глазом, ответил, что возвращать ему нечего, ибо то, что он взял когда-то, он взял у папы Иоанна XIII и вернет только ему... Говорят, что именно эти деньги стали основой благополучия дома Медичи.

Балтазар Косса продолжал жить вместе с Имой в своем дворце во Флоренции до самой своей смерти, последовавшей 22 декабря 1419 года. Ему были устроены пышные похороны, а позднее Козимо I Медичи, правитель Флоренции, поручил Донато ди Никколо ди Бетто Барди, известному как Донателло, построить над могилой Коссы часовню.

На могильной плите лежит бронзовая, позолоченная маска Коссы, ниже — герб Иоанна XIII, под ним высечены из мрамора кардинальская шапка и папская тиара, надпись гласит: “Здесь покоится прах Балтазара Коссы, бывшего папы XIII”.

Перкин Уорбек

(? — 1499)

Самозванец. Выдавал себя за сына Эдуарда IV, короля Англии, и претендовал на престол при Генрихе VII. Был принят королями Франции и Шотландии. Его жизнь — один из самых удивительных примеров перевоплощения в мировой истории. Казнен по указанию Генриха VII.

После смерти короля Эдуарда IV остались два несовершеннолетних сына — Эдуард и Ричард. Назначенный протектором Ричард Глостерский, устранив конкурентов в борьбе за власть, объявил себя королем Англии под именем Ричарда III. Он утверждал, что Эдуард IV незаконно занимал трон, поскольку на самом деле он не являлся сыном герцога Йоркского, по этой же причине и его сыновья не могли претендовать на престол. Эдуард V и Ричард были заключены в Тауэр, где через некоторое время были убиты. В 1485 году умерла жена Ричарда III. Короля подозревали в том, что он отравил ее, чтобы жениться на сестре Эдуарда IV Елизавете. Все больше англичан симпатизировало лидеру оппозиции Генриху, графу Ричмонду. В 1485 году, получив помощь от Франции, он повел наступление. В сражении близ Босворта Ричард III был смертельно ранен. С его смертью прекратилась мужская линия династии Плантагенетов. Основатель династии Тюдоров граф Ричмонд взошел на английский трон под именем Генриха VII. Вскоре он женился на Елизавете. Едва получив корону, Генрих должен был вступить в борьбу за нее.

Маргарита Бургундская, другая сестра Эдуарда IV, не могла смириться с тем, что к власти пришла династия Тюдоров. Она не оставляла в покое Генриха VII, распространяя слухи о том, что второй сын Эдуарда IV Ричард, герцог Йоркский, не был задушен в Тауэре — после убийства его старшего брата палачи раскаялись и тайно выпустили младшего на свободу. Эти слухи Маргарита распускала и за границей. Тем временем ее тайные агенты подыскивали красивого и стройного юношу, которого можно было выдать за Ричарда, герцога Йоркского. Наконец поиски увенчались успехом

Перкин Уорбек, обладавший благородной внешностью и изящными манерами, был примерно того же возраста, что и Ричард. С раннего детства Уорбек много странствовал, поэтому было очень трудно установить, где он родился и кто его настоящие родители. И еще одно немаловажное обстоятельство: король Эдуард IV считался его крестным отцом. "Сей юноша (как говорят) родился в городе Турне и прозывался Питер Уорбек. Он сын крещеного еврея, чьим восприемником у купели был сам король Эдуард". Правда, король был крестным отцом еврея, а не Перкина. Но был ли Уорбек воспитанником, служащим, подмастерьем, слугой или приемным сыном упомянутого еврея, — он в том или ином качестве входил в состав семьи. Уорбек хорошо знал короля Эдуарда IV и, вполне вероятно, наблюдал некоторые сцены придворной жизни, что могло пригодиться при исполнении роли самозванца. Ему было около десяти лет, когда умер Эдуард.

Итак, у Джона Осбека и его жены Екатерины де Фаро был сын Питер. Он рос хрупким и изнеженным, поэтому все стали называть мальчика уменьшительным именем Питеркин, или Перкин. Фамилию Уорбек ему дали наугад, но именно под ней Питер прославился.

Еще ребенком он с родителями вернулся в Турне. Чуть позже его отдали на воспитание в дом родственника в Антверпене, и мальчик немало времени проводил в дороге между Антверпеном и Турне. Перкин подолгу жил среди англичан и в совершенстве овладел английским языком. Агент Маргариты Бургундской разыскал его в Антверпене. Обнаружив в нем возвышенный дух и подкупающие манеры, сестра Эдуарда IV подумала, что наконец-то отыскала прекрасную глыбу мрамора, из которой изваяет образ герцога Йоркского.

Маргарита окружила его существование глубокой тайной. Она обучала Перкина изящным манерам, наставляя, как соблюсти величие, но не утратить печати смирения, наложенной перенесенными невзгодами; затем рассказала подробно о Ричарде, герцоге Йоркском, которого ему предстояло играть: описала нрав, манеры и внешность короля и королевы — его мнимых родителей, его брата и сестер, и многих других людей, составлявших в детстве его ближайшее окружение, а также те события, которые произошли до смерти короля Эдуарда и могли запечатлеться в памяти ребенка. Она рассказала, что случилось после смерти короля. Что касается заточения в Тауэре, обстоятельства гибели брата и его собственного побега, то она знала, что в этом его способны уличить немногие, и потому ограничилась тем, что сочинила для него правдоподобную историю, от которой он не должен был отклоняться.

Заговорщики также обсудили, что он будет говорить о своих скитаниях на чужбине. Маргарита научила его обходить всевозможные коварные вопросы, которые ему будут задавать. Впрочем, Перкин обладал такой находчивостью, что она во многом положилась на его ум и находчивость. Наконец, Маргарита Бургундская распалила его воображение несколькими пожалованиями в настоящем и посулами большего в будущем, живописуя главным образом славу и богатство, какие принесет ему корона, если все пройдет гладко, и пообещала надежное прибежище при своем дворе, если их замысел провалится.

Маргарита решила, что мнимый сын Эдуарда IV должен объявиться в Ирландии в то время, когда король Генрих VII вступит в войну с Францией. Если из Фландрии он сразу направится в Ирландию, то могут подумать, что это произошло не без ее участия. Кроме того, в 1490 году английский и французский короли вели еще переговоры о мире. Поэтому Перкин под чужим именем выехал в Португалию с леди Брэмптон, англичанкой, и со своим сопровождающим. Там Перкин должен был затаиться, пока не получит от покровительницы дальнейшие указания. Сама же Маргарита готовила почву для его приема и признания не только в Ирландском королевстве, но и при французском дворе.

Перкин Уорбек провел в Португалии около года. Когда король Англии созвал парламент и объявил войну Франции, он отправился в Ирландию.

Уорбек прибыл к город Корк, где его сразу окружила толпа ирландцев. Увидев его богатое платье, местные жители стали говорить, что это герцог Кларенс, который бывал в тех местах прежде, потом — будто он незаконнорожденный сын Ричарда III, и наконец, будто он Ричард, герцог Йоркский, второй сын Эдуарда IV. По словам Перкина, он якобы хотел поклясться на святом Евангелии, что он и не первый, и не второй, и не третий, но его не слушали. На самом деле сразу по прибытии в Ирландию он выдал себя за герцога Йоркского и начал вербовать сторонников и последователей. Он разослал письма графам Десмонду и Килдеру, в которых призывал их прийти к нему на помощь и примкнуть к его партии. Появление Перкина в Ирландии и прием, оказанный ему там, могли послужить достаточной причиной для того, чтобы шотландский король Яков не стремился заключить на длительный срок мир с Генрихом VII.

Маргарита привлекла на свою сторону доверенного слугу короля Генриха, Стефана Фрайона, который был у него секретарем, — человека деятельного, но вечно чем-то недовольного. Фрайон перебежал от него к королю Франции Карлу и поступил к нему на службу. Карл, поняв замысел Перкина и будучи сам не прочь использовать любую возможность уязвить правителя Англии, немедленно отправил Фрайона и некоего Лукаса к Перкину, дабы те уведомили его, что французский король хорошо к нему расположен и желает помочь ему отстоять свое право перед королем Генрихом, узурпатором английского престола и врагом Франции, и приглашал его приехать в Париж.

Перкин приободрился. Сообщив своим друзьям в Ирландии, что услышал зов судьбы, он отправился во Францию.

В Париже самозванец был с великими почестями принят королем, который приветствовал и величал его герцогом Йоркским. Карл поселил Уорбека в великолепных покоях и приставил к его особе почетную охрану. Придворные примкнули к королевской игре (хотя и плохо преуспели в лицедействе), ибо видели, что на это есть государственные причины. В ту же пору у Перкина побывали многие знатные англичане: сэр Джордж Невилл, сэр Джон Тейлор и около сотни других. А Стефан Фрайон стал главным советником и участником всех предприятий Уорбека. Но со стороны французского короля все это было лишь уловкой, для того чтобы склонить короля Генриха к миру. Впрочем, дорожа своей честью, король Франции не пожелал выдать самозванца королю Генриху (о чем его настоятельно просили), а предупредил Уорбека об опасности и отослал от двора.

Перкин и сам хотел уехать, опасаясь, как бы его не похитили тайно. Он поспешил во Фландрию к герцогине Бургундской и там предстал изгнанником, который после многих превратностей судьбы направил свой челн в те края в надежде обрести безопасную гавань. При этом он вел себя так, словно приехал во Фландрию впервые. А Маргарита притворилась, будто видит перед собой чужака и незнакомца, заявив при этом, что сначала ей необходимо расспросить юношу и удостовериться, действительно ли перед ней герцог Йоркский.

Выслушав его ответы, она сделала вид, что изумлена, обрадована, но в то же время боится поверить в его чудесное избавление. Наконец приветствовала его как восставшего из мертвых, воскликнув, что Бог недаром столь дивным образом уберег его от гибели, уготовив ему великое и счастливое будущее. Что касается его изгнания из Франции, то оно превратилось в свидетельство его величия, ведь мир между Францией и Англией стал возможен только после того, как Карл отрекся от Перкина, а следовательно, несчастного принца просто принесли в жертву честолюбию двух могущественных монархов. Да и сам Перкин излучал столько любезности и королевского величия, он так убедительно отвечал на любые вопросы, так ублажал всех, кто к нему являлся, так изящно скорбел и колол презрением всякого, кто выказывал ему неверие, что все решили, что он и есть герцог Ричард. Более того, от долгой привычки выдавать себя за другого, от частого повторения лжи он и сам почти сжился со своей ролью и уверовал в собственный обман. Поэтому герцогиня, как бы отрешившись от последних сомнений, оказывала ему почести, подобающие государю, всегда называла его именем своего племянника, и даже присвоила ему возвышенный титул Белой розы Англии и назначила ему почетную охрану из тридцати человек — алебардщиков, облаченных в ливреи багряных и голубых цветов. Не менее почтительны в обращении с ним были и все ее придворные, будь то фламандцы или иноземцы.

Весть о том, что герцог Йоркский жив, быстро разлетелась по Англии. Говорили, что Ричарда сначала приютили в Ирландии, а потом приютили и предали во Франции, и что ныне он признан и живет в большой чести во Фландрии.

Генриха VII начали обвинять в том, что он обирает народ и унижает знать. Припомнили ему и потерю Бретани и мир с Францией. Но больше всего его укоряли за то, что до сих пор не признана первичность прав королевы Елизаветы на престол. Теперь, говорили в народе, когда Бог явил свету мужского отпрыска дома Йорков, ему несдобровать. Эти слухи распространились столь широко, что вскоре лорд-камергер королевского двора сэр Уильям Стенли, лорд Фитцуотер, сэр Саймон Маунтфорд и сэр Томас Твейтс вошли в тайный сговор в пользу герцога Ричарда, однако никто из них не выступил открыто, кроме сэра Роберта Клиффорда и Уильяма Барли, которые по поручению партии заговорщиков отплыли по Фландрию. Особенно порадовал леди Маргариту приезд сэра Роберта Клиффорда — прославленного и родовитого дворянина. Переговорив с ним, она привела его к Перкину, с которым он потом часто и подолгу беседовал. Наконец, то ли поддавшись убеждениям герцогини, то ли поверив Перкину, он написал в Англию, что знает Ричарда, герцога Йоркского, как самого себя, и что сей молодой человек — несомненно тот, за кого себя выдает. Таким образом, все в этой стране готовилось к смуте и мятежу, а между заговорщиками во Фландрии и в Англии установились тесные сношения.

Генрих VII должен был разоблачить самозванца и заговорщиков. Для этого ему нужно было найти свидетельства того, что герцог Йоркский действительно убит, или доказать, что Перкин — самозванец.

Подтвердить убийство герцога Йоркского могли только четыре человека: сэр Джеймс Тиррел (человек, нанятый королем Ричардом), Джон Дайтон и Майлз Форрест, слуги последнего (двое палачей, или мучителей), и священник Тауэра, похоронивший убитых. Из этих четверых Майлз Форрест и священник были мертвы, а в живых оставались сэр Джеймс Тиррел и Джон Дайтон. Этих двоих король приказал заключить в Тауэр и допросить о гибели невинных принцев.

Они показали, что король Ричард III направил указ об умерщвлении принцев коменданту Тауэра Брэкенбери, но тот отказался повиноваться, тогда король обратился к сэру Джеймсу Тиррелу, чтобы тот принял у коменданта ключи от Тауэра для исполнения особого королевского поручения.

Сэр Джеймс Тиррел тотчас поспешил в Тауэр, сопровождаемый слугами. Оставшись у подножия лестницы, он послал этих негодяев наверх исполнить волю короля. Они задушили принцев во сне. Тела принцев зарыли под лестницей и сверху завалили камнями.

Когда королю Ричарду доложили, что его воля исполнена, он поблагодарил сэра Джеймса, однако не одобрил места погребения, ибо счел его слишком низким для сыновей короля. Поэтому, на следующую ночь, по новому указанию короля священник Тауэра выкопал тела и захоронил их в другом месте, которое (по причине смерти священника, вскоре за тем последовавшей) осталось неизвестным.

Генрих VII не использовал эти показания ни в одном из своих заявлений против Перкина, поскольку дело после допросов оставалось по-прежнему запутанным. Тогда король попытался выяснить происхождение самозванца. Он отправил в несколько стран, в том числе и во Фландрию, своих агентов. Некоторые из них выдали себя за перебежчиков и, явившись к Перкину, примкнули к его окружению, другие под разными предлогами стали выспрашивать и выискивать все обстоятельства и подробности, касавшиеся родителей Перкина, его происхождения, характера и странствий, короче, всего, что помогло бы составить его биографию.

Генрих VII щедро оплачивал услуги своих агентов, обязав их постоянно сообщать ему обо всем, что они узнают. Самым сметливым было приказано втереться в доверие к лидерам фландрской партии и узнать, кто их сообщники и поверенные как в Англии, так и за границей; насколько каждый из них вовлечен в заговор; кого они еще намерены склонить на свою сторону, а также, если удастся, подноготную всех тайн Перкина и заговорщиков.

Благодаря шпионам король был хорошо осведомлен о каждом участнике заговора в Англии. К тому же ему удалось завоевать расположение сэра Роберта Клиффорда. Генрих VII распространил во всему королевству сведения, разоблачившие авантюриста Перкина и его ложь о своем происхождении и скитаниях, — сделано это было с помощью придворных сплетен, которые гораздо эффективнее, чем прокламации. Тогда же он решил, что настало время отправить посольство к великому герцогу Филиппу во Фландрию, дабы убедить его отступиться от Перкина и отослать его от двора.

После недолгого совещания Совет дал послам следующий ответ: великий герцог из любви к королю Генриху никоим образом не станет помогать мнимому герцогу, он во всем сохранит дружбу с королем. Что же касается вдовствующей герцогини, то она самовластна в землях, отошедших к ней в приданое, и он не может заставить ее поступиться своим имением.

Генриха VII такой ответ отнюдь не удовлетворил, ибо он-то хорошо знал, что приданое не заключает в себе суверенных прав, таких, как право набора войска. Кроме того, послы сказали ему, что, по их наблюдениям, самозванец имеет в совете Филиппа сильных сторонников, и, хотя великий герцог пытается представить дело так, будто он лишь не препятствует герцогине укрывать Перкина, в действительности он сам оказывает ему помощь и содействие.

Зная, что Перкин больше полагался на друзей и сообщников в Англии, чем на иностранное оружие, король решил, что ему следует сурово наказать нескольких главных заговорщиков в королевстве и тем самым развеять надежды фландрской партии.

Король призвал к себе избранных советников и Клиффорда. Последний, бросившись к его ногам, взмолился о прощении, которое король ему тут же и даровал, впрочем, в действительности ему втайне обещали жизнь еще раньше. Затем Клиффорд рассказал все, что ему известно, и в частности донес на сэра Уильяма Стенли, лорда-камергера королевского двора.

Тайтлер в своей "Истории Шотландии" по поводу показаний сэра Клиффорда, получившего прощение Генриха 22 декабря 1494 года, пишет: "Это разоблачение стало роковым ударом для йоркистов. Их замысел, по-видимому, состоял в том, чтобы провозгласить Перкина королем в Англии, пока его многочисленные сторонники готовились восстать в Ирландии; в то же время шотландский монарх должен был во главе войска нарушить границы и вынудить Генриха разделить свои силы. Однако предводители приграничных кланов, которым не терпелось начать войну, вторглись в Англию слишком рано; к несчастью для Уорбека, случилось то, что, пока буйная вольница, включавшая Армстронгов, Эльвальдов, Кроссаров, Вигэмов, Никсонов и Генрисонов, спускалась в Нортамберленд в надежде поднять там восстание в пользу самозванного герцога Йорка, предательство Клиффорда раскрыло все детали заговора, а поимка и казнь главарей повергла народ в такой ужас, что дело Перкина в тот момент представлялось безнадежным".

Эти казни, в особенности казнь лорда-камергера, главной опоры заговорщиков, которого к тому же выдал сэр Роберт Клиффорд, — а они ему очень доверяли, — ошеломили Перкина и его сообщников.

Уорбек по-прежнему рассчитывал на привязанность простого люда к дому Йорков. Простонародью не нужно столько обещаний, как знатным особам, думал он, и чтобы завоевать его привязанность, достаточно воздвигнуть в поле штандарт. Местом своей будущей вылазки он избрал берег Кента.

К тому времени король приобрел славу человека хитрого и дальновидного, причем любое событие, имевшее удачный исход, приписывали и ставили в заслугу его предусмотрительности. Впоследствии говорили, что король, получив тайную весть о намерении Перкина высадиться в Корке, решил заманить его и нарочно уехал подальше на север, чтобы, открыв самозванцу фланг, заставить его подойти вплотную и напасть на него.

Войско Перкина состояло в основном из разорившихся гуляк, воров или грабителей. С ним он вышел в море и в начале июля 1495 года стал близ кентского берега между Сэндвичем и Дилом.

Там он бросил якорь. Поняв, что за Перкиным не стоят знатные англичане и что его воины — чужеземцы, способные скорее обчистить окрестности, чем отвоевать королевство, жители Кента обратились к первым дворянам графства и, поклявшись в верности королю, пожелали, чтобы ими располагали и распоряжались так, как лучше для блага короля.

Посовещавшись, дворяне направили часть сил на берег, чтобы знаками выманить солдат Перкина на сушу, как бы для того, чтобы с ними соединиться, а остальным велели появляться в разных местах берега и создавать видимость поспешного отступления, чтобы побудить их к высадке.

Однако Перкин уже знал, что народ, послушный власти, сначала совещается, а потом выступает в походном порядке, тогда как повстанцы сбегаются к главарю беспорядочной толпой. К тому же авантюрист заметил, что они хорошо вооружены. Перкин решил не высаживаться с корабля, пока не убедится, что все надежно.

Поняв, что больше им никого не выманить, англичане набросились на тех, кто уже высадился, и порубили их. В этой стычке (помимо убитых во время бегства) было схвачено около ста пятидесяти пленников.

Король, которого известили о высадке мятежников, хотел было прервать свое путешествие, но, получив сообщение о разгроме мятежников, продолжил путь, отправив с поздравлениями в Кент сэра Ричарда Гилдфорда.

Генрих VII для устрашения приказал всех пленников повесить. Их пригнали в Лондон, связанных веревками, как упряжку лошадей в повозке, и казнили, кого в Лондоне и Вэппинге, кого на побережье Кента, Сэссекса и Норфолка, расставив их там вместо вех и маяков.

Перкин же снова отплыл в Ирландию. Здесь он перевел дух, после чего решил искать помощи у Якова, молодого и доблестного короля Шотландии, жившего в ладу со знатью и народом и противника короля Генриха. В то же время к английскому королю испытывали неприязнь Максимилиан и король Франции Карл, которые так обеспокоились судьбой Уорбека, что оба тайными письмами и грамотами рекомендовали его королю Шотландии.

Перкин приехал в Шотландию с большой свитой и был с почестями встречен королем. Он прибыл в Стерлинг 20 ноября 1495 года.

Перкина торжественно ввели к королю. Тот оказал ему теплый прием, восседая в тронной зале в окружении вельмож. Уорбек приблизился к королю и слегка поклонился, затем отступил на несколько шагов назад и громким голосом произнес речь.

В ответ король Яков обещал ему, что, кем бы гость ни был, он никогда не раскается, что отдал себя в его руки. С того самого времени шотландец, то ли очарованный любезным и пленительным обхождением Перкина, то ли поверив рекомендациям великих чужеземных государей, то ли желая воспользоваться поводом к войне с королем Генрихом, стал вести себя с ним как с Ричардом, герцогом Йоркским. И чтобы развеять последние сомнения в том, что он принимает его за великого государя, а не за самозванца, король дал согласие, чтобы герцог взял в жены леди Екатерину Гордон, дочь графа Хантли и близкую родственницу самого короля — молодую девственницу редкой красоты и добродетели.

Вскоре король шотландцев, сопровождаемый Перкином, с большим войском, состоявшим в основном из жителей приграничных районов, вступил в Нортамберленд.

Однако призыв Перкина сплотиться вокруг него не получил отклика у народа. Тогда король Шотландии обратил свое предприятие в набег и огнем и мечом опустошил и разрушил графство Нортамберленд. Узнав, что против него посланы войска, он с большой добычей вернулся в Шотландию. Говорят, что, когда Перкин увидел, что шотландцы принялись опустошать деревни, он, пылая негодованием, явился к королю и потребовал, чтобы война не велась варварским образом, ибо ему не нужна корона, добытая ценой крови и разорения его страны.

Между тем короли Шотландии и Англии начали вести переговоры о мире. Однако вскоре они зашли в тупик. Главным препятствием было требование Генриха VII выдать ему Перкина как лицо, не охраняемое международным правом. Яков наотрез отказался это сделать, говоря, что он плохой судья правам Перкина, но он принял его как просителя, защитил как беглеца, искавшего убежища, дал ему в жены свою близкую родственницу, помогал ему оружием в уверенности, что он — государь, и теперь по чести не может выдать его врагам, ибо это означало бы перечеркнуть и признать ложью все, что он перед тем говорил и делал.

Однако король Шотландии, не меняя своей официальной позиции в отношении Перкина, после частых бесед с англичанами и других свидетельств заподозрил, что Перкин — самозванец. Яков призвал его к себе и, перечислив все благодеяния и милости, которые он ему оказал, посоветовал Перкину подумать о своей судьбе и выбрать более подходящее место изгнания, добавив, что он не хотел этого говорить, но англичане разоблачили его перед шотландским народом, — он уже два раза опрашивал всех своих приближенных, и никто из них не принял его сторону; тем не менее он исполнит свое обещание и предоставит ему корабли.

Перкин отвечал королю, что, по-видимому, его время еще не пришло, но, как бы ни сложилась его судьба, он будет думать и говорить о короле по чести. Уорбек не поехал во Фландрию, ибо опасался, что с тех пор, как год назад великий герцог заключил с Генрихом VII договор, эта страна превратилась для него в западню. Вместе с женой и преданными сторонниками авантюрист переправился в Ирландию.

Недавние народные волнения в Корнуолле, казалось, не имели никакого отношения к Перкину, хотя его прокламация, обещавшая упразднить поборы и платежи, затронула верную струну, и корнуэльцы поминали его добром. К моменту приезда Перкина корнуэльские мятежники, взятые в плен и получившие прощение, а многие выкупленные у захвативших их солдат по два шиллинга двенадцать пенсов каждый, вернулись в свое графство. Королевское милосердие придало им скорее смелости, чем благоразумия — они начали подбивать и подзадоривать друг друга возобновить смуту. Некоторые из них, прослышав, что Перкин в Ирландии, известили его, что, если он к ним приедет, они будут ему служить.

Перкин стал совещаться с тремя главными советниками: Херном, бежавшим от долгов торговцем шелком и бархатом, портным Скелтоном и писцом Эстли. Они сказали ему, что если бы ему посчастливилось оказаться в Корнуолле в то время, когда народ поднял восстание, то его уже короновали бы в Вестминстере, ибо все эти короли продадут бедных принцев за пару башмаков, а ему следует полностью опереться на народ, и потому надо побыстрее плыть в Корнуолл.

Перкин переправился туда на четырех маленьких барках с 80 воинами. Он причалил в бухте Уитсэнд-бей. В Бодмине к нему присоединилось до трех тысяч грубых мужланов.

Самозванец выпустил прокламацию, в которой ублажал народ щедрыми обещаниями и разжигал его выпадами против короля и правительства. Перкин начал величать себя Ричардом IV, королем Англии. Советники надоумили его овладеть каким-нибудь хорошо укрепленным городом, чтобы, во-первых, дать своим людям изведать сладость богатой добычи и надеждами на такую же добычу привлечь новых рекрутов, а, во-вторых, иметь надежное убежище, куда можно было отступить в случае неудачи на поле боя. 17 сентября повстанцы осадили Эксетер, самый сильный и богатый город в тех краях. Подойдя к Эксетеру, они стали кричать и горланить, рассчитывая напугать жителей, затем пообещали, что если они первыми признают короля, то он превратит Эксетер в новый Лондон. Однако горожане на провокации не поддавались.

21 сентября Перкин снял осаду и двинулся в Тонтону, не отрывая одного глаза от короны, но другим уже начиная косить в сторону святого убежища, хотя корнуэльцы клялись и божились оставаться с ним до последней капли крови.

Уходя от Эксетера, он имел от шести до семи тысяч человек, многие из которых, привлеченные молвой о столь крупном предприятии и в расчете на добычу, явились, когда он уже стоял перед Эксетером, но после снятия осады некоторые улизнули. Подступив к Тонтону, Перкин, изображая бесстрашие, весь день делал вид, что готовится к бою, но около полуночи в сопровождении трех десятков всадников бежал в Бьюли, что в Нью-Форесте, бросив корнуэльцев на произвол судьбы. Впрочем, тем самым он освободил их от клятвы и выказал обычную для него сентиментальность, удалившись, чтобы не видеть, как прольется кровь его подданных. Узнав о бегстве Перкина, Генрих VII выслал пятьсот всадников, чтобы перехватить его, прежде чем он достигнет моря или того малого островка, который называли святилищем. Но к последнему отряд подоспел слишком поздно. Поэтому им оставалось лишь окружить убежище и выставить охрану, ожидая дальнейших распоряжений короля.

Генрих VII отправил делегацию для переговоров с Перкином, который с радостью согласился на такое условие, поскольку был в плену и лишен всяких надежд. Перкина доставили ко двору, но не представили королю, хотя тот, снедаемый любопытством, порой наблюдал за ним из окна. Перкин пользовался свободой, но находился под постоянным наблюдением.

Однако вскоре Перкин начал затевать новую авантюру. Накануне Троицы в субботу 9 июня 1498 года, обманув стражу, он сбежал и направился к морскому берегу, но, спасаясь от погони, вынужден был повернуть обратно. Он проник в Вифлеемский дом, называемый Шайнским приорством (которое имело привилегию святилища), и сдался приору этого монастыря. Приор слыл святым и был в те дни окружен всеобщим почитанием. Он явился к королю и стал просить его сохранить Перкину жизнь, во всем остальном предоставляя его судьбу усмотрению короля. Многие из окружения Генриха VII убеждали его схватить и повесить Перкина, однако король, которому высокомерие не позволяло ненавидеть тех, кого он презирал, решил схватить проходимца и забить его в колодки. Итак, пообещав приору сохранить самозванцу жизнь, он велел его выдать.

15 июня Перкина заковали в кандалы и забили в колодки на эшафоте, воздвигнутом во дворе Вестминстерского дворца, и продержали так весь день. На следующий день то же самое повторилось на перекрестке в Чипсайде, и в обоих местах он вслух читал свою исповедь. Из Чипсайда его перевели и заточили в Тауэр.

Недолго пробыв в Тауэре, Перкин начал задабривать своих стражей — четверых слуг коменданта Тауэра сэра Джона Дигби. Он обещал золотые горы, чтобы совратить этих людей и добиться побега. Но, хорошо зная, что его собственная судьба столь презренна, и он не может питать иллюзий, Перкин устроил заговор, чтобы привязать к себе Эдуарда Плантагенета, графа Уорика, тогдашнего узника Тауэра, который готов был ухватиться за малейший шанс выбраться на свободу. Если слуги не польстятся на него самого, думал Перкин, то польстятся на этого молодого принца. Обменявшись через слуг записками, он заручился согласием графа на побег. Условились, что эти четверо ночью тайком убьют своего господина, коменданта Тауэра, завладеют деньгами и имуществом, которые окажутся под рукой, достанут ключи от Тауэра и выпустят Перкина и графа на свободу.

Но заговор был раскрыт. Перкин лишь послужил приманкой, дабы завлечь в ловушку графа Уорика.

Как бы там ни было, после неудавшегося побега Перкина, согрешившего против помилования в третий раз, подвергли суду. 16 ноября 1499 года он был обвинен в Вестминстере судьями, получившими поручение слушать и решать, и на основании многих измен, совершенных и осуществленных им после высадки на сушу в пределах королевства (ибо судьи посоветовали, что его следует судить как иностранца), приговорен к смерти, а через несколько дней казнен в Тайберне, где он снова вслух читал свою исповедь и перед смертью подтвердил ее истинность.

Суд под председательством графа Оксфорда предъявил обвинение несчастному графу Уорику, которому вменялось в вину не то, что он пытался бежать (ибо попытка не осуществилась, да и побег по закону нельзя было приравнять к измене, поскольку граф содержался в тюрьме не за измену), но то, что он вместе с Перкином замышлял поднять смуту и уничтожить короля. Тот признал обвинение справедливым и был вскоре обезглавлен на Тауэр-Хилл.

Эрнан Кортес

(1485 — 1547)

Испанский конкистадор. В 1504 — 1519 годах служил на Кубе. В 1519 — 1521 годы возглавил завоевательный поход в Мексику, приведший к установлению испанского господства. В 1522 — 1528 годах — губернатор, а в 1529 — 1540-х — капитан Новой Испании (Мексики). В 1524 году в поисках морского прохода из Тихого океана в Атлантический пересек Центральную Америку. В последние годы жизни проявил себя как талантливый колонизатор.

Двое знаменитых конкистадоров были родом из испанской провинции Эстремадура. Эрнан Кортес появился на свет в городке Медельин; Франсиско Писарро — в Трухильо. Между ними существовала и родственная связь: Кортес был сыном Мартина Кортеса де Монро и донны Каталины Писарро Альтамарино. Кортес, Монро, Писарро, Альтамарино — древние знатные фамилии, отец и мать Кортеса принадлежали к сословию идальго. В соответствии с испанским обычаем полное имя будущего завоевателя было Эрнан Кортес-и-Писарро.

Кортеса и Писарро отличали незаурядная смелость, оба были прирожденными лидерами, искателями приключений. Более того, оба набирали своих лучших людей именно в Эстремадуре, суровой, высокогорной стране.

Отец Эрнана Кортеса прочил единственному сыну карьеру юриста. В четырнадцать лет юношу отправили в университет города Саламанки. Однако через два года Эрнан вернулся домой.

Хронист Берналь Диас писал о Кортесе: “Он был хорошим латинистом и, беседуя с учеными людьми, говорил с ними на этом языке. По-видимому, он даже доктор права. Он также немного был поэтом и сочинял прелестные стихи, и то, что он писал, было весьма достойным”.

После ухода из университета Кортес проводил свои дни в праздности. Он был слишком своевольным, чтобы позволить другим руководить собой. Пылкий и резкий юноша уже тогда подумывал о карьере военного. Однако он еще на два года задержался в Севилье.

В 1504 году девятнадцатилетний Кортес отправился на остров Эспаньолу. Здесь, на Гаити, Кортес обратился в Санто-Доминго с ходатайством о предоставлении ему права гражданства и о выделении земли. По прибытии в Новый Свет он не имел намерения обосноваться здесь, однако в силу обстоятельств был вынужден попытать счастья в качестве муниципального чиновника и землевладельца. Губернатор Овандо выделил ему землю и индейцев для работ. Кроме того, Кортесу, как юристу, дали должность секретаря в совете вновь основанного города Асуа, где он прожил шесть лет. Однако Эрнан не отказался от своей склонности к приключениям и участвовал в боевых действиях против восставших индейцев.

В 1511 году Диего де Веласкес начал завоевание Кубы. Кортес, отказавшись от своих владений, сменил спокойное существование землевладельца на полную приключений жизнь конкистадора. Во время кубинского похода он благодаря своей открытой, жизнерадостной натуре и мужеству приобрел немало друзей. Кортес находился в фаворе у вновь назначенного губернатора Веласкеса и даже стал личным секретарем своего покровителя. Он поселился в первом испанском городе на Кубе, в Сантьяго-де-Барракоа, где дважды избирался алькальдом (городским судьей). Он достиг успехов и как землевладелец, занявшись разведением овец, лошадей, крупного рогатого скота. В последующие годы он полностью посвятил себя обустройству своих поместий и с помощью выделенных ему индейцев добыл в горах и реках большое количество золота.

Изменения произошли и в его личной жизни; в Сантьяго, в присутствии губернатора, Кортес отпраздновал свою свадьбу с Каталиной Суарес, происходившей из мелкопоместного дворянства Гранады.

За годы, проведенные на Кубе, Кортес многому научился. Он понял, что продажное испанское чиновничество играет главную роль в карьере колониста. О любезности и дипломатической ловкости будущего завоевателя говорит то обстоятельство, что, несмотря на случавшиеся время от времени любовные интрижки и другие эскапады, приводившие к стычкам с Веласкесом, он продолжал пользоваться благосклонностью своенравного наместника.

Веласкес назначил Кортеса главнокомандующим экспедиции в Центральную Америку. Эрнан без промедления приступил к снаряжению флота. Он заложил свои имения, занял деньги у нескольких богатых граждан Сантьяго, а когда его кредит был исчерпан, использовал кредиты, предоставленные его друзьям. Репутация Кортеса, а также весть о богатстве вновь открытых стран заставили многих искателей приключений поспешить под его знамена. Было снаряжено шесть кораблей, более трехсот человек вызвалось принять участие в экспедиции.

Однако Веласкес хотел ограничить размеры экспедиции небольшим количеством участников и кораблей, а цели ее — продолжением открытий, чтобы затем самому приступить к колонизации страны. Размах приготовлений вызвал недовольство губернатора, и он отстранил Кортеса от командования экспедицией.

Кортес в этой непростой для него ситуации проявил способность быстро принимать решения, что впоследствии не раз спасало экспедицию от верной гибели. Несмотря на то что экипаж не был полностью укомплектован, а корабли недостаточно оснащены, Эрнан Кортес тайно отдал приказ поднимать паруса. В полночь небольшая флотилия снялась с якоря. Кортес рисковал головой, лишь успех экспедиции мог спасти его.

18 ноября флот двинулся в Макаку, небольшой порт примерно в 80 километрах западнее Сантьяго. Здесь участники экспедиции считали себя недосягаемыми для погони наместника. В Тринидаде Кортес пополнил запасы и приказал поднять свой штандарт черного бархата, на котором были изображены красный крест, окруженный белыми и синими языками пламени, и надпись на латинском “In hoc signo vinces” (“С этим знаком побеждаю”). Под командованием Кортеса уже находились знатные и известные идальго, поэтому к экспедиции присоединялись все новые и новые люди. В конце концов в завоевании Мексики приняло участие около 2000 испанцев. С этим отрядом Кортес отправился в самый рискованный и трудный военный поход своего века.

10 февраля 1519 года эскадра взяла курс на мыс Сан-Антонио, выбранный в качестве места сбора. Экспедиция состояла из 11 старых судов. 18 февраля был взят курс на Юкатан. Солдат Берналь Диас дель Кастильо, описавший поход завоевателей, сообщал о своем 34-летнем главнокомандующем: “Что же касается внешности Кортеса, то он был привлекательным, статным и сильным. Лицо его имело пепельно-серый оттенок; оно было бы красивее, будь немного длиннее... Выражение лица едва ли свидетельствовало о веселом нраве. Его взгляд был большей частью серьезным, но он мог, когда хотел, придавать своим глазам большую любезность... Он был превосходным наездником, искусным в обращении с любым оружием, в сражении как в пешем, так и в конном строю, и, что самое главное, он обладал мужеством, которое не останавливалось ни перед чем... Если Кортесом овладевала идея, то его уже невозможно было заставить отказаться от нее, в особенности в делах военных...”

Таков был человек, которому вверили себя испанские рыцари и которому довелось стать их предводителем в величайшей авантюре, о какой они не мечтали и в самых смелых своих фантазиях.

Флотилия, вышедшая в море при благоприятной погоде, затем попала в один из тех мощных ураганов, которые нередки в Карибском море в это время года. Ее разметало во все стороны, и Кортес на своем флагманском судне “Капитанья” последним пришел к месту сбора — острову Косумель.

Наконец экспедиция достигла устья Рио-Табаско, или Рио-Грихальва, как эта река была названа в честь ее первооткрывателя. Испанцы заняли столицу провинции Табаско и вскоре пожалели, что пустились на подобную авантюру, поскольку к городу подошли многочисленные отряды индейцев.

После долгих раздумий Кортес решился дать противнику бой. Отступление в самом начале похода подорвало бы моральное состояние его людей и вдохновило индейцев. 25 марта 1519 года, в день Благовещения, члены экспедиции прослушали мессу, а затем бросились в бой. И хотя испанцам противостояли превосходящие силы аборигенов, они одержали победу. Индейцы, прежде не видевшие лошадей, в паническом страхе обратились в бегство, а всадники, возглавляемые лично Кортесом, с криками "Сантьяго!" устремились вслед за ними. На месте победы впоследствии была сооружена новая столица провинции, названная Санта-Мария-де-ла-Виктория.

Потери испанцев оказались незначительными. Жители Табаско, потерявшие несколько тысяч человек, заключили с испанцами мир. Вожди преподнесли подарки, и в их числе 20 индейских девушек, которых Кортес после крещения распределил среди своих капитанов. Одна из них, Марина, родила Кортесу сына, получившего в честь деда имя дон Мартин Кортес и впоследствии ставшего командором рыцарского ордена в Яго...

Экспедиция продолжила путь. В Сан-Хуан-де-Улуа состоялась первая встреча с могущественным правителем Мексики Монтесумой. По рассказам индейских послов можно было судить о величии и власти империи ацтеков. Идея покорить силой государство, в котором около двух миллионов воинов, отрядом из 600 человек должна была показаться чистейшим безумием. Завоевать Мексику можно было лишь с помощью политических и дипломатических средств, путем ловкого использования раскола, существовавшего внутри индейского народа.

Через неделю послы Монтесумы вновь прибыли в лагерь испанцев. Сотня носильщиков доставила подарки властителя завоевателям. К удивлению индейцев, Кортеса заинтересовал желтый металл, который добывался в горных рудниках. Сами индейцы называли золото "нечистотами богов".

С помощью драгоценных подношений Монтесума стремился заставить чужаков отказаться от плана захвата мексиканской столицы. Властитель не подозревал, что именно его богатые дары еще больше вдохновили испанцев на продвижение к источнику этих сокровищ. Изделия из золота могли предотвратить опасность, грозящую Мексике, не больше, чем заклинания магов и чародеев, вновь и вновь посылаемых Монтесумой.

Эрнан Кортес, прежде чем двинуться в глубь Мексики, заложил на побережье поселок — Вилла-де-ла-Вера-Крус. Для того чтобы соблюсти хотя бы видимость законности, Кортес возложил все полномочия на назначенный им самим городской совет и попросил об отставке с должности главнокомандующего. Власть губернатора Диего Веласкеса сменила власть Совета Веракруса. Для видимости некоторое время шло обсуждение, затем Кортес вновь предстал перед Советом, где ему объявили, что им не удалось найти более достойной кандидатуры на пост руководителя экспедиции, чем он. Кортес стал верховным судьей и генерал-капитаном. Однако, чтобы это решение обрело законную силу, необходимо было получить одобрение короля Испании. Эрнан Кортес использовал свой дар красноречия, чтобы переманить на свою сторону сторонников Веласкеса, которых в его отряде оказалось немало.

В своем решении пробиться к таинственной столице мексиканской империи Кортес нашел неожиданных, а потому столь желанных союзников в лице тотонаков, врагов мексиканцев. Индейцы из этого племени предложили Кортесу посетить их столицу Семпоаллу.

Для того чтобы еще прочнее привязать к себе тотонаков, Кортес приказал захватить пятерых мексиканских сборщиков налогов. При этом он вел двойную игру, поскольку приказал своим людям тайно освободить ацтекских чиновников и отправить их к Монтесуме с дружественным посланием. Таким образом Кортес снискал расположение тотонаков, а с другой стороны, удостоился благодарности мексиканцев, которые не подозревали о коварстве испанца.

Но конкистадору нужно было заручиться поддержкой еще и испанского короля, чтобы избежать возможных санкций со стороны Веласкеса. Кортес отказался от полагавшейся ему пятой части всей завоеванной до тех пор добычи и сумел уговорить солдат отказаться от своей доли в пользу короля.

В июле 1519 года лучший корабль эскадры при попутном ветре отплыл в Испанию. Для Эрнана Кортеса прием его посланников при дворе оказался триумфальным. Король выразил свою благодарность и вместе с придворными восхищался произведениями искусства Нового Света. Король узаконил деятельность конкистадора; одновременно он отдал распоряжение снарядить три корабля в помощь Кортесу.

16 августа 1519 года испанские завоеватели вместе с тотонаками выступили в направлении мексиканской столицы Теночтитлана. У крутых склонов Кордильер был разбит лагерь.

На четвертый день отряд наконец вошел в горы. Начался крутой подъем к укрепленному городу, который Диас в своих записках называет Сокочима. К нему вели две тропы, вырубленные в скале в виде лестниц и очень удобные для обороны. Однако местный касик получил от Монтесумы приказ пропустить испанцев.

Следующие три дня испанцы шли по “пустынной местности, необитаемой по причине ее скудости, недостатка воды и сильных холодов”. Перейдя пустыню, они добрались до цепочки холмов. Здесь, на перевале, расположилось маленькое хранилище идолов, “похожее на придорожную часовню”, обложенную аккуратно собранными в штабеля вязанками дров. Кортес назвал это место Пуэрто-де-ла-Ленья (Порт хвороста). Вскоре армия добралась и до крупного города, каменные дома которого, выбеленные известью, сверкали на солнце так ярко, что чужеземцам вспомнился юг их родной Испании. Берналь Диас пишет, что они нарекли город Кастильбланко (Белая крепость). Теперь он называется Саулта. И брат Бартоломео — глава священников отряда, сделавший все, что можно для распространения веры в городах и деревнях тотонакских индейцев, не позволил установить тут крест: его поразил размах жертвоприношений. Здесь было тринадцать теокалли (индейских храмов) с непременными грудами черепов в каждом. Берналь Диас оценил количество принесенных здесь в жертву людей в сто с лишним тысяч.

Кортесу были нужны союзники, а поскольку семпоальцы заверили его в дружеских намерениях тласкаланцев, чьи земли лежали впереди, Кортес выслал четырех индейцев вперед в качестве послов, а сам выступил в город Ихтакамахчитлан. Спустя три дня отряд двинулся через долину в горы.

Преодолев перевал, конкистадоры вступили на земли враждебно настроенных племен. Последующие события Берналь Диас описывает так: “Две армии, числом тысяч около шести, вышли им навстречу с громкими кличами и барабанным боем. Дуя в трубы, они пускали стрелы, метали копья и бились с незаурядной отвагой”. Редкая битва у туземцев начиналась без противостояния — и у Кортеса было время выказать знаками свои мирные намерения и даже объясниться с индейцами через переводчика. Но в конце концов те бросились в атаку, и на сей раз сам Кортес первым выкрикнул старый боевой

клич "Сантьяго!" Во время первого натиска было убито много индейцев, включая трех вождей. Затем они отступили в лес, где вождь тласкаланцев Хикотенкатль ждал в засаде с сорока тысячами воинов. Местность была пересеченной, чтобы с пользой применить кавалерию, но когда испанцы выбили индейцев на открытый участок, положение изменилось, и Кортес смог ввести в бой шесть своих пушек. Но даже и с пушками сражение длилось до заката солнца. Индейцы во много раз превосходили численностью испанцев и их союзников, поскольку под началом Хикотенкатля было пятеро вождей, каждый из которых командовал десятью тысячами воинов.

Как сообщает Берналь Диас, первое столкновение с главными силами тласкаланцев произошло 2 сентября 1519 года, а через три дня разыгралось еще одно крупное сражение. Кортес утверждал в своих письмах королю, что индейцев было 139 тысяч. Битва происходила на равнине, где и конница, и артиллерия могли развернуться. Тласкаланцы атаковали гуртом, и артиллерия косила их, как траву, а получившие боевую закалку испанские солдаты врывались в толпу неприятеля подобно римским легионерам. Однако вскоре у испанцев осталась всего дюжина лошадей, победу же Кортесу принесли острые клинки пехотинцев. Кроме того, на этот раз в стане тласкаланцев произошел раскол: двое военачальников Хикотенкатля отказались выступить вместе с ним. В итоге четырехчасовая битва завершилась полным разгромом индейцев.

"Мы вознесли благодарность всевышнему", — пишет Берналь Диас. Испанцы потеряли всего одного солдата, хотя шестьдесят было ранено. Но раны не волновали конкистадоров.

Впоследствии тласкаланцы нападали небольшими отрядами, которые состязались между собой за честь пленить живого испанца. Но окрестные вожди уже начинали приходить в лагерь с мирными предложениями. Спустя два дня после битвы в лагере появились пятьдесят индейцев. Они предлагали солдатам плоские лепешки из кукурузной муки, индеек и вишни. Кортеса предупредили, что это шпионы, да он и сам заметил, что посланцы интересуются расположением оборонительных постов, и приказал схватить их. На допросе они признались, что пришли на разведку с целью подготовить ночное нападение. Отрубив им кисти рук, Кортес отправил их обратно в Тласкалу и стал готовиться к отражению атаки.

Ночью лагерь штурмовали примерно десять тысяч воинов. Жрецы убедили Хикотенкатля, что по ночам доблесть оставляет испанцев. На его беду это не соответствовало действительности: Кортес вывел свое войско на простор кукурузных полей, где и встретил индейцев. Тласкаланцы, непривычные к ночному бою, были быстро разгромлены, после чего вождь не только заверил испанцев в вечной дружбе, но и пригласил их вступить в город; при этом еще пожаловался на постоянный гнет Монтесумы.

В это время к Кортесу явилось еще одно посольство от Монтесумы — шесть вождей со свитой из двухсот человек, которые принесли в подарок Кортесу золото, поздравления с победой и, что куда важнее, весть о том, что Монтесума готов не только стать вассалом испанского короля, но и платить ежегодную дань при условии, что испанцы не вступят в столицу Мексики. Это была одновременно и взятка, и сделка. Таким образом, Кортес получил возможность вести тонкую игру. Он все еще не доверял тласкаланцам и признавал, что "продолжал обхаживать и тех и других, тайком благодаря каждую сторону за совет и делая вид, будто испытывает к Монтесуме более теплые чувства, нежели к тласкаланцам, и наоборот".

Вступив в Тласкалу, Кортес не только завоевал тридцатитысячный город, но и весь округ, “девяносто лиг в окружности”, поскольку Тласкала была столицей страны, которую можно было назвать республикой. Сам город, по словам Кортеса, “более крупный, чем Гранада, и гораздо лучше укрепленный”, лежал в низине среди холмов, а некоторые храмы стояли в окружавших столицу горах. Дабы заручиться дружбой испанцев, вожди предложили им заложников, а для ее укрепления — пятерых девственниц, своих дочерей. Но низвергнуть своих идолов или положить конец жертвоприношениям они не пожелали.

В Тласкале Кортес собрал сведения о мексиканской столице и о самих мексиканцах. Тласкаланцы сообщили ему, сколько подъемных мостов на дамбах и даже какова глубина озера. Они оценивали численность мексиканских армий одного только Монтесумы в 150 тысяч воинов. Тласкаланцы были уверены в том, что испанцы — их единственная надежда в борьбе против Монтесумы, поэтому Кортес получил поддержку всей страны.

Неизвестно, какие мысли и сомнения терзали конкистадора: он всегда тщательно скрывал свои чувства. Но известно, что он непременно учитывал желания людей и не предпринимал никаких важных шагов, если не располагал их поддержкой.

Кортес опять оказался перед выбором пути. Теночтитлан лежал точно на западе. Пойти напрямик или отправиться через Чолулу, как советовали послы Монтесумы? Тласкаланцы мрачно предрекали ему западню в Чолуле. Пока Кортес ломал голову, пришло еще одно посольство от Монтесумы, четыре вождя с дарами — золотыми украшениями на две тысячи песо. Они, в свою очередь, предупредили Кортеса, что тласкаланцы выжидают удобного момента, чтобы перебить и ограбить испанцев. Это была столь очевидная попытка поссорить его с новыми союзниками, что Кортес оставил предостережения без внимания.

12 октября 1519 года испанская армия, усиленная 5000 тласкаланцами, выступила в находящуюся в 40 километрах Чолулу, которая считалась верным союзником Теночтитлана. В этом городе находилось множество роскошных теокалли. Здесь процветали искусства и ремесла.

Утром 13 октября испанцев встретила процессия жителей Чолулу. Чужеземцев, которых со дня появления считали теулями (богами), окурили ароматом растительной смолы. По просьбе вождей индейцы из вспомогательных отрядов Кортеса разбили лагерь вне города, в то время как сами испанцы были расквартированы в самом Чолулу. Однако Кортес подозревал, что им готовят ловушку.

Он пригласил к себе местных вождей, сделав вид, что назавтра собирается покинуть город, и попросил их выделить 2000 таманов (носильщиков). Вожди охотно согласились.

Рано утром во дворе дома, где жили испанцы, появились носильщики, а также местные вожди, которых пригласили для прощания. Кортес призвал вождей к себе и обвинил их в заговоре. По сигналу в город вошли тласкаланцы. Начались поджоги и всеобщее разграбление города. Весть о жестоком наказании Чолулы распространилась по всем провинциям империи ацтеков. Страхи Монтесумы получили подтверждение, властитель Мексики решил принять в столице конкистадора.

1 ноября 1519 года испанцы в строгом походном порядке выступили в направлении столицы Мексики. Теночтитлан, который называли “Венецией ац-

теков", произвел грандиозное впечатление на европейцев, но к изумлению добавилось все возрастающее беспокойство, ибо, по выражению Берналя Диаса, "перед нами был большой город Мехико, а нас было менее 400 солдат".

Монтесума приветствовал чужеземцев поклоном. Затем произошел традиционный обмен подарками. В сопровождении торжественной процессии испанцы прошли ко дворцу отца Монтесумы Асаякатля, где должен был состояться прием.

Кортес понимал, что в случае разрушения мостов город превратится для его отряда в ловушку. Поэтому одной из первых его задач стало строительство четырех бригантин, которые сделали бы его независимым от дорог, идущих по дамбам.

Кортес использовал как политические, так и военные средства для осуществления своих планов. В Веракрусе индейцы убили нескольких испанцев, в том числе командира Эскаланте. 14 ноября 1519 года Кортес приказал арестовать своего гостеприимного хозяина Монтесуму прямо в его дворце, обвинив властителя в организации нападения в Веракрусе. Испанские офицеры заняли выходы из императорского дворца, а затем Монтесума в простом, ничем не украшенном паланкине в сопровождении вооруженного эскорта был доставлен во дворец своего покойного отца. Так "Властелин мира" стал пленником испанцев.

В своем докладе Карлу V Кортес представил свои насильственные действия как меру, необходимую для обеспечения безопасности испанцев и для соблюдения интересов короля. Плененный император служил гарантом безопасности его солдат, ведь в этом авторитарном государстве никто не решился бы предпринять что-либо против европейцев без санкции Монтесумы.

"Властелин мира" отдавал населению распоряжения успокаивающего характера, заявляя, что предпочел разместиться поближе к своим европейским друзьям. В действительности же управлял Кортес. Ему же полагалось передавать дань, предназначавшуюся императору ацтеков. Испанцы все же выказывали уважение королевскому званию Монтесумы, признавая за ним право на все внешние атрибуты верховной власти.

Следующим шагом Кортеса явилось официальное отречение Монтесумы от престола. В декабре 1519 года в присутствии высших персон империи был проведен формальный акт принесения присяги на верность испанскому монарху, ввиду отсутствия представленному персоной Эрнана Кортеса. Подчинение верховной власти Карла V было торжественно заверено нотариусом.

После перехода власти к Кортесу Монтесуме ничего не оставалось, как подарить сокровища отца чужеземцам. Индейцы ценили золото лишь в виде искусных украшений, испанцы же переплавляли драгоценные произведения искусства в слитки и ставили на них королевское клеймо.

В начале мая 1520 года, спустя шесть месяцев после прибытия в Теночтитлан, с побережья пришло сообщение, которое обеспокоило Кортеса. В Мексике объявилась карательная экспедиция под командованием Панфило де Нарваэса. Ее послал Диего Веласкес для расправы с непокорным Кортесом.

Перед конкистадором возникла угроза войны на два фронта. Попытки договориться с Нарваэсом не увенчались успехом.

Зная о большом численном превосходстве армии Нарваэса, Кортес тем не менее разделил свое и без того немногочисленное войско. Небольшому отряду удалось незамеченным пробраться к столице тотонаков, где расположился карательный отряд, и застать противника врасплох. Армия кубинского наместника сложила оружие. Таким образом, Кортес, недавний возмутитель спокойствия, стоявший во главе кучки авантюристов, стал независимым предводителем армии, доселе невиданной в Новом Свете.

Но в это время Эрнан получил тревожные сообщения из Теночтитлана: ацтеки напали на гарнизон. Впрочем, мексиканцы имели достаточно оснований для того, чтобы использовать отсутствие Кортеса для нападения на испанцев в Теночтитлане: пленение их правителя, опустошение дворцов, кража сокровищ из золота и серебра, осквернение храмов и разрушение изображений богов, невыполнение Кортесом обещания покинуть город после прибытия судов и, наконец, присутствие смертельных врагов, тласкаланцев, что, наверное, больше всего оскорбляло гордый народ теноча.

24 июня 1520 года, когда положение испанцев в Теночтитлане было отчаянным, Кортес вновь вошел в мексиканскую столицу. Со своим отрядом он пробился ко дворцу Асаякатля и оказался в осаде. В Теночтитлане было оставаться опасно. Но как выбраться из города, когда все мосты разрушены?

Кортес приказал построить переносной деревянный мост, с помощью которого можно было преодолеть разрушенные переходы через каналы. В присутствии свидетелей он приказал упаковать пятую часть короля в мешки и назначил надежных офицеров для охраны королевской доли.

30 июня 1520 года Кортес отдал приказ о выступлении из столицы. В ночь на 1 июля, когда испанцы переходили через мост, индейцы напали на завоевателей и нанесли им сокрушительный удар. В пресловутую "ночь печали" погибли все орудия, 80 лошадей, 459 испанцев. Был уничтожен весь обоз и большая часть захваченных в спешке сокровищ. Кортес едва не погиб.

7 июля 1520 года у Отомпана, или, как его называют испанцы, Отумбы, Кортес встретился с огромной армией мексиканцев, примерно в 200 000 воинов, а у испанцев больше не было огнестрельного оружия. Тем не менее испанцы и тласкаланцы с яростью обрушились на превосходящие силы противника. Кортес во главе конного отряда прорвался сквозь гущу врагов и пронзил пышно одетого вождя ацтеков копьем. Когда индейцы увидели свои штандарты в руках испанцев, они запаниковали и бросились бежать.

Окрыленный успехом, Кортес решил снова завоевать мексиканскую столицу. Он приказал построить 13 бригантин, которые после испытаний были разобраны. Носильщики-индейцы перенесли их через сьерру к озеру Тескоко. Бригантины были вновь собраны на расстоянии 800 метров от берега; одновременно около 40 000 индейцев были заняты рытьем канала, ведущего к озеру. Почти семь месяцев длились эти приготовления.

28 декабря 1520 года Кортес со своей внушительной армией отправился в Мексику. Он выбрал нелегкий, но безопасный путь через дикую сьерру. Перед началом штурма Теночтитлана у Кортеса было 650 человек пехоты, 194 стрелка, 84 кавалериста и вспомогательные индейские отряды численностью 24 000 человек, а также три тяжелые пушки и 15 полевых орудий.

20 мая 1521 года начался штурм мексиканской резиденции. Бригантины уничтожили всю флотилию индейских каноэ. Но продвижение по дамбам шло с большими потерями, поэтому Кортес решил взять Теночтитлан осадой. Мексиканцы, имеющие большое превосходство в живой силе, продолжали сопротивляться. Кортесу дважды только чудом удалось вырваться из рук индейцев благодаря храбрости своих солдат. Тем не менее он продолжал предлагать ацтекам заключить мир.

13 августа 1521 года испанцы ворвались в город и, подавив сопротивление оборонявшихся, захватили его. По разным данным погибло и умерло от голода или болезней от 24 до 70 тысяч мексиканцев. Точное число потерь испанцев тоже не установлено; по меньшей мере 100 человек попали в плен и были принесены в жертву языческим богам, примерно столько же погибло. Потери союзников приближались к 10 тысячам.

Осада продлилась 75 дней, и, согласно сообщениям Кортеса, не было дня без боя с индейцами. Вождь ацтеков Куаутемок во время бегства попал в руки испанцев и, закованный в цепи, предстал перед Кортесом.

Однако сокровища, ради которых, собственно, и затевалась эта грандиозная операция, бесследно исчезли. Вероятно, часть своих богатств индейцы затопили в озере или спрятали в каком-то другом месте. Куаутемок даже под пытками не сказал, где спрятаны сокровища Монтесумы.

До 1524 года испанские конкистадоры основали в Мексике несколько городов. Кортес большую часть времени проводил в Койоуакане, откуда лично руководил восстановлением Теночтитлана. В эти годы он проявил себя как талантливый колонизатор. По воле испанца путем слияния древнеамериканской и христианских культур должна была возникнуть новая иберо-американская культура. Большой прогресс был достигнут и в обращении индейцев в христианство. Кортес просил короля прислать миссионеров "доброй и образцовой жизни".

Сам Кортес на протяжении всей жизни пользовался доверием туземцев, для которых он часто выступал в качестве адвоката и которые, по свидетельству очевидцев, очень уважали и почитали его. Однако недоверие испанского двора к конкистадору и серьезные подозрения со стороны королевских чиновников в самой Мексике не позволили Эрнану Кортесу осуществить свою мечту — распространить власть Испании до Южного моря и до берегов Азии. Тем временем его, принесшего монарху в качестве трофея могущественную державу, завистники обвинили в стремлении к отделению от испанской короны.

Кортес отправился в Испанию для встречи с королем. В конце мая 1528 года конкистадор с внушительной свитой высадился в порту Палос. При дворе императора его приняли со всеми почестями. Кортес поклялся в своей верности монарху. 6 июля 1529 года император пожаловал ему титул "Маркиз дель Валле-де-Оахака", наградил большим крестом ордена Святого Иакова и подарил ему обширные земельные угодья в Мексике. Однако должности губернатора Новой Испании на этот раз Эрнан не получил. Назначенный генерал-капитаном Новой Испании и островов Южного моря, Кортес не обманывался относительно того, что новые большие экспедиции смогут закончиться успешно лишь в том случае, если первооткрыватель будет располагать губернаторскими полномочиями.

В июле 1529 года конкистадору были переданы новые участки земли в столице Оахака. Кортес стал сеньором 22 поселений и 23 000 вассалов-индейцев. Женившись на Хуане Суньига, дочери графа де Агилара и племяннице герцога де Бехара, Эрнан получил доступ в наиболее влиятельные дома высшей испанской аристократии. Один из его подарков молодой невесте — два сказочно красивых изумруда, вырезанных в форме роз (работа мексиканских мастеров), — вызвал восхищение всего двора. Слава завоевателя гремела по всей Европе и в Новом Свете, так что Кортес, по свидетельству современников, соперничал в славе полководца с Александром Македонским и в богатстве с Крезом.

Весной 1530 года он в сопровождении супруги и своей престарелой матери доньи Каталины вернулся в Мексику, где посвятил себя преимущественно задачам колонизации. Он завез с Кубы сахарный тростник, разводил мериносовых овец и разрабатывал золотые и серебряные рудники. Но эти мирные занятия не могли удовлетворить его натуру авантюриста.

В 1532 и 1533 годах он снарядил две небольшие флотилии. Кортес предпринял попытку основать в Калифорнии поселение. Но подобные предприятия требовали больших денег, не принося ничего взамен. В 1535 году Кортес сам отправился в экспедицию, прошел вдоль побережья Калифорнийского залива до 30-го градуса северной широты. На юге Калифорнийского полуострова он основал город Санта-Крус, нынешний Ла-Пас. В 1539 году три корабля не вернулись назад. Финансовый ущерб, нанесенный Кортесу, составил в итоге почти 200 000 золотых дукатов.

Тем не менее географические открытия были весьма значительными. Было установлено, что Калифорния не остров, а часть материка. Наконец Кортес исследовал большие участки западного побережья американского континента и Калифорнийский залив. Несмотря на трудности, он задумал новую экспедицию под командованием своего сына дона Луиса. Однако первый вице-король Новой Испании Антонио де Мендоса, который сам претендовал на открытия в этой области, не одобрил предприятия. Возмущенный Кортес решил отправиться к королю.

В 1540 году в сопровождении своего сына дона Мартина Кортеса он высадился в Испании. Король отсутствовал, тем не менее в столице Кортесу был оказан пышный прием. Его тепло приветствовали в совете по делам Индии, но ощутимых успехов маркиз не добился.

В 1541 году Кортес вместе с сыном принял участие в памятном алжирском походе Карла V. Во время шторма, который уничтожил часть флота, галера маркиза также стала жертвой стихии. Кортесам едва удалось спастись.

К сожалению, все инициативы Кортеса в Испании не находили отклика у дворян. По возвращении на родину король также не поддержал его планов расширить границы испанской империи за счет всей территории вновь открытого континента. После трех лет, проведенных в ожидании, Эрнан решил вернуться в Мексику.

Однако ему удалось добраться лишь до Севильи. Там он заболел дизентерией. Кортес еще успел завершить свои земные дела и 11 октября подписал завещание. Он умер 2 декабря 1547 года в возрасте 62 лет, незадолго до смерти переселившись из города в более спокойное селение Кастильеха-де-ла-Куэста.

Вначале завоеватель был погребен в фамильном склепе герцогов Медина-Сидониа. Через 15 лет его бренные останки были перевезены в Мексику и захоронены во францисканском монастыре в Тескоко рядом с могилой его матери. В 1629 году маркиза с большой пышностью похоронили во францисканской церкви в Мехико. В 1794 году саркофаг был перенесен в “Больницу Иисуса из Назарета”, когда-то учрежденную Кортесом. Эту могилу украшал простой надгробный камень и бронзовый бюст. Для того чтобы спасти останки от уничтожения, в 1823 году их пришлось тайно извлечь. В Неаполе, в склепе герцогов Террануова-Монтелеоне, потомков правнучки завоевателя, они обрели, наконец, покой. Высказанное в завещании последнее желание Кортеса — найти вечное пристанище в Койоуакане — осталось невыполненным. Великий первооткрыватель и завоеватель Мексики похоронен вдали от тех мест, где познал успех и триумф, вдали от страны, с которой имя его связано навеки.

Франсиско Писарро

(1478 — 1541)

Испанский конкистадор. В 1513—1535 годах участвовал в завоевании Перу. Разгромил и уничтожил государство инков Тауантинсуйу, основал семь городов, в том числе Лиму. В 1535 году ему был пожалован титул маркиза. Убит в Лиме.

Франсиско Писарро родился в Трухильо, провинции Эстремадура, в 150 километрах к юго-западу от Мадрида.

Франсиско был незаконнорожденным сыном Дона Гонсало Писарро, по прозвищу Высокий, отличного солдата, получившего знатный титул за храбрость в сражениях против мавров. Его мать, Франсиска Гонсалес, была дочерью простолюдина. Мальчика никогда не учили читать, он играл со своими сверстниками в окрестностях Трухильо, иногда присматривая за овцами или свиньями. С ранней юности он жаждал приключений.

По всей вероятности, Писарро покинул Трухильо в 19-летнем возрасте и присоединился к испанской армии в Италии. Это закалило его и подготовило к трудным экспедициям в Южную Америку. Достоверно известно, что в 1502 году он отправился в Америку уже опытным солдатом. Молодой Писарро участвовал в кровавом походе против индейцев на остров Эспальола (ныне Гаити). Вскоре он присоединился к Алонсо де Охеде, который известен тем, что применял испанскую тактику в сражениях с аборигенами. Рассекая их ряды, он прокладывал в толпе просеку с мертвыми телами по обе стороны.

Писарро было около 35 лет, когда он принял участие в знаменитом пересечении Панамы вместе с Васко Нуньесом де Бальбоа. Благодаря этому был вписан в испанские владения Тихий океан. Это было началом “отважного похода за Большим призом”, как позже стали называть завоевания испанцев в Южной Америке. В 1519 году был основан город Панама, и Писарро стал одним из первых его жителей. Он получил свою долю земли, на которой работали индейцы. И даже стал губернатором. Когда ему было далеко за сорок, он разбогател, обрел почет и уважение, хотя большинство людей его положения предпочли бы отдых после бурной и полной невзгод жизни.

В XVI веке более 200 тысяч испанцев пересекли Атлантику. Не только жаждавшие славы дворяне хотели попытать счастья: были среди эмигрантов и неудачливые купцы, и обедневшие ремесленники, и монахи-скитальцы — последние описали приключения авантюристов на страницах хроник.

Что заставило Писарро отважиться на отчаянное путешествие вдоль берега Южной Америки, играть судьбой, подвергать жизнь и здоровье новым испытаниям, преследуя иллюзорную мечту? Многие биографы Писарро объясняют эту тягу к приключениям его натурой прирожденного игрока. На склоне лет он любил играть в кости, кегли, пелоту (баскская игра в мяч). И в то же время он был уравновешенным и осмотрительным человеком. У него было только две страсти: сражение и поиск. И больше, чем покоя, он жаждал славы.

Чтобы финансировать экспедицию в Америку, он привлек к проекту Диего де Альмагро и священника Эрнандо де Луке. Втроем они купили корабль, оснастили его всем необходимым, наняли людей. 14 ноября 1524 года Писарро отплыл из Панамы, возглавив первую из трех своих исследовательских экспедиций.

Однако только в 1528 году удача улыбнулась Писарро. Переплыв экватор, его отряд высадился на побережье Эквадора и Перу. В одном месте их приветствовала женщина-вождь, и по тому, как держалась она и ее приближенные, сколько на них было золота и серебра, они поняли, что попали в очень богатые края.

Вернувшись в Панаму, Писарро решил, что необходимо как можно скорее оказаться в Испании, поскольку тогда ни один конкистадор не осмеливался сделать и шагу без королевского дозволения. В конце 1528 года Писарро прибыл ко двору короля Карла в Толедо. Франсиско и обликом своим, и речью произвел сильное впечатление на 28-летнего короля. В это же время в Толедо оказался Эрнан Кортес, покоривший к тому времени ацтеков Мексики, а теперь поражавший двор ценностями, привезенными из завоеванных земель, по территории превосходящих всю Испанию. Кортес приходился Писарро кузеном и дал тому, вероятно, какие-то практические советы, а также снабдил деньгами. Дары в виде шкур лам и культовых предметов инков из золота, преподнесенные королю, обеспечили Писарро титул губернатора и позволили получить королевское благословение. Он был наделен столь широкими полномочиями, каких не удостаивался никто из конкистадоров за всю историю покорения испанцами Южной Америки.

Писарро отплыл из Испании в январе 1530 года, но лишь спустя год, в январе 1531-го, экспедиция смогла наконец выйти из Панамы. Три судна — два крупных и одно небольшое, на борту которых находились 180 солдат, 27 лошадей, оружие, боеприпасы и пожитки. Отряд был слишком мал, чтобы покорить империю, простиравшуюся на тысячи миль в глубь суши до амазонской сельвы. Писарро знал, что вся огромная территория инков покрыта сетью военных дорог, что многочисленные крепости охраняются сильными гарнизонами, а страна беспрекословно повинуется одному самодержавному правителю. Но он надеялся добиться успеха, хотя против него были не только люди, но и сама природа! Тщеславный Писарро считал, что он вполне способен повторить свершения своего земляка Кортеса.

Писарро не был ни дипломатом, ни великим полководцем, но отличался отвагой и решительностью, о чем свидетельствуют первые действия Писарро в ранге командующего экспедицией.

Капитан Руис отплыл вдоль побережья прямо в Тумбес, но спустя две недели штормы, встречные ветры и течения вынудили его укрыться в бухте

Святого Матвея. Испанцы оказались в 350 милях от Тумбеса, и все-таки Писарро сошел на берег и отправился пешком на юг. Корабли нагнали его, следуя вдоль побережья. Проведя тринадцать дней в тесноте на борту трех маленьких судов, боровшихся с ветром и непогодой, солдаты были измождены.

Несмотря на это, Писарро после трудного перехода через полноводные реки области Коакве совершил набег на маленький город. Испанцам повезло: они награбили золота и серебра на 20 тысяч песо, большей частью в виде грубых украшений. В городе нашлись и изумруды, но лишь немногие, в том числе Писарро и доминиканский монах отец Реджинальдо де Педраса, знали их истинную цену. Писарро променял эту относительно мелкую добычу на возможность застать индейцев врасплох. Сокровища он погрузил на корабли и отправил в Панаму в расчете на то, что, увидев их, остальные конкистадоры присоединятся к нему. Затем он возобновил продвижение на юг.

Награбить больше не удалось. Деревни, попадавшиеся на пути, были покинуты, а все самое ценное унесено. Конкистадоры страдали от ужасной жары и тропических ливней. Их кожа покрывалась огромными гнойными язвами. Люди теряли сознание, умирали. Это было самое бестолковое начало кампании, когда-либо задуманное военачальником, и то, что испанские солдаты дошли до залива Пуаякиль, красноречивее всего свидетельствует об их стойкости. Походная жизнь длилась пятнадцать месяцев.

Писарро решил, что остров Пуна мог стать для них подходящей базой. Обитатели Пуны враждовали с Тумбесом, лежавшим всего в тридцати милях от них. Остров был большой и лесистый, здесь можно было не опасаться внезапного нападения. Писарро устроил лагерь и стал ждать подкрепления. Во время похода на юг к нему присоединились два корабля. Первый привез королевского казначея и других чиновников, не успевших примкнуть к экспедиции, когда она отплыла из Севильи. Второй — 30 солдат под началом капитана Беналькасара.

Из Тумбеса прибыли индейцы, и хотя Писарро знал, что они — заклятые враги обитателей Пуны, он принял их в своем штабе. А потом, когда два его переводчика предупредили Писарро, что вожди Пуны собрались на совет и готовят нападение, он тотчас же окружил их на месте встречи и выдал жителям Тумбеса. Итогом стала кровавая резня, приведшая к восстанию, которое он так старался предотвратить. На лагерь напали несколько тысяч воинов Пуны, и испанцам пришлось искать убежища в лесу. Потери были сравнительно небольшие: несколько убитых, брат Эрнандо Писарро был ранен дротиком в ногу. Но индейцы продолжали атаковать лагерь.

Когда прибыли еще два корабля с сотней добровольцев и лошадьми (кораблями командовал Эрнандо де Сото), Писарро почувствовал, что у него достаточно сил, чтобы перебраться на материк. Слабое сопротивление тумбесцев было быстро подавлено конницей Эрнандо Писарро. Основной отряд испанцев пересек залив на двух судах.

Наконец они вошли в Тумбес — город, где, как гласила легенда, жили Девы короля-Солнца, где в садах висели золотые фрукты, а храмы были облицованы золотом и серебром. Однако их ждало горькое разочарование: город Тумбес в заливе Гуаякиль, описанный четырьмя годами ранее как процветающий, лежал в руинах, а его население вымерло от оспы. Это же коварная болезнь унесла, по всей вероятности, и жизнь Верховного Инки Уайна Капаки, примерно в 1530 году. От города не осталось ничего, кроме крепости, храма и нескольких зданий. Люди, которые проплыли семьсот миль, а затем прошагали еще триста по ужасным болотам, продирались сквозь заросли ризофоры и джунгли, постоянно подбадривая себя видениями золотого города, были потрясены, когда их взорам предстали жалкие развалины.

Писарро лишился возможности быстро обогатиться, зато, как оказалось, получил нечто гораздо большее — ключ к завоеванию страны. Территория была раздроблена и могла вновь покориться одному правителю. Это Писарро выяснил, когда расспрашивал о причинах столь плачевного состояния города. Разрушение его было делом рук островитян с Пуны. По словам перуанцев, король-Солнце — Инка Уаскар, был слишком занят войной с братом Атауальпой, чтобы оказать городу необходимую помощь. Он даже отозвал из крепости своих воинов.

Борьба за власть завершилась незадолго до высадки Писарро в Тумбесе. Атауальпа победил, и его войско пленило Уаскара Узурпатор из Кито стал Инкой (верховным правителем), но жители Тумбеса и других районов не одобряли смену правителя. Империя инков была раздроблена, чем и воспользовался Писарро.

Оставив часть отряда в Тумбесе, он отправился с лучшими солдатами в глубь страны, чтобы привлечь на свою сторону туземное население. Франсиско использовал политику Кортеса. Грабеж был запрещен. Доминиканские монахи обращали индейцев в христианство. Поход превратился в крестовый, и у солдат появилось ощущение их божественного предназначения. Жажда золота не уменьшилась, но теперь она рядилась в мантию христовой истины.

Писарро вел своих людей от одной деревушки к другой, так что в них не было ни времени, ни сил размышлять о будущем. Индейских вождей, оказывавших сопротивление, сжигали живьем в назидание другим, и вскоре вся округа была покорена. Здесь впервые завоеватели стали рекрутировать население во вспомогательные войска, и хотя в испанских источниках нет упоминаний об индейских союзниках, почти не приходится сомневаться в том, что Писарро старался усилить свой маленький отряд за счет местных жителей.

В июне он заложил поселение на реке Чира, примерно в 80 милях к югу от Тумбеса. Поселение строилось по обычному колониальному образцу: церковь, арсенал и здание суда. Однако несмотря на то, что в Сан-Мигеле существовало законно назначенное городское правление, Писарро воспользовался своими полномочиями из Испании. Это дало ему возможность наделить каждого колониста землей, а поскольку индейцы привыкли к палочной дисциплине, которую насаждали их собственные правители, они не роптали. Все добытое золото и серебро испанцы переплавили в слитки, и Писарро сумел уговорить солдат отказаться от своей доли. Поэтому после вычета королевской доли, пятой части, он смог отправить сокровища на двух судах в Панаму, оплатив счета экспедиции.

Сокровища, разумеется, подтвердят рассказы капитанов о блестящих возможностях, открывающихся перед поселенцами в Новой Кастилии. Но Писарро не мог решить, стоит ли ему ждать подкрепления или сразу выступить в поход? Три недели он размышлял, пока не обнаружил, что бездействие порождает недовольство. Скорее всего именно настроения солдат сыграли определяющую роль: Писарро решил выступать. Тем более что Атауальпа покинул столицу инков Куско и был теперь в Кахамарке. Куско находился примерно в 1300 милях от Сан-Мигеля, так что Писарро и его люди, нагруженные пожитками, могли бы преодолеть такое расстояние за несколько недель по проложенным инками дорогам. До Кахамарки же было всего около 350 миль, на высоте 9 тысяч футов. Дорога, по сообщениям союзных индейцев, должна была занять не более 12 суток. Писарро не хотел упускать возможность побыстрее добраться до правителя инков.

24 сентября 1532 года, примерно через шесть месяцев после своей первой высадки на побережье, Писарро выступил из маленького поселения. Отряд состоял из 110 пехотинцев (но лишь 20 из них были вооружены арбалетами или аркебузами) и 67 всадников. Это было жалкое войско, не способное противостоять инкам. Атауальпа, как сообщали, лечился на вулканических источниках Кахамарки (рана, полученная во время междоусобной войны против собственного брата, загноилась). Кроме того, он совершал объезд своих новых владений, добиваясь их полного подчинения. Его сопровождала армия, насчитывавшая, по некоторым оценкам, от сорока до пятидесяти тысяч воинов.

Переправившись через реку Чира на плотах, испанцы переночевали в индейском поселении Поэчос и пошли на юг к реке Пьюра. Здесь они повернули на восток, в глубь суши, следуя вдоль русла Пьюры.

В рядах испанцев начался ропот. Кое-кто из солдат терял присутствие духа. К концу четвертых суток Писарро остановился, чтобы подготовиться к сражению. Он обратился к отряду с предложением: каждый, кто не поддерживает предприятие, может вернуться в Сан-Мигель и получить такой же земельный надел и столько же индейцев, сколько любой солдат гарнизона. Но только девять человек пожелали вернуться на “базу”. Вероятно, не только призывы Писарро, но и окружающая обстановка заставили остальных продолжать путь. К тому времени они должны были быть далеко за Тамбо Гранде, на главной дороге инков, ведущей из Тумбеса.

В ноябре 1532 года Франсиско Писарро принял очень смелое решение, определившее его дальнейшую судьбу. Главная королевская дорога инков между Кито и Куско пролегала через долины Анд, и Писарро узнал, что победивший Инка Атауальпа идет по ней на юг, чтобы быть коронованным в Куско.

Испанцы были потрясены устрашающим величием армии индейцев. Но Писарро своим красноречием вдохнул новые силы в солдат, пообещав им богатую добычу. В хрониках остались его слова: “Нет различия между большим и малым, между пешим и конным... В тот день все были рыцарями”.

Единственную свою надежду Писарро связывал с отчаянно дерзким планом — попытаться захватить врасплох многотысячную армию Инки. Войско Атауальпы пришло в движение к середине дня. Но его выходу предшествовал торжественный парад. Все индейцы несли на головах большие золотые и серебряные украшения, похожие на короны. Началось песнопение.

Лишь к концу дня передовые части этой пышной процессии вошли на центральную площадь Кахамарки. Атауальпу воины несли на носилках, покрытых серебром. На голове его красовалась золотая корона, на шее — ожерелье из больших изумрудов. Инка приказал носильщикам остановиться, в то время как остальные воины продолжали заполнять площадь.

Писарро, спокойный и решительный, дал сигнал к бою. Артиллерист поднес фитиль к стволу пушки. Всадники и пешие солдаты под звук боевых горнов вырвались из своих укрытий с криками. Среди индейцев началась паника, нападавшие испанцы косили их направо и налево. Инки были не вооружены, в начавшейся давке долго не могли прийти в себя, мешали друг другу, и конкистадоры своими остро отточенными пиками пустили реки крови.

Писарро был плохим наездником, поэтому дрался пешим, мечом и кинжалом. Пробившись сквозь толпу к носилкам Атауальпы, он схватил Инку за руку и попытался стащить его вниз. У многих индейцев были отрублены руки, но они продолжали держать трон на своих плечах. В конце концов все они полегли на поле боя. Подоспевшие всадники перевернули носилки, и Атауальпа был схвачен.

Резня продолжалась и в долине. Через два часа шесть или семь тысяч индейцев лежали мертвыми. Каждый испанец убил примерно 15 индейцев. В донесении королю секретарь Писарро писал, что он и его люди совершили невероятное: захватили малыми силами могущественного владыку. Залитые кровью инков, конкистадоры едва ли понимали, что творили. Один из участников этой резни позже говорил, что было сделано не ими, потому что их было слишком мало, а волею Бога.

Игрок Писарро сорвал банк. Захватив богоподобного Инку, он парализовал жизнь во всей империи.

Трагедия инков состояла в том, что их правитель не понимал того, что эти 160 чужеземных солдат были не просто разбойниками, а вестниками грядущего колониального вторжения. Он же считал их просто алчными искателями сокровищ. А Писарро поддерживал это заблуждение. Подметив у своих тюремщиков неутолимую жажду золота, Атауальпа решил выкупить свою свободу. За нее он предложил заполнить камеру, где его содержали, золотом на высоту 10,5 испанской стопы (294 сантиметра). И еще дать двойное, против золота, количество серебра. К тому же пообещал, что эти сокровища будут доставлены в Кахамарку за 60 дней со дня заключения соглашения. И Атауальпа сдержал свое слово: в Кахамарку устремились караваны лам, доставлявших из разных уголков империи золото. Приказ верховного правителя, пусть даже и плененного, но для инков все равно остававшегося королем-Солнцем, исполняли беспрекословно. Все богатства государства, найденные и ненайденные, считались собственностью Инки.

Но испанцы вероломно нарушили и этот договор. Атауальпа оставался заложником Писарро в течение 8 месяцев. В это время он, правда, продолжал исполнять обязанности правителя империи, издавать указы, посылать гонцов. Он приказал вождям не препятствовать испанцам, проникавшим в отдаленные уголки страны и грабившим храмы. Сговорчивостью он надеялся купить свободу.

К середине 1533 года выкуп был собран. Комнату заполнили сказочно прекрасными золотыми изделиями. Многие из них представляли собой немалую художественную ценность, но для испанцев это был лишь дорогостоящий металл, и все было переплавлено в слитки. Пятая их часть была отправлена королю Испании, остальное разделили между собой конкистадоры, больше всего золота досталось, конечно, Писарро. И несмотря на это, Атауальпа был казнен.

Испанские власти в Панаме осудили казнь. Они считали, что Атауальпа должен был быть доставлен в Центральную Америку или Испанию. Король Карлос также писал Писарро о своем недовольстве насильственной смертью: Атауальпа был все же монархом, и казнь его подрывала веру в божественное происхождение власти.

Итак, покорение Перу началось с захвата и казни его владыки, сражения последовали позже. Во время 800-мильного марша по Великой дороге инков от Кахамарки до Куско отряд Писарро провел четыре сражения против армии Атауальпы. Инки сражались храбро, и какое-то количество захватчиков было убито. Но все же они не могли противостоять оружию и тактике испанцев. Большим тактическим преимуществом конкистадоров были их конные воины — до прихода европейцев в Америке не видели лошадей. Инки думали больше о том, как убить одно такое животное, преследовавшее их, чем десять пеших воинов. И почти на каждого убитого испанца приходились сотни убитых инков.

15 ноября 1533 года Писарро пришел за главным призом — он ступил в столицу инков Куско.

Чтобы закрепить завоеванное, Писарро возвысил одного из уцелевших сыновей Уайна Капаки — Манко, он был коронован в начале 1534 года. Конкистадоры надеялись, что новый Инка станет марионеткой в их руках и окажет помощь испанцам в порабощении своего народа.

Когда Писарро было уже далеко за пятьдесят, он по существу стал правителем, а лучше сказать, грабителем огромной страны. Сокровища Куско были захвачены, переплавлены и распределены между завоевателями. Золота и серебра оказалось даже больше, чем от выкупа Атауальпы. Писарро совсем не имел опыта в управлении государством. Давали себя знать возраст и пережитые тяготы. Чтобы заставить испанцев остаться в этой далекой стране, он выделил каждому офицеру в награду тысячу индейцев. Писарро приказал священнику Куско защищать интересы индейцев, а также издал указ, предусматривающий для испанцев наказания за надругательство над аборигенами. Но это мало помогало, индейцы вымирали катастрофически быстро. Приходило в упадок, так же как ирригационное хозяйство, и террасное земледелие инков.

Главную свою задачу Писарро видел в строительстве городов для испанцев. Он основал семь из них — и все семь сохранились до наших дней. Столицу решено было расположить на побережье, для поддержания морских связей с остальной частью Испанской Америки. Город появился в 1535 году на берегу реки Римак и первоначально носил название Сьюдад-де-лос-Рейес — "город королей". Однако сохранилось не столь претенциозное название, а искаженный топоним самой реки — Лима.

На склоне жизни Писарро занимался прокладкой улиц в городах, раздаривал дома своим друзьям. Индейцы выстроили и его личную резиденцию в испанском стиле, с патио — внутренним двориком, засаженным привезенными оливковыми и апельсиновыми деревьями.

Но спокойное время продолжалось недолго. Младшие братья Писарро и другие испанцы в Куско нарушили договор и оскорбили марионеточного правителя Манко. Взбешенный, он тайно мобилизовал свою армию и приготовил оружие. В апреле 1536 года Мано исчез из Куско и созвал своих вождей на встречу, где они поклялись изгнать ненавистных завоевателей из Перу. И уже в мае 190 испанцев в Куско оказались окруженными индейцами.

Восстание Манко продолжалось до декабря. Четыре экспедиции, посланные Писарро в поддержку своих братьев, потерпели поражение в горах, еще на подходах к Куско. Около 500 испанцев были убиты. И все-таки перуанцам не удалось освободить свою страну. Корабли с подкреплением прибыли из Центральной Америки, и блокада Куско была прорвана. Манко бежал в джунгли Амазонии, к священному городу Мачу-Пикчу, где и правил остатками своей империи вместе с тремя сыновьями в течение 35 лет.

Но еще большие трудности, чем с индейцами, испытал Писарро со своим старинным соратником и даже когда-то другом Диего де Альмагро. Тот всегда организовывал снабжение и пополнял людьми экспедиции Писарро. И был жестоко уязвлен тем, что король назначил его лишь губернатором Перу. Как только представился случай, Альмагро обвинил Писарро в присвоении всех званий.

Тогда Писарро сделал дипломатический ход: Альмагро в награду за усердие предоставлялась земля на юге Перу, но когда Диего прибыл туда, то был разочарован — там нечем было поживиться. Он не знал, что на подвластной ему территории находится Потоси, где позже испанцы откроют богатейшие в мире залежи серебра. Альмагро претендовал на Куско. Схватки между испанцами не заставили себя долго ждать, причем они были не менее яростными, чем битвы с индейцами.

Междоусобицы закончились в Куско в 1538 году, когда Альмагро было нанесено поражение братом Писарро — Эрнандо. Неистовый и кровожадный Эрнандо казнил 120 человек, а самого Альмагро убил как предателя. Но это была его ошибка. Вернувшись в Испанию, он был заключен в тюрьму за этот акт мести.

Одержав победу над Манко и Альмагро, Писарро окончательно утвердился в новом городе Лиме. Он занимался обустройством своего дома, ухаживал за садом, прогуливался по улицам, навещая старых солдат, носил старомодное черное одеяние с красным рыцарским крестом на груди, дешевую обувь из оленьей кожи и шляпу. Единственной дорогой вещью у него была шуба из меха куницы, присланная кузеном Кортесом.

Писарро любил играть со своими четырьмя маленькими сыновьями, хотя так и не женился на их матери-индеанке или какой-либо другой женщине. Он безразлично относился к хорошим винам, еде, лошадям. Постаревший и несказанно богатый, этот наиболее удачливый из всех конкистадоров, казалось, просто не знал, что делать с неожиданно свалившимся на него богатством. Он составил несколько завещаний. Главной его заботой было продолжить родословную и прославить имя Писарро. Всем своим наследникам, как мужского, так и женского пола, он наказывал носить эту фамилию.

Но казнь Альмагро повлекла за собой возмездие. Горстка его сторонников в Лиме испытывала горечь от поражения и нищеты. Существует предание, что у них была лишь одна шляпа на всех, поэтому, как настоящие испанские идальго, они могли появляться на улицах только по одному. Они стали союзниками молодого сына Альмагро. Их объединяла ненависть к Писарро, и они решили убить его. До губернатора дошли сведения о готовящемся заговоре, но он не обращал внимания на предупреждения.

Воскресным утром 26 июля 1541 года Писарро принимал в своем дворце гостей, когда в дом ворвалось 20 человек с мечами, копьями, кинжалами и мушкетами. Гости разбежались, некоторые выпрыгивали прямо из окон. 63-летний Писарро защищался в спальне мечом и кинжалом. Он дрался отчаянно, убил одного из нападавших, но силы были неравны, и вскоре он упал замертво от множества нанесенных ран.

Место, где он был убит в президентском дворце, теперь покрыто мраморными плитами. На площади Армас в Лиме стоит кафедральный собор, тоже связанный с именем Писарро. В 1977 году во время ремонтных работ собора в кирпичной кладке сводов были обнаружены гробы и свинцовая коробка. В ней оказался череп и рукоятка меча. Снаружи была выгравирована надпись: “Это голова маркиза дона Франсиско Писарро, который открыл и завоевал Перуанскую империю, отдав ее под власть короля Кастилии”.

Диего де Альмагро

(1470 ? — 1538)

Испанский искатель приключений (конкистадор). Организовал две экспедиции к западному побережью Южной Америки в 1524—1526 годах; участник завоевания Перу (1533), возглавлял поход в Чили (1535—1536). Был одним из богатейших граждан новой колонии, основанной в Дариене.

В 1519 году испанцы основали на берегу Тихого океана город Панаму и начали продвигаться вдоль побережья Южного моря. Упорные слухи о стране золота и сказочных сокровищ, лежащей где-то к юго-западу от Панамского перешейка, возбуждали у конкистадоров желание как можно скорее овладеть этой страной. Было снаряжено несколько экспедиций, но все они кончились неудачно — потому ли, что их предводители оказались не на высоте своей задачи, то ли из-за недостатка средств.

Испанцы, пытавшиеся проникнуть в глубь материка, сталкивались с огромными трудностями. Высокие горы, непроходимые болота, густые тропические леса создавали для завоевателей серьезные препятствия, к которым прибавлялось еще упорное сопротивление воинственных туземцев. Вследствие этого продвижение испанцев к югу на некоторое время приостановилось.

Между тем в Панаме жил один испанец, которому суждено было доказать, насколько достоверны все эти слухи о баснословных богатствах стран, омываемых Тихим океаном. Это был Франсиско Писарро, предприимчивый искатель приключений, сопровождавший Васко Нуньеса де Бальбоа в его плавании по Южному морю. Однако он не располагал никакими средствами, поэтому заключил союз с двумя другими авантюристами, которые согласились снарядить экспедицию на свои деньги. Одного из них звали Диего де Альмагро, другого — Эрнандо де Луке.

Если Писарро был незаконным сыном идальго, то Диего де Альмагро — просто подкидышем. Существует легенда, что в 1475 году его нашли младенцем в деревне Альмагро, от которой он и получил свое имя. Диего вырос среди солдат, еще совсем молодым отправился в Америку и ради золота готов был пойти на самые рискованные предприятия.

Самому молодому из этих авантюристов было пятьдесят лет. Испанский историк Гарсиласо де-ла Бега рассказывает, что, когда в Панаме узнали о проекте Писарро, он и его компаньоны сделались предметом всеобщих насмешек. Особенно потешались над Эрнандо де Луке, которого стали называть Эрнандо Безумный.

Участники предприятия быстро договорились между собой и разделили обязанности. Луке согласился предоставить большую часть денежных средств для снаряжения кораблей и выплаты жалованья солдатам; Альмагро, поставив на карту все свои сбережения, руководил подготовкой экспедиции; Писарро, владевший только шпагой, взял на себя непосредственное руководство открытиями и завоеваниями.

Четвертым, неофициальным компаньоном стал панамский наместник Педро Ариас д'Авила, которому была обещана четвертая доля будущей добычи за одно лишь обещание не чинить препятствий инициаторам экспедиции.

С трудом снарядив один корабль, в ноябре 1524 года Франсиско Писарро вышел из Панамского порта на поиски "Золотого царства".

Вскоре Диего де Альмагро, снарядив второй корабль, вышел из Панамы с семьюдесятью испанцами по следам своего компаньона, оставлявшего по пути условные знаки. Не застав его в Пуэрто-де-ла-Амбре, Альмагро двинулся дальше и достиг устья реки Сан-Хуан. Каждая высадка испанцев на берег сопровождалась ожесточенными стычками с индейцами. В одном сражении Альмагро лишился глаза. Разгромив и предав огню несколько селений, он решил повернуть обратно и, плывя вдоль берега, достиг Чикамы, где и нашел Франсиско Писарро с остатками его отряда.

Соединив свои силы, оба конкистадора стали обдумывать план новой экспедиции в Перу. Людей у них было мало, припасы иссякли, средства истощились. Конкистадорам не оставалось ничего другого, как вернуться в Панаму и просить о содействии жадного и упрямого д'Авилу. Встретив с его стороны решительный отказ, Писарро и Альмагро снова прибегли к помощи священника Луке; последнему удалось заинтересовать богатых купцов и чиновников и добыть необходимые средства. И тогда три компаньона заключили беспримерный в истории договор, согласно которому каждому причиталась третья часть будущей добычи, причем ни один из них не имел понятия не только о величине и могуществе, но даже о местоположении "Золотого царства", которое они собирались завоевать.

Под договором мог расписаться один только Эрнандо де Луке. Писарро же и Альмагро вывели вместо подписи кресты, а рядом с крестами проставили за неграмотных их имена два панамских жителя.

Заключив этот договор, Писарро и Альмагро не без труда набрали отряд из ста шестидесяти человек и, закупив все необходимое, отправились на двух кораблях во второе плавание. Конкистадоры достигли без помех устья реки Сан-Хуан и поплыли вверх по течению. Они разорили несколько туземных деревень и захватили богатую добычу.

Однако индейцы здесь были более цивилизованными, чем в других, уже завоеванных испанцами областях. С малыми силами нечего было и думать о покорении этой густонаселенной страны. Необходимо было получить подкрепление. Эта задача была возложена на Альмагро, который тотчас же отправился обратно в Панаму с захваченным у индейцев золотом, чтобы заняться вербовкой добровольцев. Другой корабль Писарро отправил под командой опытного кормчего Бартоломе Руиса к югу, на разведку, а сам остался со своим отрядом в захваченной индейской деревне с намерением исследовать близлежащие местности.

Бартоломе Руис успешно выполнил свою задачу: избегая столкновений с индейцами, он продвинулся далеко на юг, почти до экватора. Перед изумленными испанцами открывалась цветущая земля, хорошо возделанные поля, богатые селения.

Тем временем Альмагро навербовал в Панаме еще восемьдесят добровольцев из числа вновь прибывших испанских колонистов и также присоединился с ними к Писарро. Экспедиция, теперь уже в полном составе, двинулась дальше на юг, вдоль узкой береговой полосы, окаймляющей горную цепь. Вскоре экспедиция достигла границы страны перуанских индейцев — инков. Однако начать завоевание этого обширного государства с такими ничтожными силами Писарро все еще не решался, так как несколько столкновений с перуанцами кончились не в его пользу. Выбрав для стоянки небольшой остров Гальо, он остался на месте со своим отрядом, еще раз отправив Альмагро в Панаму за подкреплением.

Однако новый наместник, присланный в “Золотую Кастилию” после смерти д’Авилы, запретил Альмагро вербовать добровольцев для этого “безрассудного предприятия” и отправлять их “на верную погибель”. Он не только не помог Альмагро, но направил к острову Гальо корабль за Писарро и его спутниками. Такой исход предприятия отнюдь не радовал Альмагро и Луке. Они уже понесли большие затраты и не намерены были отказываться от своих надежд, особенно после того, как Бартоломе Руису удалось захватить нескольких перуанцев. О богатстве этой страны можно было судить по их золотым и серебряным украшениям.

Оба компаньона поспешили послать своего доверенного к Писарро, который убедил его настаивать на продолжении экспедиции и отказаться от повиновения наместнику. Писарро, разумеется, внял этим советам. Но напрасно он расточал соблазнительные обещания своим измученным, изголодавшимся спутникам. Когда прибыл корабль, посланный наместником, все они, за исключением двенадцати человек, покинули конкистадора.

Писарро поселился вдали от берега на необитаемом острове, названном им Горгоной. Испанцы провели там семь долгих месяцев, терпеливо дожидаясь обещанной помощи от Альмагро и Луке.

Наконец, под влиянием настойчивых просьб Альмагро и требований испанских колонистов оказать помощь людям, все преступление которых состояло в упорном преследовании поставленной цели, наместник согласился отправить на остров Горгону небольшое судно с приказом привезти в Панаму Писарро и его спутников. Чтобы Писарро не использовал в своих интересах это судно, на его борту не было ни одного солдата и никакого военного снаряжения.

Когда корабль прибыл на Горгону и капитан огласил приказ наместника, все тринадцать авантюристов, забыв о своих лишениях, стали уговаривать приехавших за ними матросов отправиться к берегам Перу за богатой добычей. Уговоры подействовали. Корабль направился в южном направлении вдоль берега нынешнего Эквадора, пересек залив Гуаякиль и достиг перуанского города Тумбеса. Конкистадоры открыли страну инков, полную золота и серебра. Но они не могли покорить могущественную страну своим маленьким отрядом, поэтому вынуждены были вернуться. После восемнадцатимесячного плавания авантюристы прибыли в Панаму, где их считали давно погибшими.

Прошло более трех лет с тех пор, как Писарро предпринял первую попытку проникнуть в Перу. Неудачные экспедиции вконец разорили его компаньонов Альмагро и Луке. Писарро в 1528 году отправился в Испанию на аудиенцию к королю Карлу V. После долгих хлопот он получил от него в качестве поощрения за свои труды звание наместника, военачальника, должность главного судьи, дворянский герб и пожизненную пенсию. Писарро выговорил также награды и титулы для обоих своих компаньонов и для всех остальных участников экспедиции.

Наконец, в начале 1530 года Писарро вернулся в Панаму, где сразу же столкнулся с новыми неожиданными осложнениями и трудностями. Диего де Альмагро видел в нем теперь не союзника, а соперника. Если Эрнандо де Луке королевским указом назначался епископом Новой Кастилии, то для Альмагро, честолюбие и способности которого были Писарро хорошо известны, он выхлопотал только дворянское звание, денежную награду — жалкие пятьсот дукатов — и начальство над еще не существовавшей крепостью в Тумбесе. Альмагро, потративший значительно большую сумму на предварительные путешествия, счел себя обманутым и отказался участвовать в новой экспедиции. Сплотив вокруг себя недовольных и обиженных королевской подачкой, он обвинил Писарро в вероломстве и заявил о своем решении приступить к завоеваниям независимо от него.

Распавшийся было союз конкистадоров все же удалось восстановить благодаря посредничеству Луке и красноречию самого Писарро, давшего торжественное обещание уступить своему компаньону должность "аделантадо" — губернатора.

Однако средства Писарро, Альмагро и Луке были так ограничены, что они снарядили только три небольших корабля и навербовали всего лишь сто восемьдесят солдат. Правда, среди них было тридцать шесть всадников. В январе 1531 года Писарро в сопровождении четырех сводных братьев отправился в свое последнее плавание к берегам Перу, в то время как Альмагро остался в Панаме, чтобы подготовить вместе с Луке вспомогательную экспедицию.

Писарро успешно завоевывал страну инков. Альмагро с большим трудом снарядил экспедицию. В феврале 1533 года он привел в Кахамарку сто пятьдесят пехотинцев и пятьдесят всадников. Но прибыл он слишком поздно, и помощь его была уже не нужна. Тем не менее, по условиям договора, он имел право на третью часть добычи. Писарро уговорил его взять меньшую долю и решил начать дележ награбленных богатств.

Между тем в Перу стремились толпы авантюристов. На перуанском побережье высадился с крупными силами губернатор Гватемалы Педро де Альварадо. Он надеялся первым дойти до Кито, а уж потом отстаивать права владельца. Узнав об этом десанте, Писарро послал на спорную территорию Диего де Альмагро. Конкистадор отправился в поход с теми незначительными силами, которые были в его распоряжении.

Можно себе представить удивление и беспокойство, охватившие спутников Альварадо, когда вместо ожидаемых индейцев они увидели перед собой отряд испанских солдат под начальством Альмагро! Оба отряда изготовились к бою. Но подоспевший в это время на помощь к Альмагро Белалькасар сообщил ему, что в Кито не оказалось никаких сокровищ. Альмагро понял, что сражаться по сути дела не из-за чего. Вступив в переговоры с Альварадо, он заключил с ним сделку. Губернатор Гватемалы согласился за сто тысяч песо отказаться от своих притязаний и уступить Писарро весь свой флот и все военное снаряжение. После этого Альмагро вошел со своим отрядом в Кито и отправил к Писарро гонцов с донесением о новой блистательной победе.

Пока в Перу происходили эти события, Эрнандо Писарро прибыл в Испанию с богатым грузом награбленных сокровищ, которые обеспечили ему при дворе превосходный прием. Эрнандо добился для своего брата Франсиско расширения наместнических прав и привилегий, а также ему был присвоен титул маркиза. Отныне Франсиско Писарро — маркиз де Альтавильяс — приобщался к придворной знати, Эрнандо Писарро получил рыцарское звание. Что касается Альмагро, то он был утвержден в должности "аделантадо" — губернатора; его владения простирались на двести испанских миль (больше тысячи километров) без обозначения границ подвластной ему территории, что открывало широкий простор для всевозможных недоразумений и произвольных толкований.

Когда Альмагро узнал, что ему вверено самостоятельное губернаторство, он решил, что Куско находится на его территории и надо завоевать эту страну. Но его намерению воспротивились Хуан и Гонсало Писарро. Соперники готовы уже были разрешить спор оружием, когда в перуанскую столицу прибыл Франсиско Писарро, "великий маркиз", как его часто называют испанские историки.

Альмагро никогда не мог простить своему компаньону ни его лукавства, выказанного в переговорах с Карлом V, ни той развязности, с какой он присвоил себе в ущерб союзникам большую часть власти. Но так как намерения Альмагро встретили серьезное сопротивление, а сила была не на его стороне, то он до поры до времени скрыл свое неудовольствие и досаду и притворился, будто очень обрадован примирением.

"Товарищество было восстановлено, — говорит Сарате, — на том условии, что дон Диего де Альмагро отправится открывать новые страны на юге, и если найдет что-нибудь хорошее, то для него будет испрошено наместничество у его величества короля; если же Альмагро ничего не найдет, тогда дон Франсиско разделит с ним свои владения. Договор был заключен в торжественной обстановке, и оба поклялись на святых дарах, что в дальнейшем ни тот, ни другой ничего не будут предпринимать друг против друга". Современники утверждают, что Альмагро поклялся не посягать ни на страну Куско, ни на соседние страны, простиравшиеся на сто тридцать лье к северу от ее границ, если даже король дарует ему наместничество. Обратившись к святым дарам, он якобы произнес следующие слова: "Господи, если я преступлю данную мною клятву, то порази и накажи тело и душу мою".

После того как был заключен этот торжественный договор, выполненный, впрочем, так же, как и первый, Альмагро занялся приготовлениями к походу. Благодаря щедрости и энергии ему удалось увлечь за собой пятьсот шестьдесят человек. Среди них были и кавалеристы. 3 июля 1535 года во главе отряда, состоящего из 500—700 испанцев и 15 тысяч индейцев, он выступил из Куско по направлению к Чили. Пройдя 1000 километров, Альмагро предоставил своим людям двухмесячный отдых. В пограничном районе испанцы перехватили груз золота, которое покоренные южные племена послали инкам. Дележ добычи, конечно, только усилил их жажду золота.

Через пустынное плато экспедиция с боем прошла долину Чикоана, где ему удалось получить лам и кое-какой провиант. Но при переходе через стремительный горный поток большая часть животных погибла. Это был ощутимый удар для экспедиции.

Особенно тяжело дался переход через Анды. Солдаты гибли от холода, болезней и истощения. Не раз приходилось выдерживать битвы с воинственными племенами, которых еще не коснулась никакая цивилизация. Туземцы нападали на испанцев с такой яростью, что ничего подобного завоеватели не видали ни в Перу, ни в какой-либо другой завоеванной стране. Альмагро дошел до 30° южной широты, но ни золота, ни сокровищ в этом краю не оказалось. Тем не менее он упорно продолжал продвигаться к югу, пока измученные солдаты не отказались наотрез продолжать этот бесполезный поход. В сентябре 1536 года Альмагро пришлось повернуть обратно.

Альмагро вернулся в Перу, когда часть страны охватило восстание, поднятое Манко Капаком. Индейцы полгода осаждали столицу страны Куско, где заперлись с горсткой людей Эрнандо и Гонсало Писарро; третий брат, Хуан, был убит во время вылазки.

Перуанцы были уже близки к тому, чтобы взять город штурмом, когда у стен Куско неожиданно появился со своим отрядом Диего де Альмагро. На обратном пути в Перу ему пришлось пересечь гористую песчаную пустыню Атакаму, где его солдаты перенесли не меньше страданий от зноя и жажды, чем в Андах от снега и холода. Достигнув перуанской территории, он узнал о восстании, разбил наголову войска Манко и снял осаду с Куско.

Сославшись на то, что этот город неподвластен Писарро, Альмагро ввел в него своих солдат. Перевес в силах был на его стороне, и братьям Писарро пришлось сложить оружие. 8 апреля 1537 года Альмагро взял под арест Эрнандо и Гонсало Писарро и объявил себя законным губернатором перуанской столицы.

В это же самое время значительный отряд перуанцев осаждал новую столицу — Лиму, где находился Франсиско Писарро. Все свои корабли он отправил за подкреплениями в Панаму и послал гонцов в недавно построенную крепость Трухильо, где во главе большого гарнизона находился Алонсо де Альварадо. Писарро приказал ему немедленно отправиться в Куско на выручку Эрнандо и Гонсало. Приблизившись к городу, Альварадо с удивлением узнал, что осада с Куско снята и он снова находится в руках испанцев. Не успел Альварадо опомниться, как Альмагро устроил засаду и взял в плен весь его отряд.

Теперь силы Альмагро удвоились, так как к нему охотно присоединились почти все солдаты Альварадо. После этого Альмагро оставалось только двинуться на Лиму, чтобы раз и навсегда покончить с Франсиско Писарро и объединить под своей властью оба губернаторства. На это и намекали ему некоторые офицеры, в особенности Оргоньос, побуждавший его немедленно уничтожить обоих братьев Писарро, а затем ополчиться на бывшего компаньона и союзника. Но кого Юпитер захочет погубить, — сказал римский поэт, — у того он отнимет разум. Альмагро, который во всех других случаях никогда не чувствовал угрызений совести, на этот раз проявил нерешительность, а вернее всего, испугался далеко идущих последствий своего бунта против "великого маркиза". Так или иначе, вместо того чтобы выступить в поход, он остался в Куско.

Если взглянуть на это дело с точки зрения интересов Альмагро, то следует признать, что он совершил роковую ошибку, в которой ему пришлось горько раскаяться. Но если принять во внимание интересы испанской короны, то начатый им раздор и междоусобная война, затеянная на глазах у неприятеля, уже сами по себе составляли тяжкое преступление. И Альмагро это настолько хорошо понимал, что решил ради собственной безопасности занять выжидательную позицию.

Между тем положение Писарро было не из легких. Ему оставалось только надеяться на время и случай. Силы его были скованы, так как подкрепления из Панамы заставляли себя ждать.

Альмагро, упустив благоприятную возможность, завел с противником новые переговоры, продолжавшиеся несколько месяцев. Тем временем Гонсало Писарро и Альварадо удалось подкупить стражу и бежать. Уже столько раз обманутый Альмагро согласился все же принять приверженца Писарро — Эспиносу, старавшегося убедить его, что ссора между двумя противниками не только пагубна для всей страны, но, без сомнения, вызовет гнев короля и смещение их обоих с постов. Однако доводы Эспиносы не подействовали на Альмагро. Он хотел, чтобы Писарро по меньшей мере разделил с ним свою власть.

Наконец, соперники согласились обратиться к третейскому суду. В роли судьи выступил монах Бовадилья. Он потребовал прежде всего немедленного освобождения Эрнандо Писарро, передачи Куско в распоряжение маркиза и посылки в Испанию нескольких офицеров от обеих сторон с полномочиями добиться у короля окончательного решения о разграничении прав обоих соискателей.

Но едва только последний из его братьев получил свободу, как Писарро, отбросив всякую мысль о мире или перемирии, объявил, что только оружие решит, кто из них — он или Альмагро — будет хозяином в Перу. В короткое время он собрал семьсот человек, начальство над которыми поручил двум своим братьям. Прямым путем можно было попасть в Куско только через горы. Чтобы облегчить себе переход, они отправились по берегу моря к отрогам Анд, откуда дорога вела прямо к столице.

Альмагро следовало бы защищать горные проходы, но под его началом было только пятьсот человек, и главные надежды он возлагал на кавалерию, которая не могла бы действовать в узких ущельях. Поэтому ему пришлось дожидаться неприятеля в долине Куско. 26 апреля 1538 года произошла решающая битва. Оба отряда сражались с одинаковым ожесточением, но победу решили две роты мушкетеров, которые прислал на помощь Писарро испанский король, узнавший о восстании перуанцев. В этом сражении, известном под названием “битва при Лас-Салинасе”, пали с той и другой стороны сто сорок испанцев. Оргоньос и несколько приближенных офицеров Альмагро были убиты уже после сражения. Братья Писарро снова вошли в Куско и тотчас же захватили престарелого, больного Альмагро.

В эту эпоху победа, не сопровождавшаяся грабежом, не считалась полной. И город Куско был предан разграблению. Но его богатств оказалось недостаточно, чтобы насытить алчность офицеров и солдат Писарро. Все они были такого высокого мнения о своих достоинствах и заслугах, что каждый требовал для себя большей доли. Эрнандо Писарро, разделив между своими людьми часть добычи, отправил их вместе с присоединившимися солдатами Альмагро завоевывать новые земли. После этого он решил разделаться с Альмагро. Побежденный соперник “великого маркиза” был предан суду и приговорен к смертной казни. Узнав о решении суда, Альмагро стал ссылаться на свой преклонный возраст и укорять победителей в несправедливости. Но вскоре к нему вернулось его обычное хладнокровие, и он стал ожидать смерти с мужеством солдата..

8 июля 1538 года Альмагро задушили в тюрьме, а затем публично обезглавили его труп.

Приверженцы казненного Альмагро, пылая жаждой мести, сплотились вокруг его сына Диего и решили покончить с Франсиско Писарро.

О заговоре стало известно друзьям Франсиско, но напрасно они старались предостеречь "великого маркиза". Он был так упоен своей властью и могуществом, что не желал считаться ни с какими советами. "Пока меч правосудия находится в моих руках, — говорил он, — никто не осмелится посягнуть на мою жизнь".

В воскресенье 26 июня 1541 года Писарро был убит заговорщиками.

Арудж Барбаросса

(1473 или 1474 — 1518)

Турецкий мореплаватель, средиземноморский пират. Родился на острове Матилини (Лесбос). Устранив Селима ат-Туми, стал правителем Алжира под именем Барбароссы. Захватил город Тлемсен (1517) и низложил правящую династию, однако вынужден был бежать из города в Марокко, после того как сильная испанская экспедиция осадила город. В мае 1518 года Барбаросса погиб в бою с испанцами.

Историкам довольно подробно известна родословная братьев-разбойников. Оба они были греками, сыновьями гончара Якоба Рейса, переселившегося в свое время с Балкан на остров Лесбос. Когда в середине XV века остров захватили турки, Рейс с семьей перешел в ислам. У Якоба имелось небольшое судно, на котором он перевозил свои гончарные изделия; на нем позднее, когда подросли, сыновья стали пробавляться морским разбоем.

Но размах был, что называется, не тот, и вскоре Арудж примкнул к турецким корсарам. Уже в 20 лет он отличался храбростью и беспощадностью в сражениях. Однако в одном из них Аруджа захватили в плен рыцари-иоанниты. Его сослали на остров Родос.

Арудж стойко выдерживал каторжный труд галерного раба, а тем временем его брат Ацор, будущий Хайраддин, в одиночку грабил христианские суда и собирал деньги, необходимые для выкупа Аруджа. Денег требовалось не мало, и прошло несколько лет, прежде чем Арудж вновь оказался на свободе.

Он снова стал пиратом. Но, не удовлетворившись ролью рядового пирата, Арудж взбунтовал команду и захватил корабль, стал предводителем. Он сплотил вокруг себя мелкие пиратские флотилии и вскоре стал серьезно угрожать судам христианских государств. Дело дошло до того, что в 1504 году Арудж не побоялся захватить две галеры самого папы римского. Об этой операции следует рассказать подробно.

Весной 1504 года две галеры папы Юлия II, выйдя из Генуи, следовали курсом на город Чивитавеккья. В трюмах галер находился ценный груз, а потому на палубах обоих судов располагалась многочисленная военная стража. Под этой охраной экипажи галер чувствовали себя в полной безопасности, хотя уже на траверзе острова Эльба в море было замечено какое-то неизвестное судно, идущее параллельным курсом.

По неизвестным причинам вторая галера стала отставать и вскоре исчезла за горизонтом, а неизвестное судно, наоборот, увеличив скорость, приблизилось к первой галере. Но даже и тогда ее экипаж и охрана не заподозрили ничего плохого. И лишь разглядев чалмы на головах преследователей, поняли, что их настигли пираты. Поднялась суматоха, а тем временем пираты, осыпав галеру градом стрел, подтянули ее крюками к своему борту и бросились на абордаж. Нападение было столь стремительным, что за несколько минут охрана оказалась перебитой, а экипаж — плененным.

Казалось бы, можно было удовольствоваться этой добычей, но Арудж всегда был максималистом и не собирался упускать второй приз — отставшую галеру. В его голове возник хитроумный план. Приказав раздеть пленников, он загнал их в трюм, а в отобранную одежду обрядил своих пиратов. Затем все перешли на галеру и взяли собственное судно на буксир, имитируя, таким образом, полную победу папских воинов.

Вскоре показалась отставшая галера. Вид пиратского корабля, шедшего на буксире, вызвал у христиан прилив энтузиазма, и галера без всякой опаски подошла к борту “трофея”. Тут-то Арудж и подал знак. В одну минуту роли поменялись, и вторая галера была захвачена столь же скоротечно, как и первая.

Эта победа еще более прославила имя Аруджа, но сам пират понимал, что без покровительства какого-либо владетеля его разбойные действия рано или поздно будут подавлены христианскими войсками. Поэтому после недолгого раздумья он обратился за помощью к эмиру Туниса. Само собой разумеется, эта помощь не могла быть оказана бесплатно, и после переговоров обе стороны пришли к компромиссу. Эмир отдавал во владение пиратов остров Джербу, за что получал двадцать процентов от пиратской добычи — сумму немалую, учитывая то обстоятельство, что удача не покидала Аруджа, из каждого грабительского похода он возвращался с богатыми трофеями.

Получив в распоряжение Джербу, Арудж расширил территории своих действий, а главное, стал грабить не только корабли в море, но и портовые города Франции, Италии, Испании. Особенно доставалось последней, поскольку Арудж расценивал разорение испанских городов как месть испанцам за изгнание арабов с Пиренейского полуострова.

Такое положение вещей в конце концов побудило арагонского короля Фердинанда начать ответные действия против пиратов. Испанские экспедиционные войска захватили главные опорные пункты берберских пиратов, такие, как Алжир, Бужи, Оран. Города эти были разграблены и сожжены, а их жители обложены большой данью, что практически не позволяло им впредь оказывать материальную поддержку пиратам. Кроме того, чтобы преградить пиратским кораблям доступ к Алжиру с моря, испанцы построили мощную систему фортов на острове Пеньон, которая долгое время перечеркивала всякие желания пиратов вернуть себе Алжир.

Победа испанских войск подорвала авторитет Аруджа и подвигла его на необдуманные поступки. Так, в горячке он решил напасть на Бужи и одновременно — на испанский флот. То и другое кончилось для него полным провалом, и Аруджу пришлось смириться с пребыванием испанцев в Северной Африке. Он снова сосредоточил все свои усилия на грабеже судов в море.

Тем временем, в 1516 году, умер король Фердинанд, и этим тотчас воспользовалось население Алжира, которое подняло восстание против оккупационных войск. Его возглавил араб Салим, пригласивший к себе на помощь Аруджа с его пиратами. Алжир был атакован с моря и с суши и после ожесточенной борьбы взят. Оставшиеся в живых испанцы отошли к острову Пеньон, под защиту его фортов.

Таким образом, Алжир вновь перешел к арабам, и Салим провозгласил себя его эмиром. Но этот факт ни в коей мере не устраивал честолюбивого Аруджа. Ему и его пиратам принадлежала честь отвоевания Алжира у "неверных", и пиратский предводитель не собирался терпеть на эмирском троне никому не известного до сей поры Салима. А потому в один прекрасный день Арудж отправился во дворец нового эмира. Он застал его купающимся в бассейне и, не долго думая, задушил. Покончив с соперником, Арудж провозгласил себя правителем Алжира и присвоил себе титул — султан Барбаросса. Но, поскольку этим же именем должен был называться и брат Аруджа Ацор, то историки во избежание путаницы присвоили братьям порядковые номера — Арудж стал Барбароссой I, Ацор — Барбароссой II.

Итак, султан Арудж стал одним из богатейших людей Североафриканского побережья. Казалось бы, есть все основания укрепить свое влияние и возглавить борьбу против испанцев, под властью которых оставались некоторые арабские города.

Но случилось обратное. Арудж показал себя в Алжире не мудрым правителем, а жестоким тираном, чем вызвал недовольство жителей, которое вскоре переросло в восстание и осложнилось новой военной экспедицией испанцев. Их предводитель, маркиз де Комарес, захватил город, и Аруджу пришлось бежать. С ним было всего полторы тысячи пиратов, тогда как испанские войска насчитывали десять тысяч человек. Они преследовали Аруджа по пятам, тем более что их воодушевлял слух, будто пиратский вождь захватил с собой все свои несметные сокровища. Так это или не так, никто не знает, однако легенда утверждает, что на всем пути отступления Арудж, дабы задержать преследователей, разбрасывал серебро и золото. Но это не помогло, и Арудж погиб вместе с верными ему пиратами.

Гибель Аруджа описывают по-разному. Ф. Архенгольц, автор "Истории морских разбойников Средиземного моря и Океана", утверждает: "...после тридцатичасового преследования испанцы настигают его в небольшой пустыне, прилегающей к марокканскому городку Ду-буду. Утомленный усталостью и жаждой, султан алжирский с горстью уцелевших товарищей укрылся в небольшом козьем парке, огражденном низкой стеной, сложенной из камня без цоколя. Окруженный со всех сторон, он обороняется как раненый лев, пригвожденный к земле копьем, он все еще защищается, пока испанский знаменосец дон Гарсиа де Тинео не отрубил ему головы. Голова его, воткнутая на знамя, была отправлена в Оран, а оттуда в Испанию... В Кордове, в монастыре Святого Иеронима, до сих пор еще показывают камзол его из малинового бархата, шитый золотом.

Таков был, в мае 1518 года, на 36 году от роду, после 14 лет бродячей жизни и двадцатимесячного царствования, конец страшного Харуджи, известного в новейших летописях под именем Барбароссы".

Современный знаток истории пиратства, поляк Яцек Маховский, дает свою версию смерти Аруджа: "Испанские солдаты, прельщенные перспективой богатой добычи, слухами о фантастических сокровищах, унесенных пиратами из Алжира, преследовали Барбароссу до самой реки Саладо.

Аруджу удалось переправиться на другой берег, с которого он наблюдал безнадежную борьбу своего арьергарда, прикрывавшего отступление. Глубоко тронутый героизмом и верностью своих товарищей, он решил поспешить им на помощь. Вновь переправившись со свитой через реку, Барбаросса присоединился к защитникам плацдарма. При этом он прекрасно осознавал всю безнадежность положения.

Через несколько часов победоносные испанцы обнаружили на поле боя изувеченный труп Барбароссы".

Как бы там ни было, но факт оставался фактом: погиб человек, имя которого на протяжении долгого времени наводило ужас на прибрежные города Средиземного моря. Узнав об этом, христианская Европа вздохнула свободно.

Хайраддин Барбаросса

(1468? — 1546)

Турецкий мореплаватель, могущественный средиземноморский пират, подчинивший своей власти почти все побережье Алжира. Унаследовав после гибели старшего брата крупную пиратскую флотилию в несколько тысяч человек, провозгласил себя Барбароссой и признал верховную власть Османской империи. Турецкий султан Селим I назначил его главнокомандующим всего своего флота и берлербеем ("эмиром эмиров").

Ацор родился на острове Митилини (Лесбос) в семье бывшего офицера Османской империи, вероятно албанца, и гречанки. Стал пиратом под влиянием старшего брата, правителя Алжира Барбароссы.

После гибели брата Ацор занял его место. Позже ему дали другое имя — Хайраддин, что означает "хранитель верующих".

Унаследованное Хайраддином от Барбароссы, казалось, должно было подчеркивать его мощь и влияние в этом районе Средиземного моря. Ему досталась крупная пиратская флотилия, в состав которой входило несколько тысяч человек, а кроме того, как преемник родного брата, пусть и недолго, но восседавшего на троне, он претендовал на власть над Алжиром.

Однако Хайраддин был слишком умен, чтобы не понимать шаткости своего положения. В отличие от брата, он сознавал силу испанцев и не рассчитывал справиться с ними самостоятельно. Нужен был влиятельный сеньор, который бы взял пиратов под свою опеку. Кандидаты на эту роль имелись, поскольку политический расклад сил на Средиземном море в описываемую эпоху выглядел так. Господствовала на политической сцене Испания, королем которой под именем Карлоса I был император Священной Римской империи Карл V Габсбург. Его поддерживали сильные в морском отношении итальянские города-республики, такие, как Генуя и Венеция, а противостояла ему османская Турция, союзником которой стала Франция, желавшая завладеть Италией.

Само собой разумеется, что мусульманин Хайраддин не мог опираться на какую-либо христианскую страну. Он мечтал стать властелином Алжира и — при благоприятном стечении обстоятельств — Туниса, но осуществить эти мечты одному было явно не по силам.

Взвесив свои возможности, Хайраддин принял решение и в 1518 году отправил своих посланцев к Константинополь. Они передали турецкому султану желание Хайраддина стать вассалом Высокой Порты, за что султан должен был помогать пирату в осуществлении его планов.

Султан согласился. Предложение Хайраддина было ему выгодно: Турция только что завоевала Балканы и была не прочь распространить свою власть и на Северную Африку. Не долго думая, султан присвоил новому вассалу титул паши и отрядил ему в помощь несколько тысяч янычар, солдат своей гвардии. А кроме того, султан не имел ничего против притязаний пирата на Алжир.

Ободренный такой поддержкой, Хайраддин приступил к осуществлению своих намерений. Возвратить Алжир было невозможно, ибо путь туда преграждал испанский гарнизон на острове Пеньон, отбивавший всякие попытки захватить его.

Роль Пеньона отлично понимали в Испании, поэтому в 1519 году Карл V направил на помощь острову целый флот из пятидесяти кораблей под командованием вице-короля Сицилии, и испанцы ничуть не сомневались в успехе своего предприятия, но обстоятельства повернулись против них. Уго де Монкада с десантом в 1500 человек высадился в окрестностях Алжира, но поднялась буря, которая выбросила на берег половину испанских кораблей. Погибли четыре тысячи человек, а дальнейший разгром эскадры довершили пираты Хайраддина.

Таким образом, попытка оказать помощь осажденному Пеньону провалилась, и гарнизон острова, насчитывавший всего пятьсот человек, еще десять лет защищал свои позиции от превосходящих сил арабов и турок.

Но в конце концов пал и Пеньон. В мае 1529 года Хайраддин, для которого остров стал буквально как кость в горле, сосредоточил возле него почти полсотни кораблей, орудия которых открыли по стенам форта ураганный огонь. Этот обстрел без перерыва продолжался шестнадцать дней и ночей, и стены наконец не выдержали. Повсюду в них образовались огромные проломы, куда устремились штурмующие, как уверяют письменные источники — числом около пяти тысяч человек.

Как видим, соотношение сил нападавших и защищавшихся было десять к одному, и тем не менее бой на развалинах форта шел целый день. Лишь к исходу дня 21 мая укрепления были взяты. Комендант острова дон Мартин де Варгас, весь израненный, был приведен пиратами на рыночную площадь Алжира, привязан там к столбу и насмерть забит розгами. Это — по одной версии; по другой — Хайраддин приказал разрубить дона Мартина на куски и выбросить их в море.

Чтобы навсегда избавиться от угрозы со стороны острова, Хайраддин пригнал на него тысячи христианских невольников, которые в течение двух лет возводили огромный каменный мол, соединивший остров с материком. Так Пеньон стал полуостровом, а порт Алжира — главной базой берберских пиратов.

Достигнув вершины власти, став правителем Алжира, Хайраддин тем не менее не забывал и о другой своей цели— овладеть Тунисом. Однако прошло пятнадцать лет, прежде чем Хайраддину удалось исполнить задуманное.

В августе 1534 года, побывав предварительно в Константинополе у султана Сулеймана Великолепного, он во главе большого флота появился у берегов Италии. Хайраддин захватил и разграбил города Реджо, Санта-Лусию и Фонди, пираты взяли в плен большое количество жителей, которых незамедлительно продали в рабство. Обогатившись, Хайраддин повернул свои корабли на юг и в середине августа оказался недалеко от Туниса, точнее в виду небольшого, хорошо укрепленного городка Гулетты, прикрывавшего морские подходы к метрополии.

Захват Гулетты сильно напоминал захват Пеньона — бомбардировка стен корабельными орудиями, а затем штурм и расправа с защитниками. Эта акция предопределила падение Туниса, в котором в то время правил султан Мулай Хасан — узурпатор, отобравший власть у своего родственника Мулай эль-Рашида, пользовавшегося покровительством Испании. Изгнанный из Туниса, Мулай эль-Рашид нашел убежище в Константинополе, но в городе остались его приверженцы, с которыми Хайраддин вступил в переговоры. Он уверил их, что восстановит в правах свергнутого Мулай эль-Рашида, и этим добился того, что в городе возник заговор против Мулай Хасана. В назначенный час заговорщики открыли ворота Баб-эль-Зира и впустили войско Хайраддина в город.

Без единого выстрела была занята цитадель, все предвещало бескровный успех, но в это время по городу поползли слухи, что Хайраддин воспользовался именем свергнутого султана в корыстных целях. Тунисцы взялись за оружие, и Хайраддин едва не погиб в уличной схватке, но дело в конце концов решилось в его пользу, в основном благодаря мужеству самого предводителя пиратов, который с мечом в руке кинулся в самую гущу побоища, увлекая за собой своих воинов. Узурпатор Мулай Хасан бежал, и Хайраддин стал полновластным хозяином Туниса.

Перемена власти в нем очень обеспокоила Карла V. Владея Тунисом, Хайраддин представлял большую угрозу для Сицилии и Неаполитанского королевства, находившихся под эгидой Испании; помимо этого Карла V страшила и возможность заключения союза между берберскими пиратами и французским королем Франциском I, который, как уже говорилось, мечтал подчинить Италию своему влиянию. Этого нельзя было допустить, и король испанский стал собирать силы, что вернуть Тунис под покровительство императорской короны.

В подготовке нападения на Тунис приняла участие целая коалиция европейских государств. Помимо Испании, солдат и корабли для их перевозки предоставили Португалия, Италия, Германия, Мальта и Франция. Но, как выяснилось впоследствии, Франция помогала одновременно и Хайраддину.

Командующим сухопутной объединенной армией был назначен военачальник Карла V дю Гваст, флотом — генуэзец Адреа Дориа, считавшийся самым выдающимся флотоводцем своего времени.

16 июня 1535 года объединенные сиды подошли к Тунису, а на другой день началась высадка десанта. Как и при захвате Туниса Хайраддином год назад, на пути наступавших вновь оказалась Гулетта. Ее осада началась в двадцатых числах июня, но только в середине следующего месяца осаждающие решились на штурм. При поддержке артиллерии с сухопутных и морских батарей армия, разделенная на три корпуса, устремилась в брешь, пробитую ядрами к полудню 15 июля.

В Гулетте под началом Хайраддина находилось семь тысяч человек, в основном турецкие янычары, снискавшие себе славу храбрых воинов. На их мастерство и приходилось надеяться Хайраддину, поскольку против него выступала армия не менее профессиональная, но во много раз многочисленнее.

Янычары встретили наступавших яростным сопротивлением, однако ружейный и орудийный огонь испанцев был столь силен, что производил страшные опустошения в рядах защитников Гулетты. Она продержалась недолго, после чего Хайраддин с уцелевшими янычарами отступил непосредственно в Тунис, а победители собрались на военный совет. Решался вопрос, продолжать ли наступление или дожидаться подкреплений. Мнения разделились, но решающим оказался голос Карла V, который заявил, что надо немедленно воспользоваться взятием Гулетты и идти на Тунис. Кстати, именно в Гулетте обнаружились следы двойной игры со стороны Франции: на захваченных испанцами пушках были обнаружены клейма в виде лилий, что всегда являлось знаком принадлежности к французскому королевскому дому.

В отличие от Гулетты, Тунис не мог пожаловаться на малочисленность своего войска. В самом городе и вне его стен собралось более ста тысяч человек. Правда, регулярного войска среди такого количества людей было немного, и только этим объясняется тот факт, что двадцатидвухтысячная армия Карла V, пошедшая 20 июля на приступ Туниса, достигла быстрых результатов. Не помогло и мужество Хайраддина, который решил закрыться в цитадели и взорваться вместе с ней. Ему не дали сделать этого: горожане затворили ворота цитадели и не пустили туда Хайраддина. Тому ничего не оставалось, как отступить.

По обычаям тех времен, захваченный город подвергался разграблению. Не избежал этой участи и Тунис, хотя его знать обратилась к Карлу V с мольбой о пощаде. Император пообещал не допускать бесчинств, однако распаленные боем солдаты не слушали ничьих уговоров. Три дня и три ночи продолжались грабежи и убийства, в результате которых, по свидетельству хроник, в Тунисе погибло более семидесяти тысяч человек.

Первого августа 1535 года испанский вассал Мулай Хасан был восстановлен на тунисском троне, Хайраддин же направил свои стопы в родной и давно обжитый Алжир. Там, придя в себя и пополнив свои силы, он подготовился к новым набегам и вскоре, неожиданно напав, опустошил остров Менорку, где захватил шесть тысяч пленных. Они пригодились Хайраддину, когда он в октябре этого же года отправился к турецкому султану.

Сулейман Великолепный весьма обрадовался подарку — за шесть тысяч рабов на константинопольском рынке можно было получить баснословные деньги — и назначил Хайраддина командующим всем турецким флотом и одновременно бейлербеем Африки. С этого дня все беи африканских государств должны были неукоснительно подчиняться одному человеку — Хайраддину.

Потерпевший поражение в Тунисе, Хайраддин быстро наращивал мощь в Алжире. Его внезапные набеги буквально терроризировали острова и города Средиземноморья. Так, во Франции, то есть во владениях своего союзника, короля Франциска I, он пытался разорить Ниццу, и только мальтийские рыцари, несшие там гарнизонную службу, спасли город. Однако, возвращаясь из Франции в Алжир, Хайраддин опустошил Эльбу и Липарские острова. В Алжир была привезена огромная добыча в семь тысяч пленников-христиан. Затем настала очередь Бизерты и острова Корфу.

Алжирский пират был постоянной головной болью всех европейских государей, и в 1538 году они послали против него мощный флот, состоявший из двухсот кораблей. Командовал им давний знакомец Хайраддина Адреа Дориа. Помимо кораблей, у него в подчинении была шестидесятитысячная армия и две с половиной тысячи орудий. Сила, что и говорить, внушительная, но читатель наверняка удивится, узнав, каким числом кораблей и людей располагал Хайраддин — вдвое большим! Так что он недаром носил имя Барбаросса — султаном он был отнюдь не игрушечным.

В конце сентября 1538 года оба флота встретились в заливе Превеза. Был штиль, и корабли стояли в бездействии, но вскоре подул ветер. Он дул в спину пиратам Хайраддина и в лицо христианскому воинству, и это обстоятельство решило исход битвы. Наполнив свои паруса свежим ветром, пиратские корабли обрели возможность маневра, тогда как корабли Дориа оставались по-прежнему беспомощны. Генуэзец потерпел полное поражение.

Лишь через три года Карл V решился на реванш. На этот раз его флот был еще больше и насчитывал более пятисот кораблей, а командовал им снова Дориа. В составе эскадры находился испанский идальго Эрнандо Кортес — будущий завоеватель Мексики, а в составе армии было пятьсот мальтийских рыцарей, которые считались лучшими воинами того времени.

18 октября 1541 года флот вышел из Майорки и через два дня занял позиции на подступах к Алжиру. Карл V, находившийся на флагманском корабле, посовещавшись с герцогом Альбой, который командовал армией, послал к коменданту Алжира парламентеров с требованием сдаться. Естественно, алжирцы не пошли на это, и 23 октября, выбрав удобное место восточнее города, испанцы начали высадку десанта. Всего высадилось двадцать пять тысяч человек, которых, по мнению испанских командиров, должно было хватить для штурма города. Тем более что произведенная разведка показала: укрепления Алжира не представляют большого затруднения для осадной артиллерии. Предполагалось быстро разрушить их крупнокалиберными ядрами, после чего начать штурм.

Вероятно, все так и произошло бы, но в дело опять вмешался случай: вечером 23 октября поднялся сильный северо-восточный ветер, сопровождаемый ливнем. Ночью он перешел в ураган, который разметал солдатские палатки, сорвал с якоря несколько десятков кораблей и бросил их на прибрежные скалы. В довершение всего на рассвете 24-го алжирцы совершили вылазку и, пользуясь паникой, царившей в испанском войске, устроили настоящую резню. Дело дошло до того, что сам Карл V, обнажив шпагу, встал во главе растерянных солдат и повел их в контратаку.

Буря между тем продолжалась, и с якорей срывались все новые корабли. Скоро их число перевалило за сорок, весь алжирский берег был завален их обломками. Гибли люди, боевые припасы и продовольствие. Это была катастрофа, и, видя ее, Карл V приказал отступать.

Но и отступление было сопряжено с колоссальными трудностями. Из-за ливня вышли из берегов все реки и речки, их невозможно было перейти вброд, необходимо было налаживать переправы, для которых не имелось никаких подручных средств. Бедствие усугубляли алжирцы, которые преследовали отступавших по пятам, постоянно нападая на них и нанося большой урон.

Лишь 30 октября испанская армия оторвалась от преследования и на одном из мысов к востоку от Алжира расположилась на отдых. Сюда же прибыли уцелевшие корабли, которые спешно загружались солдатами и отправлялись в различные города Италии.

Так закончилась крупнейшая попытка европейских государств расправиться с пиратами Хайраддина. После этого поражения Карл V и его преемники в течение тридцати лет не могли собрать силы для новой борьбы.

Шли годы. Хайраддин старел. Ему было уже далеко за семьдесят, когда он решил наконец-то уйти на покой. Но в Алжире, пашой которого Хайраддин продолжал оставаться, покоя не было, там происходили постоянные стычки, участие в которых стало раздражать старого пирата. Поэтому он отправился в Константинополь и там провел остаток жизни. Награбленные богатства позволили Хайраддину быть независимым от кого бы то ни было, даже от самого султана. Кстати, Сулейман Великолепный до конца дней относился к своему флотоводцу с искренней любовью.

Обзаведясь на старости лет молодой женой (она была дочерью губернатора итальянского города Реджо, который Хайраддин разорил в 1535 году), Хайраддин построил в живописном месте Константинополя, над Босфором, роскошный дворец. Как истинный правоверный, старый пират не забыл и Аллаха — неподалеку от дворца были воздвигнуты мечеть необыкновенной красоты и мавзолей. В нем Хайраддина и похоронили (4 июля 1547 года он умер в своем дворце), и с тех пор на протяжении многих лет все турецкие корабли, выходившие из бухты Золотой Рог, салютовали мавзолею, а команды возносили благодарственные молитвы в честь выдающегося турецкого флотоводца, каким Хайраддин считается и по сей день.

Любопытен портрет Хайраддина, который приводится в истории французского флота, вышедшей в свет в 1841 году: "...у него были лохматые брови, густая борода и толстый нос. Его толстая нижняя губа пренебрежительно выступала вперед. Он был среднего роста, однако обладал богатырской силой. На вытянутой руке он мог держать двухгодовалую овцу до тех пор, пока та не погибала... Поистине необычайное влияние, оказываемое им на своих командиров и простых пиратов, поклонники его объясняют огромной храбростью и ловкостью этого человека, а также тем, что даже самые отчаянные его предприятия всегда оканчивались успехом. Ум и храбрость в нападении, прозорливость и отвага в обороне, огромная работоспособность, непобедимость — все эти похвальные качества заслонялись приливами неумолимой и холодной жестокости..."

Грейс О'Мейл

(1530 — 1603)

Дочь предводителя одного из ирландских кланов Оуэна О'Мейла. Знаменитая пиратка.

Грейс О'Мейл родилась около 1530 года. После смерти отца главой клана был провозглашен ее младший брат Адульф, однако Грейс заявила свои права и во время поединка убила брата. Она укрепила родовой замок и продолжила дело отца: заметив торговый корабль, немедленно окружала его своими легкими баркасами, наполненными отчаянными головорезами, и брала на абордаж.

Во время атаки она всегда была впереди. Уже один вид ее, высокой, разъяренной, с развевающимися волосами, приводил обороняющихся в трепет. Захватив добычу, они перегружали награбленное на свои суда, а корабль и команду пускали на дно.

Старейшины клана выдали Грейс О'Мейл замуж за Доннела Икотлина, главу клана О'Флагерти. Клан пользовался недоброй репутацией у других, более миролюбивых жителей Ирландии. "Боже, защити нас от свирепых О'Флагерти и других напастей!" — гласила надпись, высеченная на гранитных воротах города Гэлуэй. А папа Иннокентий VIII еще в 1484 году так писал об этом клане: "Жестокие люди, самым наглым образом грабящие и убивающие своих сограждан". Муженек Грейс, известный пират и беспринципный наемник, всемерно поддерживал семейную репутацию, пока не был убит в 1553 году во время очередного налета на купеческие корабли. Согласно его завещанию, все руководство кланом, его армией и флотом перешло к молодой вдове.

В течение почти сорока лет — до самой смерти — Грейс О'Мейл оставалась на этом посту. Слава ее была так велика, что под ее знамя стекались авантюристы не только со всей Ирландии, но и из Англии, Шотландии и Уэльса. Было время, когда под ее командованием находилось до тридцати галер — сила, с которой приходилось считаться любому правительственному флоту. Подати, которыми Грейс самовольно обложила жителей прибрежных городов, уплачивались исправней, чем королевские налоги — до Лондона далеко, а головорезы Грейс могли нагрянуть в любой день. Они боготворили свою повелительницу и были готовы выполнить любой ее приказ. Многие добивались руки О'Мейл, хотя было ясно, что "король" будет играть при ней второстепенную роль. Так оно и случилось. Мужем Грейс стал известный предводитель береговых пиратов Южной Ирландии Ричард Берк по прозвищу Железный Ричард, человек недюжинного ума, бесстрашный и волевой. Но и он немало претерпел от вспышек необузданного гнева предводительницы клана, а не успел закончиться медовый месяц, как ее люди заняли замки Берка, и О'Мейл расторгла ставший теперь ненужным брак.

Потом Грейс влюбилась в одного из своих пленников, и элегантный кастилец несколько лет участвовал во всех ее походах.

Купцы-владельцы судов, которым приходилось пересекать воды, подвластные Грейс, буквально "волками выли" от ее поборов. Их бесчисленные жалобы побудили власти принять действенные меры по охране судоходства в этом районе.

Именно усиление правительственных войск и флота на побережье Ирландии вынудило Грейс отправиться на поклон к королеве.

В 1576 году в устье Темзы вошли три большие галеры. Первой на берег сошла высокая, с величественной осанкой женщина, ярко-рыжие волосы которой были перевязаны широкой белой лентой. Появление Грейс О'Мейл в королевском дворце произвело сенсацию.

В одном конце огромного зала сидела на троне представительница династии Тюдоров, роскошно одетая, увешанная бриллиантами, в другом — стояла королева ирландских вод, весь наряд которой состоял из нескольких метров желтого холста, обмотанного вокруг тела, да куска черной парусины вокруг талии. Обута Грейс была в обычные морские сапоги. Когда шталмейстер подал знак подойти поближе, она решительными шагами пересекла зал, схватила протянутые ей для поцелуя хрупкие пальцы королевы и принялась энергично трясти. С трудом высвободив руку, Елизавета широко раскрытыми глазами смотрела на необычную гостью. Удивление сменилось весельем, когда Грейс с деловым видом тут же уселась рядом, не дожидаясь, пока ее пригласят.

Затем, запустив руку в складки своего платья, Грейс вытащила табакерку и отправила в обе ноздри солидную порцию нюхательного табака — какой-то шутник рассказал ей, что при дворе очень модно нюхать табак. Немедленно она начала чихать. Королева грациозным жестом предложила ей кружевной носовой платок. Грейс грубо высморкалась и швырнула платок на пол.

В ужасе смотрели придворные на брошенный лоскут тончайшей ткани, ожидая взрыва королевского гнева. Увидев их испуганные взгляды, ирландка подняла платок.

"Он вам нужен? Но в моих краях ими не пользуются больше одного раза!" — сказала Грейс и кинула платок свите.

Елизавету очень позабавило эксцентричное поведение гостьи, и она отпустила Грейс с миром, одарив ее землями в Ирландии. Королевская стража с почетом проводила капитаншу до самых галер, намекнув на прощание, что ей лучше отплыть обратно с первым же приливом.

По возвращении домой она принялась за старое, и с еще большим успехом, так как теперь выступала в качестве "правительственной служащей". Грейс была осведомлена обо всех передвижениях судов и сухопутных войск королевы. Когда в следующем году ее пираты захватили два больших судна, на борту которых находилось принадлежащее казне золото, воинственную ирландку объявили вне закона и отправили против нее карательную экспедицию. Начальником экспедиции назначили Железного Берка! Кто-кто, а он знал всю систему укреплений, окружавших клан О'Мейлов, а еще лучше тактику своей бывшей супруги.

Вскоре правительственные суда настигли ее в море. Силы были слишком неравны, и Грейс предпочла сдаться, чтобы не губить своих людей.

Свидетелей по ее делу оказалось более чем достаточно. Следствие тянулось долго, она провела в тюрьме около полутора лет. Но за это время подручные Грейс сумели ей переслать драгоценности, так что в конце концов ей удалось подкупить стражу и бежать. Очень скоро ирландское побережье вновь целиком оказалось в ее власти.

В марте 1579 года из Гэлуэя вышла эскадра в составе четырех кораблей, капитан которой Вильям Мартин имел категорический приказ изловить ослушницу и доставить ее в Лондон. Несколько недель гонялся Мартин за пиратскими галерами, пока, наконец, обе флота не встретились лицом к лицу у Каригаули — постоянной резиденции Грейс.

На этот раз перевес на стороне правительственных войск был небольшим, а пираты сражались так яростно, что закаленный в боях Мартин вынужден был отступить, потеряв половину своих людей и два корабля. Разъяренная королева приказала во что бы то ни стало схватить Грейс О'Мейл, за ее голову была назначена награда в целое состояние. Чего не смогло добиться оружие, сделали деньги — бывший капитан одной из галер Грейс, разжалованный ею за какую-то провинность, выдал ее властям.

Через неделю его нашли в собственной постели с ножом в груди, но самой Грейс это не помогло: охранялась она тщательней, чем другие преступники, и была приговорена к повешению.

Ирландка обратилась к королеве с прошением о помиловании, предлагая отдать в казну все накопленные ею богатства и обещая всемерно содействовать замирению Ирландии — в этой провинции происходило одно восстание за другим. Королеву особенно заинтересовало второе предложение, так как поддержание английского владычества на "зеленом острове" требовало таких сумм, перед которыми бледнело даже состояние клана О'Флагерти. Елизавета оставила у себя заложниками двух детей Грейс, предложив ей самой немедленно отправиться выполнять обещанное. Явилось ли это результатом деятельности Грейс или нет, но Ирландия, действительно, немного поутихла. По крайней мере, почти полностью прекратились нападения на английские посты с моря.

В 1593 году Грейс О'Мейл получила письмо от королевы Англии, которая приглашала ее в гости! Во второй раз пиратка вошла со своими галерами в устье Темзы, но теперь она была воплощением скромности.

На королевском приеме она вела себя столь почтительно, что, растрогавшись, королева предложила ей поступить в королевский военный флот, вернула значительную часть состояния и отпустила домой ее детей.

Что Елизавета поторопилась, стало ясно в ближайшие же дни. Возвращаясь домой, Грейс была застигнута штормом. Она укрылась в ирландской гавани Хаут и сошла на берег, надеясь найти приют в замке у местного лорда. Но сэр Лоуренс, один из немногих ирландских аристократов, которые сотрудничали с английскими завоевателями, не соизволил открыть ворота. Слуги заявили, что "Его лордство обедает и просит не беспокоить".

Разгневанная Грейс решила проучить заносчивого лорда. Она разыскала дом, где жила кормилица сына Лоуренса — по ирландскому обычаю того времени, ребенок до определенного возраста воспитывался в доме кормилицы, — и похитила младенца. Бедный лорд сунулся было в Каригаули с вооруженным отрядом, но еле унес ноги. Через полгода О'Мейл вернула ребенка, но с условием, чтобы всегда, когда лорд Лоуренс будет сидеть за обедом, ворота его дома были открыты для всех проходящих путников.

Говорят, что ворота фамильного замка Лоуренсов постоянно открыты и по сей день...

Грейс умерла, как и ее отец, в родовом замке Каригаули. Потомки ее дружинников до сих пор показывают туристам развалины ее замка и место, где глубоко под землей покоится гроб с ее останками.

Однако существует легенда, повествующая о том, что кастилец — ее последняя любовь, тайно похитил тело Грейс, погрузил его на баркас и вышел в море...

Фрэнсис Дрейк

(1540 — 1596)

Английский мореплаватель, вице-адмирал (1588), руководитель пиратской экспедиции в Вест-Индию. В 1565 году перевозил рабов из Гвинеи в Южную Америку. Организатор и участник ряда успешных морских походов в Вест-Индию с целью захвата судов испанских работорговцев и грабежа испанских владений. Совершил второе (после Магеллана) кругосветное плавание (1577—1580). В 1588 году фактически командовал английским флотом при разгроме испанской Непобедимой Армады.

Фрэнсис Дрейк, родившийся в Девоншире близ Тейвистока, был старшим из двенадцати детей фанатичного протестанта, который в начале пятидесятых годов XVI века переехал в Кент. Там многочисленное и бедное семейство обитало в протекающем, полуразвалившемся корабле. Корабль был первым домом, который помнил Дрейк. В двенадцать лет он стал юнгой. Воспитание Дрейк получил с помощью дальнего родственника сэра Джона Хоукинса, знатного вельможи и известного моряка. Юношей Дрейк принимал участие в плаваниях Хоукинса. В 1567 году он уже командовал кораблем "Юдифь", который вместе с другими судами Хоукинса совершал нападения на испанцев у берегов Америки. Однажды эскадра Хоукинса попала в засаду и была разгромлена. Дрейку на "Юдифи" удалось выбраться из бухты, после чего капитан взял курс домой. Адмирал Хоукинс был краток: "Он бросил нас в минуту несчастья", однако впоследствии Дрейку удалось вернуть себе расположение влиятельного родственника.

В 1572 году Дрейк возвратился к американским берегам с двумя небольшими судами и совершил одну из первых пиратских десантных операций — ему удалось захватить испанский город Номбре де Диос, ограбить его и разрушить церкви. Но налетевший шквал намочил порох, а сам Дрейк был ранен в ногу. Пришлось спасаться бегством. Затем он отправился в путешествие, которое сразу выделило его из числа простых искателей приключений. Чтобы попасть в Тихий океан, он организовал переход через Панамский перешеек.

Из этого путешествия Дрейк, ограбивший по пути несколько сухопутных испанских караванов, возвратился в Плимут 9 августа 1573 года. Он обрел славу смельчака, знающего путь к незащищенным испанским владениям. Нельзя сказать, что Дрейк разбогател, но он предпочитал не разочаровывать общество: успех его следующего похода в значительной степени зависел от произведенного впечатления.

Дрейк, невысокий, широкоплечий, плотного сложения, казался моложе своих лет. У него были вьющиеся каштановые, коротко подстриженные волосы, острая бородка и пышные усы. Главным украшением круглого лица были широко открытые, веселые голубые глаза. Английский биограф Бенсон отметил, что на всех портретах у авантюриста "удивленный и в то же время настороженный взгляд, как будто он узнал только что о чем-то крайне важном и очень смешном и тут же готов действовать, не исключено, что за чей-то счет". Как бы продолжая эту мысль, другой английский исследователь, Уилкинсон, говорил: "Это, без сомнения, самое внимательное и открытое лицо во всей портретной галерее елизаветинского времени".

Экспедиции Дрейка была необходима поддержка. Королеву и ее ближайших помощников он хотел соблазнить возможностью найти путь к Молуккским островам и другим землям, пока закрытым для англичан. Тех, кого Дрейк надеялся убедить финансировать его плавание, он соблазнял сказочной добычей у тихоокеанских берегов Америки. А для всех остальных капитан Дрейк готовился отплыть... в Александрию. Пайщиков для своего предприятия он подобрал солидных, и, вероятно, кое-кто из них знал об истинной цели путешествия.

Сам Дрейк вложил в предприятие тысячу фунтов стерлингов, практически треть всей необходимой суммы. Рассчитывали, что королева отдаст ему один из своих кораблей. Но королева не захотела, чтобы ее имя связывали с "торговой поездкой в Александрию", которая могла закончиться совсем не у берегов Африки. Тогда пайщики приобрели корабль "Елизавета". Дрейк снарядил "Пеликана", а также маленькую "Мэриголд" и два небольших вспомогательных судна, которые следовало потопить после того, как припасы, погруженные на них, будут использованы экспедицией.

Весной 1577 года, когда подготовка к путешествию шла полным ходом, адмирал (в действительности Дрейк еще не был адмиралом, просто так обычно именовали старшего из капитанов эскадры) вдруг исчез из Англии. Мало кто знал, что эти несколько недель он провел в Португалии, где встретился с крупнейшими картографами и штурманами того времени. Ему надо было раздобыть сведения из секретных лоцманских карт португальцев и испанцев и проверить, правда ли, что сильное течение в Магеллановом проливе позволяет кораблям проходить из Атлантического океана в Тихий, но вернуться тем же проливом не дает.

Тайных лоцманских карт, связанных с путями через Тихий океан, Дрейку в Португалии достать не удалось, зато он смог встретиться со знаменитым картографом Дураде и приобрести у него новейшую и подробную карту. Достал он и общее руководство для португальских лоцманов, однако о Магеллановом проливе сведения в руководстве были краткими и ненадежными — ведь уже несколько десятилетий никто этим проливом не проходил.

Когда Дрейк вернулся из Португалии, подготовка к плаванию заканчивалась. Его пайщики были деловыми людьми и не впервые снаряжали морскую экспедицию. Загоревший под португальским солнцем адмирал вновь окунулся в светскую жизнь, проводил весело время, уверял всех, что отдыхал где-то на юге.

Дрейк полагал, что внешний блеск укрепляет авторитет, поэтому приказал тщательно оборудовать и украсить свою каюту, заказал у лучших портных несколько камзолов для торжественных встреч и, помимо пажа (своего двоюродного брата Джона), раба-негра и лакея в дополнение к обычным в таких экспедициях трубачу и барабанщику, нанял еще трех музыкантов, которые должны были услаждать слух адмирала и поднимать настроение команды.

Всего на борту пяти маленьких суденышек было сто шестьдесят четыре человека.

На островах Зеленого Мыса, скрываясь от португальцев в тихой бухте, они набрали свежей воды. Потом, уже выйдя в открытое море, подстерегли два португальских корабля, и Дрейк с удовольствием воспользовался случаем для того, чтобы вспомнить старое ремесло пирата, а также проверить в деле своих новых спутников. Но главное, на что он рассчитывал, нападая на португальцев, — это найти на кораблях секретные карты или взять в плен хорошего кормчего. Последнее ему удалось. Кормчий да Силва сначала отказывался вести корабли англичан к Бразилии и дальше на юг, но после порки стал более сговорчивым.

Пришло время поставить команды кораблей в известность о цели путешествия. Капитанам сообщили пароль, набор сигналов, которыми следовало пользоваться, и пункты встречи на случай, если флот разбросает бурей. Основным сборным пунктом было побережье Чили в 30 градусах южной широты.

Как только Фрэнсис Дрейк достиг берегов Америки, он переименовал свой корабль "Пеликан" в "Золотую лань". Под этим именем корабль и вошел в историю.

Путешествие через Атлантический океан заняло пятьдесят четыре дня. Дрейк узнал, что его старый друг Том Доути во время месячной стоянки на Темзе имел тайную беседу с противником путешествия лордом Бэгли. Не вызывал у него доверия и капитан "Елизаветы" Уинтер, сын одного из пайщиков, навязанный компаньонами.

20 июля 1578 года мореплаватели увидели знак, оставленный Магелланом на том месте, где он подавил бунт и расправился с недовольными. Неподале-

ку нашли человеческие кости. Дрейк также объявил, что раскрыл заговор. Друг капитана Доути, обвиненный в измене, был обезглавлен тут же на берегу. Дрейк надеялся, что теперь никто из капитанов не посмеет ослушаться его.

20 августа корабли вошли в Магелланов пролив. Дрейк приказал пристать к берегу, срубить дерево и положить его в трюм, чтобы привезти его королеве Англии, как доказательство того, что он прошел пролив. Затем Дрейк высадился на один из островов в проливе и объявил его собственностью королевы.

7 сентября 1578 года первые английские корабли прошли Магелланов пролив, и для Дрейка и его спутников начались суровые испытания. Через два дня после того, как корабли вышли в Тихий океан, налетела буря. После штормов "Золотая лань" продолжила путь одна.

Поскольку владения испанцев были уже близко, Дрейк пристал к берегу неподалеку от современного города Консепсьон и позволил команде отдохнуть.

5 декабря с помощью индейца "Золотая лань" проникла в гавань Сантьяго, где стоял галион "Капитан". К испанцам направилась лодка Дрейка. На "Капитане" в знак приветствия забил барабан — там были убеждены, что в гавань вошел испанский корабль, ибо появление англичан казалось невероятным. Восемнадцать англичан во главе с Дрейком пристали к галиону и без единого выстрела захватили корабль.

Вечером на борту "Золотой лани" был пир в честь начала пиратской кампании. Дрейк поклялся своим спутникам, что не уйдет из этих вод, пока не соберет миллиона дукатов. На "Капитане" было найдено тридцать семь тысяч золотых дукатов из Вальдивии да еще две тысячи бочонков хорошего вина.

Путешествие продолжалось. У маленьких испанских поселений "Золотая лань" высаживала десанты и грабила их дочиста.

Дрейк вошел в один из испанских портов, узнав, что туда должен войти галион, груженный серебром. В порту на якорях стояло двенадцать кораблей, их команды сошли на берег. Англичане обыскивали корабль за кораблем, срубая мачты, чтобы избавиться от погони. Оказалось, что галион с серебром уже вышел из порта. Дрейк организовал погоню, пообещав первого, кто увидит галион, наградить золотой цепью.

Незадолго до этого о появлении Дрейка у Тихоокеанского побережья узнал вице-король Перу в Лиме. Он долго не мог поверить, что это не выдумка перепуганных торговцев. Но все новые известия о нападении английского пирата, доходившие до вице-короля, заставили его собрать двухтысячный отряд для защиты собственной персоны и послать два больших военных корабля в погоню за Дрейком. Эти-то корабли и увидели англичане на рассвете. Преследование длилось до рассвета, но потом испанцам пришлось повернуть обратно, так как они в спешке не взяли с собой ни воды, ни пищи. К тому же, как писали испанцы в докладе вице-королю, "многие из наших сеньоров страдали морской болезнью и не могли держаться на ногах, не говоря о том, чтобы сражаться".

А Дрейк тем временем в поисках "серебряного" галиона продвигался на север, продолжая грабить по пути торговые суда. Ему удалось захватить вспомогательное судно, груженное канатами и тросами. Здесь же нашли тяжелое золотое распятие, украшенное изумрудами. По возвращении в Англию Дрейк приказал вставить эти изумруды в золотую корону, которую он преподнес королеве.

1 марта 1579 года паж Джона Дрейка ворвался в каюту адмирала с криком: "На горизонте галион!" Сняв с шеи массивную цепь, адмирал надел ее на подростка. Цепь доставала ему до колен.

Галион оказался плавучей сокровищницей. На нем было найдены четырнадцать сундуков с серебряными монетами, восемьдесят фунтов золота и тысяча триста серебряных слитков, не говоря уже о драгоценных камнях и экзотических товарах. Всего, как подсчитал Дрейк, захваченный груз оценивался в четверть миллиона фунтов стерлингов, то есть в сто раз превышал затраты на снаряжение экспедиции Дрейка. Один из современных исследователей полагает, что это примерно пятьдесят миллионов долларов.

Когда обыскивали личное имущество членов команды, в сундуке испанского кормчего обнаружили две серебряные чаши. Увидев их, Дрейк сказал испанцу: “У вас две чаши. Одна из них мне может пригодиться”. Кормчий поклонился и передал чашу лакею Дрейка. Адмирал кивнул и обратился к следующему сундуку.

На радостях Дрейк отпустил галион. Он вообще гордился тем, что не пролил крови ни одного испанца, за исключением тех, кто погиб в честном бою. Дрейк выработал хитроумную стратегию: он приказывал рубить мачты у захваченных кораблей и отправлял их плыть по воле волн...

Дрейк еще не был пресыщен добычей, но уже думал о том, как довезти ее до дома. Задержав корабль Франсиско де Зарате, двоюродного брата могущественного герцога Медины, он оставил ему не только знаки ордена Сантьяго, но и почти весь остальной груз, забрав лишь китайский фарфор и шелк. Извинившись за изъятие, Дрейк объяснил, что берет эти вещи для жены, которая умоляла его привезти китайский фарфор. Затем Дрейк и испанский вельможа обменялись подарками и разошлись.

По воспоминаниям Зарате, Дрейк был весел, хотя и прихрамывал из-за того, что в ногу попала пуля из испанской аркебузы. “Все люди Дрейка перед ним трепещут, — писал позднее Зарате, — и, когда он проходит по палубе, они приближаются к нему, лишь сняв шляпу и склонившись в поклоне до земли... С ним на корабле едут девять или десять кабальеро, все из знатных английских родов, но ни один из них не смеет надеть шляпу или сесть в его присутствии до тех пор, пока сам Дрейк их об этом сам не попросит. Ест он на золоте, и при этом играет оркестр”. Вероятно, это была часть представления, до которых Дрейк был большой охотник.

К тому времени, когда адмирал появился у берегов Молуккских островов, положение султана Баабулы было тяжелым. У него на складе скопилось много непроданных пряностей: ведь торговля в этом районе была практически блокирована португальцами и лишь единичные корабли из Индии и Китая прорывались сквозь португальскую блокаду.

Первым на борт английского корабля ступил брат султана, привезший дары от своего царственного родственника. На следующий день Дрейк ответил султану равной любезностью. К счастью, у него на борту тоже был брат, которого можно было отправить на берег во главе посольства.

Прием у султана произвел на гостей сильное впечатление. Султан восседал на троне в огромном зале под вышитым золотом балдахином, окруженный тысячью придворных и шестьюдесятью мудрыми советниками. Страшного вида телохранители стояли за троном, обнажив сабли, а паж обмахивал султана веером, украшенным сапфирами. Торжественность приема подчеркивалась и тем, что рядом с троном стояли турецкие послы в алых халатах и высоких тюрбанах: победив португальцев, султан стал надеждой мусульманского мира.

Дрейк мог радоваться своей предусмотрительности — расшитые камзолы, которые он приказал своим офицерам держать в сундучках и беречь от плесени, ничем не уступали одежде португальцев. Англичане платили султану за пряности награбленным золотом и серебром, платили щедро, и обе стороны — редкий случай в истории отношений азиатов с европейцами в те времена — были довольны друг другом и мечтали о том, чтобы эти отношения продолжить и в будущем. Правда, Дрейка команда на берег не пустила, опасаясь, чтобы с ним что-нибудь не случилось.

Через несколько дней "Золотая лань" снова пустилась в плавание. На Яве состоялась встреча с местными владетелями. Весть о прибытии врагов португальцев неслась от острова к острову, лишний раз подтверждая, насколько велика была ненависть в Индийском океане и Южных морях к португальцам и сколько замечательных возможностей открылось здесь для их конкурентов. Слухи о "Золотой лани" вскоре дошли до португальцев, которые развернули за ней настоящую охоту.

Сократив стоянку на Яве, Дрейк пустился напрямик через Индийский океан, стараясь держаться в стороне от торговых путей. Ни о каких пиратских набегах и авантюрах и речи быть не могло. Главное сейчас было добраться до дома. И 26 сентября 1580 года, пробыв в плавании два года десять месяцев и одиннадцать дней, "Золотая лань" благополучно прибыла в Плимут. Дрейк стал первым капитаном, который обошел земной шар, сохранив при этом жизнь большинства матросов.

Особые почести оказала Дрейку королева Елизавета, обращавшаяся к нему "мой дорогой пират". Знаменитая "Золотая лань" стала объектом поклонения. Сам же Дрейк был осыпан почестями англичан и, естественно, проклятиями испанцев. Испанский посол в Лондоне во всеуслышание назвал его "главным вором", на что королева и лорды лишь улыбались.

Ранней весной следующего года королева во время торжественного приема подозвала к себе посла своего "возлюбленного брата", короля Испании, взяла его за руку, а другую свою руку возложила на плечо коленопреклоненного Дрейка и произнесла: "Поднимись, сэр Фрэнсис Дрейк!"

Так Дрейк стал рыцарем. Посол не посмел вырвать руку. Посвящение в рыцари считалось очень большой наградой — в Англии было всего 300 рыцарей.

В 1585—1586 годах сэр Фрэнсис Дрейк снова командовал английским флотом, направленным против испанских колоний Вест-Индии, и так же, как и в прошлый раз, возвратился с богатой добычей. Впервые Дрейк командовал таким большим соединением: у него в подчинении был 21 корабль с 2300 солдатами и матросами.

Благодаря энергичным действиям Дрейка выход в море Непобедимой Армады был отсрочен на год, что позволило Англии лучше подготовиться к военным действиям. 19 апреля 1587 года Дрейк, командуя эскадрой из 13 небольших кораблей, вошел в гавань Кадиса, где готовились к отплытию корабли Армады. Из шестидесяти кораблей, стоявших на рейде, он уничтожил тридцать, а часть оставшихся захватил и увел с собой, в том числе и громадный галион водоизмещением 1200 тонн.

В 1588 году сэр Фрэнсис приложил свою тяжелую руку к полному разгрому Непобедимой Армады. Но это было зенитом его славы. Экспедиция в Лиссабон в 1589 году закончилась неудачей и стоила ему расположения и милости королевы. Взять город он не смог, а из 18 тысяч человек в живых у него осталось только шесть тысяч. Кроме того, королевская казна понесла убытки, что не могло понравиться королеве.

И в последнем плавании к берегам Америки адмирала преследовали неудачи. В местах высадки оказывалось, что испанцы уже предупреждены и готовы к отпору, сокровищ не было, а англичане несли потери не только в боях, но и от болезней. Адмирал также заболел тропической лихорадкой. Почувствовав приближение смерти, Дрейк поднялся с постели, с большим трудом оделся, попросил своего слугу помочь ему облачиться в доспехи, чтобы умереть как воину. На рассвете 28 января 1596 года адмирала не стало. Через несколько часов эскадра подошла к Номбреде-Диосу. Новый командующий Томас Баскервиль приказал поместить тело сэра Фрэнсиса Дрейка в свинцовый гроб и с воинскими почестями опустить в море...

Мартин Фробишер

Английский пират, исследователь, приватир. В 1585—1586 годах в качестве вице-адмирала участвовал в плавании Дрейка в Вест-Индию и сыграл важную роль в захвате Санто-Доминго и Картахены. В 1588 году за участие в сражении с испанской Непобедимой Армадой возведен в рыцарское достоинство.

26 июля 1588 года на борту флагманского судна английского флота “Ак Ройял” адмирал Хоуард посвящал в рыцари моряков, отличившихся в сражении с Непобедимой Армадой. На палубе, среди удостоенных высокой чести, стоял командир корабля “Триумф”, самого крупного корабля королевских морских сил. Этот человек, блестящий представитель когорты “морских волков” Елизаветы, оказался, пожалуй, самой героической фигурой в сражении. После разделения флота на четыре эскадры ему было поручено командование одной из них. И вот теперь прежние и нынешние подвиги были оценены по заслугам. Отныне этот человек стал именоваться сэр Мартин Фробишер.

Фробишер — человек грубоватого, неистового нрава, сокрушавший все препятствия на своем пути, был невероятно силен и храбр, как лев. Несмотря на ужасный характер, он снискал огромную популярность среди англичан и добился уважения самой Елизаветы.

Он родился в 1539 году в Йоркшире в уэльской семье, переселившейся в Англию еще в середине XV века. Его отец, Бернард Фробишер, был одним из наиболее почтенных в округе людей. Мать происходила из семьи сэра Джона Йорка, известного лондонского купца. В 1542 году отец умер, и мальчика отправили в Лондон к деду. Внук понравился сэру Джону, в одном из писем он с удовлетворением замечал, что маленький Мартин обладает "сильным характером, отчаянно дерзкой храбростью и от природы очень крепок телом". Сэр Джон, который вкладывал деньги во многие морские экспедиции, решил сделать из Мартина моряка. С ранних лет мальчик начал выходить в море. Первые большие плавания он совершил к берегам Гвинеи в 1553 и 1554 годах. Во время второго из них произошли события, позволившие юноше проявить свой характер. Один из туземных вождей перед началом торговли потребовал от англичан оставить заложника. Мартин отправился на берег добровольцем. В течение девяти месяцев туземцы удерживали его как заложника, бросили его в тюрьму. Он и пират по имени Стренгуэйс пытались захватить португальскую крепость в Гвинее, но португальцы схватили его. Каким образом он сумел выбраться на свободу — неизвестно, но уже в 1559 году он находился в Англии и совершил плавание в Средиземное море к берегам Магриба.

В 1563—1574 годы Фробишер занимался и пиратством, и приватирством. В сообществе с Хоукинсами и Киллигрю он захватил в море много призов. Когда ему не удавалось достать каперскую грамоту, он действовал на свой страх и риск.

В 1563 году некий купец снарядил три корабля для каперства, одним из них командовал Фробишер. В мае он привел в гавань Плимута пять захваченных французских кораблей; в 1564 году захватил в Ла-Манше корабль "Кэтрин", который вез в Испанию гобелены для самого короля Филиппа II. По возвращении в Англию Фробишера посадили в тюрьму, но длилось заключение недолго. Уже в 1565 году он оказался на свободе и на корабле "Мэри флауэр" вновь вышел на промысел. В последующие годы он грабил на "законных" основаниях. Так, располагая лицензиями, полученными от вождей французских гугенотов принца Конде и кардинала де Шатильона, он в 1566 году захватывал суда французских католиков. В 1569 году Фробишер получил патент на приватирство от принца Вильгельма Оранского. В эти годы его неоднократно арестовывали, и английское правительство отправляло неукротимого разбойника в тюрьму, однако до судебного разбирательства дело ни разу не доходило. Знание и опыт молодого моряка, несомненно, делали его услуги необходимыми правительству, и оно закрывало глаза на его "проступки". В августе 1569 года его арестовали за пиратство. Он почти год провел в лондонской тюрьме. Освободили его благодаря ходатайству леди Элизабет Клинтон, жены адмирала Англии и фаворитки королевы Елизаветы.

В 1570 году Мартин Фробишер был уже на службе у королевы. Однако это не мешает ему нападать на корабли для личных целей. Однажды, плывя в Ирландию по поручению королевы, он захватил немецкое и несколько французских судов.

Имя Фробишера было известно и за пределами Англии. Филипп II в 1573 году интересовался возможностью приема моряка на испанскую службу, но точные обстоятельства, при которых это происходило, неизвестны. Во всяком случае, авантюрист был замешан в различные заговоры в Англии и в Ирландии в 1572—1575 годах и, возможно, приложил руку к их раскрытию.

Третий этап жизни Фробишера знаменателен тем, что удалой пират и приватир превратился в пионера покорения Арктики и поневоле стал одним из знаменитейших мистификаторов эпохи. XVII век жил надеждой открыть северо-западный проход в Китай, Японию и Индию. Фробишер, знакомый с географическими данными того времени, полученными им от португальских мореплавателей и английских ученых, решил отыскать неизвестные пути в восточные страны.

В 1574 году власти санкционировали его экспедицию. К ней присоединился Майкл Лок, как и Фробишер, стремившийся отыскать этот путь. Деньги на экспедицию поступали медленно частично из-за того, что еще не были забыты пиратские подвиги Фробишера.

Наконец в июне 1576 года он отправился в плавание. Два корабля "Габриэль" и "Михаэль" и пинасса вышли в июле из Дептфорда, прошли Северное море, обогнули Шотландские и Фарерские острова и добрались до южной оконечности острова Гренландия. Не выдержав трудностей перехода, одно из судов, "Михаэль", вернулось в Бристоль; пинасса погибла в пути. Фробишер на "Габриэле" с командой из восемнадцати человек отважно пробивался во льдах, пока не вышел в залив, названный впоследствии его именем. Отсюда корабль Фробишера повернул обратно и вернулся в Харвич 2 октября. Его возвращение произвело сенсацию в Англии. Дело в том, что на пустынном берегу новооткрытого залива были найдены черные камни с прожилками, очень похожими на золото. Немедленно была организована компания с участием королевы, важных государственных сановников и магнатов лондонского Сити.

Цели следующей, второй экспедиции определялись не столько поисками северо-западного прохода, сколько освоением открытой "Золотой земли", названной королевой "Мета Инкогнита" ("Неведомая цель"), оттуда намеревались вывезти как можно больше руды. Трудностей с финансированием не возникло. Елизавета "пожертвовала" 500 фунтов стерлингов и предоставила военный корабль. Экспедиция вышла в море в мае 1577 года и вернулась в сентябре. Было привезено около 200 тонн неизвестной черной породы с "золотыми" блестками; прихватили также троих местных аборигенов-эскимосов — мужчину, женщину и ребенка. Судьба несчастных северных туземцев была печальна, и они вскоре умерли. А шумиха вокруг руды не утихала еще долго. Известный немецкий ученый Бурхард Кренич исследовал новую породу и дал оптимистический прогноз по поводу возможного содержания в ней золота. Все наперебой помещали деньги в сказочно богатое предприятие. Королева вложила в дело 1350 фунтов, а граф Оксфорд — 2 тысячи фунтов. Было решено отправить в следующем году пятнадцать судов с горняками, каменщиками, золотодобытчиками, привезти 2 тысячи тонн камня, на месте находки заложить форт и организовать масштабную добычу руды.

Отплыв в мае 1578 года, 15 кораблей Фробишера с трудом выдержали тяжелое плавание и в жалком состоянии добрались до Гудзонова залива, однако попытки освоить местность оказались тщетными, и пришлось возвращаться в Англию, загрузив на корабли новую партию "золотых" камней. Но после повторных исследований выяснилось, что никакого золота в руде нет. Компания потерпела полный крах; многие пайщики обанкротились. Горькая участь постигла и инициатора плавания — его арктическая одиссея потерпела фиаско.

Десятилетний период жизни Фробишера, предшествующий борьбе против Непобедимой Армады, был отмечен несколькими важными событиями. После участия в подавлении Ирландского восстания 1578 года Фробишер, по-видимому, вновь занялся пиратством. В 1582 году он должен был направиться в Азию в составе экспедиции Эдуарда Фентона, но из-за разногласий с командующим отказался от плавания.

В 1585—1586 годах Фробишер в качестве вице-адмирала участвовал в плавании Дрейка в Вест-Индию и сыграл важную роль в захвате Санто-Доминго и

Картахены. Накануне битвы с Армадой он командовал флотом Ла-Манша и крейсировал в проливе, охраняя побережье Англии от испанского вторжения. После разгрома испанцев в 1588 году Фробишер продолжал играть ведущую роль в антииспанской борьбе. Как и Хоукинс, он считал, что борьбу против Испании необходимо сосредоточить на ее "золотых" коммуникациях с Вест-Индией. Фробишер участвовал в нескольких операциях у Азорских островов по перехвату галионов (1589, 1590, 1592, 1593). В 1594 году, когда испанские войска высадились в Бретани и захватили Брест, создав угрозу вторжения в Англию, Фробишера назначили командовать маленькой эскадрой, направленной для помощи французским гугенотам, действующим против испанцев. В ноябре, при штурме форта Крозон в окрестностях Бреста, он был смертельно ранен и вскоре умер.

Уолтер Рэли

(1552 или 1554 — 1618)

Английский мореплаватель, организатор пиратских экспедиций, поэт, драматург и историк. Фаворит королевы Елизаветы I, в честь которой назвал открытую им Вирджинию в Северной Америке. Один из руководителей разгрома испанской Непобедимой Армады (1588). Обвиненный в заговоре против Якова I, заключен в Тауэр (1604—1616). Казнен после неудачной экспедиции в Америку.

Уолтер Рэли и по сей день остается загадочной личностью. Он был талантлив, дерзок, смел и не упускал ни единой возможности для самообразования: в перерывах между боями и в период стоянки на зимних квартирах во Франции Уолтер в совершенстве овладел древними языками; он превосходно знал право, философию, историю. Бретер, и притом опасный (недаром его называли первой рапирой Англии), завсегдатай всех кабаков и злачных мест Лондона, игрок, душа веселых компаний, он успевал в промежутках между очередной дуэлью и попойкой набросать проект экспедиции в Северную Америку, ославить едкой эпиграммой незадачливого вельможу, часок-другой поработать над историческими сочинениями и урвать минуту для того, чтобы где-нибудь в Саутуроке встретиться с неким Вильямом Шекспиром, юным актером театра "Глобус"... Рэли не был мореплавателем, так как страдал от приступов морской болезни. В отличие от других придворных, он редко лично командовал экспедициями.

Рэли рассматривал пиратство как разновидность финансовой спекуляции. Вложив деньги в экспедиции нескольких профессиональных капитанов, он сколотил огромное состояние. Роберт Лэйси писал: "Даже если бы Уолтер Рэли никогда не добился расположения королевы Англии, он все равно стал бы состоятельным человеком, возможно, известным как независимый и самый предприимчивый буканьер".

Сын бедного девонширского дворянина, он с семнадцати лет участвовал в религиозных войнах во Франции на стороне гугенотов, затем некоторое время учился в Оксфордском университете, а в 1575 году отправился в Лондон.

В 1578 году в полупиратской, полуисследовательской экспедиции сэра Хамфри Гилберта Рэли командовал небольшим кораблем "Фолкон". Шесть месяцев он находился в Атлантике, испытав множество опасных приключений, не раз вступая в схватки с испанскими кораблями, и наконец в мае 1579 года вернулся в Англию.

В 1580 году Рэли стал пехотным капитаном английской армии во время вторжения в Ирландию. Там он захватил трофеи и приобрел репутацию храброго и жестокого воина. Около 400 итальянских и испанских наемников высадились у Смервика и присоединились к двумстам ирландским жителям. Осажденный город капитулировал в ноябре. Во главе с Рэли и с еще одним офицером английские солдаты ограбили беспомощных пленников и закололи их мечами и кинжалами. В начале 1582 года Рэли вернулся в Англию.

Однажды он познакомился с фаворитом королевы Елизаветы графом Лестером и произвел на него такое сильное впечатление, что Лестер вскоре представил своего нового друга королеве. Уолтеру было тогда тридцать лет, Елизавете — сорок девять. Стройная фигура, пламенные речи, красивые глаза пленили стареющую королеву, и Рэли вскоре был посвящен в рыцари, не совершив при этом подвигов адмирала Дрейка. Королева подарила ему особняк в Лондоне и обширные земельные владения. Она также выдала ему патенты на торговлю вином и экспорт сукна. В дополнение к другим должностям, Рэли был назначен вице-адмиралом Корнуолла и Девона. Таким образом, он контролировал и пресекал контрабанду и пиратство в западной Англии.

Однако сам Рэли стабильно получал доход от пиратства. Уже в 1582 году по морям рыскали его корабли, иногда прикрывая свою деятельность лицензиями, выданными различными группировками в гражданской войне во Франции. Вероятно, именно на средства, добытые во Франции и Ирландии, Рэли построил мощный боевой корабль и назвал его "Барк Рэли", переименованный позже в "Барк ройал". В 1584 году к нему присоединился "Олень", водоизмещением 300 тонн, названный по гербу на новых доспехах Рэли.

В этом же году он организовал две экспедиции в Америку с целью грабежа и колонизации ее восточного побережья. Итогом экспедиции было открытие названной в честь королевы Вирджинии (впоследствии родины американских президентов Вашингтона и Джефферсона) и нанесение на карту неведомых ранее земель. Кроме того, корабли доставили в Англию редкостные и удивительные растения — табак и картофель. С легкой руки сэра Уолтера, вирджинское зелье стали курить при королевском дворе, а вареные картофельные клубни вошли в меню званых обедов.

В мае 1585 года королева Елизавета начала выдавать лицензии, разрешающие нападать на испанские и португальские суда.

Капитаны кораблей Рэли нападали на суда как враждебных, так и нейтральных стран. В 1585 году капитан "Оленя" захватил французский корабль. В 1590 году корабли Рэли участвовали в захвате двух итальянских судов с грузом пряностей, драгоценных камней и слоновой костью на сумму в 25 000 фунтов стерлингов. Адмиралтейский суд и королевский тайный совет обязали пиратов возвратить награбленное, но те к тому времени уже растратили добытое.

В 1586 году два небольших пинасса, арендованных Рэли, совершили рейд на Азорские острова. Среди их пленников оказался губернатор дон Педро Сармьенто де Гамбоа. Вместо того чтобы потребовать с Сармьенто выкуп, Рэли предложил губернатору свои услуги, которые, разумеется, должны были щедро оплачиваться Испанией.

В 1591 году Рэли стал пайщиком в синдикате Уоттса, финансировавшем высокоприбыльные рейды Уильяма Лэйна в Вест-Индию. Однако Уолтер продолжал вкладывать деньги и в пиратские рейды.

Королева назначила своего фаворита вице-адмиралом в экспедиции на Азорские острова, но в последний момент его заменил Гренвилль. Вскоре вышла первая книга Рэли, прославившая сэра Ричарда Гренвилля, несмотря на то, что он бездарно проиграл сражение испанцам, потеряв при этом корабль "Месть". Написанный высокопарным языком, "Правдивый доклад" восхвалял героизм британцев и Гренвилля.

В 1592 году Рэли вложил большую сумму денег и сам возглавил подготовку вторжения на Панаму. В последний момент королева отказалась расставаться со своим фаворитом, и корабли отправились под командованием сэра Мартина Фробишера и сэра Джона Бурга. У Азорских островов эскадра Бурга присоединилась к кораблям, напавшим на португальское судно "Медре-Де-Диос". После ожесточенного боя сказочно богатая каракка была захвачена английскими пиратами и стала одним из самых ценных трофеев, приведенных в английский порт.

В ноябре 1591 года Рэли тайно женился на фрейлине королевы Элизабет Трокмортон, а в марте следующего года Элизабет родила сына, которого сдала на руки кормилице и как ни в чем не бывало вернулась во дворец к исполнению своих обязанностей фрейлины. Королева была в полном неведении об этом похождении своего фаворита. Но тайное рано или поздно становится явным. Взбешенная таким "предательством", Елизавета арестовала обоих незадачливых супругов. Однако неожиданно, через два месяца, 15 сентября 1592 года Рэли был прямо из тюрьмы направлен для проведения ревизии и составления отчета о прибыли по результатам пиратского рейда. Дело в том, что снаряженная им до ареста экспедиция вернулась в Дортмунд, и коронованная пайщица, опасаясь обмана, решила послать Рэли разобраться с делами фирмы. Оказалось, что общая стоимость захваченного груза оценивалась в 150 тысяч фунтов стерлингов, из которых на вложенные 3 тысячи фунтов королева получила 90 тысяч фунтов. После окончания подсчетов сэр Уолтер был снова водворен в Тауэр. Только 13 декабря 1592 года супругов выпустили на свободу.

Удаленный от королевского двора, Рэли отправился на поиски золота в Гвиану. Многие испанские колонисты верили, что в глубине материка находится баснословно богатый индейский город. Его легендарного правителя звали Эль Дорадо (позолоченный), потому что перед купанием он покрывал тело слоем золотой пыли.

Увлекшись поисками сказочной страны, Уолтер Рэли снарядил несколько крупных экспедиций. В 1593 году четыре корабля под командованием сэра Джона Бурга атаковали испанские поселения в Венесуэле и Тринидаде, контролировавшие морской путь в Гвиану.

9 февраля 1595 года Рэли вышел из Плимута с флотилией из пяти кораблей. Поднявшись по течению Ориноко, он долго и безуспешно искал страну "позолоченного короля". Единственным итогом его путешествия явилась книга путевых очерков "Путешествие в огромную, богатую и прекрасную империю Гвиана с великим и золотым городом Маноа", которая была переведена на многие европейские языки и издавалась в Англии, Германии, Голландии, Франции. Несмотря на то, что книга хорошо раскупалась, она не смогла переубедить сомневающихся. В Гвиане действительно существовали месторождения золота, но их стали разрабатывать лишь в XIX веке.

В 1596 году сэр Уолтер Рэли отличился в экспедиции лорда Эссекса против Кадиса. Он сыграл не последнюю роль в разгроме испанского флота и захвате города. Королева Елизавета встретила его очень приветливо, они провели вместе несколько часов, и сэр Уолтер снова получил разрешение посещать ее в любое время, но леди Элизабет не была допущена ко двору.

Обычно новые земли, открытые кем бы то ни было из подданных, объявлялись собственностью короны. И только Уолтер Рэли, поэт и советник английской королевы Елизаветы, волей ее величества получил исключительное право — считать все земли, которые откроет он в Новом Свете, своей личной собственностью. Это было время, когда еще были неизвестны большая часть Америки, Австралия, острова Тихого океана. Огромный загадочный африканский континент простирался гигантским белым пятном меж двумя океанами. Рэли без особого труда мог бы стать основателем империи, по территории в десятки раз превосходящей Британию.

Однако Уолтер Рэли был человеком своего времени, трезвая мудрость последующих веков была ему неведома. Он верил в существование Эльдорадо и не терял надежды найти эту страну. Впрочем, прежде всего он был поэтом...

В 1597 году Рэли был вторым по старшинству в неудачном рейде в Португалию. Командующий граф Эссекс решил не нападать на португальские порты и просто упустил несколько кораблей с сокровищами у Азорских островов. Тем не менее Рэли продолжал получать прибыль от каперских плаваний, пока в 1603 году не окончилась война с Испанией.

24 марта 1603 года умерла королева Елизавета. На английский престол вступил под именем Якова I король Шотландии Яков VI Стюарт, отношения с которым у сэра Уолтера сразу же не сложились. Враги Рэли довели до сведения короля, что тот выступал против восшествия на трон Якова. Все это было выдумкой от начала до конца, однако сэра Уолтера арестовали, судили за государственную измену и приговорили к смерти. "Вас повезут в повозке, — было сказано в приговоре, — к месту казни, где повесят, но еще живым вынут из петли, обнажат тело, вырвут сердце, кишки и половые органы и сожгут их на ваших глазах. Затем вашу голову отделят от тела, которое расчленят на четыре части, чтобы доставить удовольствие королю".

Однако король решил повременить с казнью, в ожидании которой Рэли провел в тюрьме 12 лет. Неожиданный поворот судьбы он встретил достойно, как подобает философу. Все эти годы он много и напряженно работал. В Тауэре были написаны: "Трактат о кораблях", "Обзор королевского военно-морского флота", "Прерогативы парламента", "Правительственный совет" и, наконец, "Историю мира", доведенную до 130 года до н. э.

Вероятно, Рэли так и окончил бы свои дни в безвестности в глухих казематах королевской тюрьмы, если бы его не вывела на свободу все та же страстная мечта об Эльдорадо. Он написал королю, поверяя ему все, что слышал и знал сам об этой стране, о ее баснословных золотоносных копях, о жителях, которые за неимением другого металла используют золото для самых обыденных целей. И в конце письма — самое главное: страну эту вот уже который год тщетно ищут испанцы, и, если не поспешить, они могут прийти туда первыми.

Письмо возымело действие. Однажды тяжелая глухая дверь приоткрылась. За порогом "государственного преступника" ждали начальник тюрьмы и королевский офицер особых поручений. Рэли провели к ожидавшей его внизу карете...

Минуло всего несколько недель, и небольшая эскадра, выйдя из устья Темзы, развернулась под ветром и взяла курс к берегам Южной Америки. Начальник экспедиции подолгу не выходил из своей каюты. Склонившись над картой и своими старыми записями, Уолтер пытался воссоздать в памяти все, что слышал когда-то об этой стране.

Он знал, что подобный шанс выпадает только раз в жизни. Ему этот шанс выпал дважды. Рэли был требователен к офицерам, жесток с матросами и беспощаден к себе. Но ветры, течения и судьба опять были против него.

Кораблям так и не удалось войти в устье Ориноко. Ураганный ветер рвал паруса, относил корабли к скалам, бешеные волны выбрасывали их на мели. После множества безуспешных попыток, стоивших поломанных мачт и порванных снастей, когда экипаж был уже на грани бунта, Рэли приказал лечь на обратный курс.

Конечно, окажись на его месте человек, который бы искал вслепую, он, возможно, стал плыть вдоль побережья, к северу или к югу — безразлично, пока не наткнулся бы в конце концов на какие-нибудь неизвестные земли, может быть даже изобилующие золотом или серебром. Но Рэли твердо знал, где должна находиться страна Эльдорадо. Именно поэтому он искал ее именно здесь, а не в другом месте.

Рэли не мог вернуться в Англию с пустыми руками. Вот почему он решил компенсировать казначейству расходы, связанные с экспедицией, если не золотом Эльдорадо, то хотя бы золотом, захваченным на встречных испанских кораблях.

Казначейство посчитало, что добыча окупила расходы на экспедицию. Но как успокоить раздраженных испанцев? Поразмыслив, король решил казнить Рэли — смерть обидчика должна была удовлетворить экспансивных испанцев, очевидно, не меньше, чем золото, которое можно будет в этом случае и не возвращать. Король предпочитал решать вопросы с точки зрения государственных интересов...

Замешанный в заговоре и обвиненный в государственной измене, преданный друзьями, бывший искатель Эльдорадо снова был приговорен к смертной казни.

Рэли, удрученный гибелью сына, феерической сменой удач и поражений, надежд и новых разочарований, отнесся к вести о предстоящей казни без особого волнения. Как большую милость ему объявили, что король изменил условия казни: Рэли должны были просто обезглавить, без четвертования и вырывания внутренностей. Стоя на эшафоте и рассматривая топор палача, он сострил в последний раз: “Это лекарство — снадобье острое! Но врачует от всех болезней!”

Голова сэра Уолтера была положена в красную кожаную сумку, а тело завернуто в бархатную материю. Леди Элизабет похоронила тело мужа в церкви святой Маргариты в Вестминстере, а набальзамированную голову хранила у себя 29 лет, до своей смерти.

Бьянка Капелло

(1548—1587)

Самая красивая венецианка своего времени. Почти четверть века за этой женщиной с пристальным вниманием следил весь мир.

Шестнадцатилетняя красавица Бьянка встретила в одном из церковных коридоров Пьетро Бонавентури. Банковский служащий в торговом доме Сальвиати стал судьбой девушки. Он был невероятно честолюбивым, жаждал славы и богатства. Чтобы привлечь внимание прекраснейшей Бьянки, он украл деньги, купил пурпурно-красную шелковую куртку и такого же цвета берет. Когда девушка выходила из собора Святого Марка, она заметила его. Пьетро представился девушке как Сальвиати.

Однако Бартоломео Капелло мечтал выдать свою прекрасную дочь замуж за достойного человека. От своей умершей матери, урожденной Морозини, Бьянка получила богатое наследство.

Бьянка не смела показываться у окон, выходивших на канал, поэтому каждый вечер она выходила подышать воздухом к маленькому, высоко расположенному окну, выходившему на улицу, где жил Бонавентури. Пьетро мимикой и жестами признался девушке в любви, однако не смел проникнуть в палаццо: за малейшую попытку наказанием для обоих любовников была бы смерть. Но любовь заставила надменную красавицу достать ключ от калитки и выйти на свидание. Она отдалась своему возлюбленному и вскоре поняла, что ждет ребенка. Теперь их могло спасти только бегство. Законы венецианского общества были очень суровыми и обрекали на изгнание и отлучение от церкви девушку, которая сознательно отдавалась любимому человеку.

Перед побегом молодые люди решили обручиться. И тут выяснилось, что настоящая фамилия Пьетро — Бонавентури. Бьянка чувствовала себя оскорбленной.

В это время в Венеции собрался на суд Высший Совет под председательством Дожа. В этот Совет входил также дядя Бьянки— Гримани, епископ Аквилеи. Дядя Бонавентури был брошен в тюрьму (там он и умер), а Пьетро Бонавентури был приговорен Сенатом к смертной казни. За поимку беглецов была назначена награда в 1000 дукатов. Такую же сумму со своей стороны назначил глубоко оскорбленный отец Бартоломео Капелло.

Бьянка вскоре поняла весь ужас своего положения. Она, избалованный, ухоженный ребенок из богатого, старинного рода, была вынуждена скитаться как простая нищенка.

Беглецам сопутствовала удача: они благополучно добрались до Флоренции, где спрятались у родителей Пьетро. Девушка сразу разочаровалась в родственниках мужа. В свою очередь старшие Бонавентури возненавидели жену своего сына.

Бьянка родила дочь, но беглецы по-прежнему не могли без риска для жизни выходить на улицу. В ее душе умерли мягкость и нежность. Лишения закалили характер молодой женщины. После рождения ребенка она стала еще красивей.

Пришел день, ставший поворотным в судьбе Бьянки. Однажды она забыла об осторожности и выглянула в окно. Проезжавший в это время на лошади дворянин заметил ее. Он был мгновенно покорен ее красотой. Дон Франческо ди Медичи не мог забыть прекрасную незнакомку у окна бедного жилища. Он был богат и обладал огромной властью. Марчеза Мандрагоне, одна из его придворных дам, с готовностью взяла на себя нелегкую роль посредницы.

И всего за несколько дней участь беглецов совершенно изменилась. Они получили виллу. Дон Франческо ди Медичи выхлопотал у Сената право на жительство для обоих беглецов.

Прекрасная Бьянка сильно изменилась в своем новом жилище. Из милой девушки она превратилась в хладнокровную Цирцею. Испытав страшную нищету, теперь она хотела только одного: выйти замуж за дона Франческо! Но до этого было далеко. Ведь ее мужем был Пьетро, а католическая церковь не разводила тех, кого соединила. К тому же в старом дворце Медици Поджио э'Кайяно жил ее злейший враг, герцог Козимо, отец дона Франческо.

Герцог-отец в своем замке проклинал ее. Он не одобрял увлечения сына. Бьянка мешала его планам! К тому же Франческо должен был вот-вот жениться. Отец выбрал ему в супруги благородную эрцгерцогиню Иоганну Австрийскую, сестру императора Максимилиана. Со стороны матери герцогиня была очень знатного происхождения и, хотя не отличалась особой привлекательностью, должна была стать достойной супругой Медичи, его сына.

Бьянка, узнав о планах Козимо, дала Франческо полную свободу, чтобы он мог жениться на навязанной ему женщине. Этой уловкой она еще крепче привязала к себе влюбленного вельможу.

Во время свадебных торжеств, обставленных Флоренцией с невиданной роскошью, на малопривлекательную сестру императора из Вены едва обратили внимание. Всеобщее восхищение вызывала Бьянка. Она блистала своей победоносной красотой. А та, другая женщина, сидевшая на троне, бледная и всеми покинутая, никогда не будет ей соперницей. И Франческо тоже понял это очень скоро, так скоро, что через несколько дней после свадьбы отправил к Бьянке своих придворных — с ценными подарками. Это означало, что именно она была непризнанной повелительницей дона Франческо ди Медичи. Но ее притязания на этом не заканчивались. Конечной целью был дворец Питти с его сокровищами и роскошными залами, воплощенное в камне могущество Медичи...

Князь был без ума влюблен, а Бьянка немного скучала, ибо и в Венеции, и во Флоренции вынуждена была вести жизнь затворницы. Дон Франческо под разными предлогами увеличивал состояние ее мужа и постепенно привязал к себе Бьянку простотой и нежностью обхождения. Она долго сопротивлялась; наконец князю удалось образовать то, что в Италии называется tringolo equilatero (равносторонний треугольник).

Тем временем Пьетро Бонавентури превратился в проклятье для флорентийцев. Соривший деньгами направо и налево, он проводил дни и ночи в укромных будуарах прелестных флорентийских дворянок. И когда Пьетро в одну из ночей возвращался от знатной флорентийки Кассандры Риччи, на него напали и убили.

Бьянка была потрясена. Он был отцом ее ребенка. Она относилась к нему как старшая сестра, всегда готовая прийти на помощь. Бьянка давала ему все, что он хотел. Но все это не мешало мелкому искателю приключений глумиться над ней в объятиях своих любовниц!

Принц Франческо прекратил по просьбе Бьянки преследование убийц Пьетро. Но, конечно, все это было подстроено. Он был доволен, что Бьянка стала свободной, и поклялся, что женится на ней, когда оба будут свободны. Любовница успокоилась.

В 1569 году по указу папы Пия V Козимо стал Великим герцогом Тосканским. Все итальянские властители заявили протест. Но это ни к чему не привело.

Бьянка подружилась с римским кардиналом Фердинандом, братом Франческо, и их сестрой, прекрасной Изабеллой, женой Джордано Орсини. И если даже они не очень ей нравились, она научилась не подавать вида. У нее было завидное самообладание, железная выдержка облегчала ей жизнь, и Бьянка никогда не позволяла себе расслабиться.

Между тем герцог Козимо умер. И Франческо занял его место. Теперь он был свободен во всех отношениях и засыпал свою куртизанку ценными подарками. Обычно довольно скупой, для нее он не жалел денег.

Бьянка приступила к реализации своих честолюбивых планов. Для этого ей нужны были мужчины, ну и что? Они будут куплены за золото!

По Флоренции пошли слухи: любовница герцога беременна! Бьянка внимательно следила за этим.

Бьянка написала в Рим кардиналу Фердинанду, что она подарит своему повелителю сына. С помощью подкупленных врачей и двух служанок Бьянка довела свое мошенничество до конца. Это был блестящий успех ее сильной натуры.

Болезненные схватки тяжелой беременности вскоре так измучили Бьянку, что она едва могла протянуть руки своему повелителю. А уж когда ей позднее пришлось совсем не вставать с постели, он окружил ее безграничной заботой.

Из-под полуопущенных ресниц она наблюдала за выражением его лица и успокаивалась. В притворстве она была актрисой, ей удавалось провести все свое окружение.

И пришел час, когда служанка в футляре от скрипки принесла купленного младенца. Через несколько минут радостная процессия обошла дворец, провозглашая: "Донна Бьянка только что родила здорового мальчика!"

И по Флоренции пополз слух: "У любовницы родился сын!"

"Великий герцог уже пожаловал новорожденному такие права и титулы, на которые любой принц может иметь право только значительно позже..."

Когда Бьянка вышла из своих покоев, на лице ее не было заметно и тени беспокойства. Она тотчас распорядилась устроить особенно пышное празднество. Скороходы собрали к вечеру в ее дворце лучших артистов и циркачей. Она хотела обставить этот праздник с возможно большей изысканностью, чтобы еще раз очаровать холодного по натуре герцога.

Франческо был очень доволен этим вечером. Когда Бьянка поднялась с ним в свои покои, герцог был обласкан как никогда. В эту ночь его любимая была очень соблазнительна... Будучи в прекрасном расположении духа, он обещал признать Антонио своим сыном и позаботиться о том, чтобы Его Испанское Величество присвоил ему титул. У Бьянки больше не было опасений. Великий герцог Тосканский был так могуществен, что мог даже это. И Бьянка была благодарна ему. Она угрозами заставила молчать врачей и служанок, свидетелей обмана.

Бьянка послала письмо в Венецию своему отцу и вскоре получила ответ: Бартоломео Капелло был готов помириться со своей преуспевающей и могущественной дочерью. Вскоре он нанес ей визит и убедился, что дочь с честью выбралась из ужасного положения. Трудно было встретить такую же красивую женщину, обладавшую подобной силой духа, умением владеть собой в самых тяжелых обстоятельствах.

В 1577 году Великая герцогиня родила сына. Ликование народа было неслыханным. Много дней и ночей Флоренция не могла успокоиться. И Франческо был счастлив. Он, скупой деспот, приказал раздавать деньги народу. Все должны были разделить его радость!

Бьянка пережила едва ли не самые трагичные часы своей жизни, но никто не заметил этого. Выражение ее прекрасного лица в последующие дни было предметом пристального наблюдения. Однако никаких чувств оно не выражало...

В апреле 1578 года Великая герцогиня тяжело заболела. Смерть быстро прибрала к рукам эту изможденную женщину.

Великий герцог вернулся во Флоренцию. В тот же вечер он появился у своей возлюбленной. Бьянка все рассчитала заранее и хорошо подготовилась. Поддерживаемая монахом, Бьянка так эмоционально рассказала ему обо всех последних неприятностях, что он был растерян и потрясен и тотчас приказал перевести Бьянку и ее свиту в... Питти.

Новая выходка Великого герцога вызвала еще более сильную вспышку народного гнева. Франческо едва обратил на это внимание и вскоре обвенчался с Бьянкой.

Роль тайной супруги не очень подходила ей. Да и обстановка в Питти ей не нравилась. Там, снаружи, на улицах был враждебный ей народ, а за пределами Флоренции — такая же враждебная знать: она везде была чужой...

Франческо был уязвлен и оскорблен враждебным отношением народа и знати к Бьянке и согласился с планом, который она ему предложила. Она решила послать в Венецию тосканских дворян Сфорца и официально объявить Сенату о своем замужестве. В то же время она хотела просить Сенат признать ее "Дочерью Республики". С этим титулом Капелло могла возвыситься над всеми итальянскими принцессами, так как становилась в ряды высшей знати!

И ее план удался. Итальянские властители не могли ничего возразить против коронации Бьянки. Могущественная Венецианская республика присвоила ей наивысший титул. Отцу и сыну Капелло был присвоен титул рыцарей "Золотой Звезды".

И все это было делом рук умной женщины. Только благодаря ее железной воле, хитрости, гибкости в щекотливых дипломатических отношениях, безграничному терпению она добилась успеха. Все те, кто еще совсем недавно напрямую злословили в ее адрес, теперь должны были низко кланяться Великой герцогине Тосканской. В дни коронации произошла помолвка ее дочери Пеллегрины с графом Бентиволье.

В 1587 году тосканский двор переехал в Поджио э'Кайяно. Здесь со всем подобающим блеском встретили кардинала Фердинанда. Братья окончательно помирились, и каждый благодарил за это Бьянку. Правительница подумала об удовлетворении малейших желаний гостя. Театр, любовные игры, прогулки на лодках по реке и другие подобные развлечения приносили необходимую разрядку. День и ночь не гасли свечи и факелы. Замок превратился в символ чувственной радости жизни...

Она собиралась отправиться в Венецию и предстать там во всем блеске, как вдруг неожиданно тяжело заболел Франческо. И сама Бьянка, почувствовав странное недомогание, моментально потеряла выдержку. В мучительном страхе сидела она у постели своего повелителя до тех пор, пока ее в бессознательном состоянии не перенесли в ее покои.

А через несколько часов после мучительной агонии Великий герцог Тосканский Франческо скончался.

Как ураган обрушилась страшная весть на Флоренцию. Ходили самые необычные слухи. Они расползались все дальше... Еще не улеглись первые волнения, а пришла новая весть: вскоре после повелителя, не достигнув 40 лет, умерла и повелительница.

Никто не верил в естественную смерть герцогской четы из Тосканы.

Стендаль в "Истории живописи в Италии" привел свою версию гибели Бьянки и герцога.

Бьянка захотела подарить мужу наследника. Обратилась к придворным астрологам, отслужили несчетное количество месс. Все бесполезно. Тогда герцогиня прибегла к помощи своего духовника, францисканца из монастыря "Ogni Santi" (Всех святых). У нее появилось отвращение к еде, ее тошнило, она даже слегла. Весь двор ее поздравлял, герцог был в восторге.

Когда пришло время родов, Бьянка среди ночи почувствовала такие сильные боли, что в волнении потребовала к себе духовника. Брат герцога, кардинал Медичи, встав с постели, спустился к невестке в переднюю и начал там спокойно прохаживаться, читая требник. Великая герцогиня попросила его удалиться: она якобы не может допустить, чтобы он слышал ее крики. Но жестокий кардинал холодно ответил: "Передайте ее высочеству, что я прошу ее делать свое дело; я буду делать свое".

Когда пришел духовник, кардинал, обняв его, сказал:

"Добро пожаловать, святой отец, герцогиня очень нуждается в вашей помощи".

И, продолжая сжимать его в своих объятиях, он без труда нащупал младенца, которого францисканец принес в своем рукаве.

"Слава Богу,— воскликнул кардинал,— великая герцогиня счастливо разрешилась от бремени, к тому же еще и мальчиком.— И показал своего мнимого племянника остолбеневшим придворным".

Бьянка, лежа в постели, услыхала эти слова и была в бешенстве. Она тут же начала вынашивать планы мести. Вскоре они все трое (Великий герцог, Бьянка и кардинал) были на прекрасной вилле Поджо э'Кайяно, где обедали за общим столом. Герцогиня, заметив, что кардинал очень любит бланманже, приказала приготовить это кушанье и положить в него яду. Кардинала предупредили. Он явился к столу, как обычно, но, несмотря на многократные уговоры невестки, не притронулся к блюду. Великий герцог воскликнул: "Ну что ж! Если мой брат отказывается от своего любимого кушанья, я им полакомлюсь". И он наполнил свою тарелку.

Бьянка не могла его удержать, так как этим она обнаружила бы свое преступление и навсегда утратила бы любовь мужа. Увидев, что для нее все кончено, она положила себе бланманже.

Оба они скончались 19 октября 1587 года.

Почти четверть века держала эта женщина в напряжении весь мир! И навсегда осталась загадкой смерть гордой и умной куртизанки Бьянки Капелло...

Томас Кавендиш

(1560 — 1592)

Английский буканьер. Искал богатства и славы во время каперской войны между Англией и Испанией (1585—1603). Второй английский капитан, после Дрейка, совершивший кругосветное плавание.

21 июля 1586 года из английского порта Плимут вышли три корабля. Флагман "Желание", "Удовлетворение" и "Красавчик Хью". На мостике флагмана стоял красивый, сравнительно молодой капитан Томас Кавендиш. Образованный вельможа, эсквайр, окончил колледж в Кембридже, он, как и многие в ту эпоху, был одержим манией открытий новых земель, где золото валяется под ногами.

Существовал и иной способ заполучить золото: отнять его у того, кто им владеет. Тогда этим золотовладельцем была Испания. Ее корабли перевозили добытый драгоценный металл из Южной Америки, точнее, из Перу, где его добывали, по Карибскому морю и дальше, через Атлантический океан. Только с 1521 по 1530 год было отправлено 5 тонн золота. Затем еще 25 тонн золота и 178 тонн серебра. Дальше — больше. За десять последующих лет Испания получила 47 тонн золота и более 300 тонн серебра.

Но золото любили не только испанцы. И очень скоро пиратство превратилось в весьма прибыльный промысел. Испанским галионам — огромным по тем временам кораблям — стало небезопасно плавать с драгоценным грузом. И с 1537 года испанцы ввели строгий порядок вывоза сокровищ в Европу.

Каждую весну из Испании в Новый Свет отправлялась огромная флотилия — десятки галионов с продовольствием и товарами. На подходе к Вест-Индии эскадра делилась на “серебряный флот” и “золотой”. Продав товары и погрузив золото и серебро, корабли соединялись в Гаване на острове Куба, откуда отправлялись на родину. На всем пути галионы сопровождал конвой из военных фрегатов. И только при переходе из порта Кальяо (на побережье Перу в Тихом океане) в Панаму золото оставалось без охраны корабельных пушек. Об этом знал еще Фрэнсис Дрейк. Помнил об этом и Кавендиш. Недаром в его экспедиции участвовали соратники великого адмирала, проделавшие с ним на ”Золотой лани” весь путь вокруг Земли.

Как и другие пираты, например тот же Дрейк, Кавендиш сочетал в себе азарт первооткрывателя и исследователя с жаждой обогащения. Собственно, это и побудило его отправиться в рискованное плавание. Готовясь к нему, он не пожалел денег (рассчитывая с лихвой возместить затраченное, продал даже свое имение), погрузил на корабли в избытке припасов и воды. Набрал команду из ста двадцати трех опытных матросов и офицеров. В снаряжении экспедиции принимали участие и другие так называемые компаньоны, те, кто, вложив деньги, надеялся на большие проценты от награбленного.

Как это было и с Дрейком, сама королева Елизавета I вложила кое-какие деньги в это предприятие. Она же дала Кавендишу наказ объехать земной шар и нанести на морские карты неизвестные острова, благоприятные течения, попутные ветры и записать все это подробно в своих корабельных журналах. Перед выходом кораблей в море курьер доставил Кавендишу послание королевы с пожеланием счастливого пути.

Помимо записей в бортовом журнале, отчет о путешествии составил участник Фрэнсис Притти. Отчет этот назывался, как тогда было принято, довольно витиевато: “Восхитительное и благодатное путешествие богобоязненного мастера Томаса Кавендиша”.

Итак, в море вышли три корабля под командой Томаса Кавендиша. Ему было сорок шесть, из них двадцать лет он бороздил морские просторы. Он говорил: “Я обвенчался с морем двадцати шести лет. Надеюсь, что обвенчаюсь со смертью не раньше семидесяти”. (Возраста этого он не достиг — умер в 52 года.) Ветер благоприятствовал плаванию. Надо было успеть пройти экватор и при осенних ветрах проскочить “ревущие сороковые”.

Благополучно миновали острова Зеленого Мыса, прошли вдоль Африканского побережья и наконец повернули в сторону Бразилии. Плавание проходило без особых приключений. Пользуясь относительным спокойствием, Кавендиш, памятуя наказ королевы, составлял карту берегов, замерял глубины и скорость течений, отмечая все это в журнале. Постепенно матросы, жаждавшие настоящего дела и богатой добычи, начали роптать. Кавендиш успокаивал их, обещав, что, когда пройдут Магелланов пролив, им будет чем заняться, надо, мол, еще немного потерпеть.

Рождество застало корабли на подходе к проливу. К этому моменту припасы были на исходе, приходилось есть протухшую солонину и пить затхлую воду.

А тут еще одна напасть обрушилась на моряков. В районе Рио-Гальегос их настиг жестокий шторм. К счастью, им удалось укрыться в тихой бухте и переждать бурю. После чего, 6 января 1587 года, Кавендиш отважно ринулся в пролив. Точной лоции у него не было, приходилось плыть почти вслепую по извилистому фарватеру. Пройти этот лабиринт не удавалось судам, ведомым лучшими кормчими. Только великий Дрейк каким-то чудом преодолел его. Испанцы владели картой фарватера, но по декрету, изданному королем, эти сведения были объявлены государственной тайной. После удачи Дрейка король Испании приказал построить в проливе форт и таким образом запереть его. На скалистый берег высадили четыреста солдат, и началось строительство. Земля была неподатливая, климат суровый. Тем не менее форт построили, возвели укрепления. И все это назвали Городом короля Филиппа. Кроме солдат, в городе остались колонисты, среди них были даже женщины.

Всего два года просуществовала эта колония в проливе. Потом кончились продукты, а вырастить что-нибудь на каменистой почве так и не удалось. Ни охоты, ни рыбы — ее в проливе не оказалось. Ни деревьев, даже развести огонь было нечем. Приходилось собирать бревна, которые шторм выбрасывал на берег, поэтому каждое полено было на вес золота.

Потом начались болезни — цинга и дизентерия. К этому прибавилась еще одна напасть — набеги индейцев. Приходилось то и дело отражать их. В первую зиму умерло больше половины населения, потом еще семьдесят человек. Осталось всего чуть больше двадцати. На родине про них забыли — в Европе шла война, создавалась Непобедимая Армада.

Когда Кавендиш проходил мимо этого так называемого Города Филиппа, двадцать несчастных, забытых, голодных и почти голых (одежда давно обветшала) испанцев никакого сопротивления ему не оказали. Они отчаянно махали руками, встав на колени, умоляли взять их с собой. И Кавендиш решил захватить с собой этих оборванцев. Они могли пригодиться как проводники. Их рассказ потряс даже видавших виды моряков. Землю эту они назвали Портом голода, таким он значится и на сегодняшних картах.

В конце февраля корабли Кавендиша вышли в Тихий океан. И тут началось нечто несусветное. Сильный шторм обрушился на моряков. Казалось, борта кораблей вот-вот разлетятся под ударами волн. Буря разбросала суда. Когда она утихла, они соединились и двинулись к берегам Чили.

Испанцы, появившиеся за пятьдесят лет до того, можно сказать, уже освоили их. Они построили города Арику, Сантьяго, Кальяо, Лиму. Склады в них ломились от товаров, а охрана была очень слабая — нападения ждать было неоткуда. По той же причине и военного флота у западного побережья Америки не было. Испанцы полагали, что Тихий океан — их собственная вотчина и незачем содержать здесь дорогостоящие корабли. То, что Дрейку удалось проникнуть туда, — чистая случайность.

У берегов Чили произошли первые стычки с испанцами. Захватили два судна, которые Кавендиш тут же сжег — ведь Англия воевала с Испанией. Затем штурмом взял город Пайту и тоже предал его огню. Еще не раз пришлось Кавендишу проявить свой жестокий нрав и безжалостно расправиться с захваченными судами и их командами. Он любил повторять: “Мертвый уже не выдаст”.

Однажды, это было в начале июля у берегов Калифорнии, был захвачен очередной испанский корабль. От его капитана узнали, что в этих водах со дня на день ждут манильский галион. Однако проходили недели, а желанный приз не показывался. И только 4 ноября 1587 года, во время продолжающегося дрейфа кораблей Кавендиша у берегов Калифорнии, был замечен парус. Вскоре и все остальные увидели огромный галион — вожделенную добычу всех пиратов.

Это была “Санта Анна” — водоизмещением более 700 тонн, “самый богатый из кораблей”, как говорили о нем сами испанцы.

Вот как описал эту встречу Фрэнсис Притти: “К вечеру мы догнали его и дали залп из всех наших пушек и затем выстрелили из всех мушкетов. Затем приблизились к этому кораблю — собственности короля Испании”.

С первой попытки захватить галион не удалось. Тогда, продолжает Фрэнсис Притти, “мы подняли вновь паруса и еще раз выстрелили из всех пушек и мушкетов, убив и ранив многих. Но их капитан, будучи мужественным человеком, продолжал бой и не сдавался. Тогда наш генерал Кавендиш приказал трубить в трубы и этим воодушевлять наших людей, и мы еще раз выстрелили из всех пушек, пробив борта и убив многих людей”.

Бой был ожесточенным и продолжался более пяти часов. В конце концов ядра тяжелых орудий кораблей Кавендиша пробили борта ниже уровня воды, и только тогда галион, “подвергаясь опасности утонуть, выбросил флаг сдачи и просил о милости, чтобы наш генерал спас их жизни и взял их товары, и потому они сдались нам”, — писал тот же Фрэнсис Притти.

На галионе “Санта Анна” пираты захватили огромную добычу: более ста двадцати тысяч монет, несколько ларцов с драгоценными камнями, слитки серебра, китайские шелка, жемчуг и фарфор, благовония и другие ценности. Всех испанцев, захваченных на судне, а их было двести человек, в том числе женщины и дети, Кавендиш, как обещал капитану “Санта Анны”, высадил на берег. Сам же галион был ему ни к чему — слишком громоздкий и тихоходный. Пришлось его поджечь. Несчастные испанцы на берегу наблюдали за гибелью корабля, у них не оставалось надежды на спасение. И конечно же, их не утешил приказ Кавендиша выстрелить из пушки, отдав последний салют тонущему судну.

После этого начался дележ добычи. При этом возник спор. Не всем, как оказалось, были по душе правила дележа, о которых, кстати сказать, договорились еще до отплытия из Англии. Особенно протестовали моряки с “Удовлетворения”. Но, как пишет Фрэнсис Притти, генералу удалось их успокоить, увеличив их долю. Каждый получил причитавшееся ему, однако не золотом, а товарами. Одну восьмую, как полагалось по уговору, Кавендиш взял себе, причем золотом. Выделили и долю королевы, надо полагать немалую.

Цель, которую Кавендиш поставил перед собой, была достигнута. Охота за богатым манильским галионом завершилась. Все расходы на экспедицию окупились сторицей. Можно было возвращаться домой.

“Мы с радостью поставили паруса, — записал Фрэнсис Притти, — чтобы скорее достичь Англии с попутным ветром; но когда опустилась ночь, мы потеряли из виду “Удовлетворение”... Мы думали, что они обогнали нас, но никогда больше их не видели”. Таким образом, из трех кораблей у Кавендиша остался один. (“Красавчика Хью” он лишился раньше.) На борту “Желания” находилось к тому моменту всего сорок восемь матросов.

Идти домой Кавендиш решил дорогой, проложенной Дрейком: через Гуам, Филиппины, мимо Явы и Суматры, потом пересечь Индийский океан и, обогнув мыс Доброй Надежды, вдоль западного берега Африки вернуться в Англию.

Три месяца ушло на то, чтобы доплыть до мыса Доброй Надежды. Здесь корабль попал в страшный шторм — недаром первоначально место это называлось мыс Бурь. Но прошедшим воды едва ли не всех широт разыгравшаяся стихия была не страшна, тем более что дом был близок. Все понимали: еще немного усилий, всего каких-то два месяца — и они обретут твердую землю под ногами. Кончатся мучения — голод, жажда, — и можно будет насладиться шикарной жизнью: есть свежее мясо и настоящий хлеб, вдоволь пить не только воду, но и вино. Награбленного на всех хватит.

На подходе к Англии Кавендиш стал готовить отчет о плавании. В нем он писал: "Я прошел вдоль берегов Чили, Перу и Новой Испании, и везде я наносил большой вред. Я сжег и потопил девятнадцать кораблей, больших и малых. Все города и деревни, которые мне попадались на пути, я жег и разорял. И набрал большие богатства. Самым богатым из моей добычи был великий корабль короля, который я взял у Калифорнии, когда он шел с Филиппин. Это один из самых богатых товарами кораблей, которые когда либо плавали в этих морях..."

9 сентября 1588 года "Желание" бросил якорь в порту Плимута. На пристани Кавендишу и его спутникам устроили торжественную встречу. Столь же торжественно, но теперь уже одного Кавендиша, приветствовали в Лондоне. Здесь понимали значение его плавания и оценили не только сокровища, привезенные им, но и его географические открытия, составленные им карты, что по тем временам считалось большой ценностью.

Так закончилось третье в истории человечества кругосветное плавание. Кавендиш обогнул земной шар за два года и пятьдесят один день.

В августе 1591 года Кавендиш отправился в очередное плавание. В Южную Америку он снарядил "Лейчестер галион" и еще четыре корабля. Увы, на этот раз удача покинула Томаса. Штормы не позволили пройти пролив. Кавендиш на флагмане отделился от остальной флотилии и направился обратно в Бразилию. В этом плавании Кавендиш умер, проклиная своих людей как изменников.

Кончино Кончини

(XVI век)

Флорентиец из сенаторского рода. Известен под именем маршала д'Анкра. Итальянский авантюрист, фаворит королевы Марии Медичи, супруги Генриха IV и матери Людовика XIII. После убийства короля был назначен первым камергером, губернатором Амьена, маршалом Франции и фактически управлял страной. Убит по приказу Людовика XIII герцогом Витри.

Мария Медичи, выйдя замуж за Генриха IV, перевезла во Францию и свою свиту. В ней были женщина и мужчина, которым вскоре предстояло сыграть во Франции катастрофическую роль. Ее звали Леонора Дози, его — Кончино Кончини.

Она была молочной сестрой королевы; умная, честолюбивая, ловкая, Леонора пользовалась большим авторитетом у флорентийки, которая только и думала о том, как бы доставить ей удовольствие. По словам одного из ее биографов, это была "маленькая, очень худая, очень смуглая, хорошо сложенная особа с резкими и правильными чертами лица". Ей было двадцать семь лет. Это потом она стала называться Галигаи, именем, под которым ее знают сегодня.

Он исполнял при королеве обязанности шталмейстера. По рассказам знавших его людей, он был "тщеславен и хвастлив, гибок и смел, хитер и честолюбив, беден и жаден". Ему было двадцать пять.

Во время путешествия из Италии во Францию Леонора влюбилась в молодого нотариуса и завлекла его в свою комнату.

Польщенный вниманием дамы, бывшей в близких отношениях с королевой, молодой человек прикинул преимущества, которые ему может создать эта связь, и легко уступил. С этого момента именно он через посредство Леоноры руководил Марией Медичи.

Вместо того чтобы отослать обратно в Италию всех этих шумных, болтливых и амбициозных "ветрогонов", прибывших во Францию с одной лишь целью поискать удачи и разрушить душевные узы флорентийки с родной страной, Генрих IV позволил многому войти в привычку. И когда королева прибыла в Париж, в начале февраля 1601 года, итальянцы уже прочно сидели на своих местах. Леонора стала камеристкой королевы, а во Франции этой должности удостаиваются только дамы из высшей знати. Так что у Кончини в руках оказалась вся свита Марии Медичи. Ставки были сделаны...

Кончино Кончини, амбициозный, хвастливый, бессовестный, льстивый с вельможами, высокомерный с теми, кто ниже его, сумел добиться множества значительных постов. К моменту смерти короля его состояние было одним из самых крупных в Париже. На улице Турнон ему принадлежал великолепный особняк, стоимость которого оценивалась в сумму около 200 000 экю. В этом особняке он закатывал поистине княжеские празднества.

Под мощной защитой королевы, которая осыпала его бесконечными милостями и отдавала почти все имевшиеся у нее деньги, он очень скоро стал для всех нестерпим. Не раз и не два дворяне, с которыми он вел себя нагло, поручали наемникам как следует отколотить его. Но это не послужило ему уроком, и он продолжал властвовать во дворце и держаться так бесцеремонно, что за его спиной не утихал ропот возмущения. Простой народ все это объяснял, шепотом, конечно, тем, что он был любовником Марии Медичи и что Леонора просто закрывала на это глаза, чтобы не лишиться безграничных благодеяний своей молочной сестры. Королева отдала ему даже несколько драгоценных камней из короны.

По столице гуляли памфлеты и непристойные песенки, в которых королеву обзывали шлюхой, а фаворита окрестили именем какой-то рыбы. Более сдержанный в этом отношении великий герцог Тосканский ограничился тем, что написал: "Чрезмерная нежность Марии к Кончини и его жене отвратительна, чтобы не сказать скандальна". Что, впрочем, означало то же самое... После смерти Генриха IV Кончини, сумевший выманить у королевы баснословную сумму в восемь миллионов экю из тех средств, которые старательно годами копил для королевства Сюлли, купил себе Анкрский маркизат в Пикардии. Затем стал первым дворянином в королевском покое, суперинтендантом дома королевы, губернатором городов Перона, Руа, Мондидье и, наконец, маршалом Франции, хотя в жизни своей не держал в руках шпаги.

С этого момента фаворит начал откровенно командовать не только министрами, но и королевой. Однако теперь из-за сыпавшихся на него бесконечных нападок он стал более осторожным и никогда не выходил из дворца один, но всегда в сопровождении группы бедных дворян, которых он к себе приблизил, платя каждому по тысяче ливров в год жалованья и называя их при этом презрительно своими продажными олухами...

В управляемой Кончини стране царили развал и анархия, а это, в свою очередь, подтолкнуло знатных сеньоров королевства к мысли заполучить побольше независимости, коей они лишились в годы правления Генриха IV. Конде, вернувшийся во Францию, встал во главе этого движения.

В 1614 году они с оружием в руках потребовали созыва Генеральных Штатов. Растерявшийся Кончини, несмотря на свой титул маршала Франции, побоялся выступить против мятежников и сделал попытку их купить. Конде и его друзья оказались немалыми хитрецами и, взяв деньги, продолжали настаивать на своих требованиях.

Генеральные Штаты собрались в октябре 1614 года, но ничего не дали из-за склок между депутатами третьего сословия и высшей знати, потому регентша распорядилась прекратить дебаты. И тогда для заключительной речи с места поднялся молодой епископ из Люсона; начав с перечисления требований духовенства, он неожиданно изменил тон и принялся в чрезмерно льстивых выражениях восхвалять заслуги Марии Медичи.

“В интересах государства,— заключил он, — я умоляю вас сохранить регентшу!”

Это был Арман Жан дю Плесси де Ришелье, который в числе прочих стремился к власти и страстно желал занять место Кончини.

Маршал д’Анкр давно занял должность действительного любовника Марии Медичи. Историк Мишле приписывает именно маршалу д’Анкру (т. е. Кончини) отцовство Никола, герцога Орлеанского, рожденного в 1607 году...

В 1617 году парижане позволяли себе высказываться еще откровеннее, и когда маршал д’Анкр, чей дом находился рядом с Лувром, приказал соорудить деревянный мост над оврагом, чтобы легче было добираться до дворца, народ совершенно открыто называл его “мостом любви”. И трудно не согласиться с Совалем, который писал, “что каждое утро фаворит шел по мосту во дворец, чтобы засвидетельствовать свое почтение королеве, а каждую ночь он отправлялся той же дорогой, чтобы остаться там до следующего дня”.

На допросах Леонора Галигаи без колебаний заявила, что ее муж “не обедал, не ужинал и не спал с нею на протяжении последних четырех лет”.

Придворные, которых эта интрига страшно забавляла, не ограничивались распеванием двусмысленных куплетов за спиной у любовников. Самые смелые позволяли себе довольно рискованные шуточки в присутствии Марии Медичи. Однажды, когда она попросила даму из своей свиты подать ей вуаль, граф де Люд воскликнул: “Корабль, стоящий на якоре, не нуждается в парусе!” (Каламбур, основанный на игре слов: якорь по-французски “ancre”, а парус “voile”.)

Кончини действительно ничего не делал, чтобы скрыть свою связь с королевой-матерью, напротив: “...если он находился в комнате Ее Величества в те часы, когда она спала или была одна, — пишет Амело де ла Уссе, — он делал вид, что завязывает шнурки, чтобы заставить поверить, будто он только что спал с нею...”

А кончилось все это тем, что весной 1617 года молодой Людовик XIII, взбешенный его наглыми манерами и чудовищными насмешками по адресу своей матери, отдал приказ Никола Витри, капитану своих гвардейцев, убить Кончини. Убийство было назначено на 17 апреля.

Утром того дня, около десяти часов, фаворит королевы явился во дворец в окружении пятидесяти или шестидесяти человек, составлявших его обычную свиту.

В тот момент, когда он шел по мосту, перед ним неожиданно возник Витри, схватил его за правую руку: "Именем короля вы арестованы!" Кончини недоуменно уставился на капитана: "Меня арестовать?" — "Да, вас".

Пораженный, он отступил на шаг, чтобы выхватить свою шпагу, но не успел. Одновременно три пистолетные пули поразили его: одна угодила в лоб, другая в щеку, третья в грудь. Он рухнул прямо в грязь и был тут же затоптан людьми Витри.

Друзья Кончини не сделали даже попытки вступиться за него. Они просто сразу обратились в бегство, справедливо полагая, что было бы грустно вот так умереть прекрасным апрельским утром...

Пока гвардейцы, войдя в раж, наносили удары ногами по мертвому телу Кончини, посланец явился к королю и, отвесив поклон, доложил: "Сир, дело сделано!"

Людовик XIII приказал открыть окно, вышел на балкон и, не скрывая своей радости, крикнул убийцам, все еще находившимся перед Лувром: "Большое спасибо! Большое спасибо всем! С этого часа я король!"

И кто-то снизу отозвался: "Да здравствует король!"

В то же мгновение Марии Медичи сообщили о трагическом конце ее фаворита. Она побледнела: "Кто его убил?" — "Витри, по приказу Его Величества".

Понимая, что отныне ее сын возьмет бразды правления в свои руки, она в отчаянии опустилась в кресло. Для нее все было кончено.

"Я царствовала семь лет, — сказала она. — Теперь меня ждет венец только на небе".

У нее не нашлось ни одной слезы для Кончини. Страх за собственную жизнь заглушал в ней все другие чувства. Это было особенно заметно, когда Ла Плас спросил у нее, как сообщить эту новость Леоноре Галигаи. Она раздраженно отмахнулась: "У меня своих забот достаточно. Если никто не решается ей сказать об этом, то пусть ей пропоют".

Но так как собеседник позволил себе настаивать, говоря, что известие это, несомненно, причинит супруге маршала д'Анкра сильную боль, королева-мать ответила с раздражением: "У меня и без этого есть, о чем подумать. И пусть со мной больше не говорят об этих людях. Сколько раз я им советовала вернуться в Италию".

Отрекшись от своего фаворита, она попросила аудиенции у короля. Людовик XIII велел ответить, что у него нет времени принять ее. Она настаивала, упрашивала. Тщетно. В конце концов она дошла в своей низости до чудовищной степени, когда попросила сказать сыну, что, "если бы она знала о его намерении, она и сама бы вручила ему Кончини со связанными руками и ногами".

На этот раз ответа вообще не последовало, зато явился Витри и запретил ей покидать свои апартаменты.

А за ее спиной уже работали каменщики, они замуровывали все двери, кроме одной, и Мария поняла, что превратилась в пленницу тут же, в самом Лувре.

Днем, пока дворцовая стража, завернув тело Кончини в старую скатерть, отправилась без лишнего шума в Сен-Жермен л'Оксерруа, чтобы похоронить его в уже вырытой могиле, прибывшие по приказу короля рабочие принялись разрушать “мост любви”. Стук их топоров привлек внимание Марии Медичи, и она подошла к окну. Увидев, как уничтожается маленький мостик, служивший напоминанием о многих бурных ночах, ей вдруг стало плохо. “Каждый удар топора, — писал современник, — отзывался в ее сердце”. И в первый раз после смерти фаворита она заплакала.

Убийство маршала д’Анкра, напротив, страшно обрадовало парижан.

“Где он сейчас, этот негодяй, чтобы можно было пойти и плюнуть ему в лицо? — спрашивали они с нескрываемым удовольствием.

В семь часов утра сотни две перевозбужденных и недобро глядящих людей явились в Сен-Жермен-л’Оксерруа. “Бесчинство началось с того, что несколько человек из толпы стали плевать на могилу и топтать ее ногами, — рассказывал г-н Кадне, брат коннетабля де Люиня. — Другие принялись раскапывать землю вокруг могильного холма прямо руками и копали до тех пор, пока не нащупали места стыка каменных плит”.

Вскоре надгробный камень был поднят, и кто-то из толпы наклонился над раскрытой могилой. Он привязал веревку к ногам трупа, уперся ногами и начал тащить. Несколько священников, выбежавших из церковной ризницы, попытались вмешаться. Толпа накинулась на них так яростно, что им пришлось спасаться бегством. После исчезновения священников человек снова взялся за веревку, дернул в последний раз, и тело маршала оказалось на плитах. Толпа издала радостный вопль, и тут же шквал палочных ударов обрушился на труп, и без того изрядно изуродованный гвардейцами Витри. Бывшие в толпе женщины, истошно крича, принялись царапать мертвеца ногтями, бить по щекам, плевать в лицо. Затем его протащили до Нового Моста и там привязали за голову к нижней части опоры. Опьяненный собственной смелостью народ стал отплясывать вокруг повешенного трупа безумный танец и на ходу сочинять непотребные песни. Дьявольский хоровод длился полчаса. И вдруг какой-то молодой человек подошел к трупу, держа в руках маленький кинжал, отрезал ему нос и в качестве сувенира сунул себе в карман. Тут всех охватила настоящая лихорадка. Каждому из присутствовавших захотелось взять себе хоть что-то на память. Пальцы, уши и даже “стыдные части” исчезли в мгновение ока. Менее удачливым пришлось довольствоваться “клочком плоти”, вырезанным из мягкой части ягодицы...

Когда каждый получил свой кусок, еще более возбудившаяся толпа отвязала труп и с дикими криками потащила его через весь Париж. Неистовство этих людей было так велико, что очевидцам казалось, будто все это происходит на сцене театра марионеток Гран-Гиньоль. “В толпе был человек, одетый в красное, — рассказывает Кадне, — и, видимо, пришедший в такое безумие, что погрузил руку в тело убитого и, вынув ее оттуда окровавленную, сразу поднес ко рту, обсосал кровь и даже проглотил прилипший маленький кусочек. Все это он проделал на глазах у множества добропорядочных людей, выглядывавших из окон. Другому из одичавшей толпы удалось вырвать из тела сердце, испечь его неподалеку на горящих угольях и при всех съесть его с уксусом!”

Наконец, ошметки фаворита, покрытые пылью, плевками, грязью, вновь притащили на Новый Мост и там сожгли в присутствии веселящегося люда.

Через два месяца после этого, 8 июля, жена Кончини, Леонора Галигаи, ложно обвиненная в колдовстве, была сожжена на Гревской площади. Со смертью Кончини в моду надолго вошло слово “coion” (ничтожество, трус). Этой характеристики маршал удостоился за свое малодушие.

Григорий Отрепьев, Лжедмитрий I

(? — 1606)

Русский царь-самозванец (1605—1606). В 1601 году объявился в Польше под именем сына Ивана IV — Дмитрия. В 1604 году перешел с польско-литовским отрядом границу, был поддержан частью горожан, казаков и крестьян. Став русским царем, попытался лавировать между польскими и русскими феодалами. Убит боярами-заговорщиками во главе с Василием Шуйским.

История самозванца, принявшего имя царевича Дмитрия, принадлежит к числу самых драматических эпизодов русской истории.

...Семья Отрепьевых имела давние связи с Угличем, резиденцией погибшего царевича Дмитрия. Предки Григория прибыли на Русь из Литвы. Одни из них осели в Галиче, а другие — в Угличе. В 1577 году неслужилый "новик" Смирной-Отрепьев и его младший брат Богдан получили поместье в Коломне. В то время Богдану едва исполнилось 15 лет. Несколько лет спустя у него появился сын, названный Юрием. Примерно в то же время у царя Ивана родился сын Дмитрий. Совершеннолетия Юшка достиг в самые последние годы царствования Федора.

Богдан Отрепьев дослужился до чина стрелецкого сотника и рано погиб. Судя по всему, Богдан обладал таким же буйным характером, как и его сын. Жизнь сотника оборвалась в Немецкой слободе в Москве. Там, где иноземцы свободно торговали вином, нередко случались пьяные драки. В одной из них Богдана зарезал некий литвин.

После смерти отца Юшку воспитывала мать. Благодаря ее стараниям мальчик научился читать Священное писание. Когда возможности домашнего образования оказались исчерпанными, его послали на учебу в Москву, где жил зять Отрепьевой, Семейка Ефимьев, которому суждено было сыграть в жизни Юшки особую роль. Похоже, именно в доме дьяка Ефимьева он выучился писать. (После пострижения Гришка Отрепьев стал переписчиком книг на патриаршем дворе. Без каллиграфического почерка он никогда бы не получил это место. В московских приказах ценили каллиграфическое письмо, и приказные дельцы вроде Ефимьева обладали хорошим почерком.)

Ранние жизнеописания изображали юного Отрепьева беспутным негодяем. При Шуйском такие отзывы были забыты. Во времена Романовых писатели не скрывали удивления по поводу необыкновенных способностей юноши, но при том высказывали подозрение, не общался ли он с нечистой силой. Учение давалось Отрепьеву с поразительной легкостью.

Бедность и сиротство не позволяли способному ученику надеяться на выдающуюся карьеру. Юрий поступил на службу к Михаилу Романову. Многие считали Романовых наследниками короны. Служба при их дворе, казалось бы, сулила юноше определенные перспективы. К тому же родовое гнездо Отрепьевых располагалось на Монзе, притоке Костромы, и там же находилась знаменитая костромская вотчина Романовых — село Домнино. Соседство по имению, по-видимому, тоже сыграло роль в том, что провинциальный дворянин отправился на московское подворье бояр Романовых.

На государевой службе Отрепьевы подвизались в роли стрелецких командиров. Юшка "принял честь" от князя Бориса Черкасского, то есть его карьера началась вполне успешно.

Однако опала, постигшая романовский круг в ноябре 1600 года, едва не погубила Отрепьева. Под стенами романовского подворья произошло настоящее сражение. Вооруженная свита Романовых оказала отчаянное сопротивление царским стрельцам.

Юшке Отрепьеву повезло — он чудом спасся в монастыре от смертной казни, ибо его, как боярского слугу, ждала виселица. Страх перед наказанием привел Отрепьева в монастырь. 20-летнему дворянину, полному надежд, сил и энергии, пришлось покинуть свет, забыть мирское имя. Отныне он стал смиренным чернецом (монахом) Григорием.

Во время своих скитаний Григорий побывал в галичском Железноборском монастыре (по некоторым сведениям, он там и постригся) и в суздальском Спасо-Евфимьеве монастыре. По преданию, в Спасо-Евфимьеве монастыре Гришку отдали "под начало" духовному старцу. Жизнь "под началом" оказалась стеснительной, и чернец покинул обитель.

Переход от жизни в боярских теремах к прозябанию в монашеских кельях был слишком резким. Чернец тяготился монашеским одеянием, поэтому отправился в столицу.

Как же осмелился Отрепьев вновь появиться в Москве? Во-первых, царь отправил Романовых в ссылку и прекратил розыск. Оставшиеся в живых опальные очень скоро заслужили прощение. Во-вторых, по словам современников, монашество на Руси нередко спасало преступников от наказания. Опальный монах попал в Чудов, самый аристократический, кремлевский монастырь. Григорий воспользовался протекцией: "Бил челом об нем в Чюдове монастыре архимариту Пафнотью".

Отрепьев недолго прожил под надзором деда. Архимандрит вскоре перевел его в свою келью. Там чернец, по его собственным словам, занялся литературным трудом. "Живучи-де в Чудове монастыре у архимарита Пафнотия в келии, — рассказывал он знакомым монахам, — да сложил похвалу московским чудотворцам Петру, и Алексею, и Ионе". Старания Отрепьева были оценены, и с этого момента начался его стремительный, почти сказочный взлет.

Григорий был очень молод и провел в монастыре немного времени. Однако

Пафнутий произвел его в дьяконы. Роль келейника влиятельного чудовского архминандрита могла удовлетворить любого, но не Отрепьева. Покинув келью, он переселился на патриарший двор. Придет время, и патриарх Иов будет оправдываться тем, что он приглашал к себе Гришку лишь "для книжного письма". На самом же деле Отрепьев не только переписывал книги на патриаршем дворе, но и сочинял каноны святым. Патриарх говорил, что чернеца Григория знают и епископы, и игумены, и весь священный собор. Вероятно, так оно и было. На собор и в думу патриарх Иов являлся с целым штатом помощников. В числе их оказался и Отрепьев. Своим приятелям Григорий говорил так: "Патриарх-де, видя мое досужество, и учал на царскую думу вверх с собою меня имати, и в славу-де я вшел великую". Заявление Отрепьева насчет его великой славы нельзя считать простым хвастовством.

После службы у Романовых, Отрепьев быстро приспособился к новым условиям жизни. Случайно попав в монашескую среду, он сразу выделился в ней. Юному честолюбцу помогли выдвинуться не подвиги аскетизма, а необыкновенная восприимчивость натуры. В течение месяца Григорий усваивал то, на что другие тратили жизнь. Церковники сразу оценили живой ум и литературные способности Отрепьева. Что-то притягивало к нему и подчиняло других людей. Служба у деда, келейник чудовского архимандрита и, наконец, придворный патриарха! Надо было обладать незаурядными качествами, чтобы сделать такую выдающуюся карьеру всего за один год. Однако Отрепьев очень спешил — должно быть, чувствуя, что ему суждено прожить совсем недолгую жизнь...

Григорий хвастался, что может стать царем в Москве. Узнав об этом, царь Борис приказал сослать его в Кириллов монастырь. Но, вовремя предупрежденный, Григорий успел бежать в Галич, потом в Муром, и, вернувшись в Москву, в 1602 году бежал из нее. Отрепьев бежал за кордон не один, а в сопровождении двух монахов — Варлаама и Мисаила. (Имя сообщника Отрепьева, "вора" Варлаама, было всем известно из борисовских манифестов. Варлаам вернулся в Россию через несколько месяцев после воцарения Лжедмитрия I. Воеводы самозваного царя на всякий случай задержали "вора" на границе и в Москву не пустили. После смерти Лжедмитрия Варлаам написал знаменитый "Извет", в котором не столько бранил Отрепьева, сколько оправдывал себя.)

Отъезжавших монахов никто в городе не преследовал. В первый день они спокойно беседовали на центральной посадской улице, на другой день встретились в Иконном ряду, прошли за Москву-реку и там наняли подводу. Никто не тревожил бродячих монахов и в приграничных городах. Отрепьев открыто служил службу в церкви. В течение трех недель друзья собирали деньги на строительство захолустного монастыря. Все собранное серебро иноки присвоили себе.

Власти не имели причин принимать экстренные меры для их поимки. Беглецы миновали границу без всяких приключений. Сначала монахи провели три недели в Печерском монастыре в Киеве, а потом перешли во владения князя Константина Острожского, в Острог. Отрепьев, проведя лето в Остроге, успел снискать расположение магната и получил от него щедрый подарок.

Описывая свои литовские скитания, "царевич" упомянул о пребывании у Острожского, переходе к Габриэлю Хойскому в Гощу, на Волыни, а потом в Брачин, к Вишневецкому. Отрепьев не для того покинул патриарший дворец и кремлевский Чудов монастырь, чтобы похоронить себя в захолустном литовском монастыре. Григорий сбросил монашеское одеяние и, наконец, объявил себя царевичем. Когда Адам Вишневецкий известил короля о появлении московского "царевича", тот затребовал подробные объяснения. И князь Адам в 1603 году записал рассказ самозванца о его чудесном спасении.

"Царевич" довольно подробно поведал о тайнах московского двора, но начинал фантазировать, едва переходил к изложению обстоятельств своего чудесного спасения. По словам "Дмитрия", его спас некий воспитатель, который, узнав о планах жестокого убийства, подменил царевича мальчиком того же возраста. Несчастный мальчик и был зарезан в постельке царевича. Мать-царица, прибежав в спальню и глядя на убитого, лицо которого стало свинцово-серым, не распознала подлога.

"Царевич" избегал называть точные факты и имена, которые могли быть опровергнуты в результате проверки. Он признавал, что его чудесное спасение осталось тайной для всех, включая мать, томившуюся тогда в монастыре в России.

Новоявленный "царевич" в Литве жил у всех на виду, и любое его слово легко было тут же проверить. Если бы "Дмитрий" попытался скрыть известные всем факты, он прослыл бы явным обманщиком. Так, все знали, что московит явился в Литву в рясе. О своем пострижении "царевич" рассказал следующее. Перед смертью воспитатель вверил спасенного им мальчика попечению некоей дворянской семьи. "Верный друг" держал воспитанника в своем доме, но перед кончиной посоветовал ему, чтобы избежать опасности, войти в обитель и вести жизнь монашескую. Юноша так и сделал. Он обошел многие монастыри Московии, и наконец один монах опознал в нем царевича. Тогда "Дмитрий" решил бежать в Польшу...

По-видимому, Отрепьев уже в Киево-Печерском монастыре пытался выдать себя за царевича Дмитрия. В книгах Разрядного приказа сохранилась любопытная запись о том, как Отрепьев разболелся "до умертвия" и открылся печерскому игумену, сказав, что он царевич Дмитрий. Печерский игумен указал Отрепьеву и его спутникам на дверь. "Четыре-де вас пришло, — сказал он, — четверо и подите".

Кажется, Отрепьев не раз использовал один и тот же трюк. Он прикидывался больным не только в Печерском монастыре. По русским летописям, Григорий "разболелся" и в имении Вишневецкого. На исповеди он открыл священнику свое "царское происхождение". Впрочем, в докладе Вишневецкого королю никаких намеков на этот эпизод нет. Так или иначе попытки авантюриста найти поддержку у православного духовенства в Литве потерпели неудачу. В Киево-Печерском монастыре ему указали на дверь. В Остроге и Гоще было не лучше. Самозванец не любил вспоминать это время. На исповеди у Вишневецкого "царевич" сообщил, будто бежал к Острожскому и Хойскому.

Совсем по-другому излагали дело иезуиты. Они утверждали, что претендент обращался за помощью к Острожскому, но тот будто бы велел гайдукам вытолкать самозванца за ворота. Сбросив монашеское платье, "царевич" лишился верного куска хлеба и, по словам иезуитов, стал прислуживать на кухне у пана Хойского.

Никогда еще сын московского дворянина не опускался так низко. Кухонная прислуга... Растерявший разом всех своих прежних покровителей, Григорий, однако, не пал духом. Тяжелые удары судьбы могли сломить кого угодно, но только не его.

"Расстрига" очень скоро нашел новых покровителей, и весьма могущественных, в среде польских и литовских магнатов. Первым из них был Адам Вишневецкий. Он снабдил Отрепьева приличным платьем, велел возить его в карете в сопровождении своих гайдуков.

Авантюрой магната заинтересовались польский король Сигизмунд III и первые сановники государства, в их числе канцлер Лев Сапега. На службе у канцлера подвизался некий холоп Петрушка, московский беглец, по происхождению лифляндец, попавший в Москву в годовалом возрасте как пленник. Тайно потворствуя интриге, Сапега объявил, что его слуга, которого теперь стали величать Юрием Петровским, хорошо знал царевича Дмитрия по Угличу.

При встрече с самозванцем Петрушка, однако, не нашелся, что сказать. Тогда Отрепьев, спасая дело, сам "узнал" бывшего слугу и с большой уверенностью стал расспрашивать его. Тут холоп также признал "царевича" по характерным приметам: бородавке около носа и неравной длине рук. Как видно, приметы Отрепьева сообщили холопу заранее те, кто подготовил инсценировку.

Сапега оказал самозванцу неоценимую услугу. Одновременно ему стал открыто покровительствовать Юрий Мнишек. Один из холопов Мнишека также "узнал" в Отрепьеве царевича Дмитрия.

Таковы были главные лица, подтвердившие в Литве царское происхождение Отрепьева. К ним присоединились московские изменники братья Хрипуновы. Эти дворяне бежали в Литву в первой половине 1603 года.

При царе Борисе Посольский приказ пустил в ход версию, будто Отрепьев бежал от патриарха после того, как прослыл еретиком. Он отверг родительский авторитет, восстал против самого Бога, впал в "чернокнижье". Московские власти адресовали подобные заявления польскому двору. Они старались доказать, что Отрепьев был осужден судом. Это давало им повод требовать от поляков выдачи беглого преступника.

Конечно, Вишневецкий и Мнишек не сомневались в том, что имеют дело с самозванцем. Поворот в карьере авантюриста наступил лишь после того, как за его спиной появилась реальная сила.

Отрепьев с самого начала обратил свои взоры в сторону запорожцев. Ярославец Степан, державший иконную лавку в Киеве, показывал, что к нему захаживали казаки и с ними Гришка, который был еще в монашеском платье. У черкас (казаков) днепровских в полку видел Отрепьева, но уже "розстрижена", старец Венедикт: Гришка ел с казаками мясо (очевидно, дело было в пост, что и вызвало осуждение старца) и "назывался царевичем Дмитрием".

Поездка в Запорожье связана была с таинственным исчезновением Отрепьева из Гощи. Перезимовав в Гоще, Отрепьев с наступлением весны "из Гощеи пропал безвестно". Замечательно, что расстрига общался как с гощинскими, так и с запорожскими протестантами. В Сечи его с честью приняли в роте старшины Герасима Евангелика.

Сечь бурлила. Буйная запорожская вольница точила сабли на московского царя. Сведения о нападении запорожцев совпадают по времени со сведениями о появлении среди них самозваного царевича. Именно в Запорожье в 1603 году началось формирование повстанческой армии, которая позже приняла участие в московском походе самозванца. Казаки энергично закупали оружие, вербовали охотников.

К новоявленному "царевичу" явились гонцы с Дона. Донское войско готово было идти на Москву. Самозванец послал на Дон свой штандарт — красное знамя с черным орлом. Его гонцы выработали затем "союзный договор" с казачьим войском.

В то время как окраины глухо волновались, в сердце России появились многочисленные повстанческие отряды. Династия Годуновых оказалась на краю гибели. Отрепьев уловил чутьем, сколь огромные возможности открывает перед ним сложившаяся ситуация.

Казаки, беглые холопы, закрепощенные крестьяне связывали с именем царевича Дмитрия надежды на освобождение от ненавистного крепостнического режима, установленного в стране Годуновым. Отрепьеву представлялась возможность возглавить широкое народное выступление.

Лжедмитрий-Отрепьев, будучи дворянином по происхождению и воспитанию, не доверял ни вольному "гулящему" казаку, ни пришедшему в его лагерь комарицкому мужику. Самозванец мог стать казацким предводителем, вождем народного движения. Но он предпочел сговор с врагами России.

Иезуиты решили с помощью московского царевича осуществить заветную цель римского престола — подчинение русской церкви папскому владычеству. Сигизмунд III попросил Вишневецкого и Мнишека привезти царевича в Краков. В конце марта 1604 года "Дмитрия" привезли в польскую столицу и окружили иезуитами, которые старались убедить его в истинах римско-католической веры. "Царевич" понял, что в этом состоит его сила, притворялся, что поддается увещеваниям и, как рассказывали иезуиты, принял святое причастие из рук папского нунция Рангони и обещал ввести римско-каталическую веру в московском государстве, когда получит престол.

Перемирие с Польшей 1600 году не обеспечило России безопасности западных границ. Король Сигизмунд III вынашивал планы широкой экспансии на востоке. Он оказал энергичную поддержку Лжедмитрию I и заключил с ним тайный договор. Взамен самых неопределенных обещаний самозванец обязался передать Польше плодородную Чернигово-Северскую землю. Семье Мнишек, своим непосредственным покровителям, Отрепьев посулил Новгород и Псков. Лжедмитрий не задумываясь перекраивал русские земли, лишь бы удовлетворить своих кредиторов. Но самые дальновидные политики Речи Посполитой, включая Замойского, решительно возражали против войны с Россией. Король не выполнил своих обещаний. В походе Лжедмитрия I королевская армия не участвовала. Под знаменами Отрепьева собралось около двух тысяч наемников — всякий сброд, мародеры, привлеченные жаждой наживы. Эта армия была слишком малочисленной, чтобы затевать интервенцию в Россию. Но вторжение Лжедмитрия поддержало донское казачье войско.

Несмотря на то что царские воеводы, выступившие навстречу самозванцу с огромными силами, действовали вяло и нерешительно, интервенты довольно скоро убедились в неверности своих расчетов. Получив отпор под стенами Новгород-Северского, наемники в большинстве своем покинули лагерь самозванца и ушли за рубеж. Нареченный тесть самозванца и его "главнокомандующий" Юрий Мнишек последовал за ними. Вторжение потерпело провал, но вооруженная помощь поляков позволила Лжедмитрию продержаться на территории Русского государства первые, наиболее трудные, месяцы, пока волны народного восстания не охватили всю южную окраину государства. Голод обострил обстановку.

Когда Борису донесли о появлении самозванца в Польше, он не стал скрывать своих подлинных чувств и сказал в лицо боярам, что это их рук дело и задумано, чтобы свергнуть его. Кажется непостижимым, что позже Годунов вверил тем же боярам армию и послал их против самозванца. Поведение Бориса не было в действительности необъяснимым.

Дворянство в массе своей настороженно отнеслось к самозваному казацкому царьку. Лишь несколько воевод невысокого ранга перешли на его сторону. Чаще крепости самозванцу сдавали восставшие казаки и посадские люди, а воевод приводили к нему связанными.

Бывший боярский слуга и расстрига Отрепьев, оказавшись на гребне народного выступления против Годунова, попытался сыграть роль казацкого атамана и народного вождя. Именно это и позволило авантюристу, явившемуся в подходящий момент, воспользоваться движением в корыстных целях.

Покинутый большей частью наемников, Отрепьев спешно формировал армию из непрерывно стекавшихся к нему казаков, стрельцов и посадских людей. Самозванец стал вооружать крестьян и включил их в свое войско. Войско Лжедмитрия тем не менее было наголову разбито царскими воеводами в битве под Добрыничами 21 января 1605 года. При энергичном преследовании воеводы могли бы захватить самозванца или изгнать его из пределов страны, но они медлили и топтались на месте. Бояре не предали Бориса, но им пришлось действовать среди враждебного населения, восставшего против крепостнического государства. Несмотря на поражение Лжедмитрия, его власть вскоре признали многие южные крепости. Полки были утомлены длительной кампанией, и дворяне самовольно разъезжались по домам. В течение почти полугода воеводы не сумели взять Кромы, в которых засел атаман Корела с донцами. Под обгорелыми стенами этой крепости решилась судьба династии.

Обуреваемый страхом перед самозванцем, Годунов не раз засылал в его лагерь тайных убийц. Позже он приказал привезти в Москву мать Дмитрия и выпытывал у нее правду: жив ли царевич или его давно нет на свете.

13 апреля 1605 года Борис скоропостижно умер в Кремлевском дворце. Передавали, будто он из малодушия принял яд. Находившийся при особе царя во дворце Яков Маржарет засвидетельствовал, что причиной смерти Бориса явился апоплексический удар.

Незадолго до кончины Годунов решил доверить командование армией любимому воеводе Петру Басманову, отличившемуся в первой кампании против самозванца. Молодому и не слишком знатному воеводе предназначалась роль спасителя династии. Последующие события показали, что Борис допустил роковой просчет.

Между тем Лжедмитрий медленно продвигался к Москве, посылая вперед гонцов с письмами к столичным жителям. Когда разнесся слух о приближении "истинного" царя, Москва "загудела как пчелиный улей": кто спешил домой за оружием, кто готовился встречать "сына" Грозного. Федор Годунов, его мать и верные им бояре, "полумертвые от страха, затворились в Кремле" и усилили стражу. Военные меры имели своей целью "обуздать народ", ибо, по словам очевидцев, "в Москве более страшились жителей, нежели неприятеля или сторонников Димитрия".

1 июня посланцы Лжедмитрия Гаврила Пушкин и Наум Плещеев прибыли в Красное село, богатое торговое место в окрестностях столицы. Их появление послужило толчком к давно назревавшему восстанию. Красносельцы двинулись в столицу, где к ним присоединились москвичи. Толпа смела стражу, проникла в Китай-город и заполнила Красную площадь. Годуновы выслали против толпы стрельцов, но они оказались бессильны справиться с народом. С Лобного места Гаврила Пушкин прочитал "прелестные грамоты" самозванца с обещанием многих милостей всему столичному населению — от бояр до "черных людей".

Годуновы могли засесть в Кремле "в осаде", что не раз спасало Бориса. Но их противники позаботились о том, чтобы крепостные ворота не были заперты. Вышедшие к народу бояре одни открыто, а другие тайно агитировали против Федора Борисовича. Бывший опекун Дмитрия, Богдан Бельский всенародно поклялся, что сам спас сына Грозного, и его слова положили конец колебаниям толпы. Народ ворвался в Кремль и принялся громить дворы Годуновых. Посадские люди разнесли дворы многих состоятельных людей и торговцев, нажившихся на голоде.

Водворившись в Кремле, Богдан Бельский пытался править именем Дмитрия. Но самозванцу он казался слишком опасной фигурой. Свергнутая царица была сестрой Бельского, и Отрепьев не мог поручить ему казнь семьи Бориса Годунова. Бельский вынужден был уступить место боярину Василию Голицыну, присланному в Москву самозванцем.

Лжедмитрий медлил и откладывал въезд в Москву до той поры, пока не убрал все препятствия со своего пути. Его посланцы арестовали патриарха Иова и с позором сослали его в монастырь. Иова устранили не только за преданность Годуновым. Отрепьева беспокоило другое. В бытность дьяконом самозванец служил патриарху и был хорошо ему известен. После низложения Иова князь Василий Голицын со стрельцами явился на подворье к Годуновым и велел задушить царевича Федора Борисовича и его мать. Бояре не оставили в покое прах Бориса. Они извлекли его труп из Архангельского собора и закопали вместе с останками жены и сына на заброшенном кладбище за городом.

20 июля Лжедмитрий торжественно въехал в Москву. Но уже через несколько дней раскрылся заговор бояр против него. Василий Шуйский был уличен в распространении слухов о самозванстве нового царя и, отданный Лжедмитрием под суд собора, состоявшего из духовенства, бояр и простых людей, был приговорен к смертной казни. Лжедмитрий заменил ее ссылкой в галицкие пригороды, но затем вернул Шуйского и его двух братьев с дороги и, простив, возвратил им имения и боярство.

Петр Иов был низложен и на место его возведен архиепископ рязанский, грек Игнатий, который 21 июля и венчал Лжедмитрия на царство. Как правитель, самозванец отличался энергичностью, большими способностями, широкими реформаторскими замыслами. “Остротою смысла и учением книжным себе давно искусив”, — говорил о нем князь Хворостинин.

Лжедмитрий ввел в думу в качестве постоянных членов высшее духовенство; учредил новые чины на польский манер: мечника, подчашия, подскарбия. Он принял титул императора или цезаря, удвоил жалованье служивым людям; старался облегчить положение холопов, воспрещая записи в наследственное холопство. Лжедмитрий хотел сделать свободным выезд своим подданным в Западную Европу для образования, приближал к себе иноземцев. Он мечтал создать союз против Турции, в который вошли бы Германия, Франция, Польша, Венеция и Московское государство. Его дипломатические отношения с папой и Польшей преследовали главным образом эту цель, а также признание за ним императорского титула. Папа, иезуиты и Сигизмунд, рассчитывавшие видеть в Лжедмитрии покорное орудие своей политики, просчитались. Он держал себя вполне самостоятельно, отказался вводить католицизм и допустить иезуитов. Лжедмитрий отказался делать какие-либо земельные уступки Польше, предлагая денежное вознаграждение за оказанную ему помощь.

10 ноября 1605 года состоялось в Кракове обручение Лжедмитрия, которого заменял в обряде посол московский Власьев, а 8 мая 1606 года в Москве был заключен и брак самозванца с Мариной Мнишек.

Царь Дмитрий все еще был популярен среди москвичей, но их раздражали иноземцы, прибывшие в столицу в свите Мнишеков. Безденежные шляхтичи хвастались, что посадили на Москве “своего царя”. Поляков, кстати, среди них было не так уж и много: явно преобладали выходцы с Украины, из Беларуси и Литвы, многие были православными. Но их обычаи, поведение, наряд резко отличались от московских и уже этим раздражали. Москвичей выводили из себя постоянные салюты из огнестрельного оружия, к которым пристрастились шляхтичи и их слуги. Дошло до того, что иноземцам перестали продавать порох.

Воспользовавшись раздражением москвичей против поляков, наехавших в Москву с Мариной и позволявших себе разные бесчинства, мятежные бояре во главе с Василием Шуйским в ночь с 16 на 17 мая ударили в набат, объявили сбежавшемуся народу, что ляхи бьют царя, и, направив толпы на поляков, сами прорвались в Кремль.

Лжедмитрий, ночевавший в покоях царицы, бросился в свой дворец, чтобы узнать, что происходит. Завидев подступившую к Кремлю толпу (из охранявших царя 100 "немцев" Шуйский предусмотрительно отослал с вечера 70 человек; оставшиеся не смогли оказать сопротивления и сложили оружие), царь пытался спуститься из окна по лесам, устроенным для иллюминации. Если бы ему удалось уйти из Кремля, кто знает, как повернулись бы события. Но он оступился, упал и повредил ногу. Лжедмитрий пытался сначала защищаться, затем бежал к стрельцам, но последние, под давлением боярских угроз, выдали его, и он был застрелен Валуевым. Народу объявили, что царь был самозванцем. Тело его сожгли и, зарядив прахом пушку, выстрелили в ту сторону, откуда он пришел.

Марина Мнишек

(ок. 1588 — ок. 1614)

Польская авантюристка. Дочь польского магната Ежи Мнишека. Жена Лжедмитрия I и Лжедмитрия II. Была выдана яицкими казаками русским правителям. Умерла, по-видимому, в заточении.

...Марине было около шестнадцати, когда в феврале 1604 года в прикарпатский городок Самбор к ее отцу, сандомирскому воеводе Ежи (Юрию) Мнишеку, прибыл человек, которому по прихоти истории суждено было на миг вознестись на российский престол. Известно, что претендент на престол впервые "открылся" православным украинским магнатам князьям Вишневецким: сперва Адаму, а затем его брату Константину, зятю Мнишека. Сандомирский воевода стал организатором экспедиции "царевича Димитрия", добившись от него многочисленных обещаний, и прежде всего свадебного контракта. Документ, подписанный в Самборе 25 мая 1604 года, гласил, что после вступления на московский престол "царевич" женится на Марине; по обычаю ей полагалось обеспечение — "оправа". Марина должна была получить в личное владение Новгород и Псков; ее батюшке был обещан миллион польских злотых.

Экспедицию первого самозванца долгое время было принято изображать как попытку польского правительства и римской курии подчинить себе Русь. И хотя щедрые обещания "царевича" папскому нунцию и иезуитам помогли его будущему тестю получить разрешение короля Сигизмунда III на вербовку войск для похода, вся эта авантюра была делом рук прежде всего самого Мнишека, его ближайших родственников и союзников. Почему же 56-летний сенатор, владелец великолепных резиденций, влиятельный вельможа решился, подобно Кортесу, покорить с горсточкой наемников огромную державу? Причины просты: во-первых, жадность, отягощенная изрядными долгами; во-вторых, все та же фамильная гордыня, мечта о возвышении любой ценой.

Марина вряд ли была осведомлена обо всех интригах, предварявших московскую экспедицию ее отца и жениха. По всей вероятности, она приняла предложение "царевича" вполне добровольно.

Отзывы современников о первом Лжедмитрии, надо сказать, весьма благосклонны. Даже осуждая "расстригу", русские летописи отмечали, что был он "остроумен и научений книжном доволен, дерзостен и велеречив вельми, конское ристание любляше вельми, на враги свои ополчителен, смел вельми, храбрость имея и силу велию". В Речи Посполитой он освоил местные обычаи, в частности охотно танцевал. Ростом "царевич" был невысок, но, по отзывам современников, хорошо сложен. Хотя он не отличался красотой, ум и уверенность в себе придавали ему особое обаяние. Все эти качества, помноженные на титул наследника московского престола, делали его женихом более чем завидным. Судя по всему, в этом сватовстве присутствовал не только простой расчет. Поддержка Мнишека нужна была "Димитрию" лишь до вступления на престол; после этого настаивать на свадьбе, торопить Марину и ее отца с приездом в Москву его могло заставить, пожалуй, лишь искреннее чувство.

В ноябре 1605 года в Краков прибыл посол нового царя дьяк Афанасий Власьев. По обычаю династических браков, ему было поручено представлять государя на заочном венчании. Церемония состоялась 12 ноября. Обряд исполнил родственник Мнишеков краковский архиепископ кардинал Бернард Мацеевский.

Очевидцы рассказывали, что в этот вечер Марина была дивно хороша: в короне из драгоценных камней, в белом серебристом платье, усыпанном самоцветами и жемчугом. Московский посол отказался с ней танцевать, заявив, что недостоин даже прикоснуться к жене своего государя, но внимательно следил за всеми церемониями. В частности, он выразил недовольство тем, что старый Мнишек велел дочери поклониться королю Сигизмунду III, благодаря его за "великие благодеяния", — такое поведение совсем не подобало русской царице.

Марина получила от мужа богатые дары. Ожидалось, что вскоре она отправится в Москву, но отъезд несколько раз откладывался: пан Юрий жаловался зятю на недостаток средств и долги. Тем временем необычная карьера Марины стала известна не только всей Польше, но и за ее пределами. В далекой Испании Лопе де Вега написал драму "Великий князь Московский и император", где под именем Маргариты выведена Марина.

Избранница московского царя с огромным удовольствием играла роль царицы: восседала в церкви под балдахином в окружении свиты, посетила Краковский университет и оставила свой автограф в книге почетных посетителей. В декабре, в день приезда австрийской принцессы, невесты польского короля, она демонстративно покинула Краков, чтобы не уступить первенства во время придворных церемоний. Осыпанная драгоценностями, Марина наслаждалась ролью царственной особы, и почести явно кружили ей голову.

Тем временем Мнишек получил от московского царя 300 тысяч злотых. 2 марта 1606 года Марина наконец выехала из родного Самбора, окруженная огромной свитой (по разным данным, ее численность составляла от 1269 до 3619 человек).

Путешествие Марины продолжалось долго — мешали плохие дорога и чрезмерное гостеприимство литовских и белорусских магнатов, устраивавших пиры в честь молодой русской царицы. Наконец 18 апреля Марина и ее свита пересекли русскую границу. Торжественно встречали ее в Смоленске, других русских городах на пути к Москве. Навстречу ей был отправлен воевода Басманов. Царь прислал очередные подарки, в том числе огромную карету с позолоченными колесами, обитую внутри красным бархатом и украшенную серебряными царскими гербами.

Въезд в столицу состоялся утром 2 мая. Эта церемония описана многими очевидцами, пораженными ее пышностью, великолепием, роскошью. Малиновый звон бесчисленных колоколов, длинное шествие придворных в раззолоченных нарядах, сияющие панцири кавалерии, толпы москвичей, пришедших увидеть свою новую государыню...

У Спасских ворот Кремля их ожидали еще 50 барабанщиков и 50 трубачей, которые, по словам голландца Паерле, "производили шум несносный, более похожий на собачий лай, нежели на музыку, оттого, что барабанили и трубили без всякого такта, как кто умел".

После краткого свидания с супругом в Кремле Марину привезли в Благовещенский монастырь, где ее встретила (как говорят, ласково) "мать" царя — вдова Ивана Грозного Марфа Нагая. Здесь полагалось несколько дней ждать венчания. Пребывание в монастыре слегка тяготило Марину. Она жаловалась на слишком грубую русскую пищу, и царь приказал кушанье для нее готовить польским поварам. Для развлечения Марины он послал в монастырь музыкантов, что шокировало москвичей и тотчас вызвало в народе толки.

Венчание назначили на четверг 8 мая. И здесь Дмитрий нарушил русский обычай (хотя и не закрепленный в церковном праве): не заключать браки перед постным днем — пятницей. Перед самым заключением брака в Успенском соборе патриарх Игнатий помазал Марину на царство и венчал царским венцом (шапкой Мономаха). Это также не соответствовало русской традиции, но, похоже, Дмитрий хотел сделать приятное жене и тестю, подчеркнув особое положение Марины. Царица приняла причастие по православному обряду — вкусив хлеба и вина, что осуждалось католической церковью и могло восприниматься как принятие Мариной православия. В действительности Дмитрий не хотел принуждать жену к смене веры и желал лишь исполнения ею — для спокойствия подданных — православных обрядов во время торжественных церемоний. Царь и царица восседали в соборе на золотом и серебряном тронах, облаченные в русский наряд. Бархатное, с длинными рукавами платье царицы было так густо усыпано драгоценными камнями, что даже было трудно определить его цвет.

На следующий день новобрачные, по словам одного иностранного сочинителя, встали очень поздно. Празднества продолжались. Облачившись в польское платье, царь танцевал с женой "по-гусарски", а его тесть, преисполненный гордости, прислуживал на пиру своей дочери.

А в городе тем временем становилось тревожно. Царь Дмитрий все еще был популярен среди москвичей, но их раздражали иноземцы, прибывшие в столицу в свите Мнишеков.

Возникшим недовольством решили воспользоваться мятежные бояре во главе с князем Василием Ивановичем Шуйским (уже однажды изобличенным в интригах против Дмитрия, но неосмотрительно прощенным). Слухи о заговоре дошли до царя, но он лишь отмахнулся. Торжества не прекратились. На воскресенье был назначен штурм специально построенного деревянного замка, окруженного земляным валом, и другие потехи.

Возможно, открытое выступление против Дмитрия было бы обречено на неудачу. Но Шуйские пошли на хитрость.

В ночь на 17 мая в столице вновь зазвонили колокола. Разбуженные жители побежали на Красную площадь и обнаружили там всадников во главе с Шуйскими, кричавших, что поляки хотят извести государя. Толпа бросилась штурмовать дворы, занимаемые польскими вельможами и послами, в том числе и Юрием Мнишеком. Уцелели те, кто сопротивлялся до конца.

Стрельцы сперва хотели было защищать царя (обещавшего им награду), но заговорщики пригрозили им разорением стрелецкой слободы, и те в испуге отступились. Тело убитого было выставлено на Красной площади; Шуйские объявили о его самозванстве, несколькими днями позже князь Василий был избран царем, осуществив (себе же на горе) свою давнишнюю мечту.

Марина спаслась буквально чудом. Выбежав из спальни, она наткнулась на лестнице на заговорщиков, но, по счастью, не была узнана. Царица бросилась в покои своих придворных дам и, как рассказывали, спряталась под юбкой гофмейстерины Барбары Казановской (своей дальней родственницы). Вскоре в комнату вломились заговорщики. Единственный защитник Марины— ее паж Матвей Осмольский — пал под пулями, истекая кровью. Была смертельно ранена одна из женщин. Толпа вела себя крайне непристойно и с бранными словами требовала сказать, где находится царь и его "еретица" жена. Лишь через несколько дней пан Юрий узнал, что дочь его осталась в живых. Но бояре забрали у нее все: подарки мужа, деньги и драгоценности, четки и крест с мощами. Марина, однако, не слишком жалела о потерянном. По слухам, она заявила, что предпочла бы, чтобы ей вернули негритенка, которого у нее отняли, нежели все драгоценности и уборы. Марину ослепил блеск короны, а не блеск золота. И тогда, и позже она искала не богатства и даже не власти как таковой, а почета, блеска. Но во всей истории с первым самозванцем Марина Мнишек была, пожалуй, единственной, кого трудно в чем-либо упрекнуть. Она вышла замуж за сына Ивана Грозного — не ее вина, что русский царевич оказался ненастоящим.

Вскоре Мнишеки, их родственники и слуги (всего 375 человек) были сосланы Шуйским в Ярославль. Местные жители неплохо относились к Марине и ее спутникам. Старый Мнишек, желая завоевать симпатии русских, отрастил окладистую бороду и длинные волосы, облачился в русское платье. Стража приглядывала за пленниками не слишком рьяно и даже помогала им пересылать письма в Польшу.

Смерть первого самозванца не обескуражила его сторонников.

Один из приближенных убитого царя, Михаил Молчанов, в майские дни 1606 года бежал из Москвы в Речь Посполитую, рассказывая по дороге о чудесном спасении покойника. Поверили многие (тем более что растерзанный труп, выставленный Шуйскими на Красной площади в скоморошьей маске, был неузнаваемым). Этим новостям было выгодно верить и Мнишеку. Этому верила и Марина.

Лжедмитрий II объявился в Стародубе в середине 1607 года.

В мае 1608 года войска самозванца, состоявшие из поляков, украинцев, белорусов и русских, одержали победу над Шуйским под Волховом.

Известия об успехах "царя Дмитрия" достигли Ярославля почти одновременно с новостями из Москвы. По перемирию с Польшей, подписанному 13(23) июля 1608 года, царь Василий обязался освободить всех задержанных поляков.

Предполагалось, что Юрий Мнишек и Марина отправятся в Польшу, предварительно пообещав не примыкать к новому самозванцу, а Марина не станет титуловаться царицей. 16 августа воевода с дочерью и частью свиты отправился в путь. Их сопровождал русский отряд во главе с князем Владимиром Долгоруковым. Путь пролегал через Углич, Тверь и Белую к литовской границе. Весьма вероятно, что сведения об этом путешествии достигли Тушина не без помощи пана Юрия. У Белой путешественников поджидал сильный тушинский отряд во главе с ротмистрами Зборовским и Стадницким. Воины Шуйского быстро разбежались. Марине было объявлено, что она едет в Тушино к своему мужу. Очевидцы вспоминали, что молодая женщина искренне радовалась предстоящей встрече и даже напевала веселые песенки. Впрочем, по дороге в Тушино Марине открылась тщательно скрываемая от нее правда (ее поведал то ли князь Масальский, то ли некий польский солдат). Известие это по-настоящему потрясло Марину.

Тем временем неутомимый Мнишек торговался с очередным "зятем". Лжедмитрий не жалел обещаний. Мнишеку было обещано 300 тысяч злотых (но только при условии взятия Москвы), а в придачу вся Северская земля и большая часть Смоленской. 14 сентября договор был заключен. Помимо щедрых посулов, "тесть" не получил практически ничего. Но мечта о будущем удельном княжестве и московском золоте заставила пана Юрия пожертвовать дочерью (17 января 1609 года он выехал в Польшу и с тех пор отвечал далеко не на все ее письма).

20 сентября 1608 года один из предводителей тушинцев — литовский магнат Ян Петр Сапега — торжественно проводил Марину в лагерь Лжедмитрия II. По-видимому, несколькими днями позже католический священник тайно обвенчал Марину с "царем". Будучи до этого всего лишь статистом исторической драмы, она попыталась — на несчастье свое — вмешаться в большую политику. Что двигало ею? Вряд ли желание реальной власти. Скорее другое — оскорбленное самолюбие, память о считанных днях царственного величия.

Марина пыталась найти помощь у папского нунция в Польше Франциско Симагетти, но безуспешно.

Опасаясь, что его выдадут королю, в конце декабря 1609 года самозванец бежал из Тушина в Калугу. Марина осталась в лагере одна. 5(15) января 1610 года она обратилась к королю с просьбой об опеке и помощи. "Уж если кем счастье своевольно играло, — писала Марина, — так это мною; ибо оно возвело меня из шляхетного сословия на высоту Московского царства, с которого столкнуло в ужасную тюрьму, а оттуда вывело меня на мнимую свободу, из которой повергло меня в более свободную, но и более опасную неволю... Всего лишила меня превратная фортуна, одно лишь законное право на московский престол осталось при мне, скрепленное венчанием на царство, утвержденное признанием меня наследницей и двукратной присягой всех государственных московских чинов". Подчеркивая свои (именно свои, а не Лжедмитрия) права на московский престол, она говорила, что возвращение ей власти "будет служить несомненным залогом овладения Московским государством и прикрепления его обеспеченным союзом".

Сигизмунд всячески затягивал переговоры с тушинцами. Тогда Марина попыталась воздействовать на войско.

Объезжая лагерь, она сумела поднять значительную часть донских казаков и некоторые другие отряды. Но Ружинскому удалось подавить это выступление. Опасаясь наказания и, вероятно, выдачи королю, Марина в ночь на 24 февраля бежала из Тушина, облачившись в мужской наряд.

Чего ради она рисковала собой, спеша к ненавистному прежде мужу, заброшенному на фальшивый трон? Вела ее все та же гордыня. Марина не могла, не желала признать себя побежденной. В послании к войску, оставленном в своем шатре, она писала: "Я уезжаю для защиты доброго имени, добродетели самой,— ибо, будучи владычицей народов, царицей московской, возвращаться в сословие польской шляхтянки и становиться опять подданной не могу..." Нет, не была способна Марина, вкусив царской власти, превратиться опять в "воеводянку" (недаром так возмутилась она однажды, когда кто-то из польских родственников назвал ее "ясновельможной пани"). Блеск царской короны был мимолетным, как солнечный зайчик, но дороги назад уже не было.

Сбившись с пути, Марина попала в Дмитров, занятый войсками Яна Петра Сапеги. Тушинский "гетман" советовал ей вернуться, и вновь в ответ прозвучало: "Мне ли, царице всероссийской, в таком презренном виде явиться к родным моим? Я готова разделить с царем все, что Бог ниспошлет ему". Отправляясь в Калугу, Марина решила идти до конца. Но прежде Дмитров был осажден войсками князя Михаила Скопина-Шуйского. Штурм был недолгим (по причине отсутствия припасов), осажденные вели себя не слишком отважно. Рассказывали, что Марина сама поднялась на стену крепости и стыдила солдат, приводя себя в пример: "Что делаете, трусы, я женщина, а не растерялась".

Окружение Лжедмитрия II в Калуге было еще более пестрым, чем в Тушине: уменьшилось число знатных бояр; как и прежде, были здесь поляки, казаки, татары, беглые холопы и прочие люди, "родства не помнящие".

Тем временем армия Сигизмунда III продолжала безуспешно осаждать Смоленск, а молодой полководец Скопин-Шуйский сумел снять осаду с Троице-Сергиевой лавры. Но Скопин-Шуйский неожиданно умер, по слухам, отравленный женой одного из царских братьев, князя Дмитрия. Последний был назначен командующим армией, отправленной на подмогу Смоленску. Под Клушином, в 150 километрах от Москвы, 24 июня 1610 года войско Шуйского было разгромлено поляками под началом коронного гетмана Станислава Жулкевского. Путь на Москву был открыт. Жулкевский подступал к ней с запада, самозванец — с юга. Лжедмитрий взял Серпухов, Боровск, Пафнутьев монастырь и дошел до самой Москвы. Марина остановилась в Николо-Угрешском монастыре, а самозванец — в селе Коломенское. Вновь, как в тушинские времена, до Кремля было рукой подать и царский престол был пуст (Шуйский 17 июля был "сведен" с трона, а затем насильно пострижен в монахи).

Московские бояре, выбирая из двух зол меньшее, заключили договор с Жулкевским, и Москва присягнула на верность Владиславу Жигмонтовичу, сыну Сигизмунда III. В город вошел польский гарнизон. Марине с Лжедмитрием пришлось бежать в Калугу. Их сопровождали 500 казаков атамана Ивана Мартыновича Заруцкого.

12 декабря 1610 года Лжедмитрий II был убит крещеным татарином князем Петром Урусовым (мстившим за тайно казненного самозванцем касимовского царя).

Марина была потрясена вестью о гибели мужа. Она оказалась едва ли не единственной, кто оплакивал его искренне. Беременная, на последних месяцах, царица "выбежала из замка, рвала на себе волосы и, не желая жить без друга, просила, чтобы и ее тоже убили". Говорят, что она даже нанесла себе раны (к счастью, неопасные). Жители Калуги сперва отнеслись к ней с сочувствием. Но бояре, желавшие присягнуть королевичу Владиславу, отправили ее в заключение. В начале января 1611 года у нее родился сын, крещенный по православному обряду и в честь "деда" названный Иваном.

В этот момент на стороне Марины выступили донские казаки атамана Заруцкого.

Заруцкий намеревался посадить на престол новорожденного сына Марины, надеясь, по-видимому, стать при нем регентом. Как бы там ни было, с января 1611 года казачий атаман оставался единственным союзником Марины (пытаясь использовать в своих интересах потускневшее, но все еще популярное в народе имя Дмитрия). Другие ополченцы не всегда относились к планам Заруцкого с энтузиазмом. Патриарх Гермоген, находившийся в Москве фактически под арестом, в тайных грамотах заклинал не принимать на престол королевича, а также "чтобы они отнюдь на царство проклятого Маринка панина сына не благословляли, так как отнюдь Маринкин на царство не надобен, проклят от святого Собора и от нас". Впрочем, вопрос о престолонаследии не мешал сотрудничеству этих разнородных сил. Трубецкой и Заруцкий признали Марину царицей, а ее сына — царевичем, но уход из-под Москвы большинства дворян резко уменьшил их шансы на успех. Тем временем Минин и Пожарский сформировали второе ополчение. В августе 1612 года при известии о приближении Пожарского к Москве Заруцкий вновь отступил к Калуге. Марина с сыном находилась в то время в Коломне. Как сообщает "Летопись о многих мятежах", "Заруцкий из-под Москвы побежо и пришеше на Коломну, Маринку взя, и с воренком с сыном, и Коломну град вгромив, пойде в Рязанские места, и там многую пакость делаше".

Тем временем в Москве собрался Земский собор, избравший на престол 7 февраля 1613 Михаила Федоровича Романова. Участники собора присягнули "на Московское государство иных государей и Маринку с сыном не обирати и им ни в чем не доброхотати, и с ними ни в чем не ссыпатися".

Некоторое время Марина с сыном и Заруцкий находились на Украине. Казаки, прибывавшие в Москву, рассказывали, что "Заруцкий с польскими и литовскими людьми на всякое зло Московскому государстве ссылался, и хотел с Маринкой в Польшу и Литву к королю бежати, и его не пустили и удержали атаманы и казаки, которые в те поры были с ним". По-видимому, отчаявшись, Марина и атаман хотели выйти из игры и найти убежище в Речи Посполитой, но казаки все еще нуждались в "знамени". Позже в Москве узнали, что "Заруцкий хочет идти в Казилбаши [Персию], а Маринка де с ним итти не хочет, а зовет его с собою в Литву". Затем стало известно, что он собирается идти на Астрахань.

Казакам Заруцкого удалось захватить город и убить астраханского воеводу князя Хворостинина. Заруцкий завязал отношения с татарами, с персидским шахом Аббасом, надеясь, по-видимому, выкроить для себя, Марины и ее сына собственное государство на юге России. Марина с сыном расположилась в Астраханском кремле.

А Заруцкий продолжал рассылать наказы и грамоты от имени "государя царя и великого князя Дмитрея Ивановича Всея Руси, и от государыни царицы и великой княгини Марины Юрьевны Всея Руси, и от государя царевича и великого князя Ивана Дмитриевича Всея Руси". В "ответных" грамотах Московское правительство именовало ее "еретицею, богомерзкия, латынские веры люторкою (!), прежних воров женою, от которой все зло Российского государства учинилось". Казаков уговаривали отступиться от Заруцкого, атаману обещали прощение, если он покинет Марину. Так прошла зима 1614 года.

Астраханцам тем временем казацкая власть весьма надоела. Когда начались мятежи, Заруцкий заперся в Астраханском кремле и принялся стрелять из пушек по городу. На подходе были царские отряды. 12 мая 1614 года Заруцкий с Мариной, "воренком" и горсткой верных казаков бежали из Астрахани. 29 мая они взяли курс на реку Яик. Уже 7 июня воевода князь Иван Одоевский выслал на Яик отряд под началом стрелецких голов Пальчикова и Онучина. 24 июня преследователи подошли к месту последней стоянки отряда Заруцкого — Медвежьему острову. Шестьюстами оставшимися казаками командовал уже не Заруцкий, а атаман Треня Ус (как стало известно, "Ивашке Заруцкому и Маринке ни в чем воли нет, а Маринкин сын у Трени Уса с товарищи"). Целый день казаки отбивали атаки стрельцов, а на следующее утро связали Заруцкого, Марину и ее сына и присягнули Михаилу Романову. 6 июля пленников доставили в Астрахань, а 13 июля скованными отправили в Москву (стрельцам было приказано убить их в случае попытки освобождения).

Четырехлетний сын Марины вскоре был всенародно повешен за Серпуховскими воротами, став одной из последних жертв Смуты (и его невинная кровь, увы, пала на новую династию). Но "царевичу Ивану", как и его отцу, суждена была не одна жизнь: его имя носил польский шляхтич Иван Дмитриевич Луба, а уже в царствование Алексея Михайловича в Москве был повешен некий безымянный бродяга, также выдававший себя за сына царя Дмитрия и Марины. Атамана Заруцкого также казнили (очевидно, посадили на кол).

Смерть же самой Марины, последовавшая вскоре, в том же 1614 году, загадочна. В Коломне показывали в тамошнем кремле "Маринкину башню", где якобы умерла в заключении бывшая царица. Но летопись скупо отметила, что "Маринка умре на Москве". Может быть, ее смерть ускорили — уморить человека в тюрьме нетрудно...

Пушкин как-то сказал, что Марина Мнишек "была самая странная из всех хорошеньких женщин, ослепленная только одною страстью — честолюбием, но в степени энергии, бешенства, какую трудно и представить себе".

Лжедмитрий II

(? — 1610)

Самозванец неизвестного происхождения. Его называли Тушинским вором. С 1607 года выдавал себя за якобы спасшегося царя Дмитрия (Лжедмитрия I). В 1608—1609 годах создал Тушинский лагерь под Москвой, откуда безуспешно пытался захватить столицу. С началом открытой польской интервенции бежал в Калугу, где был убит.

Объявившийся в Стародубе в середине 1607 года Лжедмитрий II был личностью, совсем не подходящей для трона. “Мужик грубый, обычаев гадких, в разговоре сквернословный”, — так аттестовал его польский ротмистр Самуэль Маскевич. Происхождение сего мужа воистину “темно и скромно” — то ли школьный учитель из белорусского местечка Шклова, то ли русский выходец, то ли попович, то ли крещеный еврей, то ли даже еврей некрещеный (что уж совсем невероятно). Его появление некоторые историки объясняют желанием польских панов посеять смуту в московском государстве.

Рассказывают, что самозванец, вышедший из литовских владений в московское государство, по наущению агента жены Мнишека, Меховицкого, не решился сразу объявить себя царем. Сначала он называл себя московским боярином Нагим и распространял в Стародубе слухи, что Дмитрий спасся. Когда же его с пособником, подьячим Алексеем Рукиным, стародубцы подвергли пытке, последний показал, что называющий себя Нагим и есть настоящий Дмитрий. Он принял повелительный вид, грозно махнул палкой и закричал: “Ах вы сякие дети, я государь!” Стародубцы и путивльцы бросились к его ногам и запричитали: “Виноваты, государь, не узнали тебя; помилуй нас. Рады служить тебе и живот свой положить за тебя". Он был освобожден и окружен почестями. К нему присоединились Заруцкий, Меховицкий, с польскорусским отрядом, и несколько тысяч северцев. С этим войском Лжедмитрий взял Карачев, Брянск и Козельск. В Орле он получил подкрепление из Польши, Литвы и Запорожья.

В мае 1608 года войскам самозванца удалось одержать победу над Шуйским под Волховом. В этой битве воинством Лжедмитрия командовал украинский князь Роман Ружинский, приведший под знамена нового "царя" тысячи завербованных им в Речи Посполитой добровольцев. Вскоре самозванец подошел к Москве и расположился в Тушине, в 12 верстах от столицы (угол, образуемый рекой Москвой и притоком ее Сходней), отчего и получил кличку "тушинского вора". Почти полтора года продолжался тушинский период российской смуты. В лагере самозванца оказались не только польские, украинские, белорусские и русские авантюристы, но и представители знати — противники Шуйского. В их числе следует упомянуть и ростовского митрополита Филарета Никитича Романова, нареченного патриархом (кажется, даже против его воли). Лжедмитрий призывал на свою сторону народ, отдавая ему земли "изменников" бояр и позволяя даже насильно жениться на боярских дочерях. Лагерь вскоре превратился в укрепленный город, в котором было 7000 польских воинов, 10000 казаков и несколько десятков тысяч вооруженного сброда.

Главная сила "Тушинского вора" состояла в казачестве, которое стремилось к установлению казачьей вольности. "У нашего царя, — писал один из служивших у него поляков, — все делается, как по Евангелию, все равны у него на службе". Но когда в Тушине объявились родовитые люди, то сразу стали возникать споры о старшинстве, появилась зависть и соперничество друг с другом.

В августе 1608 года часть освобожденных по ходатайству Сигизмунда поляков попала в расположение тушинцев. Находившаяся в их числе Марина Мнишек, после уговоров Рожинского и Сапеги, признала Лжедмитрия II своим мужем и, была с ним тайно обвенчана. Сапега и Лисовский присоединились к Лжедмитрию. Казаки продолжали стекаться к нему, так что у него было до 100000 человек войска.

В столице и окрестных городах влияние самозванца неуклонно росло. Ему подчинились Ярославль, Кострома, Вологда, Муром, Кашин и многие другие города.

Поляки и русские воры, которых отправляли по городам, вскоре настроили против себя русский народ. Сначала самозванец обещал тарханные грамоты, освобождавшие русских от всяких податей, однако жители вскоре увидели, что им придется давать столько, сколько захотят с них брать. Из Тушина высылались сборщики подати, а через некоторое время туда же отправлял своих сборщиков из-под Троицы Сапега.

Поляки и русские воры образовывали шайки, которые нападали на села, грабили их, издевались над людьми. Такие поступки ожесточили русский народ, и он уже не верил в то, что в Тушине настоящий Дмитрий.

После неудачи Сапеги перед Троицкой лаврой положение "царька" Лжедмитрия пошатнулось; отдаленные города стали от него отрекаться. Очередная попытка захватить Москву не имела успеха; с севера надвигался Скопин со шведами, в Пскове и Твери тушинцы были разбиты и бежали. Москва была освобождена от осады.

Поход Сигизмунда III под Смоленск еще больше ухудшил положение Лжедмитрия — поляки стали переходить под знамена своего короля. Самозванец, переодевшись крестьянином, бежал из стана. В укрепленной Калуге его приняли с почестями. В Калугу прибыла и Марина Мнишек, под охраной, выделенной Сапегой, Лжедмитрий жил в почете. Без надзора польских панов чувствовал себя свободнее. Ему вновь присягнули Коломна и Кашира.

Тем временем армия Сигизмунда III продолжала безуспешно осаждать Смоленск, а молодой полководец Скопин-Шуйский сумел снять осаду с Троице-Сергиевой лавры. И вдруг Скопин-Шуйский умер, по слухам, отравленный женой одного из царских братьев, князя Дмитрия. Последний был назначен командующим армией, отправленной на подмогу Смоленску.

Под Клушином, в 150 километрах от Москвы, 24 июня 1610 года войско Шуйского было разгромлено поляками под началом коронного гетмана Станислава Жулкевского. Путь на Москву был открыт. Жулкевский подступал к ней с запада, самозванец — с юга. Лжедмитрий взял Серпухов, Боровск, Пафнутьев монастырь и дошел до самой Москвы. Марина остановилась в Николо-Угрешском монастыре, а самозванец — в дворцовом селе Коломенском. Вновь, как в тушинские времена, до Кремля было рукой подать и царский престол был пуст (Шуйский 17 июля был "сведен" с трона, а затем насильно пострижен в монахи).

Однако и на этот раз история отвела калужскому "царьку" лишь незавидную роль. Его появление заставило московских бояр выбирать из двух зол меньшее. 17 августа Жулкевский заключил с ними договор, по которому на московский престол должен был вступить сын Сигизмунда III королевич Владислав. Москва, а потом и многие другие русские города присягнули на верность царю Владиславу Жигмонтовичу. Отныне введенный в Москву польский гарнизон стал непреодолимым препятствием для самозванца. Жулкевский, впрочем, пытался уладить дело миром. От имени короля он обещал Лжедмитрию в случае поддержки королевского дела отдать город Самбор или Гродно. Но, возмущенно писал гетман в своих мемуарах, "он не думал тем довольствоваться, а тем более его жена, которая, будучи женщиной амбициозной, довольно грубо бормотала: "Пусть Его Величество король уступит Его Величеству царю Краков, а царь Его Величество уступит королю Его Величеству Варшаву". Тогда Жулкевский решил попросту арестовать их, но Марина с "царьком" 27 августа бежали в Калугу, сопровождаемые 500 казаками атамана Ивана Мартыновича Заруцкого, который впервые выступил на их стороне.

Он погиб вследствие мести крещенного татарина Урусова, которого подверг телесному наказанию. 11 декабря 1610 года, когда Лжедмитрий, полупьяный, под конвоем толпы татар выехал на охоту, Урусов рассек ему саблей плечо, а младший брат Урусова отрубил ему голову. Смерть его произвела страшное волнение в Калуге; все оставшиеся в городе татары были перебиты донцами. Сын Лжедмитрия II был провозглашен калужцами царем.

Иван Исаевич Болотников

(? — 1608)

Предводитель восстания (1606—1607). Беглый холоп, был в турецком рабстве. Организатор и руководитель повстанческой армии в южных районах России, под Москвой, Калугой, Тулой. В октябре 1607 года был сослан в Каргополь, ослеплен и утоплен.

Иван Болотников был холопом князя Телятевского. Он бежал из его черниговских владений к донским казакам. Неизвестно, сколько времени Иван провел среди них, в каких походах участвовал, но в одной из схваток с крымскими татарами Болотников был взят в плен.

Татары продали Болотникова в Турцию, где он в течение нескольких лет был подневольным гребцом на галерах. В галерные гребцы попадали наиболее молодые, крепкие и выносливые пленники. Болотникова освободили немецкие корабли, перехватившие турок на море. Он был привезен в Венецию. Здесь Болотников первое время жил на немецком торговом подворье, расположенном вблизи моста Риальто через Большой канал, общался с его персоналом, возможно, научился объясняться по-немецки. Впоследствии в его повстанческом войске служили немцы, проживавшие тогда в России.

Болотников держал путь на родину через Германию и Польшу. Весть о вторичном "спасении" "Дмитрия", на сей раз от рук бояр-заговорщиков во главе с князем Василием Шуйским, воспользовавшихся народным восстанием в Москве 17 мая 1606 года против поляков, чтобы убрать самозванца, заставили Болотникова ускорить свое прибытие в Польшу.

Дмитрий нашел убежище в сандомирском замке. К. Буссов живописует в своей "Хронике" встречу Болотникова с неизвестной личностью, вероятно, фаворитом Лжедмитрия I Михаилом Молчановым, сумевшим после восстания 1606 года в Москве бежать в Польшу. Расспросив Болотникова и убедившись, что имеет дело с опытным воином, "верным царю Дмитрию", новый самозванец якобы сказал ему: "Я не могу сейчас много дать тебе, вот тебе 30 дукатов, сабля и бурка. Довольствуйся на этот раз малым. Поезжай с этим письмом в Путивль к князю Шаховскому. Он выдаст тебе из моей казны достаточно денег и поставит тебя воеводою и начальником над несколькими тысячами воинов. Ты вместо меня пойдешь с ними дальше и, если Бог будет милостив к тебе, попытаешь счастья против моих клятвопреступных подданных. Скажи, что ты меня видел и со мной говорил здесь в Польше, что я таков, каким ты меня сейчас видишь воочию, и что это письмо ты получил из моих собственных рук".

С этим письмом Болотников направился в Путивль. Князь Шаховской, видя его желание постоять за Дмитрия и убедившись в его знании военного дела, поручает ему отряд в 12 000 человек.

Болотников отправляется в Комарницкую волость и возвещает всем, что сам видел Дмитрия и Дмитрий назначил его главным воеводой. Против него Василий Шуйский выслал отряд под начальством князя Юрия Трубецкого, но последний, встретившись с силами Болотникова, отступил. Это послужило своеобразным сигналом к восстанию городов, холопов и иногородцев. Город за городом провозглашали царем Дмитрия и присылали к Болотникову вспомогательные отряды; холопы и крестьяне почти повсюду поднимались на своих господ и присоединялись к его отряду. Возмутилась и мордва, в надежде освободиться от московской власти, и вместе с холопами и крестьянами отвоевала несколько городов у Шуйского. Кроме того, к Болотникову примкнуло ополчение Истомы Пашкова, отряд вольницы, пришедший из Литвы.

Кромы, Мценск, Одоев, Алексин, Калуга — все эти города лежали в районе наступления Болотникова. Массовые расправы получили отражение и в "Карамзинском хронографе": "И в тех украйных, в польских и в северских городах люди по вражию наваждению бояр и воевод и всяких людей побивали разными смертьми, бросали с башен, а иных за наги вешали и к городовым стенам распинали и многими разноличными смертьми казнили и прожиточных людей грабили, а кого побивали и тех называли изменниками, а они будто стоят за царя Дмитрия". По пути на Москву Болотников лично руководил расправами над помещиками. Среди казненных был эмиссар царя Афанасий Пальчиков, который сеял сомнения в истинности царя Дмитрия и его счастливого спасения во время майских событий 1606 года. Он как предатель, недруг "царя Дмитрия" был выставлен на всенародное обозрение. Каждый мог воочию убедиться, какая судьба ожидает всякого, кто посмел бы утверждать, что "царь Дмитрий" не спасся.

Наступая на Калугу после победы над Кромами, Болотников обнаружил, что она занята войсками князя И. Шуйского, брата царя, посланными навстречу ему из столицы. Тогда Болотников вступил в переговоры с калужскими посадскими людьми. Те перешли на его сторону. Царское войско вынуждено было спешно покинуть город и дать сражение 23 сентября 1606 года в невыгодных для себя условиях.

Вступая в переговоры с калужанами, Болотников должен был объявить им свои цели. На каких условиях открыли калужане ему ворота? Своих сторонников он щедро вознаградил, отобрав у московских купцов товары, соль и хлеб.

Какая-то часть конфискованного имущества находилась в распоряжении Болотникова как вождя повстанцев. Таким образом, Болотников умело использовал противоречия между московским купечеством и местными торговыми людьми. При этом он искал поддержки у всего посадского населения города, включая и торговых людей с высоким достатком, возвышая их над пришлыми московскими купцами, существенно затрагивающих их коммерческие интересы. Сквозь пальцы смотрел он и на захват калужскими посадскими людьми имущества московских дворян.

С многочисленным войском главный воевода самозванца Дмитрия направился к столице. Стоявшие на пути города дружно признали его власть. Только в Коломне отважились сопротивляться, что повлекло за собой полное разграбление города.

В пятидесяти верстах от Москвы, близ села Троицкого, Болотникова встретила Московская рать под началом Мстиславского, который, уклонившись от боя, едва спасся от преследования повстанца. 22 октября 1606 года Болотников остановился в селе Коломенском, в семи верстах от Москвы. Здесь он построил острог, укрепив его деревом и валом, и стал рассылать по Москве и разным городам грамоты, возбуждая бедных и меньших против богатых и знатных и призывая целовать крест законному государю Дмитрию Ивановичу.

Ополчение Болотникова стремительно росло; из него выделялись отдельные шайки, преимущественно из холопов, которые своими набегами и разбоями держали столицу в осадном положении. Москвичи уже готовы были подчиниться Болотникову, прося только показать им царевича Дмитрия, и даже начали с воеводой по этому поводу переговоры. Но Дмитрий не являлся.

Некоторые города стали выражать сомнение в существовании Дмитрия и переходили на сторону Шуйского. К тому же в самом войске Болотникова произошел раскол: один лагерь составили дворяне и боярские дети, другой — холопы, казаки и прочий люд. У последних в предводителях был Иван Болотников, у первых — Истома Пашков и братья Ляпуновы. Между вождями возникли разногласия, в результате на сторону Шуйского перешли сначала Ляпуновы, а затем Истома Пашков. Шуйский тем временем основательно укрепил Москву и теперь принимал в свое войско ополченцев от переходивших на его сторону городов.

Видя, что ратные силы Шуйского с каждом часом все увеличиваются, Болотников решил форсировать события. Он пытался взять штурмом Симонов монастырь, но был отброшен с большими потерями. Шуйский предложил ему сдаться, пообещав при этом высокий чин. Но предводитель повстанцев оставался верным Дмитрию-самозванцу и был полон решимости бороться за его дело до последней возможности. Шуйскому он отвечал: “Я целовал крест своему государю Дмитрию Ивановичу — положить за него живот. И не нарушу целования. Верно буду служить государю моему и скоро вас проведаю”. Получив такой ответ, Василий Шуйский решил перейти от обороны к нападению. Болотников был вынужден уйти из острога. Московские ратные люди преследовали его до деревни Заборья, где верный Дмитрию воевода смог снова укрепиться. Однако пало и это укрепление; часть казаков, с атаманом Беззубцевым во главе, перешла на сторону Скопина-Шуйского, начальника московского войска. Болотников бежал. В Калуге он собрал до 10 000 беглецов и приготовился к обороне.

Высланные сюда Шуйским отряды (наибольший под начальством Мстиславского) окружили город со всех сторон, несколько раз шли на штурм, разбили спешившее к Болотникову на помощь ополчение под командованием князя Масальского. Болотников успешно отбивал набеги неприятеля и сам предпринимал успешные вылазки. Ни многочисленные потери, ни недостаток в съестных припасах, особенно чувствительный к концу зимы, не могли его заставить сдаться, хотя ему было обещано полное прощение. Воевода, правда, был недоволен, что царевич Дмитрий все не являлся, а вскоре и совсем скрылся.

Тогда среди терских и волжских казаков появился новый самозванец, принявший имя царевича Петра, будто бы сына Федора Ивановича, подмененного дочерью, вскоре умершею. Он уже подступал к Путивлю. Его помощью и решил воспользоваться князь Шаховской. Он отправил Лжепетра в Тулу, а затем и двинулся сам. На помощь Болотникову он отправил отряд под начальством князя Телятевского. Последний разбил 2 мая царских воевод Татева и Черкасского, под Калугою, на Пчелве. Тогда Болотников сделал вылазку и навел такой страх на осаждавших, что они в страхе все разбежались, оставив неприятелю пушки, обоз и запасы. После чего воевода выступил из Калуги и направился в Тулу, где уже были Шаховской и Лжепетр.

30 июня к Туле подступил с большим войском (около 100 тысяч человек) и сам царь Василий Шуйский. Началась осада Тулы, продолжавшаяся немногим более трех месяцев. Ни атаки осаждавших, ни истощение продовольственных припасов не ослабили энергии и твердости Болотникова и его воинов. И неизвестно, сколько бы еще времени продолжалась эта осада и чем бы она окончилась, особенно после того, как между царскими полководцами возникли разногласия, если бы не явился к Шуйскому "большой хитроделец" Мешок Кравков, запрудою Упы затопивший Тулу.

По одной версии Болотникова и Лжепетра выдали Шуйскому сами туляки. Другая же версия такова.

Осажденных стал мучить голод. Многие мятежники переходили с повинной к Шуйскому, но предводители продолжали отчаянно сопротивляться и соглашались сдаться только при условии, если им будет даровано прощение. "А если нет, — говорили они, — будем держаться, хотя бы нам пришлось друг друга съесть". Царь обещал им милость, и 10 октября 1607 года боярин Колычев занял Тулу.

Болотников явился перед Шуйским во всем вооружении, снял с себя саблю, положил перед царем, ударил ему челом до земли и произнес свое клятвенное обещание служить царю верно до гроба, если тот, согласно своему целованию, не прикажет его умертвить. 18 октября царь прибыл в Москву. Сюда же привезли и Болотникова и других предводителей мятежа. После допроса их отправили в тюрьму в Каргополь, где Болотникову выкололи глаза, а затем утопили.

Тимофей Анкудинов

(1617 — 1654)

Самозванец, выдававший себя за Ивана Васильевича, сына царя Василия Шуйского, довольно долго разъезжавший по Европе, пока не попался в руки московским властям. Был четвертован в Москве.

Тимошка Анкудинов родился в Вологде в 1617 году. Отец его Дементий Анкудинов был мелким торговцем-холостяником. Он скупал холсты и полотно по деревням и потом в Вологде перепродавал их московским купцам.

Тимошка с самого раннего детства поражал всех своею смышленостью, и отец его отдал в школу при местном Пафнутьевском монастыре. Там Тимошка обучался чтению, письму, цифири и церковному пению. На шестнадцатом году жизни про его способности узнал вологодский архиерей, отец Нектарий, и взял его к себе в келейники.

Тимошка так понравился старцу, что стал для него просто необходимым. У этого архиерея была любимая внучка, Авдотья Васильевна, и отец Нектарий, чтобы прочнее привязать к себе смышленого, красивого и веселого Тимошку, женил его на своей внучке, дав в приданое за ней три деревни с большим рыбным озером.

Сразу Тимошка обратился в Тимофея Дементьевича и стал важным человеком. Дом — полная чаша, жена — красавица и любит без ума, сам архиерей ничего без Тимошки не делает, и со временем дела вологодской епархии перешли фактически в его руки. Тимошка уже и тогда умел пользоваться положением, и щедрая мзда более руководила его решениями, чем правда и совесть. Тимошка проявил наглость во время болезни отца Нектария, ставя на бумагах подпись “Тимофей Анкудинов, наместник архиерея вологодского и великопермского”.

Отец Нектарий корил его, но потакал многим слабостям своего любимца.

Так благодушествовал Тимошка до 1636 года; когда престарелый архиепископ умер, на его место назначили другого, и тот устранил от себя и Анкудинова, и других близких покойному лиц. В числе них был дьяк Патрикеев, который дружил с Анкудиновым. Этот Патрикеев уехал в Москву и там скоро пристроился к одному из приказчиков. Остался Тимошка один и затосковал. Вероятно, он принадлежал к порочным от природы натурам, и только доброе влияние старика архиерея сдерживало его, потому что не прошло и года с его смерти, как Тимошка развернулся вовсю и пустился в разгул.

В кабаках, с разгульными женщинами, скоморохами, голью кабацкою, за игрою в зернь Тимошка проводил все свое время и быстро растратил женино приданое.

Отец его умер, прокляв его, мать ушла в монастырь, постригшись под именем Соломониды, жена изводилась в слезах и горе.

Тимошка в два года пропил все свое состояние и тогда опомнился. На время вновь он принял человеческий образ, решился взяться за ум, примирился с женою и поехал в Москву, думая о своем приятеле Патрикееве. Патрикеев в то время был уже дьяконом при воеводе князе Черкасском в приказе Новой Чети. Тимошка прямо направился к нему, разжалобил его, и Патрикеев тотчас устроил Тимошку у себя в приказе писцом. Здесь у него товарищами оказались Василий Григорьевич Шпилькин и Сергей Песков.

Тимошка образумился и ретиво взялся за дело. Несомненно, он был незаурядным человеком, потому что в короткое время стал считаться в приказе самым деятельным и нужным человеком. Приказ Новой Чети ведал всеми царскими кабаками и кружальными дворами. Всем им надо было вести строгую запись и собирать с них деньги за водку.

Прошло всего три года, и Тимошка Анкудинов стал заниматься сбором денег и хранить казну в приказе. Снова он жил в почете и довольстве, снова звался Тимофеем Дементьевичем, на него не без зависти смотрели его приятель Патрикеев и любовно — сам князь Черкасский. У Тимошки снова был дом — полная чаша, жена на него не могла налюбоваться; и ко всему у него родился сын Сергей, которого крестили его сослуживцы — писец Песков и дьяк Шпилькин.

Но натура Тимошки не выдержала строгой жизни, и он снова предался разгулу и игре в зернь. Москва не Вологда, и здесь денег понадобилось еще больше. Тимошка, не стесняясь, пользовался царскою казною и скоро опустошил ее. Измученная его поведением жена стала, вместо слез и упреков, грозить ему. Дела Тимошки запутывались все больше, жена стала для него страшилищем, и ко всему боярин Морозов стал производить ревизию по всем приказам, а в то время за казнокрадство у вора рубили руку.

Все было худо, а хуже всего, что денег на разгул не хватало. Тут Тимошка совершил первое воровское и наглое дело. Он пришел к куму своему Шпилькину и выпросил у него дорогие уборы и украшения для своей жены.

“Приехали ко мне вологодские купцы. Хочется жену в богатстве показать. Так не откажи. Сделай милость!”

Шпилькин с радостью сделал одолжение куму и отдал Анкудинову все уборы своей жены, серьги, запястья, ожерелья, которые тот тотчас пропил.

Спустя время Шпилькин спросил их у Анкудинова, а тот с наглостью отказался и даже обиделся. Шпилькин пошел жаловаться князю Черкасскому, но Тимошка так азартно стал ругать и поносить Шпилькина, что князь махнул рукой и сказал: “Делайтесь промеж себя сами!”

Анкудинов в лице бывшего своего друга и кума приобрел злейшего врага, который потом сторицею заплатил ему за свою доверчивость.

Тимошка продолжал куролесить.

Он редко стал являться в приказ, пьянствовал без просыпу, бил жену смертным боем, и, когда приблизился день ревизии, он решился на страшное дело.

За время своих скитаний по кружалам и кабакам он сдружился с одним потерянным человеком, Константином Конюховским, польским шляхтичем, которого совершенно подчинил себе. С ним вместе он и выполнил свое страшное дело.

Ребенка он передал своему куму Пескову, сказав, что с женой идет на богомолье, ульстил жену, которая еще раз поверила в его исправление, и ночью, когда она заснула, запер ее в горнице, взял все, что было в доме ценного, и поджег дом, после чего с другом своим Конюховским убежал из Москвы.

От дома Анкудинова выгорела почти вся улица. На Москве решили, что и Тимошка, и жена его сгорели, а тем временем он со своим приятелем быстро двигался к польской границе.

Подходя к Витебску, они остановились на дороге в корчме, где встретили торговавшего в России немецкого купца Миклафа.

Тимошка подпоил его, ловко увлек беседою, а тем временем его друг и помощник вывел из конюшни большого, сильного брабантского коня Миклафа, вместе с седлом и тороками, в которых было 2000 талеров.

Едва стемнело, Тимошка тоже выбрался из корчмы и скоро присоединился к приятелю, с которым направился к Можайску.

Миклаф, протрезвев, спохватился коня и денег и понял, что был нагло ограблен. В Москве он поднял шум. По описанным приметам дьяки подумали на Анкудинова, и тогда же явилось подозрение, что он не сгорел, а сбежал, к тому же в казне приказа осталось всего несколько рублей.

А Тимошка со своим другом, которого он обратил в слугу, доехал уже до польской границы и, назвав себя сыном умершего Василия Шуйского, властно приказал вести себя в Варшаву, к королю.

Смутное время, когда с такой жадностью поляки разоряли Русь, было еще недавним прошлым. Король Владислав пылал ненавистью к русским, которые не оправдали его надежд на престол. Самозванцы из Руси находили полную поддержку у поляков, и король Владислав милостиво принял Тимошку Анкудинова, обещал ему помочь, поручил его своему окружению, назначив от себя дом в Варшаве для пребывания, 4 пары коней, 2 крытых возка для пользования, 10 жолнеров для стражи, 6 пахолков для услуг и 3000 злотых в месяц на содержание, не считая стола, который тоже был от короля. Тимошка Анкудинов обратился в Иоанна Шуйского, и польская знать окружила его вниманием и почетом. Простодушный Конюховский только диву давался.

В это время приехали в Варшаву русские купцы и рассказали про пожар в доме Анкудинова, про растрату казны, ограбление купца Миклафа и высказали подозрение на Тимошку. По описаниям он походил на "Иоанна Шуйского", и канцлер предупредил Владислава, но тот только засмеялся.

"Нам заведомо, что он вор, но через него я принесу много хлопот Московии", — ответил он, и Тимошка продолжал жить веселой, беспечной жизнью, сытый, пьяный и ласкаемый женщинами.

Но Владислав не успел осуществить своего плана и помер.

Шляхта разделилась на два лагеря и начала спор из-за наследника польского престола, а в это же время Богдан Хмельницкий с Кривоносом и Тугай-беем будоражили страну, и уже было не до Тимошки.

Наконец, в Варшаве был выбран Ян-Казимир. Иеремия Вишневецкий выбивался из сил, отсиживаясь в Збораже и, как плотиной, сдерживая дикие полчища татар и казаков от вторжения в сердце страны. О Тимошке вовсе забыли, и, как пришел срок получения 3000 злотых, новый король отказал в выдаче, сказав, что теперь не время заниматься ворами.

Тимошка понял, что в Варшаве ему больше делать нечего, и решил перебраться к Богдану Хмельницкому с той же сказкой о своем происхождении.

Опять вместе с Конюховским он убежал ночью из Варшавы и стал пробираться в Малороссию. Вишневецкий отбил казаков, и Богдан Хмельницкий, то ссорясь, то мирясь с Тугай-беем, сидел в Переяславле. Туда к нему добрался Тимошка, рассказал свою сказку и быстро вошел к нему в доверие, больше как товарищ по разгулу, которому изрядно предавался Богдан

Хмельницкий. Это был апогей его влияния и силы. Сюда к нему приезжало польское посольство с Киселем во главе, и пьяный Богдан глумился над ними, сюда приезжало посольство от князя Рогоцци из Трансильвании звать его бить венгров, и, наконец, сюда прибыло русское посольство от молодого царя Алексея Михайловича.

Богдан Хмельницкий встретил русских послов с величайшим почетом. Он приказал звонить в колокола, стрелять из пушек и вышел за город, окруженный своими полковниками, бунчуками и нарядной свитою, в которой находился и Тимошка Анкудинов.

Старшим послом прибыл Унковский, но, на беду Тимошки, в посольстве оказался знакомый ему дьяк Иван Козлов, который сразу признал Тимошку.

Признав, но не зная, однако, всех его дел, Козлов стал уговаривать Тимошку вернуться в Москву и повиниться во всем перед молодым царем, который только что женился и очень был со всеми милостив.

Но Тимошка отлично понимал, что в Москву ему опасно возвращаться, и едва наступила ночь, как он с Конюховским поспешил оставить гостеприимный Переяславль.

Козлов рассказал про Тимошку Унковскому, а Унковский спросил о нем Богдана и, когда узнал, что он еще и выдает себя за Шуйского, посягая на престол, потребовал его выдачи. Но Тимошки и след простыл. Богдан Хмельницкий только посмеялся:

"Вам его надо, вы и ловите, а я своих казаков на такое дело не дам!"

Посольство, вернувшись в Москву, рассказало про свою встречу с новым самозванцем, и от царя во все посольства был разослан указ о его поимке.

Ограбленному Миклафу, как знавшему его в лицо и горящему местью, был выдан открытый лист на поимку его в случае встречи.

А в голове Тимошки сложился уже новый план, и он со своим верным Конюховским прямо отправился в Едигульские орды к хану Девлет-Гирею. У Девлет-Гирея он принял магометанство, от него, обласканный, попал к крымскому хану и, наконец, добрался до самого турецкого султана. И тут он имел огромный успех. Султан обласкал его, приблизил к себе и обещал свою помощь для возвращения престола. Это было могущественное покровительство. Влияние султана было огромно. В то время посол императора Фридриха III раскуривал для него кальян, и за то султан приказал своему вассалу, князю Рогоцци, прекратить свои завоевания. За Тимошкой ухаживали все ищущие покровительства султана, и неизвестно, чем бы окончилась его странная карьера, если бы он не поддался своим страстям.

В пьяном виде он ухитрился проникнуть в гарем любимца султана, старого Мухамеда Киуприли, чуть не был схвачен и едва успел спастись от смерти. Оставаться в Константинополе он уже не мог и поспешил убежать, направившись в Трансильванию, к князю Георгию Рогоцци, леннику султана. Он был ласково принят в столице князя, Вейсенбурге, и у него сложился план, так как оставаться у Рогоции он не мог.

Еще при дворе султана он слыхал, что шведская королева ищет союза с Рогоцци для войны с Польшей; издавна он знал, что шведы ненавидят Россию, и потому решил обратиться к покровительству шведской королевы, для чего попросил у Рогоцци рекомендательного письма. Тот снабдил его письмом и при этом дал еще 3000 талеров.

Тимошка покинул гостеприимный Вейсенбург и прибыл в Стокгольм, где и представился королеве, передав ей письмо Рогоцци.

Шведская королева Христина, дочь прославленного Густава Адольфа, была одна из самых эксцентричных личностей. Она ходила в мужском костюме терпеть не могла женского общества, любила езду верхом, собак, охоту, пила, как рейтар, и была всегда окружена умнейшими людьми того времени. Так, при ее дворе долгое время жил знаменитый Декарт, при ней были Гуго Гроций и другие светила XVII века.

Такая королева не могла обходиться без фаворитов, и в роли такового при ней находился кавалер Улефельд. Тимошка Анкудинов произвел на нее более чем благоприятное впечатление. Она сразу признала в нем великого князя Иоанна Шуйского и, сообразно званию, назначает ему дом для помещения, обед со своего стола, 4 коня, 10 человек прислуги и 5000 талеров в месяц, обещая содействие в занятии престола.

Беспрерывные балы, маскарады и охота с непременными пирами как нельзя более понравились Тимошке и его другу Конюховскому, и они катались как сыр в масле, но беда стерегла Тимошку.

В Стокгольм приехали русские купцы, и некоторые из них узнали Тимошку. Вернувшись в Москву, они тотчас донесли об этой встрече, и в Стокгольм, к Христине, был послан царским послом дьяк Козлов (тот самый, что признал его у Богдана Хмельницкого), с требованием выдать вора.

Пылкую и гордую Христину охватил гнев, когда она узнала, кому оказывала покровительство, она тотчас приказала схватить Тимошку, но его и след простыл. Он успел как-то пронюхать о грозящей беде и скрылся, покинув на произвол судьбы своего неизменного товарища. Волей-неволей царскому послу пришлось удовольствоваться злополучным Конюховским.

Тимошка успел захватить деньги и на коне проскакал до Норкепинга. Здесь он случайно встретился с судохозяином, который собирался плыть в Ревель, и уговорил взять его с собою на шхуну.

В Ревеле его уже ожидал приказ шведской королевы о задержании. Бургомистр схватил его и посадил в тюрьму, но Тимошка сумел убежать из нее в следующую же ночь.

Тут уже начались его злоключения. Он убежал в Ригу, оттуда в Митаву, потом в Мемель, в Вертенберг, Голштинию и Брабант. Чем он промышлял за время своих странствований, сведений нет, но известно, что в Тильзите и Лейпциге он был в странствующей труппе фокусников и “показывал силу”.

Судьба забросила его в Нейштадт, владение герцога Голштинского Фридриха II. Здесь, на беду, лицом к лицу встретился с ним злополучный купец Миклаф и поднял крик. Испуганный Тимошка бросился бежать, но был схвачен и посажен бургомистром в тюрьму городской ратуши.

Тимошка еще не унывал, но судьба его была уже решена. Миклаф предъявил открытый лист, по которому за выдачу самозванца предлагалось 100 000 червонцев, и стесненный в финансах герцог не колеблясь решил выдать Тимошку русскому правительству. Тимошка тотчас был закован в кандалы и перевезен в казематы крепости. Отсюда бегство было уже немыслимо.

Тем временем о поимке Анкудинова было отписано в Москву, и три месяца спустя за ним приехал со стражей старый его враг, дьяк Василий Григорьевич Шпилькин, тот самый, которого он обворовал когда-то.

Торг был заключен, и закованного Тимошку с великим бережением отвезли в Москву.

По дороге он покушался на самоубийство и один раз бросился вниз головою с повозки, когда его везли к Нейштадту, а другой — пытался броситься в море во время перехода на корабль, но Шпилькин злорадно оберегал его и, наконец, доставил в Москву, в разбойных дел приказ, где и передал известным мастерам своего дела — Ромодановскому и Лыкову.

Тимошка упорно стоял на том, что он Иван Шуйский, сын царя Василия Шуйского, у которого не было вовсе детей.

Его уличали по очереди все знакомые: сам Шпилькин, Миклаф, Песков, приведший его сына, наконец, его мать, инокиня Соломонида. Тимошка стоял на своем, перенося мучительные истязания.

Наконец царю надоело слушать доклад о его упорстве, и он приказал казнить вора и самозванца обычной для таких преступников казнью — четвертованием.

В августе 1654 года на площади Большого рынка в Кремле была совершена эта страшная казнь. Сперва ему отрубили левую руку и левую ногу, потом — правую руку и правую ногу и, наконец, голову. Палачи наткнули их на пять кольев и бросили в свальную яму.

Два дня спустя казнили и его друга и приспешника Константина Конюховского. Его приговорили к ссылке в Сибирь и лишению трех пальцев. По ходатайству патриарха Конюховскому отрубили пальцы на левой, а не на правой руке, дабы он мог креститься.

Генри Морган

(1635 — 1688)

Британский буканьер, знаменитый пират. Организовал самые крупные экспедиции в истории вест-индских буканьеров. Завоевал Панаму (1671). В 1674 году удостоился рыцарского звания и был назначен вице-губернатором Ямайки.

Генри родился в местечке Пенкарн, что в графстве Монмутшир, или в Ланримни. Позже Морган говорил, что считает себя уроженцем графства Монмут в Валлийской Англии.

Семья его принадлежала к зажиточным землевладельцам. Но Генри Морган не пожелал жить в провинциальной глуши и отправился в поисках приключений в Вест-Индию. Он завербовался на работу в колонию Барбадос — остров стал английским владением в 1605 году. Британские колонисты требовали за проезд в Новый Свет отслужить на плантациях целых пять лет. Став впоследствии богатым и знаменитым, Морган отрицал, что на Барбадосе его продали в рабство: "Никогда ни у кого не был в услужении, а лишь на службе у Его Величества покойного короля английского". Разумеется, Морган из соображения престижа пускается на обман. В 1658 году в возрасте 23-х лет он перебрался с Барбадоса на Тортугу, где в течение пяти лет был рядовым разбойником.

В 1664 году, узнав, что его дядя, полковник Эдвард Морган, получил назначение на пост вице-губернатора Ямайки, он с первой же оказией отправился туда.

Менее чем через год после прибытия в Порт-Ройал Морган благодаря протекции дядюшки стал капитаном и владельцем корабля водоизмещением пятьдесят тонн с несколькими пушками на борту. Экипаж далеко не нового суда составлял тридцать человек. Генри принял предложение двух других капитанов, Морриса и Джекмана, захватить испанские шаланды, груженные кампешевым деревом, стоящие у мексиканского берега. Добыча была взята без единого выстрела, после чего экспедиция предалась разбойному плаванию у атлантического побережья Мексики. Флибустьеры разорили испанское селение Вилья-Эрмосе в двенадцати лье от берега, однако на обратном пути натолкнулись на отряд в триста испанцев, поджидавших их на берегу и успевших занять их суда. Бой развернулся прямо на пляже под проливным тропическим дождем, что осложнило действия испанских мушкетеров: порох отсырел. В рукопашной борьбе флибустьерам не было равных, им удалось пробиться к кораблям и спастись.

Вскоре возле Белиза тридцати пиратам удалось захватить маленький порт Рио-Гарта и все привезенные туда на рынок товары (был как раз базарный день). Дальше к югу та же участь постигла Трухильо и еще несколько портов и селений.

Обычно грабеж начинался с церкви: кстати, сплошь и рядом никакой другой поживы не оказывалось. Встреченные индейцы были настроены миролюбиво, и Морган воспользовался этим в целях разведки. Посланные к устью реки Сан-Хуан индейцы, вернувшись, настойчиво повторяли название Гранада. Морган снарядил туда экспедицию из ста человек. Они плыли в индейских пирогах и только с наступлением шестой ночи сошли на берег Гранады, к тому времени насчитывавшей три с половиной тысячи жителей.

Люди Моргана захватили семнадцать пушек на центральной площади — огневую мощь местного гарнизона. Флибустьеры загнали человек триста в собор, остальные в панике разбежались. Нападавшие не потеряли ни одного человека.

За шестнадцать часов пираты вытащили из церквей кресты и чаши, а из домов — деньги, золотую и серебряную посуду, драгоценности, золоченое шитье, шелка и бархат. Гранада оказалась настоящей сокровищницей.

Таинственным образом весть о триумфе намного опередила возвращение победителей. В Порт-Ройале три корабля экспедиции встречала толпа народа. Морган сообщил губернатору, что половину сокровищ Гранады пришлось оставить на месте: взяли столько, сколько могли унести. Вскоре с Морганом встретился адмирал английских флибустьеров Эдвард Мансфилд и предложил Генри стать его заместителем. Стать вице-адмиралом под началом прославленного героя — высокая честь, поэтому Морган ответил согласием.

Пятнадцать кораблей под командованием старого адмирала и его новоиспеченного заместителя вышли в море ясным январским утром 1666 года. Из Лондона поступил приказ нанести удар по заморским владениям Голландии, с которой Англия находилась в состоянии войны.

Вечером четвертого дня было решено захватить испанский остров Санта-Каталина (ныне — Провиденс). Для флибустьеров взятие острова было пустячным делом. Увы, грабить там оказалось нечего, и разочарованные люди Моргана едва не взбунтовались. В результате Мансфилд отправил Моргана назад на Ямайку.

Морган построил себе дом, решив обзавестись семьей. Пальмы и цветы украшали фасад по случаю бракосочетания вице-адмирала с его дальней родственницей Елизаветой Морган. Сам Морган стал очень популярным и приобрел множество друзей, объявив во всеуслышание, что любой человек может пить за его здоровье в портовых тавернах весь день и всю ночь до завтрашнего утра. На свадьбу было приглашено полторы сотни человек.

С каждым месяцем дела на острове шли все хуже и хуже.

Когда Мансфилд возвратился из похода, Моргана не оказалось на острове. Вскоре старый адмирал отплыл из Порт-Ройаля. Через несколько месяцев пришло известие, что Мансфилд прибыл в Тортугу и там умер. Смерть скоропостижная и во многом загадочная, поговаривали даже, что он был отравлен...

Едва Мансфилд вышел в море, в Порт-Ройале объявился Морган. Валлиец был официально возведен губернатором Томасом Модифордом в ранг адмирала.

В начале 1668 года Морган на трех кораблях ушел в плавание. Недалеко от кубинского побережья к нему присоединились еще девять судов — три английских и шесть французских. Под началом адмирала оказалось около семисот человек, в том числе четыреста пятьдесят англичан.

Целью нападения был выбран Пуэрто-дель-Принсипе, город, расположенный в глубине острова Куба. Флибустьерский флот бросил якорь в бухте Санта-Мария. Двенадцать дней продлилась пиратская оккупация города. Но поживиться там было нечем — единственное "сокровище" заключалось в скромной утвари двух церквей. Добычу поделили на одном из островков у юго-западной оконечности Санта-Доминго, название которого часто встречается в документах того времени: он служил своего рода "явкой" английских и французских пиратов. Сегодня это остров Ваку, владение Гаити.

Вскоре флотилия Моргана отправилась в новую экспедицию, на этот раз на девяти кораблях. Местом назначения был город Пуэрто-Бельо — Дивная гавань, как называл Колумб удобную бухту, врезающуюся в гористый берег Панамского перешейка. Два-три раза в год караван перевозил сокровища Чили и Перу в Пуэрто-Бельо. По прибытии каравана на Атлантическое побережье там устраивалась Золотая ярмарка, длившаяся две недели.

Адмирал Морган все предусмотрел и все приготовил. Высадились ночью. Четыреста восемьдесят бойцов на лодках двинулись вверх по течению Гуанчи, чтобы зайти в тыл Пуэрто-Бельо.

На этот раз экспедиция оказалась успешной. Добыча составила двести пятьдесят тысяч золотых пиастров, сокровища церквей и монастырей, ювелирные изделия, драгоценные камни и богатые ткани, множество другого товара, триста рабов. Богатство Порт-Ройаля возросло по меньшей мере на треть.

В 1668 году английский король Карл II отправил на Ямайку корабль "Оксфорд" водоизмещением 300 тонн с 36 орудиями на борту под командованием одного из самых способных капитанов, Эдварда Коллиера. Ему было предписано обеспечить защиту острова против нападения с моря, а это предполагало исполнение приказов губернатора сэра Томаса. Губернатор приказал капитану Коллиеру поступить под командование адмирала Моргана.

Перд тем как отплыть в очередную экспедицию, на кораблях устроили пир. Морган предпочел "Оксфорд". Канониры капитана Коллиера, бегавшие в погреб за порохом для заздравных залпов, успели накачаться до потери сознания; в конце концов один из них ворвался в погреб с еще тлевшим фитилем. "Оксфорд" взлетел на воздух. Все пировавшие на баке — около двухсот человек — погибли. Шлюпки вылавливали немногих уцелевших, среди которых оказались Морган и Коллиер.

У Моргана осталось всего восемь кораблей и от силы пятьсот человек. Он отправился в Маракайбо, но добыча оказалась скудной: жители покинули город и спрятались во влажной сельве, превращенной в болота сезоном дождей и разливом рек. Несчастные люди, измотанные лишениями, без всякого сопротивления отдавали грабителям свое добро, которое они успели унести или спрятать.

Захваченных горожан, которые должны были уплатить выкуп, запирали, по обыкновению, в церквях. С красивых женщин Морган ничего не брал, ибо у них было чем заплатить и без денег. За пять дней "кампании" адмирал не потерял ни одного человека.

Засада ожидала моргановское войско у выхода из лагуны: двенадцать дней там стояли три мощных испанских корабля. Низкая осадка не позволяла фрегатам войти в мелководную лагуну, поэтому они заперли флибустьеров в озере, отрезав им единственный путь к отступлению.

3 мая вахтенный офицер испанской "Магдалены" доложил адмиралу, что флибустьерские корабли затеяли какой-то маневр. Через какое-то время они приблизились к испанским фрегатам. Неожиданно корабли Моргана опустили паруса и остановились.

На рассвете следующего дня флибустьеры подняли паруса и решительно двинулись к испанским фрегатам, при этом три крупных корабля держались позади. Вперед вырвалось лишь одно судно под флагом Моргана.

Расстояние все сокращалось. Испанцы приготовились к абордажу, по нападавшим открыли огонь из мушкетов и пистолетов. Корабль Моргана вплотную подошел к "Магдалене" и стукнулся о ее борт. Испанские матросы вонзили в него абордажные крючки. Борт испанца был много выше, и солдаты, спрыгнув на палубу дерзкого пирата, тут же застрелили несколько нападавших, остальные бросились в море и лихорадочно поплыли прочь. Испанцы в недоумении забегали, натыкаясь на соломенные манекены и деревянные орудия. Их недоумение длилось всего четыре секунды. На пятой палуба пиратского судна разверзлась у них под ногами, ослепительная вспышка затмила взор, и на "Магдалену" обрушилось пламя.

Матросы испанской "Маркесы" спешно обрубили якорные канаты и выбросили свой корабль на берег. "Сан-Луис" был захвачен флибустьерами. Добыча оказалась огромной. Выкуп, драгоценности и рабы оценены в двести пятьдесят тысяч реалов.

К 1669 году все путешественники, побывавшие в Панаме, описывали ее как место сказочных наслаждений. В десятитысячном городе размещалась казначейская палата, куда свозили добытое в Перу золото. Морган решил покорить Панаму. В конце 1669 года он обладал значительным влиянием. Он только что купил на Ямайке огромное поместье, впоследствии названное Долиной Моргана.

Подготовка к походу заняла шесть месяцев. 19 декабря 1670 года армада подняла паруса. Она состояла из 28 английских и 8 французских кораблей и насчитывала 1846 человек.

Вначале Морган намеревался совершить рейд на Провиденс (Санта-Католину) и отобрать остров у испанцев, чтобы обеспечить тыл экспедиции, а во-вторых, набрать там индейцев-проводников, знающих Панамский перешеек. Остров Провиденс был захвачен 22 декабря 1670 года. Затем авангард из четырехсот человек захватил форт Сан-Лоренсо. Наконец пираты вышли на тропу, по которой испанцы перевозили награбленное у индейцев золото. Тропа была не более дюжины шагов в ширину. В походе участвовало тысяча четыреста пиратов. Ядовитые змеи, ягуары и крокодилы то и дело попадались на пути. Еще опаснее были укусы москитов и ядовитых муравьев, которыми кишели джунгли. Начался голод. Пришлось есть листья и траву.

И вот часть пиратов подняла ропот. Моргана осуждали за безрассудство, за то, что обманул их и вовлек в смертельную авантюру. Многие изъявили желание вернуться. Но большинство оказалось более стойкими и решило продолжать путь.

Пираты закричали от восторга, когда увидели городские башни Панамы. Но город был хорошо укреплен, испанцы возвели на дороге к нему укрепления и поставили батареи.

18 января губернатор Панамы Гусман предпринял вылазку из города с большим отрядом. Тридцать индейцев должны были в решительный момент выпустить на поле полторы тысячи “боевых единиц”, с которыми моргановским флибустьерам еще не приходилось сталкиваться, — полудиких быков.

Морган назвал придуманное им расположение войск терцией. Отряд стоял ромбом. В голове размещался отряд из 300 человек, обращенный острием в сторону врага. В центре — главные силы, 600 человек, стоявшие прямоугольником. Затем — арьергард, треугольник в 300 человек. Один фланг флибустьерской армии защищал холм, другой — болото. Весь строй медленно двигался вперед под барабанный бой.

Испанские всадники, натолкнувшись на острие терции, рассыпались в стороны, а пираты вели в упор убийственный огонь из мушкетов. Не помогли испанцам и быки: после первого выстрела флибустьеров они повернули назад и, отбежав подальше в поле, принялись мирно щипать травку.

“Мы преследовали врага буквально по пятам, так что его отступление вылилось в паническое бегство”, — писал Морган. Битва продлилась два часа.

Большие испанские корабли успели выйти в море, к тому же были взорваны пороховые склады, и Панама была объята пламенем. И хотя флибустьеры успели собрать огромную добычу, они тем не менее злились, что многое сгорело.

В середине февраля 1671 года Морган покинул Панаму. Караван, двинувшийся с грузом, насчитывал 175 вьючных животных. За ним шел отряд.

По возвращении в Сан-Лоренсо Морган объявил, что на каждого участника экспедиции приходится 200 пиастров, в то время как все рассчитывали получить самое меньшее по тысяче реалов. Разочарованные пираты обвинили своего адмирала в надувательстве. Несколько дней жизнь адмирала была в опасности.

Морган отплыл в обратный путь тайно, в сопровождении лишь четырех судов. Капитаны и матросы, сбежавшие с предводителем, а также флибустьеры, проделавшие путь до Ямайки в трюме, были довольны, поскольку они получили дополнительное вознаграждение. Большая часть пиратов осталась разбойничать на побережье Центральной Америки. Там почти все корабли бывшей флотилии Моргана потерпели крушение. Испанцы покинули разрушенный город и отстроили Панаму на берегу более удобной и хорошо защищенной бухты в шести милях от прежнего места.

В июле 1670 года Испания официально признала владения Англии в Карибском море, и две державы договорились о прекращении пиратства в отношении друг друга. Губернатор Ямайки узнал об этом договоре только в мае 1671 года. И все же он превысил свои полномочия, объявив войну Испании и назначив Моргана адмиралом. Новый губернатор сэр Томас Линч арестовал Модифорда в августе 1671 года, и тому пришлось два года провести в лондонской тюрьме Тауэр.

В апреле 1672 года был арестован и отправлен в Англию Генри Морган. В Лондоне к нему отнеслись снисходительно. А многие считали его выдающимся мореплавателем. Словом, судебный процесс не состоялся. Три года Морган прожил в столице Англии. Он был принят в лучших домах. А когда началась война с Нидерландами, знаменитого пирата попросили написать меморандум о защите Ямайки. В 1674 году Линча сместили с поста губернатора, а Морган удостоился рыцарского звания и назначения вице-губернатором Ямайки.

В сентябре 1679 года Моргана возводят в ранг верховного судьи, и вскоре он оказывается замешанным в скверную историю. У некоего Фрэнсиса Мингэма он конфискует за обман ямайской таможни судно. Но вместо того чтобы внести деньги от продажи конфискованного судна в казну, Морган спокойно прикарманивает их. Мингэм обжалует приговор в Лондоне и добивается решения об отмене конфискации и возмещении всех убытков.

В начале 1680 года Морган вновь на посту исполняющего обязанности губернатора. Он немедленно закрывает Порт-Ройал для всех флибустьерских судов и объявляет пиратов вне закона. “Я намерен предать смерти, бросить в узилище либо выдать испанским властям всех пиратов, которых мне удастся задержать”, — писал бывший пират в Лондон. Население приняло эти меры с удовлетворением.

В 1682 году на Ямайку возвращается Томас Линч и занимает пост губернатора. Он сразу же отстраняет Моргана от должности. Пират всегда любил спиртное и теперь проводил время в тавернах, ругая последними словами своих противников.

В конце 1687 года очередной губернатор герцог Альбемарлем пишет в Лондон прошение о восстановлении Моргана членом Совета острова. Лондон отвечает не сразу. Лишь в июле прибывает корабль с вестью, что прошение удовлетворено. Но бывший пират уже редко поднимается с постели. 25 августа около одиннадцати часов утра сэр Генри Морган скончался. Его состояние на нынешние деньги составляло более одного миллиона фунтов стерлингов. Любопытно, что нынешнее семейство американских миллиардеров Морганов не скрывает, что их династия началась именно с того самого Генри Моргана, знаменитого мореплавателя и авантюриста.

Степан Тимофеевич Разин

(ок. 1630 — 1671)

Предводитель крестьянской войны 1670—1671 годов, донской казак, атаман, воевал с крымскими и турецкими феодалами. Совершил с отрядами казацкой голытьбы поход на Волгу и Яик (1667), в Персию (1668—1669). Весной 1670 года возглавил крестьянскую войну, в ходе которой проявил себя опытным организатором и военачальником. Был выдан казацким старшиной царскому правительству и казнен в Москве.

Степан Тимофеевич Разин, прозванный Стенькой, был среднего роста, широкоплеч, крепко сложен, отважен, жесток и хитер. Посланный в 1661 году к калмыкам, чтобы склонить их к совместным с казаками действиям против татар, он с успехом выполнил это поручение. Осенью того же года Разин побывал в Москве и совершил паломничество в Соловецкий монастырь.

По словам иностранных летописцев, брат Степана Тимофеевича, служивший несколько позднее в войске князя Георгия Долгорукого, был повешен за дезертирство. Степан и третий брат Фрол, будто бы поклялись отомстить за него боярам и воеводам. Однако этот эпизод пока не нашел документального подтверждения.

В 1967 году, собрав отряд из голытьбы и разбойников, Разин хотел плыть по Азовскому морю и грабить турецкие берега; но черкасский атаман Корней Яковлев не позволил ему этого и некоторое время удерживал казаков в повиновении московскому царю. Тогда Стенька поплыл верх по Дону, грабя богатых казаков и разоряя их дома. Добравшись до того места, где Дон сближается с Волгой, он заложил там стан (около города Паншина, между рек Тишини и Иловли), названный Ригой. Порох и свинец казаки получали от посадских людей из Воронежа, за деньги или в обмен на товар. Когда слух о появлении казацкого стана дошел до Царицына, началась переписка местного начальства с московским, но серьезных мер против казаков никто не принимал.

Чуть позже тысячный отряд Разина напал на караван, спускавшийся по Волге с грузом хлеба из Нижнего Новгорода в Астрахань. Барки были разграблены, агенты, сопровождавшие хлебный транспорт, подвергнуты пыткам и повешены. Одна из барок принадлежала патриарху Иосафу, недавно унаследовавшему сан Никона, — возможно, именно это обстоятельство привело Степана к мысли выдать себя за союзника Никона, мстящего за его низложение. Позднее легенда о пребывании Никона в шайке отважного атамана получила широкое распространение. Один из летописцев писал даже, что Стенька Разин старался поддержать этот слух, для чего возил с собой манекен, похожий на опального патриарха.

Караван сопровождал отряд стрельцов, который не оказал никакого сопротивления. Бездействие стрельцов воспламенило народное воображение. Атаман прослыл колдуном: одним окриком он останавливает корабли; одним взглядом повергает в оцепенение солдат, которым поручена охрана их; от его тела отскакивают пули.

Окрыленный легким успехом, Стенька расположился лагерем на холмах близ Камышина и готовился к новым подвигам. Наконец он отправился к Царицыну, но не взял его, а только напугал воеводу, который беспрекословно подчинился его требованиям, выдал наковальню, мехи и кузнечную снасть. У Стеньки было теперь уже 35 стругов и 1500 человек. Он проплыл мимо Черного Яра, где разбил и высек московского воеводу Беклемищева.

Скорее всего, у Разина вообще не было никакого плана. Авантюрист по натуре, он искал приключений. Стенька обогнул северный берег Каспийского моря до устья Яика, нынешнего Урала, и напал на одноименный городок, не оказавший сопротивления. Командир малочисленного московского гарнизона, расквартированного в Яике, Сергей Яцын, позже говорил, что хотел заманить нападавших в ловушку. Раскрыв двери церкви, в которой разбойники желали помолиться, он надеялся, что захватит их в плен. Но пока стрельцы раздумывали, они были почти все перебиты.

Из этого городка Разин совершал набеги на крымских татар, к устью Волги и против мусульманских кораблей вдоль дагестанского побережья.

В Москве начали проявляться признаки беспокойства, поскольку казаки на Дону все громче выражали желание присоединиться к прославленному атаману. Войсковой старшина Корнил Яковлев чувствовал, что его авторитет падает. Теперь он не чувствовал себя в безопасности; круг отказывался слушать старых и сдержанных казаков.

Переговоры с казаками, захватившими Яик, не дали никакого результата. Не произвели никакого впечатления и послания царя. В конце 1667 года астраханский воевода князь Иван Прозоровский получил приказ выступить в поход. Стенька Разин быстро расправился с высланным против него отрядом; часть солдат он переманил на свою сторону, остальных перебил. Весной следующего года он получил с Дона подкрепление в 700 казаков и вышел в море; начался самый блестящий период его карьеры.

Опустошив персидское побережье от Дербента до Баку, Разин достиг Решта. Вступив с казаками в переговоры и согласившись обменяться заложниками, губернатор города Будар-хан открыл рейд казачьей флотилии. Стенька собирался обосноваться на персидской земле и послал шаху предложение поступить к нему на службу. Однако переговоры затянулись. Тем временем жители Решта тайно напали на казаков и убили 400 человек. Разин отплыл в Фарабат.

Казаки жестоко отомстили за поражение. Явившись в Фарабат будто бы с намерением наладить торговые отношения с местным рынком, они неожиданно напали на жителей. Весной 1669 года казаки вернулись на восточный берег Каспийского моря, чтобы разграбить туркменские улусы и напасть затем на персидский флот. Флот был уничтожен. Персидский адмирал Менедихан спасся всего с тремя судами, оставив в руках победителя сына и дочь, которую Стенька сделал своей любовницей.

Похождения казачьего атамана начали принимать опасный оборот. Переговоры, затеянные шахом, провалились; Стенька и его спутники не знали, что им дальше делать и как поступить с награбленной добычей. Тем временем астраханский воевода, подготовившись на этот раз более основательно, с нетерпением ждал их у прохода с тридцатью шестью судами и 4000 стрельцов.

Не разобравшись в ситуации, Стенька безрассудно сразился с этой внушительной силой, но вынужден был отступить, а затем сдался на милость победителю. Следуя инструкциям, Прозоровский пошел на большие уступки. Казаки предложили возвратить все, что они награбили не на мусульманской территории, разгром же каспийских берегов можно считать ответом на постоянные набеги персидских подданных или данников на московские прибрежные владения. Соображения эти легли в основу переговоров. В астраханском городском приказе, 25 августа 1663 года, Стенька и его сподвижники принесли торжественно повинную. Атаман сложил свою булаву, клятвенно обещал выполнить принятые на себя обязательства и послал в Москву депутацию, отделавшуюся снисходительным выговором.

Стенька пировал с воеводами, одарил их персидскими тканями, бил челом царю городами, отнятыми у шаха, и достиг своей цели — позволения вернуться на Дон с остальной частью добычи. Пообещав сдать свою артиллерию, он сохранил двадцать пушек, — сославшись на необходимость идти через степи, где ему могли угрожать крымские или азовские татары и турки.

Позже воевод упрекали за то, что они не распределили казаков по стрелецким ротам. Но воеводы даже не помышляли об этом: Стенька и его друзья предстали перед ними в таком великолепии — покрытые шелками, с руками, полными золота, — что воскресили в них воспоминание об Олеге и его дружине, ослепивших Киев богатствами, захваченными в греческой империи. На лодках их красовались чуть не легендарные шелковые канаты и паруса! Для стрельцов соблазн был слишком велик: у них могло появиться желание присоединиться к торжествующей казачьей вольнице. Казаки шатались по кабакам в бархатных кафтанах и расплачивались драгоценными жемчужинами.

Стенька, державший в полном подчинении всю эту суровую орду, представлялся таким ласковым, щедрым, великодушным! Воеводы, сравнительно с ним, казались такими требовательными и строгими к бедному люду! Правда, Стенька настаивал, чтобы ему оказывали почти царские почести: приходившие к нему должны были становиться на колени и кланяться лбом до земли; но он позволял делать что угодно, никогда ни в чем не отказывал.

Прибывший в это время в Астрахань на корабле "Орел" голландец Стрюис так описывал атамана:

"Он казался высоким, держался с достоинством, имел вид горделивый. Сложен он был стройно, но лицо было несколько попорчено рябинами. Он обладал даром внушать страх и любовь... Мы застали его в шатре с его наперсником, прозванным "Чертовы усы" (речь идет, вероятно, о Ваське Усе), и несколькими другими офицерами... Наш капитан поднес ему в дар две бутылки водки, которой он обрадовался, так как давно уже не пил ее... Он сделал нам знак сесть и поднес нам по чарке за свое здоровье... но не говорил почти ничего и не проявил никакого желания узнать, для какой именно цели мы прибыли в эту страну... Мы вторично посетили его и нашли на реке, в раскрашенной и вызолоченной лодке, пьющим и веселящимся с некоторыми из его офицеров. Возле него была персидская принцесса...”

Красота этой наложницы и ее знатное происхождение еще больше поднимали авторитет Стеньки, возбуждая, впрочем, зависть среди его соратников. Этим, вероятно, объясняется неожиданный поступок, которым, согласно преданию, завершился роман с персидской царевной. В самый разгар пиршества, опьяненный вином и страстью, атаман бросил прекрасную персиянку в Волгу, оправдывая свой поступок желанием рассчитаться с любимой рекой, наградившей его властью, золотом, всякими богатствами; он, в свою очередь, пожертвовал ей лучшую часть своей добычи!

Впрочем, вполне возможно, что это все из области легенд — такое же повествование, например, включено в былину о Садко, новгородском госте.

Стенька, как и большинство ему подобных авантюристов, относился с пренебрежением ко всему, даже к человеческой жизни. Не исключено, что он убил и дочь Менеди-хана, — но при условиях не столь мелодраматических. Присвоив себе роль верховного судьи, он приказал, в другом случае, повесить за ноги женщину, уличенную в прелюбодеянии, и утопить ее соблазнителя.

Подобные эпизоды внушили астраханским воеводам желание поскорее избавиться от таких соседей; 4 сентября казаки покинули Астрахань.

Поднимаясь по Волге, Стенька, вопреки договоренности, вошел в Царицын, где поил своих людей водкой за счет жителей, сорвал откуп с царицынского воеводы Григория Унковского и направился, наконец, к Дону. Навстречу ему выехали послы, которых он отправил в Москву.

В Астрахани Разин проникся сознанием своего значения и могущества; он и не думал выполнять только что принятые на себя обязательства. Не вернув, как обещал, оставленных ему двадцати пушек, он окопался между Кагальником и Ведерниковым, вызвал в новую резиденцию свою жену и брата Фрола и как бы поделил область войска Донского: в Черкасске верховодил по-прежнему Корнил Яковлев, под началом Разина было до 2700 хорошо вооруженных казаков, овеянных легендарной славой персидского набега. Многие прибывали к Стеньке даже с отдаленных берегов Днепра: все эти искатели приключений ожидали новой экспедиции, план которой, по-видимому, еще не созрел в голове Разина.

Для того чтобы заручиться поддержкой местного населения, он воздерживался от грабежей и даже не мешал развитию торговых отношений между донской областью и Москвой. Он добивался лишь, чтобы московские купцы отдавали предпочтение Кагальнику перед Черкасском, что, впрочем, совпадало с чаяниями торговцев. Черкасские казаки, конечно, косились на конкурента, угрожавшего им разорением.

Весной 1670 года Степан Разин неожиданно нагрянул в Черкасск с отрядом головорезов, причем именно в тот самый момент, когда Корнил Яковлев с почестями отсылал царского гонца, привезшего благосклонное послание. Стенька обозвал гонца шпионом, подосланным не царем, а боярами, и приказал бросить его в воду вместе с несколькими казаками, протестовавшими против такого самоуправства.

Корнил Яковлев не выдержал конкуренции, и вся власть вскоре перешла к Стеньке, который стал вводить новые порядки. Считая попов агентами московского правительства, он предпринял попытку ввести гражданский брак. В Черкасске сгорело несколько церквей. Казаки просили денег, чтобы отстроить их. Новый вождь процитировал одного из древнейших героев былинного эпоса, Дуная Ивановича: "Зачем вам церкви? К чему нужны попы? Чтоб венчать вас? Поставьте жениха и невесту под деревом, попляшите вокруг них, — вот вам и свадьба!"

Отпраздновав несколько свадеб по этому обряду, он поднялся по Дону до городка Паншина, где соединился с Васькой Усом, разорявшим тем временем помещичьи вотчины около Воронежа и Тулы. Вместе с этим подкреплением, набралось до 7000 вооруженных людей, с которыми Стенька двинулся сухопутным путем к Царицыну.

Жители этого города покорно раскрыли перед ним ворота. Башня, в которой засел градоправитель Тимофей Тургенев, была взята приступом; несчастного воеводу протащили, с петлей на шее, до Волги и утопили. У Стеньки Разина возник грандиозный план: подняться по реке, захватывая по пути города и расправляясь с воеводами, как с Тургеневым, взбунтовать население и пойти на Москву, чтобы положить там конец правлению бояр, врагов народа и царя.

Узнав, что Прозоровский послал сильный отряд из Черного Яра и что одновременно 5000 стрельцов из Москвы спускаются по реке к Царицыну, чтобы зажать его в тиски, Стенька выступил навстречу отряду московских стрельцов, настиг его у острова Денежного, в семи верстах от Царицына, и оттеснил к городу, где стрельцов встретили пушечными выстрелами — часть из них погибла, другая часть попала в плен. Московский военачальник Иван Лопатин и его помощники разделили участь Тургенева. Уцелевшие стрельцы были удивлены, узнав, что Стенька вовсе не сражается против царя, а выдает себя за его защитника от гнусной боярской камарильи.

Астраханские стрельцы также не выдержали натиска и сдались без сопротивления. Стенька Разин, соблазнившись возможностью разграбить Астрахань и установить там свое правление, изменил первоначальный план — подняться по Волге и идти на Москву, ослабленную войной с Польшей. Вместо этого он поспешил в южную торговую столицу.

Князю Прозоровскому сообщил о поражении спасшийся командир отряда астраханских стрельцов князь Семен Львов. Прозоровский поспешил укрепить город. Но население его было взбудоражено тревожными слухами и предзнаменованиями. Митрополит Иосиф, жестоко пострадавший от казаков Заруцкого, не находил себе места. Среди стрельцов началось брожение; 15 июня они с угрозами потребовали уплаты просроченного жалованья. При помощи духовенства Прозоровскому кое-как удалось их успокоить. Через неделю Стенька Разин появился под стенами города. Два дня спустя, после попытки вступить с осажденными в переговоры, он пошел на штурм.

Астрахань была защищена стенами в четыре сажени (сажень — 2,134 м) вышины и в полторы сажени толщины, с башнями и 460 пушками. Но стрельцы убили лейтенанта Фому Бойля, помощника капитана "Орла" Бутлера, командовавшего артиллерией, — и пушки не помешали казакам влезть по лестницам на укрепления. Московские офицеры и чиновники спрятались в соборе. Прозоровский был тяжело ранен пикой. Митрополит успел лишь причастить мужественного воина, с которым его связывала дружба. Заперли тяжелую, из кованого железа дверь храма; но в окна летели пули. Наконец, дверь поддалась, и, переступив через тело стрелецкого сотника, защищавшего вход в церковь, казаки накинулись на еще живого Прозоровского и связали его и остальных московских посланников.

Расправа не заставила себя ждать: Стенька прошептал несколько слов Прозоровскому, воевода отрицательно покачал в ответ на его предложение головой, — и тотчас же казаки потащили умирающего на колокольню, откуда сбросили его на крепостные стены. После проведенного для видимости допроса остальные пленники были казнены. В монастыре Святой Троицы, где их похоронили, один монах насчитал 441 труп.

За побоищем последовал грабеж.

Стенька Разин превратил Астрахань в казацкий город, разделив жителей на тысячи, сотни и десятки, под начальством избранных есаулов, сотников и десятников, организовал "круг" и говорил, что собирается восстановить древнее вече. Однажды утром население вывели за город, на большое поле, принять присягу на верность царю, атаману и казачьему войску, с клятвой выдавать "изменников". Двое священников отказались от присяги; Стенька велел утопить одного из них, а другому — отрезать руку и ногу. Он приказал сжечь все бумаги архивов и канцелярий, заявив, что поступит так же в Москве и даже в самом дворце царя. Неграмотным казакам эти бумаги были не нужны.

Атаман и его подручные бражничали с утра до ночи, превратив свое правление в непрерывную оргию. Стенька Разин находил все новые жертвы для расправы. После неудачи возобновленных переговоров с Менеди-ханом он приказал повесить пленного сына этого мусульманина, зацепив жертву ребром за железный крюк.

Обедневших жен и дочерей убитых Стенька выдавал замуж за своих казаков. Для этой цели он прибегал даже к помощи немногих уцелевших священников, запретив им, однако, подчиняться митрополиту.

Казалось, митрополит не имел ничего против, в день именин царевича Федора Алексеевича он пригласил к столу Стеньку Разина и сотню его сподвижников. Правда, в доме митрополита скрывалась вдова князя Прозоровского, Прасковья Федоровна. При ней было два сына шестнадцати и восьми лет. Стенька обнаружил все-таки несчастных мальчиков; старший был убит, после ужаснейших пыток, с помощью которых казаки хотели узнать, где прячет князь Прозоровский свою казну, а младший был возвращен матери.

В конце июля Разин почувствовал, что Москва может собраться с силами и тогда с ней не совладать. Он велел выступать в поход. Увы, но благоприятное время уже было потеряно.

Оставив в Астрахани Ваську Уса, Стенька поднялся по Волге на двухстах лодках; две тысячи верховых казаков следовали по берегу. Затем были также захвачены и разграблены Саратов и Самара. В начале сентября Разин достиг Симбирска. Это было время его триумфа.

Симбирский воевода Иван Милославский получил в подмогу из Казани отряд под начальством князя Георгия Барятинского; но оба эти полководца располагали лишь призрачной армией. Им прислали достаточно денег для нового набора, но они решили присвоить себе эти средства, вписав в ложные перечни рекрутов убитых или вовсе не существовавших людей.

Барятинский, проявив больше отваги, чем честности, вступил в бой с превосходящими силами крамольного атамана и продержался целый день. Ночью, однако, повторилось то же, что случилось в Астрахани и Царицыне: жители Симбирска пустили казаков в главный форт города, и под огнем собственных пушек Барятинский вынужден был отступить. Милославский стойко держался в другом форте. Стенька в течение целого месяца не мог вытеснить его оттуда. Тем временем Барятинский вернулся со свежими войсками. Разин не сумел использовать своего численного превосходства. Не имея представления о тактике ведения боя, он ничего не смог противопоставить неприятелю. Дважды раненный в схватке, Разин лишился возможности руководить своими людьми и был разбит наголову. Под покровом ночи Степан с донскими казаками спустился по Волге.

Утром Барятинский и Милославский без труда расправились с остатками войска Разина. Несколько сот человек были брошены в воду; остальных или изрубили на куски, или повесили вдоль дорог.

Но до этого разгрома народные волнения стали приобретать гигантский размах. Отступление Барятинского произвело сенсацию; к тому же казаки распространили соблазнительные слухи по всему течению верхней Волги, что среди них находится не только патриарх Никон, но и царевич Алексей — жертва бояр, обманывающих своего государя. В действительности царевич Алексей, наследник престола, умер в январе 1670 года, а Никон пребывал в Ферапонтовском монастыре; но мистификатор более искусный, чем полководец, Стенька окружал глубокой таинственностью две старательно оберегаемых лодки в его флотилии, в которых за красными и черными бархатными драпировками будто бы скрывались высокопоставленные особы.

В своих воззваниях он объявлял беспощадную войну чиновникам всех рангов, предвещал конец всякой бюрократии и всякой власти. Хотя он отрицал, что выступает против царя, однако давал понять, что и этот институт власти уже отжил, но Стенька не хотел заменить его собственным. Как казак, он останется среди казаков, своих братьев, которые в новой организации, скопированной по образцу казачьих установлений, установят всюду полное равенство.

Народ взбунтовался по всей обширной территории между Волгой и Окой, к югу — до саратовских степей, на восток — до Рязани и Воронежа. Крестьяне убивали своих помещиков или их управляющих и массами переходили в казачество. Всюду организовались новые шайки; при их приближении городская голытьба бросалась на воевод и их подчиненных, заменяла их атаманами и есаулами, устанавливая новый режим, не забыв предварительно истребить представителей старого.

Местные инородцы, мордва, чуваши и черемисы, присоединялись к восстанию. Движение с особенной силой распространялось на запад, по Симбирской, Пензенской и Тамбовской губерниям, и на северо-запад, к Нижнему Новгороду. Один из народных отрядов направился по Тамбовской дороге, чтобы взбунтовать по пути Зарайск и Пензу. Другой, которым будто бы командовал сам царевич Алексей, двинулся на Алатырь, Курмыш и Ядрин, где заставил духовные и светские власти устроить торжественную встречу с иконами и хоругвями. В Козьмодемьянске и Мурашкине воеводы, не воздавшие почести мнимому царевичу, были убиты жителями. Лже-Алексей, простой казак, он же Максим Осипов, вынужден был приступом взять монастырь Святого Макария в Желтоводах. Избив монахов и ограбив почитаемую обитель, он собирался пойти на Нижний Новгород, когда пришла весть о поражении Разина.

В Арзамасе прославленный полководец, князь Георгий Долгорукий, перешел в наступление и вскоре очистил от разбойников всю страну...

Из Симбирска Стенька Разин бежал в Самару, оправдывая свое поражение бездействием пушек и отступничеством соратников — подобно тому, как это случилось прежде в Царицыне. Но хитрость эта подорвала легенду. Значит, он не колдун, значит, он утратил свою сверхъестественную силу! Жители Самары, разочаровавшись в нем, закрыли перед Стенькой ворота. Так же поступили и саратовцы. В Черкасск Корнилу Яковлеву из Москвы поспешно выслали в подкрепление 1000 рейтаров и драгун под начальством Григория Коссогова. К известию о приближении этого отряда присоединились слухи об ужасных репрессиях Долгорукого; участь Стеньки была решена.

Официальные сведения относительно обстоятельств, обусловивших развязку, крайне сбивчивы и противоречивы. Трудно определить, каким именно образом были захвачены Фрол и Стенька: осадили ли их и взяли в крепости Кагальника, выдали ли их принесшие повинную сподвижники, заманил ли их в ловушку старый Яковлев? Так или иначе, Фрола и Степана препроводили в Москву. Атаман сохранял полную достоинства невозмутимость, а брат его, напротив, стонал и причитал.

"Чего ты жалуешься? — спросил, наконец, раздосадованный Стенька. — Нам готовят великолепный прием: знатнейшие вельможи столицы выйдут к нам навстречу!"

Вся Москва 4 июня 1671 года присутствовала при въезде легендарного героя. Атаман, к своему великому сожалению, не мог сохранить прежних великолепных одеяний. Его везли в жалких рубищах, на телеге вместе с виселицей.

По преданию, самые жестокие пытки не заставили его проронить ни слова. Возможно, это не так: Алексей в своей переписке с Никоном ссылался именно на показания Стеньки относительно сношений крамольного атамана с экс-патриархом.

Предание уверяет, будто суровый разбойник продолжал осмеивать брата, выказывавшего перед палачами малодушие:

"Перестань нюнить, как баба! Погуляли мы с тобой вволю, надо теперь потерпеть немного..."

Стенька будто бы не испугался самой мучительной пытки того времени: капанья холодной воды на обритый затылок. Когда ему брили макушку головы, он сострил:

"Ну вот, — меня, бедного, невежественного мужика, украшают тонзурой, точно самого ученого из монахов!"

6 июня его повели на лобное место. Стенька выслушал, не моргнув глазом, приговор, присуждавший его к четвертованию, набожно повернулся к соседней церкви, четырежды поклонился народу, прося прощения, и, не теряя самообладания, отдал себя в руки палачей. Его положили меж двух досок; сначала ему отрубили правую руку, повыше локтя, затем левую ногу, ниже колена. Стенька даже не вскрикнул. Его сочли мертвым; но при виде приготовлений предстоящей мучительной казни Фрол не выдержал и выкрикнул "слово и дело", что давало ему право получить отсрочку для сообщения судьям важных признаний; льгота эта искупалась, впрочем, дополнительными жестокими пытками. Вдруг из-под окровавленных досок, между которыми лежало искалеченное тело Стеньки, раздался грозный окрик: "Молчи, собака!"

Это были последние слова легендарного атамана. Они также не подтверждаются историческими документами. Фрол же добился отсрочки. Он, по-видимому, указал на тайник с важными бумагами или кладом; и хотя поиски тайника не увенчались успехом, Фрол отделался пожизненным заключением.

По преданию, Стенька Разин, готовясь к смерти, сочинил поэму, сохранившуюся в народе; в ней он просит, чтобы его похоронили на перекрестке трех дорог, ведущих в Москву, Астрахань и Киев...

Пьер Легран

(XVII век)

Французский пират. Нормандец по прозвищу Пьер Великий стал первым буканьером, обосновавшимся на острове Тортуга. На небольшом баркасе захватил огромный галион — флагманский корабль испанского казначейского флота.

В 1788 году в Париже издали книгу под названием "Морская летопись", где описывались похождения Леграна.

В 1665 году на острове Тортуга в Карибском море продолжали базироваться пираты. Частым гостем здесь был и Пьер Легран, нормандец из Дьеппа. К тому времени это был уже опытный капитан, отважный мореход и солдат, прошедший выучку у пиратов. У него было собственное судно — небольшой парусник с экипажем из двадцати восьми человек.

Обычно он действовал так: притаившись где-нибудь в неприметной бухте, выжидал, пока не появится испанское торговое судно, или крейсировал у побережья Кубы, высматривая свою добычу. Если же необходимо было пополнить запасы продовольствия, то нападал на прибрежные деревни и брал все, что там можно было найти из съестного.

Так однажды, рыская по морю в поисках добычи, он доплыл до западного побережья Кубы. В этот момент на горизонте показались три галиона. Один из них отстал от остальных. Легран подозвал своего опытного помощника Тома и спросил: "Посмотри, ведь это вооруженные галионы, они везут золото из Вера-Крус. Не так ли? И последний из них едва поспевает за остальными. Разве это не добыча для таких, как мы, готовых на все?"

Том не понял, шутит или говорит всерьез его капитан. Он ответил: "Ни один корсар еще не нападал на такой корабль".

"Тогда я буду первым, — усмехнулся Легран. — Шесть недель мы сидим без хлеба и вина. Положение наше хуже не бывает, а души мы и так продали дьяволу".

Когда команда собралась на палубе, Легран обратился к ней с речью: "Судьба покинула нас, друзья. Но смелые и отважные часто творят чудеса. На галионе, который вы видите впереди, более сотни матросов. Это значит, что на каждого из нас придется по четыре испанца, и не калек и трусов, а бойцов.

При таком раскладе сил нам ничего не остается, как действовать хитростью и застать их врасплох. Испанцам и в голову не придет, что мы намерены атаковать. Еще не было такого случая, чтобы джентльмены удачи в одиночку напали бы на военный корабль, к тому же идущий в караване. Предлагаю хорошенько обдумать мое предложение. К утру мы все можем стать богачами. Решайте, друзья!"

Пока пираты совещались, Легран прогуливался по палубе. Вскоре ему доложили, что команда единогласно одобрила план и готова выполнить любое приказание своего капитана.

Тогда Легран велел продырявить днища спасательных шлюпок — он был уверен в успехе и полагал, что они не понадобятся. Он не намерен был отступать. Более того, даже предложил потопить собственный корабль, дабы никто не сомневался в его действиях. Пираты поклялись сражаться не на жизнь, а на смерть.

Два часа спустя пираты незаметно подошли к испанскому галиону и вскарабкались на его борт. Оглянувшись, они увидели, как их собственный корабль погружается в пучину. Легран приказал просверлить отверстия в его днище. Теперь пиратам действительно оставалось лишь одно: умереть или победить.

Незаметно подкравшись к вахтенному и рулевому и тихо ликвидировав их, пираты захватили верхнюю палубу. Тем временем Легран осторожно подошел к иллюминатору офицерской каюты. Он увидел, что капитан и трое офицеров сидят за столом и при свете свечи играют в карты. "С этими проблем не будет", — подумал Легран и шепотом приказал Тому с пятнадцатью пиратами спуститься под палубу, чтобы врасплох захватить спящий экипаж.

Легран и четыре пирата ворвались в капитанскую каюту. Офицеры от неожиданности не двинулись с места и не проронили ни слова.

В этот момент из-под палубы раздалось несколько выстрелов. Ясно было, что в помещении для экипажа происходила схватка. Это вывело офицеров из оцепенения. Они было бросились на пиратов, но это стоило им жизни.

Между тем внизу схватка продолжалась, испанцы пришли в себя и яростно сопротивлялись. Легран со своими людьми бросился на подмогу, и это решило исход схватки. Испанцы сдались.

Никогда еще, пожалуй, не доставалось такое богатство джентльменам удачи. Поистине это была удача! Никому никогда из пиратов за всю жизнь не приходилось видеть столько золота: шесть полных ящиков и еще ящики с драгоценными камнями. Сокровищ этих хватило бы, чтобы обеспечить зажиточную жизнь всей команде до конца дней.

По обычаю победителей на корабле началась пьяная оргия, благо вина на нем оказалось вдоволь. Сам Легран никогда не пил, однако понимал, что после боя отказать пиратам в вине — значило вызвать их ярость.

...Прошло несколько лет. Видимо, все годы Легран продолжал пиратствовать, только переменил район действий. Он, как и многие пираты Карибского моря, объявился в Индийском океане.

Однажды на принадлежавший голландцам остров Маврикий высадились французские корсары во главе с Леграном. Губернатор Ван Бринк сдался и за это получил право покинуть остров, захватив свое имущество. Его дочь Анита оказалась на борту корабля "Кураж", который принадлежал Леграну. То ли ее силой привели на борт, то ли сама согласилась — неизвестно. Но так или иначе юная красавица попала в логово корсара. И здесь сообщила ему тайну, которую знала лишь она одна. Рассказала о том, что когда-то узнала от своей кормилицы, которая была дочерью мулатки. Так вот эта самая мулатка поведала дочери о том, что на острове зарыты несметные сокровища. Один старый пират, умирая, открыл мулатке, которая за ним ухаживала, тайну спрятанных сокровищ и передал план с указанием места и условных знаков на тайнике. Мулатка давно умерла, ее дочь тоже. Теперь тайной владела одна Анита. С помощью Леграна она надеялась отыскать клад, что и предложила тому сделать.

Первая же их попытка увенчалась успехом. Из тайника извлекли сундук, полный золотых монет. Это только часть, уверяла Анита. Главное сокровище зарыто на горе Вершина Открытия, где когда-то был лагерь пиратов. Но к этому тайнику им так и не удалось добраться. Двоим было не под силу ворочать огромные валуны, расчищая завалы на пути к сокровищу. Да и времени у них не было. На корабле могли спохватиться, куда это запропастилась парочка, и отправиться на поиски. В общем, прихватив то, что удалось раскопать, Легран и Анита вернулись на корабль и вышли в море.

Но о таинственных поисках на горе Вершина Открытия (теперь — гора Питер-Бот) тем не менее стало известно. И еще в прошлом веке находились отчаянные головы, пытавшиеся отыскать пиратский клад. Увы, все усилия оказались тщетными, хотя перекопали чуть ли не каждую пядь.

Известно, что Легран после этого вернулся в родной Дьепп, где жил до конца дней как богатый и всеми уважаемый гражданин. Про Аниту сведений не сохранилось.

Возможно, именно тогда художник Никола Ларжильер и нарисовал портрет Пьера Леграна.

Мишель де Граммон

(? — 1686)

Французский буканьер. Четыре крупных похода прославили его имя: в Маракайбо (1678), Куману (1680), Веракрус (1682) и Кампече (1686). Авантюристы и морские волки мечтали служить под его началом и называли его "генерал Граммон". В 1686 году был назначен "королевским лейтенантом" побережья Сан-Доминго.

История не донесла до нас ни полного имени, ни подробного описания внешности, ни портрета этого незаурядного человека. Загорелый, хорошо сложенный брюнет с живыми глазами, любезный, предупредительный, черты лица — вульгарно-простоваты, неряшлив в одежде, безбожник, любитель вина и женщин, в общем — самый земной человек. Его жизнь отмечена печатью какой-то роковой обреченности и окутана завесой необъяснимой тайны.

Согласно легенде де Граммон родился в Париже, в семье офицера королевской гвардии, в последние годы царствования короля Людовика XIII. Его отец рано умер, а мать вышла замуж во второй раз. Неизвестно, как бы сложилась судьба молодого человека, не ухаживай за его хорошенькой сестрой некий гвардейский офицер, часто появлявшийся в доме де Граммонов. Юный гасконец де Граммон с ревнивостью подростка наблюдал за романом сестры и в один прекрасный день попытался выставить влюбленного. В этот день никого не было дома, и когда поклонник явился, подросток отказался впустить его и посоветовал приходить пореже. В этот момент вошли мать с сестрой и, назвав де Граммона ребенком, хотели отослать его и предложить офицеру войти. Разразился скандал, юноша был в ярости, офицер неистовствовал от возмущения. На следующий день он встретил де Граммона; слово за слово, и офицер назвал его "сосунком". "Будь я постарше, то моя шпага показала бы, кто есть кто", — отвечал подросток, и дело закончилось дуэлью, на которой "мальчишка де Граммон" нанес смертельную рану своему противнику. Далее последовало совершенно необъяснимое продолжение — умирающий успел оставить завещание, в соответствии с которым оставлял часть своего состояния де Граммону.

Дело о дуэли удалось замять, а 15-летнего бретера отправили в школу юнг. Вскоре он стал кадетом Королевского морского училища. Что происходило с шевалье в последующие несколько лет, неизвестно. Его имя всплывает на страницах истории в период франко-испано-голландской войны (1674—1678) в связи с французской кампанией на Антильских островах. В качестве корсара он снарядил небольшое судно и захватил у острова Мартиника голландскую торговую флотилию. Доля счастливчика составила пятую часть захваченного — 78 тысяч ливров. Дальнейшее выглядит как роман — отделить правду от вымысла невозможно. Шевалье пришел на Сан-Доминго, прокутил все деньги за несколько дней, совершенно не заботясь о том, что на его долю приходится лишь пятая часть, бросил последние две тысячи ливров золота на кон в кости и... выиграл такие деньги, что смог купить 52-пушечное судно. Он сразу отправился на Тортугу набирать экипаж. Тут-то началась одиссея де Граммона, от которой содрогнулись испанские города.

Граммон стал кумиром флибустьеров. Единственное, что настораживало джентльменов удачи, — капитан был откровенным атеистом.

В 1678—1679 годах де Граммон принял участие в кампании против Кюросао. После крушения эскадры у островов Авес он остался там для ремонта и килевания французских судов. Когда запас припасов иссяк, шевалье решил наведаться за ними в Маракайбо. Фортом в горловине залива он овладел без труда — испанский комендант сдался с гарнизоном без боя и заключил договор с флибустьерами. Де Граммон вошел в город и выяснил, что жители перебрались в Гибралтар. Тогда он устремился в лагуну и перехватил несколько небольших судов, продемонстрировав, что обладает флотоводческими способностями. 12-пушечный испанский фрегат стоял на якоре недалеко от берега. Де Граммон направил стрелков с приказом забраться на деревья и начать обстреливать судно, в то время как сам с экипажем предпринял абордаж на шлюпках. План удался, фрегат был захвачен, а де Граммон углубился в глубь континента и захватил город Торилья.

Он был еще корсаром, когда в 1680 году пришли известия о мире с Испанией. Но де Граммон уже не мог остановиться: со 180 флибустьерами он направился на свой страх и риск к побережью Куманы. В начале июня встал на якорь к северо-западу от города. Раздобыв у туземцев пироги, он ночью на веслах подкрался к одному из крепостных фортов, высадился на берег и обезоружил часовых. Но последнее было проделано недостаточно ловко, и один из испанцев успел выстрелить. Тревожный звон колокола поднял на ноги всю округу, но и де Граммон действовал молниеносно. Он занял один из фортов, второй сдался. Комендант крепости успел, правда, принять меры к обороне. Через день к испанцам подошли подкрепления, и де Граммону пришлось думать только о том, как бы побыстрее унести ноги. В бою он был тяжело ранен в шею, чудом вылечился, но оказался совершенно без средств. На обратном пути корабли флибустьеров попали в страшный шторм, а 52-пушечный корабль де Граммона выбросило на берег. Лишь почетный титул, полученный от флибустьеров, был наградой за Куману — "Генерал Граммон".

В 1682 году под Веракрусом состоялась одна из самых блистательных флибустьерских операций. Два других знаменитых разбойника — Ван Дорн и Лоран де Грааф командовали вместе с де Граммоном. Город, расположенный в заливе Кампече на мексиканском побережье, служил перевалочным пунктом при транспортировке товаров из Нового Света в Европу. Подступиться к нему было невероятно трудно. Гарнизон крепости насчитывал 3 тысячи человек, а цитадель с 600 солдатами и 60 пушками, расположенная на небольшом островке, закрывала вход в гавань. Кроме того, к Веракрусу могли быть быстро стянуты подкрепления из соседних областей Новой Испании. Однако де Граммон разработал изящный план действий. Он располагал информацией, что в Веракрус из Каракаса идут два судна с грузом какао. Флибустьер решил воспользоваться подходящим случаем. Из пиратской флотилии были выбраны два наиболее крупных судна, которые при свете дня открыто подошли к городу под испанскими флагами. Приход ожидаемых кораблей, их внешний вид соответствовали известиям, полученным губернатором, и он не внял предостережениям тех, кто заподозрил что-то неладное: действительно, корабли не подходили к берегу, несмотря на попутный ветер, и оставались в отдалении...

К полуночи из глубины залива в гавань, где стояли два корабля, вошли остальные пиратские суда. Флибустьеры высадились к западу от города и на рассвете подошли к воротам, перерезали часовых, захватили крепость и дом губернатора. Когда утром жители проснулись, город был уже в руках разбойников. Они грабили город весь день, получили выкуп с людей, запертых в церкви, и плату за город, которые спешным порядком собрал епископ Веракруса. Эти деньги прибыли незадолго до подхода вооруженных отрядов вице-короля Новой Испании, и все, казалось, обстояло благополучно, как вдруг с колокольни большой церкви дозорные разглядели в море мачты кораблей. Это был испанский флот. Разбойники попали в ловушку, но не растерялись. Они быстро погрузили награбленное, забыв, правда, в суматохе взять продовольствие, прихватили часть пленных, так как посчитали, что получили еще не весь выкуп, сели в шлюпки, добрались до своих кораблей и приготовились к бою. Но он не состоялся — то ли испанские корабли были плохо вооружены и не рискнули вступить в сражение, то ли их командование посчитало, что флибустьеров слишком много, — и перегруженные пиратские корабли медленно ушли в море.

В 1685 году в заливе Кампече вновь появилась экспедиция де Граммона. В июле корабли флибустьеров встали на якорь к югу от города Кампече и на лодках подошли к берегу. Высадившись, они построились в правильный походный порядок и под барабанный бой чинно пошли по дороге на штурм. Опрокинув на подступах к городу испанский отряд, флибустьеры на плечах отступающих вошли в Кампече. Некоторое время в городе продолжались уличные бои, но они были непродолжительны — де Граммон разбросал своих стрелков на крышах домов, и они перебили артиллерийскую прислугу, превратив пушки испанцев в бесполезные груды металла. Через три дня в руках пиратов оказалась городская цитадель, покинутая защитниками. Де Граммон провел в городе почти два месяца, отряды его людей рассыпались по окрестностям, но, кроме обильных запасов продовольствия и спиртного, флибустьерам досталось немного. Дело в том, что главная ценность Кампече — огромные склады, забитые кампешевым деревом, — не представляла для разбойников никакого интереса. Тем временем к Кампече подошел губернатор провинции Мерила с войсками. В результате одной из стычек в его руки попали два флибустьера. Де Граммон предложил обменять их на нескольких знатных испанцев, пригрозив в случае отказа изрубить всех пленных в куски и сжечь город дотла. На это последовал неожиданный надменно-грубый ответ губернатора: "...Испания достаточно богата сокровищами и людьми, чтобы отстроить и заселить Кампече заново". Получив подобное послание, разъяренный ле Граммон устроил показательную казнь нескольких испанцев и сжег часть города, после чего отпраздновал именины Людовика XIV и отбыл на Тортугу.

Несколько позже он был назначен королевским наместником в южной части Сан-Доминго, но недолго пребывал на этом посту. В октябре 1686 года он спешным порядком погрузился на корабль и с отрядом флибустьеров уплыл с Тортуги. Причины и цель столь спешно организованной экспедиции остались неизвестны, так же, как и судьба всех ее участников, так как больше о де Граммоне и его людях никто ничего не слышал.

Уильям Дампир

(1652 — 1715)

Английский мореплаватель, пират, купец и ученый, совершивший три кругосветных путешествия, открыл много островов в Тихом океане. Британская АН избрала его своим членом. Научные исследования сочетал с грабежом, главным образом испанских поселений на Тихоокеанском побережье Америки. О своих путешествиях написал ряд книг, в частности "Путешествие в Новую Голландию".

Уильяма Дампира современники называли "королем пиратов". Но он был не только морским разбойником — Дампир был выдающимся мореплавателем, совершившим три кругосветных путешествия, сделавшим много географических открытий и гидрологических исследований. Его имя носят архипелаг, остров, мыс и проливы и т.д. Он автор трех книг, которые пользовались большой популярностью. Труды Дампира были столь высоко оценены современниками, что он удостоился чести быть избранным в члены Королевского общества — Британскую академию наук, а его портрет, написанный Томасом Мурреем в конце XVII века, помещен в Национальной портретной галерее в Лондоне.

Уильям Дампир родился в 1652 году в Ист-Токере (графство Сомерсет в Англии) в крестьянской семье. Рано оставшись сиротой, он в шестнадцать лет поступил юнгой на торговый корабль. Совершив несколько плаваний, Дампир в 1673 году перешел на службу в военный флот. В одном из боев он был ранен и по выходе из госпиталя уехал из Англии на Ямайку. Там он работал управляющим плантацией. Но роль плантатора ему не понравилась, и Дампир переселился на побережье залива Кампече, где в течение трех лет занимался сбором красильного дерева.

В 1678 году Дампир возвратился в Англию. Он женился и приобрел небольшое поместье. Но в том же году вновь решил вернуться на Ямайку. В пути Дампир встретил флибустьеров и вступил в экипаж небольшого судна без флага, которое, согласно стыдливой записи в его дневнике, занималось "поисками провианта" в Карибском море (всему, что касалось пиратских дел, Дампир находил пристойные формулировки). Вскоре молодой корсар собрал отряд отчаянных головорезов и повел его в глубь материка "на лесной промысел". Когда отряд вернулся на Ямайку, разбойники несколько месяцев пропивали награбленные ценности, а их вожак обрабатывал собранный научный материал.

В 1679 году Дампир повел свой корабль к берегам Гондураса и Никарагуа, где разграбил испанский город Портобелло и изучал москитов. В 1680 году в Дарьене он ограбил Санта-Марию и безуспешно пытался овладеть Панамой. Разбитая шайка отправилась к островам Хуан-Фернандес. По пути Дампир встретился с племенами индейцев, описал их жизнь и традиции.

С огромным трудом отряд Дампира шел через девственные леса, форсировал бурные реки. "Стараясь сберечь свои бумаги, я раздобыл большую бамбуковую трубу, которую с обеих концов законопатил, дабы в нее не попадала вода. В ней я хранил свои дневники и рисунки, когда на нас обрушивался дождь или приходилось плыть", — записал Дампир в дневнике. Есть там и другие записи о том, что "начались неприятности": испанцы назначили за голову Дампира крупное вознаграждение.

Затем Дампир перебрался в Виргинию и снова вышел в море на корабле капитана Кука. Они занялись обычным пиратским делом, грабили и топили все встречные испанские суда. Дампир при этом проявлял себя не только как пират, но и как выдающийся наблюдатель-океанограф. Он собирал материалы для карт и описаний тихоокеанских островов и берегов Испанской Америки.

Интерес Дампира к природе был предметом шуток его коллег, которые интересовались только звонкой монетой. Но капитан был невозмутим и даже поручал иногда своим пиратам вести в перерывах между грабежами научные наблюдения, заставлял их подробно описывать все виденное, заносил эти рассказы в свои дневники. "Я понимаю, — писал Дампир в своей книге, — что "походы за провиантом" не совсем обычный метод ученых изысканий, но зато вполне безопасный — ведь мои люди неплохая охрана для ученого. Мои своеобразные ассистенты частенько врут о своих открытиях в фауне и флоре, но я умею отличать ложь от истины".

В 1686 году Дампир на корабле капитана Свана посетил Галапагосские острова. Так как эта операция оказалась неудачной, то Сван отправил свой корабль в Ост-Индию.

Отделившись от Свана, Дампир и доктор Вафер захватили новенький испанский барк и, "обычным путем обзаведясь всем необходимым", отправились в самостоятельное плавание.

Дампир высаживался на северо-западном берегу Австралии. Он провел там немногим более двух месяцев и проник довольно глубоко в глубь страны, названной землей Дампира. Во время этой экспедиции он сделал много научных открытий: описал красавцев фламинго, морского льва-сивуча, морского котика, морского слона; изучил ветры-пассаты у берегов Южной Америки, изложил теорию их возникновения; исследовал течения в Южной части Тихого океана, наблюдал полярную ночь, добравшись до Южного полярного круга.

Два года (1687—1688) капитан бороздил океан, наводя страх на испанские поселения западного берега Америки. К Дампиру присоединились еще несколько кораблей, и он возглавил целую эскадру с более чем тысячью пиратов. Собирая дань с прибрежных городов, Дампир и его штаб направляли жителям ультиматумы с требованием контрибуции, которые подписывали: "Командование всех южных морей".

В 1690 году заболевший Дампир расстался со своими товарищами на Никобарских островах и в туземном каноэ, еле живой, добрался до Суматры, где и нашел убежище. Оправившись от болезни, он объехал весь южный берег Азии, побывал в Малакке, Тионкине, Мадрасе и Бенкулене. Во время своего пребывания в Китае Дампир едва не поплатился жизнью за то, что неподобающе вел себя на китайских похоронах.

Затем он поступил артиллеристом в один голландский форт, но, прослужив там пять месяцев, дезертировал. В своем дневнике он описал это так: "Я вылез ночью через бойницу в стене форта. Меня ждал корабль, я захватил дневник и большую часть зарисовок".

В 1691 году, завершив кругосветное плавание, Дампир с триумфом (но без всяких средств) вернулся в Лондон. Здесь он обработал свои дневники, которые вел непрерывно с 1674 года, и в 1697—1699 годах издал в Британии один из основных трудов своей жизни: "Капитан Дампир. Плавание вокруг света".

В Англии Дампир получил большую известность в ученых кругах, был представлен графу Оксфордскому — первому лорду Адмиралтейства и совершенно очаровал короля Вильгельма III, который ввел его в состав членов Королевского общества. Его портрет был помещен в Национальной галерее.

Британское Адмиралтейство решило организовать экспедицию для исследования берегов Новой Голландии (Австралии) и во главе ее поставило Дампира, принятого на службу в военный флот. На корабле "Робак" Дампир 14 января 1699 года вышел из Англии и 31 июля подошел к западному берегу Новой Голландии. Он обследовал обширный залив, названный им заливом Шарк, и открыл группы островов — архипелаг Дампира. Проследовав через открытый им пролив мимо северно-западного выступа Новой Гвинеи, Дампир 4 февраля 1700 года достиг острова Вайгео и направился на восток.

Дампир открыл острова, названные им Сент-Маттиас (св. Матвей). Затем обследовал открытую им землю Новую Британию и повернул обратно в Англию, но в Атлантическом океане корабль дал такую сильную течь, что с трудом удалось 23 февраля дойти до острова Вознесения. Прежде чем корабль утонул, Дампир успел спасти дневники и австралийский гербарий, но потерял все свое личное имущество. 2 апреля попутный английский корабль взял потерпевших крушение на борт.

В Лондоне Дампир был отдан под суд за жестокое обращение с командой и гибель экспедиционного судна. Однако приговор суда оказался довольно мягким: Дампиру не разрешалось в дальнейшем служить на кораблях флота Ее Величества королевы Анны. На его счастье, началась война за испанское наследство. Дампир легко выхлопотал себе каперское свидетельство, снарядил два корабля "Сент-Джордж" и "Синг Порт" и в 1703 году отправился в Тихий океан на пиратский промысел.

Во время стоянки кораблей у островов Хуан-Фернандес Дампир в припадке ярости подрался со штурманом корабля "Синг Порт" Александром Селкирком и в наказание высадил его на остров. Селкирку разрешили захватить с собой одежду, постель, ружье, фунт пороха, пули, табак, топор, нож, котел, Библию, несколько других книг религиозного содержания и принадлежавшие ему инструменты и книги по мореходству.

Возвратившись, Дампир выпустил в 1707 году в свет книгу о плавании на бриге "Робак" ("Путешествие в Новую Голландию").

В 1708—1711 годы в качестве главного штурмана полувоенной-полупиратской экспедиции Роджера Вудса Дампир снова совершил кругосветное путешествие. Когда корабли оказались вблизи островов Хуан-Фернандес, Дампир вспомнил о Селкирке и предложил посмотреть, жив ли штурман, которого он высадил четыре с половиной года назад. Жизнь Селкирка на необитаемом острове произвела сенсацию в Англии и вдохновила Дефо на создание "Робинзона Крузо".

Отдавая должное капитану Дампиру, современники писали, что как исследователь он был очень любознателен, пытлив и неутомим, а как пират отличался необычайной храбростью, жестокостью и в гневе становился ужасным.

Дампир прожил после возвращения из третьего кругосветного плавания еще три года. Он жил одиноко, за ним ухаживала его двоюродная сестра Грейс Мейсер. Умер Дампир в марте 1715 года. Сестре и своему старшему брату Джорджу он завещал земельный участок. Однако наследники ничего не получили, так как землю пришлось продать, чтобы уплатить долги покойного.

Спустя сто с лишним лет после выхода в свет первой книги Дампира английский историк тихоокеанских открытий адмирал Барни так оценил ее: "Нелегко назвать имя мореплавателя и путешественника, который дал бы миру более полные сведения, которому в такой мере были бы обязаны негоцианты и моряки и который подобного рода сведения изложил бы в столь ясной манере и столь четким стилем".

Мария Пти

(1665 — 1720)

Французская авантюристка. В 1702 году держала игорный дом в Париже. В 1705 году, переодевшись в мужскую одежду, отправилась вместе с чрезвычайным послом Фабром в Персию. После смерти Фабра провозгласила себя главой посольства короля Франции и продолжила путешествие. С почестями была принята при дворе персидского шаха. По возвращении во Францию была арестована и предана суду, но затем оправдана. В 1715 году нанесла визит прибывшему в Париж персидскому послу и была снова арестована. Дальнейшая судьба неизвестна.

В 1702 году на улице Мазарини существовал довольно подозрительный игорный дом, где собиралось множество самых живописных личностей, причем некоторые приходили не только затем, чтобы перекинуться в картишки. Притон процветал благодаря белокурой хозяйке, мадемуазель Мари Пти (или Пети).

Это была необыкновенно красивая молодая женщина двадцати семи лет, ее голубые глаза источали обольстительный свет, а покачивание бедер при ходьбе доводило до исступления.

Резкая и грубая с теми, кто ей не нравился, она была обворожительно мила с мужчинами. Говорят, что "она обладала даром привлекать к себе сердца..." Любовников она заводила на месяц, на неделю, на ночь, на два часа — в зависимости от желания, которое они в ней возбуждали, но в любом случае она всегда оставалась хозяйкой положения...

Однажды в дом этой очаровательной молодой особы зашел мужчина лет пятидесяти, с пылким взором и хорошо подвешенным языком, и она немедленно попала под власть его чар. В три часа ночи, когда ушел последний игрок, она увлекла незнакомца в спальню. Здесь они познакомились: гостя звали Жан-Батист Фабр, он был крупным торговцем из Марселя.

Полчаса спустя, после любовных утех, они отдыхали под шелковым балдахином, и Фабр рассказывал очаровательной мадемуазель Пти историю своей жизни. Он сказал, что его семейство держит в своих руках торговлю с Турцией и что сам он в 1675 году завел коммерческое представительство в Константинополе. Он описал свой роскошный дом, ничем не уступавший дворцам парижской знати, и сообщил, что марсельские негоцианты в течение последнего века фактически взяли на содержание посла, который без их денег просто не смог бы существовать.

"Я знаком с великим визирем, — добавил Фабр, — со всеми пашами и, само собой разумеется, с послом. Господин де Ферьоль стал моим другом. Пока он не получил назначения, я даже исполнял его обязанности, а потом занял пост управляющего делами, потому что в Версале меня очень ценят".

Все рассказанное Фабром было истинной правдой. Он только забыл упомянуть, что оказался в долгу, как в шелку, что кредиторы с нетерпением поджидали его возвращения в Константинополь и что жена его стала любовницей господина де Ферьоля...

Наконец, на рассвете Фабр поведал прекрасной содержательнице игорного дома, что господин де Поншартрен намеревается отправить его послом к персидскому шаху.

Молодая женщина, очарованная этими рассказами, попросила взять ее в путешествие.

Эта идея пришлась Фабру по нраву, и он согласился.

Прошло несколько дней. Каждый вечер негоциант появлялся на улице Мазарини и уединялся с Мари, которая уже грезила, не признаваясь в этом, о восточной роскоши и изысканных наслаждениях...

Она не предавалась бы столь упоительным мечтам, если бы узнала, что будущий посол бродит по Парижу почти без гроша в кармане. Впрочем, однажды Фабр признался любовнице, что "переживает некоторые финансовые затруднения". Будучи человеком очень хитрым, он дал ей понять, что недостаток денег может повредить ему при дворе и что тем самым окажется под угрозой их отъезд в Персию.

Женщина расстроилась. У нее были кое-какие сбережения — она отдала их Фабру.

Вскоре ей пришлось продать свое заведение.

"Благодаря моим деньгам ты добьешься успеха. Я ничего для этого не пожалею, обещаю тебе".

Она любила Фабра и доверяла ему, а потому написала довольно легкомысленное обязательство, которое ныне хранится в архивах Министерства иностранных дел:

"Я, нижеподписавшаяся, даю обещание сопровождать Ж.-Б. Фабра в Константинополь или же в другое место, куда ему придется поехать либо по делам службы короля, либо по собственным делам, и оказывать всяческую помощь в его предприятиях, не требуя за то никакого возмещения и ни при каких условиях не отказываясь от намерения следовать за ним.

Мари Пти".

Когда мадемуазель Пти подписывала это обязательство, ей казалось, что отныне жизнь ее преобразится.

Она не ошибалась, правда, и представить себе не могла, какие приключения ее ждут впереди...

Освободившись от денежных забот, негоциант стал встречаться с влиятельными людьми, беседовал с господином де Торси и господином де Поншартреном, преемником Кольбера. Ему удалось обворожить всех министров своими глубокими познаниями о состоянии дел на Востоке.

Вечерами он излагал Мари суть своей миссии. Нужно было завязать тесные сношения с Персией, в которую уже начали проникать английские, голландские и португальские торговые компании, добиться безопасности для христиан, утвердить преимущество французской коммерции и подготовить проникновение в Индию.

В общем, проект не отличался новизной, однако для его осуществления требовалась изрядная дерзость; все предыдущие попытки добиться этого потерпели неудачу, а в данный момент материальные затруднения, казалось, обрекали предприятие на провал.

В январе 1703 года Фабр получил официальное предписание отправиться в Персию. Мадемуазель Пти стала немедленно готовиться к отъезду. Пока она паковала сундуки, Людовик XIV, со своей стороны, набрасывал список подарков, предназначенных для шаха. Приведем небольшой отрывок: “Настенных часов — 3 штуки, ручных часов — 24, из них 12 — с репетицией, винных погребков из хрусталя — 6, атласов — 3, канделябров — 2, сверх того — несколько картин, из которых одна — с изображением монарха...”

Чтобы собрать все эти вещи, потребовался почти год.

Когда все было готово, марсельскому негоцианту вручили верительные грамоты.

Но тут господин де Ферьоль, завидуя высокому назначению Фабра, стал слать едкие письма господину де Поншартрену. К счастью, тот был непоколебим, и новый посол, в сопровождении своего племянника Жозефа Фабра и мадемуазель Пти, переодетой в мужское платье, отбыл в Марсель в конце 1704 года.

Наконец, 2 марта 1705 года корабль “Тулуза” поднял якорь и направился в открытое море, унося с собой г-на Фабра с его свитой. Никто не знал, что на борту находится молодая женщина.

Однако, едва Марсель исчез из виду, красивый кавалер с голубыми глазами удалился в свою каюту и вскоре появился вновь, но уже в женском обличье. С тех пор мадемуазель Пти, не считая нужным скрывать свою привязанность к послу, “начала обращаться к нему несколько вольно, что сильно веселило экипаж”.

8 апреля посол и бывшая содержательница игорного дома прибыли в Александрию, а оттуда отправились в Алеппо, куда и приехали 17 апреля.

Здесь мадемуазель Пти вновь пришлось прибегнуть к маскировке, ибо местные жители не одобрили бы тот факт, что посланник Людовика XIV путешествует в обществе своей любовницы. Поэтому Фабр стал представлять ее в качестве жены главного мажордома миссии, господина дю Амеля.

Пылкий темперамент подводил ее, и отцы-иезуиты, обитавшие в Алеппо, были изумлены некоторыми неосторожными словами и жестами предполагаемой супруги мажордома. Отец-настоятель предпринял собственное маленькое расследование и достоверно установил личность веселой мадам дю Амель.

Решив пресечь скандальное путешествие преступной четы уже в Малой Азии, дабы в Персии не узнали об этом прискорбном обстоятельстве, настоятель отправился к паше и попросил задержать господина Фабра в Алеппо.

Паша согласился, и в течение полугода караван не мог двинуться дальше.

Мадемуазель Пти сочла своим долгом развлекать свиту посла: каждый вечер она созывала гостей, и ужин заканчивался восхитительной оргией. Она умела веселить компанию и знала множество песенок весьма игривого содержания. Таким образом, в этих вечерах жители Алеппо могли видеть Версаль в миниатюре — это было чрезвычайно забавное отражение двора Короля-Солнца...

В октябре 1705 года, убедившись, что паша не собирается менять гнев на милость, Фабр и Мари тайком покинули Алеппо, добрались до моря и отплыли в Константинополь, где персидский посланник спрятал их, перед тем как переправить в Эривань.

Добравшись до места, Фабр узнал, что хан Абдельмассин ненавидит французов. Это его страшно напугало. Тогда мадемуазель Пти, надев самое красивое платье, отправилась во дворец Абдельмассина и стала его любовницей.

Благодаря этому простому и разумному решению все затруднения разрешились незамедлительно. Уже через неделю Фабр получил из Исфагана извещение, что верительные грамоты приняты и посольству будет оказан радушный прием.

Удачное начало вдохновило мадемуазель Пти и добавило ей смелости вступить на тяжкий тернистый путь дипломатии.

Через несколько дней после отъезда из Эривани Фабр внезапно заболел. Метаясь в жару, корчась от невыносимой боли, он кричал, что его отравили. 15 августа лицо его приобрело фиолетовый оттенок. 16 августа он отдал Богу душу.

Мадемуазель Пти растерялась. Что станется с ней в этой чужой стране, среди враждебных людей?

И тогда в голову ей пришла гениальная мысль! Обыскав труп любовника, она нашла ключи от сундуков и шкатулок, разыскала секретные бумаги и провозгласила себя главой посольства Франции.

Спутники взирали на нее в изумлении.

"Мне поручено, — сказала она, — обучить персидскую королеву французским придворным манерам. Я исполню это любой ценой, а если меня попытаются задержать, то я готова принять мусульманство и прогнать иезуитов..." Эти слова произвели должное впечатление на слушателей. "Пока же нам нужно вернуться в Эривань", — добавила очаровательная посланница.

Маленький отряд повернул назад, и вскоре мадемуазель Пти оказалась под надежной защитой хана.

Это был ловкий маневр: хан, испытывая признательность за дарованное ему наслаждение, добился того, чтобы Исфаган признал Мари в качестве официальной посланницы.

Так благодаря любви Король-Солнце обрел своего представителя при персидском дворе...

Мадемуазель Пти, заручившись поддержкой хана, решила найти союзников и среди французов. Союзником, разумеется, мог быть только любовник. На всякий случай она обзавелась двумя.

Они поселились вместе с ней в большом доме, ставшем ее резиденцией, и она заказала кровать соответствующих размеров.

Это произвело неприятное впечатление на местных жителей, которым казалось естественным, чтобы мужчина имел нескольких жен, тогда как женщина, имевшая нескольких мужей, воспринималась как нарушительница устоев.

Ее стали осуждать, а обозленные иезуиты, полностью отказавшись от эвфемизмом, прибегли в отношении Мари к откровенным выражениям, коими славился конкурировавший с Братством Иисуса Орден доминиканцев. Они дошли до того, что прямо назвали ее шлюхой.

Люди же из миссии Фабра оказались не столь суровыми — они просто смеялись.

Глава христиан Персии монсеньор Пиду де Сен-Олон отнесся к этому более серьезно. Он написал хану Тебриза, большого города, власти которого контролировали дорогу на Исфаган, и предостерег его от всяких сношений с мадемуазель Пти.

“Только одному человеку принадлежит право именовать себя послом Франции, — добавил он. — Это звание перешло к юному Жозефу Фабру, племяннику покойного”.

Хан Тебриза, получив это уведомление, оказался в весьма затруднительном положении. Пока он раздумывал, как поступить, Мари стала любовницей нескольких влиятельных чиновников.

Рвение всегда вознаграждается: вскоре в Тебриз, в Эрзерум и в Исфаган полетели послания, в которых Мари превозносилась до небес, и вредоносное влияние писем монсеньора Пиду де Сен-Олона было подорвано.

Однако затем в Эривань пришли весьма огорчительные новости из Константинополя: французский посол господин де Ферьоль по собственной инициативе решил послать в Персию одного из своих друзей, некоего Мишеля — молодого человека двадцати восьми лет, дабы он занял место Фабра и отстранил от дел мадемуазель Пти.

В декабре 1706 года Мари получила известия о приближении каравана. Она испугалась: спешно собрав багаж, приказала подавать верблюдов и нежно простилась со всеми любовниками. Нужно было опередить конкурента и первой предстать перед шахом.

Вечером она выехала в Исфаган.

Узнав об этом, Мишель впал в ярость и решился на отчаянное предприятие. Полагая, что французская посланница путешествует в неторопливом караване, он вообразил, что сможет легко догнать обоз, похитить мадемуазель. Чтобы действовать наверняка, он бросил свой багаж, пересел на коня и галопом помчался в Нахичевань. Прибыв туда одним прекрасным вечером, он узнал, что мадемуазель Пти находится здесь всего лишь с утра, и поздравил себя с успехом.

Однако радость его оказалась недолгой: авантюристку уже успели признать посланницей французского короля, ибо персы были совершенно очарованы любезностью ее обхождения. Сверх того, хан Нахичевани оказал ей полную поддержку: став его любовницей, она, как говорили, “совершенно его околдовала”.

Короче говоря, она завоевала неприкосновенность, и Мишель понял, что план похищения был чистейшим безумием.

Не задерживаясь в Нахичевани, он поскакал в Тебриз и попросил аудиенцию у хана, получившего послание монсеньора Пиду де Сен-Олона.

“Вы видите перед собой посланника Людовика XIV”, — сказал он.

“Значит, вы Жозеф Фабр?”

“Нет, господин Жозеф Фабр мальчик, и его прибрала к рукам авантюристка”.

“Ах, так! — ответил хан. — Я буду ждать приезда этого мальчика. Что до женщины, о которой вы говорите, то я получил на сей счет точнейшие указания и должен вас предупредить, что не потерплю ни малейших посягновений, направленных против нее”.

Мишель не думал, что содержательнице игорного дома удастся обрести столь могущественных покровителей.

Через два дня французский караван вступил в Тебриз. На самом красивом верблюде в плетеной кабинке восседала мадемуазель Пти, которая непринужденно приветствовала толпу. Вокруг нее, оказывая ей все знаки почтительного внимания, держалась группа персидских сановников, которых она, с присущим ей тактом, отблагодарила ночью.

Узнав, что соперник уже представлялся хану, она отправилась к нему в дом и ласково попросила не затевать против нее интриг. Мишель ответил, что должен исполнить возложенную на него миссию. Она очень рассердилась и уходя хлопнула дверью.

Через несколько дней ей удалось полностью расквитаться за это маленькое поражение. Из Исфагана пришло официальное разрешение, шах соглашался принять мадемуазель Пти, тогда как Мишелю предписывалось вернуться в Эривань...

Мари торжествовала.

В персидской столице ее ожидал блистательный прием. Представ перед шахом, она преподнесла ему подарки Людовика XIV, превозносила до небес достоинства самого монарха, остроумно и живо описала Версаль, Париж, французские нравы и обычаи. Шах был очарован ею.

На время пребывания посланнице был отведен великолепный дворец; повсюду ее сопровождала почетная стража. Даже в самых смелых мечтах содержательница притона, которую именовали в Персии "франкской принцессой", не возносилась на такую головокружительную высоту.

Стали ли она любовницей шаха, как утверждали некоторые? Это кажется маловероятным. Разумеется, до целомудрия она не опустилась, и, похоже, прекрасная исфаганская весна пробудила в ней новый пыл, так что многие молодые паши совершенно потеряли голову в вихре удовольствий и наслаждений...

Когда весь Исфаган восторгался голубыми глазами мадемуазель Пти, в Версале получили известие о смерти Жана-Батиста Фабра.

Впрочем, кроме господина де Поншартрена, никто не обратил на это внимания. Другая новость занимала умы придворных: 27 мая 1707 года на водах в Бурбон-л'Аршамбо умерла мадам де Монтеспан, бывшая фаворитка короля.

Де Поншартрен же, обеспокоенный судьбой персидского посольства и подстрекаемый Ферьолем, который представил ему мадемуазель Пти воровкой, прельстившейся подарками для шаха, подписал верительные грамоты на имя Мишеля.

Тот получил их только в начале 1708 года. Пока же ему приходилось изнывать от скуки в Касбине...

Тем временем мадемуазель Пти, вспомнив наставления Фабра, решила заключить в шахом торговый договор.

Эта удивительная молодая женщина начала длительные переговоры, обсуждая каждую статью соглашения с ловкостью и хитростью профессионального дипломата. Проект был принят монархом. Отныне Франция вполне могла конкурировать с английскими, голландскими и португальскими торговыми компаниями. К несчастью, Мари, слишком щедро жертвуя своим телом (во имя процветания восточной политики Людовика XIV), заболела, и ей пришлось прервать переговоры. Недомогание надломило ее: бледная, ослабевшая, она вдруг ясно представила себе кончину в чужой стране, и ее охватила ностальгия по улице Мазарини.

В конце июня, уложив вещи и любезно переспав на прощание со всеми любовниками, она пустилась в обратный путь по Францию.

После короткого пребывания в Константинополе, где она была принята своим врагом де Ферьолем, который, пленившись ее красотой, стал горько сожалеть, что причинил ей столько неприятностей, она прибыла в Марсель.

Здесь ее ожидали непредвиденные осложнения: она была арестована по обвинению в воровстве. Клевета Мишеля достигла цели. В течение долгих месяцев она оставалась в тюрьме, где от нее требовали признаний, что часть подарков, предназначавшихся шаху, перешла в руки ее любовников.

В это же время новый посол вручал верительные грамоты в Исфагане и подписывал торговый договор с Персией, явившийся на свет благодаря усилиям мадемуазель Пти...

Впрочем, ему недолго пришлось хвастаться этим успехом. Господин де Поншартрен, не дожидаясь оправдательного вердикта истории, в конце концов признал заслуги Мари и вернул ей свободу. Через два года, в 1715 году, сбылась заветная мечта авантюристки: персидский шах, никогда не направлявший послов к иностранным монархам, пожелал иметь своего представителя при дворе Короля-Солнца...

Мари нанесла визит персидскому послу, с которым познакомилась на его родине. Она была снова арестована. Но, вероятно, вскоре была выпущена на свободу.

Мадемуазель Пти хотела выпустить мемуары. Помогать ей вызвался Лесаж. Он принялся собирать документы, встречался с людьми, имевшими отношение к персидским приключениям Мари. Однако мемуары так и не были изданы. Говорят, это были происки врагов “французской принцессы”...

Джон Лоу

(1671 — 1729)

Шотландский финансист. Предложил Филиппу Орлеанскому заменить монеты банковскими билетами. Система шотландца завершилась грандиозным банкротством...

Джон родился в семье золотых дел мастера и банкира. 23 лет от роду он убил на дуэли некоего Вильсона, был приговорен к смертной казни, но помилован и заключен в тюрьму. Сбежав из тюрьмы, он искал счастья на материке. Жизнь в Голландии убедила его, что процветание этой страны напрямую зависит от кредита. Затем Джон много странствовал по Италии, где банковское дело тогда особенно процветало. По возвращении в Шотландию он написал в 1700 и 1705 годах два труда, в которых наряду со здравыми и интересными идеями доказывал, что деньги составляют богатство народа и потому следует заботиться об их умножении. Но дорогую металлическую монету можно заменить ничего не стоящей бумагой, которая может быть умножена в количестве, соответствующем оборотам. Когда в Шотландии его предложения не были поддержаны, он переселился сначала в Брюссель, затем в Париж, где приобрел известность и состояние, как необыкновенно удачливый игрок; временно за игру был даже выслан из Франции, но вскоре получил разрешение вернуться и с помощью писем и рекомендаций друзей добился доверия регента, Филиппа Орлеанского. Франция в то время была совершенно разорена, рос государственный долг, в сборе налогов господствовала полнейшая несправедливость, никто не думал об упорядочении государственного хозяйства, правительственные сферы в стремлении к легкой наживе бесззастенчиво эксплуатировали народ.

Каждый день министры доносили Филиппу Орлеанскому о прискорбном положении, которое сложилось в финансовых делах. Государственная казна оскудевала с пугающей быстротой, и в конце 1716 года дефицит достиг 140 миллионов ливров.

Филипп Орлеанский был в отчаянии. Все средства, к которым можно было прибегнуть — переплавка монет, пересмотр государственных обязательств (правительство соглашалось платить по ним лишь со скидкой), продажа поставок и откупов (сбор косвенных налогов), — оказались исчерпанными. Страна находилась на пороге катастрофы.

Именно тогда мадам де Парабер, по просьбе одного из своих новых любовников, Носе, имевшего некоторые познания в сфере финансов, уговорила регента испробовать систему шотландского банкира Лоу... Джон, несомненно, стоял выше тех, кому до него приходилось руководить финансами Франции: тем не менее он испытал судьбу всех финансистов, которые верят в возможность выпуском денежных бумаг обогатить государство.

Система отличалась простотой: Лоу хотел распространить на всех способ расчетов, принятых между негоциантами, — иными словами, заменить монеты банковскими билетами. Чтобы эти бумажки могли завоевать доверие публики, они должны были иметь поручительство мощного и богатого предприятия. Он решил создать при поддержке влиятельных лиц банк, который мог принимать платежные поручения торговцев, выдавая им взамен собственные билеты, которым и предстояло заменить прежние деньги. Наконец, чтобы развеять все сомнения, было обещано, что банковские билеты (в отличие от платежных поручений торговцев) будут оплачиваться при первом предъявлении: вернув их в банк, любой человек мог потребовать, чтобы ему было заплачено за них золотом или серебром.

Лоу рассчитывал, что доверие к этим билетам позволит превратить их в настоящие деньги, с помощью которых можно будет расплачиваться с кредиторами государства.

Регенту эта идея показалась соблазнительной, и он разрешил Лоу учредить банк, который тут же приобрел бешеную популярность у публики.

Тогда Лоу, при поддержке Носе и мадам де Парабер, решил расширить свою систему: он намеревался привести к расцвету торговлю и погасить задолженность путем учреждения компаний, которым король даровал бы монопольное право на ведение дел. Так была основана в 1717 году Индская компания, акции которой шли нарасхват.

Регент, по наущению мадам де Парабер, жаждавшей обогащения, передал Лоу в аренду королевские земли. "Тогда выпустили 300 000 новый акций по цене

5000 ливров за штуку. Сначала запись была свободной; но ажиотаж приобрел такие размеры, что акции стали продавать только тем, кто расплачивался банковскими билетами. Это превратилось в соревнование, кто быстрее освободится от своего золота".

Успех банка, который сначала осторожно раздавал ссуды и умеренно выпускал билеты, стал причиной его гибели. С 1718 года банк превратился в учреждение государственное, и выпуски потекли нескончаемым потоком. Банк постепенно взял на себя колонизацию Луизианы (основал с этой целью так называемую компанию "Миссисипи", впоследствии соединившуюся с двумя другими и принявшую название компании "Всех Индий"), генеральный и табачный откупы, монетную регалию, конверсию государственного долга. Никакого обдуманного плана в основе этих мероприятий не было. Превращение разнообразного и дорогого государственного долга в единый трехпроцентный рентный долг, выкуп финансовых должностей, уменьшение и упрощение взимания многих пошлин, колонизация — все это очень полезно, но требует труда, честности, настойчивости и не создается в один день. Лоу выпускал для всех своих компаний акции, которые, при недостатке наличных денег, не могли находить сбыта; тогда он прибегал к печатным станкам и выпускал билеты.

В Париже пронесся слух, что в Луизиане обнаружено несколько золотых месторождений и что на их разработку Индская компания получает от Королевского банка аванс в двадцать пять миллионов банкнотами. Цена акций взлетела с 5000 до 25 000 ливров. Улица была полна спекулянтов. Скупка и перепродажа акций превратилась в эпидемию. Бывало, что лакеи, приехавшие в банк в понедельник на запятках карет своих господ, в субботу возвращались, восседая в них и небрежно развалившись на бархатных подушках.

Это безумие продолжалось всю зиму 1719 года. Лоу был сделан членом академии наук и министром финансов. Однако в начале 1720 года у банка появились некоторые затруднения. Герцог Бурбонский, встревожившись, немедленно предъявил билеты к оплате и увез домой шестьдесят миллионов на трех каретах. Тут же с невероятной быстротой распространились тревожные слухи, и весь Париж оказался во власти чудовищной паники. "Акции упали в цене на 30, 40 и 60 процентов. Уличный торговец продавал пирожки за двести банкнотов"; банк, выпустивший три миллиарда бумажных денег под гарантию семисот миллионов наличных, оказался не в состоянии платить. Система шотландца завершилась грандиозным банкротством...

Остановить начавшееся падений акций и билетов Лоу был не в состоянии, хотя в отчаянии он решался на все: обыски и конфискации у ажиотеров, запрещение платежей звонкой монетой, прекращение выпусков билетов, сжигание акций и так далее. За неожиданным обогащением наступило столь же быстрое разорение. Выиграли только те спекулянты, которые успели перепродать купленный "воздух".

Толпа, собравшаяся под окнами, требовала повесить того самого человека, которого накануне превозносила до небес. Отцы семейств в отчаянии кончали с собой. Носе и мадам де Парабер поносили на всех углах в памфлетах и песенках: подозревали, что именно они оказали протекцию финансисту. Шотландцу в конце концов пришлось укрыться в Пале-Рояле, ибо чернь могла растерзать его.

Назревал бунт. Всего лишь через несколько дней регент смог убедиться в этом лично. Отправляясь в Аньер к любовнице и проезжая через деревню Руль в окружении гвардейцев, он услышал яростные крики: "Этот человек увозит наши бумаги и наши деньги!"

Филипп не повел и бровью, но подобные демонстрации произвели на него самое тягостное впечатление.

Через несколько месяцев Лоу вынужден был бежать из Парижа. Столица же была на грани мятежа. Тогда мадам де Парабер, которая благодаря советам Носе сделала на “системе” состояние, испугалась, что придется возвращать деньги, и побудила регента упразднить Индскую компанию. Постановление было подписано 7 апреля 1721 года. С этого момента акционеры могли считать свое золото безвозвратно потерянным.

Многие писатели, в том числе и Луи Блан, считали Лоу социалистом или демократом, который хотел перевернуть при помощи кредита весь строй хозяйства и кассовых отношений. Однако на самом деле демократизм Лоу состоял лишь в том, что, исходя из ложного учения, он вовлекал все кассы в спекуляцию, обнаруживая тем самым, что они все могут быть в известное время одинаково безнравственны. Даровитый прожектер и спекулянт, Лоу вовсе не был носителем каких-либо социально-политических идеалов. Лично он сначала обогатился, затем совершенно разорился и, поселившись после бегства из Франции в Венеции, содержал свою семью по-прежнему игрой. Он представил несколько проектов венецианской республике, но их отвергли. Лоу умер в 1729 году, оставив в наследство своему семейству несколько картин и бриллиант, оцененный в 40 000 ливров. Его жена умерла в Брюсселе в бедности.

Клод-Александр Бонневаль

(1675 — 1747)

Один из удивительнейших авантюристов XVIII века, известен под именем Ахмет-паши.

Клод-Александр родился 14 июня 1675 года в Куссаке (Лимузен) в знатной, родственной дому Бурбонов семье. Он воспитывался в иезуитской коллегии. В

13 лет поступил на морскую службу, поскольку даже иезуиты не смогли усмирить его строптивый нрав. Однако Клод-Александр граф де Бонневаль едва не был исключен из службы маркизом де Сеньеле, морским министром, который, проводя однажды смотр гардемаринам, отчитал его как мальчишку.

"Людей моего имени не исключают, господин министр", — гордо возразил этот молодой человек.

Министр тотчас понял, с кем имеет дело.

"Да, милостивый государь, их исключают, когда они бывают простыми гардемаринами, — отвечал он, — но только для того, чтобы произвести их в мичманы".

Сражения Дьепское, ла Гогское и Кадикское доказали, что ни граф Бонневаль, ни министр де Сеньеле не ошиблись. Бонневаль проявил отвагу и находчивость в этих битвах.

Дуэль вынудила графа Бонневаля оставить морскую службу; в 1698 году он купил должность в полку телохранителей. В 1701 году он получил ла-Тур-инфантерийский полк. Участвовал в Итальянском походе под начальством Катина и с отличием сражался в Нидерландах, в армии маршала Люксембурга. Несмотря на проявленный героизм, ему за разные вымогательства не дали повышения.

В 1704 году он нанес по этому поводу оскорбление военному министру Шамильяру, за что был предан суду. Бонневаль выпросил отставку у герцога Вандомского и всю зиму 1705—1706 годов путешествовал по Италии. Клод-Александр подружился с маркизом де Лангаллери, который от французов перешел на службу к австрийцам. Бонневаль долго колебался, прежде чем последовать его примеру; наконец, когда принц Евгений, заметивший его во французских рядах, во время сражения при Люццаре, сделал ему предложение, Клод-Александр согласился и с чином генерал-майора поступил в австрийские войска. С этого времени Бонневаль, отличавшийся удивительной храбростью, находился на иностранной службе и с ожесточением сражался в Италии и Фландрии против своей родины.

При Турине он отличился во время атаки французских линий, при этом умудрился спасти жизнь своему брату, маркизу Бонневалю, которого случайно узнал среди противников, а до этого он даже не подозревал, что сражается против него. Бонневаля находили повсюду: первым при взятии города Александрии, одним из первых на приступе к Тортонскому замку в папских владениях, где он потерял руку; в Савойе, в Дофине. Во Фландрии в 1714 году Клод-Александр присутствовал при свидании принца Евгения с маршалом Вильяром.

Получив чин фельдмаршала-лейтенанта, он участвовал в Турецкой кампании, отличился при взятии Тенешвара и в сражении при Петервардейне в 1716 году, где был тяжело ранен — получил в нижнюю часть живота удар копьем, который заставил его всю жизнь носить повязку. По окончании войны поселился в Вене, но своим легкомысленным и бесцеремонным вмешательством в семейные дела принца Евгения вызвал неудовольствие последнего и был отправлен в Нидерланды в должности фельдцейхмейстера. В Брюсселе после ссоры с губернатором, маркизом де Приэ, завязал тайные отношения с посланниками Франции и Испании, вследствие чего был арестован и заключен в крепость на один год с последующим изгнанием из Австрии.

Направился в Константинополь, принял там ислам под именем Ахмеда-паши, получил чин трехбунчужного паши, преобразовал турецкую артиллерию и с отличием участвовал в войсках против России и Персии. В награду за свои подвиги он был назначен наместником Хиоса, но его собственная неосторожность и происки придворных скоро навлекли на него гнев султана, и он был отправлен в почетное изгнание в маленький пашалык у Черного моря.

Вот как описывает встречу с Бонневалем другой знаменитый авантюрист — Казанова: "Через день по прибытии я велел отвести меня к Осман-баше Караманскому. Таково было имя графа де Бонневаля после его вероотступничества.

Я передал ему свое рекомендательное письмо, и меня проводили в комнату на первом этаже, обставленную во французском вкусе; я увидал тучного господина в летах, одетого с ног до головы на французский манер. Поднявшись, он со смехом спросил, чем может быть полезен в Константинополе для человека, рекомендованного кардиналом Церкви, которую сам он уже не вправе называть матерью. < ... >

В письме кардинала значилось, что я писатель: баша поднялся, говоря, что хочет показать мне свою библиотеку. Я последовал за ним. Через сад мы прошли в комнату с зарешеченными шкафами — за проволочными решетками видны были занавеси, за ними, должно быть, помещались книги.

Но как же я смеялся вместе с толстым башою, когда он открыл запертые на ключ шкафы, и взору моему предстали не книги, но бутыли, полные вина множества сортов!

— Здесь, — сказал он, — и библиотека моя, и сераль, ибо я уже стар, и женщины лишь сократили бы мой век, тогда как доброе вино продлит его либо уж, во всяком случае, скрасит.

— Полагаю, Ваше Превосходительство получили дозволение Муфтия?

— Вы ошибаетесь. Турецкий папа наделен отнюдь не той же властью, что ваш: не в его силах разрешить запрещенное Кораном; однако ж это не помеха, и всякий волен погубить свою душу, если ему нравится. Набожные турки сожалеют о развратниках, но не преследуют их. Здесь нет Инквизиции. Тот, кто нарушает заповеди веры, будет, как они полагают, довольно мучиться в иной жизни, чтобы налагать на него наказания на этом свете. Испросил я — и получил без малейших затруднений — дозволения не подвергаться тому, что вы именуете обрезанием, хотя собственно обрезанием это назвать нельзя. В моем возрасте это было бы опасно. Обычно обряд этот соблюдают, однако ж он не входит в число заповедей.

Я провел у него два часа; он расспрашивал обо многих венецианцах, своих друзьях, и особенно о г-не Марке Антонио Дьедо; я отвечал, что все по-прежнему его любят и сожалеют лишь об отступничестве его; он возразил, что турком стал таким же, каким прежде был христианином, и Коран знает не лучше, чем дотоле Евангелие.

— Без сомнения, — сказал он, — я умру с покойной душою и буду в сей миг много счастливей, чем принц Евгений. Мне надобно было произнести, что Бог есть Бог, а Магомет есть пророк его. Я это произнес, а думал я так или нет — это турок не заботило. Правда, я ношу тюрбан, ибо принужден носить мундир моего господина.

Он рассказал, что, не имея иного ремесла, кроме военного, решился поступить на службу к падишаху в чине генерал-лейтенанта, лишь когда понял, что остался вовсе без средств к жизни. К отъезду моему из Венеции, говорил он, *суп* успел уже съесть мою посуду; когда б народ еврейский решился поставить меня во главе пятидесятитысячного войска, я бы начал осаду Иерусалима.

Он был красив, разве только чересчур в теле. Вследствие сабельного удара носил под животом серебряную пластину, дабы поддерживать килу. Его сослали было в Азию, но ненадолго, ибо, по словам его, интриги в Турции не столь продолжительны, как в Европе, особенно при Венском дворе..."

На старости лет Клод-Александр граф де Бонневаль почувствовал страстное желание вернуться в Европу, но умер в Константинополе 22 марта 1747 года, семидесяти двух лет от роду и погребен на кладбище в Пере, где и ныне можно найти его могилу по следующей турецкой надписи: “Бог вечен: преславный и великий Бог да упокоит вместе с истинно правоверными усопшего Ахмета-пашу, начальника бомбардиров. 1160 год эгиры”. (1160 год эгиры соответствует 1747 году христианской эры.)

Мэри Рид

(XVII век)

Одна из самых знаменитых женщин-пиратов.

Отца своего она не помнила. Родитель завербовался в Королевский флот и сгинул в пучине. Мать ее на втором году житья без мужа обнаружила, что оказалась “в интересном положении”. Подхватив сына, она покинула домашнее гнездо, сказав соседям, что поехала погостить к друзьям. Вскоре родилась девочка, крещенная как Мэри Рид. Ее старший брат прожил на свете недолго, он умер, когда девочке было около трех лет. Сбережения грешной матушки растаяли, надежда была лишь на поддержку свекрови. Но та не без основания полагала, что канувший в Лету Рид оставил после себя лишь отпрыска мужского пола, и вдова решилась на отчаянную авантюру. Она переодела малышку в мужской костюм, оставила на воспитание бабушке и уехала. Отныне, чтобы обман не раскрылся, Мэри суждено было носить мальчишескую одежду и вести себя подобающим образом. В 13 лет мать отдала девочку в услужение — грумом к французской даме: той понравилось милое личико “чудесного отрока”.

В 16 лет Мэри не придумала ничего лучшего, как под именем Марка завербоваться добровольцем в кавалерийский полк и отправиться воевать во Фландрию. Храбрость, выказанная “юношей Марком” в сражениях, не осталась без одобрения начальства — молодого удальца приметили. Ему даже прощали некоторые слабости, например нежелание мыться в общей солдатской бане. Однополчанин Мэри-Марка, статный молодой фламандец, уж очень дружески относился к юноше, видно, чуя что-то неладное. Вскоре они добились того, чтобы их поселили в одной палатке.

Полк моментально облетела удивительная весть: два бойца решили сочетаться законным браком. На свадьбу явились все полковые офицеры. Именно там суровые мужчины узнали подлинную историю своего однополчанина. По тем временам такое явление, как солдат-баба, было совершенно невероятным. Новобрачные смогли обзавестись собственным крепким хозяйством, открыв у стен крепости Бледа трактир "Конная упряжь". Торговля шла бойко — от желающих поглазеть на вояку, превратившегося в хорошенькую трактирщицу, не было отбоя. Однако идиллия продолжалась недолго. Муж Мэри погиб в результате несчастного случая. Война во Фландрии закончилась, гарнизон крепости был расформирован — и дела трактирщицы совершенно расстроились. Она решила податься в Америку. В экзотическую страну, где, по слухам, было спрятано много золота. Но ей не суждено было добраться в далекие края и стать примерной трактирщицей...

А в это же время в Америке, куда душой стремилась неугомонная Мэри, жила другая необычная женщина, которая мужское платье тоже предпочла женской юбке. Ее звали Энн Бонни.

Корабль, на котором плыла экс-трактирщица Мэри Рид, был захвачен Ситцевым Джеком Рэкхэмом и его подругой Энн. Пассажирам объявили, что добровольцы могут присоединиться к морским бродягам. Мэри, путешествовавшая в мужском платье, решила остаться с пиратами.

Симпатичный новенький моряк тут же привлек внимание Энн Бонни. Не долго думая, она решила закрутить с ним роман. Каково же было изумление, когда раскрылось, что предмет ее симпатии — женщина! Заставила ли Энн пикантная новость досадовать, или развеселила своей невероятной нелепостью, но между женщинами возникли прочные дружеские узы. Рэкхэм, начавший было не на шутку ревновать Энн, был посвящен в тайну и немедленно успокоился. Однако сердечные злоключения двух пираток на этом не закончились.

Мэри влюбилась в корабельного плотника. Тот же, на свою беду, сильно повздорил с одним из матросов, отличавшимся недюжинной силой и лютым нравом. Ссору замять не удалось, и во время корабельной стоянки они назначили дуэль. Поняв, что шансы плотника выйти из схватки живым невелики, Мэри решилась встать между своим возлюбленным и смертью: она вызвала громилу на поединок, назначив время дуэли несколькими часами раньше. Своим оружием соперники избрали сабли и пистолеты. Через несколько минут с громилой было покончено. Мэри приняла это за Божий промысел, решила надеть юбку и зажить простой семейной жизнью. Но и это ей не удалось...

Осенью 1720 года корабль Джека захватила флотилия губернатора Ямайки. Джека и его команду приговорили к виселице. Но выяснилось, что среди пиратов — две женщины, к тому же беременные. Слушание необычного дела тянулось довольно долго, но окончательный вердикт в отношении пираток был все тот же — казнить через повешение с отсрочкой приговора до родов.

О судьбе Энн больше ничего не известно, а Мэри же умерла в тюрьме от послеродовой лихорадки.

Джон Эйвери

Британский пират. Захватил индийское судно с ценностями, чем серьезно обеспокоил Ост-Индскую компанию и вызвал широкий общественный интерес. Был героем произведений нескольких авторов, в том числе Даниеля Дефо.

Биография Джона Эйвери по прозвищу Долговязый Бен была написана по горячим следам его похождений Даниелем Дефо. Можно сказать, что Эйвери стал первым джентльменом удачи, чьи приключения привлекли внимание серьезного писателя.

У Дефо есть книга под названием “Король пиратов”.

Впервые она была опубликована в конце 1719 года. Ее полное название, по обычаю того времени, довольно длинное: “Король пиратов: изложение знаменитых приключений капитана Эйвери, якобы короля Мадагаскара. С описанием его путешествий и пиратства, с разоблачением всех ранее опубликованных о нем вымыслов. В двух им самим сочиненных посланиях, одно из которых написано во время его пребывания на Мадагаскаре, и другое после его исчезновения”.

Как видно из этого названия, книга написана в форме эпистолярного романа. Для большей достоверности Дефо сделал автором писем самого пирата

Эйвери. В конце заглавия-предисловия Дефо иронически замечает: "Если и не доказано, что капитан собственноручно писал эти послания, то издатель утверждает, что уж во всяком случае никто иной, кроме самого капитана, не сможет внести сюда исправления". (Эйвери появляется и в другом романе Дефо — "Капитан Синглтон".)

Какие же такие знаменитые приключения довелось испытать "Пирату-счастливчику" — так называлась пьеса о нем, которая пользовалась бешеным успехом у лондонской публики в начале XVIII века.

В истории Джона Эйвери довольно трудно отделить истину от вымысла. Сведения о нем весьма противоречивы, а иные факты граничат с выдумкой и сильно расходятся с тем, о чем говорится в пьесах и книгах, ему посвященных.

Родился Эйвери в английской деревне неподалеку от Плимута. Впрочем, как позже установили, его настоящее имя было Бриджмен. Псевдоним он взял, чтобы не навредить своим родным, когда встал на путь морского разбойника. ("Эйвери" можно перевести как "всякий", "любой".)

Он рано стал выходить в море и много лет плавал штурманом на каперских судах. Одним из таких кораблей был тридцатипушечный парусник "Герцог" с командой 120 человек, на котором он служил в качестве боцмана.

В это время Испания и Англия воевали против Франции. Для борьбы с французами в Вест-Индии на службе у испанцев состояло много английских каперов. Одним из них и был капитан "Герцога" Гибсон. В течение нескольких месяцев "Герцог" вместе с другим парусником стоял в бездействии в гавани Ла-Корунья на севере Испании. Команда давно не получала жалованья. Пьяница капитан большую часть времени проводил на берегу. Недовольство команды росло.

Однажды на корабле возник бунт. Капитан был высажен на берег, моряки избрали Эйвери своим предводителем. По примеру флибустьеров, мятежники выработали устав, после чего Эйвери поднял якорь и направился к Мадагаскару. "Герцог", переименованный сначала в "Карла II", а затем в "Причуду", захватил по пути два трофея, и с этим небольшим флотом Эйвери прибыл на Мадагаскар, в то время крупнейшую базу пиратской вольницы.

Появление столь удачливого "новичка" вызвало на острове, как и следовало ожидать, бурю восторга у одних и зависть у других. Дошло до того, что некий заносчивый корсар, чье самолюбие было до крайности уязвлено тем вниманием, которым окружили новоприбывшего "счастливчика", вызвал его на дуэль. Поединок выиграл Эйвери и тем самым не только сохранил себе жизнь, но и упрочил собственную славу, ибо умение владеть шпагой ценилось среди пиратов не меньше, чем среди мушкетеров французского короля.

Окрыленный первым успехом, Эйвери продолжал пиратствовать в Индийском океане и Красном море. Он разграбил и отправил "к Дэви Джонсу" (иными словами, на дно морское) множество кораблей, в том числе и английских. Вследствие этого, когда в 1698 году в Англии была объявлена амнистия всем пиратам, которые добровольно явятся с повинной, она не распространилась на Эйвери.

Тогда он направил в Бомбей письмо со своей как бы политической программой: "К сведению всех английских капитанов сообщаю, что прибыл сюда на линейном корабле "Причуда", бывшем "Карле II", из состава испанской экспедиции, который покинул королевскую службу 7 мая прошлого года. Сегодня я командую кораблем в 46 пушек и 160 человек экипажа и намерен искать добычу, и притом пусть всем будет известно, что я никогда еще не нанес вреда ни одному англичанину или голландцу и не намерен этого делать до тех пор, пока остаюсь командиром судна. Поэтому я обращаюсь ко всем кораблям с просьбой при встрече со мной поднимать на бизань-мачте свой флаг, и я подниму в ответ свой и никогда не нанесу вам вреда. Если же вы этого не сделаете, то учтите, что мои люди решительны, храбры и одержимы желанием найти добычу, и, если я не буду знать заранее, с кем имею дело, помочь вам я не смогу".

Свое обещание пират сдержал и на англичан с тех пор не нападал. Зато не брезговал захватом прибрежных городов на восточном побережье Африки.

Однажды Эйвери направился ко входу в Красное море и здесь стал подкарауливать индийских купцов и исламских паломников, направлявшихся в Мекку. Несколько дней он выжидал близ порта Мокка, пока наконец на горизонте не появились корабли. Это была эскадра Великого Могола, индийского императора Аурангзеба, из шести кораблей с флагманом "Великое сокровище". Эйвери с ходу напал на этот великолепный парусник, построенный на английской верфи и отлично вооруженный.

Команда Эйвери — сто пятьдесят опытных моряков, была вооружена мушкетами и отлично умела с ними обращаться. Это компенсировало превосходство индийца в числе пушек и матросов. К тому же после первого залпа одна из его пушек взорвалась, что внесло растерянность в ряды защитников. Затем метким выстрелом с "Причуды" была сбита грот-мачта на "Великом сокровище". Это добавило паники на его борту. Тогда Эйвери подошел к индийскому судну и приказал своей команде идти на абордаж. И произошло неожиданное: четыреста моряков, вооруженных саблями и в рукопашном бою ничуть не уступавших англичанам, сдались во главе с капитаном.

Восемь дней продолжалась оргия на захваченном корабле. Да и было от чего веселиться. На долю каждого из членов экипажа Эйвери досталось по тысяче фунтов стерлингов. Добыча превзошла все ожидания. Оказалось, что на борту захваченного судна находилась выручка от торгового сезона — пять миллионов рупий в золоте и серебре.

Но главным богатством, добытым в тот день, стала дочь самого индийского владыки Аурангзеба. И надо же было такому случиться, что свирепый пират по уши влюбился в нее, и что совсем уж удивительно — она ответила ему взаимностью. По одной версии, свадьба была по мусульманскому обряду, по другой — их обвенчал протестантский пастор, случайно оказавшийся среди пиратов.

Правда, Дефо отвергает эту версию о женитьбе пирата. Как, впрочем, и ту, согласно которой Эйвери жестоко обошелся с попавшей к нему в плен индийской принцессой. Но как бы то ни было, легенда о любви свирепого пирата и юной дочери индийского владыки получила широчайшее распространение. Уверяли даже, что от этого союза была определенная польза: нежная привязанность к супруге заставляла пирата проводить подле нее больше времени, чем на капитанском мостике, в результате чего судоходство в Индийском океане сделалось более спокойным.

Впрочем, Эйвери, хотя и породнился с императором, став его зятем, не питал ни малейшего желания вернуть тестю захваченную добычу. Видимо, решил, что получил ее в качестве приданого дочери индийского владыки.

"Тесть", однако, решил отомстить за оскорбление, нанесенное ему как отцу и властителю. Он осуждал дочь за то, что у нее не хватило мужества покончить жизнь самоубийством и не поддаться ухаживаниям пирата. Кроме того, он не хотел лишаться своего прекрасного брига и потерянных сокровищ. В гневе император обрушился прежде всего на "Ост-Индскую компанию", заявив, что уничтожит все ее строения и сооружения на территории Индии, если последняя немедленно не приступит к поискам пирата.

Президенты компании не на шутку всполошились перед лицом этой угрозы. Было решено назначить большую награду за голову Джона Эйвери.

Однако для влюбленного пирата не существовало тогда ничего, кроме домашнего очага, украшением которого была очаровательная принцесса. “Причуда” стояла на якоре в порту, и ее команда становилась ненадежной, деморализованная долгим пребыванием на берегу. В конце концов Эйвери стал выходить в море, иначе вся его пиратская флотилия могла бы развалиться. Однако вылазки он предпринимал редко и ненадолго.

Романтическая идиллия продолжалась несколько лет, пока Эйвери не пришел наконец к выводу, что стал достаточно богат и может начать спокойную семейную жизнь в каком-либо уголке земного шара, куда еще не дошли вести о его преступных деяниях. Решив, что жена почувствует себя счастливой, если он обеспечит ей уважение “высшего общества” и избавит от пиратской атмосферы, Джон отправился в 1696 году в Бостон. Он погрузил на корабль все имущество и захватил с собой ближайших друзей.

В Америку он прибыл под вымышленной фамилией, но не сумел избежать подозрений губернатора, который не особенно доверял иммигрантам и устранял возникшие затруднения лишь с помощью взяток. Эйвери неважно чувствовал себя в Америке. Быть может, сказывалась его тоска по родине. Вскоре он отбыл в Северную Ирландию, где продал корабль и распрощался со старыми товарищами, что как будто говорило о его твердом решении порвать с пиратством.

Но теперь Эйвери покинула удача, до сих пор сопутствовавшая ему. Попытавшись реализовать в Дублине часть награбленных драгоценностей, Эйвери вызвал подозрение у купцов; ему вновь пришлось менять фамилию и место жительства. На этот раз он переехал в Англию, в свой родной Девон, где в местечке Байдефорд один из его прежних друзей взялся посредничать в продаже драгоценностей. Эйвери напал, однако, на шайку лондонских мошенников, которые, вручив ему небольшой задаток, обещали выплатить остальную сумму позднее. Несмотря на многократные напоминания, Джону так и не удалось взыскать причитавшиеся ему деньги. А обратиться в суд он по понятным причинам не мог. Несколько лет спустя Джон Эйвери умер в крайней нужде, проклиная час, когда решился ступить на путь честной жизни. Что стало с индийской принцессой, его женой, неизвестно.

Эдвард Тич

(1680? — 1718)

Знаменитый английский пират по прозвищу Черная Борода. Родился в Бристоле в семье почтенных коммерсантов. Зловещая слава о его “подвигах” гремела на Багамских островах и по всему атлантическому побережью североамериканских колоний Англии.

Одни историки говорят, что Тич был сиротой, другие — незаконнорожденным. То и другое одинаково плохо. Детство Тича было безрадостным и закончилось в 1692 году, когда Тич, которому едва исполнилось двенадцать лет, поступил юнгой в военный флот.

Многие выдающиеся моряки разных стран начинали свою службу в возрасте десяти—двенадцати лет. Адмирал Горацио Нельсон, например, тоже по-

ступил на корабль, когда ему исполнилось двенадцать лет и три месяца, а пират Елизаветы Английской Фрэнсис Дрейк в шестнадцать лет уже командовал кораблем.

То же самое можно сказать и о лучших моряках России. Наши первые кругосветные путешественники, Крузенштерн и Лисянский, начали морскую службу с четырнадцати лет.

Но вернемся к Тичу.

Продолжая служить во флоте, он совсем еще молодым человеком принял участие в войне за так называемое "испанское наследство", на каперских кораблях, действовавших в Вест-Индии. После ее окончания Тич перебрался на остров Нью-Провиденс и сделал каперство своей основной профессией. Здесь, на Багамах, он получил под командование корабль и развернулся в полную силу своих дарований. А природа щедро наградила его: Тич был достаточно умен, смел и решителен и, как выяснилось, оказался отличным мореплавателем. Единственное, что отталкивало от него людей, — это его необузданный характер. Он часто приходил в ярость и в этом состоянии буквально не помнил себя, совершая поступки, которые не укладывались ни в какие человеческие нормы. Другие пираты тоже не отличались смиренным нравом, но то, что вытворял Тич, им и не снилось.

Вторым отличительным свойством Тича была его непомерная тяга к спиртному. Существовать в трезвом состоянии он попросту не мог, а потому в его каюте всегда находился поистине неисчерпаемый запас джина и рома. Пьянство на корабле пиратами не поощрялось, об этом говорилось в соглашениях, которые они подписывали перед выходом в море, но Тич был просто необуздан. Обладая огромной физической силой, он без лишних разговоров расправлялся с теми, кто обвинял его в пьянстве, а став командиров корабля, превратился в настоящего деспота, плавать с которым решались далеко не все. Однако решались, поскольку Тич, хорошо владея морской наукой, был удачлив, что и привлекало к нему самых отчаянных головорезов.

Свои первые самостоятельные грабежи Тич совершил у берегов Северной Америки. За короткий срок были взяты на абордаж семь различных судов, везших разнообразные грузы: муку и вино, кожи и пальмовое масло. Все это продавалось перекупщикам или на Багамских, или на Антильских островах, после чего следовала неделя-другая разгульной жизни, а затем — новый поход.

Один из вояжей просто-напросто обогатил Тича. Он захватил корабль с невольниками, за которых плантаторы Ямайки, Барбадоса и других вест-индийских колоний заплатили пиратам кругленькую сумму. Настолько кругленькую, что многие сподвижники Тича решили покончить с пиратством и, воспользовавшись только что объявленной амнистией, осели на берегу.

Тича такая перспектива не прельщала. Его стихией были море, корабли, схватки, вино и женщины, и он, набрав новую команду, отправился на новые разбои. Именно в это время и был захвачен "Аллан Великий". Перегрузив с него добычу на свой корабль, Тич приказал поджечь "англичанина" и, полюбовавшись на фейерверк, направился к Венесуэле.

Здесь тоже было ограблено несколько кораблей, причем некоторые из них, завидя на носу пиратского шлюпа бородатого человека с саблей, сдавались без боя — такова была зловещая слава Тича. И он эту славу поддерживал и старался внушить команде и береговым властям, что он не просто человек, а воплощение дьявола. Отсюда и тот поистине маскарадный облик, который придумал и всячески поддерживал Тич.

Главным элементом его "имиджа" была борода. Она росла у Тича от глаз и доходила до пояса. Жгуче-черная, никогда не знавшая ни гребня, ни ножниц, она была предметом особой гордости пирата. Ее очень хорошо дополняла шевелюра — такая же, как борода, черная и буйная. Тич получил прозвище Ченая Борода. Волосы он заплетал в косички, которые закладывал за уши. Добавьте к сказанному постоянно красные от рома глаза, и вы получите его портрет. Костюм его состоял из ярко-красной куртки, таких же панталон и черной шляпы, а также из специально сделанной кожаной перевязи, на которой висело — ни много ни мало — шесть пистолетов! И когда Тич, во всем этом облачении, с налитыми кровью глазами и всклокоченной бородой, бросался во главе своих людей на абордаж, мало кто мог противостоять ему.

В Гондурасском заливе Черная Борода встретил человека, который стал одним из его ближайших сподвижников.

Этого человека звали Стидом Боннетом, он происходил из добропорядочной английской семьи и с юности служил в армии. Получил звание майора и, выйдя в отставку, женился. Некоторое время молодые жили в Англии, но потом по неизвестным причинам уехали в Вест-Индию. На острове Барбадос Боннет приобрел сахарную плантацию и занялся хозяйством.

В Гондурасский залив Боннет отправился по настоянию команды, поскольку залив был тем местом, где время от времени встречались пираты со всего Карибского моря, чтобы в специально назначенных местах подремонтировать корабли, запастись продовольствием и пресной водой, а главное — вволю покутить, поволочиться за женщинами и поиграть в карты.

В одном из таких злачных мест Боннет и встретил Черную Бороду. Между ними неожиданно завязалась дружба, перешедшая в сотрудничество. Неизвестно, какими соображениями руководствовался при этом Эдвард Тич, но Боннета толкнуло в его объятия желание познать мореходную науку. Никогда ранее не плававший Боннет, став капитаном, очень часто попадал в положения, из которых выходил лишь благодаря Фортуне. И вот встретился человек, являвшийся, по общему мнению, лучшим моряком всей Вест-Индии.

Не станем описывать все приключения компаньонов, остановимся лишь на одном — блокаде Чарльстона. Город в то время был главным портом английской колонии Южная Каролина и располагал удобной гаванью, где скапливалось множество торговых судов. Неподалеку от входа в гавань и заняли свои позиции Боннет и Черная Борода. По сути, они блокировали Чарльстон, перехватывая все суда, входящие и выходящие из его гавани. Английских военных кораблей поблизости не было, и пираты развернулись вовсю. В течение одной недели было захвачено десять различных судов, на одном из которых Боннет и Черная Борода взяли большой груз хлопка, несколько тысяч золотых и серебряных долларов и около десяти богатых граждан Чарльстона, за которых можно было получить неплохой выкуп.

Жизнь в Чарльстоне была полностью парализована, но, к счастью для его жителей, среди пиратов начались болезни. Причем такого рода, о которых в приличном обществе говорят шепотом. Видимо, сказалась стоянка в Нассау, куда Черная Борода и Боннет заходили перед тем, как направиться к Чарльстону, и где матросы целые дни проводили в борделях и домах свиданий. И вот теперь венерические заболевания вывели из строя половину экипажей.

Лекарств у пиратов, естественно, не было, и Черной Бороде ничего не оставалось, как послать губернатору Южной Каролины приказание доставить необходимые лекарства на корабли. В случае ослушания пират грозился не только убить заложников, но и отрезать уши самому губернатору.

Конечно, требования Черной Бороды были выполнены, и пираты сняли блокаду. Оба корабля — самого Тича и Боннета — ломились от добычи, которую предстояло разделить. И тут Черная Борода показал всю гнусность своей натуры — он не только обокрал Боннета, но и бросил компаньона и его людей на произвол судьбы, послав их обманом на мелководье, где их корабль сел на мель. Часть пиратов при этом погибла, остальным с большим трудом удалось спастись.

Так произошел разрыв, и Боннет стал плавать один, надеясь на то, что рано или поздно встретится с Черной Бородой и расквитается за все.

Но Боннета и его команду все же удалось арестовать. Спустя три дня после ареста, 8 ноября 1718 года, двадцать два человека из команды Боннета были повешены в пригороде Чарльстона. А 10 ноября та же участь постигла и самого Боннета.

А что же Черная Борода?

Спрятав в надежном месте добычу, захваченную во время блокады Чарльстона, он направился к берегам Северной Каролины, с губернатором которой у него были давние связи. Поскольку за Тичем к этому времени волочился целый шлейф всевозможных грехов, им вплотную заинтересовалось Британское адмиралтейство. Своими разбойными действиями Черная Борода нанес ему немалый урон, и это вынудило морских лордов вплотную заняться обнаглевшим до предела пиратом. А когда Адмиралтейство за кого-нибудь бралось, оно доводило дело до конца, и виновные в прегрешениях, как правило, отправлялись на виселицу.

Черная Борода это прекрасно знал, и, как только выяснилось, что им заинтересовались в Лондоне, он понял, что надо принимать самые решительные меры для спасения. Деньги у него были, и с помощью солидной взятки и при содействии губернатора Северной Каролины он добился полного прощения. И тут же выхлопотал у местных властей каперское свидетельство, обязавшись уплачивать им определенную долю от своих будущих доходов.

Лето 1718 года Черная Борода провел, курсируя у берегов Северной Каролины и в районе Бермудских островов. Но перед этим пират женился — в четырнадцатый раз. Свадьба состоялась в столице колонии Баттауне в присутствии самого губернатора, и священник обручил "молодых" в церкви, несмотря на то, что дюжина бывших жен Черной Бороды находилась в полном здравии.

Тич грабил все суда подряд. Так, у Бермуд были захвачены три английских судна и два французских. Последние шли с грузом какао и сахара, который был конфискован и отправлен в подарок губернатору Северной Каролины.

Пока Черная Борода бесчинствовал в море, ему все сходило с рук, но с некоторых пор пират все чаще и чаще стал посещать приморские города, чтобы отдохнуть там и повеселиться. И это стало сущим бедствием для жителей этих городов, потому что их жизнь с прибытием пиратов превращалась в настоящий ад. Пиратские оргии, продолжавшиеся сутками, сопровождались пьяной стрельбой и погромами; по улицам невозможно было пройти, чтобы не подвергнуться оскорблениям, а то и нападению. Отцы и матери семейств трепетали за своих дочерей, которых пираты насиловали при каждом удобном случае.

В конце концов представители разных сословий обратились за помощью к властям, но те получали от Черной Бороды щедрые подачки и никак не реагировали на жалобы. Отчаявшись добиться справедливости в родных пенатах, жители Северной Каролины тайно обратились за содействием к губернаторам соседних колоний — Южной Каролины и Вирджинии.

Неизвестно, какую мзду получили губернаторы этих областей, но они согласились помочь соседям. Решено было ликвидировать Черную Бороду, для чего губернатор Вирджинии выделил два корабля — "Жемчуг" и "Лиму". Но их командиры отказались принимать участие в столь опасном, на их взгляд, предприятии, и тогда в экспедицию были отправлены другие корабли, шлюпы "Генри" и "Рейнджер", экипажи которых состояли в основном из добровольцев военного флота. Всем им, в случае благополучного завершения операции, обещали денежные награды. Руководителем экспедиции был назначен старший помощник "Жемчуга" лейтенант Роберт Мэйнард, смелый человек и отличный моряк. Сама же экспедиция готовилась в строжайшем секрете — о ней знали всего несколько человек.

И все же Черной Бороде удалось узнать о приготовлениях. Эти сведения он получил из канцелярии губернатора Северной Каролины и от губернатора Бермудских островов, с которым он тоже поддерживал связи.

Сам пират находился в это время в небольшой бухте, расположенной в пятнадцати милях от мыса Гаттерас. Подходы к ней были чрезвычайно трудны в навигационном отношении, и поэтому Черная Борода чувствовал себя в полной безопасности.

В ноябре 1718 года "Генри" и "Рейнджер" вышли на поиск пиратов. Одновременно во все стороны разослали разведчиков, которые через несколько дней обнаружили убежище Черной Бороды. Мэйнард направил свои корабли к проходу в бухту, но выяснилось, что он во многих местах перегорожен мелкими и каменными рифами. Требовалось определить фарватер, и люди Мэйнарда занялись промерами глубин.

Черная Борода следил за действиями противника с откровенной усмешкой. Он не верил, что Мэйнарду удастся отыскать фарватер, и, проявляя полную беспечность, занимался своим любимым делом — пьянствовал.

А тем временем Мэйнард закончил промеры глубин и наметил фарватер. Следуя за шлюпкой, в которой находились те, кто занимался промерами, "Генри" и "Рейнджер" осторожно двинулись к месту, где стояли корабли Черной Бороды. Воды в проходе было мало — изменчивое течение то нагоняло, то отгоняло ее, — и корабли буквально царапали дно килями. Мэйнард распорядился выбросить за борт все лишние грузы: даже запас пресной воды, и шлюпы наконец-то приблизились к кораблям Черной Бороды на расстояние пушечного выстрела.

Но пират, который уже понял, что схватки не миновать, зорко следил за продвижением "Генри" и "Рейнджера", и, как только они оказались на нужной дистанции, пираты дали бортовой залп. Он оказался на редкость удачным — на "Рейнджере" были убиты и ранены двадцать человек, и в том числе командир корабля.

Положение Мэйнарда сразу осложнилось, но тут на помощь пришла сама природа — течение, изменив направление, погнало корабль Черной Бороды к берегу, грозя выбросить его на мель. Тич был слишком опытным моряком, чтобы растеряться в такой ситуации. Он, как и Мэйнард перед этим, освободился от балласта и благополучно миновал мелкое место.

Тем временем "Рейнджер" настиг бригантину Черной Бороды и врезался ей в корму. Но взять пирата на абордаж морякам "Рейнджера" не удалось: предупреждая схватку, Черная Борода велел выбросить на палубу англичанам несколько бочек, наполненных порохом и гвоздями. В бочки были вставлены горящие фитили: они взорвали порох, и взрыв разнес во все стороны начинку — гвозди. Не хуже картечи они вывели из строя всех, кто оказался в момент взрыва на верху судна.

Одновременно пираты палили из пушек, и Мэйнард, боясь больших потерь, приказал команде лечь на палубу. Сам же поспешил на помощь к моряку у штурвала, который в водоворотах течения едва справлялся с управлением кораблем. Вдвоем они выровняли "Генри" и направили его на корабль Черной Бороды.

Но тот зорко следил за всеми маневрами своих противников, и как только "Генри" оказался рядом, Черная Борода поставил дымовую завесу — поджег бочки, наполненные серой. Ветер понес дым на корабль Мэйнарда. Люди стали задыхаться и кашлять, нависла угроза срыва абордажа, но Мэйнард, собрав все силы, продолжал сближаться с противником.

И вот порыв ветра рассеял дым, и Мэйнард увидел своего противника. Черная Борода, как всегда, стоял на носу корабля и держал в одной руке саблю, а в другой — кружку с ромом. Не успели люди Мэйнарда подняться с палубы, как Черная Борода, отшвырнув кружку, прыгнул на борт "Генри". За ним последовало человек пятнадцать пиратов. На палубе англичан разгорелась ожесточенная схватка.

Черная Борода и Мэйнард оказались лицом к лицу. Оба схватились за пистолеты и выстрелили друг в друга. Пират промахнулся, пуля Мэйнарда задела Тича, но тот, никак не отреагировав на ранение, замахнулся саблей. Защищаясь, Мэйнард подставил под удар свою, но она сломалась, причем у англичанина оказался отрубленным один палец на правой руке.

Не давая Мэйнарду опомниться, Черная Борода вновь занес саблю, и командир "Генри" наверняка был бы убит, но его выручил один из матросов. Извернувшись, он нанес Тичу удар саблей в шею. Это заставило пирата замешкаться, чем и воспользовался Мэйнард, тотчас подобравший с палубы чей-то палаш. Поединок продолжился.

Не замечая раны Черная Борода достал из кобуры пистолет и навел его на Мэйнарда, но тут силы оставили пирата. Пистолет выпал из его руки, он нагнулся, чтобы поднять оружие, но рухнул мертвым на палубу. Увидев гибель своего главаря, остальные пираты сдались на милость победителей.

Пираты потеряли в этом бою четырнадцать человек, Мэйнард — десять убитыми и двадцать четыре ранеными.

Приведя в порядок себя и своих людей, Мэйнард приказал обыскать корабль Черной Бороды, а также его стоянку на берегу. В трюмах бригантины обнаружили большое количество сахара, какао, индиго и шелка, а в каюте Тича — документы, которые неопровержимо доказывали связь Черной Бороды с губернаторами Северной Каролины и Бермудских островов, а также — с некоторыми торговыми конторами Нью-Йорка. Все это было впоследствии приобщено к судебному делу тех пиратов из команды Черной Бороды, которые попали в плен. Среди них находился, например, один негр, который во время боя прятался в пороховом погребе пиратской бригантины. Негр имел приказание от Черной Бороды взорвать корабль в случае поражения пиратов. Но у него не хватило духа сделать это.

А с Черной Бородой поступили гнусно. Уже мертвому ему отрубили голову и водрузили ее на бушприт "Генри". С этим трофеем корабль прибыл в столицу Северной Каролины, произведя большое впечатление на жителей города. Но дело этим не кончилось. Голову Тича насадили на кол и выставляли в других городах — для устрашения тех, кто пока еще находился в пиратских рядах, и тех, кто намеревался пополнить их.

Пиратов, попавших в плен, судили судом Адмиралтейства. Количество этих людей неизвестно, но документально подтверждено, что лишь двоим из них посчастливилось уйти от наказания. Остальные же были повешены "за пиратство, ибо не испытывали страха перед Богом и почтения, должного Его Величеству".

Голливудский фильм о Черной Бороде не имеет никакого отношения к действительным фактам из жизни знаменитого пирата. Зато в нем красочно обыгрываются многочисленные рассказы о кладах, зарытых якобы Черной Бородой. Эти клады ищут до сих пор.

Робертс Бартоломью

(1682 — 1722)

Настоящее имя — Джон Робертс. Уэльский пират, промышлявший в Атлантике и Карибском море. Захватил более четырехсот кораблей. Отличался экстравагантным поведением. Погиб в бою.

Пират, который не пил, не курил, любил театральные эффекты и слыл религиозным человеком. Он запретил играть на корабле в азартные игры, а главное — приводить на борт женщин. Звали его Бартоломью Робертс.

Однажды он даже пытался уговорить священника с захваченного им судна присоединиться к пиратам. Робертс говорил, что присутствие служителя Бога пойдет последним во благо: улучшит их моральный дух и даст возможность спасти их заблудшие души от вечных мук. Священник отказался принять столь сомнительное предложение и предпочел, чтобы его высадили на берег.

К характеристике Бартоломью Робертса надо еще добавить несколько слов: он любил музыку и держал на корабле целый оркестр, и был страшным педантом — строжайше требовал соблюдения установленного распорядка, заставлял пиратов ложиться спать в восемь часов вечера. Нарушителей грозил повесить на рее.

Всего три года бесчинствовал этот английский пират, а славу оставил по себе немалую. Тому было несколько причин. Прежде всего то, что никому из его коллег по кровавому ремеслу не удавалось захватить такое количество кораблей — более четырехсот.

И еще любил Бартоломью пустить пыль в глаза. Склонный к полноте, смуглый, с приятными чертами лица Робертс, поражал своей любезностью и изысканными манерами. Товарищи прозвали его Черным Берти. Перед боем он облачался в роскошный камзол и штаны из дорогой камчатой ткани и надевал фетровую шляпу, на которой красовалось огромное красное перо. На груди пирата на массивной золотой цепи висел большой крест, украшенный алмазами. Со шпагой в руке и двумя пистолетами на боку он первым бросался в бой. Любитель театральных эффектов, Робертс, захватив какой-нибудь портовый городок, в парадной форме, торжественно, под звуки трубы и бой барабана с развевающимся пиратским флагом ступал на берег. Подобно полководцу, он ждал, когда местные власти вручат ему ключи от завоеванного города.

О жизни Робертса до того момента, как он стал пиратом, известно мало. Он родился в бедной семье в уэльском графстве Пемброк. В 1718 году Робертс стал помощником капитана барбадосского шлюпа, затем — третьим помощником капитана невольничьего судна “Принцесса”. В 1719 году у берегов Гвинеи его корабль захватил англичанин Хоуэлл Дэвис, закупавший рабов для Королевской Африканской Компании. Робертс, взявший псевдоним Бартоломью, примкнул к Дэвису.

В конце июля пираты попали в засаду, устроенную португальским губернатором, и Дэвис был убит. Пиратам предстояло выбрать себе нового предводителя. Претендентов было несколько — все "заслуженные" пираты, имевшие значительный стаж в разбойном ремесле. Их, как правило, называли "лордами". Некий "лорд" Дэннис произнес блестящую речь, которой мог бы позавидовать любой спикер в английском парламенте. Он призвал всех, хотя бы на несколько дней, воздержаться от употребления алкоголя, пока не будет выбран новый капитан. Говорил о том, что капитан должен пользоваться непререкаемым авторитетом у товарищей, то есть быть смелым, уверенным и способным держать в узде команду, поскольку распущенность может привести к анархии. Помимо того, он должен быть сведущим в навигации. "Я полагаю, — сказал "лорд" Дэннис в заключение, — что только один человек обладает столь необходимыми качествами — это Бартоломью Робертс, и я думаю, что он достоин всяческого уважения и нашей поддержки". Робертс был единодушно избран капитаном. Его только спросили: не папист ли он? На что новый предводитель ответил: он — протестант и выходец из Уэльса.

Став капитаном "Странника", Робертс первым делом отомстил за смерть Дэвиса. Он разрушил португальский форт, захватил голландское судно и сжег английский корабль, перевозивший рабов. Затем устремился к побережью Бразилии, где провел одну из самых блестящих операций, которая принесла ему громкую известность в пиратском мире. Робертс узнал, что в заливе Всех Святых находится флотилия из 42 торговых судов и двух 70-пушечных военных кораблей, готовых отправиться в Лиссабон с богатым грузом. Спрятав в трюме две трети команды, он под видом простого торговца вошел в залив. Ночью судно Робертса незаметно подкралось к ближайшему кораблю, и пираты молниеносно без единого выстрела овладели им. Под угрозой смерти португальский капитан указал на корабль с самым ценным грузом — адмиральский 40-пушечный галион "Святое семейство" с экипажем в 150 человек. Так же тихо пираты приблизились к своей жертве. Ничего не подозревавшие португальцы не успели опомниться, как оказались во власти врага. Перерубив якорные канаты и подняв все паруса, Робертс покинул залив на захваченном судне. Когда португальцы опомнились и начали погоню, тот был уже далеко. Приз, не считая стоимости трофейного судна и целой кучи алмазов, оценивался в сумму от 30 до 50 тысяч фунтов стерлингов. Добычей стал и предназначенный для португальского короля большой алмазный крест, с которым Робертс в дальнейшем не расставался.

Слух о невероятной удаче Робертса разнесся по всему Карибскому морю.

Доставив награбленное добро в Новую Англию, Робертс стал нападать на города и селения, расположенные на многочисленных островах Вест-Индии, независимо от того, кому они принадлежали: испанцам, французам, голландцам или даже англичанам. Колониальные власти объявили награду за голову дерзкого пирата и организовали погоню. Почувствовав опасность, Робертс направился на север к берегам, грабя попутно североамериканские портовые города и корабли, стоявшие на рейде. Обычно он тайно высаживал половину своего экипажа, которая под покровом ночи захватывала форт, воздвигнутый у входа в порт. Утром пираты наводили на суда пушки, и английским властям ничего не оставалось, как удовлетворять их требования. У берегов Канады он ограбил 21 корабль с грузом ценной пушнины.

Пополнив запасы пищи на Деседе и Св. Бартоломью в Карибском море, Робертс взял курс на Африку. Несмотря на скверную погоду, пираты доплоли до островов Зеленого Мыса, но не смогли обогнуть их из-за встречных пассатов. Когда они возвращались в Карибское море, на кораблях подошла к концу питьевая вода, и на каждого члена экипажа приходилось всего по глотку в день.

В сентябре 1720 года Робертс атаковал в Вест-Индии порт на острове Св. Киттса, захватил и разграбил один из кораблей, стоявших на якоре, и поджег два других. На следующий день его корабль "Удача" вновь вернулся к бухте, но был отброшен мощным артиллерийским огнем. Робертс отправил английскому губернатору издевательское послание: "Вам бы следовало прийти и выпить стаканчик вина со мной и моей командой, в таком случае я бы не тронул самый маленький из кораблей. Во второй раз только ветер, но не залпы ваших пушек, помешал нам высадиться на берег..."

Пополнив экипаж бедными рыбаками, промышлявшими на отмелях, Робертс вернулся в Карибское море. Ему вновь сопутствовала удача. Подобно "Летучему голландцу", он неожиданно появлялся в самых разных местах и именно там, где его меньше всего ожидали. Встреча с ним не обещала ничего хорошего. Так, в октябре 1720 года Робертс захватил и ограбил 16 французских, английских и голландских судов.

В январе 1721 года он взял на абордаж 32-пушечное голландское судно, перевозившее рабов, и ловко обманул население Мартиники. Под флагом Голландии он проплывал мимо портов и подавал сигналы французам, чтобы те посетили остров Св. Люции, где контрабандисты продавали рабов. В итоге пираты захватили и подожгли 14 вышедших в море французских кораблей, подвергнув пыткам их команды. Они секли плетьми пленников и отрезали им уши. Других пираты подвешивали на рее и использовали в качестве мишеней для стрельбы.

Но однажды Робертса все же постигла неудача. Его помощник подговорил команду поделить добычу и скрыться. Заговорщикам удалось осуществить свой план, но кончилась их затея плачевно. Все они были схвачены и повешены как пираты. Робертс остался без корабля, зато сохранил жизнь. Впрочем, вскоре он почти без боя захватил два судна. Команда обоих перешла на его сторону, предпочитая плавать под пиратским флагом, а не прозябать на торговом корабле.

Губернатор острова Барбадос, обеспокоенный бесчинствами Робертса, послал против него два корабля, каждый с двадцатью пушками на борту и командой пятьдесят человек. Корабли встретились с пиратскими, обстреляли друг друга, и Робертс, увидев превосходство противника, решил уходить, но так как тот не отставал, он, чтобы убыстрить ход, приказал выбросить за борт все пушки, боеприпасы и тяжелый груз. Благодаря этому удалось уйти от погони.

В свою очередь и губернатор острова Мартиника направил против Робертса два военных судна, когда узнал, что корабли пиратов встали на ремонт близ его берега. Робертс с трудом ушел от возмездия. Тем яростнее стал мстить своим преследователям. С этих пор каждый житель Мартиники или Барбадоса, если, по несчастью, попадал к нему в плен, мог заранее распрощаться с жизнью. Символом мести Робертсу служил отныне флаг с изображением силуэта пирата, вооруженного саблей и опирающегося ногой на два черепа.

Робертс командовал двумя кораблями. В устье реки Сенегала ему повстречались два французских военных корабля. Французы приняли пиратские парусники за торговые суда и потребовали, чтобы они остановились. Робертс повиновался. А когда корабли французов подошли близко, поднял черный флаг и огрызнулся всеми своими пушками. Оба военных корабля сдались пирату без боя. После этого Робертс решил зло подшутить над губернатором Мартиники. Он вновь пересек океан, под фальшивым флагом появился на рейде острова и подал сигнал, что у него, мол, на борту имеется контрабанда. В надежде поживиться на корабль пиратов явилось множество купцов. Как только они оказались на борту, Робертс приказал всех арестовать. Затем сжег их лодки, за исключением одной. На ней он отправил ограбленных купцов обратно с нижайшим поклоном губернатору.

"Удачу" заменили 18-пушечной бригантиной, которую переименовали в "Добрую удачу". Два корабля Робертса захватили французское военное судно, на борту которого находился губернатор Мартиники. Робертс повесил губернатора и присвоил его 50-пушечный корабль, назвав и его "Королевской удачей".

В апреле 1721 года Робертс отправился к берегам Африки, желая обменять награбленное добро на золото. К этому времени команда "Королевской удачи" состояла из 228 человек. На борту "Доброй удачи" находилось 140 матросов. Чтобы держать в повиновении эту большую и часто пьяную команду, Робертс становился все более деспотичным капитаном.

В июне Робертс достиг берегов Африки, захватил четыре трофея и оставил один из взятых кораблей, назвав его "Бродягой" (позднее — "Маленьким Бродягой"). После передышки на реке Сьерра Леоне морские разбойники направились к Либерии. Там они взяли на абордаж "Онслоу", принадлежавший Королевской Африканской Компании и имевший на борту ценный груз в 9000 фунтов стерлингов. Этот корабль стал четвертой по счету "Королевской удачей".

Робертс взял курс на юго-восток к Нигерии и Габону, а затем вернулся к Берегу Слоновой Кости, захватив по дороге по меньшей мере шесть кораблей. 11 января 1722 года Робертс добрался до Уайды (Уиды в современном Бенине) и взял на абордаж 11 кораблей, перевозивших рабов. Когда один португальский капитан отказался платить выкуп, пираты сожгли оба его корабля вместе с восьмьюдесятью рабами на борту. 32-пушечный французский военный корабль Робертс оставил при себе и назвал его "Большим бродягой".

Робертс решил вернуться в Бразилию, чтобы распустить там свою команду. Однако два британских военных корабля преследовали пиратов у африканских берегов. 5 февраля "Ласточка" нагнала эскадру Робертса у мыса Лопес в Габоне. Приняв военный корабль за португальское военное судно, "Большой бродяга" погнался за "Ласточкой" и после короткого боя вынужден был сдаться.

10 февраля "Ласточка" вернулась к мысу Лопес, где на этот раз обнаружила стоявшую на якоре "Королевскую удачу". На беду Робертса, накануне пиратам достался богатый трофей — судно с грузом спиртного. Удержать команду от возлияний Робертс не смог. А с пьяной командой Роберте едва ли мог победить противника. Напрасно он увещевал пиратов, убеждал, что у них только два выхода — победа или смерть. Но пьяные матросы не вняли призыву капитана.

Хладнокровно отдавая приказания, Робертс направил "Королевскую удачу" навстречу "Ласточке", чтобы использовать попутный ветер и оторваться от погони. Однако бортовой залп картечи сразил Робертса наповал. Пираты опустили гроб со своим капитаном, одетым в роскошные одежды, с золотым в бриллиантах крестом на груди, в морскую пучину. Команда "Королевской удачи" сдалась три часа спустя. Капитану последнего корабля Робертса удалось бежать, выкрав оставшуюся добычу с борта "Маленького бродяги". Пленников доставили в Гану, где они предстали перед судом. Из 162 захваченных в плен пиратов, 52 вскоре нашли смерть на виселице. Робертс у берегов Западной Африки начал свою карьеру, здесь он ее и закончил.

Энн Бонни

(ок. 1690 — 1722)

Одна из немногих женщин-пиратов, известных в истории Европы. Вместе со своим любовником Джеком Рэкхэмом совершала набеги на северное побережье Ямайки. В 1720 году была схвачена и признана судом виновной. Но приговор был отсрочен, так как она была беременной.

Даниель Дефо прославил Бонни в мелодраматическом фрагменте своей “Общей истории”, в которой причудливо сплелись факты и вымысел.

Середина августа 1719 года. Пиратский корабль, догнав галион, пристроился в его кильватерной струе и оказался вне досягаемости огня его пушек. Через несколько минут бригантина взяла галион на абордаж.

Через минуту на палубе галиона кипела беспощадная схватка, в центре которой, размахивая короткой абордажной саблей, орудовала рыжеволосая женщина, одетая в ярко-красную ситцевую рубашку и широкие полотняные штаны.

“Их натиск был так стремителен, что мы не успели даже перезарядить мушкеты, — вспоминал один из участников боя. — Завязалась рукопашная схватка. Вскоре наши матросы во главе с первым помощником капитана были вынуждены отступить на корму. Тогда эта дьяволица схватила пушечное ядро, подожгла фитиль и оросила смертоносный снаряд в середину тесно стоявших людей. Оглушительный взрыв разорвал многих на куски. Те, кто остался жив, сдались. Всех нас согнали на нос. Их предводительница показала концом окровавленной сабли на молодого лейтенанта, храбро сражавшегося с пиратами, и, смеясь, сказала: “Никому из вас пощады не будет. Но тебе хочу предоставить выбор. Я возьму тебя на ночь в свою каюту. Если я останусь довольна, то отпущу тебя. Если нет, отрублю голову. Решай”. Я не знаю, чем кончилось дело, потому что не стал ждать, пока пираты расправятся с нами, и прыгнул за борт. Два дня я провел в море, держась за деревянный обломок. А когда уже приготовился отдать Богу душу, меня подобрало случайно оказавшееся там судно”.

Рыжеволосой “дьяволицей”, которая руководила абордажной схваткой, была Энн Бонни, 29-летняя уроженка Ирландии.

Известный немецкий историк пиратства вице-адмирал Хайнц Нойкирхен называет годом рождения Энн 1690-й, а местом рождения — небольшой город Корк в Ирландии. Ее отец был преуспевающим адвокатом и несчастливым человеком в браке. Он очень хотел иметь детей, но их не было. И тогда адвокат завел любовную связь со своей служанкой, от которой и родилась дочь, названная Энн.

Это одна версия. По другой — Энн родилась не в 1690 году, а на десять лет позже, в марте 1700-го. И ее отец, адвокат Уильям Кормэк, вовсе не изменял жене. Просто его жена умерла, и он женился вторично на своей служанке. Как бы там ни было, в обеих версиях именно служанка считается матерью Энн.

Когда дочери исполнилось пять лет, Уильям Кормэк уехал в Америку и поселился в Южной Каролине, обзавелся там обширной плантацией. Центром ее был богатый особняк, построенный в староанглийском стиле. Там, в окружении слуг и служанок, и прошло детство Энн.

Ее ласково звали Энн-тигренок, поскольку девушка отличалась резким нравом и тяжелой рукой. По преданию, когда она была подростком, на улице родного города ее ущипнул мальчишка. Она ответила ему такой оплеухой, что незадачливый ухажер неделю провалялся в постели, Через несколько лет в приступе гнева Энн ударила кухонным ножом чем-то не угодившую ей служанку.

Энн грозил суд, и только влияние и авторитет отца спасли положение. Но какие-то меры по отношению к дочери надо было предпринимать, поскольку открылась и другая сторона натуры Энн — ее не знавший предела любовный темперамент. Уже в шестнадцать лет она стала чуть ли не ежедневно менять любовников. А ими, по капризу Энн, мог стать любой — и плантатор, и контрабандист, и завсегдатай портовой таверны.

В один из дней она представила отцу красивого, атлетически сложенного молодого человека по имени Джеймс Бонни. Обрадованный адвокат рассчитывал, что молодой человек окажется из хорошего общества, но выяснилось, что Джеймс — простой матрос. Это расстроило мистера Кормэка, но в совершеннейшее негодование его привело признание дочери о том, что она уже обвенчана с Джеймсом.

Яцек Маховский в своей “Истории морского пиратства” говорит, что после такого признания вконец оскорбленный адвокат отказался признать брак Энн и выставил чету Бонни из своего дома.

По всей вероятности, Энн давно тяготила атмосфера родного дома. Выход из этого положения Энн видела лишь в одном — в уходе из дома. Этого жаждала ее авантюрная природа, и она в конце концов решилась на разрыв с прежней жизнью.

Решив искать счастья на стороне, супруги Бонни отправились на остров Нью-Провиденс, расположенный в цепи Багамских островов. Выбор конечно же был не случаен. Нью-Провиденс с давних времен являлся прибежищем пиратов всех мастей, и Джеймс и Энн рассчитывали пополнить их ряды.

Правда, дело несколько усложняло одно обстоятельство: незадолго до прибытия Энн и Джеймса в Нассау (главный город Нью-Провиденса) была объявлена правительственная амнистия, по которой всем пиратам, добровольно отошедшим от своих дел, обещалось полное прощение и предоставлялась возможность заниматься полезной деятельностью. Многие “рыцари удачи” воспользовались случаем и осели в разных местах Карибского бассейна, в том числе и на Нью-Провиденсе, где все они находились под рукой известного пирата Вудса Роджерса.

Однако не всем пиратам пришлась по вкусу оседлая жизнь, в которой средства к существованию нужно было зарабатывать собственным трудом. Привыкшие к беззаконию, к большим и быстрым деньгам, эти люди дожидались момента, чтобы возвратиться к старому промыслу. Нужен был человек, который увлек бы их за собой. И такой человек нашелся. Им был некто Джон Рэкхэм, прозванный Ситцевым Джеком из-за своего пристрастия к одежде из хлопчатобумажной ткани.

С ним-то и свела судьба Энн и Джеймса. Встреча оказалась роковой. Ситцевый Джек, едва увидев Энн, воспылал к ней любовными чувствами и поклялся во что бы то ни стало завладеть красавицей. И завладел. Как — тут тоже имеются свои версии. Одни источники утверждают, что Рэкхэм попросту купил Энн у Джеймса, другие — что Энн сама ушла к Ситцевому Джеку, поскольку к тому времени разочаровалась в муже как в мужчине. Добавляют и такую подробность: будто при последней ссоре, когда Энн решила дать Джеймсу отставку, она присовокупила к своим устным заявлениям аргумент покрепче — ударила мужа по голове увесистым чайником.

Итак, Ситцевый Джек добился того, чего хотел. По словам самой Энн, “он взял меня, потому что, не раздумывая, смело пошел на абордаж”.

Во все времена женщины на пиратские корабли не допускались, а если иногда их обнаруживали, то расправа была короткой: и женщину, и любовника выбрасывали за борт. Рэкхэм прекрасно знал об этом и все же решил пойти на риск. Он предложил Энн переодеться в мужскую одежду и выдавать себя за мужчину — только в таком случае они могли плавать на одном корабле. Энн без колебаний приняла предложение своего нового дружка.

Официальный муж — капитан Бонни, раздосадованный тем, что жена открыто наставляет ему рога уже со вторым мужчиной, обвинил ее в прелюбодеянии и потребовал от губернатора официального разбирательства. Власти постарались замять дело, предлагая Бонни развестись, но оскорбленный муж наотрез отказался от развода. Тогда любовники предпочли отправиться в море на промысел, тем самым окончательно поставив себя вне закона. В это время к пиратам присоединилась другая авантюристка Мэри Рид, тоже переодетая в мужское платье. Мэри узнала секрет Энн, когда та пыталась соблазнить ее, приняв за красивого юношу.

Активность нового супруга Энн быстро дала свои результаты. В короткий срок к нему примкнули два десятка бывших пиратов, согласившихся в свое время, как и Ситцевый Джек, на амнистию, но теперь недовольных порядками, которые установил в Нассау Вудс Роджерс. А вскоре решилось и дело с кораблем. Они похитили его на якорной стоянке неподалеку от Нассау. Шлюп принадлежал ловцу омаров.

И тут главную роль сыграла Энн. Переодетая в мужскую одежду, она под видом матроса, желающего устроиться на какой-нибудь корабль, несколько раз побывала на шлюпе и выяснила все, что необходимо было знать Ситцевому Джеку, — численность команды, время смены вахт, наиболее удобные подходы к якорной стоянке.

Обсудив полученные сведения, Ситцевый Джек погрузил в одну из ночей десяток сообщников в шлюпку и поспешил к месту событий. Спящая команда была захвачена Энн и еще одним пиратом; другие же в это время спешно выбирали якоря и занимались постановкой парусов.

Как и положено, выход из гавани охранял форт, и когда шлюп проходил мимо, с одного из бастионов раздался окрик часовых, желавших знать, кто и зачем плавает ночью под самым их носом. Ситцевый Джек не растерялся, ответив, что у них оборвался якорный канат и течение тащит их в море, но они надеются приткнуться к берегу и дождаться там утра.

На этом инцидент был исчерпан, и шлюп без помех вышел в море и устремился подальше от Нассау.

С общего согласия захваченный шлюп окрестили "Драконом", а театром своих действий решили сделать район Багамских и Антильских островов, где плавало много торговых судов, которые и должны были стать объектами нападений.

Первые же разбои показали, что, кроме Ситцевого Джека, на "Драконе" есть еще один человек, к которому прислушивается команда, — молодой матрос по имени Андреас. Никто не знал, в каких морях и под командой каких капитанов он проходил практику, но вскоре все признали его первенство в умении владеть любым пиратским оружием, в абсолютном бесстрашии и беспощадности в бою. Андреас первым спрыгивал на палубу вражеского корабля, и под его неистовым натиском отступали самые опытные воины.

Этим молодым головорезом была Энн. Обладая, видимо, врожденными талантами, она в кратчайший срок постигла все премудрости пиратской профессии, научилась метко стрелять и виртуозно обращаться с любым холодным оружием. Ей по плечу была даже тяжелая алебарда, драться которой умели лишь самые сильные бойцы. Впрочем, Энн и была таким бойцом — высокая, хорошо развитая физически.

Но ее тяжелый характер проявлялся не только при абордажах — она стала записным бретёром, утверждая свое первенство постоянными дуэлями и кровавыми разборками, так что все на "Драконе" старались обходить стороной "матроса Андреаса".

Но не только на этом держался авторитет Энн среди пиратов. Неожиданно выяснилось, что у нее очень неплохо работает голова, и Ситцевый Джек стал внимательнейшим образом прислушиваться к советам Энн.

Режим террора, установленный Ситцевым Джеком на торговых путях Карибского моря, не мог не вызвать активного противодействия со стороны испанских колониальных властей. Под угрозу разграбления попадали суда Золотого и Серебряного флотов, возившие драгоценные металлы из Вест-Индии в Севилью, а этого Испания допустить не могла. За "Драконом" началась охота. На всех торговых путях испанцы выставили патрульные корабли, блокировали входы и выходы морских баз и прибрежных городов. Рэкхэму пришлось пустить в дело всю свою изворотливость, чтобы уходить от погонь и засад. А тут еще выплыло пренеприятнейшее обстоятельство: выяснилось, что Энн беременна.

До поры до времени это скрывалось, но подошло время, когда команда могла уже заметить нечто неладное в облике "матроса Андреаса", что грозило обернуться громким скандалом. Требовалось разрубить узел, и Ситцевый Джек нашел выход из положения. Он привел "Дракона" в одну глухую бухту, где стоял дом его тайного поставщика продовольствия, и там высадил "матроса Андреаса" под предлогом его нездоровья.

Но, как ни маскировал Рэкхэм свои действия, видимо, кто-то из команды заподозрил, что тут что-то нечисто, и среди матросов пошли разговоры. Может быть, экипаж докопался бы до истины, но Энн, как уже сказано, ссадили на берег, и "Дракон" вновь ушел в море.

Ситцевый Джек плавал без Энн почти полгода. Потом она, родив ребенка, который остался в доме сообщника Рэкхэма, вернулась на корабль. Команда встретила ее сдержанно, особо горячие поклонники старинных пиратских законов требовали удаления Энн с “Дракона”, но до открытого неповиновения Ситцевому Джеку дело не дошло. А вскоре произошел случай, после которого даже самые рьяные недоброжелатели Энн сменили гнев на милость и признали правомочность ее пребывания на борту.

Началось с того, что на “Драконе” кончились продукты и вода. Чтобы пополнить их, Рэкхэм зашел в одну из бухт, расположенную на побережье Кубы. Не успели пираты отдать якорь, как в бухту вошел еще один корабль —испанский. Его капитан уже давно подозревал Рэкхэма и его команду в пиратстве, а потому решил проверить, так ли это. “Испанец” был кораблем военным, прекрасно вооруженным и оснащенным, поэтому у Рэкхэма, попробуй он сопротивляться, никаких шансов на успех не было.

А тем временем испанский капитан поставил свой корабль посреди фарватера, перегородив тем самым выход из бухты. “Дракон” оказался в западне, но испанцы не спешили с его досмотром, решив отложить дело до утра. Но глаз с “Дракона” не спускали, следя за каждым шагом пиратов.

Ожидалось, что последние, поняв, в каком положении оказались, предпримут решительные действия и тем самым окончательно разоблачат себя, но проходил час за часом, а испанские наблюдатели не замечали на борту “Дракона” никаких признаков беспокойства. Никто не суетился там, не пытался спустить шлюпку, чтобы добраться до берега.

Да, на палубе “Дракона” действительно царило полное спокойствие, но испанцы и не подозревали, что оно было показным, что в это же самое время на нижней палубе пиратского корабля происходили жаркие дебаты по выработке плана спасения из ловушки, в которую угодил “Дракон”. Его положение всем представлялось безнадежным, а это развязало языки, и в адрес Рэкхэма и Энн посыпались упреки и угрозы. И никто не мог сказать, чем бы все кончилось, если бы Энн не попросила слова и не предложила план по спасению.

Он был до предела дерзок и сводился к следующему. Энн обратила внимание пиратов на то, что в бухте, кроме “Дракона” и “испанца”, стоит английское судно. “Если его захватить, — сказала Энн, — то мы обманем испанцев и спокойно уйдем из бухты. Тех, кто согласится на такой риск, я возглавлю лично”, — добавила пиратка.

Долго уговаривать не пришлось. Люди, собравшиеся на “Драконе”, были далеко не трусливого десятка, а потому план Энн был принят. Дождавшись ночи, группа захвата во главе с Энн и Рэкхэмом спустила шлюпки и бесшумно погребла к английскому судну. Там никакого нападения не ожидали и выставили лишь двух вахтенных, которых пираты так же бесшумно прикончили, после чего спустились внутрь судна, где спал остальной экипаж. Его взяли под охрану, приказав под угрозой расправы не поднимать никакой тревоги. Затем часть пиратов вернулась на “Дракон” и, погрузив в шлюпки ценности, оружие, боеприпасы и остававшихся на борту товарищей, доставила груз и людей на английское судно. Оставалось дождаться утра, что пираты и сделали. А утром “англичанин” снялся с якоря и, подгоняемый свежим бризом, пошел к выходу из бухты. Караулившие пиратов испанцы никакой подмены не заметили, и Рэкхэм, выйдя в море, через некоторое время высадил пленных англичан на глухом берегу.

Восхищение Энн было столь велико, что экипаж "Дракона" постановил: отныне она может быть тем, кто она есть в действительности, то есть женщиной, а также — законной женой Ситцевого Джека.

Дальнейшие события развернулись самым неожиданным образом. У берегов Северной Америки Рэкхэм захватил английское судно, приписанное к Нассау и являвшееся капером Вудса Роджерса, фактического губернатора Багамских островов, откуда начался "боевой путь" Энн Бонни. От команды капера пираты узнали, что объявлена очередная амнистия, и часть из них во главе с Рэкхэмом и Энн решили принять ее и возвратиться в Нассау. Поскольку большая часть команды "Дракона" не пожелала вернуться к мирным занятиям, Энн и Ситцевый Джек перешли на капер, но перед самым отплытием на Багамы его команда решила стать пиратами и выбрала своим предводителем Рэкхэма. Противоречить было бесполезно. Поскольку из двух кораблей лучшим был "Дракон", все отказавшиеся от амнистии перешли на него, а несогласные отплыли на капере в Нассау. Так произошел очередной крутой поворот в жизни Энн и состоялась встреча с человеком, который был как бы ее зеркальным отражением. Мы говорим о другой женщине, чья судьба так схожа с судьбой Энн, — мы говорим о Мэри Рид.

Среди тех, кто перешел с капера на "Дракон", внимание Энн сразу привлек молодой матрос по имени Мак. Он был хорошо сложен, красив, а наша героиня, как известно, питала слабость к мужчинам такого сорта. Вдобавок оказалось, что Мак хорошо ведет себя в деле и отлично владеет оружием, и это вызвало очередной прилив симпатий к нему со стороны Энн. Она всегда была склонна к решительным поступкам, а новая страсть буквально ослепила ее, и она готова была пойти ради Мака на разрыв с Рэкхэмом.

Но Ситцевый Джек и сам заметил взгляды, которые Энн бросала на молодого матроса, и однажды, подкараулив жену, когда она пылко признавалась Маку в своей любви, он вытащил нож, готовый покончить и с Энн, и с соперником. Однако ему не удалось выполнить задуманное, ибо Мак, опережая Рэкхэма, вдруг кинулся к нему с объяснениями, из которых изумленные муж и жена уяснили только одно: Мак — никакой не Мак, а Мэри Рид, женщина!

Осенью 1720 года корабль Джека был атакован превосходящими силами губернатора Ямайки. Люди Ситцевого Джека почти не оказали сопротивления, лишь два смельчака не сложили оружие: прежде чем их удалось захватить, троих противников они убили и еще с полдюжины ранили.

Пленных заковали в кандалы и доставили на Ямайку. Суд над капитаном Джеком и его людьми состоялся 19 ноября, все были приговорены к повешению. И тут выяснилось, что двое самых отъявленных головорезов — женщины. Однако окончательный вердикт в отношении пираток был все тот же — казнить через повешение. Когда судья спросил, есть ли какие-либо причины, из-за которых их нельзя приговорить к повешению, как предполагалось, Мэри и Энн ответили: "Мой господин, за нас просят наши чрева" — традиционная форма прошения беременных женщин о помиловании. Приглашенные врачи подтвердили, что обе женщины беременны, поэтому исполнение приговора отсрочили до родов. Бонни и Рид заключили в тюрьму.

Джек добился возможности увидеть перед смертью возлюбленную. Но сочувствия в ней не нашел. "Если бы ты сражался, как мужчина, тебя бы не повесили, как собаку!" — бросила ему в лицо Энн. Дальнейшая судьба отчаянной корсарки покрыта мраком: то ли ее казнили, то ли ей удалось откупиться и вернуть себе свободу.

Известно, что Мэри умерла весной 1721 года от послеродовой горячки.

Граф Сен-Жермен

(1696? — 1784)

Алхимик и авантюрист XVIII века. Происхождение, год рождения неизвестны, как и источники его богатства. Предположительно сын знаменитого венгерского князя Ракоци. Появился на сцене общественной жизни в 1740-х годах сначала в Италии, затем в Голландии и Англии. Повсюду выдавал себя за великого мага, обладателя тайного философского камня и эликсира бессмертия. Свободно владел несколькими европейскими языками. Во Франции пользовался расположением Людовика XV и его фаворитки маркизы Помпадур, был дружен со сподвижниками Екатерины II братьями Орловыми. Умер в Касселе, где провел последние годы жизни.

Сначала он представлялся как маркиз де Монферра, а в Венеции уже был графом Белламаре, в Пизе — кавалером Шенингом, в Милане — кавалером Уэльфоном (англичанином), в Генуе и Ливорно — графом Солтыковым, в Швабах и Тройсдорфе — графом Цароки, в Дрездене — графом Ракоци и, наконец, в Париже, Лондоне, Гааге, Санкт-Петербурге — графом Сен-Жерменом...

Этого человека не без оснований считают самой загадочной фигурой XVIII столетия. Многое в его биографии окутано непроницаемым покровом таинственности. Приподнять эту завесу полностью вряд ли когда-нибудь удастся, потому что безвозвратно утрачены документы, с помощью которых можно было бы попытаться установить истину.

Дело в том, что сразу же после смерти Сен-Жермена покровительствовавший ему ландграф Карл Гессенский, выполняя, очевидно, его последнюю волю, сжег записи и бумаги покойного. Спустя десятилетия личностью Сен-Жермена серьезно заинтересовался Наполеон III, который распорядился собрать все имеющие к нему хоть малейшее отношение материалы. Подготовленное для императора объемистое досье тоже сгорело во время пожара здания, где оно находилось.

О происхождении Сен-Жермена известно мало. Он не скрывал, что его имя — заимствованное, однако о себе не рассказывал, только намекал, что существует чуть ли не с сотворения мира. По его словам, он родился в стране с блаженнейшим приморским климатом; вспоминал великолепные дворцы, террасы, по которым бегал в детстве. Иногда говорил, что был сыном и наследником мавританского короля, царствовавшего в Испании, в Гренаде, еще во времена арабского владычества. Но в то же время Сен-Жермен намекал на свое знакомство с Моисеем и Авраамом, следовательно, он несколько раз в жизни перерождался. В такое перерождение многие в XVIII столетии верили...

Несколько штрихов к его портрету. Один из современников мистика писал: "Выглядел он лет на пятьдесят, телосложения был умеренного, выражение его лица говорило о глубоком интеллекте, одевался он очень просто, но со вкусом; единственной уступкой роскоши являлось наличие ослепительнейших бриллиантов на его табакерке, часах и туфельных пряжках. Таинственное очарование, исходившее от него, объяснялось, главным образом, его поистине царственным великодушием и снисходительностью".

Другой писатель, знавший его по Ансбаху, говорил: "Обедал он всегда в одиночестве и чрезвычайно просто; его запросы были ограничены; весь Ансбах не смог бы уговорить его пообедать даже за королевским столом".

По общему мнению, он гармонично сочетал в себе изящество и изысканные манеры. Он превосходно играл на нескольких музыкальных инструментах, а иногда приводил буквально в смятение общество своими редчайшими способностями, представлявшимися сверхъестественными и таинственными. Однажды, например, ему продиктовали двадцать стихотворных строк, а он записал их двумя руками одновременно на двух отдельных листах бумаги — и никто из присутствовавших не мог отличить один от другого.

Своей образованностью Сен-Жермен поражал даже ученых. Алхимию он действительно знал, то есть изучил массу темных фолиантов, в которых старые средневековые кудесники записывали свои опыты и исследования; вероятно, многие опыты он проверил на практике.

Госпожа Жанлис писала: "Он был неплохо осведомлен в физике, а химиком был совершенно превосходным. Мой отец, признанный специалист в этих областях науки, весьма высоко отзывался о его талантах... Ему ведома поистине удивительная тайна цвета, и благодаря этой известной только ему тайне его картины выделяются среди прочих непостижимым блеском и сиянием красок... Сен-Жермен, впрочем, отнюдь не горел желанием поделиться с кем-нибудь своим секретом".

Сен-Жермен действительно принадлежал к знатному роду. По-видимому, у него имелись основания скрывать свое происхождение. Догадок было много. Сен-Жермена принимали за португальского маркиза Ветмара, за испанского иезуита Аймара, за эльзасского еврея Симона Вольфа, за сына савойского сборщика податей, носившего имя Ротондо. Герцог Шуазель, первый министр при Людовике XV, не сомневался, что Сен-Жермен — португальский еврей. Этому немало способствовал и сам граф, без акцента говоривший чуть ли не на всех европейских языках и обожавший разъезжать по свету под различными псевдонимами (их известно не менее дюжины), которые звучали то на французский, то на испанский, то на немецкий лад. В Генуе и Ливорно, в частности, он выдавал себя в 1770 году за русского генерала Солтыкова.

Долгое время полагали, что он был внебрачным ребенком испанской королевы Марии, вдовы Карла II. Приобрела популярность трогательная история о том, как надменная королева полюбила простого человека, не дворянина, и родила от него сына (у некоторых не столь сентиментальных рассказчиков этот "простолюдин" превращался, правда, в богатого мадридского банкира). Например, барон Стош упоминал в своих записках о некоем маркизе Монферра. Этот маркиз был незаконным сыном вдовы испанского короля Карла II и одного мадридского банкира; Стош утверждал, что встречал его в Байонне во времена регентства, с 1715 по 1723 год. Романтическая легенда об истории любви мнимых родителей Сен-Жермена нашла отражение в пьесе Виктора Гюго "Рюи Блаз".

Наиболее правдоподобной представляется все же версия, согласно которой Сен-Жермен был старшим сыном знаменитого князя Ференца Ракоци, возглавившего национальное венгерское восстание против австрийской ветви династии Габсбургов. Помимо внешнего сходства с Ференцем Ракоци, а также признаний друзьям и недвусмысленных намеков Сен-Жермена, зафиксированных в воспоминаниях его современников, имеются следующие подтверждения этой версии.

28 мая 1696 года у Ференца Ракоци родился сын, которого назвали Леопольд Георг (Липот Дердь). Через четыре года объявили, что ребенок умер, но есть веские основания полагать, что это было сделано лишь для того, чтобы укрыть его в надежном месте. Ференца Ракоци самого чуть не отравили в детстве, и он решил оградить своего первенца от возможных покушений со стороны подосланных Габсбургами убийц. Как показали дальнейшие события, эта мера предосторожности оказалась своевременной и далеко не лишней, ибо уже в 1701 году князь Ракоци и его жена были арестованы.

После Леопольда Георга у Ференца Ракоци появилось трое детей — дочь и два сына. Но в своем завещании он упомянул еще одного сына, заботы о котором были возложены, по его словам, на герцогов Бурбонского и де Мейн, графов Шарлеруа и Тулузского. С этими четырьмя французскими аристократами Сен-Жермен, как установлено, был особенно близок. Заслуживает внимания также и то, что в числе псевдонимов, которыми пользовался Сен-Жермен, имеется и титул графа Цароки, что составляет анаграмму фамилии Ракоци.

Что касается других его псевдонимов, то, по-видимому, он выдавал себя за тех людей, с кем сводила его жизнь, либо просто заимствовал их имена как известные публике. Например, один из Солтыковых долго жил за границей и был известен как один из предводителей масонской ложи. Настоящий граф Сен-Жермен тоже существовал и был в свое время известной личностью — сначала иезуитом, затем служил офицером во Франции, Германии и Австрии, потом был в Дании при Струензэ военным министром и, наконец, во Франции при Людовике XVI — также военным министром; умер он в 1778 году. С авантюристом он не имел ничего общего.

С 1737 по 1742 год мистик пробыл в Персии при дворе Надир-шаха, прославившегося захватнической политикой. Вероятно, там он многое узнал о бриллиантах и других драгоценных камнях, ибо, по его собственным словам, именно в Персии он начал постигать тайны Природы.

Затем мистик появился в Англии во времена Якобинской революции. 9 декабря 1745 года Горацио Уолпол писал сэру Горацио Манну, британскому посланнику во Флоренции: “На другой день был арестован очень странный человек, который назвался графом Сен-Жерменом. Вот уже два года он находится в Англии, однако неизвестно, кто он и откуда, но по собственному его уверению, имя, которым он пользуется, не является настоящим. Он поет и чудесно играет на скрипке, чудаковат и не слишком благоразумен”.

Второе сообщение о его пребывании в Англии можно найти в номере “Еженедельного журнала, или Британского журналиста” за 17 мая 1760 года: “От корреспондента “Брюссельской газеты” нами получена информация о том, что недавно прибывший из Голландии человек, представляющийся графом Сен-Жерменом, родился в Италии в 1712 году. Он так же бегло говорит по-немецки и по-французски, как и по-итальянски, впрочем, и по-английски он выражается довольно сносно. Познания его во всякого рода искусствах и науках весьма поверхностны, однако он знает толк в химии, виртуоз в музыке и в высшей степени приятный собеседник. В Англии в 1746 году (согласно Уолполу — в 1745-м) он чуть не оказался на краю гибели. Некто, приревновавший его к даме, незаметно опустил в карман графа фальшивое письмо, будто бы от претендента на британскую корону, в котором выражалась благодарность за некие услуги и пожелания в продолжении сотрудничества, и не замедлил указать на него представителям власти. Невиновность его, однако, была полностью доказана на допросах. Он был освобожден из-под стражи и тут же приглашен на обед к лорду X. Знающие его, видимо, огорчатся, — говорил Мобер, — услышав о том, что он умудрился навлечь на себя немилость нашего христианнейшего Короля”.

Затем Сен-Жермен отправился в Вену. По одному из свидетельств “он роскошно жил в Вене с 1745 по 1746 год, был вхож в любое общество, а премьер-министр императора (Франца I), принц Фердинанд Лобковиц, был его лучшим другом. Он же познакомил его с французским маршалом Бель-Илем, посланным королем Людовиком XV с особой миссией к Венскому двору. Бель-Иль, состоятельный внук Фуке, был столь очарован блистательным и остроумным Сен-Жерменом, что не замедлил пригласить посетить его Париж”.

В 1755 году он во второй раз путешествовал по Индии. “Моим познаниям в искусстве, — писал Сен-Жермен графу Ламбергскому, — я во многом обязан именно своему второму путешествию в Индию, которое я предпринял в 1755 году в сопровождении генерала Клайва, бывшего под командованием вице-адмирала Уатсона. Во время моего первого путешествия я мог только подозревать о существовании столь чудесной тайны. Все экспериментальные попытки, предпринятые мной в Вене, Париже и Лондоне, не принесли положительно результата. Кропотливая работа была прервана как раз в то время, о котором я уже упоминал”.

Следующая дата — 1757 год — открывает собой наиболее известный период жизни мистика. Великосветскому обществу Парижа Сен-Жермена представил военный министр, маршал и граф Бель-Иль.

Тайна рождения Сен-Жермена была, вероятно, известна Людовику XV, иначе трудно объяснить, почему он распорядился воздавать ему почести, как принцу крови. Абсолютное расположение короля Франции Сен-Жермен приобрел после того, как уничтожил трещину в принадлежавшем Людовику бриллианте, во много раз увеличив тем самым его ценность. Скептики полагали, что граф попросту купил за свой счет похожий камень без дефекта и преподнес его королю. Однако современники постоянно упоминали о его умении с помощью неведомой чудодейственной силы "исправлять всевозможные изъяны и дефекты драгоценных камней". Однажды на балу в Версальском дворце он появился в туфлях с бриллиантовыми пряжками такой стоимости, что от них не могла оторвать глаз маркиза де Помпадур.

В итоге молва начала приписывать Сен-Жермену умение изготавливать драгоценные камни, и это считалось основным источником его богатства. Сам же он уверял, что может только "лечить" камни — выводить с них пятна и трещины и что этому сложному искусству его научили в Индии. В 1758 году Людовик XV предоставил Сен-Жермену для устройства лаборатории обширное помещение в Шато де Шамбор, одном из красивейших замков на берегу Луары. Король нередко навещал там графа, демонстрировавшего ему свои алхимические опыты. Вокруг мистика образовалась группа последователей, в которую входили барон де Гляйхен, маркиза д'Юрфе, принцесса Ангальт-Цербская, мать российской императрицы Екатерины II.

Вот как описывал одну из своих встреч с Сен-Жерменом в это время его ревнивый соперник Казанова: "Маркиза сказала, что пригласила на обед Сен-Жермена, — она знала, что чернокнижник этот забавляет меня. Он пришел, сел за стол — как всегда, не есть, а разглагольствовать. Без зазрения совести рассказывал он самые невероятные вещи, и надобно было принимать все за чистую монету, ибо он уверял, что сам был тому свидетелем или играл главную роль; но когда он вспоминал, как обедал с членами Тридентского собора, я не мог не хмыкнуть.

Госпожа д'Юрфе носила на шее большой магнит, оправленный в железо. Она уверяла, что рано или поздно он притянет молнию и она вознесется к солнцу.

"Несомненно, — отвечал плут, — но я один в мире могу тысячекратно усилить притяжение магнита в сравнении с тем, что могут заурядные физики".

Я холодно возразил, что готов поставить 20 тысяч экю, что он даже не удвоит силы магнита, что на шее у хозяйки. Маркиза не дозволила ему принять пари, а потом наедине сказала мне, что я бы проиграл, поскольку Сен-Жермен — чародей. Я спорить не стал.

Несколько дней спустя мнимый этот чародей поехал в королевский замок Шамбор, где король предоставил ему жилье и сто тысяч франков, дабы он мог без помех работать над красителями, что должны были обогатить все суконные фабрики Франции. Он покорил государя, оборудовав в Трианоне лабораторию, изрядно его забавлявшую, — король, к несчастью, скучал везде, кроме как на охоте. Алхимика представила ему маркиза де Помпадур, дабы приохотить к химии; после того как Сен-Жермен подарил ей молодильную воду, она во всем ему доверялась. Принимая, согласно предписанию, чудодейственную воду, нельзя было вернуть молодость — сей правдолюбец соглашался, что это невозможно, — но единственно уберечься от старости, сохранить себя на века "in status quo". Маркиза уверяла монарха, будто и вправду чувствует, что не стареет.

Король показывал герцогу де Пону алмаз чистейшей воды весом в двенадцать каратов, который носил на пальце, — он верил, что собственноручно изготовил его, посвященный в таинства обманщиком. Он уверял, что расплавил двадцать четыре карата мелких брильянтов, которые соединились в один, но после огранки алмаз уменьшился вдвое. Уверовав в учение алхимика, он отвел ему в Шамборе те самые покои, что всю жизнь отводил славному маршалу Саксонскому. Историю эту я сам слышал из уст герцога, когда имел честь отужинать с ним и шведским графом Левенхупом в Меце, в трактире "Король Дагобер".

Если Сен-Жермен и не умел изготавливать золото и драгоценные камни, то несомненно владел секретом приготовления изумительно стойких красителей для тканей. Кроме того, он изобрел особые люминесцирующие краски для живописи, которыми писал свои картины. Об эффекте, производимом этими красками, с восторгом отзывались выдающиеся художники.

...Все усилия политики Шуазеля в это время были направлены на заключение союза Франции с Австрией. Но ему противостоял хитроумный маршал граф Бель-Иль, ненавидевший Австрию. Людовик XV и маркиза Помпадур тоже подумывали о мире. Сен-Жермен живо предложил свои услуги, сказав, что принц Людвиг Брауншвейгский — его друг, и они обо всем договорятся. Король Людовик XV и Шуазель отправили Сен-Жермена к принцу в Гаагу, где уже находился другой французский посланник — граф Д'Афри. Однако ему почему-то ничего не сообщили о миссии Сен-Жермена. Обиженный Д'Афри написал Шуазелю, что с ним очень бесцеремонно поступают, предоставляя вести переговоры о мире помимо него какому-то проходимцу.

Ответ пришел неожиданный. Шуазель предписывал посланнику потребовать от голландского правительства выдачи Сен-Жермена, после чего арестовать его и препроводить прямо в Бастилию. Казанова в своих мемуарах утверждал, что Сен-Жермен пытался продать в Гааге гигантский бриллиант, принадлежащий будто бы королю Людовику, причем по его личному поручению. Между тем такого поручения король ему не давал, да и бриллиант, как выяснилось позже, был поддельным. Вероятно, в Париже об этом узнали и потребовали выдачи Сен-Жермена. Авантюрист успел скрыться. Это случилось в 1760 году.

Сен-Жермен объявился в Англии, где был в безопасности, так как эта страна в то время враждовала с Францией. Затем он побывал в России, где, по-видимому, принимал участие в событиях при воцарении Екатерины II, то есть в государственном перевороте. Алексей Орлов признавал, что "этот человек играл большую роль" в упомянутых событиях. Впрочем, прямых доказательств этому нет.

С братьями Орловыми, Алексеем и Григорием, графа Сен-Жермена связывали дружеские отношения. В 1772 году авантюрист гостил в Тройсдорфе у маркграфа Бранденбург-Ансбахского. Сохранились воспоминания одного из участников встречи Сен-Жермена (Цароки) и Алексея Орлова.

"Однажды Цароки показал маркграфу недавно доставленное курьером приглашение от графа Алексея Орлова, который возвращался из Италии. Письмо содержало сообщение о кратковременном пребывании Орлова в Нюренберге и просьбу к графу Цароки о встрече... Маркграф немедля отправился с графом Цароки в указанный город, где их уже ожидал граф Орлов. По прибытии этих двух особ им навстречу вышел с широко распростертыми руками сам Орлов, поприветствовал и крепко обнял графа Цароки, который впервые появился в форме русского генерала. Причем Орлов несколько раз назвал его "Caro padre" ("Дорогой отец") и "Caro amiko" ("Дорогой друг"). Граф Алексей со всевозможной учтивостью принял маркграфа Бранденбург-Ансбахского и не однажды поблагодарил его за покровительство, оказываемое его досгойнейшему другу; в полдень был подан обед. С милой непринужденностью завязалась в величайшей степени интересная беседа. Довольно много говорилось о недавней Архипелагской кампании (походе русского флота в район Греческого архипелага во время русско-турецкой войны), однако еще больше — о различных полезных усовершенствованиях и открытиях. Орлов показал маркграфу кусок какого-то трудновоспламеняющегося дерева, которое при нагревании мгновенно — без огня и дыма — превратилось в груду светлого пепла губчатой структуры. После обеда граф Орлов зазвал графа Цароки в соседнюю комнату, где оба и провели достаточно долгое время в конфиденциальной беседе. Автор этих строк стоял у окна, из которого был виден экипаж графа Орлова, и заметил, как из дома вышел один из его слуг, открыл дверцу кареты, извлек из-под сиденья объемистый кожаный мешок красного цвета и отнес его наверх, в одну из комнат, снимаемых его господином. По возвращении в Ансбах граф Цароки впервые предоставил маркграфу документ, скрепленной имперской печатью, который удостоверял, что он русский генерал. Впоследствии он признался маркграфу, что он вынужден пользоваться именем Цароки, а настоящим именем следует считать Ракоци и что он является единственным представителем этого рода и прямым потомком принца-изгнанника, некогда управлявшего Зибенбюргеном времен императора Леопольда".

Из России Сен-Жермен направился в Германию, затем в Италию. Он познакомился с ландграфом Карлом Гессенским. Принц слыл знатоком и страстным любителем алхимии и вообще тайных наук, а Сен-Жермен имел репутацию непревзойденного мастера по этой части. Граф долгое время пользовался услугами Сен-Жермена. Великий авантюрист жил при нем до самой своей смерти в 1784 году.

Сен-Жермен никогда не испытывал нужды в деньгах. Современников это мало удивляло, поскольку считалось, что таинственный граф умеет делать золото и драгоценные камни. На самом же деле основным источником его доходов была казна благоволившего к нему короля Людовика XV, который поселил его в своем замке Шамборе и дал ему возможность заниматься алхимическими работами, требовавшими тогда больших средств. Несомненно, что с этой стороны Сен-Жермен хорошо поживился.

Другим источником богатства были его дипломатические подвиги. Предполагают, что граф был искуснейшим шпионом и что его услугами пользовались все политики Европы — Шуазель, Каупиц, Питт. Ловкий, вкрадчивый, обходительный, чрезвычайно красноречивый, владевший всеми европейскими языками, посвященный во всю подноготную тогдашней политики, он, конечно, лучше чем кто-нибудь другой подходил для роли международного тайного политического агента.

Впрочем, назвать Сен-Жермена шпионом, как это сделал Казанова, будет, конечно, преувеличением: но ему не раз поручались французским двором щекотливые дипломатические миссии. Многое в поведении Сен-Жермена становится ясным, если согласиться с мнением, что он был членом так называемого "Братства золотых розенкрейцеров" и достиг высших масонских степеней посвящения.

С деятельностью тайных обществ был связан, видимо, и его приезд в Петербург, состоявшийся в 1762 году. Именно поэтому любимец императрицы Григорий Орлов обращался к графу не иначе как "Caro padre". Принадлежностью к масонству легко объясняется тогда и поразительная информированность о политической обстановке в Европе, которую Сен-Жермен часто облекал в форму неизменно сбывавшихся “пророчеств”.

Граф был среднего роста, отлично сложен, подвижен, обаятелен, с очень выразительным лицом. Всегда подчеркнуто просто, но изысканно одевался, обладал внушительными манерами и прослыл превосходным рассказчиком. Судя по дошедшим до нас отзывам современников, он обладал редким даром очаровывать слушателей. Стоило ему появиться в обществе, как его тут же окружала снедаемая любопытством и преисполненная почтения толпа. Он умел, как никто другой, возбуждать у людей интерес к собственной персоне.

У него была феноменальная память и неудержимая фантазия. Нередко он развлекался тем, что сообщал своим слушателям такие точные детали о людях и событиях прошлого, какие мог знать, казалось, только очевидец, чем приводил всех в замешательство. Один из плеяды французских энциклопедистов, Ф.М. Гримм, писал об этом его обыкновении: “Граф Сен-Жермен считается человеком весьма разумным. Химию и историю он знает, как эрудит. Ему свойственно припоминать важнейшие события древних инков и преподносить их с блеском, живостью и чисто аристократическим мастерством как анекдоты современности”.

Сен-Жермен очень любил умышленно “проговариваться”, наслаждаясь в душе производимым впечатлением. Он мог, например, если речь заходила о короле Франциске I, умершем за двести с лишним лет до этого, как бы невзначай обронить: “Я помню, однажды Франсуа сказал мне: “Что за пленительная болезнь у жемчужницы! Я не имел бы ничего против, если бы и наши дамы были подвержены столь драгоценному недугу”. Или с невозмутимым видом поделиться своими воспоминаниями о Христе: “Мы были друзьями. Это был лучший человек, какого я знал на земле, но большой романтик и идеалист. Я всегда предсказывал ему, что он плохо кончит”.

О любом из двенадцати апостолов Сен-Жермен мог рассказать такие интимные подробности, что у собеседника перехватывало дыхание. Соответствующим образом граф вышколил и своих слуг. Когда в Дрездене как-то спросили его кучера, правда ли, что графу четыреста лет, тот ответил: “Не могу вам сказать в точности, но во всяком случае за те сто тридцать лет, что я на службе у моего господина, он ничуть не изменился”. Так возникла легенда о бессмертии и могуществе Сен-Жермена. Сам он, смеясь, говорил барону Глейхену: “Эти глупые парижане воображают, что мне пятьсот лет. И я даже укрепляю их в этой мысли, так как вижу, что им это безумно нравится. Но если говорить серьезно, то я на самом деле намного старше, чем выгляжу”.

Эти “случайные” оговорки вкупе с массой мельчайших подробностей события, подробностей всегда достоверных (он никогда не выдумывал главных подробностей, а действительно знал их), оставляли у легковерного слушателя впечатление, что рассказчик являлся очевидцем события.

Сен-Жермен хотел выставить себя старожилом земного шара, свидетелем-очевидцем и участником всех исторических событий чуть не от сотворения мира. У него был острый проницательный взгляд. “Для того чтобы познавать людей, — сказал он как-то Людовику XV, — не надо быть ни исповедником, ни министром, ни полицейским приставом". Он никогда ни перед кем не робел и не смущался. Он свободно и легко заводил беседу с министром, епископом, королем, со светской львицей и говорил с каждым из них, как свой человек, который только и делал всю жизнь, что общался с графинями да королями. Нередко в его отношении к собеседникам слышалась нота явного превосходства; он словно хотел показать, что снисходит до человека, беседуя с ним. Вольтер был один из тех немногих, которые не поддались его обаянию. Старый философ едко подтрунивал над шарлатаном; он называл его вместо comte Saint-Germain — conte pour rire (граф Сен-Жермен — сказка для смеха) и утверждал, будто тот ему рассказывал о том, как он ужинал с отцами вселенского собора.

Стихи его, как и трактаты по "герметическим наукам", носят мистический характер. Увлечением всей жизни Сен-Жермена была музыка. Им создан целый ряд музыкальных сочинений — сонаты, арии, произведения для скрипки. Некоторые исследователи высказывают даже смелое предположение, что не кто иной, как граф Сен-Жермен, выступал под маской завоевавшего широкую известность итальянского скрипача-виртуоза и композитора Джованнини и что именно он является автором песни "Подаришь ли мне свое сердце?", которая долгие годы приписывалась И.С. Баху.

Со знаменитым авантюристом встречался в Париже в 1778 году Д.И. Фонвизин: "Что ж надлежит до другого чудотворца, Сен-Жерменя, я расстался с ним дружески, и на предложение его, коим сулил он мне золотые горы, ответствовал благодарностью, сказав ему, что если он имеет столь подходящие для России проекты, то может отнестись с ними к находящемуся в Дрездене нашему поверенному в делах. Лекарство его жена принимала, но без всякого успеха".

И все-таки Сен-Жермен был весьма сведущ в медицине. Немалые знания в этой области он приобрел во время путешествий по Востоку. Вместо мифического "жизненного эликсира" он применял вполне реальный отвар целебных трав, известный под названием "чай Сен-Жермена". Шутливо предостерегая от злоупотребления напитком, он уверял, что одна его престарелая пациентка, вместо того, чтобы приобрести свежесть и красоту молодости, вернулась в эмбриональное состояние.

Рецепт этого бальзама, к сожалению, не известен. Но он обладал, несомненно, какими-то живительными свойствами, если с его помощью Сен-Жермен дожил до преклонного возраста. Перед смертью он заявил, что не умрет, а будет лишь отдыхать в Гималаях и потом вновь поразит мир своим появлением.

Говорят, счастье улыбнулось Сен-Жермену — он сварил эликсир молодости и наполнил им хрустальный сосуд. Через год после его смерти состоялось собрание франкмасонов, на котором присутствовал... Сен-Жермен.

Еще через три года с ним столкнулся лицом к лицу посланник в Венеции граф Шалоне, а значительно позже, в 1814 году, престарелая аристократка мадам Жанлис вдруг встретила его в кулуарах конгресса. Десятилетие спустя с ним беседовал отставной сановник. В 1912 году кто-то опознал его в Санкт-Петербурге, в 1934-м он посетил Париж, там же его видели в 1939 году. Как всегда, он был богат и элегантен...

Ванька Каин (Иван Осипов)

(1718 — ...)

Московский вор, грабитель и сыщик. Сын крестьянина ростовского уезда, села Иванова. После похождений в Москве отправился на Волгу, где примкнул к понизовой вольнице и разбойничал в шайке известного атамана Михаила Зари. В 1741 году явился в московский сыскной приказ и предложил свои услуги в поимке воров. В мае 1775 года его приговорили к четвертованию. Позже смертный приговор был заменен вечной каторгой.

Иван Осипов, получивший впоследствии прозвище Каин, воровать начал с детства, как только отдали его родители в услужение московскому купцу Филатьеву. Крал он поначалу у хозяина понемногу, и за это купец его крепко бил.

Еще подростком Ванька начал шататься по кабакам. Там он свел знакомство с настоящим профессиональным вором, отставным матросом Петром Романовичем Смирным по прозвищу Камчатка. Ванька вскрыл филатьевский сундук с деньгами и с добычей сбежал. Благодаря протекции Камчатки он стал членом воровской шайки, ночевавшей под Каменным мостом. С первых же дней Ванька показал, что у него большое воровское будущее. Ванька Каин был не просто вор, но и весельчак-игрун.

Девке Авдотье, бывшей своей полюбовнице, после того как она не выдала его под пытками, он подарил бархатную шкатулку с золотом и бриллиантами, а когда она вышла замуж за лейб-гвардии конного полка рейтара Нелидова, украл у портного триста рублей и, подарив их той же Авдотье, сказал ее мужу: “Молчи, господин рейтар! Я не вор, не тать, но на ту же стать”. И вручив Авдотье деньги, промолвил: “Вот тебе луковица попова, облуплена готова, зная почитай, а умру — поминай”.

Как правило, грабители поджидали припозднившегося путника в укромном месте и под угрозой ножа или дубины отбирали все, что было у жертвы при себе. Случались и дерзкие налеты на дома богатых горожан, когда шайка, высадив ворота и припугнув слуг и хозяев, уносила с собой все ценные вещи. Большого ума и изворотливости для таких дел не требовалось. Ванька как раз обладал этими качествами и вскоре нашел им применение.

Разбитной, веселый, общительный Ванька мог легко уговорить слуг, а чаще — служанок в богатых домах помочь ему избавить их хозяина от "лишнего" имущества. Умел он и бесшумно выдавливать стекла из окон. А бывало так, что днем вместе с покупателями приходил Ванька на торговый двор и прятался там, выжидая, пока хозяин с приказчиками уйдут по домам. И тогда уже ночью он перебрасывал товары поджидавшим его за забором подельникам.

Так продолжалось до тех пор, пока однажды Ванька случайно не столкнулся со своим бывшим хозяином купцом Филатьевым и его слугами. Его скрутили и притащили на двор, откуда он незадолго до того сбежал, оставив на двери дома издевательскую надпись: "Пей воду, как гусь, жри, как свинья, а работает на тебя пусть черт, а не я". Ваньку посадили на цепь, привязанную к столбу во дворе, и Филатьев строго-настрого запретил поить его и кормить. В те времена хозяева предпочитали вершить суд самочинно, ибо полицейские в ходе официального разбирательства нередко забирали себе награбленное вором добро.

Ваньке, которому грозила жестокая порка, дождавшись, чтобы в свидетелях были посторонние купцу люди, вдруг громко выкрикнул: "Слово и дело государево!" Это означало, что у него есть важные сведения для Тайной канцелярии, занимавшейся расследованием государственных преступлений.

Немедленно доставленный в московскую контору Тайной канцелярии, Ванька объявил, что купец Филатьев вместе со своими дворовыми убил солдата и спрятал труп в заброшенном колодце. Он готов был указать место. Это спасло Ивана Осипова и погубило его хозяина, так как убийство солдата — "государственного человека" — с петровских времен каралось со всей суровостью.

За помощь полиции в раскрытии столь серьезного преступления Ванька получил свободу. Друзья по шайке радостно приветствовали его возвращение. Посовещавшись, они избрали ловкого молодца своим атаманом. Под предводительством Ваньки шайка отправилась в Нижний Новгород на знаменитую Макарьевскую ярмарку, надеясь там обогатиться.

Там Ванька, познавший за время службы у Филатьева тонкости торгового дела, заводил многочисленные знакомства с приказчиками, высматривал и выведывал, как навести своих подельников на выгодную добычу.

Однажды Ванька решил самостоятельно совершить кражу из хорошо охранявшегося дома, в котором купцы держали серебро. Но дерзкий налетчик был схвачен, купцы принялись его охаживать железными прутьями. Пришлось Ваньке снова закричать "Слово и дело!"

Ваньку поместили в тюрьму, чтобы с оказией отправить в столицу для разбирательства его доноса в Тайной канцелярии. Но его приятели подкупили стражников, которые отдали Осипову отмычки для замков на кандалах и указали удобное время и место для побега. Ванька бежал из темницы в... баню, откуда он совершенно голый выскочил на улицу с криками, что у него украли одежду, документы, паспорт. Сцена была разыграна так убедительно, что в местной полиции ему дали одежду и даже выправили новый паспорт. С "чистыми документами" он без хлопот добрался до Москвы.

Здесь шайка на время затаилась, потихоньку сбывая ворованное. В Москве Ванька не нашел многих своих прежних знакомцев: кто сидел в тюрьме, кто был отправлен на каторгу, кто казнен. В это время в голове Осипова созрел неожиданный план. Изворотливый и авантюрный характер подтолкнул его стать... доносчиком.

В конце 1741 года он подал руководителю московского сыскного приказа князю Кропоткину челобитную, в которой выражал раскаяние в былых прегрешениях и предлагал властям услуги в розыске и поимке воров. Князь выделил в распоряжение Ивана Осипова команду солдат, и в одну ночь в Москве было арестовано больше тридцати преступников. Именно в эту ночь к Ваньке навсегда и пристало презрительное прозвище Каин.

Вскоре у одного из арестованных с его помощью преступников был найден составленный им список московских разбойников с кратким описанием их деяний. Одним из первых в том списке значился Иван Осипов, вовремя переквалифицировавшийся в сыщики...

Заслужив доверие властей, Ванька Каин с помощью полиции принялся ловить воров с такой легкостью, с какой прежде совершал набеги и грабежи. За два года, прошедших с момента первого крупномасштабного ареста воров, количество преступников, пойманных с его помощью, выросло более чем в десять раз. Свое новое положение "доносителя сыскного приказа" Осипов использовал прежде всего для личного обогащения, впрочем, тем же не брезговали в ту пору многие полицейские.

Ванька без зазрения совести вымогал деньги у беспаспортных, беглых и раскольников, брал "пошлину" с приезжавших торговать в Москве иностранных купцов, не желавших ссориться с полицией. Задержав с поличным вора, он большую часть добычи забирал себе, вместо того чтобы вернуть законному владельцу. Выясняя на допросе у пойманных преступников, где и у кого они скрывались, кому сбывали краденое, Ванька потом шантажировал их сообщников, вымогая у них взятку. Помогали ему в этих делах некоторые из оставленных на свободе бывших членов шайки. В их числе и не забытый благодарным учеником первый его наставник Камчатка.

Эта его деятельность в глубинах криминального мира не могла остаться незамеченной. На самого Ваньку пошли доносы — как от добропорядочных граждан, та и "сданных" им разбойников, считавших, что место Каина — в тюрьме. Но хитроумный Каин тут же обратился непосредственно в Сенат с прошением о том, чтобы эти доносы не рассматривались, поскольку он в силу своих обязанностей полицейского доносчика просто вынужден общаться с криминальным миром.

Сенат указал Сыскному приказу не обращать внимания на доносы, в которых говорится о причастности Ивана Осипова к "неважным делам", не определив конкретно, что при этом имеется в виду.

Таким образом, решать вопросы о "неважности" воровских дел, к которым был причастен Ванька Каин, должны были служители московского Сыскного приказа. То есть люди, большинство из которых были его приятелями и получали от предусмотрительного Ваньки щедрое вознаграждение.

Более того, Сенат тогда же отдал распоряжение и о том, чтобы городские власти и офицеры военного гарнизона оказывали Ивану Осипову всевозможное содействие...

Ванька Каин упрочил свое общественное положение. Одевался он теперь по последней моде, завивал и пудрил волосы. Купил большой дом в Зарядье — самой престижной части Москвы, обставил его дорогой мебелью, украсил картинами и безделушками. В доме устроил бильярдную, что было большой редкостью даже у богатой знати. Не хватало лишь очаровательной хозяйки. Однако приглянувшаяся Осипову соседская дочка не ответила ему взаимностью. Это только больше распалило кавалера. Он заставил одного из пойманных разбойников назвать строптивую красавицу своей сообщницей. Девушку арестовали и подвергли пыткам. Ванька Каин передал возлюбленной через сообщника, что может не только избавить ее от пыток, но и вообще добиться ее освобождения, взамен она должна выйти за него замуж. Девушка предпочла жизнь с нелюбимым мужем.

Осенью 1749 года в Москву прибыл генерал-полицмейстер А.Д. Татищев. Он должен был приготовить город к визиту императрицы Елизаветы, в частности избавить его от воров и разбойников. Татищев в молодости служил денщиком у Петра I, который, как известно, держал на этой должности людей смелых и предприимчивых. Как генерал-полицмейстер он подчинялся непосредственно императрице и считался человеком умным и крутым на расправу.

Одним из методов борьбы с преступниками Татищев считал их клеймение — выжигание на лбу слова "вор". Для этого он сам изобрел приспособление. А если преступник исправится или будет осужден невинный человек? "Если исправится или что-то другое, то никогда не поздно будет добавить на его лбу перед старым клеймом "не", — отвечал находчивый Татищев.

К генерал-полицмейстеру стали поступать жалобы на Ваньку Каина. Татищев заподозрил его в двурушничестве и, не считаясь с заслугами "доносителя Сыскного приказа", распорядился вздеть того на дыбу и подвергнуть пыткам.

Ванька решил прибегнуть к старому приему и выкрикнул: "Слово и дело!" Но генерал-полицмейстер, который подчинялся только императрице, продолжил дознание, ужесточив пытки. В результате Осипов признался во всех своих грехах.

Для проведения следствия по делу Ваньки Каина была создана специальная комиссия. Чтобы разобраться в его махинациях, комиссии потребовалось несколько лет. Сам же Ванька, очутившись за решеткой, наладил через приятелей из Сыскного приказа и тюремных сторожей связь с волей, обеспечив себе и в тюрьме вполне сносную жизнь. Он пировал, играл в карты, развлекался с женщинами. Ждал и надеялся, что дело его будет закрыто.

Однако состав служащих московского Сыскного приказала сменился, и у Ваньки в этом и других государственных учреждениях Москвы не осталось влиятельных покровителей и друзей. Его отдали под суд и в мае 1775 года приговорили к четвертованию. Потом этот смертный приговор был заменен вечной каторгой. Ваньке вырвали ноздри, не только на лбу, но и на щеках выжгли слово "вор" и отправили к Балтийскому морю, а затем в Сибирь. Там следы его затерялись.

В народных преданиях Ванька Каин выглядит настоящим Робин Гудом, который грабил богатых и помогал бедным, раздавая им золото. Многие популярные песни связаны с его именем, например, "Не шуми ты, мати зеленая дубравушка".

Елизавета Кингстон

(1720 — 1788)

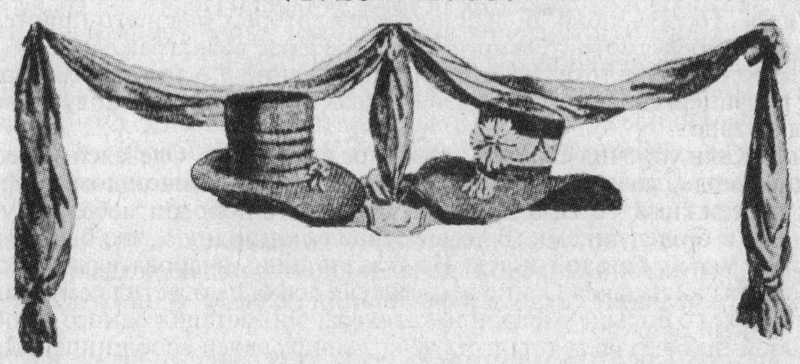

Английская авантюристка, дочь полковника английской службы Чадлея. Была фрейлиной при дворе принцессы валлийской. В результате брачной аферы получила солидное состояние. Много путешествовала. Ее принимали Екатерина II, Иосиф II, Фридрих Великий. Последние годы жизни провела в Риме и Париже.

В 1738 году при дворе принцессы Уэльской, матери будущего короля Англии Георга II, появилась 18-летняя фрейлина — дочь английского полковника мисс Елизавета Чадлей, родом из графства Девоншир. Была она необыкновенной красавицей, обладавшей к тому же острым и игривым умом. Естественно, ее сразу окружили поклонники. Девушка влюбилась в молодого герцога Гамильтона. Герцог, воспользовавшись неопытностью Елизаветы, соблазнил ее, но свое обещание жениться на ней не сдержал.

Огорченная коварством герцога, Чадлей в 1744 году обвенчалась с влюбленным в нее капитаном Гарвеем, братом графа Бристоля. Родители Гарвея категорически возражали против этого брака, к тому же Елизавета хотела сохранить место фрейлины при дворе королевы, что было невозможно для замужней женщины. Поэтому свой брак они хранили в строгой тайне. О связи Елизаветы с Гамильтоном никто не знал, поэтому самые богатые и знатные женихи, ослепленные красотой девушки, просили ее руки. Все удивлялись, почему девушка без солидного приданого отказывается от столь выгодных предложений.

Между тем молодые супруги все чаще ссорились. Елизавета отправилась путешествовать по Европе. Она побывала в Берлине и Дрездене. В столице Пруссии король Фридрих Великий, а в столице Саксонии курфюрст и король польский Август III оказали мисс Чадлей (на самом деле миссис Гарвей) теплый прием. Фридрих Великий настолько был очарован англичанкой, что в течение нескольких лет вел с ней переписку.

Из-за нехватки денег Елизавета вынуждена была прервать свое путешествие по Европе. Вернувшись в Англию, она встретилась с разгневанным мужем, который пригрозил раскрыть тайну их брака принцессе Уэльской. Однако капитан Гарвей нашел в лице жены ловкую и смелую противницу.

Елизавете выяснила, что пастор, который венчал ее с Гарвеем, умер, а церковные книги прихода перешли к его преемнику, человеку доверчивому и беспечному. Она встретилась с пастором, и тот ей разрешил посмотреть церковные книги. Елизавета отвлекла незадачливого церковника разговором и вырвала незаметно страницу с записью о ее браке с Гарвеем.

Придя домой, Елизавета объявила мужу, что считает себя свободной, поскольку нет никаких доказательств того, что она находится в браке. Гарвей после некоторого размышления внял доводам жены, тем более он уже был влюблен в другую женщину.

После смерти старшего брата Гарвей унаследовал титул графа Бристоля и получил солидное состояние. Вскоре он тяжело заболел. Врачи нашли его положение безнадежным. Тогда Елизавета Чадлей решила снова стать графиней Бристоль. Под большим секретом она начала рассказывать подругам о своем тайном браке с капитаном, утверждая, что от этого брака у нее родился сын. Гарвей, который неожиданно поправился, узнав о слухах, распускаемых его законной женой, начал процесс с целью доказать, что никакого тайного брака между ним и фрейлиной не было. Однако дело приняло неожиданный оборот.

Еще до того, как была уничтожена церковная запись о браке, в Елизавету влюбился старый герцог Кингстон. После того как фрейлина рассталась с Гарвеем, она приняла предложение почтенного герцога. Супруги жили в мире. Старый добродушный Кингстон чувствовал себя на седьмом небе, получив в жены необыкновенную красавицу, и полностью находился в ее власти. Однако счастье его было недолгим — в 1773 году он отправился в мир иной. После смерти герцога выяснилось, что согласно завещанию все громадное состояние герцога переходило к его вдове! Возмущенные таким решением Кингстона, его родственники возбудили против Елизаветы сразу два процесса — уголовный и гражданский. Они обвиняли вдову в двоебрачии и оспаривали законность духовного завещания в ее пользу. Однако мудрый герцог слишком хорошо знал жизнь и оставил состояние не графине Бристоль, не герцогине Кингстон, а просто мисс Елизавете Чадлей.

Тем не менее суд мог обратиться к старинному, еще не отмененному в то время, закону, по которому за двоебрачие ей грозила смертная казнь. В лучшем же случае — клеймо на левое плечо и длительное тюремное заключение. Служанка Елизаветы, присутствовавшая при заключении брака, дала показания суду, и противникам Чадлей удалось выиграть процесс.

Елизавета была признана законной женой капитана Гарвея, впоследствии графа Бристоля, а потому второй ее брак с герцогом Кингстоном был объявлен недействительным. Учитывая смягчающие вину обстоятельства, суд счел возможным не наказывать ее, но лишил ее герцогского титула и фамилии Кингстон. Правда, последняя часть судебного приговора почему-то не была соблюдена, и Елизавета повсюду продолжала подписывать все официальные бумаги титулом без всякого возражения со стороны английского правительства.

Несмотря на неблагоприятный исход уголовного процесса, в силу завещания покойного герцога все громадное состояние было признано собственностью Елизаветы, и она сделалась одной из богатейших женщин в Европе.

В это время взошла звезда российской императрицы Екатерины II. О ней стали говорить в Европе как о великой государыне и необыкновенной женщине. Герцогиня Кингстон решила снискать расположение русской царицы и тем самым поднять свой авторитет в Англии.

Через русского посланника в Лондоне она предложила Екатерине в дар несколько редких картин знаменитых европейских художников, доставшихся ей по завещанию, как дань своего глубочайшего и беспредельного уважения. По этому поводу велась продолжительная дипломатическая переписка между русским послом и канцлером императрицы Екатерины II. Тем временем герцогиня вступила в переписку с некоторыми влиятельными лицами при русском дворе. В конце концов императрица, которой очень хотелось иметь в своем дворце замечательные произведения живописи, приняла предложение герцогини. И корабль с картинами вскоре отплыл в Петербург.

Екатерина II осталась очень довольна подарком, через своего посланника в Лондоне она благодарила герцогиню в самых лестных и благосклонных выражениях, и Елизавета могла рассчитывать на радушный прием со стороны русской царицы.

Герцогиня Кингстон заказала для поездки в Петербург великолепную яхту, отличавшуюся необыкновенной роскошью, изяществом отделки, комфортом. На этой яхте она вскоре прибыла в Россию.

Появление леди Кингстон в Петербурге вызвало большой интерес со стороны знатных особ. Герцогиня в беседах каждый раз подчеркивала, что дальнее путешествие она предприняла только для того, чтобы взглянуть на Северную Семирамиду (так величали Екатерину II в Европе). Императрице были приятны восторженные отзывы о ней из уст богатой и знатной иноземки, пользовавшейся дружбой Фридриха Великого. Она приняла гостью очень радушно. Русские вельможи последовали ее примеру. Они приглашали леди Кингстон к себе в гости, устраивали в ее честь праздники, та же в ответ давала обеды и балы на своей яхте. Вскоре англичанка стала самой желанной и видной гостьей высшего света Петербурга. В торжественных случаях и на дворцовых выходах она являлась в осыпанной драгоценными каменьями герцогской короне на голове, следуя традиции английских дам — надевать вместо модных головных уборов геральдические короны, соответствующие титулам их мужей.

В Петербурге герцогиню Кингстон считали владетельной особой. Говорили, что она близкая родственница королевскому дому, а в официальных русских документах ее называли светлостью и даже высочеством. Императрица приказала отвести для нее один из лучших домов. В свои пятьдесят шесть герцогиня выглядела прекрасно, хотя время сердечных побед осталось в прошлом.

Леди Кингстон настолько понравился оказанный ей прием в столице, что она решила поселиться в Петербурге. Ей очень хотелось получить звание статс-дамы, что должно было возвысить ее в общественном мнении. Правда, чтобы получить звание статс-дамы, которое государыня давала с большой разборчивостью, необходимо было иметь недвижимость в России. Англичанка купила в Эстляндии имение, обошедшееся ей в 74 тысячи серебряных рублей. Имение было названо Чадлейским или Чадлейскими мызами. Сделавшись владелицей, судя по цене, довольно значительного имущества в России, герцогиня Кингстон принялась хлопотать о получении звания придворной статс-дамы. Однако Екатерина II, несмотря на доброе расположение к герцогине, ответила отказом, мотивируя его тем, что иностранка не может стать статс-дамой.

Леди Кингстон постигло страшное разочарование. К тому же оказалось, что ее новое имение не стоит тех денег, которые были за него заплачены. В это время герцогине предложили в Чадлейских мызах устроить винный завод, который давал бы огромную прибыль. Герцогиня согласилась.

Распростившись с Екатериной II, она отбыла на яхте во Францию и высадилась в приморском городе Кале. Жители городка встретили ее с восторгом, что удивило гостью. Когда леди Кингстон сошла на берег, девушки преподнесли ей цветы. Местная знать дала в лучшем отеле города завтрак в ее честь. Столь торжественная встреча объяснялась просто: ее агенты пустили слух, что самая богатая женщина Европы собирается навсегда поселиться в Кале и использовать свои огромные средства на благо ее жителей.

На следующий день к герцогине Кингстон начали приходить с визитами знаменитые горожане. Гостья же с восторгом вспоминала о днях, проведенных в Петербурге, рассказывала о Екатерине II и русских вельможах, об обширных владениях, приобретенных ею в России. Она подчеркивала, что очень близко сошлась с российской императрицей, причем последняя считала день, проведенный без общества леди Кингстон, скучным.

Жители Кале с восхищением внимали этим историям. Англичане, навестившие герцогиню в Кале, не только повторяли ее рассказы, но и приукрашивали их. Поэтому на туманном Альбионе заговорили о необыкновенной благосклонности, которую английской леди удалось снискать у Екатерины II.

Однако герцогине вскоре наскучила однообразная жизнь в Кале. Мысль о сближении с российской императрицей не покидала ее. К тому же требовалось осмотреть приобретенные владения и выяснить причину их плачевного состояния. Она решила в Чадлейских мызах ввести английскую систему хозяйствования, сделать свое имение образцовым и таким образом прославиться в России.

Помимо этих мыз, у герцогини был большой дом в Петербурге и солидные земельные наделы вблизи столицы. В 1782 году она снова отправилась в Россию, на этот раз по суше в сопровождении многочисленной свиты. Ее путь пролегал через Германию и Австрию. Она была знакома с фаворитом российской императрицы Григорием Потемкиным и надеялась на его поддержку.

В столице Австрии ее поразила роскошь местных вельмож. Она была принята императором Иосифом II. Из Вены Елизавета написала письмо одному из влиятельнейших литовско-польских магнатов князю Карлу Радзивиллу, в котором извещала о своем намерении побывать у него в гостях. С князем Елизавета познакомилась в Риме, когда тот находился в изгнании. Герцогиня была также близка и со знаменитым Стефаном Зановичем, который странствовал по Европе под разными именами, а в 1773 году, в Черногории, выдавал себя даже за покойного императора Петра III. При первом знакомстве с Елизаветой он выдал себя за одного из потомков древних владетельных князей Албании. Он был облачен в богатый албанский костюм, расшитый золотом и украшенный бриллиантами. Елизавета пленилась его смелым умом и находчивостью и делала ему щедрые подарки. По словам самой герцогини, Занович был "лучшим из всех Божьих созданий" и до того пленил ее, что заставил забыть Гамильтона. Она даже намеревалась выйти за него замуж...

Получив ее письмо, Радзивилл ответил самым любезным приглашением. Местом свидания с герцогиней князь назначил деревеньку Берг, неподалеку от Риги. За несколько дней здесь был построен просторный дом для англичанки. Елизавета переночевала в нем, а на другой день к ней приехал Радзивилл. Кортеж князя состоял из сорока экипажей, причем в каждый была запряжена шестерка превосходных коней. В этих экипажах прибыли гости. За вереницей экипажей следовало шестьсот лошадей, на которых восседали конюхи, пикинеры, ловчие, стремянные, доезжачие и шляхтичи, служившие у Радзивилла. Других лошадей они держали за поводья, а на сворах было при них до тысячи гончих собак. Радзивилл прибыл на богатом арабском скакуне, в сбруе с золотой отделкой, украшенной драгоценными каменьями. Князя окружали казаки и гусары.

За несколько миль от города посреди леса был выстроен городок, где поселились гости. Празднество началось с фейерверка, затем на озере неподалеку разыгралось сражение двух кораблей. На один этот вечер Радзивилл истратил 50 тысяч фунтов стерлингов.

Герцогиня провела у князя две недели. Она посетила его знаменитый родовой замок в Несвиже, участвовала в ночной охоте на кабана. Леди Кингстон утверждала, что Радзивилл был страстно влюблен в нее еще со времени знакомства в Риме, просил ее руки, но она отказалась вступить с ним в брак, не желая прозябать в "дикой стране, среди сарматов, которые одеваются в звериные шкуры".

Она распрощалась с князем и отправилась в Петербург. На этот раз ее ждало разочарование. Екатерина II приняла гостью вежливо, но без прежней теплоты. Отношения со двором ограничились сухим официальным представлением. Императрица не приглашала ее в свой избранный круг, а петербургская знать не устраивала в ее честь праздников. Ее винный завод в Эстляндии не приносил ей никаких прибылей. Более того, ввиду разных упущений в ведении дел на этом заводе на герцогиню наложили штрафы, так что сразу после приезда ее в Петербург к ней явился полицейский офицер, который представил ее документы о платежах, которые ей необходимо было сделать в соответствии с указом казенной палаты. Пробыв в Петербурге несколько дней и не застав Потемкина, на чье покровительство она рассчитывала, герцогиня Кингстон вернулась в Кале на нанятом французском коммерческом судне и решила обосноваться в этом городке. В 1786 году Елизавета переехала в Париж, где наняла на улице Кокрон великолепную гостиницу, а неподалеку от Фонтенбло купила замок Сент-Ассиз, заплатив за него 1 400 000 ливров. В этом роскошном замке герцогиня прожила всего неделю. Она скоропостижно умерла от разрыва сердца 23 августа 1788 года на шестьдесят девятом году жизни.

Баронесса Оберкирх, встречавшаяся с герцогиней Кингстон за несколько дней до ее смерти, писала: "Она действительно женщина необыкновенная;

она поверхностно знала чрезвычайно много, так как проводила время с людьми умными, образованными, бывшими в ту пору знаменитостями во всей Европе. Хотя она могла только слегка касаться того или другого ученого или вообще важного вопроса, но говорила превосходно и картинно".

После смерти герцогини ее состояние, по самым скромным меркам, оценивалось в три миллиона фунтов стерлингов, хотя она и тратила доставшееся ей от мужа наследство без счета. Леди Кингстон чувствовала какое-то особое влечение к столице России. В завещании она даже указала, что если умрет поблизости от Петербурга, то ее следует похоронить в этом городе, ибо она желает, чтобы прах ее покоился в том месте, куда при жизни стремилось ее сердце. Она завещала Екатерине II головной убор из бриллиантов, жемчуга и разных самоцветных каменьев...

Джованни Джакомо Казанова

(1725 — 1798)

Великий итальянский авантюрист и любовник. Много путешествовал по Европе. Был принят монархами — Екатериной II, Фридрихом Великим, Людовиком XV. Обладал разносторонними интересами. Перед современниками представал как писатель, переводчик, химик, математик, историк, финансист, юрист, дипломат, музыкант, а также картежник, любовник, дуэлянт, тайный агент, розенкрейцер, алхимик. С 1782 года проживал в Чехии в замке графа Вальдштейна, где занимался кабалистикой и алхимией. Автор исторических сочинений, фантастического романа "Иксамерон" (1788). В мемуарах "История моей жизни" (т. 1—12, написаны в 1791—1798 гг. на французском языке, опубликованы в 1822—1828 гг.) описал свои многочисленные любовные и авантюрные приключения, дал проницательные характеристики современников и общественных нравов.

История опубликования мемуаров Джакомо Казановы так же загадочна и необычна, как и сама его жизнь. Долгое время считалось, что он погиб во время кораблекрушения, путешествуя по Балеарским островам, где незадолго до гибели закончил записки и предусмотрительно запечатал их в водонепроницаемый ящик. Полвека спустя рыбаки выловили его и передали своему хозяину, а тот, в свою очередь, — лейпцигской типографии, где записки авантюриста и увидели впервые свет. В полном виде, хотя и в "литературной обработке", текст мемуаров Казановы был напечатан в 1822—1828 годах в немецком переводе с французского оригинала, а затем издан на французском в 1826—1832 и в 1843 годах.

Высоко оцененные молодым Гейне уже после появления первого тома, мемуары Казановы получили с этого времени всемирную известность и были вскоре переведены на многие европейские языки. Его книгой восхищались Стендаль, Мюссе, Делакруа, в России — Ахматова, Блок, Цветаева.

Сокращенный русский перевод мемуаров в одном томе вышел на русском языке в Санкт-Петербурге в 1887 году. Но еще в 1861 году в журнале "Время", за подписью "редактор", за которой скрывался Ф.М. Достоевский, появилось "Предисловие к публикации "Заключение и чудесное бегство Жака Казановы из Венецианских темниц (Пломб). (Эпизод из его мемуаров)". Он отмечал, что книга Казановы совершенно неизвестна русскому читателю. "Между тем французы ценят Казанову как писателя даже выше Лесажа, автора романов "Хромой бес", "История Жиль Блаза из Сантильяны". Так ярко, так образно рисует он характеры, лица и некоторые события своего времени, которых он был свидетелем, и так прост, так ясен и занимателен его рассказ!"

Джованни Джакомо Казанова де Сейнгальт родился в Венеции. Казанова, впрочем, так его стали называть много позже, не был настоящим аристократом. Отец его неизвестен, мать, Занетти Казанова, была очаровательной, но посредственной актрисой.

Молодая актриса не стремилась слишком долго задерживаться у колыбели, культ собственной очаровательной особы, стремление нравиться какими бы то ни было средствами — этим ограничивался тогда для многих, как, увы, нередко и теперь — великий закон продолжения человеческого рода. Повсюду обустраивались роскошные будуары, стены и потолки которых были украшены розовенькими амурчиками, порхавшими в облаках. Это был культ, но чисто внешний.

Вскоре придворная итальянская группа саксонского короля, снискавшая известность не усердием матери Джакомо, а благодаря мастерству известного комика Педрилло, была приглашена царицей Анной Иоанновной. Пока Занетти покоряла на сцене аннингофского оперного дома петербургских ловеласов, малыша Джакомо опекали дальние родственники, решившие посвятить его духовному званию. Ему дали очень хорошее образование, он учился в Падуанском университете, затем в духовной семинарии.

Молодой обаятельный аббат не мог не вскружить головы прихожанкам. После службы в своей суме Казанова обнаружил с полсотни любовных записок. Мог ли он отказать тем, кто вложил жар своей души в пылкие послания? Ведь тогда он не был бы истинным венецианцем. Одно свидание следовало за другим...

Трудно сказать, мечтал ли Казанова сделаться папой, или по крайней мере епископом. Однако ему пришлось снять сутану, когда епископ заметил его в парке в объятиях женщины. Но экс-аббат не унывал. Он нашел себе покровителей и отправился в Рим, где был представлен папе. Недолгое время был священником, блистал своими проповедями, потом вдруг впал в немилость у высшего духовенства; тогда Джакомо снял рясу, надел военный мундир и отправился на службу на остров Корфу; но военная дисциплина тоже оказалась не по нему; он уехал с Корфу, побывал в Константинополе, потом вернулся в Венецию, принялся за азартную игру — обычный источник его доходов в течение большей части его жизни, проигрался в пух и прах и поступил музыкантом в театр.

Вскоре стало ясно, что Казанова — личность незаурядная. Муниципальный советник 21 июня 1760 года писал о Казанове своему другу великому швейцарскому естествоиспытателю А. Галлеру: "Он знает меньше вашего, но знает много. Обо всем он говорит с воодушевлением, и поразительно, сколько он прочел и повидал. Он уверяет, что знает все восточные языки, о чем я судить не берусь. По-французски он изъясняется как итальянец, ибо в Италии он вырос... Он объявил, что он вольный человек, гражданин мира, что чтит законы государей, под властью коих живет. Образ жизни он вел здесь размеренный, его главная страсть, как он дал понять, естественная история и химия... Он выказал познания в кабале, удивления достойные, коли они истинные, делающие его едва ли не чародеем, но я могу судить единственно с его слов; коротко говоря, личность необыкновенная. Одевается он преизрядно. От вас он хочет отправиться к Вольтеру, дабы вежливо указать ему ошибки, содержащиеся в его сочинениях. Не знаю, придется ли столь участливый человек Вольтеру по вкусу..."

Казанова играл на скрипке, даже помогал знаменитому Вивальди в сочинении ораторий, однако его гениальность выражалась не музыкой, а разговорами, целью которых было обольщение. Он льстил, иногда просто приставал, до тех пор, пока не достигал желаемого. Ради пары прекрасных глаз он переезжал из города в город, надевал ливрею: чтобы прислуживать любимой за обедом. С некоторыми он вел философские беседы, а одной даже подарил целую библиотеку. Он спал с аристократками, с проститутками, с монахинями, с девушками, со своей племянницей, может быть, со своей дочерью. Но за всю жизнь, кажется, ни одна любовница ни в чем его не упрекнула, ибо физическая близость не была для него лишь формой проведения досуга.

Впрочем, любовь была для Казановы не только жизненной потребностью, но и профессией. Он покупал понравившихся ему девиц (более всего по душе ему были молоденькие худые брюнетки), обучал их любовной науке, светскому обхождению, а потом с большой выгодой для себя уступал другим — финансистам, вельможам, королю. Не стоит принимать за правду его уверения в бескорыстии, в том, что он только и делал, что составлял счастье бедных девушек, — это был для него постоянный источник доходов.

Однажды в Венеции Казанова поднял на лестнице письмо, которое обронил сенатор Брагодин, и вернул владельцу. Признательный сенатор предложил авантюристу проехаться с ним. Дорогой Брагодину стало плохо, и Джакомо заботливо доставил его домой. Сенатор приютил своего спасителя, видя в нем посланца таинственных сил, в существование которых глубоко верил. Казанова поселился в доме благодетеля и стал на досуге заниматься магией. Жертвы его проделок жаловались властям, но он удивительно легко увиливал от ответа. Казанова стал богатым и начал прожигать жизнь; дело дошло до открытого столкновения с представителями правосудия, и ему пришлось бежать из Венеции. Он начал странствовать — побывал в Милане, Ферраре, Болонье — и всюду азартно играл и кутил. Потом отправился в Париж — излюбленное место тогдашних авантюристов, но скоро опять возвратился на родину, и здесь его, наконец, арестовали: обвинив в колдовстве, венецианская полиция заключила его в знаменитую своими ужасами тюрьму Пьомби под свинцовыми крышами Дворца дожей в Венеции. Но через год и три месяца он бежал из тюрьмы, откуда, считалось, бежать невозможно.

Казанова не зря осваивал магию. Трудно сказать, какую роль здесь сыграли сверхъестественные силы, но ровно в полночь 31 октября Казанова с сообщником падре Бальби вышел из каземата, запертого на многие замки. В неприступной венецианской темнице он вырубил ход на свинцовую крышу. Бегство Казановы из Пьомби наделало много шума в Европе и принесло известность авантюристу.

Париж восторженно встретил молодого повесу. Он вошел в доверие к министру Шуазелю, получил от него поручение и успешно его выполнил. Он пробовал свои силы в бизнесе и торговле, но блистательно прогорал, тем не менее у него продолжали водиться деньги. Он вновь пустился в странствия: по Германии, Швейцарии, встречался с Вольтером, Руссо. Из Швейцарии он двинулся в Савойю, оттуда вновь в Италию. Во Флоренции он общался с Суворовым. Но из Флоренции Казанову выгнали, он перебрался в Турин, где его тоже встретили неблагосклонно, он вновь отправился во Францию.

Он даже испытал себя в роли тайного агента. Аббат Лавиль в 1757 году послал его в Дюнкерк проинспектировать стоявшие на рейде французские корабли и щедро заплатил за сведения (возможно, надо было проверить, не обходится ли постройка и содержание кораблей в Дюнкерке королю втрое дороже, чем частным судовладельцам. По другой версии, это была проверка их готовности перед намечавшейся высадкой в Англии). По мнению венецианца, всю эту информацию можно было получить от любого офицера.

Парижская знаменитость — маркиза д'Юфре была без ума от его больших черных глаз и римского носа. Вернувшись в начале 1762 года в Париж, Казанова убедил маркизу, что она возродится в ребенке, которого он зачнет с девственницей знатного рода, дочерью адепта (на эту роль он пригласил итальянскую танцовщицу Марианну Кортичелли). "Магическая операция" была произведена в замке д'Юрфе Пон-Карре под Парижем. В неудаче Казанова обвинил своего помощника юного д'Аранда (Помпеати), который якобы подсматривал, и подростка отправили в Лион. Повторить операцию надлежало в городе Экс-ла-Шапель, где Кортичелли взбунтовалась (Казанова забрал подаренные ей маркизой драгоценности), и венецианец доказал г-же д'Юрфе, что злые силы лишили деву разума и сделали непригодной для деяния. Маркиза отправила письмо на Луну и получила в бассейне ответ, что с помощью великого розенкрейцера Кверилинта она переродится через год в Марселе.

Видимо, маркиза была склонна верить Джакомо, который тем временем завладел ее миллионами и, спасаясь от Бастилии, поспешил в Лондон, откуда перебрался в Пруссию, где был представлен Фридриху Великому. Деньги госпожи д'Юрфе были для Казановы существенным подспорьем.

Государства Европы Казанова расценивал с точки зрения успеха своих авантюр. Англией, к примеру, он остался недоволен: в Лондоне его обобрала француженка Шарпийон, а ее муж чуть не убил Джакомо.

Снабженный письмами к высокопоставленным русским чиновникам, Казанова отправился в Россию и поселился в Санкт-Петербурге в скромной квартире на Миллионной.

"Петербург, — писал Казанова, — поразил меня странным видом. Мне казалось, что я вижу колонию дикарей среди европейского города. Улицы длинные и широкие, площади огромные, дома громадные. Все ново и грязно. Его архитекторы подражали постройкам европейских городов. Тем не менее в этом городе чувствуется близость пустыни Ледовитого океана. Нева не столько река, сколько озеро. Легкость, с которой штутгартский немец — хозяин гостиницы, где я остановился, объяснялся со всеми русскими, удивила бы меня, если бы я не знал, что немецкий язык очень распространен в этой стране. Одни лишь простые люди говорят на местном наречии".

Встреча Джакомо с княгиней Дашковой, возглавлявшей одно время Академию наук, позволила ему иронически заметить: "Кажется, Россия — единственная страна, где полы перепутались. Женщины управляют, председательствуют в ученых обществах, участвуют в администрации и дипломатических делах. Недостает у них одной привилегии, — заключает Джакомо, — командовать войсками!.." Поклонник культа любви, Казанова, не мог мириться с такой ролью женщины в науке и политике.

Живописуя нравы и быт России, Казанова часто допускал курьезы, сообщая соотечественникам о том, что русские под тенью клюквы пьют чай, закусывая кусочками самовара и сальными свечами, вытираясь стеклом. Но он правдиво описал суровый климат Северной Пальмиры. "Утро без дождя, ветра или снега — явление редкое в Петербурге. В Италии мы рассчитываем на хорошую погоду. В России нужно, наоборот, рассчитывать на скверную, и мне смешно, когда я встречаю русских путешественников, рассказывающих о чудесном небе их родины. Странное небо, которое я, по крайней мере, не мог видеть иначе, как в форме серого тумана, выпускающего из себя густые хлопья снега!.."

Казанова отправился в Москву вечером в конце мая, когда над Петербургом стояли белые ночи. "В полночь, — рассказывал он, — отлично можно было читать письмо без помощи свечки. В конце концов это надоедает. Шутка становится нелепой, потому что продолжается слишком долго. Кто может вынести день, продолжающийся без перерыва несколько недель?!"

Позже, в беседе с Екатериной II, он назвал это явление недостатком русской жизни, ибо, в отличие от России, в Европе день начинается с ночи. Императрица не согласилась с ним. Казанова иронизировал: "Ваше Величество, позвольте мне думать, что наш обычай предпочтительнее Вашего, ибо нам не надобно стрелять из пушек, чтобы возвещать населению, что солнце садится".

Древняя столица гостеприимно встретила Джакомо. "Тот, кто не видел Москвы, — утверждал он, — не видел России, а кто знает русских только по Петербургу, не знает в действительности русских. В Москве жителей города на Неве считают иностранцами. Особенно любезны московские дамы: они ввели обычай, который следовало бы распространить и на другие страны — достаточно поцеловать им руку, чтобы они поцеловали вас в щеку". Трудно представить себе число хорошеньких ручек, которые Казанова перецеловал во время своего пребывания в древней столице. "Москва — единственный в мире город, — писал он, — где богатые люди действительно держат открытый стол; и не нужно быть приглашенным, чтобы попасть в дом. В Москве целый день готовят пищу, там повара в частных домах так же заняты, как и в ресторанах в Париже... Русский народ самый обжорливый и самый суеверный в мире", — так аттестовал Казанова свет середины XVIII столетия.

Он хотел стать личным секретарем императрицы или воспитателем великого князя. Трижды удостаивался аудиенции у государыни. Казанова поучал Екатерину II, как привить тутовники в России, предлагал провести реформу русского календаря. Однако счастье не сопутствовало Казанове, и он не нашел здесь того, что искал — доходную службу. Осенью того же года авантюрист покинул Россию.

В Варшаве наделала много шума его дуэль с графом Браницким, причиной которой была танцовщица Казаччи. Выстрел Казановы едва не стал для графа роковым. "Войдя в трактир, Подстолий падает в огромное кресло, вытягивается, его расстегивают, задирают рубаху, и он видит, что смертельно ранен. Пуля моя вошла справа в живот под седьмое ребро и вышла слева под десятым. Одно отверстие отстояло от другого на десять дюймов. Зрелище было ужасающее: казалось, что внутренности пробиты и он уже покойник. Подстолий, взглянув на меня, молвил:

"Вы убили меня, спасайтесь, или не сносить вам головы: вы в старостве, я государев вельможа, кавалер ордена Белого Орла. Бегите немедля, и если нет у вас денег, вот мой кошелек".

Набитый кошелек падает, я поднимаю его и, поблагодарив, кладу ему обратно в карман, прибавив, что мне он не надобен, ибо если я окажусь повинен в его смерти, то в тот же миг положу голову к подножию трона". Позже выяснилось, что жизнь графа вне опасности.

Казанова бежал в Дрезден, потом переехал в Вену; здесь он нашел случай представиться императору, познакомился со знаменитым поэтом Метастазио и, наконец, торжественно был изгнан из Вены полицией. Потом он вновь появился в Париже, но его и оттуда выгнали. Он отправился в Испанию и вследствие разных приключений попал в тюрьму. После того Казанова еще долго скитался по Италии, примирился с венецианским правительством, оказав ему кое-какие услуги, и одно время жил в Венеции.

Кем же все-таки был Казанова? В разные времена знаменитый авантюрист выдавал себя то за католического священника, то за мусульманина, то за офицера, то за дипломата. В Лондоне он однажды сказал знакомой даме: "Я распутник по профессии, и вы приобрели сегодня дурное знакомство. Главным делом моей жизни были чувственные наслаждения: более важного дела я не знал".

В своих показаниях судебным властям в Испании Казанова писал: "Я, Джакомо Казанова, венецианец, по склонностям — ученый, по привычкам — независимый и настолько богат, что не нуждаюсь ни в чьей помощи. Путешествую я для удовольствия. В течение моей долгой страдальческой жизни я являюсь жертвой интриг со стороны негодяев". А мемуары он завершил уверениями, что всю жизнь был большим философом и умирает христианином.

Похождения Джакомо Казановы дают лучший ответ на вопрос, каким был знаменитый собеседник коронованных особ, узник европейских тюрем и завсегдатай игорных домов и вертепов. Он пользовался милостями прусского короля Фридриха Великого, советовавшегося с ним в делах государственного управления, был советником штутгартского князя, прививая его двору французские нравы, обедал у супруги Людовика XV, вел беседы с маркизой Помпадур. Он — авантюрист — не всегда вызывал расположение: польские приключения привели к тому, что король из-за дуэлей был вынужден выслать проходимца, который, впрочем, неплохо провел месяц при его дворе. Во Франции Джакомо жестоко расправился со стражей в доме фаворитки короля, который бросил его за решетку.

Просто не верится, что при таком обилии поездок и различных приключений (амурных и иного характера) Казанова умудрялся выкраивать время для азартных игр. Но игра, по сути дела, была единственным подлинным символом его жизни. В возрасте двадцати лет он писал: “Мне нужно как-то зарабатывать себе на жизнь, и в конце концов я выбрал профессию игрока”. Через неделю игры он остался без гроша в кармане. Но, заняв немного денег, сумел быстро вернуть потерянный капитал. Его постоянно бросало из роскоши в нищету и обратно. Благодаря недюжинному уму и полному отсутствию каких-либо моральных устоев, он каждый раз неизменно находил способ полностью оправиться от очередной финансовой катастрофы и вновь бросить вызов Фортуне. В целом же удача чаще сопутствовала Казанове в азартных играх. Это, в свою очередь, дало серьезный повод многим его современным биографам прозрачно намекать, что великий авантюрист “подозрительно часто пользовался благосклонностью Его величества Случая во всем, что касалось азартных игр”.

Его любимой игрой был фараон. В этом нет ничего необычного, поскольку в то время подавляющее большинство европейских игроков из числа аристократических любителей развлечений отдавали предпочтение именно фараону. Так, например, в 1750 году, если верить “Мемуарам”, во время одной из партий в фараон, которая проходила в Лионе, сумма ставок превысила 300 000 франков. Когда Казанова держал банк, ему обычно сопутствовала удача. Но однажды, оказавшись в Венеции и зайдя в игорный дом, где привилегией держать банк пользовались лишь игроки благородного происхождения, он за один день проиграл 500 000 цехинов (золотых монет). Однако вскоре ему удалось полностью компенсировать понесенные потери. Правда, основная заслуга принадлежала его любовнице, которая на собственные деньги сумела отыграть, казалось бы, безвозвратно утерянное золото.

В другой раз, когда счастье вновь изменило Казанове, еще одна дама пришла ему на помощь, но несколько иным образом: “Я играл по системе Мартингейл (система удвоения ставок), но Фортуна отвернулась от меня, и вскоре я остался без единого цехина. Мне пришлось признаться своей спутнице о постигшем меня несчастье, и, уступив ее настоятельным просьбам, я продал ее бриллианты. Но злой рок преследовал меня и на этот раз, и я проиграл все деньги, вырученные за драгоценности... Я продолжил игру, но теперь, подавленный чередой неудач, ставил понемногу, терпеливо ожидая, когда счастье вновь улыбнется мне”.

Вершиной игорной карьеры Казановы стало его участие в организации государственной лотереи в Париже в 60-х годах XVIII века. Один из вельмож потребовал от французского монарха 20 000 000 франков в обмен на свои услуги по открытию и содержанию военного училища для отпрысков дворянских семейств. Король страстно мечтал о создании подобного военного заведения, но в то же время опасался во имя даже возвышенных целей окончательно опустошить государственную казну или увеличивать и без того немалые налоги. Казанова, прослышавший о финансовых затруднениях французского короля, предложил ему организовать лотерею (кстати, спасительная идея принадлежала не столько ему самому, сколько одному из его знакомых Кальзабиджи, ставшему впоследствии компаньоном).

Два ливорнца, братья Кальзабиджи, предложили по образцу “генуэзского лото” (его принцип в общих чертах соответствует нашему Спортлото) разыгрывать лотерею на девяносто номеров. Вначале власти испытывали вполне объяснимые сомнения относительно осуществимости заманчивых планов. Но Казанова убедительно доказывал, что народ с готовностью будет раскупать лотерейные билеты и вырученные деньги наверняка принесут королю прибыль. Лотерея должна была проводиться под эгидой короны, а не от лица частных предпринимателей, что значительно укрепило бы доверие к ней со стороны обывателей и рассеяло любые сомнения относительно честности и порядочности устроителей. В конце концов предложение было принято, и Казанова был назначен официальным представителем короля, ответственным за проведение лотереи. Было открыто несколько контор по продаже лотерейных билетов, одну из которых Казанова возглавил лично.

"Намереваясь обеспечить себе постоянный приток клиентов, я объявил повсюду, что все выигрышные билеты, содержащие мою собственную подпись, будут приняты к оплате и погашены в моей конторе не позднее 24 часов после окончания тиража. Услышав подобные заверения, толпы желающих приобрести билеты стали осаждать мою контору, а доходы мои сразу резко возросли... Кое-кто из клерков других контор был настолько глуп, что принялся жаловаться Кальзабиджи, обвиняя меня в махинациях, подрывающих их собственные прибыли. Но он отослал их обратно в конторы со словами: "Коль вы хотите перещеголять Казанову, берите с него пример, если, конечно, у вас достанет средств".

Первый день дал мне сорок тысяч франков. Спустя час после розыгрыша тиража мой клерк принес мне список выигравших номеров и уверил меня, что выплаты по выигрышам составят от семнадцати до восемнадцати тысяч франков, каковые средства я предоставил в его распоряжение.

Общая сумма, полученная от продажи во Франции лотерейных билетов, составила два миллиона франков, а чистый доход устроителей достиг шестисот тысяч франков, из которых только на Париж пришлось не менее ста тысяч. Это было совсем неплохо для начала".

Казанова больше всего ценил в жизни три вещи — еду, любовь и беседу. Свои приключения он немедленно облекал в увлекательные истории, которыми занимал общество. ("Я провел две недели, разъезжая по обедам и ужинам, где все желали в подробностях послушать мой рассказ о дуэли"). К своим устным новеллам он относился как к произведениям искусства, даже ради всесильного герцога Шуазеля не пожелал сократить двухчасовое повествование о побеге из Пьомби.

Ярче всего импровизационный дар Казановы проявился в беседе с Фридрихом Великим, когда он попеременно обращался в ценителя парков, инженера-гидравлика, военного специалиста, знатока налогообложения. Но так было всегда и везде, и нередко чем меньше он знал, тем вернее был успех. В Митаве он, сам себе удивляясь, давал полезные советы по организации рудного дела, в Париже оказался великим финансистом. В большинстве случаев достаточно было молчать — собеседник сам все объяснит. Так неплохой химик Казанова "учил" таинствам алхимии их знатока маркизу д'Юфре, так вел ученые беседы с великим швейцарским биологом и медиком А. Галлером, черпая необходимые для ответа сведения из самих вопросов. Для него делом принципа было бить соперника его же оружием, и потому он так гордился победой над польским вельможей Браницким, вынудившим его драться не на шпагах (как он привык), а на пистолетах. Но главным оружием Казановы было слово. Он с юности умел расположить к себе слушателя, заставить сочувствовать своим невзгодам (в этом, как он подчеркивал, одно из слагаемых успеха). И в Турции, как он сам уверял, Казанова не остался потому, что не желал учить варварский язык. "Мне нелегко было, одолев тщеславие, лишиться репутации человека красноречивого, которую снискал всюду, где побывал".

В середине жизни наступило пресыщение, подкрадывалось утомление. Все чаще в любовных делах его подстерегали неудачи. В Лондоне молоденькая куртизанка Шарпийон изводила его, беспрестанно вытягивая деньги и отказывая в ласках, и великий соблазнитель решил уйти на покой. Казанова приступил к пространным воспоминаниям своего века. Они долго не печатались, ибо издательства, видимо, боялись его откровенностей, а следующее поколение романтиков не верило в существование самого Казановы.

С 1775 по 1783 год Казанова был осведомителем инквизиции, доносил о чтении запрещенных книг, о вольных нравах, спектаклях и т. п. Он даже имел псевдоним — Антонио Пратолини.

...Три просторные комнаты в северном крыле старинного замка в живописном уголке Северной Чехии стали последним пристанищем авантюриста и писателя Джакомо Казановы. Гонимый Казанова на пути из Вены в Берлин в 1785 году встретил графа Вальдштейна, предложившего дряхлеющему старцу (Джакомо шел седьмой десяток) стать библиотекарем в его замке.

Здесь из-под пера знаменитого венецианца вышли "Мемуары", пятитомный роман "Искамерон"; он вел оживленную переписку с многочисленными адресатами в разных городах Европы. Иногда легендарный авантюрист выбирался в окрестные города, приезжал в Прагу, где в октябре 1787 года присутствовал на премьере моцартовского "Дон Жуана". Кстати, он помогал своему другу авантюристу Да Понте писать либретто к этой опере великого композитора.

В музее, расположенном в замке, стоит кресло, табличка на котором сообщает посетителям, что 4 июня 1789 года в нем скончался Джованни Джакомо Казанова, а церковная метрика, представленная в экспозиции, подтверждает смерть графского библиотекаря.

По словам принца Деліня, хорошо знавшего Казанову и написавшего о нем интересные воспоминания, знаменитый авантюрист мог бы считаться красавцем, если бы не его лицо. Он был высок ростом, статен, сложен, как Геркулес. Но лицо его отличалось почти африканской смуглостью. Глаза у него были живые, блестящие, но в них читалась постоянная тревога, настороженность; эти глаза словно караулили грозящее оскорбление и более были способны выразить гнев и свирепость, нежели веселье и доброту. Казанова сам редко смеялся, но умел заставить других хохотать до упаду. Его манера рассказывать напоминала Арлекина и Фигаро; от этого беседа с ним всегда была интересна. Когда этот человек с уверенностью утверждал, что знает или умеет делать то или другое, на поверку оказывалось, что как раз этого он и не умеет делать. Он писал комедии, но в них ничего не было комического; он писал философские рассуждения, но философия в них отсутствовала. А между тем в других его произведениях он блистал и новизной взглядов, и юмором, и глубиной. Он хорошо знал классиков, но цитаты из Гомера и Горация быстро ему надоедали. По характеру он был человеком чувствительным, способным питать признательность, но не терпел возражений. Он был суеверным, жадным, ему хотелось, но в то же время он мог обойтись без чего угодно.

Фридрих Тренк

(1726 — 1794)

Знаменитый прусский авантюрист. По происхождению дворянин. В восемнадцать лет получил звание королевского адъютанта. По ложному доносу был обвинен в измене отечеству и заключен в крепость. Через два года бежал в Россию, затем Австрию. В Пруссии был схвачен и почти девять лет провел в одиночном заключении (1754 —1763), предпринял несколько отчаянных попыток бежать. Был помилован Фридрихом II. Занимался торговыми спекуляциями, много путешествовал, выполнял деликатные поручения австрийского правительства, издавал журнал “Друг человечества” и газеты. Написал увлекательную автобиографию, несколько стихотворений и повестей. Был казнен в Париже во время Великой французской революции.

Барон Фридрих Тренк родился в Кенигсберге. В тринадцать лет мальчик знал несколько языков, увлекался науками, много читал. В шестнадцать он поступил в Кенигсбергский университет. Вскоре Тренк был представлен королю Фридриху Второму как лучший ученик университета. Король предложил ему оставить науки и поступить на военную службу. Молодой человек внял совету короля. Тренк быстро прошел лестницу низших офицерских чинов.

Король удостоил восемнадцатилетнего юношу небывалой чести — ввел в свой круг. Тренк получил возможность беседовать с Вольтером, Мопертюи, Иорданом и другими знаменитостями из окружения короля. Молодой офицер был богато одарен от природы, превосходно образован и воспитан. Так что даже в такой изысканной компании он не потерялся. Но, увы, эти же блестящие качества, позволившие сделать ему стремительную карьеру, принесли ему много страданий.

В 1743 году при дворе давались балы по случаю свадьбы принцессы Ульрики со шведским королем. Тренк был одним из самых видных кавалеров на этих празднествах. Красавец-Геркулес был замечен сестрой короля, принцессой Амалией. Чувство оказалось взаимным. Вскоре покров стыдливости был отброшен, и Тренк стал, по его собственным словам, “счастливейшим во всем Берлине смертным”. Влюбленным долгое время удавалось скрывать интимный характер своих отношений. Король продолжал осыпать Тренка знаками милостивейшего внимания, он высоко ценил его как образованного офицера, талантливого и верного слугу, и вместе с тем любил юношу как собственного сына.

В 1744 году началась война с Австрией. Тренк попал в действующую армию, где вскоре оказался в числе лучших боевых офицеров. Перед ним открывалась блестящая карьера. Но завистники не могли простить ему стремительного возвышения и ждали только случая, чтобы расправиться с ним. Вскоре о романе Тренка и Амалии стало известно королю.

Между тем военные действия были в полном разгаре. В рядах австрийцев сражался двоюродный брат Тренка, свирепый вербовщик и предводитель пандуров Франц. В то время у братьев были добрые родственные отношения, хотя служили они разным государям. Однажды отряд пандуров совершил дерзкий набег на пруссаков и захватил денщика и боевых коней Тренка. Узнав об этом, король тотчас распорядился, чтобы его любимцу выделили пару верховых лошадей с королевской конюшни. Но в это время уведенные пандурами кони и денщик неожиданно появились в прусском лагере. Их сопровождал австрийский солдат, который передал Фридриху Тренку записку от его брата, предводителя пандуров. “Тренк-австриец, — писал полковник, — не воюет со своим двоюродным братом, Тренком-пруссаком; он очень рад, что ему удалось спасти из рук своих гусаров двух коней, которых они увели у его брата, и возвращает их ему”.

Тренк, получив это послание, доложил о необычном происшествии Фридриху II. Король, выслушав его рассказ с мрачной миной на лице, сказал: “Коли вам ваш брат возвратил коней, значит, мои вам не нужны”.

Тренк не подозревал, что против него плетутся интриги. Он не заметил подвоха, когда его начальник в разговоре по душам предложил написать брату. В том письме не было ничего предосудительного, в основном речь шла о делах семейных. Но ответа Фридрих так и не получил. Однако дело представили таким образом, будто Тренк вел оживленную переписку с врагом и выдавал ему военные секреты. Король приказал арестовать офицера и заключить его в крепость Глац, близ границы Богемии.

Позже Тренк узнал, что именно начальник рассказал королю о его отношениях с принцессой Амалией и устроил так, чтобы переписка братьев получила огласку.

Король решил преподать урок своему любимцу.

Тренк жил в общей офицерской комнате, мог совершать прогулки внутри крепости, иными словами, пользовался определенной свободой. Тем не менее он написал королю довольно резкое письмо, в котором требовал, чтобы его предали военному суду. Прошло пять месяцев; был заключен мир с австрийцами, место Тренка в гвардии занял другой. Король словно забыл о нем.

Тренк тем временем подружился со многими офицерами гарнизона. Он щедро делился своими сбережениями с приятелями, поэтому, когда заговорил в дружеской компании о побеге, у него сразу нашлись помощники, а двое офицеров даже решили бежать вместе с ним. Но их выдал предатель. Одному из заговорщиков все-таки удалось бежать, другого спасли за взятку на деньги Тренка. Через несколько лет он встретил предателя в Варшаве и убил его на дуэли.

Еще до заговора мать Тренка обращалась к королю с просьбой помиловать сына. Тот пообещал, что ее сын проведет в крепости не более года. Однако, узнав о побеге, король приказал держать офицера в строгости, о помиловании речи уже быть не могло. Тренк об этом, естественно, ничего не знал, он еще более укрепился в мысли бежать.

Тренка заточили в башню, выходившую окнами в сторону города Глаца. Один из знакомых офицеров крепостного гарнизона подыскал в городе ремесленника, который согласился за деньги приютить беглеца у себя. Вооружившись перочинным ножом, Тренк принялся пилить решетку. Вскоре ему добыли подпилок, и работа пошла быстрее. Покончив с решеткой, он разрезал большую кожаную сумку на ремни, скрепил их концами, в результате получилась длинная веревка; он привязал к ней несколько полос, нарезанных из простынь, и смело спустился по самодельной лестнице на землю. Дело было ночью, шел дождь. Тренк сделал несколько шагов и провалился в громадную яму, в которую стекали городские нечистоты, увязнув в густой и смрадной грязи. Он делал отчаянные усилия, чтобы выбраться из нее, но все больше погружался в болото. Тогда Тренк во весь голос завопил. Его крики услышал часовой у крепости и доложил о казусе коменданту крепости.

Комендантом в то время был генерал Фуке (вероятно, француз), человек суровый, бурбон, проповедник слепого повиновения; когда-то на дуэли его ранил отец Тренка, австриец Тренк, командир пандуров, тоже чем-то досадил ему во время войны, так что от одного имени "Тренк" он впадал в бешенство. Фуке приказал держать беглеца в этой гнусной яме до полудня, чтобы весь гарнизон мог на него поглазеть. Когда же Тренк оказался снова в башне, ему целый день не давали воды. Только к ночи прислали двух солдат, которые помогли ему вымыться.

Тренк попал под строжайший надзор. Правда, у него еще оставалось около двух тысяч рублей для подкупа.

Через неделю к нему зашел майор Доо в сопровождении своего адъютанта для осмотра каземата. Майор разговорился с арестантом, начал читать ему нотации, что он делает себе только хуже, пытаясь бежать, что король на него разгневан. Тренк в ответ наговорил майору дерзостей. Доо постарался его успокоить. Улучив момент, Тренк кинулся на майора, выхватил у него шпагу и бросился вон из каземата. Часовой не успел опомниться, как был сбит с ног и отброшен далеко в сторону. Но на шум уже спешили солдаты. Они бросились к лестнице и загородили Тренку дорогу; он начал махать шпагою с таким зверским отчаянием, что перед ним невольно расступились; четверо солдат были ранены.

Тренк кинулся к краю крепостной стены и с большой высоты прыгнул в ров. Удачно приземлившись, он быстро добрался до другой стены, перемахнул ее, но на него с оружием в руках бросился охранник. Тренк ловко увернулся от штыка и ударом шпаги рассек часовому лицо, затем попытался перелезть через двухметровый частокол, окружавший крепость, но нога его застряла между бревнами. Подоспели солдаты. Тренк защищался, как бешеный тигр, однако его быстро успокоили сильными ударами ружейных прикладов, после чего отвели в тюрьму.

Теперь в комнате Тренка постоянно дежурил унтер-офицер с двумя солдатами, а снаружи всем часовым было приказано не спускать глаз с его окна. Предосторожности эти были излишни, поскольку Тренк нуждался в серьезном лечении. Проболев месяц, авантюрист начал готовиться к новому побегу.

Он присматривался к солдатам, дежурившим в его комнате. Деньги для подкупа у него еще были. Тренк подолгу беседовал с солдатами. Кого-то склонял на свою сторону убеждением, кого-то — подкупом. И вот уже тридцать человек из гарнизона стали его союзниками. Это был самый настоящий заговор. Заговорщики собирались освободить всех заключенных в крепости, раздать им оружие и уйти за границу.

Предводителем Тренк назначил унтер-офицера Николаи. Но однажды его выдал коменданту австрийский дезертир. Комендант, получив донос, распорядился немедленно арестовать Николаи, но тот бросился в казарму с криком: “К оружию, ребята! Нас предали!” Тотчас же заговорщики схватили ружья и порох. Они попытались освободить Тренка, однако железная дверь его камеры не поддалась. И тогда великодушный Тренк настоял на том, чтобы друзья оставили его и спасались сами. Николаи с отрядом вышел из крепости, благополучно добрался до границы и перешел ее около городка Браунау. Тренку же оставалось ждать другого случая для побега.

...Среди офицеров гарнизона был некий Бах, слывший отчаянным дуэлянтом. Дрался он и в самом деле лихо, редко противник уходил от него целым и невредимым. Этот Бах иногда дежурил в комнате Тренка. Однажды он начал хвастаться, как накануне ранил поручика Шелля. “Будь я на свободе, — заметил ему Тренк, — вы бы со мной не так легко сладили”. Бах в ярости вскочил.

В камере Тренка нашлись два железных прута. Тренк с первого же выпала чувствительно задел Баха. Тогда тот, без слов, вышел и вскоре вернулся с двумя саблями под одеждой. “Вот теперь, — сказал он, — посмотрим, на что ты способен!” Тренка беспокоила судьба Баха, дерзнувшего устроить поединок с арестантом. Он пытался образумить офицера, но тот ничего не хотел слышать и атаковал Тренка, так что тому пришлось защищаться. Кончилось тем, что он распорол Баху руку. Тогда раненый отбросил саблю, кинулся к Тренку и вскричал: “Ты мой владыка, друг Тренк, ты будешь на воле, я сам это устрою; это так же верно, как то, что мое имя Бах!”

Таким образом, безумная дуэль окончилась благополучно. Вечером Бах снова заглянул к Тренку и заговорил о побеге. Он советовал бежать с одним из офицеров, дежурившим в комнате Тренка.

На другой день он привел к узнику поручика Шелля, с которым сражался на саблях. Шелль и Тренк тотчас разработали план действий. Бах вызвался съездить в соседний город, где жили родственники Тренка, и достать для него денег.

Дежурство Шелля выпало на 24 декабря 1744 года. Обговорив детали, они решили бежать 28 числа. Но на обеде у коменданта один из друзей-офицеров случайно узнал, что поручика Шелля собираются арестовать. Шелль прибежал к Тренку, дал ему саблю и сказал, что бежать надо немедленно.

Они вышли из комнаты. Шелль, как дежурный офицер, сказал часовому, что ведет пленника на допрос. Не успели они сделать и десяти шагов, как столкнулись с майором и его адъютантом. Шелль в ужасе бросился к крепостному валу и спрыгнул вниз. Тренк последовал за ним. При падении Шелль вывихнул ногу. Тогда Фридрих схватил его, перелез через частокол, взвалил офицера на плечо и двинулся вперед.

Прошло полчаса, прежде чем за ними организовали погоню. Пушечный выстрел предупредил население о бегстве арестантов. Шелль похолодел: обычно, если выстрел раздавался раньше, чем по истечении двух часов после бегства, то смельчаку редко удавалось дойти до границы.

...Они брели всю ночь без отдыха, рассчитывая к рассвету выйти к границе. Но утром услышали все тот же бой часов в Глаце. Около тридцати миль они прошли по кругу.

Беглецы, несмотря на голод и усталость, упрямо двигались вперед, пока не вышли к деревушке. Шелль был в офицерской форме. Этим и решили воспользоваться. Тренк порезал себе палец, весь обмазался кровью и прикинулся раненым. Перед домами Шелль легко связал Тренка и повел его, подталкивая, к домам. Он стал звать на помощь. Вскоре появились два крестьянина; Шелль приказал им запрягать лошадь в телегу. "Я арестовал вот этого негодяя, — объяснил он, указывая на Тренка, — он убил мою лошадь, и я, падая, вывихнул ногу, но, как видите, мне удалось его оглушить и связать. Живо привезите сюда телегу; мне хочется отвезти его в город, чтобы успеть его повесить, прежде чем он околеет". Тренк делал вид, что едва стоит на ногах. Крестьяне пожалели офицера, дали ему хлеба и молока. И вдруг старик, всмотревшись в Шелля, узнал его и назвал по имени. Накануне по всем окрестным деревням были даны точные приметы беглецов, к тому же сын старика служил под началом Шелля. Тренк незаметно отошел к конюшне, чтобы захватить лошадей. К счастью, старик не выдал их; он подробно рассказал Шеллю, как добраться до границы.

Тренк вывел из конюшни лошадей.

У самой границы беглецы неожиданно встретились с поручиком Церботом, посланным за ними в погоню. К счастью, поручик был один, его солдаты остались в стороне. "Скачите налево, — успел он крикнуть Тренку и Шеллю, — справа наши гусары!" — и тотчас умчался. Через несколько минут они были уже в богемском городке Браунау.

Так кончилось первое, сравнительно недолгое тюремное заключение Тренка. Он оказался за границей без денег; мстительный Фридрих II послал своих агентов, которым было дано специальное поручение — доставить беглеца в Пруссию.

Тренк добрался до польского города Эльбинга. Получив деньги на почте от матери и принцессы Амалии, он отправился в Вену, рассчитывая поступить на службу. Но там его поджидал двоюродный брат Франц, знаменитый предводитель пандуров. В это время между братьями возникли споры по поводу раздела общего имущества. Франц подослал к Тренку своих головорезов-пандуров. Только удивительная сила и великолепное владение оружием спасли его от смерти. В конце концов Фридриху надоело жить в постоянной опасности, он перебрался в Голландию, надеясь получить место в отдаленной провинции; но счастья там не нашел и отправился в Россию, где был принят на службу в драгунский полк. Он мог сделать здесь карьеру, но спокойная жизнь была не для него. После нескольких скандалов в столичном обществе авантюрист в 1749 году уехал из России.

В это время в Вене скончался его двоюродный брат, оставивший большое наследство. Фридрих отправился в Австрию через Швецию, где посетил королеву Ульрику, сестру принцессы Амалии.

В 1750 году он прибыл в Вену. Прежде всего ему пришлось проститься со своим лютеранством и перейти в католическую веру, иначе не было никакой надежды получить наследство. Тренк вел одновременно более 60 процессов с другими претендентами на состояние Франца и в итоге получил всего лишь 60 тысяч флоринов.

В Вене Тренк поступил на службу, и неизвестно, как сложилась бы его судьба, если бы в это время не умерла в Данциге его мать. Несмотря на огромный риск, он все же отправился в прусский город. Там его узнали и бросили в темный карцер Магдебургской цитадели.

Тренку отвели крошечную камеру — три метра в длину и два в ширину. Тройная дверь отделяла камеру от коридора; а на окне была тройная железная решетка. Стены были двухметровой толщины. Прикованная к полу кровать стояла так, чтобы узник не мог подойти к окну. Тренка посадили на хлеб и воду. Хлеб был такой скверный, что Фридрих, несмотря на мучивший его голод, съедал только половину порции (около 200 г). За год Тренк дошел до полного истощения. Отчаяние охватило его. Он молил своих палачей о милосердии, но ему отвечали, что таков приказ короля.

Ключи от камеры хранились у коменданта. Камеру отпирали один раз в неделю, по средам. После уборки комендант и плац-майор делали тщательный осмотр. Два месяца Тренк изучал существующие порядки. Ему удалось расположить к себе охранников. Он узнал, что соседняя с ним камера пустует, дверь ее не заперта. Значит, если бы удалось проникнуть в эту камеру, то можно было бы выйти в коридор, выбраться из тюрьмы, переплыть Эльбу, а там рукой подать до саксонской границы.

Тренк приступил к работе. Шкаф для посуды и печка крепились к каменному полу коваными скобами. С помощью этих скоб Тренк доставал из стены кирпичи. После работы он прилаживал скобы на место. Кирпичи отмечал номерами, чтобы после работы уложить их в прежнем порядке. Из собственных волос он сделал кисть, и, размешивая известку на ладони, замазывал ею кирпичную кладку.

Полгода он работал с утра до ночи. За это время он успел разобрать двухметровую стену, отделявшую его от соседней камеры до последнего ряда кирпича. Охранники помогали ему, чем могли: принесли кусок железа, старый нож с деревянной ручкой. Солдат Гефгардт, который решил бежать со службы, начертил план тюрьмы, затем привлек к делу некую Эсфирь Гейман, у которой кто-то из родни тоже сидел в крепости. Она подкупила двух солдат и во время их дежурства разговаривала с Тренком. Авантюрист соорудил из щеп, отколотых от кровати, длинную гибкую палку, наподобие удилища. Он выставлял эту палку в окно, и ее конец опускался до земли. Таким образом ему удалось втащить к себе нож, подпилок, бумагу.

Фридрих передал Эсфирь письма: два — родственникам, которые должны были прислать ему деньги, а одно — министру, графу Пуэбла, немало сделавшему для Тренка. Граф хорошо принял Эсфирь, после чего отослал ее к своему секретарю, Вейнгартену. Секретарь оказался еще любезнее, забросал Эсфирь вопросами, и женщина в порыве откровенности выложила ему весь хитро задуманный, стоивший Тренку неимоверных трудов, план побега. Вейнгартен, отпустив Эсфирь, сразу же доложил о готовящемся побеге начальству.

С участниками заговора расправились жестоко. Гефгардт успел предупредить Тренка, что вскоре его переведут в новую камеру. Король приезжал в Магдебург и одобрил все, что было приготовлено для опасного преступника. Тренк уже собирался бежать, когда в камеру вошли люди, завязали ему повязкой глаза и вывели в коридор.

Когда он открыл глаза, то увидел двух кузнецов, возившихся с массивными цепями на полу камеры. Этими цепями приковали Тренка за ноги к кольцу, вделанному в стену. Тяжелые цепи позволяли узнику делать не более двух-трех шагов вправо и влево от громадного кольца. Тренка раздели, обвили его талию толстым железным обручем, к которому была прикреплена цепь, имевшая на конце железную палку в полметра длиной; к концам этой палки приковали цепями его руки.

В камеру едва проникал свет. В одному углу камеры, размером три на два с половиной метра, был каменный выступ, наподобие скамьи, на нем узник мог сидеть, прислонившись затылком к стене. Напротив кольца, к которому были прикованы цепи, находилось полукруглое окно, со вставленными в три ряда частыми решетками. Стены были совсем сырые, и сверху, со свода, капала вода. В течение первых трех месяцев одежда Тренка не просыхала.

Новую камеру выстроили в откосе крепостного рва специально для Тренка. Над окном на стене он разобрал свое имя, выложенное из крупных красных кирпичей. Ему точно хотели сказать: "Читай свое имя и казнись!"

В камере была выкопана могила. На ней лежала плита с его именем и с изображением черепа и скрещенных под ним костей. Камера запиралась двойной дубовой дверью, за ней была небольшая комнатка с окном и тоже с двойной дверью.

Это сооружение окружал ров с двойным частоколом четырехметровой высоты, что исключало общение с часовыми.

В первый день авантюристу принесли деревянную кровать, матрац и шерстяное одеяло. Плац-майор пообещал, что хлеба ему будут давать вдоволь.

Набравшись сил, Тренк стал подумывать о побеге. Двери хотя и были двойные, массивные, но деревянные. Значит, замки можно вырезать...

Но прежде следовало освободиться от цепей. Тренк рванул правую руку, и хотя почти изувечил ее, но все же протащил через кольцо кандалов. Он попытался высвободить левую руку, но на ней кольцо было у́же. Тренк выломал кирпич из скамьи, разбил его и осколками принялся спиливать заклепку кольца. Заклепка поддалась не сразу. Наконец он вынул ее из гнезда и разогнул кольцо. Руки его были свободны. Освободившись от обруча, стягивавшего тело, и других цепей, Тренк бросился к двери и ощупал ее. Он вырезал внизу небольшую дырку, по которой определил, что дверь была всего в дюйм толщины. Правда, предстояло открыть четыре двери — две в камере и две в передней, но Тренк рассчитывал справиться с этим делом за один день...

Он решил бежать в среду, 4 июля, сразу после осмотра камеры.

Как только проверяющие ушли, Тренк сбросил цепи, схватил нож и начал вырезать замки у дверей. С первой дверью справился за час, на вторую потребовалось времени гораздо больше.

Третья дверь была открыта к заходу солнца. Оставалась последняя наружная дверь, и Тренк энергично принялся за работу. Но тут сломался нож, причем отломившийся клинок выпал наружу. Все было кончено.

В отчаянии Тренк схватил нож и обломком лезвия вскрыл себе вены на руках и на ногах. Он лежал и спокойно ждал смерти... Эта предсмертная дремота должна была казаться ему райским блаженством после всех перенесенных ужасов, после крушения надежд. Он очнулся, когда услышал, что его кто-то зовет. "Барон Тренк, барон Тренк!" Это был его друг, гренадер Гефгардт, ухитрившийся незаметно проскользнуть на гребень вала. "Я вам доставлю все, что нужно, все инструменты. Не унывайте, положитесь на меня, я выручу вас..."

Тренк, раздумав умирать, остановил кровь и перевязал раны.

Появившиеся охранники не сразу смогли понять, почему двери открыты. Затем они увидели окровавленного Тренка, в одной руке он держал кирпич, в другой — сломанный нож. Узник страшным голосом закричал: "Уходите, уходите прочь! Скажите коменданту, что я на все решился, что я не намерен дольше жить в этих цепях! Пусть он пришлет солдат, и пусть они размозжат мне голову! Я никого не впущу сюда! Я убью полсотни, прежде чем ко мне проберется хоть один!"

Плац-майор послал за комендантом. Тренк надеялся, что с него снимут цепи, сделают послабления. Однако подоспевший комендант велел схватить узника, но гренадеры отказались выполнять приказ. Тогда плац-майор вступил в переговоры. Когда они закончились безрезультатно, комендант отдал приказ идти на штурм. Но первый же гренадер свалился без сознания к ногам узника. Наконец, обессилев, Тренк все-таки сдался. Ему сделали перевязку, привели в чувство. Цепей на него не надевали, позволили отлежаться несколько дней, но затем снова заковали в кандалы. Поставили новые двери, обитые железом.

Тренк отдыхал и собирался с силами. Он помнил, что у него есть на свободе надежный друг — Гефгардт. Верный гренадер перебросил в камеру тонкую медную проволоку и по ней передал Тренку множество полезных вещей: подпилки, ножи, бумагу, карандаш. Тренк написал письма друзьям в Вену с просьбой выслать денег на имя Гефгардта. Солдат передал ему эти деньги в кружке с водой.

Тренк аккуратно распилил кандалы и цепи. Он выдернул гвоздь из пола и обточил его в виде отвертки. Теперь можно было быстро развинчивать и ввинчивать винты на оковах и в дверях камеры. Железные опилки он смешивал с хлебным мякишем и этой замазкой перед осмотром заделывал пропилы. Гефгардт доставил ему свечку и огниво. Тренк намеревался поднять пол камеры и сделать подкоп, ведущий за крепостной вал.

Пол состоял из сложенных в три ряда дубовых плах, толщиной в три дюйма, и был сколочен 12-дюймовыми гвоздями. Одним из гвоздей, словно долотом, Тренк и начал орудовать. К его счастью, под полом оказался мелкий сыпучий песок. Гренадер передал полотнище, из которого Тренк наделал длинных кишковидных мешков; в этих мешках он передавал песок Гефгардту. Разумеется, что такую работу можно было вести только в те дни, когда гренадер стоял на часах у камеры авантюриста, то есть один раз в две-три недели.

Гефгардт принес ему небольшой пистолет, порох, пули, ножи, ружейный штык. Все это Тренк прятал под полом. Стены его темницы были углублены в грунт примерно на метр; он скоро подрыл стену и теперь вел подкоп в направлении крепостного вала.

Прошло восемь месяцев. Тренк попросил отправить Гефгардта письмо, а тот отдал его своей жене. Женщина так волновалась, что ее поведение на почте вызвало подозрения. Письмо перехватили. Стало ясно: Тренк опять что-то замышляет. В камере провели тщательный обыск. Плотники осмотрели пол, кузнецы — оковы, но ничего не нашли. Окно заделали еще одним рядом кирпичей. Заключенному учинили допрос, требуя выдать сообщников. Причем допрос велся в присутствии всего гарнизона. Но Фридрих молчал. Солдаты и офицеры отдали должное его мужеству, и вскоре среди них у Тренка появились друзья.

Сразу после допроса у Тренка отобрали кровать, а цепей добавили, так что теперь он мог только сидеть прислонившись к стене. Тренк тяжело заболел и в течение двух месяцев находился на грани жизни и смерти.

Поправившись, он первым делом подкупил трех офицеров, которые принесли в его камеру свечи, газеты, книги. По распоряжению одного из друзей-офицеров узнику надели якобы гораздо более прочные поручни, на самом же деле они были просторнее прежних, так что Тренк мог без особого труда высвобождать руки.

Получив план крепости, он решил прорыть новый ход, длиной не менее десяти метров, до подземной галереи, окружавшей крепостной ров. Старый ход был проложен под ногами часовых, и те могли услышать подозрительные шумы под землей. Теперь Тренк работал каждую ночь: песок из нового лаза он бросал в старый лаз.

И все-таки ночью охранники на крепостном валу услышали шорох под землей, о чем немедленно доложили начальству. К счастью для Тренка, осмотр его камеры произвели днем, поэтому ничего не нашли. Часовым сделали выговор, мол, это был всего лишь крот. Но вскоре часовой вновь услышал шорох под ногами. Тренк в это время как раз заканчивал свой лаз. Он едва успел спрятать под полом пистолет, свечки и другие вещи, как двери отворились и проверяющие увидели на полу камеры целую гору песка...

Тренка снова допросили в присутствии всего гарнизона, пытаясь выявить сообщников.

"Очень просто, — отвечал узник на грозные окрики начальства, — мне помогает сам сатана; он мне и доставил все, что было нужно. По ночам мы с ним играем в трынку; он и свечку с собой приносит! Вы так и знайте, что бы вы ни делали, он сумеет выручить меня из вашей темницы!"

Обыскав его, ничего не нашли, а под полом посмотреть не догадались. Тренком овладело сумасшедшее желание поиздеваться над своими истязателями. Когда они вышли из камеры, он их окликнул: "Вы забыли самое главное!" Те вернулись, а он подал им подпилок со словами: "Вот видите, вы только что вышли, а дьявол, мой приятель, уже успел подсунуть мне новый подпилок". Только они вышли, он вновь их окликнул и показал нож и деньги. Должно быть, на этот раз они решили, что без дьявола здесь не обошлось, и поспешили ретироваться, а Тренк расхохотался им вслед.

Долгое время он ничего не предпринимал. За ним пристально следили. Наконец ему удалось подкупить офицеров гарнизона, которые сообщили ему важные сведения: в Магдебурге в казематах находилось несколько тысяч хорватов, плененных во время войны с Австрией. Тренк задумал взбунтовать этих хорватов, ворваться с ними в арсенал, захватить там оружие, затем напасть на крепость, овладеть ею и преподнести ее в подарок Австрии! Тренк написал друзьям в Вену, вкратце изложил им свой план и попросил денег. Но друзья арестовали гонца и сообщили о заговоре магдебургскому коменданту. Начальство крепости решило не предавать огласке это дело, в противном случае король не пощадил бы не только Тренка, но и само начальство...

Тренк опять взялся за подкоп. Один из его преданных друзей-офицеров снабдил его необходимыми инструментами. Тренк решил схитрить: тщательно заделав настоящий подкоп, он начал рыть лаз совсем в другом месте. При этом он постарался как можно громче шуметь и стучать во время работы, так что его возня была услышана часовыми. Проверяющие застали его за работой; целая гора песка лежала в его камере. Начальство не обратило внимания на странное несоответствие между размерами огромной кучи и маленького хода. Песок вынесли из камеры, а Тренку только этого и надо было.

Комендант Магдебурга вскоре сошел с ума, и на его место был назначен молодой наследный принц Гессен-Кассельский. Узнав историю несчастного Тренка, он распорядился снять с него цепи и облегчить его участь. Тренк в свою очередь дал ему слово не предпринимать новых попыток побега, пока принц будет комендантом. Но через полтора года принц, после смерти своего отца, вынужден был уехать, и Тренк оказался вновь свободен от обязательств.

Он подкопался под стену и стал рыть дальше. Однажды он так сильно нажал ногой на один из камней этой стены, что громадная плита сорвалась и наглухо загородила ход. Тренк лежал, как в футляре. Через несколько минут Тренку стало нечем дышать, он лишился чувств. Как он не погиб — остается загадкой. Пролежав какое-то время в обмороке, Тренк очнулся, снова начал с отчаянием скрести песок, пока не очутился перед роковым камнем. Он быстро вырыл под ним яму, куда опустил сам камень; вверху появилось отверстие, через которое стал поступать воздух. Оставалось только расширить это отверстие и пролезть в него. После этого происшествия камера показалась узнику настоящим раем.

Тренк провел в заключении восемь лет. Последний подкоп ему долго не удавалось закончить, главным образом потому, что состав гарнизона крепости часто менялся и ему приходилось тратить много времени на знакомство с новыми людьми. Наконец дело было сделано. Тогда Тренку захотелось поразить короля благородством, заставить его склониться перед величием духа бедного арестанта и помиловать его. Он попросил к себе плац-майора и сделал следующее заявление: в присутствии коменданта крепости и всего гарнизона он, Тренк, в любое время и в любой час дня войдет в свою камеру, его закроют на все замки, а затем его увидят на гребне крепостной стены. Он докажет, что имел возможность бежать, но пренебрег ею, о чем просит сообщить королю и ходатайствовать о его помиловании.

Начальство, встревоженное новой выходкой Тренка, вступило с ним в переговоры. Комендант крепости, герцог Фердинанд Брауншвейгский, обещал ему свое покровительство, но просил его, не выходя на крепостную стену, показать и объяснить, каким образом он собирается это сделать. Тренк долго колебался, сомневаясь в искренности данных ему обещаний, но наконец решился и объяснил все, выдал свои инструменты, показал подкоп. Начальство ошеломленно смотрело, расспрашивало, переспрашивало, даже спорило: это казалось невероятным. Комендант доложил о Тренке королю и просил помиловать его. Фридрих, смягчившись, обещал помилование, но отложил исполнение своего обещания на целый год.

Тренк вышел из темницы в 1763 году. Ему было всего 37 лет. Вся его дальнейшая жизнь, подробно описанная в его записках, является продолжением того же почти фантастического романа. Из Магдебургской тюрьмы он отправился в Австрию; здесь наследники Тренка-пандура засадили его на полтора месяца в тюрьму. Но затем его оправдали и даже произвели в майоры.

В 1765 году он поселился в Ахене и женился на дочери бургомистра. Он занимался торговлей, издавал журнал "Друг человечества" и популярную газету, писал стихи и повести. С 1774 по 1777 год путешествовал по Европе, побывал во Франции, в Англии, подружился со знаменитым Франклином, который звал его в Америку; но Тренк отказался от этого лестного предложения и продолжал виноторговлю, которая тогда процветала. Но ему и тут не было суждено найти покоя: он нарвался на мошенников и разорился.

Тренк вернулся в Вену, где рассчитывал на благосклонность Марии-Терезии. Но знаменитая государыня скоро скончалась. Австрийское правительство часто давало ему деликатные поручения. Это приносило авантюристу неплохой доход. К тому же Фридрих II вернул конфискованные покойным королем имения в Пруссии. Тренк удалился в свое венгерское поместье в Цвербах и здесь лет шесть с успехом хозяйничал. Желая поправить свое финансовое положение, он издал мемуары, имевшие успех у читателей. В 1787 году Тренк, наконец, вернулся на родину, увидел Кенигсберг и свою возлюбленную, принцессу Амалию. Она обещала ему свое покровительство, взяла на себя устройство судьбы его детей; но дети его вскоре умерли. Тренк продолжал писать, издал брошюрки о Французской революции; но они не понравились в Вене, автора их схватили и заточили в тюрьму, а потом выгнали из Австрии. Тренк отправился в Париж и попал туда в самый разгар Великой французской революции в 1791 году. Он рассчитывал на свою популярность, но ошибся: его никто не знал, и он скоро впал в нищету. Кого-то из членов комитета общественной безопасности вдруг осенила догадка, что Тренк прусский шпион; его немедленно заключили в тюрьму; это было его последнее тюремное заключение, которое закончилось для него на эшафоте. Он погиб под ножом гильотины в июле 1794 года, в один день с незабвенным поэтом Андре Шенье.

Княжна Елизавета Тараканова

(? — 1775)

Происхождение ее загадочно, настоящая фамилия неизвестна. В разных странах появлялась под разными именами. Отличаясь редкой красотой и умом, имела массу поклонников, которых часто доводила до разорения и тюрьмы. Позднее выдавала себя за дочь императрицы Елизаветы Петровны и ее фаворита А.Г. Разумовского, претендуя на российский престол. По указанию Екатерины II адмирал Орлов-Чесменский доставил ее в Россию, где она была заключена в Петропавловскую крепость. Умерла 4 декабря 1775 года от чахотки, скрыв тайну своего рождения даже от священника.

В октябре 1772 года в Париже объявилась молодая очаровательная женщина. Она много путешествовала. Фамилию дама часто меняла: представлялась госпожой Франк, Шель, Тремуй, султаншей Али Эметти, принцессой Володомирской, принцессой Азовской, Бетти из Оберштейна, графиней Пиннебергской или Зелинской и, наконец, Елизаветой, княжной всероссийской.

Под именем Али Эметти она остановилась в роскошной гостинице на острове Сен-Луи и жила на широкую ногу, о чем скоро узнал весь Париж. Ее окружала многочисленная прислуга. Рядом с ней всегда находился барон Эмбс, которого она выдавала за своего родственника. На самом деле это был Вантурс, купеческий сын, сбежавший из Гента от жены и кредиторов. От княжны он получил более звучную фамилию. Второй ее компаньон, барон де Шенк, комендант и управляющий, был незаменимым помощником в ее авантюрах.

Приезд таинственной иностранки привнес в жизнь парижан необычайное оживление. Али Эмети открыла салон, рассылала приглашения, и на них охотно откликались. Публика у нее собиралась самая разнообразная: среди представителей знати можно было встретить торговца Понсе из квартала Сен-Дени и банкира по имени Маккэй. И тот, и другой почитали за великую честь оказаться в столь изысканном обществе. Торговец и банкир уверяли, что всегда рады оказать помощь высокородной черкесской княжне — ибо, по ее словам, родилась она в далекой Черкессии, — которая вот-вот должна была унаследовать огромное состояние от дяди, ныне проживающего в Персии.

Трудно сказать что-то определенное о ее возрасте. Сама она говорила в 1775 году, что ей 23 года, следовательно, родилась она в 1752 году. Однако согласно другому документу она была на семь лет старше. Ксендз Глембоцкий в письме к примасу Подосскому назвал ее "барышней болтушкой, имеющей не более двадцати лет", но через три месяца после этого сообщения уже назвал ее тридцатилетней. То же утверждает английский консул сэр Джон Дик.

Как же выглядела таинственная княжна? Граф Валишевский писал: "Она юна, прекрасна и удивительно грациозна. У нее пепельные волосы, как у Елизаветы, цвет глаз постоянно меняется — они то синие, то иссиня-черные, что придает ее лицу некую загадочность и мечтательность, и, глядя на нее, кажется, будто и сама она вся соткана из грез. У нее благородные манеры — похоже, она получила прекрасное воспитание. Она выдает себя за черкешенку — точнее, так называют ее многие, — племянницу знатного, богатого перса..."

Глембоцкий говорил, что "она очень хорошо сотворена Богом, и, если бы не немного косые глаза, она могла бы соперничать с настоящими красавицами".

А это описание принадлежит перу князя Голицына: "Насколько можно судить, она — натура чувствительная и пылкая. У нее живой ум, она обладает широкими познаниями, свободно владеет французским и немецким и говорит без всякого акцента. По ее словам, эту удивительную способность к языкам она открыла в себе, когда странствовала по разным государствам. За довольно короткий срок ей удалось выучить английский и итальянский, а будучи в Персии, она научилась говорить по-персидски и по-арабски".

Все выдающиеся и образованные люди говорили, что она "большого ума и богатых способностей", много знает, излагает свои мысли логично, с удивительным пониманием дела.

Али Эметти, княжна Волдомирская и Азовская обладала не только превосходнейшими манерами, искусством приобретать и увлекать знакомых, она очаровывала всесторонним знанием общества и артистическими способностями: играла на арфе, чертила, рисовала и прекрасно разбиралась в архитектуре.

Дама была впечатлительной, порывистой, увлекающейся натурой, прекрасно разбиралась в людях, без колебаний все ставила на карту, уверенностью, изящными манерами вводя в заблуждение даже самых подозрительных...

В Париже компания стала жить на широкую ногу. Они свели знакомства с богатым купцом Понцетом, графом Маскайем, старым чудаком Де-Марине.

Среди гостей, особенно часто наведывавшихся к княжне, был польский дворянин великий гетман литовский граф Михаил Огинский. Он прибыл к

Париж, чтобы просить французского короля помочь его многострадальной Польше. Он превозносил до небес ее честное сердце и благодеяния. Огинский утверждал, что “вся Европа, к своему позору, не могла бы произвести подобной личности”. Отношения между княжной и Огинским принимали все более романический характер. Али Эметти благосклонно принимала его ухаживания. Правда, у поляка не было денег, поэтому она выпросила у Огинского диплом на звание капитана литовских войск для сбежавшего из Гента Вантурса.

Был у княжны и другой верный поклонник — придворный маршал князя Лимбург-Штирумского граф де Рошфор-Валькур. Граф признался княжне в любви, и та, похоже, не осталась равнодушна к его чувству.

Но вот неожиданность! Королевские жандармы заключили под стражу так называемого барона Эмбса! Оказалось, что он вовсе не барон и не родственник княжны, а обыкновенный фламандский простолюдин и ее любовник. Арестовали же его за то, что он отказался платить в срок по векселям. Правда, вскоре его выпустили — под залог. И дружная компания — княжна, Эмбс и Шенк — спешно отбыла в Германию.

Граф де Рошфор, сгоравший от любви, последовал за своей возлюбленной во Франкфурт. Здесь он выбрал у своего владыки один из княжеских замков якобы для своей невесты. Рошфор представил свою невесту Али Эметти князю Лимбург-Штирумскому, владетелю — как и большинство немецких мелкопоместных дворян — крохотного участка земли и предводителю войска из дюжины солдат. Князь тут же влюбился в прекрасную черкешенку. Он расплатился с ее кредиторами деньгами и орденами, а принцессу вывез в замок Неусес во Франконии. Несчастный “жених” Рошфор был объявлен чуть ли не государственным преступником и был взят на несколько месяцев под арест.

Али Эметти, приняв европейское имя Элеонора, стала жить в Неусесе в роскоши. Она пообещала князю, что его финансовые трудности позади, ее персидский дядюшка обо всем позаботится. Европейская “Элеонора” была для него “любимым ребенком”, “божественной Бетти” или “маленькой Али”, а он — ее “верным рабом”. Элеонора с видимым усердием принялась за дело, надеясь склонить князя уступить ей графство Оберштейн.

Она решила привести потерявшего голову влюбленного к алтарю. Чтобы ускорить процесс, сочинила сказку о необходимости возвращения в Персию, куда ее опекун будто бы вызывал для того, чтобы выдать замуж. На дорогу денег должен был добыть министр курфюста тревирского Евстафий фон Горнштейн. Она обещала прислать значительную сумму для покрытия своих долгов, поддержания Штирума и выкупа Оберштейна... Эффект превзошел все ожидания. Лимбург сделал ей предложение, готов был даже отречься от престола в пользу младшего брата и отправиться с ней в далекие страны, в Персию, куда угодно...

И только фон Горнштейн, хотя и был очарован принцессой, потребовал документы о ее происхождении. Это был сильный удар для авантюристки. Она заявила, что остается в Европе, так как получила от опекуна позволение на брак с Лимбургом и обещание больших... персидских подкреплений.

Горнштейн поверил ей. 31 июля 1773 года он написал письмо принцессе, в котором говорилось: “Вы сотворены для того, чтобы подарить князю счастье”. Она ответила любезностью, попросив прелата разрешить считать его своим учителем. А документы о ее происхождении она обязательно предоставит, но позже. Она владетельница Азова, находящегося под верховным управлением Российской империи. Через несколько дней мир узнал из газет, что, как наследница дома Волдомира, она может без помех войти во владение отцовским имуществом, которое секвестировано в 1740 году на двадцать лет.

Желая подразнить любовника, она объявила, что освобождает Лимбурга от всех обязательств до окончания русско-турецкой войны, после которой в Петербурге признают ее права на княжество Волдомир... Она решила отдать ему свое поместье в управление и даже предложила вексель на значительную сумму, написанный на воображаемого банкира.

Элеонора объявила себя беременной. По всей вероятности, это было очередным вымыслом, чтобы связать себя с любовником более прочными узами. Она пыталась вызвать ревность Лимбурга оживленной перепиской с Огинским.

Наконец, улучив момент, принцесса призналась ему, что на самом деле она — дочь русской императрицы Елизаветы Петровны! И что ее, мол, сослали в Сибирь, потом похитили и увезли ко двору персидского шаха, после чего она наконец попала в Европу...

Во время визита к своей сестре Иозеф-Фридерик-Поликсен в Бартенштейне Лимбург услышал, что Али — дочь императрицы Елизаветы и казацкого гетмана Разумовского. Какой-то поручик так расписал сказку о ее происхождении, что при дворе князя Гогенлоэ-Бартенштейн все внимали ей, затаив дыхание. Появление сенсационных слухов о великой русской княжне относится к декабрю 1773 года. За несколько месяцев до того Емельян Пугачев, выдававший себя за Петра III, обнародовал первый манифест и зажег над Уралом зарево могучего восстания.

Князь Лимбург-Штирумский, судя по всему, ни на миг не усомнился в искренности ее слов. Он даже поклялся, что впредь будет покровительствовать внучке Петра Великого везде и во всем, ибо, по его мнению, только она по праву достойна короны Российской империи, а не какая-то там Екатерина-узурпаторша!

Но так ли безосновательно ее утверждение, что она родилась от морганатического брака императрицы Елизаветы Петровны с Алексеем Разумовским?

Это одна из загадок русской истории. Однажды простому казаку Алексею Разуму улыбнулась удача — он поступил певчим в церковную капеллу при императорском дворе. Елизавета заметила пригожего молодца, и вскоре он стал ее любовником. А немного спустя казак уже был камергером, генерал-майором, обер-егермейстером, генерал-аншефом, кавалером ордена Андрея Первозванного, графом Священной Римской империи и фельдмаршалом! Впрочем, несмотря на все чины и регалии, Алексей оставался человеком вполне здравомыслящим, он часто говаривал своей августейшей возлюбленной: "Елизавета Петровна, ты вольна величать меня хоть фельдмаршалом, хоть кем угодно, однако ж ты не в силах сделать так, чтобы слуги и рабы твои воспринимали меня всерьез!"

Венцом удач Разумовского — отныне его уже звали Разумовский — стал его тайный брак с Елизаветой. Но были ли у них дети? Мнения историков на сей счет расходятся. Автор жизнеописания принцессы Волдомирской Шарль де Ларивьер, к примеру, считает, что "у них было по меньшей мере двое детей, и после рождения они получили имя и титулы князя и княжны Таракановых".

А между тем князь Лимбургский постепенно становился рабом своей страсти. Ослепленный любовью, он не заметил, как в окружении княжны появился поляк по фамилии Доманский. Он был молод, хорош собой, обладал живым умом и отличался завидной храбростью, причем не только на словах, как многие, а и на деле. В 1772 и 1773 годах Польша переживала кризис, который, впрочем, ей так и не было суждено преодолеть. Екатерина II навязала полякам в короли своего фаворита Станислава Понятовского. У власти он держался исключительно благодаря покровительству русских, прибравших к рукам буквально все: и польскую армию, и дипломатию, и местное управление. Большая часть польских дворян, грезивших об аристократической республике, взяла в руки оружие, чтобы защищать независимость своей родины. Но полки Станислава и Екатерины разбили повстанцев в пух и прах. А тем из них, кто выжил, пришлось покинуть Польшу.

Граф Огинский обосновался в Париже, а князь Карл Радзивилл, вильненский воевода и главный предводитель конфедератов — так называли польских дворян, восставших против Станислава Понятовского, ставленника Екатерины II, — предпочел поселиться в Мангейме. За ним последовала большая часть его сторонников. Они не скрывали своего стремления — при первой же возможности вновь выступить с оружием в руках против Станислава. Доманскому больше, чем кому бы то ни было, не терпелось сразиться за независимость Польши. При нем состоял Йозеф Рихтер, некогда служивший графу Огинскому в Париже. Огинский "уступил" его княжне Волдомир. Так Рихтер рассказал Михаилу Доманскому, своему новому хозяину, о княжне, о ее "причудах, красоте и обаянии". И Доманский, питавший слабость к красивым женщинам, влюбился в нее без памяти. Ради нее он бросился в омут сумасшедшей политической авантюры. Но после того как в жизни княжны появился Доманский, ее поведение резко изменилось.

До сих пор она вела себя как отъявленная авантюристка. Теперь же она и вправду возомнила себя претенденткой на престол. Такая перемена произошла с ней не случайно. Польские эмигранты хорошо понимали: единственное, что могло спасти Польшу, — это отстранение Екатерины от власти.

Княжна участвовала во всех сборищах польских эмигрантов. Тогда-то князь Радзивилл, которому Доманский поведал о "явлении" княжны, написал: "Сударыня, я рассматриваю предприятие, задуманное вашим высочеством, как некое чудо, дарованное самим Провидением, которое, желая уберечь нашу многострадальную отчизну от гибели, посылает ей столь великую героиню".

Элеонора сообщила князю Лимбургу, что намерена покинуть Германию, потому что ее ожидают в Венеции. Она была с ним нежна, но во всем, что касалось ее амбиций, держалась твердо и решительно. Как-то она показала ему письмо, полученное якобы от сподвижницы Радзивилла, где было написано, что Людовик XV одобряет ее намерение отправиться в Константинополь и заявить о своих правах на российский престол. К тому же в Венеции ее уже ждал Радзивилл. Князь Лимбург поклялся, что будет любить "Элеонору" до конца своих дней, и, снарядив для нее величественный кортеж — на что ушли немалые деньги, — проводил ее до Де-Пона. Больше того, он даже признал за нею право, в случае своей безвременной кончины, взять титул княжны Лимбург-Штирумской и закрепил это на бумаге.

Так что княжна, прибыв 13 мая 1774 года в Венецию, уже представлялась как графиня Пиннебергская — так называлось одно из поместий князя Лимбурга.

Графиня в гондоле поднялась вверх по Большому каналу. Ее встретил сам Радзивилл — он нижайше поклонился новоявленной русской императрице. Гондола доставила княжну в ее резиденцию. Но не на какой-нибудь постоялый двор, в гостиницу или частный дом, а прямиком в особняк французского посольства. Документы свидетельствуют о том, что Версаль почти признал новоявленную дочь Елизаветы. Еще бы — ведь Огинский был там своим человеком. Став при Людовике persona grata, он сумел пробудить во французском монархе сочувствие к судьбе Польши. Кроме того, королевские дипломаты ошибочно полагали, будто власть Екатерины II была непрочной. Но действительно ли министры Людовика верили в права Елизаветы? Или же тут был политический расчет? К сожалению, ответить на этот вопрос однозначно нелегко.

Претендентка уведомила Лимбурга, что Франция отозвалась одобрительно о ее намерении поехать с Радзивиллом из Венеции в Стамбул, чтобы оттуда объявить Европе свои права на русскую корону и, после нового восстания в Польше и обострения турецкой войны, свергнуть с трона Екатерину II. Это было в мае 1774 года. В воображении князя предстала лига с ним, Огинским и с виленским воеводой во главе, "под наблюдением Бетти", которая очень скоро должна была свести счеты с императрицей.

9 мая она написала Огинскому письмо, в котором просила его прибыть в Венецию, чтобы принять участие вместе с нею и князем Радзивиллом в путешествии на Босфор.

Между тем графиня Пиннебергская, надежно обосновавшись во французском посольстве, начала устраивать приемы. А лицезреть ее спешили многие и главным образом — обитатели французской колонии. Посетителей она принимала со всеми церемониями придворного этикета, как и подобает настоящей императрице. Радзивилл с Михаилом Доманским у нее буквально дневали и ночевали. К ней наведывались английские купцы и аристократы. Итальянцы, однако, тоже не оставались в стороне. Самым желанным из них был некий Мартинелли, управляющий Венецианского банка.

Но вскоре банкир пресытился обществом графини Пиннебергской. Она же быстро растратила свой капитал, ее начали одолевать кредиторы. И вот в один прекрасный день княжна без малейших колебаний велела собрать весь свой скарб и подалась в Рагузу. Перед отъездом она созвала польских дворян. На этом импровизированном совете выступил Радзивилл — он выразил надежду в скором времени увидеть княжну на российском престоле. Княжна встретила его речь благосклонно и обнадежила присутствующих заявлением, что сделает все возможное, чтобы наказать виновных и отомстить за все злодеяния, совершенные против Польши.

Франция по-прежнему оказывала ей покровительство. Французский консул в Рагузе предоставил в ее распоряжение загородную резиденцию, прекраснейшую виллу в окрестностях города — на холме, поросшем деревьями и виноградниками. И снова в ее салоне стали собираться аристократы со всей Европы. Никто из них ни на миг не сомневался в справедливости ее притязаний — они искренне верили, что недалек тот день, когда княжна, несчастная жертва политических интриг, заменит нечестивую Екатерину на российском престоле. А княжна подолгу рассуждала о некоем всеевропейском союзе, дипломатическом паритете и насущно необходимых реформах. Судя по всему, она довольно хорошо знала жизнь русского народа и неплохо разбиралась "во всем, что имело касательство к Востоку". Но неужели этого было достаточно, чтобы претендовать на российский престол? Иные в этом все же сомневались. Тогда княжна призвала к себе Радзивилла и показала ему бумаги — духовное завещание Петра I, акт последней воли своей матери, по которому она являлась законной наследницей престола, письма. Поляк не удивился и признанию княжны, что Пугачев — как раз в это время он, подобно урагану, опустошал российские губернии — никакой не Петр III, а ее родной брат...

Поляки, ненавидевшие Екатерину и Россию, возлагали большие надежды на помощь Турции. Но эти надежды развеялись после подписания русско-турецкого мирного договора. В сложившейся политической ситуации авторитет княжны стал заметно падать. Однажды ночью у ворот ее виллы нашли раненого человека — в него стрелял из ружья телохранитель княжны. Раненым оказался не кто иной, как Доманский. В Рагузе остались недовольны случившимся. Вслед за тем поползли слухи, будто княжна — самая настоящая авантюристка. Радзивилл и его ближайшие сподвижники демонстративно покинули Рагузу и вернулись в Венецию. И самозванке пришлось жить только на собственные средства и те, что перепали ей от Доманского. Однако такой неожиданный поворот в ее судьбе не смутил ее, и она вовсе не собиралась отступать.

Вскоре ей стало известно, что в Средиземном море находится русская эскадра и что командует ею Алексей Орлов, брат Григория, фаворита Екатерины. Ходила молва, будто он впал в немилость императрицы всея Руси. Княжна написала Орлову, признавшись, что она — истинная российская государыня, что Пугачев — ее брат, а турецкий султан считает законными все ее притязания. Она также обещала сделать Орлова первым человеком на Руси — ежели, конечно, тот встанет на ее сторону и поможет ей взойти на престол. Но ответа она так и не получила.

А тем временем за нею по пятам, как когда-то в Париже и Венеции, толпой следовали кредиторы. И, как в Париже и Венеции, княжна предпочла скрыться. Чуть позже она объявилась в Неаполе, в английском посольстве. Английский посол сэр Уильям Гамильтон и его супруга, леди Гамильтон, встречали гостью с распростертыми объятиями и обхаживали ее как настоящую царицу.

6 декабря 1774 года княжна приехала в Рим. Обязанности секретаря, казначея, мажордома здесь исполнял ксендз Ханецкий, который отлично знал папскую резиденцию. Он снял дом за пятьдесят, а карету за тридцать цехинов в месяц. Увы, но авантюристке не удалось заручиться поддержкой Ватикана и польского резидента.

Между тем в Санкт-Петербурге Екатерина II, до сих пор лишь презиравшая самозванку, теперь уже буквально рвала и метала. Пришло время раз и навсегда покончить с интриганкой, которая становилась уже не на шутку опасной. Кому же доверить столь необычное и деликатное поручение? Екатерина решила не колеблясь — только Алексею Орлову. Тому самому, которому княжна имела наглость и неосторожность писать. Орлов переправил послание, адресованное ему, Екатерине, и та дала вот какой ответ: “Я прочла письмо, что написала мошенница, оно как две капли воды похоже на бумагу, которую она направила графу Панину. Нам стало известно, что в июле месяце она вместе с князем Радзивиллом находилась в Рагузе. Сообщите, где она сейчас. Постарайтесь зазвать ее на корабль и засим тайно переправьте сюда; ежели она по-прежнему скрывается в Рагузе, повелеваю вам послать туда один или несколько кораблей и потребовать выдачи этого ничтожества, нагло присвоившего имя, которое ей никоим образом не принадлежит; в случае же неповиновения (то есть если вам будет отказано в ее выдаче) разрешаю прибегнуть к угрозе, а ежели возникнет надобность, то и обстрелять город из пушек; однако же, если случится возможность схватить ее бесшумно, вам и карты в руки, я возражать не стану”. Итак, в этом послании, от 12 ноября 1774 года, Орлову предписывалось “схватить самозваную внучку Петра Великого любой ценой — хитростью или силой”.

Орлову предстояло начать игру. Его флагман бросил якорь в Ливорно. Княжна покинула Рим и остановилась в Пизе. Она едва сводила концы с концами. И вот в один прекрасный день она получила великую весть: к ней направляется кортеж адмирала Орлова. Адмирал просит принять его. Представ перед претенденткой на престол, Орлов тут же отвесил ей нижайший поклон и всем своим поведением дал понять, что признает в ней настоящую княжну. Он стал бывать у нее чуть ли не каждый день. И всякий раз княжна подолгу рассказывала ему о своих пожеланиях, надеждах и видах на будущее. Адмирал выслушивал и согласно кивал. Он даже признался ей в страстной любви и выразил готовность вести ее к алтарю. Она не согласилась... Привела доводы. Ее ждут нелегкие испытания. В знак расположения она подарила Орлову свой портрет. В ответ адмирал пообещал взбунтовать флот. Через неделю Орлов-Чесменский предложил княжне отправиться на корабле в Ливорно, чтобы наблюдать за морскими маневрами.

22 февраля на адмиральском корабле "Исидор" самозванка была арестована. Ее доставили в Россию и заключили в Петропавловскую крепость.

Вести дознание по делу лже-императрицы было поручено фельдмаршалу князю Голицыну. Он представил императрице прелюбопытнейшие отчеты, основанные на признаниях самой авантюристки.

Когда Голицын явился к ней в Петропавловскую крепость, ему показалось, будто "она пребывала в сильном раздражении, ибо даже помыслить не могла, что ее заточат в такое ужасное место. Выразив свое негодование, она спросила, за что с нею обошлись столь бесчеловечно. Я тотчас объяснил, что она была арестована на вполне законных основаниях, и призвал ее говорить только правду и назвать всех сообщников. Я повелел задавать ей вопросы по-французски, учитывая, что она совсем не знает русского".

Голицына поразило плохое состояние здоровья арестантки: "У нее бывают не только частые приступы сухого кашля, но и рвота вперемешку с кровохарканьем".

Так в чем же призналась самозванка?

Зовут ее Елизавета, ей двадцать три года; она не ведает ни своей народности, места рождения, не знает она и кто были ее родители. Шестилетним ребенком ее вывезли в Лион, а после полугодового пребывания в этом городе в Киль. Воспитывалась она под наблюдением госпожи Перет или Перон (точно не помнит) и крещена она по православному обряду; не припомнит, когда и в чьем присутствии. Когда она спрашивала, кто ее родители, от нее отделывались лишь утешением, что скоро они приедут. О пребывании в столице Гольштинии у Азовской принцессы остались лишь туманные воспоминания.

Когда ей исполнилось девять лет, воспитательница и еще одна женщина, уроженка Гольштейна по имени Катрин, вместе с тремя незнакомыми мужчинами увезли ее в Россию, через Ливонию. Это случилось в 1761 году, сразу после смерти Елизаветы Петровны, императрицы российской. Минуя Петербург и прочие города, они двинулись по направлению к персидской границе. Всю дорогу она болела, и ее пришлось оставить в какой-то деревушке — ее название она не помнит. Как ей кажется, ее просто пытались отравить. Она тогда сильно страдала, все время плакала и спрашивала, по чьему коварному наущению ее оставили в этой глуши. Пятнадцать месяцев она провела в одиночестве. Она постоянно плакала, жаловалась. Но все было напрасно. И лишь потом из разговоров крестьян поняла, что ее держат здесь по приказу покойного императора Петра III...

Но вот наконец ей вместе со служанкой и одним крестьянином удалось бежать — и через четыре дня они пешком добрались до Багдада. В Багдаде они повстречали богатого перса по имени Гамет, тот пригласил их к себе в дом, обращался с ней по-отечески ласково и заботливо. Вскоре она узнала, что в этом же доме скрывается всемогущий князь Али, обладатель огромного состояния в Исфахане. Несколько позднее князь Али, услышав ее историю, обещал помочь ей и увез с собой в Исфахан. Там он обходился с нею как со знатной особой. Поверив в ее высокое происхождение, князь не раз говорил ей, что она наверняка дочь усопшей императрицы Елизаветы Петровны — впрочем, то же самое говорили и все, кто ее видел. Правда, многие спорили насчет того, кто был ее отцом. Одни считали — Разумовский, иные полагали, что совсем другой человек, но имени его почему-то не называли. Князь Али, взяв ее под свое покровительство, заявил, что не пожалеет всех своих богатств, чтобы доказать ее высочайшее происхождение. В Исфахане она прожила до 1768 года. Однако вскоре в Персии опять случилась великая смута, и князь, не желая подвергать свою жизнь опасности, решил покинуть родину и податься в Европу. Она согласилась отправиться с ним, но лишь при одном условии — если они минуют Россию, ибо ей тоже не хотелось рисковать жизнью. Но Али успокоил ее, сказав, что в Астрахани она переоденется в мужское платье, и таким образом они спокойно смогут пересечь всю Россию. В сопровождении многочисленной свиты они покинули Исфахан и в 1769 году прибыли в Астрахань; Али — под именем знатного персидского вельможи Крымнова, а она — как его дочь.

По словам авантюристки, она провела два дня в Астрахани, ночь в Санкт-Петербурге, потом, через Ригу, попала в Кенигсберг, шесть недель жила в Берлине, почти полгода в Лондоне, а из Лондона перебралась во Францию. В Париже она оказалась в 1772 году. А что с нею было дальше, нам уже известно.

Ранее сэру Вильяму Гамильтону она поведала другую историю.

По этой версии Елизавета I передала ей права на престол, а на Петра III возложила обязанности воспитать царевну. Немилосердный монарх отправил родственницу в Сибирь, откуда спустя год ее вывело участие в ней одного священника. Под покровом ночи бежали они в столицу донских казаков. Ее пытались отравить, однако она успела скрыться. Бежала в Персию к родственнику отца, который в правление шаха Тамаса переселился на берега Каспия. Этот король королей осыпал русского пришельца ласками и богатствами, наделил его обширными поместьями и окружил почетом. Благодаря этому он мог заботиться о преследуемой судьбой дочери родственника, выписывать для нее педагогов из-за границы и превосходно подготовить ее к жизни.

Голицын докладывал:

“В итоге она утверждает, будто никогда не помышляла выдавать себя за дочь покойной императрицы Елизаветы и что никто ее на сие не науськивал, а про сбое происхождение она, мол, узнала только от князя Али. Она заявляет, будто не желала, чтобы ее величали этим титулом — ни князь Лимбургский, ни Радзивилл, и всегда повторяла им: “Впрочем, называйте меня как знаете — хоть дочерью турецкого султана, хоть персидского шаха, хоть русской княжной. Но лично мне кажется, что я не вправе носить сей титул”. Она говорит, что в Венеции строго-настрого запретила полковнику Кнорру обращаться к ней как к высочеству. Когда же тот воспротивился, она подалась в Рагузу и воспретила местным властям употреблять по отношению к ней титул княгини. Будучи в Рагузе, она получила безымянное письмо и три духовных: первое было подписано рукою императора Петра Великого и имело касательство к венчанию на царство Екатерины I; второе было за подписью императрицы Екатерины I — о короновании Елизаветы Петровны, и третье — Елизаветино — о передаче короны ее дочери, которую должно величать Елизаветой II. Что же до манифеста, она ответствовала, что то был вовсе не манифест, а своего рода предписание, то бишь указ, согласно которому графу Орлову надлежало огласить перед моряками российского флота Елизаветино завещание относительно ее родной дочери. Она также утверждает, будто направила сие писание графу Орлову единственно для того, чтобы узнать, кто взял на себя груз послать ей упомянутые бумаги и могли ли они прийти из России...

Однако же, наслушавшись разговоров о своем рождении и памятуя о злоключениях детства, она порой тешила себя мыслью, что, быть может, она действительно та, о ком упоминается в присланных ей духовных и прочих бумагах. Она думала, что у тех, кто прислал ей все это, были свои причины сделать это, имевшее явное отношение к политике".

Свой отчет императрице великий канцлер Голицын закончил так: "Узница, уповая на милость императрицы, утверждает, что на самом деле она всегда питала любовь к России и препятствовала любым злонамерениям, могущим причинить вред государству российскому, — что в конечном итоге послужило причиной ее размолвки с Радзивиллом. Именно ее горячее стремление любыми средствами защитить интересы России как раз и повлекло за собой ее ссору с Радзивиллом".

Вскоре княжна поняла, что ей, похоже, уже никогда не будет суждено выйти на свободу, и тем не менее она отправила Екатерина II исполненное горького отчаяния письмо:

"Ваше императорское величество, я полагаю, настало время уведомить Вас о том, что всего, писанного в стенах этой крепости, явно недостаточно, чтобы развеять подозрения Вашего величества на мой счет. А посему я решилась обратиться к Вашему императорскому величеству с мольбой выслушать меня лично, но не только поэтому, а еще и потому, что я могу принести большую пользу России.

И моя мольба — верное тому ручательство. К тому же я вполне могла бы опровергнуть все, что было написано и сказано против меня.

Я с нетерпением жду распоряжений Вашего императорского величества и уповаю на Ваше великодушие.

Имея честь выразить Вашему императорскому величеству заверения в моем глубочайшем почтении, я по-прежнему остаюсь Вашей покорнейшей и смиреннейшей слугой.

Елизавета".

Кроме того, княжна написала два письма князю Голицыну и подписалась все тем же именем — Елизавета. Таким образом, она дважды совершила непростительную оплошность, чем навлекла на себя гнев Екатерины, потому что та не преминула заметить Голицыну следующее:

"Князь! Соблаговолите передать небезызвестной особе, что, ежели ей угодно облегчить свою участь, пусть прекратит ломать комедию и выбросит спесь из головы, ибо, судя по ее письмам к вам, дерзко подписанным именем Елизаветы, она так до сих пор и не образумилась. Велите передать ей, что никто ни на мгновение не сомневается в том, что она отъявленная авантюристка и что вы настоятельно советуете ей умерить тон и чистосердечно признаться, кто надоумил ее взять на себя эту роль, где она родилась и с какого времени начала заниматься мошенничеством. Повидайтесь с нею и еще раз передайте, чтобы прекратила ломать комедию. Надо же, какая негодяйка! Судя по тому, что она написала мне, дерзость ее вообще не знает границ, и я уж начинаю думать, все ли у нее в порядке с рассудком".

По всей видимости, императрице во что бы то ни стало хотелось узнать настоящее происхождение авантюристки. Вскоре ей сообщили, что мошенница была не кто иная, как дочь пражского кабатчика; потом — будто родилась в Польше, что объясняло ее связь с конфедератами Радзивилла; затем — что она дочь нюрнбергского булочника, и в довершение всего — будто она из семьи польского еврея. Очевидно, что какая-то из четырех перечисленных версий была лишней. Однако Екатерину II ни одна из них явно не устраивала. Судя по поведению императрицы, она была чем-то взволнована и даже встревожена. Вскоре, правда, она обрела некоторое успокоение: оказалось, что самозванка была совсем плоха. Ее то и дело трясло в лихорадке. Участилось кровохарканье. И 26 октября 1775 года князь Голицын сообщил Екатерине, что состояние арестантки плачевно: "Врач, что пользует ее, опасается, что долго она не протянет". И действительно, в один из декабрьских дней 1775 года, призвав к себе католического священника, она испустила дух. "Отъявленная негодяйка, присвоившая себе высокий титул и происхождение, близкое к ее высочеству, — писал Голицын, — 3 декабря испустила дух, так ни в чем не сознавшись и никого не выдав".

Так кто же она была, эта таинственная авантюристка и самозванка? А может, она, как сама утверждала, действительно была дочерью Елизаветы?

Известно, что Екатерина II запретила проводить какое-либо дознание, могущее изобличить княжну. Царица ни разу официально не оспорила ее притязания. Екатерине хотелось лишь одного — скорее покончить с этим делом. "Довольно примечательно, — писал историк Шалемель-Лакур, — что никто так и не попытался опровергнуть широко распространенное мнение о том, что у императрицы Елизаветы была дочь, или доказать, что она умерла, или, по крайней мере, узнать, что с нею сталось". Спустя восемь лет после смерти узницы Петропавловской крепости посол Франции в России маркиз де Врак, по просьбе одного из парижских кредиторов бывшей княжны Волдомир, собрал в Санкт-Петербурге кое-какие сведения о ней. Посол изложил их в депеше, которая ныне хранится в архивах Французского министерства иностранных дел. В этой депеше де Врак выражал свою убежденность в том, что "она действительно была дочерью Елизаветы и Разумовского". После долгих кропотливых исследований, подкрепленных красноречивыми документами, историк Шарль де Ларивьер также пришел к выводу о том, что княжна вполне могла быть дочерью императрицы Елизаветы.

Тем не менее та, которая, возможно, была внучкой Петра Великого, нашла свою смерть в крепостном каземате.

Авантюристка попала в историю как княжна Тараканова, хотя никогда этим именем не пользовалась и, возможно, даже не подозревала о существовании такой фамилии. Под этим именем известна еще одна княжна, якобы действительно, рожденная от морганатического брака императрицы Елизаветы с графом А.Г. Разумовским по имени Августа (Тимофеевна). По повелению Екатерины II она была привезена в Ивановский монастырь и пострижена под именем Досифеи. Княжна Тараканова прожила здесь до самой смерти в 1810 году. Еще одна загадка. Так или иначе, но нашу авантюристку стали тоже называть княжной Таракановой.

А затем и принцесса Волдомир превратилась в принцессу Владимирскую. П. Мельников в своей книге “Княжна Тараканова и принцесса Владимирская” (Спб, 1868) счел фамилию Волдомирская равнозначной Владимирская и, без всяких на то оснований, стал именовать ее Владимирской. Происхождение же княжны “Волдомир” — плод буйной фантазии Азовской принцессы. Не более...

Шарль-Женевьева Д’Эон де Бомон

(1728 — 1810)

Французский авантюрист. Дипломат, капитан драгунов, тайный агент Людовика XV. Переодевшись в женское платье, прибыл в Россию с особым заданием (1755). Добился расположения русской императрицы Елизаветы Петровны и сыграл большую роль в заключении договора между Россией и Францией. Участвовал в Семилетней войне. Написал исторические и статистические заметки о России.

Шевалье д’Эон прожил восемьдесят два года, из которых 48 лет считался мужчиной, а 34 — женщиной. Дипломатический посланник Франции при дворе Елизаветы Петровны, оказавший несомненное влияние на политическую жизнь России, хитроумный разведчик, блистательный интриган, виртуоз-фехтовальщик, храбрый воин, одаренный литератор... О нем ходило множество слухов, он стал предметом многочисленных споров.

Д’Эон де Бомон родился 5 октября 1728 года в Тоннере, главном городе Иенского департамента. В акте, составленном о его рождении, он был записан мальчиком. Но один из его биографов, де Ла Фортейль, заявил, что будущий шевалье д’Эон — девочка и что ее одевали и воспитывали как мальчика только потому, что отец желал иметь непременно сына.

...Родители отправили его учиться в Париж, где он поступил в коллегию Мазарена. Д’Эон делал успехи; из этой коллегии он перешел в юридическую школу и, по окончании курса, получил степень доктора гражданского и канонического права. Еще в юности д’Эон пробовал заниматься литературным трудом. Кроме того, он оставил после себя обширную переписку, заметки и очерки. В Париже д'Эон приобрел громкую известность своим искусством стрелять и драться на шпагах, впоследствии он имел славу одного из самых опасных дуэлянтов Франции.

В юности Шарль-Женевьева поразительно походил на хорошенькую девушку, как внешностью, так и голосом и манерами. В двадцать лет он имел прекрасные белокурые волосы, светло-голубые томные глаза, такой нежный цвет лица, какому могла бы позавидовать любая молодая женщина; роста он был небольшого, а на гибкую и стройную его талию был в пору корсет самой тоненькой девушки; маленькие его руки и такие же ноги, казалось, должны были бы принадлежать не мужчине, а даме-аристократке; над губой, над подбородком и на щеках у него, по словам одного из его биографов, пробивался только легкий пушок, как на спелом персике.

Умный, образованный, ловкий фехтовальщик, поэт, всеми любимый и известный, он все-таки был несчастлив — природа обделила его мужественностью. Как сказал один из его биографов, "жизненная сила прилила к его черепу, оставив его конечности". Короче говоря, женщины его не возбуждали. Многочисленные его друзья, а среди них были известные развратники Грекур Пирон, Сент-Фуа, Безенваль и другие пытались помочь в его несчастье — предлагали ему различные возбуждающие снадобья и подкладывали в его постель одно обворожительное создание за другим. Но — увы! — все было бесполезно.

Неожиданный случай позволил кавалеру выйти из своего болезненного состояния. Однажды вечером — было это в 1755 году, — когда он сидел рядом с графиней де Рошфор, очаровательная дама, не думая ни о чем плохом, провела рукой по его волосам. Это прикосновение возымело сильное действие. Юный д'Эон испытал неведомое доселе чувство — и в двадцать шесть лет вдруг расцвел... Мадам де Рошфор тоже влюбилась в прекрасного юношу.

На один из блестящих придворных маскарадов, которыми так славилось роскошное царствование Людовика XV, кавалер д'Эон пришел в обществе веселой графини де Рошфор, убедившей Шарля нарядиться в женский костюм. Переодетый шевалье был — как хорошенькая девушка — замечен любвеобильным королем, и когда Людовик узнал о своей ошибке, он пришел в восторг...

В то время Людовик XV пытался восстановить дружественные отношения с Россией. Со своей стороны и императрица Елизавета Петровна, находившаяся под сильным влиянием Ивана Ивановича Шувалова — страстного поклонника Франции, была не прочь увидеть снова в Петербурге французское посольство.

И тут король вспомнил о кавалере д'Эоне.

Среди близких к Людовику XV царедворцев был принц Конти, происходивший из фамилии Конде, которая вела свое начало от младшей линии бурбонского дома и, следовательно, считалась родственной королевской династии. Принц, мечтавший о польском престоле, любил сочинять стихи. Однако светлейший поэт подыскивал рифмы с величайшим трудом, и чаще всего на помощь ему приходил кавалер д'Эон.

Благодаря некоторым своим сочинениям, обратившим на себя внимание публики, Шарль стал часто появляться в обществе лучших французских писателей, а через них он познакомился с принцем де Конти.

Принц одобрил идею короля послать в Санкт-Петербург кавалера д'Эона в женской одежде. Поддержала короля и его фаворитка, знаменитая маркиза Помпадур, которая на своем опыте знала, какое влияние может оказывать женщина на государственные дела.

“Цель вашей миссии, — сказала маркиза, — проникнуть во дворец, встретиться с императрицей с глазу на глаз, передать ей письмо короля, завоевать ее доверие и стать посредником тайной переписки, благодаря которой его величество надеется восстановить добрые отношения между двумя нациями”.

Далее последовали необходимые пояснения: кавалер будет путешествовать под именем Лиа де Бомон; по дороге он встретит кавалера Дугласа-Макензи, он шотландец, изгнан, служит Франции.

Кавалер д’Эон за счет принца Конти был обеспечен всеми принадлежностями роскошного дамского туалета. Такая щедрость принца объяснялась просто: отправляя д’Эона в Петербург, он дал кавалеру особые поручения. “Вы знаете, что мой дед после смерти де Собецки избран был королем Польши. Но увы! Узурпатор Август II, избранник Саксонии, захватил трон, прежде чем избранный монарх успел приехать из Франции. Это стало большим несчастьем для моей семьи и для его величества, который уже принял решение заключить тайный союз с Польшей. Король позволил мне поручить вам и вторую миссию... Речь идет вот о чем: вы скажете Елизавете, что я влюблен в нее, постараетесь внушить ей мысль заключить со мной брачный союз. Если она откажется, вы приложите все усилия для назначения меня командующим русской армией — это сблизит меня с Польшей...”

...Ясным июньским утром 1755 года кавалер д’Эон, одетый в дорожное платье, сел в почтовую карету.

Д’Эон беспрепятственно пересек Европу и в конце июня прибыл в Санкт-Петербург, где его уже поджидал Дуглас. К несчастью, через несколько дней шотландца выследили агенты Бестужева и выслали из России. Однако перед отъездом он успел-таки представить м-ль Лиа де Бомон графу Михаилу Воронцову, вице-канцлеру и франкофилу. Именно этот высокопоставленный вельможа, хорошо известный в Версале, должен был представить кавалера ко двору.

По-видимому, до дипломатических кругов доходили туманные слухи о миссии Дугласа и д’Эона, потому что, несмотря на всю секретность операции, в Париже разнеслась молва о поездке д’Эона в Россию под видом девицы. Австрийский посланник в Петербурге пытался проведать о цели приезда Дугласа и своими хитрыми расспросами поставить в тупик поверенного Людовика XV, который на вопрос посла, что он намерен делать в России, отвечал, что приехал по совету врачей, предписавших ему холодный климат...

Когда Воронцов представлял Лиа де Бомон, в корсете у нее было зашито письмо короля, а в руках она держала сочинение Монтескье с золотым обрезом и в кожаном переплете. Эта книга предназначалась для самой императрицы.

Переплет книги состоял из двух картонных листов, между которыми находились секретные бумаги, картон был обтянут телячьей кожей, края которой, перегнутые на другую сторону, были подклеены бумагой с мраморным узором. В книге Монтескье д’Эон должен был передать императрице Елизавете Петровне секретные письма Людовика XV с тайным шифром, с помощью которого она и ее вице-канцлер граф Воронцов могли вести секретную переписку с королем. Затем д’Эон получил новые шифры, один для переписки с королем, Терсье и графом Брольи, а другой для переписки с императрицей Елизаветой и графом Воронцовым, причем его строго предупредили, чтобы он хранил вверенные ему тайны как от версальских министров, так и от маршала де л’Опиталя, который в 1757 году был назначен французским посланником при русском дворе. Кроме того, д’Эону поручили пересылать королю все депеши французского министерства иностранных дел, получаемые в Петербурге, с ответом на них посланника и с личными комментариями кавалера.

Елизавету немало позабавил этот посланник, и она посмеялась от души. Д'Эон в своих мемуарах утверждал, что императрица с целью облегчить необходимые для переговоров встречи решила поселить его в своем дворце и объявила м-ль де Бомон своей чтицей. Так это или нет, но шевалье со своей задачей справился блестяще.

Чрезвычайно важное значение д'Эона как тайного дипломатического агента в Петербурге подтверждается напечатанными письмами Терсье из архива князя Воронцова. В одном из писем, датированным 15 сентября 1758 года, Терсье просил Воронцова призвать к себе д'Эона и сжечь в присутствии его прежнее свое письмо "купно с приложенными двумя циферными ключами, так и сие, дабы он мог о том меня уведомить. Именем королевским впредь сего сообщенное вам есть собственно его секрет, оной так свято хранили, как я вас о том просил. Я прошу господина д'Эона, чтобы он ко мне отписал о том, что вашему сиятельству по сему учинить угодно будет".

Д'Эон добился благосклонности Елизаветы Петровны. Она написала Людовику XV сердечное письмо, в котором выразила готовность принять французского официального дипломатического агента с основными условиями для заключения союза между государствами.

Правда, Елизавета Петровна отказалась вступить в брак с принцем де Конти, так же как и дать ему пост главнокомандующего войсками. Тогда принц стал хлопотать о получении подобного звания в Германии, но и тут ему не посчастливилось по причине ссоры с маркизой Помпадур. Осерчавший принц вообще отошел от дел и, согласно воле короля, передал все корреспонденции и шифры старшему королевскому секретарю по иностранным делам Терсье, с которым и привелось шевалье вести большую часть секретной переписки из Петербурга.

Д'Эон с письмом императрицы к Людовику XV отправился в Версаль, где был принят королем. Следуя пожеланию Елизаветы Петровны, кавалер Дуглас был назначен французским поверенным в делах при русском дворе, а д'Эон — секретарем посольства.

На сей раз шевалье отправился в Россию в мужском платье. Чтобы скрыть прежние таинственные похождения в Петербурге, д'Эон был представлен императрицей как родной брат девицы Лии де Бомон, этим и объясняли поразительное сходство между упомянутой девицей, оставшейся во Франции, и ее братом, будто бы в первый раз приехавшим в столицу России.

Вскоре шевалье вернулся во Францию, чтобы доставить в Версаль подписанный императрицей договор, а также план кампании против Пруссии, составленный в Петербурге. Копию плана он передал в Вене маршалу д'Этре.

Людовик XV был чрезвычайно доволен д'Эоном и за услуги, оказанные им в России, пожаловал ему чин драгунского поручика и золотую табакерку со своим портретом, осыпанную бриллиантами.

К этому времени относится рассказ из мемуаров д'Эона о копии с завещания Петра Великого, которую он, пользуясь оказываемым ему при русском дворе безграничным расположением, добыл из самого секретного архива империи, находящегося в Петергофе. Копию, вместе со своей запиской о состоянии России, д'Эон показал только министру иностранных дел аббату Бернесу и самому Людовику XV. Сущность этого завещания сводится к тому, что Россия постоянными войнами и искусной политикой должна покорить всю Европу и продвинуться к Константинополю и Индии. Раздробив Швецию, завоевав Персию, покорив Польшу и завладев Турцией, она должна разорить Австрию с Францией, и когда эти два государства будут ослаблены, двинуть войска в Германию и наводнить Францию "азиатскими ордами". То, что завещание, составленное Петром Великим, подложно, — не подлежит сомнению. Но было ли оно сочинено самим д'Эоном? Возможно, шевалье решил таким образом показать, насколько свободно он чувствовал себя во дворце российской императрицы. Тем более подлинность этой копии проверить было невозможно, а король и министр были не заинтересованы в огласке неблаговидного поступка своего агента. Д'Эон мог быть вполне спокоен, что подлог его не обнаружится.

Из Парижа д'Эон снова выехал в Петербург. В феврале 1758 года место Бестужева занял граф Воронцов, оказавший шевалье особое расположение. Благодаря его симпатиям д'Эон получил предложение императрицы перебраться в Россию навсегда, но он отказался от этого и в 1760 году покинул Россию. В мемуарах свой отъезд д'Эон объяснил романтическими приключениями. Действительной же причиной его отъезда из Петербурга было общее расстройство здоровья, и главным образом болезнь глаз, требовавшая внимания искусных врачей.

В Версале кавалер был принят с почетом герцогом Шуазелем, заменившим аббата Бернеса на должности министра иностранных дел. Д'Эон привез во Францию продленный русской императрицей российско-французский договор от 30 декабря 1758 года, а также морскую конвенцию, заключенную между Россией, Швецией и Данией. Людовик XV со своей стороны оказал д'Эону за услуги его в России, как "в женском", так и в мужском платье, особенную благосклонность, дав ему частную аудиенцию и назначив ему ежегодную пенсию в 2000 ливров.

Прервав на время свои занятия по дипломатической части, д'Эон, в звании адъютанта маршала Брольи, отправился на поле боя и мужественно сражался при Гикстере, где был ранен в правую руку и в голову. Оправившись от ран, он поспешил снова под знамена и отличился в сражениях при Мейншлоссе и Остервике.

Но д'Эону захотелось снова вернуться на дипломатическую стезю, и он был назначен в Петербург резидентом на место барона Бретейля, который, оставив свой пост, доехал уже до Варшавы. Но в это время в Париже было получено известие о перевороте, происшедшем 28 июня 1762 года, в результате которого на престоле оказалась Екатерина II, и Бретейлю послали предписание вернуться немедленно в Петербург. Выход России из войны ускорил поражение французов, и Семилетняя война, стоившая стольких жизней, закончилась подписанием губительного Парижского договора.

Вот тогда-то Людовик XV заметил исключительно вредное влияние мадам де Помпадур. Вспомнили, что именно она развязала эту войну. В голову ему пришла мысль о десанте на южных берегах Великобритании. К тому же он задумал реставрацию Стюарта и возрождение Ирландии. Чтобы воплотить этот проект, королю опять потребовался д'Эон. Кавалер был снова призван к его величеству.

Людовик XV назначил кавалера секретарем при французском после в Лондоне, что позволяло ему свободно перемещаться и получать все полезные для французских войск сведения. Король уточнил, что никто, кроме графа де Брогли, возглавлявшего Тайный отдел, и месье Терсье, его личного секретаря, не должен знать об этом деле — никто, даже маркиза де Помпадур.

Д'Эон, получив код переписки, отправился в Лондон, где он намеревался выразить свое почтение Софи-Шарлотте. Молодая королева встретила его исключительно любезно, предоставила комнату во дворце.

Через несколько месяцев де Помпадур, у которой повсюду были шпионы проведала о тайной переписке короля и д'Эона. Это разгневало маркизу. Ее держали в стороне от политических дел! Она решила уничтожить д'Эона...

Уже через несколько дней один из ее друзей, граф де Герий, выехал из Версаля и отправился в Лондон, куда его назначили послом Франции. Сразу после приезда он обратился к д'Эону: "Вам больше нечего здесь делать. Передайте мне доверенные вам королем бумаги и возвращайтесь во Францию".

Кавалер наотрез отказался уезжать из Англии без приказа короля.

Тогда де Прослен, министр иностранных дел, преданный друг маркизы, прислал ему подписанное Людовиком XV письмо, которым отзывали его во Францию. Кавалер не подчинился приказу — и оказался прав: вечером того же дня он получил тайное послание: "Должен предупредить вас, что король скрепил сегодня приказ о вашем возвращении во Францию грифом (факсимиле подписи), а не собственноручно. Предписываю оставаться вам в Англии со всеми документами впредь до последующих моих распоряжений. Вы в опасности в вашей гостинице, и здесь, на родине, вас ждут сильные недруги. *Людовик*".

Итак, д'Эон остался в Лондоне. Сильно разгневанная мадам Помпадур поручила де Герию подослать к кавалеру юного Трейссака де Вержи, прозябавшего в Англии мелкого служащего, чтобы тот выкрал тайные бумаги короля. Де Вержи сразу же приступил к "работе". Он подсыпал д'Эону снотворное, когда тот ужинал в компании знакомых. Попытка не удалась. Тогда Вержи взломал дверь квартиры кавалера, но так ничего и не нашел. Возмущенный д'Эон написал одному из своих преданных версальских друзей следующее письмо: "Помпадур воображает, что Людовик XV не в состоянии мыслить без ее позволения. Все эти напыщенные версальские министры, считающие, что король без них ничего сделать не может, были бы сильно удивлены, если бы узнали, что на самом деле король нисколько им не доверяет и считает их бандой воров и шпионов. Он позволяет им преследовать мелкую сошку вроде меня, а сам пытается тайно все исправить". Тайная полиция, естественно, об этом письме сообщила мадам де Помпадур.

Она приказала де Вержи заманить кавалера в ловушку и убить его. Но молодой авантюрист отказался: ему претили методы посланника и фаворитки. В конце концов он поведал обо всем д'Эону, и тот скрылся у надежных друзей.

Кавалера, однако, не занимала целиком деликатная миссия: много времени он проводил с королевой Софи-Шарлоттой, снова став ее любовником. Однажды ночью в 1771 году, в то время, когда он находился в апартаментах королевы, неожиданно вошел Георг III. Когда д'Эон удалился, король Англии устроил супруге жуткую сцену. На помощь Софи-Шарлоте пришел ее церемониймейстер Кокрель. Он внушил королю, что кавалер был на самом деле девицей. "В течение нескольких лет, ваше величество, он служит тайным агентом короля Людовика XV и носит попеременно то мужское, то женское платье. Он на самом деле — женщина — впрочем, об этом уже начинают шептаться в Лондоне".

Георг III, подумав, произнес: "Довольно странная история. Я напишу своему послу в Версале, чтобы Людовик XV просветил его по этому вопросу".

Кокрель побежал к королеве и сообщил ей, что получилось из его попытки спасти ее честь. Тогда они решили написать Людовику XV.

Король Франции, получив два письма — от короля и королевы Англии, — оказался в довольно затруднительном положении. Его сомнения разрешила фаворитка дю Барри, которая высказалась в поддержку Софи-Шарлотты.

Как только Георг III получил ответ от Людовика XV, он сразу же огласил его. Д'Эон — женщина! Через несколько дней об этом говорил весь Лондон...

Все эти слухи, лично затрагивающие Д'Эона, были ему, безусловно, неприятны. Кавалер возвратился во дворец и, не зная о выдумке Кокреля, вызвал сомневающихся в том, что он мужчина, на дуэль. Георг III заподозрил подвох и объявил о намерении разорвать отношения с обманувшим его королем Франции. Таким образом, чтобы не быть уличенным в обмане Людовику XV пришлось просить д'Эона представиться женщиной. Кавалер дал обещание. Однако Георг III заявил, что если он женщина, то должен носить платье. Между Лондоном (д'Эон) и Парижем (Людовик XV) завязалась оживленная переписка.

В сентябре д'Эон, узнав, что английский король устроил своей супруге адскую жизнь, согласился носить женское платье, но поставил условия: денежное возмещение морального ущерба французским двором в течение двадцати одного года и восстановление его должностей и политических званий.

Для ведения переговоров был послан Бомарше, прославившийся позднее как драматург. Переговоры шли успешно. Посланник короля даже не подозревал, что имеет дело с бывшим драгунским капитаном. Однажды вечером он предложил д'Эону стать его... женой.

Слух о предстоящей свадьбе Бомарше и кавалера быстро распространился в Лондоне и дошел до Парижа. Дамы, по личному опыту знавшие о мужском естестве д'Эона, умирали со смеху.

Д'Эон же, устав от роли соблазненной девицы, мечтал об уединении в своем родном городе Оннере. 13 августа он выехал из Лондона.

По прибытии во Франции кавалер получил приказ немедленно переодеться в женское платье. Мария-Антуанетта из благодарности заказала ему гардероб у лучшей французской модистки Розы Бертэн и подарила веер. Для бывшего военного началась новая жизнь. Забыв о прошлом, он научился вышивать, готовить, ткать и делать макияж. Сорок девять лет он был напористым мужчиной, а тридцать три года — очаровательной женщиной.

Скончался д'Эон 10 мая 1810 года. Сильно заинтригованные врачи осмотрели его тело. Под женскими юбками д'Эон остался настоящим драгунским капитаном...

Степан (Стефан) Малый

(? — 1773)

Самозванец. Выдавал себя в Черногории за Петра III. Достоверных сведений о его происхождении нет. 2 ноября 1767 года на всенародной сходке был признан не только русским царем, но и государем Черногории. В течение шести лет фактически правил страной. Провел ряд реформ, в частности судебную, отделил церковь от государства. Призывал племена к миру. Погиб от рук наемного убийцы.

В начале 1766 года в черногорской деревне Маина на Адриатическом побережье появился чужестранец-знахарь. Он нанялся батраком к состоятельному черногорцу Вуку Марковичу. Незнакомец привлек к себе внимание умением врачевать. Людей удивляло и его поведение: в отличие от обычных деревенских знахарей Степан Малый не брал платы до тех пор, пока его подопечные не выздоравливали. При этом он вел с ними беседы о доброте и миролюбии, о необходимости прекратить распри между общинами. Стал он лечить и своего заболевшего хозяина. В результате к концу лета 1767 года Маркович стал относиться к своему батраку с уважением и даже с почтительностью.

Через некоторое время в речах Степана Малого стали замечать таинственную важность. Он попросил одного солдата отнести к генеральному проведитору А. Реньеру письмо, адресованное самому венецианскому дожу. В письме содержалась просьба подготовиться к принятию в Которе в скором времени "свет-императора". (К тому времени приморские территории Черногории, захваченные Венецианской республикой, именовались "венецианской Албанией". Они управлялись генеральным проведитором — наместником, резиденция которого находилась в Которе.)

В августе—сентябре 1767 года по окрестным селам разнеслась весть, что батрак из села Маине и не батрак вовсе, а русский царь Петр III. Впрочем, "царь" продолжал называть себя Степаном Малым, но не из-за малого роста. Может потому, что, по его собственным словам, он был "с добрыми добр", иначе говоря, с простыми людьми прост (с малыми мал)? Есть еще одна версия. В середине XVIII века в Вероне большой популярностью пользовался врач по имени Стефан из рода Пикколо (то есть Малый). Степан тоже был знахарем...

Как только прошел диковинный слух, все бросились разглядывать иноземца, пытаясь найти в нем сходство с портретами русского императора. "Лицо продолговатое, маленький рот, толстый подбородок... блестящие глаза с изогнутыми дугой бровями. Длинные, по-турецки, волосы каштанового цвета... Среднего роста, худощав, белый цвет лица, бороды не носит, а только маленькие усики... На лице следы оспы... Кто бы он ни был, его физиономия весьма сходна с физиономией русского императора Петра Третьего... Его лицо белое и длинное, глаза маленькие, серые, запавшие, нос длинный и тонкий... Голос тонкий, похож на женский..." В то время ему было лет 35—38.

Достоверных сведений о его происхождении нет. Он называл себя то далматинцем, то черногорцем, то "дезертиром из Лики", и иногда просто говорил, что пришел из Герцоговины или из Австрии. Патриарху Василию Бркичу местом своего происхождения Степан Малый называл Требинье, "лежащее на востоке", а Ю.В. Долгорукому предложил даже три версии о себе: Раичевич из Далмации, турецкий подданный из Боснии и, наконец, уроженец Янины. Он признавался, что во время странствий ему часто приходилось менять имена. Степан Малый хорошо говорил по-сербохорватски, в разной мере владея, кроме того, немецким, французским, итальянским, турецким и, быть может, русским.

Сразу же после того, как Степан "признался" в своем царском происхождении, нашлись люди, которые "узнали" в нем Петра III. Некоторые из них в свое время побывали в России (Марко Танович, монах Феодосий Мркоевич, игумен Йован Вукачевич), и их свидетельствам особенно поверили. Марко Танович, находившийся на военной службе в России в 1753—1759 годах и встречавшийся там с Петром Федоровичем, сказал, что батрак Степан Малый как две капли воды похож на русского царя.

В одном из монастырей нашли портрет императора; сходство "подтвердилось". Несколько позднее с агитацией в пользу Петра III выступили видные православные иерархи. Особенно поразил Степан черногорских старшин, когда потребовал у них отчета в том, куда они дели присланные из России золотые медали (он узнал о них от русского офицера, побывавшего в Черногории незадолго до того).

По поручению генерального проведитора 11 октября 1767 года со Степаном Малым встретился и беседовал полковник венецианской службы Марк Антоний Бубич. Судя по его письменному отчету, эта встреча произвела на него большое впечатление. “Особа, о которой идет речь, — писал он, — отличается большим и возвышенным умом”.

14 октября в горном селе Цегличи совет старшин принял Степана как царя. Затем он встретился с митрополитом Саввой, престарелым владыкой, фактическим правителем страны. Архиерей был захвачен общим настроением, покинул горы и сам приехал к Степану в Маине, где самозванец обрушил на него поток красноречия, укоряя черногорское духовенство в пороках. Черногорский пастырь был подавлен, он пал Степану в ноги и расстался с ним, побежденный.

В конце октября в Цетинье состоялось уже всенародное собрание (“скупщина”, “збор”), на которое явились до семи тысяч человек. Степан ждал решения народа в Маине, тем не менее его первый указ был прочитан на сходке и немедленно принят к исполнению. Это был призыв к установлению мира в стране и немедленному прекращению кровных распрей. На собрании Степан Малый был признан не только русским царем, но и государем Черногории, что удостоверялось грамотой, переданной ему 2 ноября 1767 года. Началось паломничество к новому правителю: окруженный охранниками, он благословлял пришедших, выкатывал им бочки с вином, полученные от митрополита (своих доходов у “царя” не было еще довольно долго).

Венецианские власти боялись трогать Степана Малого. “Благоразумие не позволяет мне прибегнуть к решительным мерам, чтобы не возбудить открытого сопротивления...” — писал генеральный проведитор из Котора; когда в начале ноября 1767 года Степан в первый раз объехал страну, его повсюду встречали с восторгом. “Наконец Бог дал нам... самого Степана Малого, который умиротворил всю землю от Требинья до Бара без веревки, без галеры, без топора и без тюрьмы”, — восхищенно писал один из старшин, противопоставляя Степана венецианцам. “Наиславный, наивозвышенный, наивеликий... господин, господин государь, царское крыло, небесный ангел...” — так обращался к нему губернатор, только что избранный на свой пост.

Все считали самозванца Петром и в то же время именовали его Степаном, как бы признавая соединение в одном лице двух личностей; сам он подписывался именем “Степан” и приказал вырезать титул “милостью божией Степан Малый” на государственной печати. Ведь имя Степан само по себе обладало царственным смыслом: “стефанос” по-гречески означает “венец”. Кроме того, оно было популярно у сербских государей из династии Неманичей, и самозванец недаром удерживал его за собой.

Но внезапно у него обнаружился недоброжелатель — старый владыка Савва, который с трудом мирился с возвышением самозванца. Подчинившись Степану, старик написал русскому послу в Константинополе А.М. Обрескову о черногорских делах. Обресков сразу же ответил (“Удивляюсь, что ваше преосвященство... впали в равное с... вашим народом заблуждение”), и Савва немедленно выступил против Степана, разослав копию письма во все черногорские общины.

В столь критической для него ситуации Степан Малый показал себя опытным и ловким политиком. В феврале 1768 года в монастыре Станевичи была созвана сходка старшин, на которую вызвали Степана. Самозванец пустил в ход сильнодействующее средство: обвинил митрополита в служении интересам Венеции, а также в спекуляциях земель и расхищении ценностей, поступавших в дар из России. Не дав ему опомниться, Степан Малый предложил тут же отобрать у Саввы имущество и разделить между участниками сходки. Стада владыки, его дом, монастырь и еще несколько церквей были мгновенно разграблены, сам он и его родня взяты под стражу, монахи разогнаны. Степан вновь оказался хозяином положения; его ближайшим советником стал теперь сербский патриарх Василий Бркич, незадолго до того изгнанный из своей резиденции в городе Печ. В марте 1768 года Василий призвал все православное население почитать Степана как русского царя. По-видимому, для подкрепления этой версии Степан Малый, по случаю дня Петра и Павла, отмечаемых православной церковью 29 июня, организовал торжественную церемонию в честь Петра Великого, а также цесаревича Павла Петровича, как своего сына.

В роли правителя страны Степан энергично занялся созданием в Черногории неплеменной системы управления, построенной по государственному образцу. В этом деле он обнаружил энергию, дальновидность и трезвый политический расчет. Он начал с искоренения всех и всяческих распрей — от счетов, сводимых в порядке кровной мести, до межплеменных войн. Требование мира стало лейтмотивом всей его деятельности.

Наряду с призывами к миру он выдвинул довольно четкую программу преобразований. Активным преследованиям подверглась кровная месть, за нее устанавливалось изгнание из страны. Он установил суровые наказания за убийство, воровство и угон чужого скота, за умыкание женщин и двоеженство. В мае 1768 года были вынесены и приведены в исполнение первые приговоры: повешен за братоубийство один черногорец, двое подвергнуты штрафу в 100 дукатов. Всем покинувшим страну было разрешено вернуться. Правда, проводить в жизнь все это было нелегко, Степан мог рассчитывать лишь на свою личную охрану — отряд из 10—15 человек. Лишь в конце 1772 года некто С. Баряктарович, находившийся ранее на русской службе, возглавил отряд в 80 человек, призванный контролировать исполнение судебных приговоров. Выносить же эти приговоры стал суд из 12 человек, заново созданный Степаном (первая попытка введения такого суда была предпринята ранее). Наконец, с именем самозванца связана идея переписи населения. Пять старшин вместе со священником занимались этим нужным делом. В 1776 году в стране проживало около 70 тысяч человек.

Для упрочения собственной позиции правителя-государя Степан Малый специальной грамотой объявил об отделении государственной власти от власти церковной.

Современники внимательно следили за реформами, начатыми "царем", и в народе сохранилась память о порядке, воцарившемся на дорогах, и о резком сокращении кровавых распрей. "Прекратил между славянским народом разных званий издревле бывшие между ними вражды", — доносил в Петербург А.М. Обресков из Константинополя. "Начал между народом черногорским великое благополучие чинить и такой мир и согласие, что у нас еще никогда не было", — писал Савва. Сам Степан извещал русского посланника в Вене: "Черногорцы, примирясь между собой, простили один другому все обиды". Все это было достигнуто в условиях борьбы с венецианцами и турками, когда Степану приходилось маневрировать, отступать и даже скрываться то от венецианцев, то от турок. Тем не менее авторитет его был так велик, что родился даже рассказ о том, как самозванец рассыпал монеты на одной из горных дорог, бросил там пистолет в серебряной оправе, и вещи несколько месяцев лежали нетронутыми...

Степан Малый становился все более популярным. Некоторые села в Албании стали отказывать туркам в уплате харача, из других мест поступали письма, что народ "готов пролить кровь за царскую славу". Энергичных приверженцев Степан нашел на Адриатическом побережье. В окрестностях Боки Которской какой-то почитатель сложил на итальянском языке сонет, в котором говорилось, как "спустя пять лет после того, как ужасным образом сорвана корона с чела, приходит беспокойная тень в эти горы, чтобы найти здесь благочестивое успокоение". Далее следовал странный призыв: "Но если не хочешь отдыха на этой земле, иди туда, роковая тень, где у тебя было отнято царство, и подними войну". Автор сонета как бы предвидел Крестьянскую войну 1773—1775 годов. И вот в начале 1774 года дубровницкий посланник в Петербурге Ранина пишет на родину, что "в губернии Оренбург, около сибирской границы, восстал один человек, в некотором роде Степан Малый, который выдает себя за Петра Третьего".

...Первые удары, которые нанесли венецианцы и турки, последовали с Адриатики. Венеция была обеспокоена судьбой своих далматинских владений, чье население открыто симпатизировало Степану. Вначале правительство республики решило обойтись без войны; которский проведатор получил предписание от суда инквизиторов в Венеции "прекратить жизнь иностранца, виновника происходящих в Черногории волнений", несколько флаконов с ядом и отравленный шоколад. Исполнителю, пусть даже и преступнику, были обещаны прощение, убежище в Венеции и 200 дукатов. Однако ни местный лекарь, ни священник-грек, нанятые венецианцами, не смогли пробраться к Степану, которого днем и ночью охраняла стража. Степан же старался сохранить добрые отношения с республикой. "Вижу, что готовите войска для того, чтобы опустошить три общины (Маине, Побори и Браичи, перешедшие на сторону Степана), которые никому не причинили зла... Прошу не губить людей ради меня и оставить меня в покое", — писал он сенату. Эти письма не привели к успеху.

Венецианцам удалось расколоть черногорские общины в Приморье, после чего вспыхнули военные действия. В апреле 1768 года четырехтысячный отряд был двинут на Маине, где собралось до 300 вооруженных сторонников Степана. Самозванец ушел в горы, и венецианское войско остановилось, блокировав Черную Гору с моря. Черногорцы остались без припасов. В письме венецианскому наместнику А. Раньеру в июле 1768 года губернатор и воеводы выразили негодование по поводу того, что их принимают за неприятелей "без всякой нашей вины, и еще турецкую силу на нас зовете". Вместе с тем они признавались в верности Степану, называя его "человеком из царства Московского, которому мы обязаны везде до последней капли крови служить, будучи объединенными одной верой и законом, и язык у нас один. Все мы умрем... но от Московского царства отойти не можем".

В октябре 1768 года в черногорском Приморье высадились венецианские карательные войска. Все села были заняты, народ в страхе разбегался, начались массовые репрессии.

Разгром, который учинили венецианцы среди преданных Степану общин на побережье, оказался первым ударом, второй нанесли турки. В Стамбуле увидели в появлении Степана серьезную угрозу турецким интересам, ибо Черногория превращалась в крепкое государство. Вскоре десять черногорских племен, находившихся под турецким управлением, восстали и признали Степана своим царем. Сам Степан не был намерен воевать с турками. Он обещал свою вассальную зависимость, убеждал, что “было бы грешно проливать столько невинной крови как турок, так и черногорцев, и хорошо, что мы живем в мире”, соглашался уплатить харач и выдать заложников. Но тщетно!

В январе 1768 года в Боснии и Албании стали собираться войска, а в июне с севера и юга они выступили против Черной Горы. По официальным данным, в них числилось 100—120 тысяч человек (в действительности, видимо, не более 50 тысяч). Лишь в самый последний момент с отрядом в две тысячи человек Степан занял горный проход у села Острог на притоке реки Морачи. 5 сентября османские войска окружили черногорцев и наголову разбили их, едва не захватив в плен Степана. Бросив все, он спасся бегством и на девять месяцев исчез с политической арены, укрывшись в одном горном монастыре.

24 сентября атаки турок были отбиты с большими для них потерями, на следующий же день хлынули дожди. Началась русско-турецкая война. Османская империя, не в силах вести борьбу на два фронта, вывела свои войска из Черногории.

В условиях начавшейся войны поддержка со стороны угнетенных османами балканских народов приобрела для России важное значение. Правительство Екатерины II получало сведения о Степане Малом от своих дипломатов — А.М. Обрескова в Стамбуле и Д.М. Голицына в Вене.

Летом 1769 года в Черногорию выехала миссия во главе с генералом от инфантерии Ю.В. Долгоруковым, которой суждено было сыграть особую роль в судьбе Степана Малого.

12 августа команда из девяти офицеров и семнадцати солдат из числа тех, кто вместе с графом А. Г. Орловым был послан в Средиземное море, под началом Ю.В. Долгорукова прибыла из Анконы на Черногорское побережье. С собою она привезла около 100 бочек пороха и 100 пудов свинца. Затем миссия, с трудом преодолевая ущелья и каменные россыпи, поднялась в горы к монастырю Брчели, где русских встретило духовенство. На следующий день под эскортом нескольких черногорцев к князю явился Степан Малый. Долгоруков не скрывал, что намеревается собрать всех черногорцев, чтобы разоблачить самозванца. Однако Степан не был склонен сдаваться без борьбы. Через несколько дней князь узнал, что он объезжает деревни и возмущает народ, а приказ арестовать его не выполнен.

17 августа на поле перед воротами Цетинского монастыря состоялась многолюдная сходка. В присутствии Долгорукова, губернатора, старшин и 2 тысяч собравшихся один из монахов огласил грамоту Василия Бркича, в которой патриарх именовал Степана обманщиком, неизвестным бродягой, “возмутителем покоя и злодеем нации”. Патриарх разуверился в Степане и связал свою судьбу с русскими. Поднявшись с места, Долгоруков подтвердил, что Степан — “самозванец, плут и бродяга”. Народ безмолвствовал, и князь решил, что разоблачил самозванца. После обеда был прочитан по-русски, а затем объяснен по-сербски манифест Екатерины II от 19 января 1769 года, в котором императрица объявляла христианским народам Балканского полуострова о войне России с турками и призывала их подняться за веру. Затем собравшимся был задан вопрос: “Обещает ли народ черногорский... со своей стороны верность и усердие и желает ли это утвердить присягою?” В ответ раздался громкий одобрительный крик. Началось целование креста Евангелия, которое длилось до позднего вечера. Затем князь распорядился раздать народу 400 дукатов и распустил всех по домам.

На рассвете следующего дня к Цетинскому монастырю верхом и с обнаженной саблей в руке примчался самозванец. Его появление было встречено народным ликованием. Началась пальба из ружей, черногорцы отовсюду сбегались к своему предводителю и, окружив его, двинулись к монастырю, позабыв вчерашнюю присягу. Впрочем, присяга на верность Екатерине II вовсе не исключала преданности Петру III, Степану.

У ворот монастыря наступил решающий момент: за кем пойдет население? Из дневника экспедиции непонятно, как сумел добиться Долгоруков перелома в настроении народа, но дело длилось несколько часов. Наконец, престиж русского генерала взял верх. Степана отвели в монастырь, обезоружили и стали допрашивать перед всеми собравшимися. И тут-то события повернулись для самозванца самым неблагоприятным образом. Он поступил необдуманно, дав себя обезоружить (в глазах черногорца это уже само по себе являлось бесчестием). Не исключено, что в ответ на вопрос Долгорукого, “кто ты таков и откуда родом”, он признался в своем подлинном происхождении. Как бы то ни было, черногорцев охватила ярость, раздались крики: “Повесить!”, “Изрубить на куски!” Русским с трудом удалось удержать толпу от самосуда. Самозванец оказался в тюрьме.

Долгоруков продолжал рассылать письма воеводам соседних областей, в турецкие Боснию и Герцеговину, готовил выступления против турков. Отстранив самозванца, Ю.В. Долгоруков, по сути, продолжал его политику. Однако добиться успеха ему не было суждено, так как отношения между генералом и местным населением стали неожиданно портиться.

Оказавшись перед лицом трудностей, Долгоруков стал искать надежных советников. В октябре пошли слухи, что он регулярно встречается с сидящим под замком Степаном. А 24 октября русская миссия покинула Цетинский монастырь и двинулась к морю, где ее ждало заранее нанятое судно. Русских сопровождали около 50 взятых на службу черногорцев, патриарх Василий, митрополит Савва и... Степан Малый. Степану была возвращена свобода, пожалован чин и подарен мундир русского офицера. Долгоруков объявил, что оставляет его начальником в Черногории. Всю ночь на 25 октября русские шли “на голос Степана, который... лучше других знал дорогу”.

Черногорцы остались недовольны русским генералом. В одном из писем Екатерине II они писали, что с помощью Долгорукова надеялись освободиться от власти турок, а “генерал Долгоруков такой уехал от нас”.

Отныне Степан стал признанным правителем страны. Уже в последние дни своего пребывания в Черногории русские заметили, что возросло влияние Степана в народе. Еще находясь под замком в Цетинском монастыре, он сумел внушить окружающим мысль о том, как уважают его русские. “Смотрите, — говорил он охранявшим его русским солдатам, — сам Долгоруков признал меня царем, он поселил меня выше себя, на втором этаже, а сам поселился внизу”. Когда распространились слухи об отъезде русских, первой реакцией черногорцев было узнать о судьбе Степана. Цетинский воевода с полусотней людей силой ворвался в монастырь; обнаружив, что комната Степана пуста, нападавшие пришли в отчаяние (“Теперь черногорцы погибли!”). Неудивительно, что стоило русским погрузиться на корабль и отплыть — и Степан снова взял управление в свои руки.

А.Г. Орлов еще питал какие-то надежды на восстание против турок. В феврале 1770 года он отправил в Котор капитана Средаковича (его венецианцы не пропустили в Черногорию). Но Степан и не думал поднимать народ на какое-либо активное выступление. Более того, он разослал письма всем черногорским племенам, запрещая нападать на венецианцев. Правда, сношений с русскими он не прекратил: турецкие документы упоминают какого-то монаха, который привозил Степану письма от русских из Италии, а весной 1771 года Степан отправил к Орлову своего старого доверенного, монаха Феодосия Мркоевича.

Но Степана Малого ждал новый удар. Осенью 1770 года, когда он руководил прокладкой дороги, рядом с ним взорвался заряд пороха. Степан был изувечен и потерял зрение. Его отнесли в монастырь Брчели, где он, искалеченный и слепой, оставался два последних года своей жизни. Но, как ни странно, он не стал политическим трупом. С ним советовались, к нему приезжали, он явно сохранял какие-то остатки былого авторитета. И венецианцы, и турки продолжали видеть в нем какую-то опасность; недаром наемные убийцы по-прежнему шныряли вокруг его дома. В октябре 1773 года наступила развязка: грек Станко Класомунья, взятый Степаном на службу и подкупленный скадарским пашой, ночью перерезал ему горло. После смерти Степана некоторые черногорские старшины предложили отправить в Петербург его одежду и оружие, а некий житель Боки Которской потребовал у Екатерины II пенсию на том основании, что в свое время служил ее "мужу".

В последние годы жизни Степану Малому удалось осуществить то, к чему он так долго стремился, — установить деловое сотрудничество с русскими властями. Фактически он был признан правителем Черногории. По иронии судьбы, Степан Малый-"Петр III" вел переговоры по этому поводу с адмиралом А.Г. Орловым — тем самым, который убил в Ропше настоящего Петра III...

Емельян Иванович Пугачев

(1740 или 1742 — 1775)

Самозванец, выдавал себя за Петра III. Предводитель Крестьянской войны (1773—1775), донской казак, участник Семилетней и русско-турецкой войны. Получил чин хорунжего. Под именем императора Петра III поднял восстание яицких казаков в августе 1773 года. В сентябре 1774 года выдан властям. Казнен в Москве на Болотной площади.

"Ужас XVIII столетия" — так нарекла императрица Екатерина II восстание Емельяна Пугачева, самое крупное социальное потрясение, происшедшее в России за 34 года ее царствования.

Пугачев родился около 1742 года в станице Зимовейской казачьего Войска Донского. Его славным земляком был уроженец той же станицы — Степан Разин. Когда пришло время, Емельяна записали в казачью службу. Вскоре он женился на казачке Софье Недюжевой, но прожил с ней, по его собственным словам, только неделю, после чего "наряжен был в прусский поход": в то время уже шла Семилетняя война, участником которой Пугачев стал с 1759 года. Летом 1762 года он вернулся домой, хотя время от времени его и посылали для выполнения разных воинских заданий. В эти годы Пугачев "прижил" сына Трофима и двух дочерей — Аграфену и Христину. Он принял участие в русско-турецкой войне, разразившейся в 1768 году. За мужество, проявленное при осаде и штурме Бендер в сентябре 1770 года, ему присвоили младшее казачье офицерское звание — чин хорунжего. Участие в заграничных походах существенно расширило кругозор донского казака. Оно не только обогатило его немалым жизненным опытом, но и позволило впоследствии включить реалии в свою "царскую" биографию.

Когда русская армия была отведена на зимние квартиры в Елизаветград, в числе других казаков Пугачеву дали месячный отпуск, и он вернулся на побывку домой. Однако ранения и болезни задержали его здесь на более длительный срок, и в мае 1771 года он стал официально хлопотать об отставке. Но дело затягивалось и грозило обернуться неудачей. Тогда Пугачев ударился в бега, его несколько раз арестовывали, но каждый раз ему удавалось бежать.

Смелый и предприимчивый, не склонный к оседлой жизни, он с ранних лет обнаружил черты лидера, стремление выделиться среди прочих казаков. Например, он хвастался перед товарищами саблей, якобы подаренной ему Петром I.

Весна 1772 года застала его в Стародубском монастыре, неподалеку от границы с Речью Посполитой. Выдавая себя за беглого донского казака, пострадавшего "из усердия к Богу", он нашел приют у местных старообрядцев (хотя сам раскольником никогда не был). План действий, который был придуман либо самим Пугачевым, либо был подсказан ему старообрядцами, заключался в следующем: тайно перейти польскую границу, направиться в раскольничьи скиты на Ветке (неподалеку от Гомеля), а оттуда — на русский пограничный форпост в Добрянке, где выдать себя за русского, желающего вернуться в Россию и получить российский паспорт. Этот план успешно осуществился. 12 августа, после отсидки в карантине, Пугачев получил российский паспорт. В нем, в частности, значилось: "Объявитель сего, вышедший из Польши и явившийся собой при Добрянском форпосте, веры раскольнической, Емельян Иванов сын Пугачев, по желанию для его житья определен в Казанскую губернию, в Симбирскую провинцию, к реке Иргиз".

Осенью того же года он добирается до реки Иргиз и в Мечетной слободе знакомится с раскольничьим старцем Филаретом. Отсюда под видом купца направляется в Яик, где в ноябре на Таловом умете (постоялом дворе) и произошло его знакомство с Оболяевым. Вскоре в Яицком городке он сходится со старообрядцем Пьяновым, в доме которого прожил с неделю. Здесь и состоялся первый разговор, сыгравший решающую роль в объявлении самозванства. Пугачев, действуя умно и осмотрительно, "признается" своему гостеприимному хозяину: "Я-де вить не купец, а государь Петр Федорович!" Однако по возвращении назад в Мечетную слободу его по доносу одного из местных жителей берут под стражу в Малыковке.

С 4 января по 29 мая следующего года Пугачев провел в Казанской тюрьме, откуда ему удалось бежать. Он снова возвращается к яицким казакам, поселившись скрытно у своего знакомого Оболяева на Таловом умете.

Слухи о том, что будто бы Петр III скрывается у яицких казаков, стали быстро распространяться среди местного населения с начала августа 1773 года. Как и когда появился в этих местах "государь" и откуда он пришел, никто толком не знал. Это еще больше будоражило умы казаков, в памяти которых были свежи события восстания в Яицком городке в январе 1773 года против своеволия и злоупотреблений царских властей и зажиточной казацкой старшины. События эти вызвали сочувственные отклики среди казачества на Волге, на Дону, Тереке и в Запорожье. Все предвещало новый мятеж. Вскоре объявился и предводитель — Емельян Иванович Пугачев.

С середины августа его посещают многие уважаемые и авторитетные представители яицкого казачества — Закладнов, Зарубин, Караваев, Шагаев и некоторые другие, участники последнего восстания в Яицком городке. Решающей стала встреча 28 августа, на которой Емельян Пугачев появился перед казаками в роли Петра III. Стороны обсудили основные задачи предстоящей борьбы и, оставшись довольны друг другом, заключили своего рода соглашение о сотрудничестве. Примечательно, что в беседах с несколькими казаками Пугачев признался в своем самозванстве, но не это было для них главным. Казаки признали в Пугачеве необходимые качества руководителя и с этих пор публично поддерживали его как Петра III.

"Был-де я в Киеве, в Польше, в Египте, в Иерусалиме, Риме и Царьграде, и на реке Тереке, а отголь вышел на Дон, а с Дону де приехал к вам". Примерно так говорил во время памятной встречи с представителями яицких казаков в конце августа 1773 года Пугачев, входивший в роль "Петра III". Включение в этот маршрут Иерусалима, Рима и Царьграда не случайно, хотя в этих местах ни реальный Петр III, ни самозванец никогда не бывали. Корни такой географии оказываются качественно иными. Они уходят в традиции русского фольклора, в котором Царьград (Стамбул), Египет и Иерусалим упоминаются многократно. Рассказ о его скитаниях до "объявления" развивался преимущественно в устной форме — в манифестах и других официальных документах пугачевцев он почти не разработан. Рассказ о странствиях, в том числе зарубежных, "чудесно спасшегося" дошел в двух версиях — пространной и краткой.

Пространная непосредственно восходила к повествованиям самого Пугачева, который, выступая в роли "третьего императора", объяснял, что после своего "чудесного спасения" путешествовал и за рубежом, и по России, чтобы узнать жизнь народа. Увидев его страдания, "царь" решил объявиться на три года ранее положенного срока "для того, что вас не увижу, как всех растащат". В последующие месяцы этот рассказ, рассчитанный на широкую аудиторию, повторялся не только самим Пугачевым, но и людьми из его ближайшего окружения. Он говорил также, что под именем донского казака Пугачева просидел в казанской тюрьме месяцев восемь. Включение подлинного, хотя и более короткого (пять, а не восемь месяцев) эпизода своей жизни в "царскую" биографию понадобилось Пугачеву, чтобы на случай возможного опознания отделить себя как донского казака от себя же, но в роли Петра III.

Для убедительности он прибегал и к более утонченному приему. Например,

Пугачев отождествлял себя с Федором Казиным (Богомоловым) — самозванцем, который под именем Петра III действовал в 1772 году на Волге, попал в царицынскую тюрьму, был освобожден восставшими горожанами и все-таки схвачен вторично. Пугачев утверждал, что его арестовали в Царицыне и отправили в сибирскую ссылку, но ему удалось убежать. Тем самым он присваивал себе не только имя, под которым действовал Казин-Богомолов, но также его славу и успех.

17 сентября 1773 года в присутствии нескольких десятков человек — яицких казаков, калмыков и татар — был объявлен первый манифест повстанцев. Манифест был написан Почиталиным, секретарем неграмотного Пугачева.

Естественно, в правительственных актах Емельян был представлен злодеем. Уже в прокламации Оренбургского коменданта И. А. Рейнсдорпа от 30 сентября 1773 года Пугачев описывался как беглый казак, который "за его злодейства наказан кнутом с поставлением на лице его знаков". Эта фантастическая подробность даже подтверждалась свидетельствами некоего солдата-перебежчика. Неловкая выдумка оказалась на руку повстанцам: ссылаясь на нее, они доказывали "истинность" Петра III — Пугачева. И сам он, согласно протокольной записи допроса в Яицком городке, вспоминал 16 сентября 1774 года: "Говорено было, да и письменно знать дано, что бутто я бит кнутом и рваны ноздри. А как оного не было, то сие не только толпе моей разврату не причинило, но и еще уверение вселило, ибо у меня ноздри целы, а потому еще больше верили, что я государь".

Казаки решили использовать Пугачева в своих целях, сделав его фактически своим заложником. Он же заверял, что заняв престол, "яицких казаков производить будет в первое достоинство". Именно для того, чтобы создать "казацкое царство" и стать первым сословием в стране, заменив собою дворянство, пошли за Пугачевым яицкие казаки. И по существу это была последняя в истории русского казачества попытка изменить свое положение в политической системе Российского государства.

"Быть вечно казаками" обещал Пугачев и примкнувшим к нему позднее крестьянам — в нем воплотилась их надежда на избавление от крепостного гнета. Впрочем, сам Пугачев относился к крестьянам без особого доверия. Так, например, жалованье в его войске получали лишь яицкие казаки, а остальные довольствовались грабежом.

Пугачев быстро собрал под свои знамена значительные силы, и, когда в октябре 1773 года весть о восстании достигла Петербурга, трехтысячное войско мятежников, вооруженное двумя десятками пушек, уже осаждало Оренбург. Посланный на выручку городу отряд генерала Кара в начале ноября был разбит, а часть его ушла к Пугачеву. Спустя несколько дней еще один отряд регулярной армии потерпел поражение, и 29 ноября, обеспокоенная размахом событий, императрица поручила командование войсками опытному генералу Бибикову. Между тем осада Оренбурга затянулась, и, оставив там часть своего войска, Пугачев отправился на завоевание Яицкого городка. Одновременно его "полковники" Зарубин-Чика, Грязнов и Салават Юлаев осаждали Уфу, Челябинск и Кунгур. К весне в район восстания были стянуты значительные правительственные войска, которые 22 марта 1774 года в сражении под Татищевой крепостью в первый раз одержали верх над пугачевцами. Около двух тысяч мятежников было убито, еще четыре тысячи ранено и взято в плен. Два дня спустя под Чесноковой были разбиты Зарубин-Чика и Юлаев, а под Екатеринбургом — пугачевский "полковник" Белобородов. Сам

Пугачев с небольшим отрядом ушел на Урал, где за месяц вновь собрал многотысячную армию.

8 мая 1774 года он двинулся в новый поход и за десять дней захватил несколько крепостей, но уже 21 мая его восьмитысячная армия потерпела поражение от царского генерала де Колонга. С остатками войска, сжигая все на своем пути, Пугачев двинулся на север, к Красноуфимску, а затем на Осу. 21 июня крепость сдалась, открыв восставшим дорогу к Казани. Взяв по пути Воткинский и Ижевские заводы, Елабугу, Сарапул, Мензелинск и другие города и крепости, Пугачев в первых числах июля подошел к Казани. 12—13 июля город был захвачен без особых усилий, но крепость продолжала обороняться. На помощь осажденным подошли регулярные войска под командованием полковника Михельсона, выбившего пугачевцев из города. 15 июля армия Пугачева была вновь разбита. Погибло около двух тысяч человек, десять тысяч оказались в плену, а еще шесть тысяч разбежались по домам.

Остатки главной армии восставших переправились через Волгу. И вновь отряд из 300—400 человек за несколько недель превратился в многотысячную армию. Теперь перед Пугачевым был открыт путь на Москву, лежавший через районы, где его поддерживали крестьяне. При известии об этом паника охватила помещичьи усадьбы и докатилась до столицы. Дело дошло до того, что Екатерина II готова была сама возглавить карательные войска. Но не доверявший крестьянам самозванец неожиданно повернул на юг, надеясь найти помощь у донских казаков. 23 июля он занял Алатырь и двинулся к Саранску. 27 июля под колокольный звон въехал в город, но уже 30-го покинул его, узнав о приближении регулярных войск. Впереди была Пенза. 2 августа он овладел и этим городом. Раздав жителям соль и медные деньги, отправился дальше. 6 августа армия Пугачева достигла Саратова, а уже на следующий день жители присягали "императору Петру III". Три дня спустя Пугачев оставил город и, одержав несколько побед над армейскими частями, верными правительству казаками и калмыками, 21 августа подошел к Царицыну. Переговоры с охранявшими город донскими казаками успеха не принесли, и началось сражение, во время которого стало известно о приближении Михельсона. Пугачев отступил, но 25 августа у Сальникова завода был настигнут. В итоге боя между трехтысячным отрядом регулярных войск и почти 10-тысячной армией повстанцев две тысячи пугачевцев попали в плен. Михельсон потерял убитыми и ранеными 90 человек. Сам Пугачев вскоре был захвачен своими же сторонниками и выдан властям.

Враждующие стороны не жалели друг друга не только на поле боя. Так, в занятых городах и селениях восставшие истребляли дворян с их женами и детьми, а в случае отказа признать Пугачева императором, и всех без разбора — мелких чиновников, купцов, священников, простых солдат и мирных жителей. Но и дворянство мстило жестоко: после разгрома восстания многим его участникам вырывали ноздри, многих били кнутом, прогоняли сквозь строй, клеймили каленым железом, ссылали на каторгу. Главных же зачинщиков и руководителей мятежа ожидала казнь.

Емельян показывал на допросах, что идея самозванства овладела им после того, как целый ряд людей заметили в нем сходство с Петром III. Правда, затем он заявил, что всех этих людей "показал ложно". Однако это означало лишь то, что никто не советовал Пугачеву принять имя покойного императора. "Злой умысел" был только его идеей, его и никого больше.

Пугачев, утверждая себя в роли "Петра III", часто говорил о царевиче Павле как своем сыне. По свидетельству многих лиц, Емельян постоянно провозглашал тосты за Павла и его жену великую княгиню Наталью Алексеевну. Секретарь самозванца Почиталин рассказывал на допросе, как Пугачев плакал, разглядывая привезенный ему портрет Павла: "Вот-де оставил ево малинькова, а ныне-де вырос какой большой, уж без двух лет двадцати; авось либо господь, царь небесной, свет, велит мне и видиться с ним".

Пугачева казнили на Болотной площади в Москве 10 января 1775 года. По свидетельствам очевидцев, самозванец был спокоен и сохранял присутствие духа до самого конца. После оглашения приговора ("учинить смертную казнь, а именно: четвертовать, голову взоткнуть на кол, части тела разнести по частям города и наложить на колеса, а после на тех же местах сжечь") "экзекутор дал знак: палачи бросились раздевать его; сорвали белый бараний тулуп; стали раздирать рукава шелкового малинового полукафтанья. Тогда он сплеснул руками, опрокинулся навзничь, и вмиг окровавленная голова уже висела в воздухе; палач взмахнул ее за волосы".

Мориц Август Беньовский

(ок. 1746 — 1786)

Солдат, автор мемуаров, выходец из Венгрии. Сражался в Барской конфедерации. Был депортирован русскими войсками на Камчатку (1770), где возглавил мятеж (1771). Организовал бегство на корабле, добрался до Макао. С 1772 года находился на французской службе. Захватив Мадагаскар, стал его губернатором (1773). Затем действовал в Австрии и Венгрии (1776—1778). При поддержке Франклина и американских финансистов организовал собственную экспедицию на Мадагаскар. Погиб в сражении с французами. Автор дневников, стилизованных под авантюрный роман "История путешествий и необыкновенных событий". Герой многих польских, венгерских и немецких произведений. Был великим шахматистом (мат Беньовского).

Об этом человеке написано так много, что совершенно уже нельзя понять, какой же он был на самом деле. Даже фамилия его точно неизвестна: Беньов, Беньовский, Беневский, Бениовский, Бейпоск. Документы и письма свои в Большерецке и позже он подписывал как барон Мориц Анадар де Беньов, а родился в селении Вербово, или Вецке, в Австро-Венгрии, под именем Бенейха. По его собственным словам, это произошло в 1741 году. Отец его, венгерский дворянин, был кавалерийским генералом. Мать из старинного баронского рода Ревай. Однако высокий титул не передавался по женской линии, если на то не было высочайшей монаршей воли. Следовательно, Мориц, хотя и был сыном баронессы, титулом барона не обладал. Но это обстоятельство ничуть не смущало Беньовского, и он представлялся как барон в тринадцатом поколении. В Польше у него были родственники и имение, унаследованное от дяди.

До четырнадцати лет, по словам Морица, он воспитывался в Вене, постигал науки, а потом поступил на военную службу и, быстро заслужив воинский чин, участвовал в сражениях при Любовице, Праге, Домштате, состоя при штабе генерала Лаудоне во время компании против Пруссии.

Военное ведомство не подтвердило участия Беньовского в упомянутых сражениях. Более того, английский издатель мемуаров авантюриста Гасфильд Оливер поднял метрические книги вербовского прихода и выяснил, что Беньовский родился в 1746 году. А это значит, что по возрасту он не мог принять участие ни в одном из тех сражений Семилетней войны, о которых писал в своей автобиографии, — ни при Лобовице 8 октября 1756 года, ни у Праги 16 мая 1757 года, ни при Домштате в 1758 году...

Но это еще не все. Получается, что с 1765 по 1768 год Беньовский не мог участвовать ни в одном морском плавании, так как в это время служил в Польше, в Калишском кавалерийском полку. Не был он и генералом, а всего лишь капитаном гусар. Не получал он и орден Белого Льва, как написал в своих мемуарах. Все это плод его незаурядной и яркой фантазии.

В действительности Мориц Август находился на службе в австрийском полку недолго и ни в каких сражениях не участвовал. Зато прославился буйными кутежами и дуэлями. Однажды он повздорил с командиром полка, допустив против старого заслуженного генерала оскорбительный выпад, чем подорвал свою репутацию в глазах офицеров. Это привело к вынужденной отставке и отъезду в родовое имение в Трансильванию. Там Беньовский продолжал буйствовать, ссориться с соседями, драться на дуэлях. Из-за этого сложились напряженные отношения с отцом, отставным генералом. Только отъезд Морица в Польшу предотвратил окончательный разрыв с отцом. Получив известие о скоропостижной смерти старика, Беньовский вернулся в Венгрию, чтобы вступить во владение имениями. Но там уже хозяйничали зятья.

Мориц Август по наследственному праву был законным владельцем этих имений. Однако старый генерал, недовольный поведением сына, перед смертью принял решение лишить его наследства и передать имения мужьям двух своих дочерей. Только скоропостижная смерть помешала ему оформить нотариальное завещание.

Мориц решил избавиться от соперников. Вооружив верных слуг и набрав наемников-гайдуков, он нагрянул внезапно в Вербово и выгнал зятьев из имения.

Тогда в дело вмешалась королева Венгерская и Богемская, эрцгерцогиня австрийская Мария-Терезия. Она повелела конфисковать имения у Беньовского и передать их его зятьям и сестрам.

Мориц бежал в Польшу. Здесь он примкнул к конфедератам — участникам дворянского католического движения, Барской конфедерации, против ставленника русской императрицы короля Станислава Понятовского и русских войск, введенных в Польшу по приказу Екатерины. Мориц рассчитывает получить чин полковника, а потому в донесениях командующему армией конфедератов Иосифу Пулавскому расписывал свои подвиги, заметно завышал цифру военных трофеев и число убитых его отрядом противников. Дважды попадал Беньовский в плен. В первый раз он был выпущен под честное слово, что больше не обнажит свою шпагу. Слова не сдержал и попал в плен второй раз.

Его отправили в Киев, но местный губернатор приказал выслать его в глубь России, подальше от польской границы. Та же судьба постигла и пленного шведа Адольфа Винбланда, состоявшего прежде на службе у конфедератов и плененного где-то на Волыни.

Беньовский и Винбланд оказались в Казани, где их поселили в разных концах города. Морица определили на постой к купцу Степану Силычу Вислогузову, владельцу двухэтажного каменного дома с флигелями. Раз в неделю его навещал унтер-офицер, чтобы удостовериться, не сбежал ли ссыльный.

А мысли о побеге у Беньовского были. Улучив момент, он пробрался в кабинет хозяина и выкрал бумагу, удостоверявшую личность и дававшую право на проезд казенным транспортом. С этим документом Беньовский и Винбланд сбежали в Санкт-Петербург, чтобы оттуда на любом попутном суденышке вернуться через Балтику в Польшу. Однако их выдал шкипер голландского судна, на котором намеревались отплыть беглецы.

Беньовского и Винбланда на этот раз сослали на Камчатку. Но прежде чем попасть туда, Мориц со шведом и тремя русскими ссыльными, отправленными в вечную ссылку на самый край русской земли, — Степановым, Пановым, Батуриным, — оказались в Охотском порту. Здесь они были расконвоированы и отпущены на волю — до той поры, пока не будет снаряжен в дорогу галиот “Святой Петр”, курсировавший из Охотского порта в Большерецкий на Камчатке. На галиоте было трое матросов из ссыльных арестантов — Алексей Андреянов, Степан Львов, Василий Ляпин.

Свобода смущала ссыльных, как, наверное, и любого, кто знает, что впереди его ждет неволя, а надежд с каждой новой верстой, что ведет в глубь Сибири, остается все меньше и меньше. Тысячи верст тайги и тундры уже позади — попробуй одолей.

Но был другой путь — морем. До Японии, где вели торговлю голландские купцы, или до Китая — португальского порта Макао, или порта Кантон, куда заходили английские и французские суда. И нужно-то всего ничего — захватить казенный галиот, который повезет на Камчатку ссыльных, и увести его в Японию...

Скоро Беньовскому с товарищами удалось сойтись ближе с некоторыми членами экипажа “Петра”. К заговорщикам, кроме ссыльных матросов Андреянова и Ляпина, примкнули также матрос Григорий Волынкин и, главное, командир галиота штурман Максим Чурин.

Нашли они сочувствующих и на берегу. Сержант Иван Данилов и подштурман Алексей Пушкарев помогли с оружием — к моменту выхода галиота в море, 12 сентября 1770 года, каждый из заговорщиков имел по два-три пистолета, порох и пули. План захвата галиота был чрезвычайно прост: дождаться шторма и, как только пассажиры укроются в трюме, задраить люк и уйти на Курильские острова, где и оставить всех не желающих продолжить плавание до Японии или Китая, а с остальными идти дальше, куда получится...

Шторм разыгрался у берегов Камчатки. И такой, что галиот вышел из него без мачты, изрядно потрепанный. Продолжать на нем плавание было бессмысленно, и Чурин повернул галиот на северо-восток, к устью реки Большой.

В Большерецке ссыльные встретились со своими товарищами по несчастью — государственными преступниками, уже не один год, а то и не один десяток лет прожившими в этих местах, — камер-лакеем правительницы Анны Леопольдовны, матери малолетнего императора Иоанна V, Александром Турчаниновым, бывшим поручиком гвардии Петром Хрущовым, адмиралтейским лекарем Магнусом Мейдером...

Встретились и сошлись накоротке, так как всех их объединяла общая ненависть к нынешней императрице Екатерине II. С Хрущовым Беньовский даже подружился.

В бытность Хрущова в здешней ссылке — а он провел здесь уже восемь лет — большерецкий казачий сотник Иван Черных на морской многовесельной байдаре ходил на южные Курильские острова и доплыл почти до Японии, описал все, что видел и слышал, а также составил подробную карту тех мест, где он побывал.

У заговорщиков созрел план. Первая его часть — непосредственно плавание в Японию — была самой простой.

В феврале 1771 года в Большерецкий острог явились тридцать три зверобоя во главе с приказчиком Алексеем Чулошниковым — все они были с промыслового бота "Святой Михаил" тотемского купца Федоса Холодилова и шли на Алеутские острова охотиться на морского зверя. "Святого Михаила" выбросило в устье реки Явиной (южнее Большерецка) на берег. Промышленники пришли на зимовку в Большерецкий острог, где чуть раньше по пути оставили они своего хозяина, но Холодилов приказал им возвращаться на "Михаил", сталкивать его в море и идти туда, куда он им прежде велел.

Чулошников возразил хозяину. Тот сместил приказчика с должности и на его место поставил нового — Степана Торговкина. Тогда зароптали промышленники. Холодилов же обратился за помощью к Григорию Нилову — к власти. Нилов уже дал Федосу пять тысяч рублей — под проценты с промысла — казенных денег и потому даже слушать не стал никого из зверобоев.

Тогда и появился у промышленников Беньовский. Он взялся уладить все недоразумения, поговорить с начальством и — больше того — обещал промышленникам помочь добраться до легендарной на Камчатке Земли Стеллера, той самой, которую искал Беринг, а потом и другие мореходы. "Именно туда,— утверждал ученый муж Георг Стеллер,— уходят на зимовку котики и морские бобры с Командорского и прочих островов". Для себя же Беньовский просил о малом — на обратном пути завезти его с товарищами в Японию. На том и договорились.

Увы, штурман Максим Чурин, специально съездив и осмотрев бот, пришел к плачевному выводу: "Михаил" к дальнему плаванию не годится. А к заговору примкнули уже около пятидесяти человек. К тому же пополз по Большерецку слушок, будто ссыльные замышляют побег с Камчатки и что они составили заговор против Нилова. Но командир Камчатки пил горькую и знать ничего не хотел о каких-то там заговорах и побегах. Это, конечно, не успокаивало Беньовского с компанией — когда-то ведь он может и протрезветь?! Тут еще и протоиерей Никифоров, заподозрив неладное, задержал Устюжанинова в Нижнекамчатске, а отец Алексей был нужен Беньовскому здесь, в Большерецке, потому что заговорщики снова обратились к старому, еще недавно совершенно безнадежному плану захвата казенного галиота, и священникединомышленник оказал бы при этом неоценимую услугу. Нужно было поднять народ на бунт против власти. А для этого должен быть общий политический мотив, надежда, веру в которую укрепил бы авторитетом православной церкви отец Алексей. Но Устюжанинов сидел под домашним арестом далеко от Большерецка. Правда, его сын, Иван, оказался в отряде Морица.

Беньовскому срочно нужно было вовлечь в новый заговор людей, способных вести корабль туда, куда укажет их предводитель. Прежде всего — промышленников с "Михаила", озабоченных пока только собственными бедами и обдумывающих вояж к богатой морским зверем Земле Стеллера, где каждый из них сможет обогатиться.

Однажды вечером Беньовский пришел к промышленникам с зеленым бархатным конвертом и открыл им государственную тайну: мол, попал он на Камчатку не из-за польских дел, а из-за одной весьма щепетильной миссии — царевич Павел, насильственно лишенный своей матерью Екатериной прав на российский престол, поручил Беньовскому отвезти это вот письмо в зеленом бархатном конверте римскому императору. Павел просил руки дочери императора, но Екатерина, каким-то образом узнав об этом, приставила к собственному сыну караул, а Беньовского с товарищами сослала на Камчатку. И Мориц сказал зверобоям: ежели поможете завершить благородную миссию к римскому императору, то "...получите особливую милость, а при том вы от притеснения здешнего избавитесь, я хотя стараюсь об вас, но ничто не успевается".

Холодилов просил Нилова высечь промышленников и силой заставить их идти в море. Промышленники, в свою очередь, подали челобитную с просьбой расторгнуть их договор с купцом, так как судно потерпело кораблекрушение и они теперь свободны от обещаний Холодилову. Незадачливого купца хватил удар, после чего обозленные поведением командира Нилова промышленники готовы были разгромить Большерецк и бежать куда глаза глядят.

Беньовский тут же предложил отправиться в испанские владения, на свободные острова, где всегда тепло, люди живут богато и счастливо, не зная насилия и произвола начальства. Ему поверили. Но в это время протрезвел командир Нилов, до него стало доходить, что во вверенном ему Большерецке затевается нечто опасное для власти со стороны ссыльных. Он послал солдат арестовать Беньовского и остальных заговорщиков. Но получилось так, что приказ остался невыполненным — Беньовский арестовал солдат сам и приказал своим людям готовиться к выступлению. Впрочем, до Нилова эта весть уже не дошла. Послав солдат, он успокоился и снова напился до невменяемости. А в ночь с 26 на 27 апреля 1771 года в Большерецке вспыхнул бунт.

В три часа ночи бунтовщики ворвались в дом командира Камчатки, спросонья он схватил Беньовского за шейный платок и чуть было не придушил. На помощь Морису поспешил Панов и смертельно ранил Нилова в голову. Промышленники довершили убийство. После этого бунтовщики заняли Большерецкую канцелярию, и командиром Камчатки Беньовский объявил себя.

Большерецк был взят без боя, если не считать перестрелку с казаком Черных, укрывшимся в своем доме. Ни один человек не пострадал. В этом нет ничего удивительного, если представить острог не по мемуарам Беньовского, где Большерецк описывается как крепость, подобная европейским в период романтического средневековья, а жалким деревянным поселком.

На рассвете 27 апреля бунтовщики прошлись по домам большерецких обывателей и собрали все оружие — его сдали без сопротивления. Затем, окружив здание канцелярии шестью пушками, заряженными ядрами, они отпраздновали свою победу.

28 апреля хоронили Нилова, который, по их словам, умер естественной смертью, вероятно, от злоупотреблений казенной водкой. Спорить с этим теперь уже официальным утверждением нового камчатского начальства никто не рисковал, хотя все знали, что было на самом деле, — слух об убийстве Нилова еще ночью облетел острог.

Сразу после похорон Мориц приказал священнику отворить в церкви царские врата и вынести из алтаря крест и Евангелие — каждый из бунтарей был обязан при всех сейчас присягнуть на верность царевичу Павлу Петровичу. Присягнули все, кроме одного, самого близкого Беньовскому человека — Хрущова.

29 апреля на реке Большой построили одиннадцать больших паромов, погрузили на них пушки, оружие, боеприпасы, топоры, железо, столярный, слесарный, кузнечный инструменты, различную материю и холст, деньги из Большерецкой канцелярии в серебряных и медных монетах, пушнину, муку, вино и прочее — полное двухгодичное укомплектование галиота. В тот же день, в два часа пополудни, паромы отвалили от берега и пошли вниз по течению в Чекавинскую гавань, чтобы подготовить к плаванию галиот "Святой Петр".

7 мая галиот был готов к отплытию. Но еще четыре дня не трогались в путь — Ипполит Степанов от имени всех заговорщиков писал "Объявление", в котором открыто говорилось о том зле, которое принесла России императрица Екатерина, ее двор и ее фавориты. Это было политическое обвинение царицы от имени дворянства и простого народа, и оно было пострашнее присяги царевичу Павлу.

11 мая "Объявление" было оглашено для всех и подписано грамотными за себя и своих товарищей. Под этим документом нет только подписи Хрущова. Но это была не последняя его привилегия на камчатском берегу: утверждая, что галиот отправляется искать для жителей Камчатки свободные земли для счастливой жизни, Беньовский позволяет своему другу — якобы за долги — взять с собой на галиот мужа и жену Паранчиных, камчадалов, бывших "ясашных плательщиков", а теперь холопов... "Объявление" отправили Екатерине.

В вину ей ставили смерть мужа Петра, отлучение от престола законного наследника Павла, разорительную войну в Польше, царскую монополию торговли вином и солью, то, что для воспитания незаконнорожденных детей вельмож даруются деревни, тогда как законные дети остаются без призрения; что народные депутаты, собранные со всей страны для изменения Уложения о законах Российской империи, были лишены царским наказом права предлагать свои проекты...

В тот же день утром галиот "Святой Петр" вышел в море и взял курс на Курильские острова. На его борту было ровно семьдесят человек. Из них пятерых вывезли насильно — семью Паранчиных и троих заложников: Измайлова, Зябликова, Судейкина.

И вот, когда беглецы подошли к шестнадцатому Курильскому острову Симуширу и остановились здесь для выпечки хлебов, четверо из этой пятерки образовали заговор против Беньовского. Заговорщики, пользуясь тем, что весь экипаж галиота находился на острове и судно фактически никто не охранял, решили тайно подойти к галиоту с моря на ялботе, забраться на судно, обрубить якорные канаты и вернуться в Большерецк за казаками. Яков Рудаков, на общую беду, решил вовлечь в заговор матроса Алексея Андреянова. Тот донес обо всем Беньовскому. Мориц приказал расстрелять заговорщиков, но потом изменил свое решение и устроил им публичную порку кошками (плетьми).

29 мая в 9 часов вечера галиот "Святой Петр" покинул остров, на берегу которого остались штурманский ученик с галиота "Святая Екатерина" Герасим Измайлов и камчадалы из Катановского острожка Алексей и Лукерья Паранчины. Благополучно пройдя Японское море, беглецы оказались в Японии, но, не встретив там особого привета, поспешили уйти от греха на Формозу — остров Тайвань.

Формоза была одним из тех райских уголков, о котором члены экипажа галиота не смели и мечтать. Но райский уголок не был безопасным местом — пираты постоянно делали набеги на прибрежные селения, захватывали жителей в плен и продавали в рабство в те самые испанские владения, о которых грезили многие на "Святом Петре".

Жители острова встретили русских очень хорошо. Это было 16 августа 1771 года. Помогли отвести судно в удобную для стоянки гавань. Оказалось, что название острова в переводе с португальского означает "Прекрасный". На следующее утро туземцы привезли на галиот ананасы, кур, свиней, какой-то напиток вроде молока, сделанный из пшена. Началась торговля. На иглы, шелк, лоскуты шелковых материй, ленточки русские выменивали продукты, поражаясь их дешевизне.

Но в тот же день, пополудни, случилась беда. Беньовский приказал отправить ялбот за питьевой водой. Сначала отправили одну партию людей на берег, затем вернулись за второй. Туземцы приняли все это за подготовку к нападению на селение. И потому напали первые, убив и ранив несколько человек.

Когда мимо галиота проходила лодка с туземцами, с него раздался дружный залп. Пятеро из семи туземцев были убиты, двое тяжелораненых кое-как догребли до берега. По распоряжению Беньовского была снаряжена карательная экспедиция, которая жестоко расправилась с туземцами. 20 августа Мориц приказал спалить их селение. Когда пламя взметнулось к небу, ударили корабельные пушки. На следующий день галиот покинул прекрасный остров и ушел за горизонт.

12 сентября 1771 года галиот "Святой Петр" вошел в португальский порт Макао в Китае и возвестил об этом залпом из всех пушек. Три пушки с берега просалютовали в ответ согласно рангу галиота, и Беньовский на ялботе отправился нанести визит португальскому губернатору Макао. Мориц облачился в парадную форму убиенного капитана Нилова, причем даже не снял орден Святой Анны.

Губернатор любезно принял гостя. Мориц назвался поляком, бароном и генералом польской королевской армии. О службе у конфедератов, воевавших против короля Станислава, естественно, умолчал.

"Военная служба мне не по вкусу, — заливал авантюрист. — Я, знаете ли, человек миролюбивый, книжник, скорее склонный к странствованиям, научным исследованиям. Я перебрался в Россию и предпринял большое путешествие через всю Сибирь, чтобы потом написать книгу... — Заметив, что взгляд губернатора задержался на ордене, Мориц продолжил: — Это русский орден Святой Анны, пожалованный мне императрицей Екатериной. Я оказал Российской академии наук одну небольшую услугу. Добрался до Камчатки. Занимался там коммерцией и пушным промыслом. Купил судно у одной купеческой компании и набрал русскую команду. Посетил Японию... Кстати, я отмечен королем Станиславом несколькими высокими наградами, но я их оставил в Польше".

Губернатор Макао был покорен гостем.

Русские с нетерпением ждали своего предводителя. Видимо, все-таки многое в своей жизни связывали они с галиотом. Но Морис продал галиот португальскому губернатору и зафрахтовал в соседнем Кантоне два французских судна для плавания в Европу. Чем руководствовался Беньовский? В общем-то, соображения у него были разумные. Во-первых, на потрепанном галиоте далеко не уйдешь, во-вторых, их повсюду ищут, поэтому "Святой Петр" могут задержать англичане или голландцы. Старый флегматичный швед Винбланд был вне себя от ярости, когда вдруг выяснилось, что никакой Беньовский не генерал, что царевича Павла он и в глаза никогда не видел.

"Бунт на корабле! — обратился Морис за помощью к губернатору. — Эти люди — отъявленные головорезы и могут наделать тут больших бед. Их нужно срочно изолировать..." Губернатор симпатизировал Беньовскому, польскому барону в тринадцатом колене, даже не предполагая о том, что баронов в Польши никогда не было, и приказал посадить всех русских в тюрьму. "Пока не одумаются",— установил для них срок заключения Беньовский и занялся своими делами, которые предполагалось удачно довершить во Франции.

16 октября 1771 года умер Максим Чурин, а за ним в течение полутора месяцев умерли еще четырнадцать человек. Остальные признали свое поражение и согласились следовать за Беньовским в Европу. Все, кроме Ипполита Степанова, — его Морис оставил в Макао, как в свое время Измайлова на Симушире...

Но почему все-таки не бросил Беньовский в Макао и всех остальных? Только потому, что должны были помочь ему в реализации нового, еще более дерзкого плана. Он намеревался предложить королю Франции Людовику XV проект колонизации острова... Формозы. А колонизаторами, по замыслу Беньовского, должны были стать бывшие теперь уже члены экипажа галиота "Святой Петр", снова безоговорочно признавшие власть своего предводителя Морица. Но для того, чтобы предложить свой проект Людовику, нужно было еще добраться до Франции. И они прибыли туда на французских фрегатах "Дофин" и "Делаверди" 7 июля 1772 года. Однако от прежнего экипажа осталась к тому времени едва половина. Во Франции умерли еще пять человек. Оставшиеся в живых поселились в городе Порт-Луи на юге Бретани — здесь они восемь месяцев и девятнадцать дней жили в ожидании каких-либо перемен в своей судьбе.

Беньовский тем временем блистал в парижском обществе. Он стал популярной фигурой в светских салонах — романтичным героем, вырвавшимся из страшной Сибири. Мориц рассказывал о своих приключениях в газетах, за что ему неплохо платили.

Наконец Беньовский сообщил, что король принял его проект, но с небольшим изменением — остров Формозу он заменил на остров Мадагаскар — это поближе! — поэтому теперь готовьтесь все стать волонтерами французской армии и отправиться к берегам Африки завоевывать для французской короны новые свободные земли. Мнения русских разделились. Одни отказывались служить, другие соглашались — куда, дескать, теперь деваться, не в Россию же возвращаться, чтобы снова тебя отправили в Сибирь или на Камчатку. Хрущов и Кузнецов, адъютант Беньовского, при поступлении на службу получили соответственно чин капитана и поручика французской армии. С ними записались еще двенадцать человек, а остальные пошли пешком из Порт-Шуи в Париж — 550 верст — к русскому резиденту во французской столице Н. К. Хотинскому с ходатайством о возвращении на родину.

Николай Константинович принял их радушно, определил на квартиру, выделил денег на провиант, одежду и обувь для нуждающихся.

30 сентября 1773 года семнадцать человек приехали в Санкт-Петербург, а 3 октября, дав присягу на верность Екатерине II и поклявшись при этом не разглашать под страхом смертной казни государственную тайну о Большерецком бунте, отправились на предписанные им для жительства места, "...чтобы их всех внутрь России, как то в Москву и Петербург, никогда ни для чего не отпускать", как рекомендовала царица генерал-прокурору князю Вяземскому.

Беньовский и его товарищи прибыли на северный берег острова Мадагаскар в начале февраля 1774 года. Следующие полтора года стали для Беньовского очень трудными. Французские колониальные войска на Иль-де-Франсе не были заинтересованы в поддержке мадагаскарской колонии, а без поддержки выдержать тяжелый климат, враждебность мальгашей и необходимость кое-как перебиваться от корабля до корабля было почти невозможно. Кроме того, Беньовский не мог жить без приключений. Несмотря на то, что Морицу удалось завоевать доверие мальгашей, через два года после прибытия на Мадагаскар ему пришлось оставить основанный им Луисбург и вернуться во Францию. Этому в немалой степени способствовали королевские комиссары, проверявшие деятельность Беньовского. Они направили своему начальству обвинительный документ, уличающий Морица Августа в неблаговидных, нечестных поступках. Вместе с тем, признавая его мошенничество и казнокрадство, они отмечали, что барон умеет производить впечатление на людей своей кипучей энергией, неуемными прожектами. Вместе с Беньовским уехал Иван Устюжанинов, сопровождавший своего кумира во всех его странствиях.

Незадолго до отъезда Мориц встретился со старостами. Об этой встрече, или сходке (кабаре), сохранились самые противоречивые сведения. Сам Беньовский, разумеется, утверждал, что 17 августа 1776 года 62 старейшины малагасийских племен признали в нем потомка великого вождя и провозгласили новым Ампансакабе, то есть верховным властелином Мадагаскара. Беньовский воспринял этот титул как титул "императора всего острова", что впоследствии использовал в своих авантюрах.

Хитростью и обманом Морис Август смог внушить двум-трем десяткам старост поселений, что он потомок вождя восточного Мадагаскара. Ему поверили. Сыграл свою магическую роль и серебряный медальон, продемонстрированный в качестве "наследственной реликвии". Этот медальон для Беньовского изготовили мастера арабского купца Валида. На поверхности серебра были выгравированы солнце и изображение зверька бабакоты, почитаемого малагасийцами.

Тем не менее утверждение авантюриста, что он стал "императором всего острова", сомнительны прежде всего потому, что Мадагаскар в то время не был единым государством, его населяли разрозненные племена. Скорее всего, он был признан правителем какой-то части острова. К тому же не исключено, что аборигены, назвав его "Ампансакабе", просто выказали к нему уважение, не более...

Во Франции в услугах Морица Августа больше не нуждались.

В апреле 1784 года Беньовский находился уже в Соединенных Штатах Америки — недавно добившейся независимости, быстро богатевшей стране, торговцы которой начали уже подумывать о борьбе за Южные моря. Авантюрист называл себя правителем Мадагаскара. И неудивительно, что Беньовскому с его энергией и его прошлым удалось найти здесь сторонников. Богатый коммерческий дом в Балтиморе решил ссудить его деньгами на покорение Мадагаскара.

В январе 1785 года Беньовский вместе с компаньонами прибыл на корабле "Неустрашимый" к берегам Мадагаскара. Мориц на двух шлюпках с небольшим отрядом отправился на встречу с вождем одного из племен. Через некоторое время послышались отдаленные выстрелы. Компаньоны, решив, что Мориц столкнулся с враждебным племенем, снялись с якоря и направились к берегам португальского Мозамбика, где распродали товар и перессорились из-за выручки.

Вождь сакалавского племени Буэни встретил Беньовского приветливо. Его воины открыли в честь высокого гостя пальбу из ружей. Ее-то струсившие компаньоны и приняли за перестрелку маленького отряда Морица Августа с племенем.

Возвратился Беньовский на мыс Святого Себастьяна через три дня, но на рейде "Неустрашимого" не оказалось. На корабле остались его личные вещи, парадный камзол с фальшивыми орденами, часть его казны. Правда, драгоценный медальон и часть денег остались у него. Саквояж с ценностями и документами носил Иван Устюжанинов. Два месяца Беньовский ждал возвращения судна, на котором остались припасы и оружие. В отряде, вымиравшем от болезней, осталось всего несколько человек.

Беньовский в переговорах со старостами племен настаивал на проведении большого кабара, сходки старост и вождей. "Пусть малагасийские вожди подтвердят мою власть наследника великого Ампансакабе. А я берусь организовать защиту порядка и справедливости. У нас будут свои вооруженные силы. Я выберу для военной службы самых достойных и ловких молодых людей".

Однако его мечтам не суждено было сбыться. В мае 1786 года карательный отряд под командованием капитана Лоршера высадился на восточном побережье Мадагаскара и углубился в лес в направлении Мауриции, резиденции авантюриста. Беньовский был предупрежден о высадке десанта. Но когда французы атаковали Маурицию, аборигены при первом же серьезном натиске побросали оружие. В этом бою Морица настигла вражеская пуля, оборвавшая его жизнь...

В бумагах Беньовского губернатор Иль-де-Франса обнаружил грамоту за подписью австрийского императора Иосифа II, уполномочившего Морица Августа на завоевание Мадагаскара под покровительством Австрии. В этой же грамоте упоминалось решение кабара малагасийских вождей, признававших Беньовского Ампансакабе, верховным правителем острова. Губернатор легко выявил в бумаге несколько огрехов и пришел к убеждению, что она поддельная. В папке кроме того оказалась грамота на имя компаньона Эйссена де Могеллана, которого Мориц Август назначил своим представителем в Европе для связей с правительствами, обществами и частными лицами. Еще одна грамота возводила кавалера Генского в ранг государственного секретаря и наместника Мадагаскара.

Комментируя эти документы, исследователь В.И. Штейн писал: "Трудно сказать, где мистификация переходит в действительность"...

Джузеппе Бальзамо, граф Калиостро

(1743 — 1795)

Знаменитый итальянский авантюрист. Много странствовал по Европе, занимаясь алхимией, магией, врачеванием. Учредил свою масонскую древнеегипетскую ложу и провозгласил себя Великим коптом. Во Франции большим успехом пользовались его сеансы с вызовом теней умерших. В 1780 году прибыл в Петербург, но после скандала вынужден был уехать. Один из участников знаменитого дела "Ожерелье королевы". Был арестован в Риме за масонскую деятельность и заключен в тюрьму (1789), где и умер.

Джузеппе Бальзамо, граф Калиостро, известный впоследствии под разными вымышленными именами (Тискио, Мелина, граф Гарат, маркиз де Пеллегрини, маркиз де Анна, граф Феникс, Бельмонте) родился 8 июня 1743 года в итальянском городе Палермо (остров Сицилия). Родители его были набожными католиками, мелкими торговцами сукном и шелком. Позднее Джузеппе охотнее говорил о своем родстве по женской линии, которая восходила к некоему Маттео Мартелло, имя соблазнительное, ибо напоминает Карла Мартелла, знаменитого короля-молота. У этого Мартелло было две дочери: одна вышла замуж за Иосифа Калиостро; другая — за Иосифа Браконьера. Дочь последнего, Феличита, была выдана за Петра Бальзамо из семьи торговцев лентами в Палермо. От этого брака и родился Джузеппе.

Родители старались дать сыну хорошее образование, какое только можно было дать при их скромных доходах. Мальчик был одаренным от природы, с быстрым умом и пылким воображением. Джузеппе сначала учился в семинарии св. Рокка в Палермо, а вскоре оттуда сбежал, но был пойман и помещен в монастырь св. Бенедикта около Картаджироне.

Учтя его увлечение ботаникой, мальчика определили к монаху-аптекарю, прекрасно разбиравшемуся в химии, биологии, медицине. В его лаборатории Джузеппе произвел свои первые опыты. Однако и здесь он надолго не задержался: когда его уличили в мошенничестве, Джузеппе сбежал в Палермо, где при помощи одного из родственников, нотариуса, подделал завещание в пользу маркиза Мориджи. Юный Бальзамо занимался изготовлением приворотного зелья, придумывал записки о кладах и наставлениях к их добыванию, подделывал театральные билеты, официальные документы, паспорта, квитанции. К этому времени относится и его знаменитое приключение с золотых дел мастером и ростовщиком Мурано.

Мурано был осторожен и недоверчив. Но на этот раз ростовщик сам заинтересовался личностью Бальзамо — о нем рассказывали невероятные истории — мол, он варит приворотные зелья и состоит в сношениях с самим сатаной. Джузеппе охотно откликнулся на предложение старика посетить его дом. Бальзамо под большим секретом поведал Мурано, что в одной из горных пещер, неподалеку от Палермо, находится клад. Глаза золотых дел мастера вспыхнули алчным огнем. Но клад, продолжал юноша, охраняется нечистым духом, и если он, Бальзамо, прикоснется к сокровищу, то потеряет всю свою таинственную и чудесную силу.

Когда они подошли к пещере, Джузеппе заявил, что есть условия взятия клада, о которых Мурано сообщат духи пещеры. И тут же из глубины пещеры послышался голос; он вещал, на каких условиях и кому именно может быть выдан клад. Разумеется, всем этим требованиям удовлетворял Мурано. Старик не хотел выполнять только одно условие: положить перед входом в пещеру 60 унций золота. В конце концов ростовщик сдался.

Когда на следующий день Мурано вошел в пещеру, из темноты на него накинулись четыре черных демона. Они принялись его тормошить и кружить в адской пляске. Демоны, подхватив старика, уволокли его в темный угол пещеры, где стали... избивать. Старый ростовщик стонал от боли, когда голос приказал ему лежать неподвижно целый час, после чего ему будет указан клад. Но прошел час, затем другой, однако ничто не нарушало гнетущую тишину. Мурано понял, что его одурачили.

Обманув Мурано, Бальзамо отправился в Мессину. Джузеппе исколесил всю Италию, эксплуатируя свои таланты мошенника. Наконец случай свел его с таинственным Альтотасом. Одни принимали его за грека, другие — за испанца, третьи — за армянина или даже араба. Альтотас знал медицину, химию, биологию, что позволяло ему поражать невежественную публику. Восточный маг сразу оценил способности юноши и взял его под свою опеку.

Вскоре они отправились путешествовать по Востоку. Но прежде Бальзамо решил навестить свою тетушку в Мессине — Винченцо Калиостро, дочь Маттео Мартелло. Увы, она уже умерла, а наследство было поделено между родственниками. Бальзамо унаследовал ее имя и с этого времени стал называться графом Калиостро.

Авантюристы побывали в Египте. Там они выделывали окрашенные под золото ткани, пользовавшиеся большим спросом; Альтотас, по-видимому, обладал некоторыми познаниями в области химической технологии. В египетской Александрии Джузеппе близко сошелся с уличными факирами. Он овладел приемами гипноза, изучил магические формулы, научился довольно сложным фокусам, собрал коллекцию экзотических предметов. С Альтотасом он побывал в Мемфисе, Каире, посетил Мекку.

Из Египта они перебрались на остров Родос, затем на Мальту, где вместе с гроссмейстером Мальтийского ордена Пинто Альтотас и Бальзамо занимались поисками эликсира вечной молодости и философского камня. Но вскоре Альтотас исчез. Калиостро же отбыл с Мальты с почетом, получив рекомендательные письма от гроссмейстера. Вместе с ним в Неаполь отправился кавалер д'Аквино, чье покровительство впоследствии очень помогло Калиостро освоиться в высшем обществе.

В Неаполе авантюрист свел знакомство с неким графом, поклонником тайных наук. Восхищенный познаниями Калиостро в алхимии, он уговорил Джузеппе поехать с ним на Сицилию. Там Калиостро повстречал старинного приятеля, отпетого мошенника. Они решили открыть игорный дом. Но их арестовали по подозрению в похищении некой девицы. Правда, вскоре их выпустили на свободу, так как они были невиновны. Тем не менее Калиостро это не понравилось, он перебрался в Рим, где вел благочестивый образ жизни, ежедневно посещая церковь. Посланник Мальтийского ордена при папском дворе, узнав о знакомстве молодого человека с графом д'Аквино, стал покровительствовать ему, ввел Джузеппе в аристократическое общество. Калиостро очаровал новых знакомых рассказами о своих необыкновенных приключениях; иногда за хорошее вознаграждение он изготавливал эликсиры.

В Риме Джузеппе женился на девушке-служанке Лоренце Феличиани (позже принявшей имя Серафима). Авантюриста пленила ее красота, и он собирался использовать ее для своей выгоды. После свадьбы Калиостро принялся рассуждать об относительности добродетели и супружеской чести, о том, что надо использовать данные природой таланты, а в измене с ведома супруга нет ничего предосудительного. Девушка рассказала о его жизненной философии родителям. Старики Феличиани пришли в ужас и хотели расторгнуть брак, но неожиданно воспротивилась сама Лоренца, успевшая привязаться к мужу. Молодые стали жить отдельно.

Вскоре Калиостро сошелся с двумя одиозными личностями: Оттавио Никастро (окончившего свой путь на виселице) и маркизом Альято, главным достоинством которого считалось умение ловко подделывать почерки. С его помощью Калиостро состряпал патенты на имя полковников прусской и испанской службы. Но вскоре они повздорили. Маркиз Альято сбежал со всеми деньгами компаньонов. Джузеппе и Лоренца, оставшись без гроша, под видом пилигримов отправились в путешествие по святым местам. Как богомольцам-странникам, людям Божьим, им давали одежду, кров, пищу.

Наконец они остановились в Барселоне, где провели полгода. Калиостро выдавал себя за знатного римлянина, заключившего тайный брак и скрывающегося от родных. Ему поверили, стали величать "его превосходительством" и даже дали денег; однако официальные лица потребовали бумаги, подтверждающие его слова. Естественно, у Калиостро документов не оказалось. Тогда Лоренца соблазнила знатного богача, и супругам удалось не только замять скандал, но и получить солидную сумму на дорогу.

Они побывали в Мадриде, Лиссабоне. В Англии Калиостро похитил у мадам Фрей дорогое бриллиантовое ожерелье и роскошный золотой ларец. Он убедил даму, что знает способ увеличить в размерах эти драгоценные изделия, но предварительно их надо закопать... в землю. Когда дама обратилась в суд, британские присяжные вынуждены были оправдать мошенника из-за недостатка улик.

Здесь же Лоренца вскружила голову очередному богачу. Она назначила ему свидание, а Калиостро накрыл парочку в самый неподходящий момент. Любителю дамских прелестей пришлось откупиться от неприятностей сотней фунтов стерлингов. Однако чопорные англичане редко шли на адюльтер, поэтому у супругов бывали и совсем голодные дни, им даже нечем было заплатить за квартиру. В результате Калиостро угодил за долги в тюрьму. Спасла его очаровательная Лоренца: своей трогательной беспомощностью она разжалобила состоятельного господина, и тот выкупил Калиостро.

Супруги решили уехать из холодной Англии в Париж. В Дувре в Лоренцу влюбился богатый француз. В столицу они приехали втроем. Француз уговаривал девушку бросить проходимца мужа, и Лоренца, последовав его совету, сняла отдельную квартиру. Но Калиостро, вспомнив о своих супружеских правах, подал жалобу на жену и добился того, чтобы ее посадили в тюрьму, где она провела несколько месяцев, пока ее суженый не простил ее. В конце концов супруги помирились. Наделав долгов, они вынуждены были бежать из Франции.

Калиостро направился в Брюссель, а оттуда — в Германию, после чего объявился в Палермо, где нарвался на своего лютого врага Мурано. Ростовщик подал на него жалобу и заключил в темницу; но Калиостро удалось освободиться с помощью влиятельного богача, к которому у него было рекомендательное письмо. Калиостро уехал в Неаполь, зарабатывал там на жизнь уроками, а затем перебрался в Марсель. Он познакомился с богатой пожилой дамой, увлекавшейся тайными науками, и ее приятелем-алхимиком. Они буквально вцепились в Калиостро, и Джузеппе вместе с ними занялся составлением рецепта эликсира жизни. Когда ему надоело это занятие, он удалился под предлогом того, что ему потребовалась какая-то особенная трава. Старики дали ему на дорогу по мешочку золота каждый.

Объехав юг Испании и мимоходом обобрав в Кадиксе очередного любителя алхимии, Калиостро вновь посетил Лондон. Здесь случай свел его с энтузиастами, мечтавшими открыть способ, с помощью которого можно было безошибочно угадывать выигрышные номера лотерейных билетов. Калиостро тотчас поведал им, что ему известны такие способы. И первый же указанный им номер выиграл крупную сумму. Разумеется, когда он объявил, что умеет делать бриллианты и золото, энтузиасты выложили ему крупную сумму на опыты. Когда же заподозрили обман, подали на кудесника жалобу. Калиостро ловко вывернулся: денег не брал, кабалистикой занимался, но лишь для собственного удовольствия. Билеты с выигрышем угадывать умеет и даже порывался назвать судьям счастливый номер в предстоящем розыгрыше лотереи.

В 1776 году он свел тесное знакомство с английскими масонами, учившими, что посредством магических церемоний и формул люди могут управлять духами, вызывать тени покойников, превращать неблагородные металлы в золото. Трюки Калиостро — превращение железных гвоздиков в золотые, выращивание бриллиантов и т. п. — очень понравились английским масонам. Его, в свою очередь, радовало, что старшие мастера в ложах не подвластны никому и никто не может контролировать их деятельность, их финансовые расходы.

Он бывал на Востоке, многое почерпнул из рассказов Альтотаса и представлял, какое впечатление производит одно упоминание о Востоке на любителей чудесного и таинственного в Европе.

Калиостро придумал свое собственное масонство, египетское, главой или великим коптом которого объявил, естественно, себя. Иными словами, вознес себя на самую высшую ступень, объявив главой настоящего, самого древнего, основанного ветхозаветными патриархами египетского масонства.

Масоны рассудили, что, привлекая сторонников к своему египетскому масонству, он работает на пользу общего дела, и щедро поддерживали Калиостро. Новоиспеченный масон бросал деньги налево и направо, разъезжал в шикарных экипажах, его сопровождали слуги, облаченные в богатейшие ливреи. Эта роскошь, безусловно, производила впечатление на обывателей. К тому же при случае Калиостро мог блеснуть своими знаниями и очаровать заманчивы ми тайнами своего нового учения и сложностью обряда посвящения в египет ское масонство. Поклонники чудесного не давали ему прохода. Калиостро су лил новообращенным полное духовное и физическое совершенство — здоро вье, долгожительство и высшую душевную красоту. Членом общества мог стат кавалер не моложе 50 лет или дама старше 35 лет. Великий копт не хотел при влекать легкомысленную молодежь.

Кандидат в блаженные прежде всего должен был выдержать строгий пост и уединение и пройти множество мелких обрядов. Во время поста обращаемы принимал эликсиры, пилюли и капли, данные ему кудесником. Пост надо был начинать непременно с весеннего полнолуния. В известный день поста новичо подвергался кровопусканию и принимал ванну с весьма крепким металличес ким ядом, после чего у него появлялись признаки настоящего отравления: су дороги, лихорадка, дурнота и сверх того выпадали волосы и зубы, — что харак терно для отравления ртутью. Калиостро, как показало расследование его вра чебной деятельности, вообще не церемонился с сильнодействующими средства ми. Выдержавшим полный курс и повторившим его через полстолетия посл посвящения Калиостро гарантировал 5557 лет жизни. Сам же маг говорил, чт живет чуть ли не с сотворения мира; он выдавал себя за современника Ноя и утверждал, что вместе с ним спасся от всемирного потопа.

Калиостро некоторое время упражнялся в Англии, потом во Франции. В конце 1770-х годов он оказался в Германии, стране, где процветали клубы разных иллюминатов, масонов, розенкрейцеров. Здесь варили эликсиры жиз ни, искали философский камень и золото. В особой брошюре, изданной Страсбурге на французском языке в 1786 году, рассказывается о целом ряд чудес, сотворенных им в Германии. На своих магических сеансах он демонст рировал сверхъестественные чудеса, торговал эликсирами молодости. В под тверждение эффективности чудесного напитка Калиостро приводил свой почтенный возраст, уверяя, что был знаком даже с Александром Македонс ким, знал Иисуса Христа. Везде он собирал крупные суммы франков, лир фунтов, значительная часть которых поступала в качестве взносов вступающи в основанную им ложу франкмасонства.

В 1779 году авантюрист объявился в Митаве. Здесь его встретила одна и наивнейших и преданнейших его поклонниц Элиза фон-дер-Рекке, урожден ная графиня Медем. Позже эта дама опубликовала брошюру "Известие о пре бывании славного Калиостро в Митаве в 1779 г.". К приверженцам Калиостро принадлежали также масоны и алхимики графы Медемы.

Госпожа Рекке познакомила итальянского графа с местной знатью. Пове дение его было безукоризненным: он не предавался ни обжорству, ни пьян ству, ни другим излишествам; он проповедовал воздержание и чистоту нра вов. Калиостро не скрывал, что мечтает распространить египетское масонство на северо-востоке Европы и с этой целью намерен основать в России масон скую ложу, в которую будут приниматься и женщины. Первая ложа образова лась в Митаве, куда вошло немало знатных людей города.

Все ждали от графа чудес. Итальянец устроил для своих почитателей сеанс магии. Мальчик из семейства Медем, с которым предварительно была прове дена беседа, вдруг обрел дар ясновидения. В другой раз он вызвался найти клад состоявший из сокровищ духовных книг и рукописей магического содержания зарытых будто бы 600 лет тому назад на земле графа Медем. Клад, естествен но, стерегли злые духи, и Калиостро предупредил, что предприятие сопря кено с ужасными опасностями, однако он готов рискнуть, ибо нельзя допустить, чтобы клад достался черной магии. Чародей указал место, где следует искать клад. Но прежде надо было победить злого духа; эта борьба продолжалась несколько дней. Наконец он объявил, что враг побежден и что можно откапывать клад. Но дело было отложено еще на некоторое время, а потом кудесник умчался в Петербург. В Митаве Калиостро получил рекомендательные письма, открывавшие ему доступ в высший свет столичной аристократии. Великий магистр мечтал распространить там свое египетское масонство.

В Петербурге Калиостро выдавал себя за искусного целителя, торговал эликсиром молодости, принимал больных, но денег не брал, напротив, даже раздавал их беднякам. Вскоре в свете заговорили о недавно прибывшем в Петербург чудотворце и его прекрасной супруге, выдававшей себя за итальянскую принцессу. У последней появились многочисленные поклонники, в том числе и сам всесильный фаворит царицы, князь Потемкин, что вызвало бурный приступ ревности и злости у стареющей Екатерины. “Принцесса” же, которой было двадцать пять, утверждала, что ей шестьдесят лет и что она владеет секретом вечной молодости и красоты. Знатные дамы и их почтенные мужья осаждали дом Калиостро и за огромные деньги получали “волшебную” настойку из обычных трав.

Пребывание в Петербурге закончилось для Калиостро скандалом. За огромную сумму денег он взялся излечить смертельно больного трехмесячного ребенка богатой купчихи. Когда же младенец все-таки скончался, Калиостро подменил его здоровым ребенком, которого купил за 2000 рублей у крестьян. Обман, естественно, раскрылся. Екатерина приказала схватить и наказать авантюриста. Калиостро и Лоренце едва удалось спастись. Императрица изобразила Калиостро в своих комедиях “Обманщик” и “Обольщенный” под именем Калифалкжерстона.

В мае 1780 года граф приехал в Варшаву. У него были рекомендательные письма к польским магнатам, в том числе и к графу Мощинскому. Калиостро отрекомендовался главой египетского масонства и мастером по части вызывания духов и прочих тайных наук. Мощинский сомневался в магических талантах итальянца и подозревал его в шарлатанстве. Он даже выпустил брошюрку “Калиостро, разоблаченный в Варшаве, или Достоверное сообщение о его алхимических операциях”.

Приютивший у себя Калиостро князь Понинский, человек суеверный, слепо веривший в чародейство, прельстился обещанием Калиостро дать ему приворотное зелье и устроить так, что красавица, за которой князь долго и без успеха ухаживал, отдаст ему свое сердце. Калиостро долгое время водил влюбленного магната за нос, пока тот не выгнал его из дома и не настоял на изгнании из Польши.

Из Варшавы Калиостро направился во Францию. Его путешествие, сравнительно скромное в пределах Германии, по мере приближения к Франции превращалось в настоящее триумфальное шествие. В Страсбурге его встречали как короля.

Он двигался по городу целым поездом. Граф и его супруга Лоренца восседали в роскошнейшем открытом экипаже, а за их каретой следовал целый обоз — свита людей в блестящих и дорогих ливреях. И тут какой-то старичок бросился к карете великого магистра с криком: “Наконец-то ты попался мне, бездельник! Стой и давай мне мои деньги!” Это был ростовщик Мурано. Калиостро обладал в совершенстве искусством чревовещания. И вот с небес (а в этом никто из присутствующих не сомневался) раздался громовой голос: “Это безумец, им овладел злой дух, удалите его!” Глас с небес, говорят, до того потряс публику, что многих поверг в ужасе на землю.

Калиостро, вероятно, заранее подогрел интерес к своему приезду в Страсбург, послав туда хитрых агентов, которые своими рассказами взбудоражили народ. Они же собрали со всего города больных, жаждавших исцеления. Можно предположить, что среди них было и немало притворщиков, поскольку все больные были вылечены: одних Калиостро исцелил простым движением руки, других — словами, третьих — лекарствами. Он применил свою универсальную целебную жидкость, свой эликсир жизни, излечивавший все болезни.

Разумеется, что сотни излеченных им больных в устах публики превратились в тысячи, и Страсбург озарился лучами славы великого целителя. В день своего приезда, 3 июня 1780 года, Калиостро дал представление.

Зал, в котором Калиостро принимал высший свет Страсбурга, был обставлен с мрачной роскошью. Большое серебряное распятие в углу отбрасывало лучи прямо в публику. Стены задрапировали черным шелком. Помещение освещалось множеством свечей в массивных серебряных канделябрах, расположенных так, чтобы изображать магические фигуры и символы. Стол покрывала черная скатерть с вышитыми на ней заклинаниями и магическими знаками. На столе были расставлены белые человеческие черепа, фигуры египетских божеств, сосуды с эликсирами, в центре — таинственный стеклянный шар, наполненный хрустально-прозрачной водой. Сам Калиостро был одет в костюм Великого копта — черный балахон с вышитыми на нем красными иероглифами. На голове графа был египетский головной убор с повязками из золотой парчи, собранными в складки, охватывавшими его голову и спускавшимися на плечи. На лбу повязки сдерживал обруч, осыпанный драгоценными каменьями. На груди крестообразно была повязана изумрудного цвета лента, покрытая изображениями скарабеев и разноцветными буквами, вырезанными из металлов. На поясе из красного шелка висел широкий рыцарский меч с рукояткой в форме креста.

Свои выступления граф начинал просто: очерчивал на полу “магический круг” — и тот светился таинственным зеленоватым светом. В присутствии пораженной публики увеличивал в размерах бриллианты, превращал пеньковую мешковину в драгоценные ткани, железные гвозди — в золотые, восстанавливал сожженные и разорванные письма, угадывал карту, читал запечатанные в конвертах записки зрителей.

Магический сеанс продолжался несколько часов. Заключительной его частью были манипуляции с волшебным шаром. Калиостро произносил на непонятном для присутствующих языке магические заклинания, после чего его помощники-духи “входили” в шар, и вода в нем медленно мутнела. Калиостро подводил к шару прорицательницу — свою жену Лоренцу, та опускалась на колени и, пристально вглядываясь в мутную воду сосуда, сообщала о том, что видела внутри. Она рассказывала о событиях, будто бы происходящих в сию минуту в Лондоне и Петербурге, Вене и Риме. Затем гас свет в зале, шар начинал светиться изнутри, и зрители могли видеть мелькающие в нем человеческие фигуры, иероглифические надписи и т. д. И наконец шар темнел.

“Возьмитесь все за руки! — приказывал Калиостро. — Сейчас вы познаете истинные тайны Вселенной. Будьте осторожны!”

Тотчас засверкало зеркало, которое висело над столом. Казалось, будто открылось окно в “иной мир”. В зеркале виднелись силуэты человеческих фи-

ур, а присутствующим при этом казалось, что они очень похожи на тех лю-
ей, которых кудесник в это время называл. В заключение стол и зеркало оку-
ало облако белого дыма, и на его фоне отчетливо вырисовывалась фигура дви-
ающегося человека. Внезапно блеснули молнии, раздались звуки грома, и
аступила темнота. Когда свет вновь загорелся, все исчезло. Магический сеанс
акончился.

Все увиденное привело гостей в трепет, теперь они не сомневались: Кали-
стро — великий маг и волшебник. Чародей задержался в гостеприимном
Страсбурге на целых три года.

Авантюрист посетил Италию, затем побывал в нескольких городах на юге
Франции, в том числе в Бордо и Лионе. И наконец 30 января 1785 года по-
вился в Париже. В это время французская столица бредила животным магне-
измом, слава знаменитого Месмера достигла апогея. Калиостро же решил
аняться вызыванием духов. И вскоре падкие до новизны парижане были покорены "божественным" Калиостро. Сам Людовик XVI издал указ, согласно
которому посмевший нанести обиду или оскорбление Великому копту обвинялся в оскорблении самого королевского величества.

Кудесник заявил, что на интимном ужине для шести знатных особ он вызовет с того света тени умерших, то есть духов. Ужин состоялся на улице Сен-
Клод, в особняке Калиостро. Все собрались в полночь в зале, где был неслы-
ханно роскошно накрыт круглый стол. После того как подали ужин, слуги были
отосланы под угрозой мгновенной смерти, если они попытаются открыть двери
прежде, чем их позовут. Свечи погасили. Великий копт начал свое таинство.

На одном из таких вечеров были вызваны отошедшие в мир иной энциклопедисты Дидро, Вольтер, Даламбер, Монтескье. Калиостро громко и четко
произнес имена усопших. И вот все вызванные энциклопедисты откуда-то
появились в зале и сели за стол. Похожи ли они были на живых философов,
об этом история умалчивает, но гости не сомневались, что перед ними под-
линные знаменитости. На вопрос, как дела на том свете, последовал ответ:
никакого "того" света нет, смерть есть только прекращение нашей телесной
жизни, после смерти человеческое существо превращается в безразличную
духовную сущность, не ведающую ни наслаждений, ни страданий... Духи французских философов-материалистов с помощью Калиостро каялись в своем
прошлом, безверии, в своих прегрешениях против церкви, монархии, отре-
кались от своих взглядов и произведений.

Подробности этих бесед попадали в газеты, однако не сообщалось, кто из
живых гостей присутствовал на ужине, поэтому проверить достоверность сведений было трудно.

Ужины пользовались небывалым успехом. Но Калиостро понимал, что на
одном духоведении далеко не уедешь, поэтому активно пропагандировал свое
египетское масонство — это была более доходная статья. Калиостро, враща-
ясь в обществе, часто повторял, что явился с Востока, что постиг там всю
мудрость седой древности. В Париже насчитывалось более семидесяти масонских лож, что облегчало задачу итальянцу.

Первыми интерес к секте проявили кавалеры, но затем, не без помощи
Лоренцы, к новому масонству потянулись и дамы. Калиостро еще в Митаве
объявил, что в египетское масонство принимаются представительницы прекрасной половины. Впрочем, дамы, втайне от мужей, организовали свое общество с целью изучения магии и, конечно, обратились к жене великого авантюриста с просьбой посвятить их в секреты тайных знаний. Лоренца, посове-

товавшись с мужем, объявила, что прочтет ряд лекций по магии, но тольк избранному кругу, не более тридцати слушательниц, каждая из которых дол жна сделать взнос в сотню луидоров. В течение одного дня была собрана груп па и внесена плата за обучение. Лоренца стала как бы второй главой египетс кого масонства, его дамского отделения.

Граф Калиостро почти совсем забросил медицину, ему было гораздо вы годнее вызывать духов. Тем не менее он продолжал принимать больных и ка всегда бедных лечил бесплатно, иногда снабжая их деньгами, к богатым ж ездил неохотно и брал с них без всяких церемоний.

Однажды ему сообщили, что серьезно заболел принц Субиз, близкий род ственник кардинала Рогана, с которым Калиостро познакомился в Страсбур ге и приобрел в его лице одного из самых преданных своих сторонников. Вра чи не надеялись на выздоровление Субиза. Итальянец взялся его лечить, н при этом потребовал, чтобы его имя держалось в тайне. Когда же Субиз ста поправляться, торжественно объявили, что лечил его Калиостро. Это бы настоящий триумф кудесника! У его дома стояли ряды экипажей знати, при ехавшей поздравить его с успехом. Даже королевская чета нашла время поздра вить Субиза с выздоровлением. Калиостро сделался настоящим идолом Пари жа, повсюду продавались его портреты и бюсты.

Итальянец решил создать из парижской знати и богачей особую ложу из бранных масонов, строго ограничив число ее членов. Он гарантировал все членам таинственной ложи 5557 лет жизни! Правда, при этом Калиостро выд винул ряд условий: принимаемый в ложу должен был обладать самое мень шее 50 тысячами франков годового дохода, а главное — от рождения и д посвящения оставаться и пребывать чистым и непорочным до такой степе ни, что его не могло коснуться ядовитое и бесцеремонное злословие. В то ж время все вступающие должны быть холостыми, бездетными и целомудрен ными! Общее число членов не могло превышать тринадцати. Естественнс долголетие было самой существенной приманкой, но надо было чем-то ещ занять воображение и мысли новообращенного. С этой целью Калиостро приду мал целый ряд сложных обрядов — постов, ванн, диет, кровопусканий и т. Эти обряды следовало повторять каждые полстолетия в течение сорока дней и после них человек должен был вновь возрождаться, молодеть и начинат жизнь сначала.

Сам же великий кудесник утверждал, что знал Моисея и Аарона, участво вал в оргиях Нерона, брал Иерусалим с Готфридом Бульонским, — словом без него не обходилось ни одно чем-либо примечательное историческое со бытие.

Когда он объявил о наборе в ложу, то соискателей оказалось нескольк сотен. Великого копта умоляли увеличить число членов ложи. Но в это же вре мя над его головой неожиданно собрались грозовые тучи. Калиостро оказалс замешанным в знаменитое дело об ожерелье, за что его засадили в Бастилик невзирая на окружавшую его славу.

Суть дела об ожерелье состоит в следующем. Некая искательница приклю чений мадам де Ламотт сказала духовнику короля, кардиналу де Рогану, чт королева желает приобрести у известного ювелира Бемера бриллиантовое ко лье огромной ценности. Состояние казны в то время было плачевным, и ко ролева не могла уплатить сразу всю сумму (1,6 миллиона франков), котору ювелир просил за эту вещь. Легкомысленный кардинал переговорил с ювели ром и выдал ему векселя от имени королевы. Бемер, увидев подпись короле вы на письме, которое ему предъявили, поверил всему, что ему сообщили, и выдал драгоценное ожерелье, а Роган передал его де Ламотт. Когда же наступил срок уплаты первого взноса, у Рогана денег не оказалось. Пока кардинал выяснял отношения с де Ламотт, ювелир, находившийся на грани банкротства, обратился непосредственно к королеве. Все прояснилось, главные преступники были арестованы, правда, ожерелье было уже переправлено в Амстердам и продано по частям.

Роган был одним из самых горячих почитателей великого мага. Когда хитрая де Ламотт сделала ему предложение якобы от имени королевы, Роган обратился за советом к Калиостро, который сразу понял, что-то здесь нечисто. Однако Лоренца, находившаяся в приятельских отношениях с де Ламотт, уговорила мужа сказать кардиналу, что дело верное, ибо оно увенчается полным успехом. Калиостро скрепя сердце послушался, тем более он ничем не рисковал.

Действительно, дело об ожерелье не принесло бы итальянцу беспокойства, если бы не Лоренца. У нее в гостях постоянно бывала баронесса Олива, внешне очень похожая на королеву Марию-Антуанетту. Коварная де Ламотт решила устроить свидание кардинала Рогана с "королевой". Позже это бросило тень не только на супругу великого чародея, но и на него самого. К тому же, когда начались аресты, Лоренца поспешила сбежать из Парижа, и отвечать пришлось Калиостро. На суде итальянца оправдали, он отделался только предварительным заключением в Бастилии.

Его оправдание вызвало в Париже бурю восторга. Говорят даже, что в его честь звонили колокола. Однако король все же счел необходимым удалить Калиостро из Парижа. Он переехал в Пасси и там прожил некоторое время. К нему приезжали многочисленные почитатели, и он усердно вербовал среди них все новых и новых членов египетского масонства. Но восторги почитателей не могли оградить его от преследований судебной власти, поэтому он счел за благо уехать из Франции. Сохранилось предание о том, что, когда он садился на корабль, увозивший его в Англию, перед ним преклонила колени толпа в несколько тысяч человек, просившая его благословения! Многие из приверженцев последовали за ним в Лондон и там способствовали его триумфу.

В Лондоне Калиостро напечатал "Письмо к французскому народу", датированное 1786 годом, в котором допустил ряд злых и обличительных выпадов против существовавшего тогда во Франции порядка, против правительственных чиновников, суда, двора, даже самого короля. Примечательно, что в этом письме он предсказал французскую революцию. Документ был переведен на все европейские языки и имел огромный общественный резонанс.

Калиостро продолжал свою масонскую деятельность. Но тут его потянуло в Италию. Не последнюю роль в этом сыграла Лоренца, тосковавшая по родине. К тому же Калиостро, обладая солидным состоянием, мог спокойно доживать свой век в уединении и тиши. Супруги перебрались в Рим, где папской буллой масонство было объявлено делом богопротивным, и изобличенные в нем карались смертной казнью. Не успел Калиостро привлечь и трех приверженцев в свою ложу, как один из них донес на него инквизиции и в сентябре 1789 года авантюрист был схвачен. Его судили, восстановили до мельчайших деталей его биографию, разрушив при этом прекрасную легенду, которой он окружал свои детство и отрочество. Когда Рим был взят французами в 1798 году, то среди узников инквизиции Калиостро не оказалось, к великому огорчению его друзей, которых было немало в республиканской армии. Великий магистр скончался в 1795 году.

Маркиз де Сад

(1740 — 1814)

Французский писатель, философ, политический деятель. Участник Французской революции 1789 года. Около тридцати лет провел в заключении. Последние десять лет жизни был заключен в Шарантон, больницу для душевнобольных.

Донасьен Альфонс де Сад родился 2 июня 1740 года в отеле "Конде" в Париже. Его семья со стороны отца принадлежала к старинному провансальскому дворянству. По линии матери, урожденной де Майе де Карман, он был в родстве с младшей ветвью королевского дома Бурбонов. В романе "Алина и Валькур", герой которого наделен некоторыми автобиографическими чертами, де Сад приводит своего рода автопортрет: "Связанный материнскими узами со всем, что есть великого в королевстве, получив от отца все то изысканное, что может дать провинция Лангедок, увидев свет в Париже среди роскоши и изобилия, я, едва обретя способность размышлять, пришел к выводу, что природа и фортуна объединились лишь для того, чтобы осыпать меня своими дарами".

До четырех лет мальчик воспитывался в Париже вместе с малолетним принцем Луи-Жозефом де Бурбоном, затем был отправлен в замок Соман и отдан на воспитание своему дяде, аббату д'Эдрей. Аббат принадлежал к просвещенным кругам общества, состоял в переписке с Вольтером, составил "Жизнеописание Франческо Петрарки". С 1750 по 1754 год де Сад обучался у иезуитов в колледже Людовика Великого, по выходе из которого был отдан в офицерскую школу. В 17 лет молодой кавалерийский офицер принимал участие в последних сражениях Семилетней войны.

После окончания войны в 1763 году маркиз выходит в отставку в чине ка итана кавалерии. Он поселяется в Ла Косте, где расположен один из фамильных замков. Там он страстно влюбляется в Лауру-Викторию-Аделину де Лори и преследует ее своими ухаживаниями. И это всего за две недели до женитьбы, устроенной стараниями его отца, на девице Рене-Пелажи де Монтрей, дочери почетного президента Высшего податного суда и Мари-Мадлен де Плиссе.

15 мая брачный контракт был подписан. Старинный род де Садов соединился с родом де Монтрей, незадолго до того получившим дворянский титул, но тем не менее уже обладающим солидным состоянием и поддержкой при дворе.

18 октября 1763 года 20-летняя проститутка Жанна Тестар согласилась на любовную встречу с молодым элегантным дворянином в его доме. Там он провел ее в небольшую комнату без окон. Стены комнаты были задрапированы тяжелыми черными портьерами. Около одной из стен стояло несколько плетей. Немного позже, объяснил дворянин Жанне, она отстегает его любой из этих плетей, а потом сама выберет ту, которой он отстегает ее. Жанна отказалась. Тогда де Сад, угрожая ей смертью, заставил ее разбить одно из распятий, висевших на стенах комнаты вместе с порнографическими рисунками.

Через две недели маркиз попал в тюрьму. Его поместили в башню Весеннского замка. Вся семья была в шоке, когда де Сада арестовали первый раз. К несчастью будущих жертв маркиза де Сада, родители его жены были весьма влиятельны при дворе. После 15 дней, проведенных в тюрьме, де Сад заявил о своем глубоком раскаянии и был выпущен на свободу. Полиция Парижа предупредила владельцев публичных домов, что де Сад представляет собой опасность для проституток, и он вынужден был начать подбирать для своих оргий непрофессионалов.

С огромным облегчением мадам де Монтрей отметила, что после освобождения де Сад, казалось, остепенился и стал, как и все, просто заводить себе любовниц. Его любовницами стали, например, мадемуазель Колет, известная актриса Итальянской комедии, мадемуазель Бовуазен. В мае 1765 года он уехал с ней в Прованс, где выдавал ее то за свою жену, то за родственницу. Рене-Пелажи ничего не знала о любовных связях своего мужа. О них, однако, была отлично осведомлена ее мать. Но даже и она не знала о том, что у де Сада недалеко от Парижа был загородный дом, где он регулярно устраивал бисексуальные оргии.

Рождение в 1764 году первенца не вернуло маркиза в семью, он продолжал вести свободную и бурную жизнь. С именем де Сада связаны различные скандалы, оскорбляющие общественную нравственность и мораль.

В пасхальное воскресенье 3 апреля Роза Келлер, тридцати шести лет, остановила маркиза на площади Виктуар и попросила милостыню. Сад спросил, не желает ли она подзаработать, и она выразила согласие стать его горничной. Позже маркиз говорил, что предупреждал ее о “небольших дополнительных обязанностях” и она согласилась.

По прибытии в Аркей ее привели в комнату, “заставили раздеться, привязали к кровати лицом вниз, несколько раз безжалостно выпороли хлыстом и тростью, смазали раны какой-то мазью (по другим источникам — горячим воском). Ее крики, казалось, лишь придавали ему дополнительные силы. Наконец, де Сад издал дикий крик, опустился на пол и прекратил избиение. Она умоляла своего мучителя не убивать ее, поскольку не успела исповедаться на Пасху. На это маркиз заявил: “Можешь исповедаться мне!”,— и попытался даже принудить ее к этому, угрожая убить и обещая закопать в саду. Келлер отказывалась, и ей удалось сбежать. Ее приютила мадам Джульетта, от которой и стало известно о происшествии.

Вызванный властями хирург в общих чертах подтвердил суть рассказа пострадавшей. Де Сад заявил, что Келлер сама этого хотела и использовал он не хлыст, а плеть с узелками.

Семья маркиза откупилась от Келлер громадной суммой в 2400 ливров, но дело не было закрыто. Гораздо позже де Сад вложил в уста одного из своих героев слова: “Вспомните, как у парижских судей в знаменитом деле 1769 года выпоротый зад уличной девки вызвал больше сожаления, чем толпы, брошенные на голодную смерть. Они вздумали засудить молодого офицера, который пожертвовал лучшими годами своей жизни ради процветания своего короля, вернулся и получил награду — унижение из рук врагов страны, которую защищал”. Как бы он ни жаловался устами вымышленных персонажей, сам де Сад получил “освободительное письмо” от Людовика XV и был оправдан.

Его обязали жить тихо и мирно в своем замке на юге Франции. Он переехал туда вместе с семьей и пригласил с собой еще и младшую сестру жены Анн-Проспер, которая и стала вскоре практически его настоящей женой, не называясь так лишь официально. Той зимой в старинном замке де Сада была создана обстановка, всячески благоприятствовшая получению сексуального наслаждения. Ставились целые эротические спектакли, весьма элегантные, в которых принимали участие не только Анн-Проспер, но и сама Рене-Пелажи, жена де Сада. В 1769 году у Рене и маркиза родился второй сын — Донасьен-Клод-Арманд, через год — дочь Мадлен-Лаура.

В 1772 году де Сад, приехав в Марсель, где хотел получить долг, дал указание своему лакею Лятуру найти и привезти в замок несколько молодых женщин для давно задуманной им оргии. Четыре портовых проститутки в возрасте от 18 до 23 лет, привезенных Лятуром в замок, были принуждены де Садом участвовать в сложном ритуале. Он избивал их и требовал, чтобы они били его, для чего предназначался громадный окровавленный хлыст с вделанными в плеть гвоздями. Девушки отказались, считая плеть слишком опасной, и предпочли использовать ивовую метлу, которой они нанесли ему, если в это можно поверить, восемьсот ударов, отмеченных им насечками на каминной доске. Его слуга тоже порол его. Между избиениями им были предложены различные комбинации секса с де Садом и Лятуром или же с тем и другим одновременно. Всем женщинам во время оргии неоднократно предлагались целые горсти конфет с наркотической начинкой.

3 сентября де Сад и Лятур были приговорены к публичному покаянию на паперти марсельского собора, после чего их должны были отвести на площадь Сан-Луи “для того, чтобы господин де Сад был обезглавлен на эшафоте, а упомянутый Латур повешен на виселице...” Свидетелем со стороны обвинения на процессе выступал Ретиф де ла Бретон, к тому времени ставший автором нескольких популярных романов, будущий летописец революционного Парижа. Впоследствии Ретиф и де Сад крайне отрицательно отзывались о сочинениях друг друга. 11 сентября парламент Экса утвердил приговор, вынесенный парламентом Марселя.

Спасаясь от судебного преследования, де Сад вместе с сестрой жены бежал в Италию, чем навлек ярость своей жены. Она обвинила мужа в измене и добилась у короля Сардинии разрешения на его арест. Маркиз был арестован и помещен в замок Миолан. По его собственным словам, именно здесь начаась жизнь “профессионального” узника. Через год он бежал из крепости и скрылся в замке Ла Кост, где в течение пяти лет продолжал жить, как ему равилось, возмущая соседей. Возникавшие периодически скандалы удавалось амять. Де Сад совершил путешествие в Италию, посетив Рим, Флоренцию, Іеаполь. Несмотря на запрет, он часто приезжал в Париж. Однако обвинение убийстве продолжало тяготеть над ним. Когда же наконец оно было снято, е Сад снова попал в тюрьму, на этот раз на основании “lettre de caschette”, оролевского указа о заключении в тюрьму без суда и следствия, полученного го женой. Такие указы порою выдавались родственникам аристократов, дабы збежать порочащего семью суда.

В начале 1777 года из Парижа пришла весть о том, что мать де Сада умира-т. Несмотря на то, что он всегда относился к ней весьма равнодушно, де Сад немедленного отправился в Париж. Друзья предупреждали маркиза о том, что еща попытается устроить дело так, чтобы его арестовали. Действительно, когда ять марсельских проституток обвинили его в том, что он пытался их снача-а изнасиловать в извращенной форме, а затем и отравить, теща маркиза де Сада сумела добиться специального королевского указа для своего зятя. Так е Сад в 1777 году был заключен в Венсеннский замок. В конце февраля он писал: Отчаяние овладевает мною. Временами я не узнаю сам себя. Моя кровь слиш-ком горяча, для того чтобы я мог вынести эту ужасающую пытку”. Теща зая-вила: “Все идет, как и следует по справедливости”. В тюрьме в нем вдруг про-снулся писатель. Де Сад создал за решеткой огромное количество литератур-ных произведений, подавляющее большинство которых были эротическими.

Рене-Пелажи оставалась верна ему на протяжении всего его двенадцатилет-него тюремного заключения, но развелась с ним сразу же, как только он ока-зался на свободе. А прежде она организовала его побег. Решение прованского парламента осталось в силе, поэтому, когда маркиз через пять лет появился в Париже, его снова взяли под стражу. Еще один побег и еще один арест. На этот раз заключение длилось более десяти лет... “Да, я распутник, — писал он ей, — и признаюсь в этом; я постиг все, что можно постичь в этой области, но я, конечно, не сделал всего того, что постиг, и, конечно, не сделаю никогда. Я распутник, но я не преступник и не убийца”.

В 1784 году его перевели в Бастилию, в камеру на втором этаже башни Свобо-ды, где условия были значительно хуже, чем в Венсеннской крепости. 2 июля, когда де Саду неожиданно было отказано в прогулке, он стал кричать из окна, что здесь в тюрьме “убивают узников”, и, возможно, внес этим свою лепту в скорое разрушение крепости. 3 июля скандального заключенного по просьбе коменданта перевели в Шарантон, служивший в то время одновременно и тюрьмой и приютом для умалишенных.

В Бастилии маркиз много читал, там написаны его первые книги: атеисти-ческий “Диалог между священником и умирающим” (1782), программное со-чинение “120 дней Содома” (1785), где изложены главные постулаты садиз-ма, роман в письмах “Алина и Валькур” (1786—1788), как правило, называе-мые не менее значительными памятниками эпохи, чем “Жак-фаталист” Дид-ро и “Опасные связи” де Лакло. Интересно, что роман де Лакло фигурировал в списках книг, доставленных узнику в бастильскую камеру. Здесь же, в Бас-тилии, всего за две недели было создано еще одно ставшее знаменитым со-чинение — “Жюстина, или Несчастья добродетели” (1787). По замыслу автора оно должно было войти в составление предполагаемого сборника “Новеллы и фаблио XVIII в.”.

В апреле 1790 года Национальное собрание издало декрет об отмене королевских "lettre de caschette", и де Сад был освобожден. К этому времени маркиза юридически оформила разрыв с мужем, и де Сад практически остался без средств к существованию. Имя его по злосчастной оплошности было занесено в список эмигрантов, что лишило де Сада возможности воспользоваться оставшейся частью семейного имущества. Он устроился суфлером в версальский театр, где получал два су в день, которых едва хватало на хлеб. Писатель постепенно возвращался к литературному труду, стараясь заглушить горечь утраты: во время перевода из Бастилии в Шарантон была потеряна рукопись "120 дней Содома". Восстановить утраченный роман де Сад попытался в "Жюльетте, или Благодеяниях порока".

"Я обожаю короля, но ненавижу злоупотребления старого порядка", — писал маркиз де Сад. Гражданин Сад принял активное участие в революционных событиях. Не будучи в первых рядах революционеров, он все же более года занимал значительные общественные посты. В 1792 году служил в рядах национальной гвардии, участвовал в деятельности парижской секции Пик, лично инспектировал парижские больницы, добиваясь, чтобы у каждого больного была отдельная койка. Составленное им "Размышление о способе принятия законов" было признано полезным и оригинальным, напечатано и разослано по всем секциям Парижа. Де Сад писал: "Если для составления законов необходимы специально избранные люди, то не следует считать, что они же и должны их утверждать. Только народ, и никто иной, имеет право утверждать закон, в согласии с которым законодатели станут руководить этим народом".

В 1793 году де Сад был избран председателем секции Пик. Поклявшись отомстить семейству де Монтрей, он тем не менее отказался внести эту фамилию в "черные" списки, спасая тем самым ее членов от преследований и, возможно, даже от гильотины. В сентябре того же года де Сад произнес пламенную речь, посвященную памяти Марата и Лепелетье. Выдержанная в духе революционной риторики, она призывала обрушить самые суровые кары на головы убийц, предательски вонзавших нож в спину защитников народа. По постановлению секции речь была напечатана и разослана по всем департаментам и армиям революционной Франции, направлена в правительство — Национальный Конвент. В соответствии с духом времени де Сад внес предложение о переименовании парижских улиц. Так, улица Сент-Оноре должна была стать улицей Конвента, улица Нев-де-Матюрен — улицей Катона, улица Сен-Никола — улицей Свободного Человека.

За три недели до ареста де Сад, возглавлявший депутацию своей секции, зачитал в Конвенте "Петицию", в которой предложил ввести новый культ — культ Добродетелей, в честь коих следует "распевать гимны и воскурять благовония на алтарях". Насмешки над добродетелью, отрицание религии, существования Бога или какой-либо иной сверхъестественной организующей силы были характерны для мировоззрения де Сада, поэтому подобный демарш воспринимался многими исследователями его творчества как очередное свидетельство склонности писателя к черному юмору, примеров которого так много в романах. Однако эта гипотеза вызывает сомнения, ибо после принятия 17 сентября 1793 года "Закона о подозрительных", направленного в первую очередь против бывших дворян, эмигрантов и их семей, де Сад, чья фамилия продолжала числиться в эмигрантских списках, не мог чувствовать себя в безопасности и ради ехидной усмешки вряд ли стал бы привлекать к себе столь пристальное внимание властей. Тем более, что в обстановке начавшегося террора де Сад проявил себя решительным противником смертной казни, считая, что государство не имеет права распоряжаться жизнью своих граждан.

В декабре 1793 года де Сада арестовали “по обвинению в умеренности” и поместили в тюрьму Мадлонет. Затем его переводили из одной парижской тюрьмы в другую, и к лету 1794 года он оказался узником монастыря Пикпюс, превращенного революцией в место содержания государственных преступников. Среди прочих заключенных там находился де Лакло. Неподалеку от монастыря, возле заставы дю Трон, была расположена гильотина, и тела казненных свозили и хоронили в монастырском саду. Через год после освобождения де Сад так описывал свои впечатления от тюрем революции: “Мой арест именем народа, неумолимо нависшая надо мной тень гильотины причинили мне больше зла, чем все бастилии вместе взятые”.

Его должны были гильотинировать вместе с двумя десятками других узников 8 термидора (26 июля). Счастливый случай спас де Сада: по неразберихе, царившей в переполненных тюрьмах, его попросту потеряли. После 9 термидора действие распоряжений якобинского правительства было приостановлено, и в октябре 1794 года, по ходатайству депутата Ровера, де Сада освободили.

В 1801 году цензором Наполеона против него был возбужден судебный иск. Предлогом для этого стала публикация очередного эротического романа де Сада, хотя подлинной причиной этого судебного разбирательства был выход в свет памфлета, в котором он зло высмеивал Наполеона и его жену Жозефину. Де Сад был объявлен сумасшедшим и опасным для общества и помещен в психиатрическую лечебницу в Шарантоне, где и провел остаток своих дней. Директор лечебницы разрешил де Саду ставить свои драмы в местном театрике. Де Сад сам часто участвовал в спектаклях и в качестве актера играл роли злодеев.

После освобождения он жил несколько месяцев с 40-летней вдовой, а затем у него завязались теплые отношения с молодой актрисой Мари-Констанс Ренель, о которой он написал: “Эта женщина— ангел, ниспосланный мне Богом”. Он жил с ней какое-то время на сеновале, где ухаживал за ее маленьким ребенком, зарабатывая на жизнь тем, что служил рабочим сцены в местном театре. Она отправилась вместе с ним в психиатрическую лечебницу в Шарантон и, похоже, не очень-то возражала, когда этот растолстевший, ревматический, полуслепой старик нашел себе молодую любовницу-прачку. В психиатрической лечебнице де Сад, с разрешения директора, выдавал приехавшую с ним Ренель за свою незаконнорожденную дочь. О последней любовнице де Сада Мадлен известно лишь то, что ей было 15 лет, когда она сблизилась с 72-летним маркизом. Известно также, что ее мать надеялась, что маркиз поможет Мадлен стать актрисой.

Де Сад, по всей вероятности, был человеком, в котором сосуществовало сразу несколько личностей. У него был мощный интеллект и настоящее литературное дарование. Все его жестокости были скорее театральными, чем подлинными. Поскольку он в прошлом был кавалерийским офицером, вероятно, любил и “ездить верхом”, и стегать кнутом все, что хоть чем-то напоминало ему лошадь. Кроме этого, де Сад, очевидно, сам был так напуган своими собственными страстями и эмоциями, которые вызывали в нем женщины, что он всегда пытался подчинить своей воле этих женщин для того, чтобы подавить и подчинить самого себя.

Де Сад умер 2 декабря 1814 года в возрасте 75 лет. В завещании он просил не подвергать его вскрытию и похоронить в принадлежавшем ему ранее имении в Мальмезоне на опушке леса. В своем завещании он написал: “Когда меня засыплют землей, пусть сверху разбросают желуди, чтобы молодая поросль скрыла место моего захоронения и след моей могилы исчез бы навсегда, как и я сам надеюсь исчезнуть из памяти людей”.

Хэшэнь

(1750 — 1799)

Всесильный фаворит китайского императора Хунли. С начала 1780-х годов оказывал огромное влияние на дела в государстве.

Зима 1796 года оказалась для Северного Китая небывало суровой. С наступлением года Дракона лютая стужа сковала столицу Цинской империи. Резко подскочили цены на уголь, люди предпочитали проводить время дома. В одну из февральских ночей в Пекине погибли восемь тысяч нищих.

Утром, когда солдаты собирали трупы замерзших, в один из павильонов вошел 46-летний моложавый и все еще красивый маньчжур. На нем был крытый золотой парчой теплый халат, а на плечи накинута роскошная шуба из драгоценного меха морской выдры. Денег, вырученных за эту шубу, вполне хватило бы для предотвращения ночной трагедии. Однако нужды бедного люда не волновали гордого и властного хозяина дворца. Он пришел лишний раз полюбоваться своим “виноградником” — подпорки у него были отлиты из серебра, лозы и листья в натуральную величину — из золота, а гроздья сделаны из алмазов, жемчугов, сапфиров, рубинов и изумрудов. “Даже у Сына Неба нет ничего подобного!” — самодовольно прошептал он. Это был не император Китая, а его всемогущий фаворит Хэшэнь.

Выходец из достойного маньчжурского рода, он получил классическое китайское образование и низшую ученую степень (шэньюань, сюцай). В 1775 году он начал служить простым телохранителем Сына Неба, а затем стал офицером императорского эскорта. Красивый, стройный и образованный, он скоро обратил на себя внимание императора Хунли. И сразу же начался невиданный взлет по ступеням сановной лестницы. Уже через полтора года богдохан сделал его помощником главы Налогового ведомства, членом Императорского секретариата и главой Дворцового управления, которое ведало всеми хозяйственными делами императорского дворца. Вскоре Хэшэнь был введен в Военный Совет — высший государственный орган, то есть стал членом правительства, а позднее занял и пост канцлера. Временами он находился сразу на 20 различных наиболее почетных и доходных должностях, став вторым по значимости лицом в Цинской империи.

Теперь это был уже не скромный телохранитель, а властный, жадный и надменный выскочка, беспощадный к своим обличителям. Окруженный всеобщей покорностью, пресмыкательством и лестью, Хэшэнь ощущал себя вершителем судеб Поднебесной, фактически соправителем Сына Неба. С начала 1780-х годов Хэшэнь оказывал огромное влияние на дела в государстве. Женив в 1790 году своего сына на дочери богдохана, а значит став его родственником, этот фаворит обрел всесилие, держа в своих цепких руках престарелого императора. Хунли души в нем не чаял и постоянно осыпал своего любимца монаршими милостями. По приказу Сына Неба для его наперсника был построен роскошный дворец, где Хэшэнь и любовался своим "виноградником".

В руки временщика стекались несметные богатства. Их золотой дождь постоянно распалял его и без того невероятную алчность. Стремясь снискать расположение Хэшэня, сановники, наместники и губернаторы провинций осыпали его дорогими подарками. Кроме того, он отбирал все наиболее редкие драгоценности из той "дани", что присылали в Пекин соседние страны. Безмерная жадность толкала его даже на ростовщичество и торговлю — на складах, принадлежавших Хэшэню, хранились заморские, в основном английские, товары. Его сокровища превысили ценности императорского дворца. Только одно движимое имущество временщика, без земли и дворцов, оценивалось в 80 миллионов лянов серебра (лян — 37 г).

Фаворитизм, как неизбежный спутник и ярчайшее проявление азиатского деспотизма, получил в феномене Хэшэня максимальное воплощение. Окружив себя баснословной роскошью, Хэшэнь считался невероятным снобом. Так, копируя быт императора, он каждое утро облачался во все новое и никогда дважды не надевал ни сапог, ни халата, ни белья, ни головного убора.

Став, по сути, вторым императором, этот красивый маньчжур обрел огромное влияние на чиновничий аппарат, полностью подчинив себе как столичную, так и провинциальную бюрократию. Вокруг Хэшэня сложилась целая клика, состоявшая из его родни, ставленников, сторонников и прислужников. Эта свита торговала титулами, должностями, почетными и учеными званиями. Веря во всемогущество своего патрона, она брала взятки, расхищала казенное имущество и средства, причем львиная доля добытого попадала к Хэшэню. Деградация правящей верхушки и бюрократического аппарата шла по нарастающей, вскоре приняв невиданные масштабы. Чиновники, знавшие меру и заботившиеся о стабильности самой системы, безуспешно пытались остановить приближающийся крах. Хэшэнь со своими подручными без труда расправлялись с теми, кто подавал на них жалобы или обличал их преступления в докладах императору.

Целых девять лет (1790—1799) Хэшэнь и его сообщники вершили судьбы Цинской империи, причем последние три года уже при новом богдохане Юнъяне. Боясь показать себя непочтительным сыном и обидеть отрекшегося от престола Хунли, Юнъянь вплоть до смерти отца не решался трогать его любимца. Между тем тлетворное влияние последнего проникло и в армию. Во время крестьянской войны "Белого Лотоса" правительственные войска терпели от повстанцев одно поражение за другим. Дольше выносить присутствие авантюриста император не мог.

Смерть Хунли в феврале 1799 года положила конец невероятной карьере Хэшэня. Его арестовали, обвинили в неуважении к императору, в превышении власти и в занятиях, не достойных маньчжура и шэньши, — в ростовщичестве и торговле. Все богатства Хэшэня отошли к казне, причем только на перевозку серебра потребовалось несколько недель. Золото, жемчуг и драгоценные камни доставлялись мешками и ящиками. В молчании стояли жители столицы, наблюдая, как несметные сокровища переходят из одних рук в другие. Опытные чиновники, пораженные уникальностью многих ювелирных изделий, не смогли даже примерно оценить их стоимость.

В том же 1799 году Хэшэнь был казнен. Наиболее оголтелые и бездарные его ставленники потеряли свои посты, но никто из его окружения не был привлечен к суду. В противном случае пришлось бы арестовать и допросить десятки чиновников, чего новый богдохан явно не хотел. Почва для "хэшэньства" осталась, и в XIX веке около "драконового трона" появились новые, хотя и более мелкие хэшэни.

Стефан Занович

(1752 — 1786)

Албанский авантюрист. Самозванец. Выдавал себя за императора Петра III, албанского принца. Пользуясь рекомендательным письмом из Венеции, выманил у голландских банкиров более 300 тысяч гульденов, что едва не привело к войне.

Стефан Занович родился в Албании. Отец его, Антоний Занович, в 1760 году переселился в Венецию, где нажил большое состояние, торгуя туфлями восточной выделки. Сыновья его, выросшие в Венеции, получили впоследствии хорошее образование в Падуанском университете. В 1770 году Стефан Занович и его брат Примислав отправились путешествовать по Италии и, встретив во время этого путешествия некоего молодого англичанина, обыграли его шулерским образом на 90 000 фунтов стерлингов. Родители проигравшегося юноши не захотели платить Зановичам такой огромный карточный долг. По их жалобе возникло уголовное дело, которое кончилось тем, что братья Зановичи, как игроки-мошенники, были высланы из великого герцогства Тосканского и им запретили появляться там когда-либо. В 1770—1771 годах Зановичи странствовали по Франции, Англии и Италии, охотясь за счастьем за игорными столами. В Венеции, совершив крупное мошенничество, им удалось улизнуть из тюрьмы, а вместо них венецианская прокуратура велела палачу публично на площади Святого Марка повесить их портреты.

Они знали множество языков, много читали, прекрасно танцевали и еще лучше владели шпагами и ятаганами. Мало того, они были дружны с Вольтером и Даламбером и переписывались с ними. Они также поддерживали отношения с великим авантюристом Казановой и даже удостоились чести попасть на страницы его "Записок".

Бежав из Венеции, братья на время расстались. Стефан появился в Потсдаме, назвавшись государем албанским, а его брат отправился во Флоренцию.

В Потсдаме Стефан заворожил своим титулом и своим мнимым богатством принца прусского и его супругу, которым он наговорил, что у него триста тысяч червонцев годового дохода и что в его распоряжении находится постоянная тридцатитысячная армия. Впрочем, слава его прежних "подвигов" просочилась в газеты.

Но Стефан не унывал даже тогда, когда прусский король, проведав о его проделках почти при всех европейских дворах, призвал задержать опасного мошенника. Стефан успел скрыться в Голландии. Там он предъявил рекомендательное письмо венецианского посланника в Неаполе, и перед ним открылись и салоны аристократии, и конторы банкиров. Последние особенно привлекали Зановича. Выманив за несколько месяцев у доверчивых банкиров более трехсот тысяч гульденов, он исчез с этими деньгами. Когда банкиры спохватились, Стефан был уже далеко. Пострадавшие предъявили свои претензии к рекомендовавшему его венецианскому посланнику, но тот отвечал, что рекомендательные письма — не кредитивы, и он не собирается платить. За банкиров вступилось голландское правительство: оно предъявило иск к венецианскому правительству. Венеция отвечала, что не намерена платить за того, кого публично повесила. Голландия, обидевшись, объявила войну Венеции! И только посредничество австрийского императора Иосифа II помирило противников.

Проникнув в Черногорию, Стефан Занович попытался выдавать себя за недавно убитого Степана Малого. Через пару лет он прибыл в Берлин и обратился к Фридриху II с письмом. Восхваляя свои мнимые заслуги в борьбе с турками, Стефан Занович пытался выдать себя за Степана Малого, который в свою очередь выдавал себя за Петра III: "Мои враги и вся Европа считают меня мертвым. В Царьград (так по-старинному он называл Стамбул) в доказательство моей смерти была послана лишь одна отрубленная голова". В этом же письме мнимый Степан Малый цинично похвастался тем, что "некоторое время тому назад" воспользовался "легковерностью одного варварского народа". Так он назвал черногорцев, которые, впрочем, не были столь легковерными, какими Занович стремился их изобразить. Народ хорошо помнил своего правителя — "человека из царства московского", и Лже-Степан потерпел фиаско. Несостоявшийся самозванец направился в Польшу.

Стефан Занович в Речи Посполитой вошел в контакт с рядом магнатов, одновременно занявшись литературно-публицистической деятельностью. Среди принадлежащих ему публикаций М. Брейер называл изданную в 1784 году на французском книгу о Степане Малом. Книга эта, хранящаяся в собрании "Россика" ГПБ, называется: "Степан Малый, иначе Этьен Птит или Стефано Пикколо, император России псевдо-Петр III". За два года до смерти — а умер он в 1786 году — Стефан Занович продолжал уверять в своей тождественности со Степаном Малым.

Не возымевшая реальных последствий афера Стефана Зановича в Черногории любопытна как редкий пример тройной мистификации: повторного самозванства по отношению к Степану Малому, косвенного — к Петру III и, наконец, портретного. Дело в том, что в трактате 1784 года помещена гравюра, якобы изображавшая черногорского правителя. Поверху написано: "Степан, сражающийся с турками, 1769 г.", под изображением — изречение, якобы Мухаммеда: "Право, которым в своих замыслах обладает разносторонний и непреклонный ум, имеет власть над грубой чернью. Магомет". В самом низу читаем: "Париж. 1774". Это — уникальный пример иконографического самозванства, ибо под видом Степана Малого на гравюре представлен Стефан Занович!

В 1776 году он странствовал по Германии под именем Беллини, Балбидсона, Чарновича и графа Кастриота-Албанского. В это время неизвестно для каких целей он получал значительные суммы от польских конфедератов, старавшихся склонить Турцию к новой войне с Россией.

Имеются сведения, что по прибытии в Польшу он пользовался и другой фамилией — Варт. По случайному ли совпадению, но ту же фамилию по приобретенному ею в Баварии поместью носила англичанка, герцогиня Кингстон, в девичестве Елизавета Чадлей, по первому браку графиня Бристоль. По-видимому, с ней Стефан Занович познакомился раньше, в Риме, где судьба свела его с Радзивиллом, временным спутником несостоявшейся "Елизаветы II", то есть авантюристки Таракановой. Видела там ее и Кингстон-Варт.

При первом знакомстве с герцогиней Кингстон Занович, явившийся к ней в богатом албанском костюме, расшитом золотом и украшенном бриллиантами, выдал себя за потомка князей Албании. Она увлеклась его смелым умом и находчивостью и делала ему драгоценные подарки. По словам самой герцогини, Занович был "лучшим из всех Божьих созданий" и до того пленил ее, что заставил забыть Гамильтона. Она даже намеревалась выйти за него замуж.

В 1776 году герцогиня Кингстон на собственной яхте прибыла в Петербург, чтобы домогаться места статс-дамы императрицы. Поскольку для этого ей по закону полагалось обладать недвижимостью, Кингстон купила в Эстонии у барона Фитингофа имение, соорудив там винокуренный завод. Поначалу императрица отнеслась к английской искательнице приключений благосклонно. Но та все время переигрывала, пустившись в разного рода спекуляции.

Занович был связующим звеном в цепи политических авантюристов. На одном ее конце находилась жаждавшая российского престола Екатерина II, тоже в сущности самозваная "внучка" Петра Великого и "племянница" Елизаветы Петровны, именами которых обосновывала свои права, хотя их и не имела.

Из сохранившихся о Стефане Зановиче биографических известий трудно сказать, был ли он из числа братьев графов Зановичей, которые поселились в Шклове. Братья Зановичи в 1781 году сошлись в Шклове с не менее примечательной личностью — в то время уже отставным генералом русской службы, сербом по происхождению, С.Г. Зоричем. Он пользовался покровительством всесильного Г.А. Потемкина, а короткое время, до выхода в отставку был связан интимной близостью с самой императрицей. Зановичи пообещали расплатиться с кредиторами Зорича, с тем чтобы он отдал им Шклов с принадлежащим ему имением в их управление на столько лет, пока они не получат своей суммы с процентами. Зоричу они обещали давать в год по сто тысяч "на прожитие".

Однако их уличили в изготовлении фальшивых ассигнаций, которыми они расплачивались с кредиторами. Графов Зановичей заключили в Нейшлотскую крепость без сроку, — так распорядилась Екатерина.

Но уже в 1783 году Стефан Занович появился в Амстердаме под именем Царабладаса, но там за долги был посажен в тюрьму. Поляки выкупили его из тюремного заключения. Тогда он под именем князя Зановича-Албанского начал принимать деятельное участие в восстании в Голландии против императора Иосифа II. Инсургенты щедро снабжали его деньгами, а он обещал им подбить черногорцев к нападению на австрийские владения. Вскоре, однако, над ним разразилась беда: он был заподозрен в самозванстве и посажен в тюрьму. Его обвиняли в мошенничестве и обманах, и ему готовилось слишком печальное будущее, когда 25 мая 1785 года он был обнаружен на нарах в тюрьме мертвым. Оказалось, что он каким-то острым оружием перерезал себе жилу на левой руке. По рассказу герцогини Кингстон, Занович умер, приняв яд, находившийся у него в перстне. Перед смертью он написал герцогине письмо, в котором сознавался в том, что он жил под чужими именами и что он был вовсе не то лицо, за которое его принимали. Как самоубийца, Занович был предан позорному погребению и похоронен без совершения над его телом похоронных христианских обрядов.

Эмма Лайон, леди Гамильтон

(1763—1815)

Знаменитая авантюристка. По счастливому стечению обстоятельств вышла замуж за Вильяма Гамильтона — британского посла в Неаполе. Была поверенной испанской королевы Каролины. Позднее состояла в любовных отношениях со знаменитым адмиралом Нельсоном. Награждена Павлом I крестом “За особые заслуги”.

Жизнь ее была богата приключениями. Она познала бедность и богатство, блеск и нищету, горе и смерть.

...Леди Гамильтон была замужем за сэром Вильямом Гамильтоном, известным собирателем предметов старинного искусства и дипломатом, послом

Британии в Неаполе. Это супружество вознесло ее, скромную прислугу из заурядной лондонской таверны, отдававшуюся каждому, кто хорошо платил, с общественного дна на вершину элиты.

Ее называли “прекрасной вакханкой”, а когда она проезжала по улицам Неаполя, люди останавливались, пораженные ее красотой. Однако красота, увы, меркла быстро и неотвратимо. Леди Гамильтон любила хорошую еду, а еще больше любила портер. Однако даже и после трех бутылок трудно было подумать, что она пропустила хоть один стаканчик. Несравненные формы леди Гамильтон начали чрезмерно расплываться. Поверив однажды в свою необычайную красоту, купаясь в комплиментах, она не видела, что меняется, не заметила, как стали утихать и восторги почитателей. Белые платья, которым она отдавала предпочтение, только подчеркивали недостатки ее располневшей фигуры. Стали злословить и о том, что у нее плохие манеры, что в поведении много вульгарного.

Зато в пении и танце-пантомиме ей не было равных. Однажды на приеме в доме Гамильтона в Неаполе она даже соревновалась с певицей Джорджиной Бригитой Банди. После выступления Эммы ее соперница воскликнула: “Боже, что за голос! Я отдала бы за такой все свое состояние!”

Но самый большой успех имели ее пантомимы. Гете, путешествовавший по Италии и приглашенный в дом сэра Вильяма, записал в дневнике: “Сэр Вильям Гамильтон... после долгих лет увлечения искусством и природой увенчал свои успехи в этой области, найдя себе прекрасную женщину... Это двадцатилетняя англичанка, красивая и чудесно сложенная. Он велел ей сшить очень идущие к лицу греческие одежды, и она ходит в них с распущенными волосами... В неустанном движении и постоянной сменяемости можно видеть то, что желали бы изобразить тысячи артистов: вот она смотрит серьезно, грустно, кокетливо, с удивлением поднимает глаза, скромно опускает их, поглядывает то соблазнительно, то со страхом, то грозно... К каждому выражению лица она умеет задрапироваться шарфом и в сто разных способов украсить им голову. Старый муж не может насмотреться и от всей души восхищается всем, что она делает”.

Конечно, Эмме это было приятно. Она надеялась, что эхо восторгов дойдет до Лондона, где их услышит ее возлюбленный, сэр Чарльз Гревилль, из знатного рода Варвиков.

Да, никого она так не любила, мечтала, что, может быть, Гревилль приедет в Неаполь повидаться, и тогда ей удастся уговорить его забрать ее в Лондон.

Кем же была эта певица, танцовщица, вдохновлявшая художников?

Она родилась в Честере, в графстве Чешир. Некоторые из ее биографов утверждают, что ее отцом был кузнец Генри Лайон, но, вероятнее всего, она была “дитя любви”. Ее крестили 12 мая 1765 года в церкви Грейт Нистона. Вскоре умер отец. Тринадцатилетней девочкой Эми, называемая потом Эммой, вместе с матерью покинула родную деревню. Судьба их не баловала: Эмме приходилось перебиваться случайными заработками на лондонских улицах, прислуживать в дешевых трактирах. В семнадцать лет она родила девочку. Однажды ее заметил некий доктор Грэхэм, шарлатан и авантюрист, утверждавший, что изобрел чудодейственное электрическое ложе, на котором пожилые мужчины обретали жизненные силы и молодость. Доктор Грэхэм дал работу Эмме в своем кабинете, где она появлялась, прикрытая прозрачной газовой материей. Кабинет “чудотворца” стал модным. Так называемый Храм Аполлона с Богиней Здоровья начали посещать представители высших кругов.

Судьба круто изменилась, когда в нее влюбился молодой баронет сэр Гарри Фезерстоунхоф. Эми последовала за ним в его родовой замок. Для искательницы приключений началась новая, до сих пор совершенно неизведанная жизнь. Перед ней открылись неограниченные возможности. Балы сменяли один другой. Огромные суммы проходили через руки куртизанки. Праздничные прогулки верхом показали, что Эми искусная наездница. Гости баронета были очарованы ее талантами. Но баронету надоела легкомысленная красотка, порядком истощившая его казну, он снял ей в глухом квартале Лондона скромную квартирку — и был таков.

Снова пришла нищета. Эми была беременна, но родившийся ребенок вскоре умер.

Неизвестно, как бы сложилась ее судьба в дальнейшем, если бы она не повстречала сэра Чарльза Гревилла, поклонника изящных искусств и обладателя великолепной коллекции картин. Он взял ее на полное содержание, выставив при этом жесткое условие: вести добродетельный образ жизни. Легкомысленная, сумасбродная Эми стала прилежной, домовитой и экономной. Чарльз пригласил учителей, которые давали ей уроки правописания, музыки и пения. Эмма безоглядно влюбилась в молодого аристократа. Гревилль был недалек от мысли сделать ее женой. Чувство было взаимным. Чтобы скрыть свое прошлое, она назвалась мисс Эммой Харт.

В доме Гревилля бывали художники. Джордж Ромни увековечил ее в многочисленных этюдах.

Почти четыре года длилась эта идиллия. За это время Эмма родила троих детей — двоих девочек и мальчика. Но Гревилль так и не женился на ней. Частично из соображений экономии, частично из-за нерешительности и неодобрения этого брака со стороны ближайших родственников.

В 1784 году Чарльз познакомил красавицу со своим дядей, недавно овдовевшим сэром Вильямом Гамильтоном. Сэр Гамильтон жил в Неаполе, был послом при дворе Королевства обеих Сицилий. Эмма начала мешать Гревиллю, и он просил дядю пригласить ее в Неаполь, под предлогом обучения пению у итальянских мастеров. Возможно, между дядей и племянником была заключена сделка — сэр Вильям оплатил долги Гревилля, который за это уступил ему девушку.

Эмма выехала вместе с матерью. В Неаполе стареющий дипломат принял их с необычайным гостеприимством. Они поселились в резиденции посла, и Эмма нашла в сэре Вильяме заботливого опекуна, готового исполнять каждое ее желание.

Но Эмма хранила верность Гревиллю. Она послала ему четырнадцать писем, а получила только одно. Тот, кого она так любила, советовал забыть его.

В ноябре 1786 года она стала любовницей Гамильтона, а через пять лет вышла за него замуж, чтобы отомстить неверному Чарльзу. Эта свадьба оставила открытым вопрос о наследстве сэра Вильяма: ведь он мог все свое состояние, на которое так рассчитывал Гревилль, завещать супруге.

В 1791 году чета совершила путешествие в Лондон, чтобы освятить свой брак на родине. 6 сентября в церкви Святой Марии в Лондоне в присутствии многочисленных представителей английской знати произошло венчание. Эмма подписала брачный договор именем “Эмми Лайон”, но во время брачной церемонии его объявили как “мисс Эмми Харт”. Теперь, как супруга сэра Гамильтона, она имела право на все знаки почтения, принятые в обществе.

Однако, чтобы не возвращаться в Неаполь не будучи признанной европейскими дворами, интриганка Эмма заставила сэра Вильяма отправиться в Париж и получить для нее аудиенцию у Марии-Антуанетты, сестры неаполитанской королевы. После этого все сословные препятствия были устранены.

Леди Гамильтон была очень хитра, многие современницы обвиняли ее в чрезмерном злословии, в любви к сплетням. Единственной, с кем дружила Эмма, была неаполитанская королева Мария Каролина. Леди Гамильтон умела быть преданной подругой и опасным врагом, ханжой и распутницей, любила политические интриги. Вообще ум ее был совсем не женский.

Дружба леди Гамильтон с королевой не знала меры. Если дамы не виделись хотя бы день, они писали друг другу письма. Они одевались, как близнецы, проводили вместе долгие часы, игнорируя правила этикета. Королева знала, что сэр Вильям многое доверял своей супруге. Во время дружеских разговоров Мария Каролина узнавала от подруги интересовавшие ее сведения. Бывало, однако, что именно леди Гамильтон склоняла королеву к откровенности в вопросах настолько важных, что сэр Вильям вынужден был посылать о них депеши в Лондон экстренной почтой. Считается, что именно из них английское правительство узнало о военных приготовлениях Испании.

Эмма хотела блистать в обществе и быть почитаемой как дворянством, так и простым народом. Она была окружена ореолом загадочности, который старалась поддерживать всеми средствами своего актерского мастерства.

В сентябре 1793 года в Венеции появился контр-адмирал Гораций Нельсон, прославившийся победой над испанским флотом. Нельсон остановился в резиденции посла, был представлен его супруге. Она — на вершине своей чарующей красоты. Нельсон, небольшого роста, худой, без правой руки, был на семь лет старше Эммы и женат на вдове Фанни Гисбет, сын которой, Джошуа, служил под его командой.

Из невзрачного на первый взгляд Нельсона фонтаном била энергия, исходила необычайная уверенность. Он пользовался большим успехом у женщин.

Началась жизнь втроем. "Одно сердце в трех телах", — так выразилась леди Гамильтон. Состарившийся сэр Вильям терпимо относился к этому роману, не возмутился, даже узнав, что стал отцом дочери. Однако был момент, когда он предложил ей раздельное проживание. Но больше к этому не возвращался.

Все трое знали себе цену и, хоть отличались друг от друга, достигли в повседневной жизни удивительной гармонии. Это позволило Нельсону чувствовать себя в доме Гамильтонов, как в своем собственном, о чем он открыто писал своей жене Фанни. Видимо, по просьбе Нельсона, а может быть, движимая собственной хитростью, Эмма тоже писала Фанни. Ну, а Гораций вообще старался окружить жену заботой и вниманием. Казалось, что трио можно превратить в квартет. Однако Фанни, любя мужа по-настоящему, ушла от него. Ушла навсегда.

Дела супружеского треугольника, возможно, остались бы банальной историей, если бы роман леди Гамильтон и Нельсона не переплелся с событиями исторического значения.

1 августа 1798 года Нельсон одержал знаменитую победу над французами в битве при Абукире. Вся Европа ликовала от этого грандиозного успеха.

Когда Нельсон на борту "Венгарда" вошел в гавань Неаполя, итальянцы горячо приветствовали его как освободителя. Король, королева, английский посол и его супруга присоединились к ним, чтобы выразить свою благодарность. И здесь вновь проявился талант леди Гамильтон как актрисы. С возгласом: "О Боже, неужели это возможно!" она упала в обморок и прямо в объятия героя морей...

У леди Гамильтон теперь была только одна цель: любым способом добиться, чтобы ее имя зазвучало вместе с именем легендарного Нельсона.

Эмма старалась скрывать свои отношения с Нельсоном, но его личные дела все сильнее влияли на служебные. Когда Нельсон, например, получил приказ отплыть из Неаполя, чтобы соединиться с адмиралом лордом Кейтом, Эмма возразила. И Нельсон подчинился ей! В 1799 году Великий магистр Мальтийского Ордена российский император Павел I наградил Нельсона орденом. Крест так понравился Эмме, что она непременно захотела пополнить им свою коллекцию драгоценностей. Царь Павел наградил и ее, якобы в знак признания заслуг в помощи жителям острова. Тут, однако, не обошлось без формальных трудностей, ибо женщина, получившая этот крест, должна была быть благородного происхождения и присягнуть на целомудрие. Поскольку Эмма Гамильтон не отличалась ни тем, ни другим, царь сказал, что крест вручен леди Гамильтон в знак благодарности за дар в виде 10 000 ливров и за транспорт из Сицилии.

Словом, Эмма достигла вершины успеха. Однако пришла пора возвращаться в Лондон: сэра Вильяма отзывали с должности. И здесь не обошлось без Нельсона. Не имея на то никаких полномочий, он якобы обещал неаполитанскому королю Фердинанду Мальту. За этот неразумный шаг, продиктованный, видимо, чрезмерной самоуверенностью, английское правительство привлекло его к ответственности. Нельсон получил от Первого Лорда Адмиралтейства письмо с рекомендацией покинуть неаполитанский двор. Трио возвратилось в Лондон.

Там их встретил Чарльз Гревилль. Он не видел Эмму почти десять лет и с удивлением, а может, и с неприязнью смотрел на ее пышные формы.

Ну, а Нельсона ждало объяснение с женой. Закончилась встреча расставанием супругов и разделом имущества. Но Эмме не пришлось праздновать победу: общественное мнение обвинило ее в разрушении семьи.

Пребывание Нельсона в Англии продолжалось не слишком долго. Произведенный в вице-адмиралы, он отбыл на военные действия против Дании. За время его отсутствия Эмма родила дочь Горацию, которую потихоньку увезли с глаз долой. Няне сказали, что отец ребенка — господин Томпсон, мать — дама из высшего света, и обязали строго хранить тайну. Горация никогда не должна была узнать, кто ее мать. Знала только, что она — приемная дочь лорда Нельсона.

В этот период письма Нельсона к Эмме были наполнены беспокойством о ее здоровье. Потом эта тема сменилась тревогой ревнивого любовника. Эмма умышленно поддразнивала его, рассказывая в письмах о приглашении на ужин к князю Валии и о встречах с Чарльзом Гревиллем. Эти "новости" доводили Нельсона до бешенства. Впрочем, до ужина с князем Валии дело не дошло, да и Гревилль не докучал больше. В одном из писем Нельсон впервые назвал ее своей женой. "Нет на свете ничего, чего бы я не сделал, чтобы мы могли быть с нашим ребенком".

Адмирал строил планы совместного отъезда туда, куда не докатится злая молва их мнимых друзей, где они смогут жить в покое и только для себя. Заявлял также, что не хочет больше видеть своей жены Фанни. Никогда еще лорд Нельсон не писал так открыто, ни одно его письмо не содержало таких горячих заверений, что, кроме Эммы, не существует для него другой женщины. Они переехали в небольшой дом в Мертоне, недалеко от Лондона. С той поры в письмах Нельсона к Эмме много места стали занимать хозяйственные вопросы, заботы о доме, в котором они хотели жить вместе.

В этом доме у них не оставалось времени для себя. Нельсона постоянно отвлекала служба, а их обоих — приемы друзей. Это был последний дом Великого Адмирала.

21 октября 1805 года Нельсон пал в знаменитой битве при Трафальгаре, разгромив французский флот. Письмо, которое Нельсон писал Эмме перед битвой, начиналось со слов: "Моя дорогая, любимая Эмма, дорогой мой сердечный друг..."

Он оставил их одних, Эмму и Горацию, ибо сэр Вильям к тому времени умер. Рассказывали, что он умирал в объятиях Эммы, стискивая ладонь Нельсона. Те же рассказчики добавляли не без злорадства, что он был тогда без сознания. Единственным доказательством трезвости его мысли послужило завещание, в котором он оставлял Эмме только 700 ливров ежегодной пенсии, а все состояние — Чарльзу Гревиллю.

Без мужа и друга Эмма чувствовала себя потерянной. Нельсон оставил ей солидное состояние. Однако она бросала деньги на ветер, жила на широкую ногу и в конце концов совершенно разорилась. Из-за долгов она попала в тюрьму и там заболела желтухой.

В этот трудный период ее жизни Томас Ловелл неожиданно издал два тома "Писем лорда Нельсона к леди Гамильтон", видимо, выкраденных. Книги вызвали огромный интерес.

Публикация принесла леди Гамильтон новые мучения. Ее репутация, и так сильно подмоченная, была испорчена окончательно. Если до тех пор жила какая-то надежда на пенсию, то теперь она развеялась навсегда.

Неизвестно, долго ли она еще оставалась бы в тюрьме, если бы не объявился адвокат Джошуа Джонатан Смит, член Городского совета Лондона и совладелец преуспевающей фирмы, ранее служивший на адмиральском корабле "Виктория". Он отыскал ее в тюрьме и принес запятнанный кровью мундир Великого Адмирала, затем заплатил за нее залог и помог ей бежать во Францию. С пятьюдесятью фунтами в кармане вместе с Горацией леди Гамильтон оказалась в Кале. Неисправимо легкомысленная женщина поселилась в роскошном отеле, откуда вскоре была вынуждена съехать. Она выбрала скромный Сант-Пьерре в двух милях от Кале. Все более остро ощущая отсутствие денег, Эмма обратилась за помощью к семье Нельсона, которая не оставила эту просьбу без внимания.

Леди Гамильтон стала часто болеть и умерла 15 января 1815 года. Никто не знает места, где она похоронена.

Сюркуф Робер

(1774 — 1827)

Знаменитый пират и корсар.
Получил от правительства Франции патент на офицерский чин.
К концу жизни стал одним из самых богатых судовладельцев Франции.

Робер Сюркуф происходил из богатой семьи моряков Сен-Мало. Богатство их было особого рода: его прадедом и тезкой был известный корсар начала XVIII века Робер Сюркуф, воевавший у берегов Перу. С материнской стороны его близким родственником был Ла Барбине, разбогатевший в корсарских походах.

Мальчику хотели дать достойное буржуазное образование, но он был непоседлив и в 1789 году, в возрасте пятнадцати лет, записался добровольцем на корабль "Аврора", уходивший в Индию. Семья должна была довольствоваться обещанием старого знакомого, капитана "Авроры" Тардив, присмотреть за юнгой.

"Аврора" была "честным" торговым кораблем, не имевшим никакого отношения к пиратам или разбойникам. На самом же деле капитан Тардиве и его экипаж были преступниками самого отвратительного толка, и опыт, почерпнутый юным Сюркуфом во время этого путешествия, вряд ли можно признать полезным.

На пути к французским островам Индийского океана "Аврора" пристала к африканскому берегу в месте, где возвышалась старинная португальская крепость. К кораблю подплыл на шлюпке толстый самоуверенный португалец, которого капитан Тардиве, вежливо поддерживая под руку, провел к себе в каюту. На следующий день на борт "Авроры" были доставлены шестьсот рабов, предназначенных для плантаций Реюньона. Роберу, который помогал загонять рабов в специально оборудованные для этого трюмы, капитан объяснил, как ценится живой товар на плантациях французских островов. Робер запомнил это. Как выяснилось впоследствии, он отличался деловым складом характера и завидным самообладанием.

Проплавав с Тардиве чуть больше года, Сюркуф решил бросить капитана — тот был неудачлив. Его преследовали бури, убытки, крушения, потери. Сюркуф нанялся на другое работорговое судно и еще несколько месяцев изучал ремесло — покупал и перевозил рабов.

Сюркуфу исполнилось семнадцать. Он два с лишним года плавал в Индийском океане, и ему надоело помогать другим богатеть, оставаясь бедным. И Сюркуф возвратился во Францию. Там он обратился к родственникам и друзьям, уговорил их купить небольшой бриг "Креол" и сделать его капитаном. И в 1792 году он вновь направился в Индийский океан.

Сюркуф знал, что Конвент революционной Франции отменил рабство во всех французских заморских колониях и объявил работорговлю незаконной. Указ об этом был направлен и губернатору острова Реюньон. Но плантатор французских владений в Индийском океане считал это нарушением всех естественных норм жизни. Отмена рабства означала снижение производства сахарного тростника и разорение плантаторов. Поэтому единственной реакцией на постановление Конвента было повышение цен на рабов. Губернатор, опубликовав декларацию, тут же закрыл глаза на работорговлю. Это ему удавалось делать три года подряд.

Сюркуф понял, что куда выгоднее, а главное, куда благороднее заниматься ремеслом корсара, чем возить в трюмах рабов из Африки. И он решил начать охоту за английскими торговыми судами.

Однако чтобы получить патент корсара, необходимо было внести залог и найти поручителей. Это делалось для того, чтобы под видом корсаров в море не уходили мелкие разбойники, которым было все равно, на кого нападать, и которые чаще угрожали собственному, чем враждебному, судоходству.

Судя по последующим событиям, у Робера были на Реюньоне не только друзья, но и враги. Ехать же в поисках денег во Францию было невозможно: Сюркуф уже исчерпал там кредит. За месяцы, проведенные в порту, богаче он тоже не стал. И потому Сюркуф решил совершить еще несколько рейсов в Африку за рабами, заработать денег на залог и лишь потом стать корсаром.

В этом не было ничего удивительного, поскольку после снятия английской блокады работорговцы возобновили рейды в Африку и никто их за это не преследовал. Но, вероятно, Сюркуф чем-то не угодил губернатору. Не успел он выйти в море, как последовал приказ: "Креола" по возвращении немедленно задержать и капитана арестовать как работорговца и злостного нарушителя Декларации прав человека. Возможно, впрочем, что губернатор решил пожертвовать юным моряком, чтобы продемонстрировать Парижу свое служебное рвение.

Известие об ордере на свой арест Сюркуф получил от друга, придя на Мадагаскар. Иной бы отказался от покупки рабов, но Сюркуф набил трюмы невольниками и спокойно проследовал к Реюньону. Правда, он принял меры предосторожности. Верные люди должны были ждать его ночью у одной из бухт острова. Невольников Сюркуф отправил на берег на шлюпках, а "Креол" на следующий день смело вошел в порт и бросил якорь. Полиция ждала Сюркуфа. Команда не успела привести трюмы в порядок, как комиссар полиции с помощником взошел на борт брига и, осмотрев его, предложил капитану следовать за ним в тюрьму.

Сюркуф не стал спорить. Он лишь позволил себе пригласить гражданина комиссара в каюту, чтобы позавтракать, ибо гостям и хозяину предстоял долгий и трудный день. Полицейские чины вошли в каюту. Стол ломился от яств, и комиссар проявил человеческую слабость, согласившись отведать хорошего вина и диковинных блюд с Мадагаскара.

Пока Сюркуф поил гостей, его помощники, следуя инструкции, принялись за дело. Сначала один из них отослал на берег якобы от имени комиссара шлюпку, на которой полицейские чины прибыли на "Креол". Затем был поднят якорь, поставлены паруса. Наконец "Креол" оказался в открытом море.

Когда океанская качка стала заметной, комиссар встревожился и потребовал, чтобы его выпустили на палубу. Берег был еще ясно виден, но помощи оттуда ждать не приходилось. Взбешенный комиссар забыл о щедром угощении и, пригрозив Сюркуфу неприятностями, потребовал, чтобы его немедленно отвезли обратно в порт. Вокруг стояли матросы с пистолетами и мушкетами, слушали речь комиссара, однако не проявляли признаков страха, растерянности или желания подчиняться приказу.

Двадцатилетний капитан вежливо ответил гражданину комиссару, что именно нежелание подвергать себя большим неприятностям заставило его решиться на небольшую морскую прогулку. Более того, он сказал, что намерен вернуться за новой партией рабов к африканскому берегу, где и оставит гражданина комиссара и его спутников. Ибо тем, кто так заботится о свободе негров, несомненно, доставит искреннее удовольствие провести остаток своих дней в их обществе. А пока "Креол" идет к Африке, он в полном распоряжении дорогих гостей, которые могут пользоваться его кухней, винным погребом и прочими услугами.

Комиссар бушевал до вечера, но бриг держал курс в открытое море. Сюркуф ждал темноты, чтобы незаметно повернуть обратно: в его планы визит к берегам Африки не входил. К вечеру поднялась буря, и комиссару пришлось пережить неприятные часы, когда бриг кидало с волны на волну. Это сделало комиссара более сговорчивым. Он разорвал уже заготовленное обвинение Сюркуфа в работорговле и похищении должностного лица и составил акт, в котором информировал губернатора, что тщательный осмотр судна доказал полную беспочвенность обвинений гражданина Сюркуфа в работорговле. Более того, когда случайно оборвался якорный канат и "Креол" был унесен в море, комиссар провел несколько дней в компании Робера Сюркуфа и может засвидетельствовать его высокий профессиональный и моральный облик.

Сюркуф отпустил пленников лишь через неделю. Он стоял у берега и торговался с правительством острова, пока не получил полного прощения. Тогда он расстался с комиссаром.

Власти Реюньона выполнили соглашение: Сюркуф остался на свободе. Его лишь предупредили, что следующая попытка отправиться в Африку за рабами кончится плохо. А когда Сюркуф вновь обратился к губернатору за разрешением на корсарство, тот вновь отказал ему. Мальчишку можно было простить, но помогать ему разбогатеть губернатор не намеревался.

"Мальчишка" не стал спорить. Он снова вышел в море, но не на "Креоле", а на "Скромнице" — быстроходной маленькой шхуне водоизмещением менее двухсот тонн, вооруженной четырьмя шестифунтовыми пушками. Сюркуф решил все-таки стать корсаром, а "Креол" не был приспособлен для пиратских набегов — он был тихоходный, и в бою его одолел бы любой другой корабль. Решение, принятое Сюркуфом, ставило его в положение пирата. Поэтому в первые дни плавания команда "Скромницы" — тридцать человек — не была в курсе планов капитана.

Чтобы не обострять отношений с губернатором, Сюркуф подрядился взять на Сейшельских островах груз риса и черепаховых панцирей. Но поблизости дежурили два английских корабля, и пришлось уйти в море, не взяв груза. Тогда Сюркуф и объявил команде, что собирается стать корсаром. Он опасался, что матросы испугаются, однако они поддержали капитана, и Сюркуф направился на восток, к Андаманским островам и Суматре, потому что в западной части океана было много английских судов, встреч с которыми Сюркуф избегал.

Долгое время никого не удавалось захватить — то жертва была не по зубам, то ускользала от молодого пирата. Наконец догнали и взяли без всякого сопротивления небольшой английский корабль "Пингвин", который шел с грузом тика из Бирмы в Индию. Сюркуф посадил на него призовую команду и направил трофей своим ходом на Реюньон. Этим поступком Сюркуф объявлял друзьям и недругам, что намерен оставаться в рамках закона.

Следующий трофей Сюркуфа был куда более ценным, чем первый, — голландский корабль, груженный рисом, перцем, сахаром и слитками золота.

Осмелев, Сюркуф взял курс на север, к устью Ганга, и 19 января 1796 года увидел там караван из трех судов. Два торговца следовали по фарватеру вслед за лоцманским бригом к Калькутте. Сюркуф поднял английский флаг и спокойно присоединился к каравану. Когда до лоцманского брига оставалось несколько метров, французы выстрелили из пушки, и лоцманы поспешили сдаться: они никак не ожидали встретить врага у самых стен Калькутты. Не составило труда захватить и остальные корабли.

Переименовав лоцманский бриг в "Картье" — в честь земляка Сюркуфа, открывателя Ньюфаундленда, — капитан вновь отправился в путь и вскоре догнал и взял на абордаж большой корабль "Диана", груженный рисом. Приз был настолько велик, что Сюркуф решил не искушать судьбу, а конвоировать его домой сам, тем более что он не имел вестей с Реюньона и не знал, добрались ли туда захваченные ранее корабли.

На следующий день, впрочем, Сюркуфу пришлось отказаться от своей идеи: он увидел стоявший на якоре большой корабль под английским флагом, вооруженный множеством пушек. Казалось бы, Сюркуф должен был поспешить в открытое море: на борту брига оставалось менее двадцати моряков, остальные стерегли команду “Дианы”. Но Сюркуф решил извлечь выгоду из явной невыгоды своего положения. Дело в том, что большинство команды на “Диане” составляли ласкары — индийские матросы, которые славились как отличные моряки, но в военном отношении опасности не представляли. Сюркуф приказал немедленно перевезти часть ласкаров на “Картье” и заменил ими своих людей у парусов. Теперь его корабль управлялся пленными матросами, а все французы были готовы к бою.

Сюркуфу даже не пришлось поднимать для маскировки английский флаг. С “Тритона”, так назывался английский корабль, сразу узнали калькуттский лоцманский бриг и сигналами подозвали его поближе, чтобы узнать новости. Была середина дня, большинство команды и пассажиров “Тритона” находилось внизу, прячась от ослепительного полуденного солнца. Ветер почти совсем упал. Сюркуф понял, что его смелый план удается как нельзя лучше. “Картье” подошел к самому борту “Тритона”, и Сюркуф во главе девятнадцати пиратов неожиданно перепрыгнул на палубу англичанина. Первым делом пираты захлопнули люки, отрезав команду внизу, и обезоружили вахтенных. Сто пятьдесят человек попали в плен к двадцати.

Через несколько дней показался Реюньон.

В тот же день Сюркуф был поставлен в известность не забывшим недавнего унижения комиссаром полиции, что по приказу губернатора, гражданина Маларте, все призы пирата Робера Сюркуфа конфискованы правительством Франции и товары обращены в собственность республики, так как Сюркуф не является корсаром. Правда, ему объявили прощение в благодарность за то, что с его помощью острова избегли голода и казна значительно пополнилась. Если же гражданин Сюркуф намерен жаловаться, то губернатор распорядился арестовать его и судить как пирата.

Губернатор, видимо, рассчитывал на то, что пират смирится с потерей: Франция далеко, а большинство денег за продажу трофеев осело в карманах чиновников. Однако возмущенный Сюркуф не сдался и на первом же корабле отправился во Францию.

На его счастье, Директория весьма благожелательно рассмотрела его жалобу.

Сюркуфу были присуждены двадцать семь тысяч ливров из стоимости проданных товаров; в соответствии с законом были награждены и другие участники рейда. Основанием для такого решения было то, что Сюркуф в свое время по всем правилам обращался с просьбой выдать ему патент на корсарство и не получил его не по своей вине.

А Сюркуф, пока шло судебное разбирательство, влюбился в Мари Блез, красавицу из зажиточной бретонской семьи, и заявил, что покончил с пиратством и намерен жить дальше на берегу, чтобы не выпускать из виду прекрасных глаз своей возлюбленной. Правда, счастье его длилось не столь долго, как хотел бы молодой пират, ибо его добыча значительно уступала состоянию семьи Блезов и другие соискатели руки Мари Блез, хотя и не были столь красивы, мужественны и славны, как корсар, превосходили его богатством. Тогда Сюркуф взял с возлюбленной слово, что она дождется его, и в июле 1798 года отправился в поход, чтобы добыть денег, которые должны были удовлетворить претензии преданного революции семейства Блезов.

Сюркуф покидал Нант на “Клариссе”, специально построенной как корсарский корабль.

Будущий тесть приехал в Нант, осмотрел “Клариссу” и, убедившись в серьезности намерений Сюркуфа, пожелал ему доброго пути, поклявшись, что проследит, чтобы невеста дождалась возвращения Робера. Комиссар Директории в Нанте торжественно вручил Сюркуфу документы, из которых явствовало, что он находится на службе республики в качестве корсара, а также набор республиканских флагов.

Несмотря на торжественные проводы и уверенность матросов в том, что десятки английских кораблей сдадутся, как только увидят трехцветный флаг Сюркуфа, добыча не давалась в руки корсарам. Желая оправдать свою репутацию, обычно осторожный Сюркуф приказал напасть на первый же английский корабль, встреченный у берегов Африки, несмотря на то, что тот был велик и хорошо вооружен. Артиллерийская дуэль продолжалась три часа, и “Клариссе” пришлось покинуть поле поля, лишившись фок-мачты. К счастью для корсаров, англичане в ходе боя также понесли значительный урон и преследовать их не стали.

Пришлось зайти в Рио-де-Жанейро и ставить новую мачту и паруса. Там же улыбнулось счастье. У берега был взят небольшой бриг, на который Сюркуф перевел офицера и шестерых матросов, чтобы они вернулись на трофее в Нант и поведали, что Сюркуф начал победное шествие по морям. С офицером Сюркуф отправил и письмо возлюбленной. Письмо написал младший брат: Робер ненавидел всякую писанину.

Губернатор Маларте был вынужден принять своего врага и признать его документы. Сюркуф мог торжествовать — губернатор был вновь унижен.

В следующем году Сюркуф крейсировал у берегов Суматры. После тяжелого боя он захватил два английских корабля, потом задержал датский корабль (под предлогом того, что на его борту были товары, принадлежавшие англичанам), без единого выстрела захватил большое португальское судно с грузом пряностей и вернулся в Бенгальский залив, где за четыре года до того столь блистательно победил “Тритона”. Сюркуф полагал, что англичане будут искать его восточнее, а он тем временем сможет безнаказанно действовать у берегов Калькутты.

Сюркуфу действительно удалось захватить там два судна и отправить их на Реюньон, но через месяц после этого его выследил английский фрегат “Сибилла”, и началась погоня, во время которой Сюркуф приказал бросить за борт пушки и ядра, чтобы облегчить “Клариссу”. Наступила ночь, и в темноте “Клариссе” удалось скрыться от погони.

Эпизод с “Сибиллой” показывает, что Сюркуф, упоенный успехами, стал беспечнее относиться к опасности. Когда утром выяснилось, что “Кларисса” ушла от погони, корсары сразу успокоились и, вместо того чтобы покинуть опасную зону, изменили курс и вернулись на старое место. И тут же, словно по волшебству, в лучах поднявшегося солнца показались паруса американского торгового корабля.

Одного Сюркуф не учел: “Сибилла” не ушла далеко. И предупредительный выстрел, далеко разнесшийся в океане, был истолкован ее капитаном правильно: значит, корсар не бежал, а снова вышел на охоту. “Сибилла” бросилась на выстрел, и Сюркуф, узнавший издали паруса своего врага, бросил американца и повернул в открытое море.

Но и на этот раз Сюркуф не ушел из Бенгальского залива. Встречи с “Сибиллой” произошли 29 и 30 декабря 1799 года, а уже в первый день нового года корсар совершил удивительный по дерзости набег.

В Калькутте знали о присутствии Сюркуфа, и потому, когда английский корабль "Джейн" вышел в море, направляясь в Бомбей, он не решился следовать в одиночку, а подождал, пока к нему присоединятся еще два больших корабля, следовавших тем же курсом.

На рассвете капитан "Джейн" увидел, что его корабль отстал миль на пять от двух кораблей, но это его не очень беспокоило, потому что в случае опасности те всегда могли вернуться. И тут показался незнакомый парус. Неизвестный корабль приблизился весьма осторожно. Это была "Кларисса". Сюркуф опасался, что вновь встретил "Сибиллу". Поняв, что перед ним торговцы, Сюркуф направился к отставшей "Джейн", капитан которой тут же приказал палить из пушки, чтобы привлечь внимание остальных судов. Но те, хотя и слышали выстрелы, предпочли продолжить путь. "Джейн" бросили на произвол судьбы. На ней была всего одна шестифунтовая пушка. Неравный бой продолжался до тех пор, пока на "Джейн" оставались ядра. Последний выстрел сделали, зарядив пушку мушкетными пулями.

Налетел неожиданный шквал, и большие английские корабли, все еще продолжавшие делать вид, что ничего не случилось, вынуждены были убрать часть парусов. Капитан "Джейн" приказал парусов не убирать. Казалось, "Джейн" вот-вот догонит трусливых спутников, но Сюркуф тоже не сбавлял хода и вскоре настиг и захватил "Джейн".

Сюркуф был горд этим боем: ведь он вел его на глазах больших английских кораблей и в каждую минуту могла появиться "Сибилла" или какой-нибудь другой английский фрегат. Капитану "Джейн" Сюркуф великодушно вернул шпагу — тот сражался до последней возможности. Потом спросил: а что за корабли на горизонте? Почему они не пришли на помощь? Англичанин ответил, что это его соотечественники. И Сюркуф сказал: "Если бы они попались мне в руки, я повесил бы их за предательство".

Сдав призы в Реюньоне, Сюркуф поспешил снова в море. На этот раз ему пришлось оставить в порту "Клариссу" — ее ремонт потребовал времени. Но недостатка в кораблях не было. Все судовладельцы рады были предложить свои корабли удачливому корсару. Поэтому Сюркуф тут же вышел в море на "Уверенности", причем помимо команды из ста человек губернатор по собственной инициативе выделил ему двадцать пять солдат — лучших стрелков острова.

Робер же ушел на остров Маврикий, где переоборудовал свое новое судно, чтобы можно было не опасаться английских фрегатов, и проводил учения команды. В Бенгальский залив идти было опасно: у Суматры дежурил американский фрегат "Эссекс". Тогда Робер повел корабль к цейлонским берегам. В первые же дни удалось захватить несколько английских судов, груженных пряностями и другими товарами. Трофеи были столь велики, что Сюркуфу пришлось обратиться к запрещенному методу: вместо того чтобы отводить призы во французские владения, он брал с них выкуп. Но даже при том, что несколько кораблей было отпущено, команда Сюркуфа уже через неделю уменьшилась почти вдвое. С этой командой удалось взять большой, переделанный из военного фрегата и соответственно вооруженный английский корабль "Кент". В английских газетах помещались ужасные рассказы о зверствах Сюркуфа, но они были в основном домыслами газетчиков, не желавших примириться с безнаказанностью французского корсара.

Теперь можно было возвращаться домой и просить руки прекрасной Мари Блез. Распродав товары и получив свою долю, Сюркуф повел "Уверенность" к берегам Франции.

Свадьба Мари Блез с корсаром, капитал которого составлял два миллиона франков, состоялась в Сен-Мало, и соответствующая запись сохранилась в книгах мэрии. Кроме того, гражданин Робер Сюркуф получил от правительства Франции патент на офицерский чин. Нельзя сказать, чтобы эта честь порадовала Сюркуфа, но его родственники были довольны, потому что уже двести лет высшим признанием заслуг корсара во Франции считалось внесение его в списки офицеров флота. Правда, в то время с Англией заключили мир, и услуги Сюркуфа Франции не требовались. Однако перемирие было недолгим. Снова началась война, Сюркуф был вызван в Париж и стал одним из первых кавалеров ордена Почетного легиона, учрежденного Наполеоном. При личной встрече с первым консулом Сюркуф получил предложение командовать небольшой эскадрой быстроходных судов в Индийском океане для охоты за торговыми судами англичан. Предложение было лестным, но корсар отказался. Дело в том, что командовать всем французским флотом в Индийском океане был назначен адмирал Линуа, а Сюркуф был о нем низкого мнения. Наполеон не стал настаивать, тем более что Сюркуф сказал ему, что согласен на свой счет вооружить несколько каперских судов и отправить их в море. Одним из кораблей командовал его младший брат, которого удалось выручить из английского плена во время краткого мира.

Так Сюркуф остался во Франции, удовольствовавшись получением прибыли от своих пяти кораблей. Но в 1806 году пришло известие о поражении адмирала Линуа и взятии его в плен англичанами. Как только Сюркуф узнал, что этот близкий друг губернатора Маларте потерпел поражение, он тут же вышел в море на специально оборудованном корабле водоизмещением в четыреста тонн. Теперь, когда он был предоставлен самому себе, Сюркуф решил еще раз попытать счастья. На пути вокруг Африки Сюркуф, придававший большое значение подготовке экипажа, по нескольку часов в день учил моряков стрелять из пистолетов и драться на шпагах. Он даже не пожалел денег на то, чтобы нанять специальных инструкторов, понимая, что в корсарском ремесле главное — уметь брать корабли на абордаж.

Прибытие в Индийский океан Сюркуфа было встречено французами с небывалым энтузиазмом. Их положение за прошедшие годы изменилось к худшему. Блокада англичан прервала практически все связи с Европой, и французским владениям в Индийском океане угрожал голод. От Сюркуфа ждали, что он в одиночку прорвет блокаду и обеспечит острова продовольствием. И он постарался оправдать ожидания соотечественников. Уже одно его имя решало половину дела. Английские торговцы готовы были сдаться Сюркуфу без боя, да и военные фрегаты предпочитали не встречаться с его кораблем один на один.

За три осенних месяца 1806 года Сюркуф захватил и привел на острова четырнадцать английских кораблей с рисом. Опасность голода была устранена, а Сюркуф получил свою долю от продажи кораблей, которая увеличила его состояние еще на несколько сот тысяч франков.

Но и англичане не теряли времени даром. Французские корсары, ободренные примером Сюркуфа, перестали быть осторожными, и вскоре их корабли один за другим стали жертвой английских военных эскадр. Кроме того, были потоплены или взяты в плен почти все французские военные суда, которые охраняли коммуникации или сами охотились за английскими торговцами. Военные силы французов уменьшились настолько, что губернатор приказал офицеру французского флота Сюркуфу передать свой корабль правительству. И, не в силах отказаться от мести старому врагу, он снял Сюркуфа с командования его собственным кораблем, быстроходным, отлично вооруженным, с тренированной и дисциплинированной командой, и назначил капитаном старого, изношенного линейного корабля "Карл".

Немногочисленная команда линейного корабля "Карл" была сбродом, списанным с других кораблей, причем чуть ли не половину ее составляли португальцы, которые в свое время попали в плен и согласились служить Франции. Сюркуф пытался убедить губернатора, что с такой командой и таким количеством пленных на борту корабль скорее всего кончит свой путь в Лиссабоне уже в качестве португальского судна, а сам Сюркуф и его офицеры будут выброшены за борт. Губернатор отказался слушать Сюркуфа. Он не имел ничего против такого конца корсара.

Тогда Сюркуф принял вызов. 21 ноября 1807 года он покинул Порт-Луи в сопровождении лоцманского судна. Как только корабль вышел из бухты, Сюркуф приказал лоцманскому судну подойти к "Карлу" и, угрожая огнем орудий, передал на борт маленького корабля большинство португальцев. Теперь опасность бунта уменьшилась.

Путешествие во Францию заняло больше года. Несколько раз Сюркуфу лишь чудом удавалось ускользнуть от англичан. К удивлению и глубокому разочарованию губернатора, весенняя почта 1809 года принесла сообщение о том, что линейный корабль "Карл" под командованием Робера Сюркуфа благополучно прибыл в Сен-Мало в феврале того же года.

С тех пор Сюркуф уже не выходил больше на корсарский промысел. Это не значит, что он полностью порвал со старым ремеслом. Он снаряжал за свой счет корсаров, подбирал команды, и считается, что девятнадцать его кораблей одновременно уходили в пиратские рейды. А когда в 1814 году был заключен мир, Сюркуф присягнул на верность новому королю и, сняв с кораблей пушки, превратил их в мирные торговые суда. Несколько самых крупных из них, переоборудовав, он послал к Мадагаскару для торговли неграми. Декларация прав человека после реставрации была благополучно забыта, а рабы для сахарных плантаций требовались, как и прежде.

Сюркуф умер в 1827 году, в окружении детей и родственников, будучи одним из самых богатых судовладельцев Франции.

Эжен Франсуа Видок

(1775 — 1857)

Известный французский сыщик. Служил в армии. Был осужден за дезертирство и измену; за воровство был приговорен к шести годам галер, бежал. Поступил сыщиком в полицию и дослужился до начальника полицейского отряда. Выйдя в отставку, написал "Мемуары" (1826). В 1836 году организовал частное детективное бюро, которое было закрыто властями. В 1844 году опубликовал "Истинные тайны Парижа".

Эжен Франсуа Видок родился 23 июля 1775 года в Аррасе, близ Лилля, в семье пекаря. В ночь его рождения шел проливной дождь, и родственница, принимавшая роды, высказала предположение, что его ждет бурная жизнь.

Эжен Франсуа был сильным и красивым парнем. Работал разносчиком хлеба по домам. Но Видок жаждал приключений, и, прихватив из кассы родителей две тысячи франков, он отправился в Остенде, откуда можно было отплыть

в Америку. Но в Остенде доверчивого юношу обворовали. Видок присоединился к бродячей труппе артистов. Здесь проявился его талант подражателя, который впоследствии не раз спасал его жизнь. Затем он помогал бродячему лекарю зазывать покупателей. Помыкавшись, Эжен Франсуа вернулся в родной Аррас. Но и там он надолго не задержался. В 1791 году, когда молодая Французская республика переживала нелегкие времена, Видок отправился в Париж в качестве депутата в Генеральные штаты.

В столице он записался добровольцем в армию, где был зачислен в егеря благодаря своему крепкому виду, осанке и умению фехтовать. Перед сражением с австрийцами его произвели в капралы гренадеров. Однако Эжен Франсуа без конца затевал ссоры и за полгода успел несколько раз успел подраться на дуэлях, убив при этом двух противников. После столкновения с унтер-офицером Видок вынужден был перейти на сторону австрийцев, которые определили его в кирасиры. Но изменник не захотел сражаться против своих и притворился больным. Выйдя из госпиталя, Видок предложил гарнизонным офицерам обучаться у него искусству фехтования. От учеников не было отбоя. Эжен Франсуа неплохо на этом заработал, но вскоре снова повздорил, на сей раз с бригадиром, за что получил в наказание двадцать ударов плетьми. Видок, отказавшись от уроков фехтования, устроился денщиком к генералу, которому предстояло отправиться в действующую армию. По дороге Эжен Франсуа бежал от своего начальника и, выдав себя за бельгийца, поступил в кавалерию. Когда объявили амнистию, он оставил службу и вернулся в Аррас.

В это время в стране уже свирепствовал террор. Наступил период "гильотинад". Видок, насмотревшись на страшные казни в родном городе, вновь вступил в армию.

Вспыльчивый Эжен Франсуа в ссоре дал пощечину одному из своих командиров. И только бой с австрийцами, а затем ранение — пулей ему повредило два пальца — позволили Видоку избежать сурового наказания. Из госпиталя он сбежал.

По дороге в Брюссель его остановил полицейский патруль. Поскольку паспорта у него не оказалось, Видок был арестован и отправлен в тюрьму. Чтобы не быть разоблаченным, авантюрист бежал из тюрьмы и скрывался у своей подружки. Выждав немного, он надел шинель, наложил на глаз черную тафту с пластырем и в этом маскараде направился в Амстердам.

Весной 1796 года Видок приехал в Париж. Но и здесь авантюриста подвел его взрывной характер: поссорившись с офицером, Видок, опасаясь ареста, вынужден был оставить столицу. Он направился в пограничный город Лилль, город больших возможностей. Здесь он влюбился в некую Франсину. Девушка оказалась любвеобильной, ее услугами пользовался капитан инженерных войск. Видок, застав их в недвусмысленной позе, в ярости избил соперника, за что на три месяца был посажен в Башню Святого Петра. Здесь и произошло то роковое событие, предопределившее всю его дальнейшую судьбу.

Среди заключенных оказался Себастьян Буатель, осужденный на шесть лет за кражу хлеба. Этот крестьянин, у которого была большая семья, тяжело переживал разлуку с женой и детьми. Он говорил, что щедро заплатил бы тому, кто освободит его. Бедолаге вызвались помочь Гербо и Груар, осужденные за подлог. Желая получить вознаграждение, они за несколько дней состряпали необходимый для освобождения документ. Вскоре явился вестовой и передал тюремщику пакет, в котором находился сфабрикованный мошенниками документ — приказ об освобождении. Когда же тюремщик показал приказ инспектору, тот сразу распознал фальшивку. По этому делу привлекли к ответственности обоих мошенников, тюремщика и Буателя. Все они показали, что зачинщиком этой авантюры был Видок, и его приговорили к восьми годам содержания в кандалах.

В этот драматический момент на свидание к нему пришла раскаявшаяся Франсина. С ее помощью Видок совершил дерзкий побег из тюрьмы. Девушка принесла ему мундир тюремного инспектора. Загримировавшись и переодевшись так, чтобы походить на инспектора, Видок миновал ничего не заподозривших охранников и вышел из Башни Святого Петра. Однако вскоре его поймали, и он снова оказался в тюрьме. Но мысль о побеге теперь не покидала его.

Однажды Видок и еще несколько заключенных были вызваны на допрос. В помещении, кроме узников, находились двое жандармов. Один охранник вышел, оставив около Видока свою шинель и шляпу. Другого в это же время вызвали звонком. Видок быстро облачился в шинель и напялил шляпу, схватил за руку одного из заключенных и решительно пошел к двери, делая вид, что сопровождает того в туалет. Солдаты в коридоре их пропустили.

Оказавшись на воле, Эжен Франсуа сразу направился к Франсине, где его уже ждали полицейские. Дерзкого беглеца отправили в парижскую тюрьму Бисетр, откуда ему была дорога на каторгу в Брест.

В Бисетре, куда Видок прибыл с партией каторжан, скованных во время пути попарно толстым железным обручем и тяжелыми ножными оковами, он познакомился с кулачным бойцом Жаком Гутелем, у которого многому научился.

В этой тюрьме арестанты могли свободно передвигаться по территории и заниматься своими делами. Многие получали с воли инструменты и деньги для побега.

В Бисетре Видок пробыл недолго. Вскоре арестантов стали готовить к отправке на каторгу. На одежде отрезали воротники, на шляпах — поля. Затем всех попарно сковали цепью, прикрепленной к общему железному пруту для двадцати шести арестантов, то есть они могли двигаться только все вместе.

Через двадцать четыре дня партия из пятисот каторжан прибыла в Брест, где их одели в красные куртки с буквами GAL, зеленые колпаки с железными бляхами и номерами, на плечах каждого выжгли клеймо TF (каторжные работы), ноги заковали в кандалы. Видок пытался несколько раз бежать, но неудачно. Наконец, подпилив кандалы и переодевшись в платье монахини, которая за ним ухаживала в тюремном лазарете, он бежал. Видок добрался до Нанта, где раздобыл крестьянскую одежду.

Он вернулся в Аррас и рассказал родителям о своих злоключениях. В этом рассказе было больше выдумки, чем правды, однако родители поняли, что сын находится в бегах, и переправили его к бывшему кармелитскому монаху в маленькую деревеньку. Видок стал помогать монаху в богослужении и обучении детей. С этой ролью Эжен Франсуа справлялся превосходно, ни у кого даже мысли не возникало, что молодой монах — беглый каторжник. На этот раз его подвела страсть к женщинам. Однажды ночью, на сеновале, его схватили местные ревнивицы. Его раздели и высекли крапивой, после чего голым вытолкали на улицу. Через несколько дней, выздоровев, Видок отправился в Роттердам.

В Голландии Видок нанялся матросом на капер. Паспорта у него никто не требовал, поэтому он назвался Огюстом Девалем. Он брал на абордаж английские торговые суда, ибо Франция находилась в состоянии войны с Англией, за что получал свою долю захваченной добычи. Скопив порядочную сумму, Видок стал подумывать об открытии собственного дела, но в Остенде на капер нагрянула полиция. Так как у Видока не было документов, ему предложили сойти на берег и подождать в участке, пока не установят его личность. По дороге в участок Видок пытался бежать, но неудачно. Его отправили в Тулон, где выдали одежду каторжника и заковали в ручные кандалы. За побег Видоку увеличили срок на три года. Он очутился среди "оборотных лошадей", то есть беглых и вновь пойманных преступников. Их даже освободили от работы, чтобы исключить возможность побега.

Содержание в Тулоне было намного хуже, чем в Бресте. Эжен Франсуа испытывал недостаток в пище, спал на досках, был прикован к скамье и страдал от жестокого обращения. Чтобы его положили в госпиталь, он притворился больным. А когда фельдшер по неосторожности оставил свой сюртук, шляпу и трость, Видок, переодевшись в его платье и загримировавшись с помощью заранее приготовленного парика, благополучно бежал из тюрьмы. Однако и на этот раз далеко уйти ему не удалось.

За дерзкие побеги Видока прозвали "королем риска". О нем начали слагать легенды. Говорили. что он оборотень, способный проходить сквозь стены, что он в огне не горит и в воде не тонет. Однажды Видок действительно выпрыгнул в реку из окна тюрьмы. Наступили сумерки, плыть было трудно. Он продрог, силы были на исходе, тем не менее беглецу удалось выбраться на берег. В другой раз, зимой, он бросился в бурную реку, спасаясь от полицейских. Преследователи подумали, что беглец утонул, но удача была на стороне Видока.

В очередной раз его арестовали в Манте. Как каторжника его отправили в Париж в сопровождении жандармов, имевших при себе инструкцию: "Видок (Эжен Франсуа) заочно приговорен к смертной казни. Субъект этот чрезвычайно предприимчив и опасен". До самого Парижа с него не спускали глаз. Он понимал, что положение его на этот раз очень серьезное, поэтому оставался один выход — бежать.

В Париже Видока бросили в тюрьму, расположенную в Луврской колокольне. В первую же ночь "король риска" бежал, перепилив решетку на окне и спустившись по веревке, сплетенной из простынь.

Впереди были новые приключения. Сначала Видок скрывался, переодевшись пленным австрийцем. Затем служил на пиратском судне, ходил со знаме-

нитыми пиратами Полем и Жаном Бартом на абордаж, тонул во время бури
Затем он вновь поступил в армию, где получил чин капрала морской артиллерии. И тут судьба свела его с членами тайного общества “Олимпийцы”, в секреты которого он оказался невольно посвященным.

Это тайное общество, как утверждал Видок, было организовано в Булони по образцу масонских лож. В него допускались моряки — от гардемарина до капитана корабля, а из сухопутной армии — от унтер-офицера до полковника. Членов общества связывала клятва “взаимного содействия и покровительства”. О политической направленности “Олимпийцев” можно было судить по принятым ими знакам — рука с мечом в окружении облаков, внизу опрокинутый бюст Наполеона. Тем не менее деятельность тайного общества не вызывала беспокойства у властей. Но осторожный министр полиции заслал в ряды заговорщиков своего агента, который действовал весьма успешно. Именно от тайного агента, когда тот выпил лишнего, Видок узнал о существовании “Олимпийцев”. Вскоре многие члены тайного общества были арестованы, по-видимому, по доносу этого полицейского агента.

Хотя Видок тогда отказался от предложения стать осведомителем, но эта мысль запала ему в голову, ведь ему хотелось жить честно. Эжен Франсуа, поколебавшись, написал письмо жандармскому полковнику, в котором сообщал о том, что ему известно, кто совершил последнее громкое ограбление. Он описал внешность преступников, и вскоре по этим приметам они были схвачены. Правда, письмо Видок не подписал.

Чуть позже ему стало известно о готовящемся ограблении и убийстве. На этот раз Видок отправился в парижскую полицейскую префектуру к шефу ее Первого отделения господину Анри, ведавшему борьбой с уголовными преступлениями. Полицейский принял осведомителя благосклонно, но при этом заявил, что не может дать ему никаких гарантий, и сделка не состоялась.

Вскоре Видок попал в тюрьму Бисетра, где его приняли как признанного авторитета уголовного мира. Преступники ему подчинялись, угождали. Тем временем Видок снова предложил свои услуги полиции, причем при условии освобождения от каторги и отбывания срока заключения в любой тюрьме. Он отправил господину Арни послание с важными сведениями, заверив, что и в дальнейшем будет поставлять ценную информацию. Господин Арни доложил о его предложении префекту полиции Паскье. Тот, поразмыслив, дал свое согласие.

Видока перевели в тюрьму Форс, с менее строгим режимом. За двадцать один месяц, которые он находился в тюрьме, полиции благодаря его доносам удалось разоблачить и арестовать многих опасных преступников. Учитывая его заслуги, Видоку организовали побег, дабы не вызвать подозрений со стороны подельников.

Таким образом произошло одно из самых удивительных превращений “короля риска”. Из преследуемого и гонимого обществом преступника он стал его рьяным защитником. Своими благодетелями он справедливо считал Анри и Паскье. Тот же господин Анри руководил первыми шагами Видока на поприще сыска. Это был хладнокровный человек с твердым характером, к тому же очень наблюдательный, прекрасный физиономист. В уголовной среде его называли Сатаной или Злым гением. И он заслужил эти прозвища. Прирожденный полицейский, он обладал истинным талантом сыщика. У Анри было два верных помощника — следователь Берто и начальник тюрем Паризо.

Перед Видоком поставили задачу очистить Париж от преступных элементов. В подчинении новоиспеченного шефа уголовной полиции было всего четыре помощника — таких же, как и он, бывших заключенных. Первый крупный успех Видока был связан с именем знаменитого фальшивомонетчика Ватрена, за поимку которого он получил денежное вознаграждение.

"Король риска" мог перевоплощаться в кого угодно. Во время охоты на преступников он появлялся на парижских улицах, в притонах и трущобах под видом слуги, ремесленника, угольщика и водовоза. Причем он одинаково ловко мог носить костюм бродяги и аристократа. В борьбе с уголовниками он избрал способ личного наблюдения. Посещая под чужими именами злачные места, Видок прикидывался, что его преследует полиция, и входил в доверие. Воры, бандиты и мошенники считали его своим в доску, ведь он говорил с ними на воровском жаргоне, знал законы уголовного мира, рассказывал байки о своих похождениях. Ежедневно Видоку удавалось кого-нибудь изловить, но никто из арестованных даже не подозревал, что попал за решетку по его милости.

Контора Видока располагалась на улице Святой Анны, неподалеку от префектуры полиции. Помощников он подбирал себе из числа бывших уголовников. Вначале отдел состоял из четырех человек, затем расширился до двенадцати. Тем не менее Видок умудрялся арестовывать до ста убийц, воров и мошенников в год, обезвреживать целые банды. Уголовный мир объявил Видоку войну, угрожая расправой. Невзлюбили его и полицейские, завидовавшие его ловкости и удачливости. Они распускали слухи, будто Видок получает от преступников взятки, а сами тем временем вступали в сговор с бандитами, раскрывая им планы коллеги.

Несмотря на эти происки, авторитет его у начальства продолжал расти. Видоку поручали самые опасные и сложные дела, с которыми он всегда успешно справлялся. Но он по-прежнему считался тайным агентом, его не помиловали, хотя должность и обещала свободу. И только став начальником сыска Сюртэ — криминальной полиции, Видок почувствовал, что добился признания и благодарности.

Он всерьез подумывал перестроить всю систему наказания преступников — прежде всего предлагал улучшить условия содержания в тюрьмах, так как по своему собственному опыту знал, что жестокий режим озлобляет человека, особенно тех, кто попал в тюрьму за ничтожную провинность.

Правда, нашлись и те, кто призывал не доверять "банде Видока", поскольку в ней были собраны бывшие карманники и уголовники. Тогда он приказал своим сотрудникам постоянно носить замшевые перчатки, в которых не смог бы работать ни один карманник.

Между тем на счету отдела было уже более семнадцати тысяч (!) задержанных преступников. Ему удалось раскрыть несколько краж, совершенных в апартаментах принца Конде, у маршала Бушю, в музее Лувра, где был задержан граф де Руссийон, карманы которого оказались набитыми драгоценностями, и в других домах аристократов и банкиров.

В 1827 году префектом полиции был назначен Делаво, с которым у Видока сразу не сложились отношения. Шеф стал придираться, упрекать подчиненного в том, что сотрудники его отдела вне службы позорят полицейских (в частности, не посещают церковь). Эжен Франсуа в конце концов не выдержал несправедливых упреков и после 18-летней службы в полиции подал в отставку.

Через несколько дней в газетах появилось сообщение: полицейский комиссар сообщил Видоку, что по приказу префекта полиции его на посту шефа Сюртэ заменит мсье Лакур, бывший заместитель отдела. В тот же вечер Видок уехал в свой загородный дом. Ему выплатили три тысячи франков, но пенсии не назначили.

Почти сразу после отставки Видок сел за написание мемуаров. Издатель Тенон выплатил ему задаток — 24 тысячи франков. Опубликованные в 1827 году мемуары бывшего сыщика были переведены на многие европейские языки, в том числе и на русский.

Видок поселился в Сент-Манде, приобрел землю, построил новый дом, создал фабрику по производству бумаги. При этом чаще всего нанимал рабочих из бывших каторжников, которые не могли себе заработать честным трудом на кусок хлеба.

Личная жизнь Видока так и осталась под покровом тайны. Его иногда представляли этаким Дон-Жуаном, соблазнившим не одну сотню девиц. Видок действительно часто влюблялся, причем предпочитал актрис и модисток, чьи притязания не были очень обременительны. В 45 лет он женился на Жанне-Виктуар Герен, 30-летней вдове. Четыре года спустя жена умерла. Следующая его избранница, 30-летняя кузина Флерид-Альбертин Манье, стала его настоящим помощником и другом.

В 1830 году во Франции произошла Июльская революция, в 1832-м — еще одно восстание. В это время власть Луи-Филиппа висела на волоске. Видоку снова предложили возглавить Сюртэ. Поколебавшись, он согласился. Под его началом вновь оказались его двадцать сотрудников из бывших уголовников. Маленький отдел успешно действовал против бунтовщиков. Позже Видока называли спасителем королевства. Но едва миновали тревожные дни, как на Видока обрушилась с критикой оппозиционная пресса. Тогда префект полиции Жиске объединил Сюртэ с муниципальной полицией и предложил Видоку уйти в отставку.

"Король риска" решил создать свою, частную полицию. Его "Бюро расследований в интересах торговли" на улице Нев-Сент-Юсташ занималось защитой предпринимателей от аферистов. Потенциальный клиент должен был подписаться на услуги бюро и уплатить чисто символический взнос — 20 франков в год.

Год спустя у него было уже четыре тысячи подписчиков — коммерсанты, банкиры, промышленники. Отделения бюро возникли в провинции и за рубежом. Доходы Видока в то время исчислялись миллионами, что обеспокоило префектуру.

28 ноября 1837 года четыре полицейских комиссара и двадцать агентов ворвались в контору Видока. В руках полиции оказалось около шести тысяч документов, включая личный архив начальника бюро.

Видок стал протестовать и писать в газеты. Он направил жалобу королевскому прокурору, нанял знаменитого адвоката Шарля Ледру и подал в суд на префекта полиции и его подчиненных. После предпринятых шагов в свою защиту Видок... был брошен в тюрьму Сент-Пелаги. Судебное разбирательство привлекло 350 свидетелей. Видок рассчитывал на объективность судей. Он был признан невиновным и освобожден из-под стражи.

В шестьдесят три года он продолжал возглавлять свое бюро, среди клиентов которого были принцы королевской крови, графы, бароны и министры. Но в это же время среди его двадцати сотрудников появился Улисс Перрено, которому полиция поручила следить за Видоком.

Летом 1842 года к Видоку обратились несколько человек, ставшие жертвами афериста Шемпе. Видок встретился с мошенником и убедил его вернуть деньги в обмен на свободу. Однако Шемпе вскоре был арестован. Видока обвинили в превышении полномочий, а также в том, что он якобы арестовал а потом похитил Шампе. К удивлению Видока, аферист подтвердил это несуразное обвинение и подал на него в суд. И снова Видока заключили в Консьержери, где он провел более года, после чего суд приговорил его к пяти годам тюрьмы, пяти годам строгого надзора и штрафу в три тысячи. Видок подал апелляцию. Известный адвокат Ландриен произнес на повторном слушании дела блестящую роль в защиту своего подопечного, которая в немалой степени повлияла на решение суда, вынесшего оправдательный приговор.

Увы, но последнее заключение в тюрьме Консьержери сказалось на его работе. Клиентуры заметно поубавилось. Наконец он понял, что находится на грани разорения. Это случилось во время революции 1848 года. С приходом к власти Наполеона III Видок отошел от дел и удалился в свое поместье. Власти оставили его в покое. Бывший сыщик, оказавшись в скверном материальном положении, попытался выхлопотать себе пенсию. Он влачил жалкое существование, когда ему наконец назначили ежемесячную пенсию в размере 100 франков.

Умер Видок в 1857 году в возрасте восьмидесяти двух лет. До своей последней минуты он жил, не зная страха, рискуя и надеясь. Говорят, в предсмертном бреду он шептал, что мог бы стать Клебером или Мюратом, добиться маршальского жезла, но слишком любил женщин и дуэли.

Самсон Яковлевич Макинцев

(1776 — 1849)

Авантюрист, вахмистр русской службы, дезертировавший в Персию. Малоросс по происхождению. Поступив на персидскую службу под именем Самсон-хана, стал вербовать в ряды персидских войск русских дезертиров, за что последовательно был возвышаем. В 1820—1821 годах участвовал в войне против Персии с Турцией и способствовал победе персов при Топрак-кале. Во время войны России с Персией отказался сражаться против русских, позже участвовал в подавлении восстания в Хорасане.

Вахмистр Нижегородского драгунского полка Самсон Яковлевич Макинцев сбежал в Персию в 1802 году. Нет достоверных сведений, как прошли его первые годы на чужбине, где ему предстояло привыкнуть к жаркому климату, необычным условиям жизни, овладеть местным языком. Вероятно, вначале он промышлял каким-нибудь ремеслом или кормился поденной работой у одного из зажиточных армян. Самсон Яковлевич твердо решил посвятить себя военному делу. Персидское правительство охотно принимало в свои войска русских дезертиров, отличавшихся знанием военного дела и дисциплиной. Старания Макинцева увенчались успехом. После представления наследнику престола Аббас-мирзе, он был зачислен наибом (прапорщиком) в эриванский полк, находившийся тогда под командованием сартиба (генерал-майора) Мамед-хана. Немного спустя экс-вахмистру был пожалован чин султана (капитана).

Самсон Макинцев, ставший в Персии Самсон-ханом, обратил особенное внимание на других беглецов из России, рассеянных по разным районам восточной страны. Многие из них, забыв веру праотцов, приняли ислам. Макинцев начал собирать и призывать их в свой полк, обещая защиту и покровительство. Аббас-мирза на смотре полка в Тавризе пришел в восхищение от выправки дезертиров и пожаловал Макинцеву майорский чин.

Через некоторое время завербованные Самсон-ханом дезертиры составляли половину полка. "Русские, — говорил Аббас-мирза, — соседи и враги наши; рано или поздно война с ними неизбежна, а потому нам лучше знакомиться с их боевым учением, чем с учением англичан".

Самсон-хан пользовался у своих единоверцев таким авторитетом, что на очередном смотре полк выразил Аббас-мирзе неудовольствие командиром Мамед-ханом, ни по вере, ни по языку ими не терпимого, и просил о замене его на Самсон-хана, с производством его в серхенги (полковники).

Аббас-мирза, хорошо понимавший силу и нравственное влияние Самсон-хана на его соотечественников, от которых многого мог ожидать в будущем, выполнил просьбу дезертиров, образовав из них особый полк бехадыран, то есть богатырей.

Самсон-хан теперь вербовал в полк не только беглецов, но и молодых людей из местных армян и несториян. Он заботился о своевременной выплате жалования, что в Персии всегда сопряжено с особенными трудностями, переодел солдат на русский манер. Кроме того, Макинцев пытался склонить их к семейной жизни; с этой целью его полк стоял то в Мараге, то в Урмии или Салмасе — в тех местностях, где преобладало христианское население. Эта последняя мера, помимо чисто нравственной пользы, имела и другое весьма важное значение, так как христианские семейства через такое родство приобретали защитников среди персов. Самсон-хан стремился дать солдатским детям первоначальное образование, приказывал отдавать их в армянские школы, причем впоследствии одних зачислял в свой полк, других же отдавал для обучения ремесленникам, лично и строго следя за их поведением.

Благодаря такой политике Самсон-хана состав полка пополнялся все новыми беглецами, хотя он не пренебрегал и захватом. "Причины побегов из Хойского отряда солдат, — писал князь Кудашев графу Паскевичу от 5 октября 1828 года, — те, что бывший драгунского полка вахмистр и теперь находящийся при Аббас-мирзе в большой доверенности Самсон, стараясь сколько можно увеличить число русских беглых, посылает уговаривать солдат и, напаивая вином, когда солдаты бывают в командировке, захватывает оных. Наши же солдаты, зная, в какой доверенности у Аббас-мирзы сей носящий генеральские эполеты Самсон о выгодах бежавших к нему, соглашаются на сие при удобных случаях..."

Дезертиры под началом Самсон-хана оказали услуги персидскому правительству в Курдистане, а в особенности в 1820 и 1821 годах во время войны с Турцией, немало способствовали победе над сераскиром Чопан-оглы при Топрак-кале.

Однако против русских Самсон-хан сражаться отказался. "Мы клялись, — говорил он, — на святом Евангелии не стрелять в своих единоверцев и клятве нашей не изменим". Макинцев намеревался остаться в Тавризе под предлогом защиты города в случае его осады, но Аббас-мирза взял его в поход, пообещав, что полк Самсон-хана будет находиться в резерве, а его командир состоять при нем в качестве советника. После взятия Сардар-абада и до самого вступления русских войск в Тавриз Самсон-хан жил то в Мараге, то в Курдистане.

В 1832 году он с полком сопровождал Аббас-мирзу в его походе против Герата. В одной из вылазок афганцы потерпели поражение, заставившее их укрыться в цитадели Роузэ-гах, известную гробницей чтимого ими святого. Взятие этого укрепленного пункта было поручено Самсон-хану, который овладел им без особого труда, при этом навел панический страх на осажденных, испугавшихся, по словам Риза-Кулихана, известного правителя Герата, "высоких и разноцветных султанов на киверах русского батальона, принятых ими за ослиные хвосты".

Дальнейшее пребывание Аббас-мирзы под Гератом не принесло никакой пользы, и поход его закончился так же безуспешно, как и прежние экспедиции против этого города. В Персии говорили: "Область Гератская — это кладбище для нашего войска". На обратном пути из Герата Аббас-мирза скончался в Мешеле. Произошло это 10 октября 1833 года. Через год не стало и Фетх-Али-шаха.

На престол взошел Мамед-мирза, сын Аббас-мирзы и внук покойного шаха. Но у него появился соперник в лице Али-шах Зилли-султана, которого весть о смерти шаха застала в Тегеране, что позволило ему захватить в свои руки все сокровища и деньги казны, тогда как Мамед-мирза, будучи правителем Адербейджана (Азербайджана), находился в Тавризе и не располагал финансовыми возможностями. Самсон-хан поддержал молодого государя и обеспечил ему охрану. Были даже слухи, что он разбил под Зенганом Сейф-уль-мульк-мирзу, выступившего с войском против Мамед-мирзы. Новый шах прибыл в Тегеран, не встретив по пути никакого сопротивления, поскольку войска, высланные Зилли-султаном, перешли на его сторону и вместе с жителями столицы признали власть своего законного государя. Зилли-султан был схвачен и заключен в тюрьму.

Положение Самсон-хана не изменилось и при новом правительстве. Это тем более удивительно, что первый министр Хаджи-Мирза-Агаси знал о том, что выходец из России ненавидит его и отзывается о нем скверно.

Впоследствии они стали терпимее относиться друг к другу. Первый шаг к примирению сделал министр. В 1837 году Мамед-шах по примеру деда и отца задумал экспедицию в Хорасан, поэтому призвал в Тегеран полк Самсон-хана. На смотре правитель лично поблагодарил командира полка за прекрасную выучку солдат. Разумеется, вся его свита также пришла в восхищение. Молчал один только Хаджи. На следующий день он послал за Самсон-ханом, и, когда тот явился, приветствовал его следующими словами: "Знаешь ли ты, Самсон, почему я вчера на смотре отнесся к тебе с таким равнодушием? Чтобы моя признательность к тебе не слилась с признательностью других и чтобы сегодня благодарить тебя здесь, у себя, в вящее убеждение присутствующих в моем личном к тебе уважении и расположении".

Подобное признание не могло не польстить самолюбию Самсон-хана. Затем Хаджи-Мирза-Агаси пригласил его на завтрак. Самсон-хан отвесил поклон, но к пище не притронулся, сославшись на то, что не имеет привычки завтракать. Хаджи сказал на это: "Обмокни, по крайней мере, палец в соль и докажи тем свою привязанность ко мне".

Самсон-хан последовал совету первого министра.

"Теперь я убедился, что ты любишь меня; останемся же и впредь искренними друзьями".

Произнеся это, Хаджи приказал принести дорогую кашмирскую шаль и, накинув ее на плечи Самсон-хана, попрощался с ним...

В 1837 году император Николай I, путешествуя по Кавказу, посетил Эривань. Мамед-шах, находившийся тогда под Гератом, выслал для приветствия своего августейшего соседа делегацию. Государь принял делегацию и выразил желание, чтобы батальон, составленный в Персии из наших дезертиров и военнопленных, был распущен, а русские солдаты вернулись на родину, и чтобы впредь в персидских владениях не принимали наших беглецов. Самсон-хану было обещано прощение и денежное вознаграждение, если он приведет свой батальон к русской границе и сдаст властям. Учитывая более чем тридцатилетнее пребывание в Персии, Макинцев вправе был сам решить, где ему жить.

Шах согласился с русским императором, приказав собрать всех перебежчиков и передать их русскому консулу капитану Альбранду. Самсон-хан при этом мог потерять свое влияние в Персии, поэтому Альбранд встретился с ним, чтобы склонить на свою сторону.

Макинцев принял консула в своем богатом доме, в окружении преданнейших людей из своего батальона. Альбранд понимал, что этого человека, составившего себе в новом отечестве имя, связи и богатство, почти невозможно убедить вернуться в Россию, где он потеряет два первых преимущества; но вместе с тем он знал также, что, несмотря на долгое пребывание между мусульманами, Самсон-хан не изменил христианской вере. Он жертвовал своим состоянием и даже рисковал навлечь на себя негодование персидского правительства, соорудив в одной из Адербейджанских деревень христианский храм с золотым куполом. На религиозных чувствах и сыграл Альбранд. В результате этой беседы Самсон-хан пообещал не препятствовать выводу батальона из Персии, но уклонился от прямого содействия этому делу, чтобы не вызвать против себя гнева правительства, на службе которого продолжал оставаться. Ведь шах прекрасно понимал, что уход русских солдат ослабит его армию, и всячески мешал выводу войск. После встречи с Самсон-ханом отряд Альбранда стал быстро расти. Из Персии вернулось в Россию 597 дезертиров с женами и детьми.

С выводом из Персии русского батальона Самсон-хан потерял значительную часть своего влияния. Особенно тяжело ему было расставаться с командиром батальона полковником Скрыплевым. Сбежав в Персию, Скрыплев женился на дочери Макинцева, дослужился до чина полковника, имел до 1000 червонцев годового дохода. Однако ни положение, ни родственные связи не могли удержать его на чужбине. По ходатайству русского генерала Головнина, он был определен сотником в один из линейных казачьих полков.

Самсон-хан поселился в Тавризе, где по поручению правительства занялся формированием нового полка, в состав которого вошли и дезертиры, которые предпочли остаться в Персии.

Спустя несколько лет, ничем особо не отмеченных в жизни Самсон-хана, он снова участвовал в военных действиях, и как и прежде оказывал правительству Персии неоценимые услуги.

Последние годы правления Мамед-шаха ознаменовались восстанием в Хорасане. Правитель снарядил восьмитысячный отряд, в состав которого вошел и батальон Самсон-хана. Как только русский батальон появился в Тегеране, шах потребовал Самсон-хана к себе, чтобы посоветоваться, кого поставить главнокомандующим карательным отрядом.

Выслушав вассала и согласившись с его мнением, Мамед-шах остановил выбор на своем родном брате Гамза-мирзе, назначив его главнокомандующим и управляющим Хорасанской областью. Повелитель при этом выразил непременную волю, чтобы брат во всех начинаниях следовал указаниям Самсон-хана и ни в коем случае не принимал важных решений, не посоветовавшись с ним.

К чести Гамза-мирзы, он свято исполнял волю своего царственного брата; Самсон-хан же не только не делал ему уступок, но иногда даже выходил за границы предоставленного ему права. Но все обиды Гамза-мирза сносил безропотно.

Во время похода в Хорасан главнокомандующий оставил в городе Мешеде Самсон-хана и его отряд в 300 человек, две трети которого составляли русские беглецы. Сам же Гамза-мирза поспешил в Буджнурд, где гарнизон правительственных войск был вырезан восставшим отрядом Салара, причем одним из первых пал эмир-туман Мамед-Али-хан.

В Персии любое продвижение войск в те времена сопровождалось разорением деревень. Воины Гамза-мирзы с особым усердием принялись грабить встречавшиеся на их пути деревни. Возмущенные жители отправили в Мешед посланников, чтобы заручиться письмом Самсон-хана к принцу и удержать сарбазов (солдат) от дальнейших варварских действий. Одновременно с прибытием депутации в Мешед привезли тело убитого в Буджнурде Мамед-Али-хана. Траурную процессию еще за городскими стенами встретил отряд, посланный Самсон-ханом. Смерть эмира отозвалась болью в сердце не только в столице Хорасана, но и в шахской резиденции.

Шейх-уль-ислам (блюститель веры) Мешеда, мечтавший быть хозяином в городе, заметно приободрился, увидев, сколь малочислен отряд сарбазов. Он предложил Самсон-хану встретиться по весьма важному делу. Однако Макинцев послал к шейх-уль-исламу Симон-бека, который взял с собой слугу-несторианца, имевшего безобразную внешность.

Поговорив о делах, шейх-уль-ислам осторожно поинтересовался у гостя, не боятся ли они стоять в Мешеде с отрядом в две-три сотни человек?

Симон-бек на это отвечал: “Нет, вы ошибаетесь. У нас, слава Аллаху, кроме сарбазов, есть еще до 1000 человек солдат-людоедов, которых мы не выпускаем из крепости, опасаясь, чтобы они не пожрали детей, женщин и даже мужчин, а что еще хуже, не разрыли бы свежих могил. Войско, которое вы вчера видели на похоронах, было не из тех людоедов”. И в качестве доказательства пригласил своего слугу-несторианца. Увидев его, шейх-ульм-ислам обомлел: лицо его вытянулось, он долго не мог вымолвить и слова.

Оставшись один, блюститель веры еще долго размышлял о страшном племени людоедов. Нет, лучше снискать расположение Самсон-хана, решил он и поспешил нанести ему визит.

Самсон-хан принял шейх-уль-ислама с подобающей его сану почестью, а как это было около полудня, то пригласил его позавтракать. Подойдя к столу, Самсон-хан налил себе водки и, прежде чем ее выпить, снял шапку и перекрестился. То же самое он повторял каждый раз, когда наливал себе вина. Заметив удивление гостя, Макинцев пояснил: "Снятие шапки у нас означает: "Господи, подобно тому, как обнажена голова моя, перед тобою открыты грехи мои". Знамение же креста есть воспоминание распятия Иисуса по искуплению грехов рода человеческого. Крестясь, мы просим у Бога отпущения грехов во имя распятого Сына Его, а также благодарим за то, что Он сохраняет нас в здравии и удостаивает ниспосланных благ своих, — словом, мы так же прославляем нашего Бога, как и вы молитесь своему".

Услышав такие речи, шейх-уль-ислам обратился к присутствующим: "Валлах-биллах (ей! ей!), такая ревность к Аллаху может заслужить не только отпущения грехов, но, клянусь вашими бородами, и самого прощения людоедства".

Когда правительственные войска овладели Келатом, шах, обрадованный этим известием, немедленно отправил на имя Гамза-мирзы фирман, которым повелевалось поручить Самсон-хану снять план названной крепости и выехать в Тегеран для личной передачи Его Величеству всех подробностей, сопровождавших овладение этим столь важным пунктом. Но Гамза-мирза, сознавая, что отсутствие Самсон-хана поставит его в величайшее затруднение, решился удержать его подле себя, а исполнение шахской воли возложить на Симон-бека. По прибытии последнего в Тегеран он немедленно был представлен шаху. Его Величество, прочитав привезенные донесения от Гамза-мирзы и Самсон-хана, взял план Келата и начал слушать обстоятельный рассказ его покорения, причем так увлекся изложением Симон-бека, что тут же возвел его в ханское достоинство, с пожалованием ему ордена "Льва и Солнца", украшенного алмазами, дорогой шали и 60 туманов деньгами, упомянув по этому случаю, что "награждает его не только за собственную службу, но и за службу Самсон-хана". Кроме того, на имя Самсон-хана последовал собственноручный рескрипт следующего содержания:

"Доброжелатель державы, Самсон-хан. Ты протянул цепь правосудия от Хорасана до ворот тегеранских (то есть не разорял и не грабил деревень). Да будем лицо твое белым! Известия из Хорасана и из лагеря, а равно план Келата представил нашему священному взору Симон. Хвала Симону, стотысячная хвала! В воздание его заслуг мы оказали ему монаршую милость. Власть же над отрядом и все хорасанские дела предоставляем тебе. Будь бдителен. Гамза-мирзе предписано без твоего согласия не решать никаких дел".

В начале марта 1849 года 101 пушечный выстрел возвестил Тегерану о том, что хорасанский бунт подавлен.

Правительственные войска получили приказ возвращаться на места дислокации. Причем предписывалось идти отдельными отрядами, что вызвало протест полковых командиров: каждый хотел быть впереди, чтобы успеть поживиться за счет сельских жителей. Не спешил только один Самсон-хан. Недовольные этим офицеры и сарбазы составили против него заговор. Однако преданные слуги предупредили Самсон-хана. Переодевшись в женское платье, он выбрался по плоским крышам домов за город и на лошадях, с небольшой свитой, бежал в Тегеран, где его ласково принял шах. Главные зачинщики заговора подверглись строгому наказанию. Под начало Самсон-хана были отданы полки Хойский и Марагский, с приказом возвратиться в Хорасан. Спустя полгода в возрасте 73-х лет Семен Яковлевич Макинцев скончался, завещав похоронить себя в деревне Сургюль, близ Тавриза, в возведенной на его средства церкви.

Самсон-хан был женат три раза. Первая его жена была армянка из деревни

Кизылджа, близ Салмаса. От нее он имел трех дочерей. После смерти первой жены, убитой Самсон-ханом за неверность, он женился на незаконной дочери грузинского царевича Александра, Елисавете, от которой имел сына Джебраила и дочь Анну. Третья жена Самсон-хана была халдейка и умерла бездетной.

Самсон-хан был высокого роста, красивым. Он читал на родном языке, но писал с ошибками; на персидском и турецком языках также объяснялся с трудом. Однажды Мамед-шах исполнил какую-то просьбу Самсон-хана. В ответ тот поблагодарил Его Величество, но вместо "я доволен, средоточие вселенной" сказал "я обезьяна, средоточие вселенной". Шах, поняв его ошибку, рассмеялся и тут же пожаловал ему за доставленное удовольствие кирманшахскую шаль.

Самсон-хан не оставил состояния, ибо во время Хорасанского бунта влез в долги для выплаты жалованья своему полку; правительство же не только не возвратило его наследникам долг в размере 12 тысяч червонцев, но распорядилось продать его деревню и дома в Тавризе для удовлетворения его кредиторов.

Роман Михайлович Медокс

(1795 — 1859)

Величайший авантюрист XIX века. Более десяти лет провел в Шлиссельбургской тюрьме, несколько раз приговаривался к смерти. За любовные похождения его называли русским Казановой. В 1812 году под именем Соковнина пытался собрать ополчение из кавказских горцев для борьбы с французами. Но обман был раскрыт. В 1825 году был сослан рядовым в сибирские батальоны. В 1830 году жил в Иркутске, где "разоблачил" мифический заговор декабристов. В тридцатых годах его заключили в Шлиссельбургскую крепость, оттуда его выпустили в 1856 году.

“Для моего счастья нужен блеск красок и металлов... природа дала мне чувства пылкие”, — писал Медокс в своих записках.

Судьба Романа Михайловича Медокса представляет загадку для русских историков. При Александре I он был заточен в Шлиссельбургскую крепость и просидел там четырнадцать лет как опасный преступник.

Впервые Медокс обратил на себя внимание в 1812 году. Трудно сказать, сколько лет ему было тогда. Сам авантюрист говорил, что родился в 1795 году, его племянник утверждал, что 8 июля 1789 года, жандармы — в 1793 году. Он был сыном выходца из Англии Михаила Григорьевича Медокса, ставшего в Москве видным театральным деятелем. Не исключено, что его как учредителя и многолетнего директора московского Большого театра приглашали ко двору императрицы, где он показывал свои механические и физические опыты, к которым питал слабость. Его диковинные часы были показаны в 1872 году на Московской политехнической выставке. Как выяснилось, Роман Медокс был рано изгнан из отцовского дома за распутный образ жизни. Получив хорошее и разностороннее образование в доме своего отца, Медокс поступил на военную службу, где мог сделать блестящую карьеру, но, унаследовав отцовский размах и стремление к внешним эффектам, склонность к чудесным превращениям и переодеваниям, Роман всю свою предприимчивость направил на авантюры. Вскоре он сбежал из части, прихватив полковую кассу. На похищенные деньги он сшил себе производивший внушительное впечатление гвардейский мундир, и началась его кавказская эпопея...

Какой странный со мной случай: в дороге совершенно издержался. Не можете ли вы мне дать триста рублей взаймы?” Такие или примерно такие слова произносил, проникновенно глядя в глаза собеседника, блестящий кавалерийский офицер, показав предварительно бумаги, свидетельствовавшие о том, что он следует на Кавказ по делам государственной важности.

Это повторялось в Тамбове, Воронеже и других городах, лежавших на пути молодого человека в мундире поручика лейб-гвардии конного полка. Вид подобного мундира вызывал в те дни у восторженных провинциальных дам необычайный прилив патриотических чувств, многим внушал особое расположение к его обладателю, ибо шел 1812 год.

Прибыв в Георгиевск — тогдашний административный центр Кавказа, — молодой человек назвался Соковниным, адъютантом министра полиции Российской империи генерала А.Д. Балашева. Он предъявил местным властям составленные по всей форме документы, где говорилось, что податель сего уполномочен царем и правительством набрать для войны с Наполеоном ополчение из кавказских горцев.

В Георгиевске постоянно в честь столичного гостя устраивались балы и обеды, каждый чиновник непременно хотел засвидетельствовать ему нижайшее почтение, полагая втайне, что это может способствовать дальнейшей карьере. Вице-губернатор, загипнотизированный прочитанным предписанием оказывать всемерное содействие Соковнину, едва тот потребовал, без малейших колебаний распорядился в обход установленных правил выдать ему из казенной палаты десять тысяч рублей, необходимых якобы для обмундирования будущего войска.

С подлинным энтузиазмом взялся помочь юному адъютанту министра полиции генерал-майор С. А. Портнягин, олицетворявший собою на Кавказе военную власть. Он лично сопровождал Соковнина в поездке по крепостям Кавказской линии, учинял смотры, рассылал воззвания.

Одним словом, все шло как нельзя лучше. Энергичный Соковнин, окруженный лестным вниманием, развернул бурную деятельность, направленную на "спасение отечества". Единственное, что помешало ему довести до конца эту "благородную миссию", — нетерпеливое желание местных властей как можно скорее уведомить Петербург о своем служебном рвении.

В адрес военного министра, министра полиции и министра финансов полетели соответствующие рапорты. Узнав об этом, предприимчивый адъютант министра полиции явился к георгиевскому почтмейстеру и потребовал, помахивая неким "секретным" листком бумаги, чтобы ему, Соковнину, в обязательном порядке выдавалась для просмотра вся официальная корреспонденция — как отправляемая в столицу, так и поступающая оттуда.

Таким образом ему удалось перехватить наиболее компрометировавшие его донесения. Не довольствуясь этим, Соковнин попросил у чрезвычайно благоволившего к нему генерала Портнягина выделить специального офицера, с которым он поспешил отправить собственные рапорты на имя министра полиции А.Д. Балашева и на имя министра финансов Д.А. Гурьева. Он писал, что заслуживает снисхождения, так как преступил законы не из корыстных побуждений, а из желания помочь родине в тяжелую минуту. При этом он ссылался на пример Жанны Д'Арк, Минина и Пожарского, скромно умалчивая о том, что его "предшественники" не пользовались подложными векселями.

Беспримерная наглость Соковнина и грандиозные масштабы его аферы поразили даже видавших виды государственных мужей. Дело дошло до комитета министров, получило такую огласку, что об этой истории дали знать находившемуся в действующей армии Александру I. Оправившись от первого потрясения, в Петербурге забили тревогу. В феврале 1813 года мнимый Соковнин был арестован.

На допросах ловкий самозванец заявил вначале, что его настоящая фамилия Всеволожский, затем последовало новое признание: он-де князь Голицын, один из отпрысков знатного рода.

Медокса продержали в крепостях — сначала в Петропавловской, затем Шлиссельбургской и снова в Петропавловской — ни много ни мало четырнадцать лет. Только смерть Александра I помогла ему выйти на свободу. В 1827 году новый император Николай I удовлетворил ходатайство Медокса о помиловании и разрешил ему поселиться в Вятке под надзором полиции.

Находясь в Шлиссельбургской крепости, Медокс общался там в 1826 году со многими декабристами, ожидавшими решения своей участи. О Медоксе упоминает, например, лицейский товарищ Пушкина декабрист И.И. Пущин в одном из писем 1827 года: "Еще тут же я узнал, что некто Медокс, который 23-х лет посажен был в Шлиссельбургскую крепость и сидел там 14 лет, теперь в Вятке живет на свободе. Я с ним познакомился в крепости..."

Медокс пробыл в Вятке меньше года, бежал оттуда с чужим паспортом. Через три месяца его схватили в Екатеринодаре и отправили под конвоем в Петербург. По дороге он ухитрился улизнуть и дал вскоре о себе знать уже из Одессы, откуда имел нахальство дважды написать лично Николаю I. Царь распорядился изловить наглеца и отправить рядовым в Сибирь. Так осенью 1829 года в Иркутске появился ссыльный солдат Роман Медокс.

Он пользовался поразительной для ссыльного свободой в Иркутске. Благодаря своим "изящным способностям и образованности он получил место домашнего учителя в семье иркутского городничего А.Н. Муравьева, являвшегося в 1816 году основателем первого русского тайного политического общества

“Союз спасения”, в состав которого входил П.И. Пестель. Однако позже полковник А.Н. Муравьев совершенно отошел от деятельности тайных обществ, и поэтому Николай I после декабрьских событий 1825 года счел возможным по отношению к нему ограничиться высылкой в Сибирь “без лишения чинов и дворянства”.

Прекрасно зная, как люто ненавидел мстительный Николай I декабристов, как боялся он возникновения нового заговора, сообразительный Медоке решил сыграть именно на этом. Он вступил в контакт с графом А.Х. Бенкендорфом и доносил шефу жандармов, что им обнаружено существование “Союза Великого Дела”, объединяющего как находящихся на каторге декабристов, так и оставшихся на воле их сообщников. О разоблачениях Медокса в 1832 году доложили царю, и тот потребовал немедленного тщательнейшего расследования. В Иркутск срочно выехал ротмистр Вохин, снабженный запиской Бенкендорфа к Медоксу. В той записке Медоксу сообщалось, что, “оказав услугу правительству, он может надеяться на монаршую милость”.

Согласно составленному хитроумному плану, Вохин и сопровождавший его в качестве писаря Медокс должны были посетить Петровский чугуноплавильный завод, в каземат при котором перевели в 1830 году из Читинского острога осужденных на каторгу декабристов. По истечении шести дней, проведенных среди декабристов на Петровском заводе, Медокс представил “неопровержимые” доказательства наличия заговора — “Поденную записку” своих откровенных бесед с “государственными преступниками” и их женами, а также ряд других документов. Среди них особенно впечатляющим был “купон” — нечто вроде патента на званье члена тайного общества, будто бы выданный Медоксу декабристом А.П. Юшневским для установления связи с московскими и петербургскими членами “Союза Великого Дела”.

Для окончательного выяснения картины заговора, грозившего жизни августейшего монарха, Медокс в скором времени был востребован в Петербург. Он прибыл туда в ноябре 1833 года, задержавшись перед этим ненадолго в Москве. Медокс был наверху блаженства: наконец-то он обрел полную свободу. Он на виду, его принимают царские министры. Конечно, III отделение, с его точки зрения, довольно скупо оценивает столь выдающиеся заслуги, но он все же может себе позволить изысканно одеваться, появляться в обществе, флиртовать с дамами.

В вихре светских развлечений пролетело несколько месяцев, а раскрытие заговора, естественно, не продвинулось ни на шаг. В конце концов жандармы заподозрили неладное. Медоксу, находившемуся в то время в Москве, было категорически предложено в восьмидневный срок завершить это дело, в противном случае его ожидали самые серьезные последствия. Через два дня Медокс, несмотря на строжайшую за ним слежку, исчез из Москвы.

Три месяца ему удавалось скрываться от полиции, переезжая из города в город. Но в июле 1834 года он был все же задержан. Медоксу пришлось покаяться, что он “обманывал весьма много и самый главный обман его состоит в том, что купон, им представленный, был собственно им составлен”. Однако он пытался еще продолжать игру, в которой зашел уже слишком далеко и даже настаивал на свидании с “всемилостивейшим государем”.

Ярость Николая I, после того как обнаружилось, что его просто водили за нос, была поистине безграничной, ибо он с самого начала с большим вниманием и все возраставшей тревогой следил за донесениями Медокса. Авантюриста вновь ждала Петропавловская крепость, а затем Шлиссельбург. На сей раз Медоксу суждено было просидеть за решеткой целых двадцать два года. В общей сложности он провел в заключении тридцать шесть лет.

Как и в первый раз, лишь перемена на троне внесла изменения в судьбу Медокса. В 1856 году он был выпущен из крепости и через три года мирно скончался в имении брата. Но до последнего своего часа он находился под наблюдением полиции.

Цин

Некоронованная королева китайских пиратов конца XVIII — начала XIX столетия.

Эта невысокая хрупкая женщина, руководя сражением, держала в руке вместо сабли веер. Она была современницей Наполеона и адмирала Нельсона, но в Европе о ней никто не слышал. Зато на Дальнем Востоке, на просторах южнокитайских морей, ее имя знали самый последний бедняк и самый первый богач. В историю она вошла под именем “госпожи Цин”, некоронованной королевы китайских пиратов конца XVIII — начала XIX столетий.

Скудость сведений о ней не позволяет нам дать развернутую биографию этой женщины; известно лишь, что она была женой пирата и после его смерти стала единственной наследницей его огромного состояния и большого флота, состоявшего из шести эскадр, каждая из которых имела свой флаг. И хотя эскадр было шесть, ядро флота составляла “семейная эскадра” Цинов, которая несла на своих мачтах красные вымпелы. Остальные эскадры имели черный, белый, синий, желтый и зеленый опознавательные цвета, что помогало во время боев руководить операцией.

Неизвестно, пришлось ли новой повелительнице пиратов силой отстаивать свое положение, но факт остается фактом: ее главенство признавалось всеми.

“Вероятнее всего, — пишет историк Геннадий Еремин, — как и показали дальнейшие события, “госпожа Цин” на самом деле отличалась высокими организаторскими талантами и умением командовать людьми. Не случайно же еще при жизни мужа ей было доверено руководство ядром армады — “красной флотилией” самого Цина”.

Но не все исследователи склонны думать, что восхождение на вершину власти прошло для госпожи Цин безболезненно. Как полагают, оппозиция все же была, и ее главари уже начали между собой борьбу за верховенство, когда на сцену выступила Цин. С решительностью, которая всегда отличала ее, она заявила мятежникам, что в память о любимом муже берет командование флотом на себя. Кто не согласен с этим, тот может идти куда угодно. При этом каждый, кто решит покинуть флот, получит от госпожи Цин в свое распоряжение джонку и четырех матросов. Их же корабли останутся в составе эскадр, потому что ослаблять могущество флота она не позволит никому.

По сути, это был ультиматум, и мятежники молча проглотили его, ибо знали, что их возражения бесполезны — за госпожой Цин стояла мощь "красной эскадры", которая сметет любого, кто выступил за раскол.

Госпожа Цин занялась реорганизацией своих сил, сосредоточившись в первую очередь на укреплении дисциплины. Отныне никто не мог сойти с корабля без особого на то разрешения. Новшество встретили в штыки, но госпожа Цин не думала отступать от реформ: по ее приказу ослушникам на первый раз просто протыкали уши, а за повторное нарушение казнили. Столь действенная мера дала быстрые результаты.

Затем Цин решила, что всякое утаивание добычи должно караться смертной казнью.

И наконец, наистрожайше запрещался грабеж местного населения, который настраивал жителей враждебно к пиратам. Теперь за все, что изымалось у населения, пираты платили из собственного кармана.

Конечно, и в этом случае не обошлось без недовольства и даже неповиновения, но последовательность в действиях предводителя-реформатора, а главное неотвратимость наказания за неисполнение приказа вынудили покориться даже самых злостных нарушителей и мародеров.

Важность проведенных реформ подтвердилась в первом же сражении с правительственными войсками, а точнее, с правительственным флотом, которое произошло летом 1808 года. Цин показала себя талантливым флотоводцем. Выдвинув вперед малую часть своих кораблей, она с остальными укрылась в засаде за ближайшим мысом. Правительственная эскадра, решив окружить пиратский отряд, расстроила свои ряды, чего и добивалась госпожа Цин. Она немедля ударила из засады, спутав все планы адмиралов правительства. Однако они оказали пиратам достойное сопротивление. Бой продолжался целый день и кончился полной победой пиратов.

Разумеется, Пекин не мог смириться с поражением, и адмиралу Лин-Фа поручили, собрав все морские силы империи, выступить против госпожи Цин. Лин-Фа принялся выполнять приказ, но в решительный момент, когда оба флота уже сошлись для битвы, адмирал потерял всякое мужество и без боя повернул назад. Госпожа Цин отдала команду преследовать противника, но когда пираты догнали его корабли, на море стих ветер. Паруса бессильно повисли на мачтах, и враждующие стороны, находясь в виду друг друга, лишь могли переругиваться и показывать неприятелю кулаки.

Но госпожа Цин нашла выход из положения. И выход блестящий — она посадила своих людей в лодки и сампаны и отправила их на абордаж. Командиры правительственных кораблей не ожидали нападения, и пекинская эскадра была разгромлена.

Реванш за это побоище пекинские правители взяли лишь через год, когда был построен третий флот. Его новым адмиралом был назначен Цун Мэнсин. Когда-то он тоже пиратствовал, но потом перешел на государственную службу и проявил себя ревностным преследователем бывших своих товарищей.

Первое же столкновение с Цун Мэнсином окончилось для госпожи Цин печально. Ее флот потерпел жестокое поражение, и лишь преданность пиратов "красной эскадры", буквально грудью заслонивших свою предводительницу, спасла ее от позорного плена.

Стремясь во что бы то ни стало захватить противницу, Цун Мэнсин дни и ночи преследовал ее, но помощь, оказанная ей населением (вот когда сказались результаты дальновидной политики госпожи Цин!), разрушила все его планы. Прекрасно зная все мели и безопасные проходы на море, все его уединенные, безлюдные острова и островки, прибрежные рыбаки укрывали на них госпожу Цин до тех пор, пока власти не прекратили ее поиски.

Она не забыла полученного урока и вскоре с лихвой отомстила своим победителям. Собрав остатки своего флота, госпожа Цин объединилась с двумя никому не подчиненными пиратскими флотилиями и напала на флот Цун Мэнсина в то время, когда он направлялся к устью Хуанхэ на стоянку. Цун Мэнсин и его ближайшие помощники собирались выехать оттуда в Пекин, чтобы получить награды за победу над пиратами.

Украсить ими свою грудь Цун Мэнсину так и не удалось. Не помышлявший ни о чьем нападении, командующий флотом потерял всякую осторожность и жестоко поплатился за это. Эскадры госпожи Цин внезапно напали на корабли Цун Мэнсина и потопили большую их часть. А всего это был третий правительственный флот, разгромленный пиратами.

Новых сил, чтобы немедленно выступить против госпожи Цин, у Пекина не было, и тогда администрация императора пошла на хитрость. Она послала предводительнице пиратов официальное приглашение прибыть в столицу Поднебесной, обещая ей звание императорского конюшего. Столичные чиновники рассчитывали, что госпожа Цин не сможет побороть искушения стать приближенной императора и приедет в Пекин. И уж там-то они найдут способ навсегда отделаться от ненавистной женщины.

Но госпожа Цин не поверила чиновникам. Приглашение из Пекина лишь позабавило ее. И, конечно, польстило самолюбию.

Убедившись, что обманулись в своих ожиданиях, власти начали атаку на авантюристку с другой стороны. Они прислали в ставку пиратов своих парламентеров. На переговоры надежды не было никакой, зато посланники императора привезли с собой драгоценные подарки для вручения их ближайшим сподвижникам госпожи Цин. Поднаторевшее в подобных делах чиновничество знало: такие подарки не оставят никого равнодушным, сделают суровых пиратов мягче и доступнее. А если вдобавок пригласить их на государственную службу, пообещать амнистию и чины — тогда раскол в пиратскую среду будет внесен без всякого сомнения.

Пекин не ошибся в своих расчетах. Не успели парламентеры отбыть восвояси, как от флота госпожи Цин отделилась эскадра “черного флага”, которой командовал Оно-Таэ. В его распоряжении имелось сто шестьдесят больших и малых кораблей и восемь тысяч матросов. Их уход сильно ослабил флот пиратов, а главное — посеял раздоры среди начальников госпожи Цин. Многие из них заявили, что готовы последовать примеру Оно-Таэ, который стал важной персоной при Цинском дворе (в Китае тогда правила династия Цин).

Начались переговоры, в результате была достигнута договоренность, согласно которой каждый пират, решивший бросить свое ремесло, получал в собственность одного поросенка, бочонок вина и достаточную сумму денег для того, чтобы начать новую жизнь.

Госпожа Цин поняла, что это конец ее господства. Люди уходили от нее сотнями и тысячами, а против тех, кто упорствовал, предпринимались карательные экспедиции. Не желавших расстаться с преступной деятельностью ловили во время облав и отправляли в Пекин. Там устраивали показательные казни, чтобы отбить у населения всякое желание бунтовать и разбойничать.

Так было сломлено самое мощное в истории Китая пиратское движение. От флота, насчитывавшего сотни кораблей и десятки тысяч матросов, сохранились лишь жалкие остатки, которые, забившись в самые глухие углы, промышляли грабежом прибрежных деревень и мелкой контрабандой.

Этим же занималась до конца своих дней и некогда могущественная госпожа Цин, поселившаяся с немногими своими сторонниками неподалеку от Макао.

Джеймс Брук

(1803 — 1868)

Англичанин, известный своей деятельностью на острове Борнео. Во время войны с Бирмой дослужился до звания капитана. В 1838 году на своем корабле прибыл на Борнео, где помог местному радже подавить восстание. В 1841 году стал раджой, а в 1846-м — губернатором острова Лабуан. Благодаря хитроумным интригам нажил огромное состояние.

Джеймс Брук, национальный герой, “победитель пиратов”, белый раджа, основатель династии, был сыном зажиточного служащего колониальной администрации в Индии. Он получил хорошее формальное образование. Затем была служба в армии, Брук отличился во время операций в Ассаме в первую англо-бирманскую войну. В 1826 году под Рангуном он получил ранение и оставил военную службу. Некоторое время он провел в Англии, а в 1830 году отправился в Китай и на пути туда впервые увидел Малайский архипелаг.

“Красота Малайского архипелага, — писал английский историк Холл, — и опустошения, нанесенные пиратами и междоусобными войнами, произвели на него столь сильное впечатление, что, когда умер его отец, оставив ему крупное наследство, он истратил это наследство на яхту “Роялист” водоизмещением 140 тонн, подготовил отборную команду и в 1839 году прибыл на Борнео с непосредственной целью вести исследования и научную работу”.

О своем намерении вести исследования Брук писал в своем дневнике, который, как и положено дневнику политика, должен был скрыть от потомства его истинные причины. В словах Холла есть очевидное противоречие: если Брук прибыл на Борнео (Калимантан), потому что на него произвели сильное впечатление опустошения, нанесенные пиратами и междоусобными войнами, то при чем здесь научные наблюдения? А если он прибыл для исследований на корабле с тщательно отобранным экипажем, то как же получилось, что за военную помощь в подавлении восстания дядя султана Брунея Муда Хашиму Брук получил у него право управлять областью Саравак на Северном Калимантане?

“Брук не только подавил восстание, но и завоевал преданность малайцев и даяков, которые долго страдали от плохого управления Брунея. После некоторой отсрочки, вызванной сопротивлением губернатора, он в сентябре 1841 года получил назначение и в следующем году был утверждён султаном. С заметным успехом занимаясь внедрением справедливого и гуманного управления на вверенной ему территории, Брук настойчиво пытался заинтересовать английское правительство в Брунее”, — писал далее Холл.

Морские даяки — ибаны — появились на севере громадного острова Калимантан примерно в XVI веке. Это был гордый, непокорный народ, воины которого наводили ужас на соседние племена. Ибаны были охотниками за головами: до недавнего времени юноша ибанов не мог считаться мужчиной до тех пор, пока не приносил домой голову врага. Выйдя из рек в море, ибаны скоро освоили мореходство настолько, что вошли в историю как “морские дьяволы”, и это название сохранилось за ними в литературе.

Вот с этими даяками и столкнулся Джеймс Брук.

Первым делом Брук добился (хотя и не сразу, и не без возражений со стороны султана) права собирать налоги с Саравака.

Англичанин, обладавший небольшим отрядом, но громадной энергией, должен был решить, как укрепиться в области, отданной под его контроль. У него было немало недоброжелателей в самом Брунее, которые не без оснований его опасались. Не хотели платить дань новому радже и малайские торговцы и владетели прибрежных деревень. Тогда Брук решил припугнуть своих новых подданных.

В Сингапуре, куда он часто ездил, чтобы устроить торговые дела и заручиться поддержкой влиятельных лиц, Брук уверял торговцев и чиновников, что Саравак — гнездо самых опасных пиратов в малайских водах. Это было неправдой, потому что ибаны появлялись в море от случая к случаю, пиратство не было их основным занятием, и ни в какое сравнение с настоящими пиратами они не шли. Тем не менее Брук не уставал говорить и писать (а писать он любил — и оставил несколько томов мемуаров), что крестовый поход против “диких пиратов” — одна из основных целей его пребывания в Сараваке. Он утверждал также, что пираты действуют не сами по себе, а по приказу малайских торговцев, что покровительствуют пиратам придворные брунейского султана и даже, возможно, сам султан. Тем самым пиратами и пособниками пиратов Брук объявлял всех, кто был против его господства в Сараваке. Ибаны его интересовали менее всего, так как в торговле они не участвовали. Был, впрочем, у белого раджи план и относительно ибанов, который позже осуществился: зная, что ибаны — отличные воины, Брук рассчитывал со временем создать из них армию.

Готовясь к войне, Брук штурмовал Индию и Лондон требованиями признать его официальным представителем Великобритании, что дало бы ему возможность рассчитывать на английскую военную помощь. В этом ему помогали друзья в Англии, которые обивали пороги кабинетов правительственных чиновников и заказывали статьи во влиятельных газетах, создавая романтический образ бескорыстного патриота. В Англии их агитация вызывала благожелательный отклик, и в ноябре 1844 года английское правительство признало Брука “британским агентом на Борнео”.

Известие о том, что отныне он — должностное лицо, Брук получил в марте 1845 года. Но и до этого он не терял времени даром. Сингапурские власти, правда, не хотели оказывать ему поддержки, боясь осложнений с малайцами и голландцами. Последние с большим подозрением поглядывали на деятельность англичанина на севере принадлежащего им острова и присылали гневные ноты, указывая, что по договору 1824 года все земли южнее Малаккского пролива были переданы Голландии. Голландцам отвечали, что географически Северный Калимантан расположен севернее Сингапура, но довод был неубедительным, потому что остров все-таки лежит к югу от пролива.

Не получив поддержки официального Сингапура, Брук сблизился с капитанами английских военных кораблей и сумел уговорить одного из них, Генри Кеппела, командира восемнадцатипушечного фрегата “Дидона”, отправиться в набег на ибанов. Кеппелу была обещана возможность обогатиться, и он решил рискнуть. Объявив начальству, что уходит бороться с пиратами к островам Сулу, Кеппел взял курс на Саравак.

Правда, вскоре выяснилось, что Кеппел не многим рисковал. Среди его начальников были друзья Брука, которые желали помочь ему в обход официальных каналов. Когда Кеппел вернулся в Сингапур, он не был наказан за самовольный поступок. Свидетельство тому — письмо Брука, в котором говорится: “К чести Кеппела, следует признать, что он совершил все на свою собственную ответственность, и я счастлив добавить, что он получил благодарность и одобрение своим действиям со стороны командующего”.

“Дидона” с Бруком на борту вошла в гавань городка Кучинг — столицы Саравака — в мае 1843 года.

В помощь Кеппела Брук собрал отряд из местных малайцев и сухопутных даяков, и 11 июня 1843 года, когда фрегат подошел к устью реки Сарибас, пятьсот англичан и малайцев погрузились в шлюпки и лодки и начали подниматься по мелкой реке.

Ибаны уже знали, что на них идут англичане, и перегородили реку поваленными деревьями. Разобрав завалы, экспедиция достигла стоявшей на берегу крепости ибанов. Взять укрепление, однако, удалось лишь с помощью ибанов из враждебного племени. Брук и в дальнейшем всегда старался в своих экспедициях использовать вражду племен.

Удачный поход увеличивал шансы Брука в переговорах с султаном, у которого он намеревался выторговать новые области. Он записал в дневнике: “Хорошо бы получить еще дюжину речных долин за Сараваком”. Единственное, что огорчало Брука, — это отъезд Кеппела. Правда, через год Кеппел вернулся, и они с Бруком организовали еще одну экспедицию. Когда отряд осадил укрепление на реке Скранг, ибаны, воспользовавшись тем, что авангард отряда оторвался от остальных сил, забросали камнями и потопили лодки, а нападавших перебили стрелами. В этом бою ибанами командовал вождь по имени Рентап.

После этого карательного набега политика Брука на время изменилась. Его главным врагом стал султан Брунея, противившийся созданию империи Брука. В новых планах, в которые входила и смена султана (на эту роль Брук намечал своего друга Муда Хашима), белый раджа не последнее место отводил ибанам. В дневнике появилась запись: "Если придется остаться без всякой поддержки, я должен буду стать вождем даяков и с помощью моего влияния бороться с интриганами. Канонерка, двенадцать больших лодок с шестифунтовыми пушками и ружьями да еще двести прау даяков станут внушительной силой, и эта сила может мне понадобиться в случае, если Муда Хашима в Брунее победят".

К концу 1845 года самые тяжелые предчувствия Джеймса Брука оправдались. Заговорщики, которых, возможно, поддерживал сам султан, убили Муда Хашима и его брата — единственных союзников Брука в Брунее. Брук сначала не мог поверить в случившееся. Когда же никаких сомнений не осталось, Брук разразился гневной тирадой против султана и его окружения: "Он убил наших друзей, верных друзей правительства Ее Величества, только потому, что они были нашими друзьями, — другого повода не было".

С легкой руки Брука султан Брунея объявлялся покровителем пиратов, его ближайшие помощники — пиратами, а все сторонники независимости Брунея — "пиратской партией". А какие могут быть разговоры с пиратами? За пиратские головы платят фунтами стерлингов. Осечки быть не должно. И, как писал Холл, "триумф пиратской партии в Брунее в 1846 году был кратковременным".

На помощь Бруку была прислана эскарда адмирала Кокрейна, в которую были включены все корабли, базировавшиеся в проливах. Войдя в устье реки, на которой стоит Бруней, Кокрейн и Брук предложили султану капитулировать. Султан не ответил, и английские корабли обстреляли город, высадили десант. После короткого боя маленькая армия была разгромлена, а сам султан бежал. Когда через несколько дней султан сдался и принял требования англичан, ему было разрешено вернуться в столицу. За это пришлось подарить англичанам остров Лабуан, передать его права на Саравак радже Бруку и подписать унизительный договор.

Теперь Брук мог с триумфом отправиться в Англию. Он блистал на приемах, его портреты украшали страницы иллюстрированных журналов. Королева возвела раджу в рыцарское достоинство, а правительство назначило его "губернатором Лабуана, комиссаром и генеральным консулом при султанате и независимых вождях Борнео". Брук стал действительным хозяином части острова и мог рассчитывать на помощь британской короны в случае, если кто-нибудь ему не покорится.

Для дальнейших планов важно было и то, что у Брука появились в Лондоне весьма состоятельные поклонники и поклонницы, и то, что с ними в Куинг ехали молодые люди, глядевшие с обожанием на раджу, а также многочисленные родственники, которые должны были обеспечить продолжение рода Бруков. Английское правительство, конечно, предпочло бы иметь в лице Брука просто исполнительного чиновника, но сам он видел себя родоначальником могучей азиатской белой династии. Впрочем, все награды и достижения отступали на второй план перед главным: вез его на остров военный фрегат королевского флота "Меандр", специально оборудованный для операций в устьях мелких рек и снабженный многочисленными шлюпками, каждая из которых несла на носу небольшую пушку. А командовал "Меандром" старый приятель, охотник за "пиратскими головами" Генри Кеппел.

Сингапурское начальство, однако, вновь начало ставить палки в столь отлично смазанные в Лондоне колеса. Едва Брук собрался полностью лишить независимости ибанов, как из Сингапура последовал приказ: фрегат "Меандр" передать в распоряжение командования для операций против настоящих пиратов, а не для улаживания личных дел раджи. Возвышению Брука в Сингапуре завидовали. В то время как чиновники тянули колониальную лямку, он выкроил себе княжество, да еще стал сэром.

После отчаянной переписки с Сингапуром и Лондоном и заявлений, что пираты вот-вот лишат Англию ее приобретений, Брук все-таки смог добиться своего. В июле 1849 года несколько паровых катеров и пароходов, а также двадцать прау подошли к устьям Сарибаса и Криана. Всего в распоряжении Брука было более двух тысяч человек и несколько пушек.

Когда белый раджа узнал, что флотилия легких лодок ибанов вышла навстречу карательной экспедиции, решено было окружить морских даяков. Прау и катера Брука притаились у устьев рек, а пароход "Немезида" встал в открытом море.

Перед рассветом следующего дня при полной луне лодки ибанов проскочили засаду у устья Криана и неожиданно для себя столкнулись с основными силами Брука. Ослепив ибанов ракетами, Брук и его союзники начали стрельбу из орудий и ружей. В тыл ибанам ударили прау, притаившиеся в засаде.

По заключению Адмиралтейского суда в Сингапуре, в бою участвовало две тысячи сто сорок пиратов на восьмидесяти восьми лодках, из них пятьсот были убиты. Английским морякам, принимавшим участие в бою, в качестве награды было вручено двадцать тысяч семьсот фунтов стерлингов. Однако впоследствии Джеймс Брук заявил, что лишь триста пиратов из трех тысяч семисот были убиты, но более пятисот погибли потом, пробиваясь сквозь джунгли домой — либо умерев от голода, либо попав в засады союзников Брука. Казалось бы, зачем Бруку преуменьшать потери пиратов, за которые его помощники получили наградные? Дело в том, что "миротворца" Брука обвинили в зверском избиении ибанов, и обвинили не даяки, не малайцы, а англичане. До сего дня английским историкам, благожелательно настроенным к Бруку, приходится защищать его так, как это делает, например, Холл: "Потери были бы по крайней мере втрое больше, если бы Брук сознательно не дал бежать большому числу людей".

Операция на этом не была закончена. Суда Брука поднимались по рекам, его воины сравнивали с землей длинные дома ибанов. Имущество ибанов становилось собственностью белого раджи и его союзников; более того, Брук приказал отобрать все имущество (вплоть до гонгов, медных котлов и посуды) у тех племен, которые, живя неподалеку от реки, не мешали ибанам спускаться к морю.

Ибаны были разбиты и ограблены, но не покорены. Брук понимал, что походы против них можно продолжать до бесконечности, но они все равно не сдадутся. Тогда Брук решил построить укрепления в устьях всех рек, на которых жили ибаны, и посадить в каждую из крепостей гарнизон малайцев во главе с начальником из числа молодых английских добровольцев. Крепости должны были препятствовать выходу в море прау ибанов и не пропускать торговцев, которые захотели бы подняться к ибанам с моря. Из всех продуктов внешнего мира ибаны больше всего нуждались в соли. Если перехватывать соль, ибаны должны будут покориться. Так Брук установил блокаду побережья Саравака.

Брук в письмах в Англию доказывал своим союзникам и недругам, что эта идея исходила не от него, а от самих местных жителей: “Здесь все в один голос требуют, чтобы ими управляли европейцы. И они получат европейцев, если я смогу это организовать”.

Брук сообщал в Англию, что его молодые офицеры жертвовали всем, охраняя мирное побережье от пиратов, за что сами же пираты приносили им дары рисом и бананами. Это, однако, было неправдой. Не говоря уж о дани, которой были обложены окрестные племена и значительная часть которой шла комендантам крепостей, они тайно получали еще и жалованье от самого Брука. Узнали об этом лишь через много лет после смерти Брука, когда стали доступными его бухгалтерские книги. О содержании бухгалтерских книг известно очень немногим ученым, зато легенда о “бескорыстных цивилизаторах”, придуманная Бруком, жива и по сей день.

Резкая критика в Англии варварских методов Брука, к которой присоединились и многие его бывшие соратники, все же привела к тому, что Бруку пришлось сложить с себя звания губернатора Лабуана и генерального консула. Более того, приехала комиссия для расследования деятельности белого раджи. Хотя она и оправдала его (не оправдать Брука значило обвинить само правительство), но признала его не более чем вассалом брунейского султана и поставила на вид английскому военному флоту то, что он во время резни ибанов участвовал в бою наравне с союзниками Брука.

Брук был подавлен неблагодарностью родины. Позиции его в самом Брунее пошатнулись: многие малайские вожди справедливо усмотрели в приезде комиссии и отказе Брука от почетных постов признак его ослабления. У них появилась надежда, что белый раджа в конце концов оставит их в покое.

Но среди родственников, привлеченных славой Брука и поселившихся в Кучинге, был племянник Брука — Чарльз Энтони Джонсон, из династических соображений взявший фамилию дяди и известный в истории Саравака как Чарльз Брук. Этот Чарльз был прирожденным авантюристом.

В 1853 году Джеймс Брук привел войска из Кучинга и вместе с племянником повел их против Рентапа — того самого вождя ибанов, который нанес первое поражение белому радже. Бой не привел к победе, и Джеймс Брук, потеряв надежду победить Рентапа, хотел начать переговоры. Вот тут впервые показал себя Чарльз. “Я недолюбливаю деспотизм, — объяснил он свой отказ от переговоров, — но и терпимость по отношению к даякам должна иметь границы. Они ведь как дети: доброта и жестокость должны быть неразделимы в обращении с этим народом”.

На следующий год более сильная экспедиция смогла взять приступом дом Рентапа, вождь даяков был ранен, но успел уйти в горы.

Сидя в одиночестве в крепости, Чарльз придумал лозунг, которому и решил следовать: “Только даяк может убить даяка”. Целый год он разрабатывал новую тактику, набирал и обучал современному бою отряды. Пробный поход должен был состояться против ибанов, которые совсем недавно пришли из внутренних областей острова и еще не сталкивались с европейцами.

Чарльз добился того, чего не смог сделать Джеймс: даяки убивали даяков, и руководил этим англичанин.

О Чарльзе и его “подвигах” было известно каждому в Сараваке и Брунее. Молодой раджа не собирался бороться со слухами. Он предпочитал быть ужасом всего острова, понимая, что такая слава здесь — половина победы.

В погоне за прибылью раджа Джеймс поощрял прибытие в Саравак китайских кули, которые работали в шахтах и исправно платили налоги. К 1857 году их набралось более четырех тысяч, и они все чаще проявляли недовольство условиями жизни и труда. Одну попытку китайцев восстать Брук подавил, но выступление 1857 года застало его врасплох, и восставшие ворвались в Кучинг.

Сам раджа едва успел убежать из столицы. Несколько англичан были убиты, остальных взяли в плен.

Вскоре в гавань Кучинга вошел вооруженный пушками пароход Компании Северного Борнео. Огнем орудий повстанцы были изгнаны из города, и десант с парохода, объединившись с освобожденными англичанами, начал преследовать плохо вооруженных и не умевших воевать шахтеров.

Тут и появились соблазненные богатой добычей и разрешением набрать сколько угодно голов наемники Чарльза Брука. По словам Чарльза, его армия провела свою работу "очень эффективно, хотя и не по правилам". Лишь небольшая часть шахтеров успела убежать в горы, и они погибли бы все, если бы не "предательство лесных даяков, которые пропустили китайцев через свою территорию".

Однако Чарльз не забыл, что не все ибаны покорились ему. В верховьях Сарибаса еще правил Рентап — непобедимый вождь, к которому стекались недовольные. И, восстановив на троне дядю, Чарльз начал готовить новую экспедицию против Рентапа.

В свой последний поход против Рентапа Чарльз Брук смог отправиться только в 1861 году, после того как с помощью интриг, обманов и карательных экспедиций Бруки сломили сопротивление малайцев в самом Брунее. Помимо увеличенной армии малайцев и ибанов Брук привел с собой большой отряд китайских кули, которые прокладывали в джунглях дорогу, и добыл пушку большого калибра, специально рассчитанную на то, чтобы разрушить укрепления на горе Садок. Кроме того, Чарльз смог поодиночке разбить союзников Рентапа и заставил их сложить оружие при условии, что в качестве контрибуции они отдадут ему все ценности племен.

На этот раз положение Рентапа было безнадежным. Армия Чарльза превышала его силы вдесятеро. С небольшим отрядом верных соратников Рентап прорвался сквозь кольцо осаждавших и ушел в горы. Там он поклялся, что никогда больше не посмотрит в лицо белому человеку.

Джеймс Брук писал племяннику, которого назначил своим наследником: "По сравнению с тобой мы все дети в управлении даяками". Подводя итоги деятельности Чарльза, первый раджа заявил: "Его задача была успешно завершена полным разрушением последних попыток пиратствующих малайских вождей и их сподвижников из числа даяков с Сарибаса и из других мест. Сначала ему удалось привлечь часть этих даяков на сторону закона и порядка, а затем использовать их в качестве инструмента правого дела для обуздания соплеменников. В результате берега Саравака так же безопасны для торговцев, как и берега Англии, и безоружный человек может путешествовать по стране без страха, что на него нападут".

Но дело было не в безопасности берегов. Бруки завоевали себе страну, и тут все средства были хороши.

Их держава просуществовала до конца Второй мировой войны, когда английское правительство взяло ее под свой контроль. И лишь в 1963 году Саравак стал независимым в составе Федерации Малайзии.

Луи-Наполеон Бонапарт

(1808 — 1873)

Французский император (1852—1870), третий сын голландского короля Людовика-Бонапарта и королевы Гортензии (Богарнэ). Племянник Наполеона I. Используя недовольство крестьян режимом Второй республики, добился своего избрания президентом (1848). При поддержке военных совершил государственный переворот (1851), затем провозгласил себя императором (1852). Во время франко-прусской войны (1870—1871) сдался в плен под Седаном. Низложен Сентябрьской революцией (1870).

Его мать королева Гортензия жила в постоянной разлуке с мужем. Кто был настоящим отцом Луи-Наполеона? Обычно называют три имени: Вер Гуел, голландский адмирал, Эли Деказ, которого Людовик XVIII впоследствии сделал своим фаворитом, и Шарль де Билан, голландец, шталмейстер королевы. Все трое были любовниками Гортензии. Все трое находились в Котере... Словом, Луи-Наполеон был рожден от неизвестного отца.

Выросший среди блеска двора Наполеона I, Луи-Наполеон с детства обнаруживал столь же страстное и столь же романтическое поклонение своему дяде, как и его мать. Человек страстный и вместе с тем полный самообладания (по выражению В. Гюго, голландец в нем обуздывал корсиканца), он с юности стремился к одной заветной цели — занять французский престол.

Всю молодость, начиная с 1814 года, Наполеон провел в скитаниях, которое, впрочем, не было сопряжено с материальными лишениями, так как его мать успела скопить огромное состояние. Каждый год королева Гортензия возила сына в Рим, где по заведенной традиции собиралась семья Бонапартов.

Королева Гортензия не могла оставаться во Франции после падения императора. Она купила себе замок Арененберг, в швейцарском кантоне Тургау, на берегу Баденского озера, где и поселилась вместе с двумя сыновьями. Наполеон недолго посещал гимназию в Аугсбурге.

В 1830 году они остановились во Флоренции. Там 22-летнего отпрыска представили графине Баральини. Эта молодая особа, которую звали “Преддверие рая", отличалась столь яркой красотой, что принц сразу влюбился. Луи-Наполеон с тринадцати лет проявлял поразительную любовную активность.

Буквально на следующий день он передал графине записку, в которой просил ее о свидании. Не получив ответа, принц надел женское платье, шаль, шляпку, попудрил лицо рисовой пудрой, подкрасил румянами щеки, водрузил на голову женский парик с косами, потом взял корзину с цветами и отправился к графине. Горничная проводила "цветочницу" к хозяйке. Как только служанка вышла из комнаты, Луи-Наполеон бросился к ногам дамы и стал умолять уступить ему. Он даже выхватил кинжал: "Я решил принять смерть у ваших ног, если вы отвергнете меня, и моя гибель станет для вас вечным укором". Напуганная синьора позвонила в колокольчик. В комнату вбежали слуги и муж. Охваченный страхом влюбленный вынужден был под градом ударов ретироваться.

На другой день вся Флоренция обсуждала проделку будущего императора. Луи-Наполеон послал двух секундантов к оскорбленному мужу. Юноша надеялся, что тот откажется от дуэли, и таким образом он хоть немного восстановит его честь и репутацию. Однако муж графини принял вызов и явился на поединок. Луи Бонапарт бежал из Флоренции, заявив, что его мать не позволила ему явиться на поединок чести.

После этого бесславного приключения королева Гортензия увезла сына в Рим, где он узнал, что во Франции Луи-Филипп занял место Карла X. Решив, что речь идет лишь о переходном режиме, после которого на престол вернутся имперские орлы, он присоединился к движению карбонариев.

В 1830 и 1831 годах Луи-Наполеон вместе со своим старшим братом принял участие в заговоре моденского революционера Чиро Менотти и в экспедиции в Романью; целью экспедиции было освобождение Рима от светской власти папы. После неудачи предприятия, во время которого умер старший брат, за Луи-Наполеоном начала охотиться папская полиция, и в начале 1831 года ему пришлось бежать вместе с матерью, причем снова переодевшись в чужое платье. Благодаря фальшивым паспортам им обоим удалось пробраться во Францию.

28 апреля они прибыли в Париж. Луи-Филипп перепугался, узнав, что оба знаменитых изгнанника находятся в Париже. Сначала он отказался принять Гортензию, потом согласился встретиться с ней, но тайно. Но через несколько дней ей пришлось пережить горькое разочарование: король потребовал от двух "наполеонидов" в кратчайший срок покинуть Францию. В начале мая мать с сыном выехали в Лондон.

В августе Гортензия решила, что прохлада швейцарских ледников может благотворно подействовать на бурный темперамент сына, и повезла его в Арененберг. Потом она заставила его поступить в военную школу в Туне. В течение пяти лет Луи-Наполеон изучал артиллерию.

В 1836 году королева Гортензия решила, что самое время женить сына. Она пригласила в гости принцессу Матильду, дочь короля Жерома, которой тогда было пятнадцать и которая уже блистала красотой. Луи-Наполеон сразу влюбился в нее. Через несколько дней король Жером приехал за своей дочерью. Он объяснил, что ей нужно выехать в Штутгарт, чтобы получить там благословение деда, короля Вюртембергского, после чего можно будет объявить о помолвке.

Как только Матильда покинула Арененберг, Луи-Наполеон смог целиком посвятить себя делу, которое несколько месяцев тому назад ему предложил прибывший из Лондона авантюрист виконт Фиален де Персиньи (в действительности его звали просто Фиален, а титул он себе присвоил). Речь шла о подготовке государственного переворота в Страсбурге при поддержке армии, последующем походе на Париж и захвате власти.

В начале лета несколько офицеров заявили о своей готовности поддержать принца. Однако две ключевых фигуры в городе — полковник Водрей и генерал Вуароль — пока не были вовлечены в заговор.

Выяснилось, что полковник Водрей неравнодушен к женщинам. "Она должна быть красивой, умной, хитрой, бонапартисткой, чувственной, не особенно строгого нрава", — объяснял своему сообщнику Луи-Наполеон.

Персиньи отвечал, что знаком с такой женщиной. Ей двадцать восемь лет, она родилась в Париже, ее девичье имя Элеонора Бро. Она пела в Риме и Флоренции, где ее муж умер от тифа, убежденная бонапартистка — ее отец был капитаном императорской гвардии. Элеонора возвратилась в Англию, где несколько раз пела перед королем Иосифом.

Несколько дней спустя принц и Персиньи уже сидели в огромном зале казино в Баден-Бадене. Занавес поднялся, и на сцену вышла дама солидных размеров, ростом под 180 сантиметров. У нее были черные как смоль волосы, сверкающие огнем глаза, широкие плечи и гигантская грудь. Луи-Наполеон, любивший пышных женщин, заявил: "С таким декольте, я полагаю, она может завоевать армейский корпус..."

Г-жа Гордон запела. Ее густое контральто заставляло дрожать люстры.

"Я знаю офицеров, — заключил принц, — такая женщина могла бы соблазнить полковника. Кроме того, она сможет зачитывать прокламации".

В полночь Луи-Наполеон и Персиньи явились в гостиную г-жи Гордон. Хозяйка со слезами на глазах кинулась перед принцем на колени. Он галантно поднял ее с пола и с огорчением отметил про себя, что едва доходит ей до груди. Однако это не помешало ему насладиться ночью ее ласками...

На следующий день Луи-Наполеон поделился с певицей своими политическими планами. "С гарнизоном в 12 тысяч человек, сотней пушек и стрелковым оружием, имеющимся в арсенале, есть все возможности превратить в милицию все население восточного края. После взятия Страсбурга мы двинемся на Париж. В Реймсе у нас уже будет армия в 100 тысяч человек, и за какие-нибудь пять дней мы обоснуемся в Тюильри, под приветственные крики безумствующей толпы..."

У певицы этот план вызвал необычайный энтузиазм.

Прошло несколько недель, и согласно плану, намеченному Персиньи, в Страсбурге был организован благотворительный концерт, в котором приняла участие Элеонора.

На следующей неделе полковник Водрей приехал в Баден-Баден. Певица приняла его очень любезно. Но когда он попытался уложить ее на софу, на пороге появился Луи-Наполеон. Ослепленный любовью к прекрасной певице, Водрей пообещал принцу свою поддержку, даже не зная, чего от него ждут. И вскоре оказался в объятиях несравненной Элеоноры...

Перед тем как покинуть Баден-Баден, Луи-Наполеон еще раз встретился с полковником и изложил ему свой план действий.

В шесть часов утра 30 октября 1836 года начались военные операции. Полковник Водрей собрал свои войска во дворе казармы Аустерлиц и вышел на середину плаца. И тут в костюме, напоминавшем костюм Наполеона I, с исторической треуголкой на голове, появился Луи-Наполеон. Его свита несла императорского орла.

Полковник поспешил ему навстречу, поприветствовал поднятой вверх шпагой и произнес краткую речь, результатом которой было громогласное "Да здравствует император!". Он сказал, что во Франции вспыхнула революция, Луи-Филипп низложен и власть должна перейти к наследнику престола, которого Водрей назвал Наполеоном II.

Тогда слово взял Луи-Наполеон. Он заговорил о своем дяде, об Аустерлице, о Ваграме, о былой славе, потом неожиданно направился к одному офицеру и, как передает свидетель, "судорожно обнял его".

Этот непредвиденный жест вызвал новый взрыв энтузиазма. Принц, считавший, что дело складывается очень удачно, принял на себя командование, и под звуки военной музыки полк покинул казарму и направился к дому генерала Вуароля, которого надо было "нейтрализовать" как можно скорее.

Генерал наотрез отказался перейти на сторону мятежников. Тогда полковник Водрей арестовал Вуароля, от имени императора лишив его звания. Генерал попросил несколько минут, для того чтобы одеться. Принц, неизменно галантный, запретил Водрею входить в жилые комнаты генерала. Через десять минут поджидавшие стали удивляться, что генерала так долго нет. С позволения принца полковник толкнул дверь. Г-жа Вуароль сидела в комнате одна. Генерал сбежал из дома по другой лестнице.

Принц поспешил на улицу: "Быстрее в казарму Финкмат!"

Но генерал Вуароль успел поднять по тревоге 46-й пехотный полк. При появлении во дворе казармы Луи-Наполеон и его люди были окружены, арестованы и обезоружены. Так что галантность принца привела к провалу переворота.

Персиньи при содействии г-жи Гордон удалось улизнуть из Страсбурга, а Водрей и Луи-Наполеон были препровождены в крепость.

Через несколько дней принца перевезли в Париж, где префект полиции, г-н Делессер, принял его с большим уважением. В течение двух часов, сидя в огромной столовой префектуры, Луи-Наполеон беседовал со своим тюремщиком.

В Париже Луи-Наполеон находился не для того, чтобы его судили. Король знал, что делу принца судебный процесс будет только на пользу, и потому перед страсбургским судом предстали лишь статисты. А главный обвиняемый, которого сочли просто легкомысленным мальчишкой, был отправлен в Америку.

15 ноября Луи-Наполеон прибыл в Лорьян, где поднялся на борт парусного фрегата "Андромеда". После мучительного плавания с единственной остановкой в порту Рио-де-Жанейро он высадился в Нью-Йорке в начале января 1837 года, имея в наличии всего пятнадцать тысяч франков золотом, которые он получил перед отъездом из Франции от Луи-Филиппа.

Страсбургский суд оправдал всех заговорщиков. Луи-Наполеон с облегчением встретил это сообщение. Но когда мать сообщила ему, что король Жером отказал ему в руке принцессы Матильды, принц огорчился, ибо был влюблен в свою очаровательную кузину.

В июне 1837 года Луи-Наполеон получил тревожное письмо из Арененберга. Королева Гортензия сообщала ему, что перенесла операцию, что дела у нее обстоят неважно и что она хотела бы его видеть.

23 июля он прибыл в Лондон. Посольство Франции отказалось выдать ему паспорт. Он воспользовался протекцией швейцарского консула, чтобы выехать в Голландию, а оттуда в Германию. 4 августа он был у постели своей матери.

Спустя два месяца, на рассвете 5 октября, кроткая королева Гортензия, истерзанная раком, умерла на пятьдесят пятом году жизни.

Луи-Наполеон через несколько недель покинул Швейцарию и поселился в Лондоне, где вскоре снова встретил госпожу Гордон и Персиньи. Компания снова взялась за подготовку государственного переворота. Через полтора года принцу показалось, что все предусмотрено.

...В конце июля 1840 года в кабачке лондонского порта капитана грузового судна "Город Эдинбург" посетил элегантный человек, который обратился к нему с такими словами: "Мои друзья поручили мне организовать маленькое путешествие к берегам Германии. По правде сказать, у нас нет никакой определенной цели. Побуждаемые всего лишь собственной фантазией, мы, возможно, захотим доплыть до Гамбурга. Не могли бы взять нас на борт вашего судна? Нас будет около шестидесяти человек". Капитан ответил согласием.

Вечером 5 августа таинственные пассажиры поднялись на борт корабля. Они действительно производили впечатление странной компании. Некоторые выглядели вполне прилично, но большая их часть состояла из жалких на вид людишек в потертой одежде и стоптанных башмаках. Вслед за ними на судно подняли багаж — тюки съестных припасов, коляску, пакет листовок и клетку с орлом...

В 8 часов вечера снялись с якоря. К 3 часам утра человек, нанимавший судно, обратился к капитану: "Один из моих друзей опоздал к отходу. Остановитесь в устье Темзы. Он догонит нас на лодке".

Капитан приказал бросить якорь в указанном месте и стал ждать. Вскоре на борт поднялся маленький человек, с каким-то мутным взглядом, в круглой шляпе. Он пользовался большим уважением у остальных пассажиров.

На рассвете "Город Эдинбург" бросил якорь около Булони. Шестьдесят пассажиров стали надевать на себя военную униформу. Затем судно направилось к Вимере, где небольшой отряд высадился на берег. Человек с мутным взглядом, в форме полковника артиллерии, обратился к своим спутникам: "Друзья мои, вот мы и во Франции. Нам остается лишь взять Булонь. Как только мы захватим этот пункт, наш успех станет бесспорным. Если мне окажут обещанную поддержку, через несколько дней мы будем в Париже. И история расскажет потомкам, что горстка храбрецов, каковыми являемся вы и я, совершила это великое и славное предприятие". Луи Бонапарт был одержим безрассудным желанием захватить власть.

После недолгих переговоров с таможенниками группа заговорщиков направилась в Булонь. По городу были распространены прокламации, в которых критиковалось правительство и давалось обещание, что Наполеон будет "опираться единственно на волю и интересы народа и создаст непоколебимое здание; не подвергая Францию случайностям войны, он даст ей прочный мир".

В городской казарме два дежурных солдата молча отдали им честь и продолжали свою работу. Желая сделать их своими союзниками, Луи Бонапарт присвоил одному звание лейтенанта, а второго наградил орденом Почетного легиона. Не ограничиваясь костюмом, шляпой и обычными знаками императорского достоинства, Наполеон имел при себе прирученного орла, который должен был в определенный момент парить над его головой.

Неожиданно в казарме появился капитан Пюижелье. В ответ на предложение перейти на сторону принца офицер объявил тревогу. Луи Бонапарт понял, что дело проиграно, и в сопровождении своих друзей выбежал из казармы. Они достигли берега в Вимере почти одновременно с солдатами капитана Пюижелье. "Наши лодки исчезли, — вскричал Луи Бонапарт, — будем добираться до корабля вплавь". Однако после первых же выстрелов пловцы вынуждены были повернуть обратно. Авантюра с треском провалилась. Отчаявшегося Луи-Наполеона препроводили в замок. 12 августа он был посажен в тюрьму Консьержери, а 30 сентября палата пэров приговорила его к пожизненному заключению в форте.

Узнав о столь суровом приговоре, друзья принца были потрясены: "От Лондона до Флоренции и от Констанции до Рима, — писал Флоран Буэн, — все, кто знал Луи-Наполеона, сходились на том, что решение палаты пэров равносильно смертному приговору: никогда, говорили они, никогда он не сможет жить без женщин!"

Оказавшись в камере пикардийской крепости, принц заказал сотни книг, устроил у себя лабораторию и стал проводить физические опыты. Он завел любовную связь с маленькой гладильщицей Элеонорой.

25 февраля 1843 года она родила в Париже мальчика, котрому дали княжеское имя Эжен-Александр Луи. Второй наследный принц, названный Луи-Александр-Эрнест, у гладильщицы родился 18 марта 1845 года. Луи-Наполеон даже в тюрьме не терял времени даром...

В начале 1846 года в форте Ам появилась бригада каменщиков, чтобы провести там ремонтные работы. Луи-Наполеон стал готовиться к побегу. Слуга Телен привез ему из Сен-Кентена рубаху из грубого полотна, панталоны, две блузы, фартук, галстук, шейный платок, головной убор и парик. Паспорт он одолжил у леди Кроуфорд — якобы для своего слуги.

25 мая он выбрался из тюрьмы, в которой провел шесть лет. Его поджидал в карете верный Телен. В Валансьене Луи-Наполеон в сопровождении верного слуги сел на поезд и спустя четыре часа был уже в Брюсселе. Затем он перебрался в Лондон и влачил там жалкое существование.

Случай, этот покровитель всех плутов и мошенников, свел его с молодой и привлекательной особой, которой суждено было сыграть в жизни Луи-Наполеона заметную роль. Прекрасная Элиза приютила принца в своем доме. Девушка была куртизанкой и своим мастерством владела в совершенстве. Однако несмотря на многочисленных клиентов, которых девушка одаривала ласками, казна влюбленных оставалась пуста. Тогда Луи-Наполеон предложил одному своему знакомому, содержавшему игорный дом, использовать прелести Элизы для привлечения посетителей. Почтенный владелец делового предприятия был так доволен первыми результатами, что в конце концов нанял ловкую Элизу к себе на работу, согласившись делиться с нею и ее любовником, выполнявшим роль крупье, значительной частью своих доходов. Элиза, которая звалась теперь мисс Говард, вскоре уже каталась в своей коляске в Гайд-парке. Еще бы, теперь ей давали за ночь не три шиллинга, а тысячу фунтов стерлингов!

26 февраля 1848 года принц узнал, что Луи-Филипп отрекся от престола. Он написал временному правительству письмо: "Господа, народ Парижа уничтожил последние следы иностранного вторжения, и я спешу встать под знамена Республики". Принц выехал в Париж, однако поэт Ламартин живо напомнил ему, что закон, запрещающий его появление на территории Франции, еще не отменен. Луи-Наполеон поспешил вернуться в Лондон. В течение двух месяцев он и его любовница мисс Говард следили по газетам за событиями во Франции. Народ стал разочаровываться в своих новых правителях, которые вели себя в частной жизни столь же беззастенчиво, что и тираны.

В апреле 1848 года во Франции прошли выборы. В числе избранных оказалось немало членов императорской фамилии. Теперь ничто не мешало Луи-Наполеону вернуться в Париж. Но в каком качестве? Он будет участвовать в дополнительных выборах!

Персиньи подсчитал предстоящие траты. Для финансирования беспрецедентной в истории рекламной кампании требовалось около пятисот тысяч франков. Огромная сумма! Однако мисс Говард пообещала достать ему эти деньги. Для соблюдения приличий было условлено, что молодая англичанка продаст Луи в кредит земли, которыми владеет в Римских провинциях, а он под эти земли возьмет в долг деньги. Через несколько дней маркиз Палавичино действительно ссудил новому "землевладельцу" шестьдесят тысяч римских экю, то есть триста восемьдесят тысяч франков... Говард продала кое-что из своих драгоценностей, а друзья принца начали предвыборную кампанию. 4 июня на дополнительных выборах принц был избран сразу в четырех департаментах; но он отказался от полномочий.

Прошло два месяца, и за это время Персиньи с друзьями организовал клубы бонапартистов. Для их финансирования нужны были дополнительные средства. Мисс Говард продала свои конюшни, серебро и те немногие драгоценности, которые у нее еще оставались.

Все эти жертвы были не напрасны: 17 сентября, во время вторых дополнительных выборов, принц был избран уже в пяти департаментах. 26 сентября он впервые появился в Учредительном собрании, а 11 октября закон о его высылке был отменен.

На протяжении трех месяцев, благодаря материальной поддержке мисс Говард, которая продала мебель и дом в Лондоне, друзья принца агитировали голосовать на президентских выборах за Луи-Наполеона. Результаты выборов оказались ошеломляющими: семьдесят пять процентов проголосовавших французов отдали предпочтение Луи-Наполеону.

20 декабря он был провозглашен президентом Республики и сразу отправился в свою резиденцию в Елисейский дворец. Луи Бонапарт первым делом позаботился, чтобы приблизить к себе мисс Говард, и снял для нее неподалеку особняк. Президент часто навещал ее. Сама же мисс Говард никогда не появлялась во дворце, ибо в качестве хозяйки там выступала кузина и экс-невеста Луи-Наполеона, принцесса Матильда.

Избранный на четыре года и получавший на представительские расходы два миллиона пятьсот шестьдесят тысяч золотых франков в год, президент мечтал о дополнительном кредите в миллион восемьсот тысяч франков. Однако Учредительное собрание отказало ему. И тогда Луи-Наполеон замыслил государственный переворот с целью восстановить империю. Он был готов рискнуть всем, понимая, что грызня между различными партиями значительно облегчает его задачу. Тем более противники считали его недалеким человеком.

Луи Бонапарт тем временем расставлял своих людей на ключевые посты в правительстве и в армии.

Государственный переворот был намечен на 2 декабря, годовщину Аустерлица и коронования Наполеона. Знали об этом только Морни и мисс Говард, которая на этот раз продала лошадей, заложила свои дома в Лондоне и драгоценности.

Чтобы скрыть накануне решающего дня подготовительные мероприятия, Луи-Наполеон устроил в Елисейском дворце грандиозный прием. Вечером 1 декабря во всех гостиных президентского дворца танцевали. Не выказав ни малейших признаков беспокойства, принц переходил от одной группы к другой. Тем временем типографии уже печатали воззвания.

К полуночи гости покинули дворец, а Луи-Наполеон возвратился в кабинет. Все уже было готово: воззвание к народу, прокламация, обращенная к армии, декрет о роспуске Учредительного собрания и постановление о том, что Париж переходит на осадное положение. Кроме того, было подписано шестьдесят приказов на арест военных и политических деятелей, известных своими антибонапартистскими настроениями...

Народ встретил переворот спокойно, кое-где даже раздавались возгласы: "Да здравствует Наполеон!" В течение нескольких дней были подавлены небольшие очаги сопротивления. Власти арестовали 26 642 человека, и в городе был восстановлен порядок. 21 декабря 1851 года был проведен плебисцит, подавляющее большинство французов одобрило переворот. Принца избрали президентом Республики на десять лет. Но фактически была реставрирована империя, поскольку опубликованная 14 января 1852 года конституция была чисто монархической. Президент имел большие полномочия, но никаких способов привлечения его к ответственности указано не было. 29 марта, открывая сессию законодательного корпуса, Луи-Наполеон говорил: "Сохраним республику; она никому не угрожает и может успокоить всех. Под ее знаменем я хочу вновь освятить эру забвения и примирения!" Однако он же замечал: "Говорят, что империя поведет за собой войну. Нет! Империя — это мир!"

7 ноября сенат высказался за превращение Франции в наследственную империю, а 22 ноября соответствующее изменение конституции было поддержано волей народа — 7 800 000 французов одобрили монархический строй. 2 декабря 1852 года президент был провозглашен императором под именем Наполеона III. Его оклад составил 25 миллионов франков. Европейские державы признали новую империю. Вскоре Наполеон женился на Евгении Монтихо, графине Теба. Мисс Говард, благодаря которой Луи воспарил на невиданную высоту, не могла составить ему достойную партию и получила отставку.

До сих пор Наполеону все удавалось. Он ловко использовал ошибки врагов и при помощи своего громкого имени устраивал искусные заговоры. Но этих талантов оказалось мало, чтобы управлять таким государством, как Франция. Новоиспеченный монарх не обнаружил ни военного, ни административного гения своего дяди; Бисмарк не без основания называл его впоследствии "не признанной, но крупной бездарностью". Впрочем, в первое десятилетие внешние обстоятельства складывались чрезвычайно успешно для политического авантюриста. Крымская война вознесла его на высокую ступень могущества и влияния. В 1855 году он совершил с императрицей Евгенией поездку в Лондон, где ему был оказан блестящий прием; в том же году Париж посетили короли Сардинии и Португалии и королева Англии.

Весьма своеобразной была политика Наполеона в отношении Италии. Он стремился к объединению Апеннинского полуострова, но с условием сохранения неприкосновенности светской власти пап; вместе с тем ему было необходимо, чтобы объединение было совершено не демократами и республиканцами, а консерваторами. Эти стремления тормозили объединение, и итальянские революционеры ненавидели Наполеона. Три покушения на его жизнь были организованы именно итальянцами: первое — Пианори (28 апреля 1855 года), второе — Белламаре (8 сентября 1855 года), позднее — Орсини (14 января 1858). В 1859 году Наполеон начал войну с Австрией, результатом которой для Франции было присоединение к ней Ниццы и Савойи. Успех позволил стране занять лидирующие позиции среди европейских держав. Можно считать удачными экспедиции Франции против Китая (1857—1860), Японии (1858), Аннама (1858—1862) и Сирии (1860—1861), но затем фортуна отвернулась от французского монарха.

В 1862 году он предпринял экспедицию в Мексику, явившуюся подражанием египетскому походу Наполеона I и призванную принести Франции дешевые военные лавры. Однако экспедиция потерпела полнейшее фиаско; французские войска вынуждены были покинуть Мексику, оставив на произвол судьбы посаженного ими на мексиканский трон императора Максимилиана.

В 1867 году Наполеон III попытался дать удовлетворение оскорбленному общественному мнению Франции покупкой у короля голландского великого герцогства люксембургского и завоеванием Бельгии, но несвоевременное разглашение его проекта и угроза со стороны Пруссии заставили его отказаться от этого плана. Неудачи во внешней политике отразились и на политике внутренней. Монархический строй в стране, пережившей несколько революций и знакомой с более свободными порядками, мог держаться только на полицейском режиме. Однако Наполеон III не мог не считаться с общественным мнением и постепенно стал терять позиции сильного монарха.

2 января 1870 года было образовано либеральное министерство Оливье, которому предписывалось реформировать конституцию, восстановить ответственность министров и расширить пределы власти законодательного собрания. В мае 1870 года выработанный министерством проект был одобрен плебисцитом, но он не успел вступить в силу.

Летом 1870 года осложнились отношения между Францией и Пруссией. Не без влияния императрицы, Наполеон III, уверенный в военном могуществе Франции и надеявшийся победой загладить все ошибки своей политики, действовал вызывающе и довел дело до войны, которая показала шаткость государственного и общественного строя империи. 19 июля Франция объявила войну Пруссии. 22 июля специальным указом устанавливалось регентство императрицы с того момента, "когда император покинет Париж, чтобы принять командование войсками". Говорят, она как-то обмолвилась: "Эта война станет "моей" войной". Эта фраза преследовала императрицу до последних дней ее жизни, и всякий раз она уверяла, что не произносила ее.

Наполеон III, прибыв в конце июля в Мец, с ужасом обнаружил, что его армия плохо экипирована, недисциплинированна, военное руководство бездарно. Царивший беспорядок делал невозможным стремительное наступление, о котором мечтала императрица Евгения.

Французы терпели одно поражение за другим. Прусские войска взяли Эльзас, нависла угроза над Парижем. 1 сентября произошла ожесточенная битва при Седане. Наполеон III, видя, что бессмысленно вести дальнейшие боевые действия, через генерала Рея передал Вильгельму письмо: "Месье, мне не суждено было сложить голову в бою, и поэтому мне остается только положить шпагу к ногам Вашего Величества. Примите приношение из рук вашего брата. Наполеон". На следующий день французский император был взят под стражу.

2 сентября он отправился в определенный ему для жительства Вильгельмом замок Вильгельмгеге. Освобожденный из плена после заключения мира, он уехал в Англию, в Числхерст, где написал протест против постановления бордоского национального собрания о его низвержении. В Числхерсте он провел остаток жизни и умер от мочекаменной болезни, после операции. Перед смертью он спрашивал в бреду доктора: "Конно, ведь мы не струсили тогда в Седане?"

Смерть Наполеона III потрясла французов. Многие еще оставались бонапартистами и мечтали о возвращении императора. "Его не воспринимали, — писал историк Фернан Жиродо, — как низверженного императора. Казалось, что он лишь временно покинул политическую арену, чтобы вернуться с новыми силами в недалеком будущем. Франция не совершала Сентябрьской революции, она только позволила ее совершить, она не предоставляла всех полномочий власти авторам этого переворота, а просто-напросто терпела их произвол. Наполеону III нужно было умереть, чтобы стало понятно, какое место он занимал в политической жизни Европы".

Уильям Уокер

(1824 — 1860)

Американский авантюрист. Родился в штате Теннесси. Окончил медицинский факультет Пенсильванского университета. Практиковал в Европе, затем был адвокатом, редактором в Нью-Орлеане. В 1853 году организовал экспедицию для завоевания мексиканского штата Сонора, но вынужден был сдаться войскам Соединенных Штатов в Сан-Диего.

13 июля 1855 года в никарагуанском порту Реалехо высадились американские флибустьеры с целью подчинить страны Центральной Америки господству США и восстановить рабство. Возглавлял наемников Уильям Уокер.

Он был чрезвычайно противоречивым человеком. В нем уживались, казалось бы, несовместимые черты характера — доброта и холодная жестокость, личная храбрость, способность к самопожертвованию и циничное равнодушие к жизни других, расчетливость, хладнокровие и безрассудство, толкавшее его на авантюрные поступки. Довольно хрупкое сложение и небольшой рост с лихвой окупались его гипнотическим взглядом, многократно описанным биографами и поэтами.

Не менее противоречивыми были и убеждения Уокера. За сравнительно недолгую жизнь он не только превратился из аболициониста и социалиста в убежденного сторонника рабства и апологета цивилизаторской миссии американского Юга в Центральной Америке, но в сугубо политических интересах перешел из протестантизма в католичество. Честолюбивый, рвавшийся к власти и способный увлечь за собой других, Уокер обладал литературным способностями. Подтверждением тому служит его книга о войне в Никарагуа, вышедшая в свет в том самом году, когда ее автор был расстрелян.

Для большинства жителей Центральной Америки Уокер был и остается символом разрушения и насилия, пиратом и авантюристом, его экспедиции расценивают как бесцеремонное и циничное вмешательство во внутренние дела независимых государств. Не случайно долгие годы именем Уокера никарагуанские крестьяне пугали детей. Соответственно оценивается его деятельность и в центральноамериканской историографии.

Уокер родился 8 мая 1824 года в Нэшвилле, штат Теннесси. Его отец, Джеймс Уокер, имевший шотландских предков, был банкиром и торговцем, а мать, Мэри Норвелл, происходила из влиятельной семьи в штате Кентукки. Кроме Уильяма в семье было еще двое братьев и сестра. Дети воспитывались в строгой кальвинистской традиции, и Уильям рос послушным и спокойным ребенком. Будучи очень привязанным к матери, которая часто болела, Уильям любил читать ей вслух романы Вальтера Скотта и романтические поэмы Байрона.

В 12 лет Уокер поступил в университет Нэшвилла, который, как и многие американские университеты того времени, представлял собой, по сути, среднюю школу. Учился хорошо и через два года перевелся на медицинский факультет Пенсильванского университета, где также зарекомендовал себя способным студентом. Интересно, что темой его дипломной работы было изучение радужной оболочки глаза (иридодиагностика).

Получив диплом врача уже в 19 лет, Уокер почти два года провел за границей, практикуясь в госпиталях Парижа и посещая лекции медицинских светил в Гейдельберге (Германия), Лондоне и Эдинбурге. Вернувшись в 1845 году на родину, он неожиданно для родственников решил переменить профессию и заняться изучением юриспруденции. Спустя еще два года, после упорных занятий в Нью-Орлеане, он был зачислен в адвокатуру, но не удовольствовался и этим. Медик-юрист стал одним из издателей и авторов газеты "Нью-Орлеан крисчен", поддерживавшей вигов.

Судя по воспоминаниям современников Уокера, обстановка, царившая в "Нью-Орлеан крисчен", весьма смахивала на атмосферу, блестяще переданную Марком Твеном в известном рассказе "Журналистка в Теннесси". Как и твеновскому персонажу, Уокеру приходилось принимать вызовы на дуэль от лиц, чьи политические взгляды и репутацию он задевал в своих статьях. Интересно и то, что в газете Уокера публиковал стихи тогда мало еще известный широкому читателю Уолт Уитмен.

В Нью-Орлеане в эти годы Уокер пережил первую и последнюю в своей жизни любовь. Элен (Хелен) Мартин в пятилетнем возрасте перенесла тяжелую болезнь, в результате которой лишилась голоса и слуха, что, впрочем, не помешало ей стать одной из первых красавиц Нью-Орлеана и пользоваться большим вниманием благодаря природному уму, открытому характеру и обаянию. Уокер следовал за Элен буквально по пятам и быстро освоил язык жестов, на котором они вели долгие разговоры. В апреле 1849 года, когда уже было объявлено об их предстоящей свадьбе, невеста внезапно умерла от холеры.

Личная драма круто изменила и характер Уокера (он превратился в мрачного меланхолика), и его образ жизни. В 1850 году Уильям покинул Нью-Орлеан, совершил путешествие через Панамский перешеек и осел в Сан-Франциско, где с головой вновь ушел в журналистику, приняв предложение своего друга Э. Рандолфа писать статьи в только что основанную им газету "Сан-Франциско геральд", которая ориентировалась на демократов, выражавших интересы рабовладельческого Юга. Именно там Уокера привлекли планы расширения территории Соединенных Штатов в соответствии с популярной тогда теорией "предопределения судьбы" (Manifest Destiny).

Несомненно, определенную роль в этом сыграли и честолюбие Уокера, его стремление во весь голос заявить о себе — желание вполне объяснимое, если принять во внимание неповторимую историческую атмосферу в США накануне схватки между Севером и Югом, обстановку стремительной политизации Юга, усиления аннексионистских настроений. В этот период он сблизился с бывшим американским послом в Мадриде, одним из инициаторов покупки или захвата Кубы Соединенными Штатами, Пьером Суле.

Многочисленные проекты покупки Кубы или ее прямой аннексии являлись составной частью плана создания пресловутой карибской рабовладельческой империи, которая по замыслам политиков-южан должна была простираться от Мексики через Антильские острова и страны Карибского бассейна до Колумбии. Это была бы островная империя, включающая Кубу и Пуэрто-Рико, которые предстояло отнять у Испании. Аппетиты рабовладельцев распространялись и на независимые Гаити, Мексику, центральноамериканские страны и часть Колумбии.

Уильям Уокер, сделавший себя диктатором Никарагуа, стал популярным в Соединенных Штатах.

В основе многочисленных флибустьерских экспедиций причудливо переплетались идеи национального освобождения и стремление к аннексии, революционный идеализм (во многом являвшийся отзвуком событий 1848 года в Европе) и страсть к обогащению, мессианство и политический авантюризм. В этот мир политических страстей и амбициозных экономических проектов, вроде распространения американской колонизации по всей Центральной Америке и Мексике, вошел и Уокер.

Первым опытом на поприще аннексионизма для Уокера стала экспедиция в Мексику. В ноябре 1854 года Уокер вторгся с отрядом из нескольких сотен человек на территорию штатов Нижняя Калифорния и Сонора и объявил о создании там нового американского независимого государства, провозгласил себя президентом, создал правительство и даже успел учредить собственный флаг. Все это сопровождалось безудержным грабежом имущества мексиканских крестьян, ремесленников, торговцев и предпринимателей. Несмотря на жалобы мексиканских властей, администрация президента Ф. Пирса снисходительно наблюдала за экспериментами Уокера.

Вскоре, однако, мексиканское правительство собралось с силами, и после нескольких месяцев изматывающих боев и тяжелого отступления в мае 1854 года Уокер с 33 сообщниками перешел границу и сдался американским властям. Отданный под суд за нарушение закона 1818 года о нейтралитете, он, впрочем, вскоре был оправдан и вновь занялся журналистикой.

В марте 1854 года началась Крымская война, неожиданно для Англии принявшая затяжной характер и потребовавшая максимального внимания. Воспользовавшись тем, что у англичан были связаны руки в Крыму, Соединенные Штаты начали активно реализовывать планы по изменению соотношения сил в Центральной Америке и Карибском бассейне.

Наиболее привлекательной целью для аннексионистов стала Никарагуа, где вновь обострившаяся внутриполитическая обстановка создавала чрезвычайно благоприятные условия для осуществления планов по созданию "карибской империи". Все больший интерес к Никарагуа проявлял и Уокер. В декабре 1854 года он подписал соглашение с крупным американским предпринимателем Б. Коулом об организации экспедиции вооруженных колонистов в Никарагуа с целью оказания поддержки либеральной партии.

Так, в обмен на такую помощь никарагуанские либералы обещали выделить Уокеру и его людям 21 тысячу акров плодородных земель и регулярно выплачивать жалованье из казны после завершения военных действий. По требованию Уокера размеры выделяемой земельной площади были увеличены до 52 тысяч акров, а флибустьерам придавался официальный статус колонистов. Как юрист Уокер хорошо понимал, что это помогло бы ему избежать обвинений в нарушении американского закона о нейтралитете.

Вербовка добровольцев шла быстро и с размахом. Финансирование предприятия в значительной степени взяла на себя "Аксессори", предоставившая Уокеру заем в 20 тысяч долларов, хотя и вопреки желанию самого Вандербильда, узнавшего о займе по возвращении из Лондона.

Уокер готовился к предстоящей экспедиции с особой тщательностью. Он изучал будущий театр военных действий не только по картам, но и по разнообразной литературе, в том числе и по работам бывшего консула США в Никарагуа Э. Скуайера. Неплохо он разбирался и в хитросплетениях центральноамериканской политической жизни. Вопреки утверждениям о том, что Уокер не владел испанским языком, имеются свидетельства об обратном.

В начале мая 1855 года все необходимые приготовления были сделаны, и 16 июня шхуна "Веста" высадила Уокера и 57 вооруженных самым современным по тем временам оружием колонистов в никарагуанском порту Реалехо.

Вначале отношения Уокера с компанией Вандербильда развивались довольно успешно. Пароходы "Аксессори" непрерывно перевозили в Никарагуа американских колонистов, значительная часть которых сразу же вливалась в армию Уокера. Ее численность уже к осени достигла 1,5 тысячи человек. Костяк составляли примерно 1200 хорошо вооруженных добровольцев, многие из них имели опыт боевых действий.

Однако в феврале 1856 года отношения между Уокером и Вандербильдом были разорваны. Уокера явно не устраивал покровительственный тон "коммодора" (так Вандербильда прозвали в деловых кругах Нью-Йорка), а тот был недоволен своенравным руководителем флибустьеров, его растущим стремлением диктовать условия. По инициативе Уокера правительство Риваса разорвало соглашение с "Аксессори" и передало контракт конкурентам Вандербильда и бывшим его компаньонам — Корнелиусу Гаррисону и Чарльзу Моргану.

В ответ Вандербильд объявил о прекращении пассажирских и грузовых перевозок для Уокера, потребовал от США принять немедленно меры против флибустьеров и начал переправлять оружие и людей в Коста-Рику для оказания поддержки правительству этой страны, возглавившему вооруженную борьбу центральноамериканских государств против Уокера. В результате в наиболее критические для него месяцы военных действий он не смог получить подкреплений.

Агенты Вандербильда вели переговоры в Лондоне, стремясь заручиться поддержкой адмиралтейства для организации блокады побережья Никарагуа британским флотом, а в самой Никарагуа представители "коммодора" уговаривали президента Риваса порвать с Уокером.

Одновременно Вандербильд нанес мощный удар и по отступникам — Гаррисону и Моргану. Первого он обвинил в мошенничестве и предъявил ему судебный иск на 500 тысяч долларов, а Моргана — в сговоре с Уокером и потребовал от обоих в качестве возмещения ущерба кругленькую сумму в 1 миллиард долларов.

В конце концов Гаррисон и Морган спасовали перед стальной волей "коммодора", признав незаконность сделок с Уокером, а Вандербильд, в свою очередь, за 56 тысяч долларов отступных ежемесячно обещал не конкурировать с трансокеанской трассой в Панаме.

Между тем положение Уокера продолжало ухудшаться. 1 марта 1856 года Гватемала, Коста-Рика, Гондурас и Сальвадор объявили о начале военных действий против Уокера. Характерно, что правительства этих стран объявили войну именно Уокеру, рассматривая его как пирата и узурпатора власти, а не правительству Никарагуа. Общая численность армии союзников достигла 10 тысяч. Правительство Коста-Рики, возглавляемое Хуаном Рафаэлем Морой, обратилось к Англии с просьбой предоставить оружие. Лондон отреагировал немедленно, и необходимое оружие (несколько пушек, 2 тысячи ружей, боеприпасы) было направлено в Коста-Рику.

В этих условиях Уокеру как воздух была необходима поддержка. Надо сказать, что он не питал особых иллюзий в отношении английской позиции и был враждебно настроен к деятельности английских дипломатов в Центральной Америке. Уокер возлагал надежды только на соотечественников — на Пьера Суле и американского консула в Никарагуа Джона Уилера.

Еще в апреле 1856 года, когда госсекретарь США У. Мэрси отказался принять посланника Уокера полковника П. Френча, тот обратился к Суле за содействием. 28 апреля в Новом Орлеане по инициативе Суле был организован многолюдный митинг в поддержку экспедиции Уокера. Активно защищал его бывший посол в Мадриде и на съезде демократической партии в Цинциннати. В одной из резолюций съезда прямо выражалась симпатия американского народа к “попыткам, предпринимаемым центральноамериканскими народами (имелось в виду правительство Риваса) для возрождения той части континента, которая расположена на подступах к межокеанскому каналу”.

В августе 1865 года вместе с очередным подкреплением для Уокера П. Суле отправился в Никарагуа. В течение двух недель он вел с руководителем флибустьеров конфиденциальные переговоры, имевшие, как признавал сам Уокер, “очень важное значение”.

Не без влияния этих бесед Уокер пошел на решительный шаг — восстановление рабства в Центральной Америке, которое было отменено еще в 1824 году. Этим актом Уокер, в глубине души мечтавший о воссоздании военного центральноамериканского объединенного государства, во главе которого он видел себя, надеялся привлечь на свою сторону влиятельных политиков американского Юга. “Закон о рабстве — ядро моей политики, — писал он. — Без него американцы могли бы играть в Центральной Америке лишь роль преторианской гвардии, подобной римской, или же роль янычаров на Востоке — роли, к которым они плохо подготовлены в силу... традиций своей расы”.

В целях “ускорения колонизации” Суле передал Уокеру полмиллиона долларов, собранных в США.

Ревностным сторонником Уокера, полностью разделявшим его планы, был и Д. Уилер. “Шум машин и грохот повозок янки на здешних улицах, — доносил он в госдепартамент, — возвестили гражданам Никарагуа, что праздность должна уступить место предприимчивости, невежество — науке, а анархия и революции — закону и порядку”.

Уилер был убежденным сторонником теории “предопределения судьбы” и превосходства белой расы. Едва прибыв в декабре 1854 года в Никарагуа, американский консул безапелляционно заявил, что “центральноамериканская раса неопровержимо доказала... полную неспособность к самоуправлению”.

Буквально за неделю до высадки флибустьеров Уокера в Реалехо Уилер подписал с правительством Никарагуа договор о дружбе и торговле. Это не помешало ему восторженно приветствовать действия колонистов. 10 ноября 1855 года, даже не дождавшись инструкций госдепартамента, Уилер официально признал правительство Риваса — Уокера.

Формально госдепартамент не поддержал инициативы Уокера, и госсекретарь Мэрси отказался, как уже отмечалось выше, принять верительные грамоты от представителя флибустьеров.

Однако настойчивые просьбы Уилера внимательнее присмотреться к ситуации в Никарагуа, в конце концов, возымели действие, и в середине мая 1856 года, непосредственно перед съездом демократической партии, Ф. Пирс объявил о готовности принять представителя правительства Риваса — Уокера, что означало факт дипломатического признания. Свое решение президент объяснил "необходимостью признать правительство, существующее де-факто и пользующееся поддержкой народа". Соответствующие инструкции о признании правительства Риваса — Уокера направил в Никарагуа и Мэрси.

События в стране тем временем развивались стремительно. В июне Уокер решительно порвал все отношения с президентом Ривасом, а еще через месяц провел выборы и 12 июля провозгласил себя президентом Никарагуа. Это были странные даже по центральноамериканским меркам того времени выборы, ибо за единственного кандидата — генерала Уильяма Уокера — голосовали исключительно солдаты его армии и колонисты. Никарагуанцы же этой чести были лишены.

Инструкции Мэрси достигли Гранады вскоре после инаугурации Уокера. Уилер поспешил доложить в госдепартамент, что "в соответствии с инструкциями он установил отношения с правительством Уокера и готов также подписать с ним договор о дружбе, торговле и навигации".

Казалось, дипломатическая фортуна благоволила и Уокеру. Однако, опираясь на английскую помощь, его противники предприняли контрмеры. Представитель Уокера священник А. Вихиль подвергся обструкции со стороны всех латиноамериканских дипломатов и пробыл в Вашингтоне лишь около месяца, а его преемнику, А. Оуксмиту, было отказано в аудиенции у президента США. Президент Коста-Рики Х.Р. Мора направил своего представителя Н. Толедо со специальной миссией в столицы Гватемалы, Сальвадора и Гондураса, чтобы выработать общую стратегию борьбы против Уокера. К правительствам этих стран обратился и незадачливый Ривас, сделавшийся его решительным противником.

Ряд дипломатических демаршей предприняла и Франция, снарядившая корабли в залив Фонсека, а британская эскадра вновь появилась вблизи Сан-Хуана-дель-Норте (Грейтаун). Английские моряки не препятствовали решительным действиям агентов Вандербильда против Уокера. Так, по приказу "коммодора" были захвачены четыре парохода, ранее принадлежавшие "Аксессори", которые вскоре были использованы для переброски костариканских солдат на театр военных действий. Английские же корабли фактически блокировали прибывшее в Грейтаун очередное подкрепление для армии Уокера — около 400 человек, а затем вывезли их в Новый Орлеан.

Ощущая постоянную враждебность со стороны английских дипломатов в Никарагуа, Уокер пытался убедить американских политиков в том, что именно он находится на переднем крае борьбы с английской экспансией. В письме одному из лидеров аннексионистского течения в конгрессе, сенатору С. Дугласу, Уокер указал на многочисленные случаи ущемления американских интересов в Центральной Америке и призвал "наказать Британию за политику прошлую и нынешнюю", а в госдепартамент направил пакет документов о "происках англичан лично против меня и против народа Соединенных Штатов".

Отметим, что в начале эпопеи Уокера в Никарагуа Форин оффис отнесся к нему довольно снисходительно, усмотрев в "сероглазом посланце предопределенной судьбы" лишь заурядного пирата и авантюриста. Положение изменилось после провозглашения Уокера президентом Никарагуа. Его фамилия все чаще упоминалась в англо-американской дипломатической переписке. Соответственно усиливалось и внимание британской дипломатии к его деятельности.

Разыгрывая антибританскую карту, Уокер вместе с тем попытался заручиться поддержкой некоторых кругов и в самой Англии. Он предпринял довольно неожиданный маневр: направил в Лондон в качестве представителя известного кубинского борца за национальное освобождение Доминго Гойкоуриа. В январе 1856 года Гойкоуриа, которому Уокер обещал оказать помощь в освобождении Кубы от испанцев после окончания кампании в Никарагуа, пошел на подписание договора с ним. "Вы можете убедить британский кабинет, — писал Уокер в инструкциях Гойкоуриа, — что мы не разрабатываем каких-либо планов аннексии, и единственный способ ограничить обширную демократию Севера — это создание мощной и компактной южной федерации, основанной на военных принципах". Таким образом, Уокер пытался сыграть на известной симпатии, которую английское правительство испытывало к политике южных штатов США.

Однако вскоре Гойкоуриа, неудачно выступив в роли посредника, глубоко разочаровался и в мотивах, и в методах политики Уокера и был отозван.

В сентябре 1856 года союзники перешли к решительным боевым действиям против армии Уокера. Серьезную помеху для центральноамериканцев предоставляла эпидемия холеры, внезапно вспыхнувшая в их рядах.

12 октября отряды союзной армии под командованием Хосе Хоакина Моры (брата костариканского президента) атаковали Гранаду и захватили большую часть города. Как писал сам Уокер, они окружили здание американской миссии, обстреляли его и потребовали выдачи Уилера. Однако последний по инициативе Мэрси уже был отозван со своего поста за "недипломатическое поведение" и в марте 1857 года подал в отставку. Тем самым США попытались сохранить свой престиж перед латиноамериканскими странами, а также перед Англией и Францией.

В декабре, после жестокого и ничем не оправданного разрушения Гранады, армия Уокера попыталась пробиться к устью реки Сан-Хуан, где намеревалась воспользоваться своим флотом. Однако весь район был блокирован союзными войсками и английскими кораблями, и после нескольких месяцев ожесточенных стычек Уокеру пришлось отказаться от задуманного. Его армия, превратившаяся к тому времени в горстку измученных и больных людей, 1 мая 1857 года капитулировала, впрочем, на весьма почетных условиях: флибустьер с остатками войска покинул Центральную Америку на корабле, предоставленном по личному указанию президента США Дж. Бьюкенена. Тем самым правительство Соединенных Штатов украло у истинных победителей — центральноамериканцев — плоды их трудной победы.

В англо-американской литературе первая экспедиция Уокера в Никарагуа иногда описывается в подчеркнуто пренебрежительном тоне, как почти забавная история в опереточном духе, а сам Уокер представляется этаким мелким шутом, всерьез вообразившим себя новым Наполеоном. По этому поводу Р. Хьюстон резонно заметил, что вряд ли стоит всерьез именовать “шутом” человека, на совести которого по меньшей мере 12 тысяч погубленных жизней. Действительно, из армии численностью в 2518 человек Уокер только убитыми и умершими от ран потерял более тысячи. Еще 700 человек дезертировали (некоторые осели в Никарагуа), 250 — попали в плен. Потери же центральноамериканцев были в 4—5 раз большими. По некоторым данным, одна лишь холера унесла от 10 до 12 тысяч жизней.

Авантюра Уокера в Никарагуа имела закономерный финал.

По возвращении на родину Уокер вновь был предан суду по обвинению в нарушении закона о нейтралитете. И снова южане развернули мощную пропагандистскую кампанию в его поддержку, которая увенчалась успехом. Уокер был освобожден под залог в 2 тысячи долларов. Почти сразу же он отправился в поездку по стране, всячески рекламируя свои планы в отношении центральноамериканских стран и энергично собирая средства на новую экспедицию.

В ноябре 1857 года администрация Дж. Бьюкенена официально признала новое правительство П. Риваса в Никарагуа. В том же месяце Уокер с 270 своими сторонниками отплыл на шхуне “Фашн” из порта Мобил в направлении Сан-Хуан-день-Норте. На этот раз американский флот был начеку, и капитан 50-пушечного фрегата “Уабош” Х. Полдинг предпринял решительные действия по блокированию флибустьеров в костариканском порту Пунтаренас: он принудил Уокера сдаться, предоставив гарантии безопасного возвращения в США. Возможно, решительность Полдинга объяснялась и тем, что в момент процедуры сдачи флибустьеров неподалеку от американского корабля стал на якорь 90-пушечный крейсер “Брансуик” флота Ее Величества королевы Великобритании.

Появление английского корабля в районе постоянных англо-американских столкновений на атлантическом побережье Никарагуа красноречиво свидетельствовало о продолжении большой дипломатической игры вокруг Уокера. Лорд Напиер, посол Англии в Вашингтоне, в меморандуме от 8 ноября 1858 года информировал госсекретаря США Л. Кэсса о том, что английские военные корабли получили приказ “воспрепятствовать высадке флибустьеров в Никарагуа и Коста-Рике в случае, если правительства этих стран обратятся с подобной просьбой, а также противодействовать их высадке в какой-либо части Москитии или в Грейтауне без ведома местных властей”. Одновременно Англия предложила Франции направить корабли на всякий случай в этот район, о чем не замедлил проинформировать Вашингтон французский посол в США Ф. Сартиже.

В отечественной литературе обычно говорится о трех попытках Уокера захватить Центральную Америку. В действительности их было четыре. В декабре 1858 года шхуна “Сюзен”, на которой неугомонный Уокер с очередной группой экспедиционеров направился из Мобила в Омоа (Гондурас), потерпела крушение на рифах в 60 милях от побережья Белиза. Три дня Уокер и его люди провели на безлюдном островке, пока весьма кстати и далеко не случайно оказавшийся поблизости английский корабль “Василиск” не подобрал их и не доставил в США.

Следующий, и последний удар, оказавшийся для Уокера роковым, он решил нанести опять же в точке острой англо-американской конфронтации —

на островах Баия. В ноябре 1859 года специальный представитель Великобритании в Центральной Америке, умный и энергичный дипломат Чарльз Уайк подписал с гондурасским правительством договор о передаче под его юрисдикцию островов, столь долго бывших яблоком раздора. В ответ правительство Гондураса соглашалось признать британские права в Белизе. Соглашение подлежало ратификации в мае 1860 года.

Однако часть жителей крупнейшего из островов — Роатана, в основном американцев, не желая присоединения к Гондурасу, обратилась за помощью к Уокеру.

Уокер принял решение превратить Роатан в опорную базу для будущей экспедиции в Гондурас, где он надеялся заручиться поддержкой бывшего президента Т. Кабаньяса. Весной на Роатане появились новые группы американских колонистов. В ответ британское правительство немедленно договорилось с правительством Гондураса об отсрочке передачи островов до тех пор, пока там находятся флибустьеры.

В июне 1860 года две шхуны — "Клифтон" и "Джон Тэйлор" — доставили Уокера и его отряд, а также оружие на остров Косумель, в 300 милях к северу от Роатана. Там Уокер надеялся дождаться ухода англичан и передачи Роатана Гондурасу. Однако английские корабли не спешили покидать злополучный остров, и Уокер решил действовать, всецело положившись на удачу. В ночь на 6 августа 97 флибустьеров внезапно атаковали гарнизон гондурасского порта Трухильо. После короткого боя, почти без потерь, старый форт, закрывавший доступ в гавань, был взят. Интересно, что над фортом Уокер приказал поднять знамя бывшей Центральноамериканской федерации — флаг Ф. Морасана, желая тем самым подчеркнуть преемственность борьбы выдающегося исторического деятеля.

Захватив здание гондурасской таможни, флибустьеры объявили порт Трухильо свободным для мореплавания и торговли. Как показали дальнейшие события, эти действия были серьезными тактическими ошибками Уокера.

Уже через две недели в порту Трухильо бросил якорь английский бриг "Икарус", капитан которого, Н. Салмон, не имел определенных инструкций и действовал на свой страх и риск. Он направил Уокеру записку, в которой указал на незаконный характер захвата таможни, поскольку все таможенные сборы здесь осуществлялись британским правительством в счет уплаты старого государственного долга, и, следовательно, действия Уокера носили враждебный по отношению к Англии характер. Салмон потребовал немедленного разоружения флибустьеров.

В ответном послании Уокер оправдывал свое присутствие в Гонударсе ссылками на просьбы о помощи со стороны самих центральноамериканцев. В свою очередь, Салмон резонно указал Уокеру на нарушение им норм международного права и в ответ на ссылки своего адресата на кодекс международного права, составленный Альбертом Великим, посоветовал перелистать сборник международных законов под редакцией Уитона. Довольно забавно представить себе вожака флибустьеров, сидящего в полуразрушенном форту под дулами английских пушек и окруженного сборниками законов по международному праву.

Пока шла эта переписка, Уокер лихорадочно искал выход из положения. 21 августа, оставив раненых и тяжелое вооружение, он с отрядом внезапно покинул Трухильо и направился в глубь гондурасской территории, надеясь воссоединиться с войсками Кабаньяса. По его следам шли 200 гондурасских солдат под командованием генерала Альвареса, получившего от президента страны Гуардиолы приказ разоружить Уокера.

"Икарус" тем временем вошел в устье Рио-Тинто, где Салмон надеялся перехватить Уокера. Он не ошибся. 3 сентября лагерь Уокера был окружен. Понимая безвыходность положения, он согласился капитулировать, но только перед английским капитаном и при условии, что ему и его людям будет гарантирована защита английского флага и безопасное возвращение на родину. Салмон обещал учесть просьбу Уокера, и тот сдал оружие, приказав своим подручным последовать его примеру.

Тут же состоялось совещание, в котором кроме Салмона и гондурасских офицеров принял участие и срочно прибывший британский суперинтендант Белиза Прайс. Уокер, его заместитель полковник Радлер и 70 флибустьеров были переданы гондурасским властям. Уокер и Радлер были тут же осуждены военно-полевым судом. Первый был приговорен к смертной казни, а второй — к длительному тюремному заключению.

12 сентября 1860 года ранним утром, в присутствии многолюдной толпы зевак, Уокер предстал перед взводом гондурасских солдат, около разрушенной стены того самого форта в Трухильо, который он захватил чуть больше месяца назад. Оглашение приговора он встретил хладнокровно. Последние слова он произнес на испанском языке: "Президент Никарагуа, никарагуанец..." После того как прозвучали залпы, один из офицеров выстрелил уже мертвому Уокеру в лицо. Единственной ценной вещью, обнаруженной у предводителя флибустьеров, был медальон, подаренный ему Элен Мартин. Человек, мечтавший стать властелином Центральном Америки, был похоронен в простом гробу стоимостью 10 песо, купленном местным священником (Уокер в 1859 году принял католичество).

В Англии известие о смерти Уокера вызвало вздох облегчения, хотя кое-кто не преминул упрекнуть капитана Салмона в "неджентльменском поведении", имея в виду нарушение слова, данного Уокеру. Отвечая на упреки, Салмон сослался на "отсутствие четких приказов" и на стремление оградить интересы Британии и других стран от посягательств со стороны пиратов.

Командующий британским флотом в Северной Америке и Вест-Индии адмирал А. Милн в донесении первому лорду Адмиралтейства сообщил о казни Уокера и оценил действия Салмона как "энергичные и решительные". В Адмиралтействе действия Салмона были единодушно одобрены, а британский министр иностранных дел лорд Рассел отметил, что Салмон проявил "разумную осмотрительность".

Авантюра Уокера не только осложнила англо-американские отношения, но и нанесла существенный удар по интересам северо-восточной и северо-западной промышленных группировок США. Так, фактически была свернута деятельность компании Вандербильда по строительству межокеанского канала в Никарагуа, и решение проблемы было отложено на неопределенный срок, что объективно отвечало интересам как традиционного соперника США в центральноамериканском регионе — Великобритании, так и новых претендентов на раздел сфер влияния — Франции и Германии.

Лола Монтес, графиня фон Ландсфельд

(1823—1861)

По национальности ирландка. Авантюристка, танцовщица, фаворитка баварского короля Людвига I. В исторической литературе утвердилось мнение, что именно она, Лола Монтес, стала причиной событий, вызвавших революцию 1848 года, за которой последовало отречение Людвига I от престола, крушение Дома Виттельсбахов...

“После долгого размышления о своей дальнейшей судьбе я пришла к выводу, что мне надо “подцепить” хотя бы принца”, — так весной 1846 года писала испанская танцовщица Лола Монтес.

...8 октября 1846 года по мраморной лестнице в зал аудиенций королевской резиденции поднималась черноволосая красавица. Она представилась испанской танцовщицей Марией-Долорес-Порис-и-Монтес, или более коротко Лолой Монтес. До своего появления в Мюнхене она вела беспокойную и авантюрную жизнь.

Конечно же, ирландка Лола Монтес (урожденная Джильберт) не принадлежала к испанскому аристократическому роду. К тому времени за ее плечами остались годы, проведенные в далекой экзотической Индии, в Калькутте, в викторианском Лондоне, в Берлине, Варшаве, в провинциальном Бонне и в сверкающем Париже. Это была жизнь, которую даже такой художественно одаренный, обладавший незаурядной фантазией человек, как король Людвиг I, не мог себе и представить. Это был совершенно новый тип женщины, рожденный романтической эпохой, — пленительная авантюристка, мечтавшая о некой “идеальной” страсти, которая способна разрушить все возможные преграды и, если потребуется, изменить мир.

Редкая красота Лолы, казалось, предвещала ей необыкновенное будущее на Востоке, где она вполне могла пленить любого местного властелина. Ведь, по словам культуролога Александра Салтыкова, автора эссе о Лоле Монтес, она обладала всеми двадцатью четырьмя совершенствами, которыми на востоке характеризовалась “абсолютная” красота: “Три из них белы: кожа, зубы и руки. Три — алы: губы, щеки и ногти. Три длинны: тело, волосы и руки. Три — коротки: уши, зубы и подбородок. Три — широки: грудь, лоб и расстояние между глазами. Три стройны: талия, руки и ноги. Три — тонки: пальцы, талия и отверстия носа. И, наконец, три — округлы: губы, руки и бедра".

После неудачного брака с бедным английским офицером Томасом Джеймсом Лола покинула Индию и возвратилась в Европу, где решила сделать карьеру танцовщицы.

Она воспользовалась одним из своих имен — Долорес и выдала себя за испанку.

Вечером 8 июня 1843 года в Лондоне зрители "Севильского цирюльника" в антракте наслаждались искусством Лолы Монтес, танцовщицы королевского театра Севильи. И вдруг из зала раздался крик: "Да это ведь Бетти Джеймс! Я ее прекрасно знаю!"

Поднялся шум. Администратор вынужден был опустить занавес. На следующий день газета "Иллюстрированные лондонские новости" писала: "Ее талия грациозна, каждое движение продиктовано прирожденным чувством ритма. Ее темные глаза светятся, вызывая восторг зрителей".

Потом Монтес танцевала в Берлине и в Варшаве. И везде ее имя было связано со скандалами, которые имели даже некоторую политическую окраску. Так, в Берлине во время торжественного парада, устроенного в честь Николая I, Лола ударила плетью одного из прусских жандармов, за что была выдворена из страны.

29 февраля 1844 в Дрездене Лола познакомилась с Рихардом Вагнером, устроившим в честь Ференца Листа представление своей оперы "Риенци". Лист, путешествовавший в то время по Европе, переживал апогей своей славы; в Дрездене он сблизился с Лолой, — ее мечта о романтической любви, казалось, осуществилась. Она и Лист были, вероятно, красивейшей в Европе парой. Весной они поехали в Париж и вскоре расстались навсегда. Ни он, ни она никогда впоследствии никому не говорили об этой любви.

В Париже "испанская танцовщица" выступала (вероятно, по протекции Листа) на всемирно известной сцене Гранд-опера, пытаясь завоевать столицу мира не столько танцевальным искусством, сколько своей эротической привлекательностью. Здесь она познакомилась с Бальзаком, Дюма, Теофилем Готье. Гюстав Клодин вспоминал: "Лола была настоящей соблазнительницей. В ее облике было что-то притягивающее и чувственное. Ее кожа необыкновенно бела, волнистые волосы, глаза дикие, дышащие необузданной страстью, ее рот напоминает плод зрелого граната".

Однажды, чтобы насолить своему любовнику, журналисту Дюжарье, Лола танцевала почти голой. Комиссар полиции составил рапорт об этом, и выступать в Париже ей запретили.

В памяти современников сохранились экстравагантные выходки Монтес: в августе 1845 года в Бонне на фестивале, посвященном Бетховену, во время разгоревшегося спора она прыгнула на стол. В Баден-Бадене в игорном зале Лола подняла перед сидевшим рядом с ней господином платье до подвязок.

В сентябре 1846 года Лола Монтес отправилась из Штутгарта в Мюнхен. Там она получила аудиенцию у баварского короля и предложила представить испанские танцы мюнхенской публике. Об этой аудиенции до нас дошли только слухи и среди них история о том, как Лола острием ножа, предназначенного для вскрытия писем, разрезала свой лиф, чтобы король смог убедиться в совершенстве скрытого под корсажем тела. Она обнажила голую "правду", в которой король, вероятно, сомневался. Обычно чрезвычайно бережливый Людвиг сразу назначил Лоле более высокий гонорар, чем тот, который она получала ранее. Через несколько дней по указанию короля придворный художник Иозеф Штилер начинал писать портрет Лолы Монтес для галереи прекрасных дам.

Сохранилось письмо Людвига близкому другу: "Я могу сравнить себя с Везувием, который считался уже потухшим и который вдруг начал свое извержение. Я думал, что уже никогда не смогу испытать страсть и любовь, мне казалось, что сердце мое истлело. Но сейчас я охвачен чувством любви не как мужчина в 40 лет, а как двадцатилетний юноша. Я почти потерял аппетит и сон, кровь лихорадочно бурлит во мне. Любовь вознесла меня на небеса, мои мысли стали чище, я стал лучше".

Уже через несколько недель Людвиг начал строить для прекрасной Лолиты (так он стал теперь ее называть) роскошный дворец на Барер-штрассе, 7, ставший одним из красивейших зданий Мюнхена. По словам самой Лолы, в ее доме на приемах встречались люди из многих стран и сословий, а король Людвиг I посещал ее ежедневно после обеда и вечером. Между тем в разных слоях мюнхенского общества нарастало недовольство вызывающим поведением Лолы Монтес, ее называли "дамой с кнутом", королевской содержанкой, а в газетах по всей Германии постоянно появлялись пасквили и карикатуры, оскорблявшие достоинство короля Баварии. Чашу терпения мюнхенцев переполнило решение короля возвести Лолу Монтес в графское достоинство — отныне она стала именоваться графиней Ландсфельд.

Впрочем, Монтес действительно вела себя вызывающе. Она появлялась на улице с кнутом в руках и сигарой во рту. Но, кроме того, у нее была очень тяжелая рука. Лола вступала в драку по любому пустяку. Однажды она сцепилась с почтовым служащим, недостаточно быстро уступившим ей дорогу. Монтес была задержана полицией, а когда был составлен протокол, она разорвала его в клочья. Часто только личное вмешательство короля спасало ее от заключения в тюрьме.

Кабинет министров направил Людвигу I меморандум: "Сир, бывают ситуации, когда люди, облеченные государственным доверием монарха вести государственные дела, оказываются перед жестоким выбором: отречься от своего священного долга перед страной или навлечь на себя гнев повелителя. Перед такой суровой альтернативой оказались сегодня наши министры из-за решения, принятого Вашим Величеством, — даровать сеньоре Лоле Монтес дворянство и натурализовать это право. Уважение к трону и власти ослабевает, со всех сторон слышатся насмешки в Ваш адрес. Национальное чувство уязвлено. Иностранные газеты ежедневно пишут о скандальных историях, обрушивая хулы на Ваше имя..."

Кабинет министров предложил королю альтернативу: или Монтес уезжает из Мюнхена, или кабинет министров уходит в отставку.

Людвиг I принял отставку кабинета. Население Мюнхена ополчилось против фаворитки, "посланной дьяволом". Газеты разошлись вовсю: "Безусловно, Монтес иностранный агент", "орудие бесовских сил"...

Профессор Эрнс фон Лазолкс подал в Сенат предложение, чтобы университет, в качестве главного в государстве хранителя духовности, выразил свою признательность бывшему министру Абелю за его постоянные выступления в защиту нравственности и морали. Заявление было поддержано еще тремя профессорами.

Как только король получил это заявление, он уволил всех четверых. Это решение спровоцировало студенческие волнения.

1 марта 1847 года Ассоциация студентов устроила манифестацию перед домом Лолы на Барер-штрассе. Но фаворитка не потеряла хладнокровия. Под-

нятая с постели шумом и криками, Лола вышла на балкон в пеньюаре, с бокалом шампанского в руке и выпила за здоровье тех, кто ее освистывал. Демонстрация была разогнана полицией.

Скандал разгорался. Вскоре университет был закрыт на год. Иностранные студенты должны были уехать из Мюнхена в 24 часа. Это была прелюдия к драме.

11 февраля 1848 года многотысячная толпа осадила дворец на Барер-штрассе, 7, охраняемый полицией по приказу короля. Из толпы летели камни, один из них попал в Лолу, и она закричала: "Если вы хотите лишить меня жизни, возьмите ее". Толпа в ярости пыталась поджечь и разгромить дворец, и только появление короля предотвратило грабеж и разорение. Впоследствии Людвиг вспоминал: "Что сделал я, спасая твою жизнь: рискуя собой, я спас твой дом. Он заперт, но окна разбиты. Камень, брошенный в тебя, ранил мне руку. Как было прекрасно страдать ради тебя".

Но король не мог больше защищать Лолу Монтес от разъяренной толпы, настойчиво требовавшей: "Проститутку вон из Мюнхена". И Лола Монтес, графиня Ландсфельд, навсегда покинула Баварию и уехала в Швейцарию, вскоре и Людвиг I подписал отречение от престола.

Роман короля и прекрасной танцовщицы перешел в новую стадию. Они вели оживленную переписку.

"Я не могу ни спать, ни есть. Если бы ты знал, как ужасно остаться без средств к существованию, если ты мне не пришлешь денег, я или убью себя, или сойду с ума... Люди в городе говорят, что ты должен быть очень жестоким, так как не присылаешь мне денег. Мне необходимо не менее 5000 франков, чтобы привести все дела в порядок. Если у тебя есть сердце, пришли мне денег... Твоя верная Полита".

1 декабря 1848 года.

"Ты должен мне тотчас перевести деньги в Англию. В каком положении я нахожусь? Я все время должна бояться за завтрашний день, я боюсь оказаться нищей. Ни днем, ни ночью меня не оставляет эта страшная мысль...

Мне нравится, что ты думаешь о моем замужестве, но не забудь, что мои лучшие годы прошли... И самое невозможное из всего невозможного, что я, которая была возлюбленной короля, не могу опуститься до человека недостойного."

Лондон, 15 июня 1849 года.

"Я выхожу замуж по необходимости, но я предупредила своего будущего мужа, что люблю только тебя".

Лондон, 1 августа 1849 года.

"Хотя я и замужем, но люблю тебя не меньше. Ты для меня первый во всем мире. Я приеду сразу, если ты мне разрешишь. Именно теперь мне нужны деньги на мебель для дома. Я не испытываю к мужу ничего".

Испания, 31 декабря 1849 года.

"Меня оставил муж. Он ушел утром и не вернулся. Он теперь в Лондоне. Я не могу выразить, как я несчастна. Он оставил меня без средств к существованию. У меня всего 500 франков.

Я думаю больше о тебе, чем о себе, хотя у меня нет денег для покупки обуви, та, в которой я сейчас хожу, совершенно сносилась..."

Париж, 26 мая 1850 года.

"Прошу, не лишай меня пенсии — это единственное, что мне осталось. Ни одна женщина в мире не страдала больше меня. И все потому, что я была с тобой в Мюнхене. И теперь при всем твоем богатстве ты не хочешь дать мне маленькую пенсию".

Париж, 26 июня 1850 года.

"Мне нужны деньги на этот год... Если ты мне заплатишь определенную сумму за все бумаги и письма от тебя, то мы больше не будем говорить о деньгах. Если ты это сделаешь, то тебе не придется выплачивать мне пенсию. Я буду довольствоваться суммой, назначенной тобой.

Ты видишь, как мне необходимы деньги. Многие издатели здесь и в Лондоне предлагают мне большие суммы за публикацию писем на английском или французском языках.

Некоторые предлагают мне написать мемуары о моей жизни в Мюнхене, это, конечно, принесет мне много средств, другие советуют попросить у тебя деньги за письма и передать тебе все бумаги.... Поверь, ужасно жить в нужде. Человек становится способным на все, если его к этому принуждают. Я не прошу многого за письма. Я полагаюсь на твое великодушие в этом вопросе. Все, что я написала здесь о письмах, это не мое, это советы моих друзей, которые хотят избежать скандала и чтобы ты был доволен.

Лолита".

2 мая 1851 года Лола преподнесла Людвигу I свой последний сюрприз. Во время отдыха, который король проводил на любимой вилле Мальта в Риме, в ворота постучал незнакомец. Это был ирландец Патрик О'Брин, доставивший королю пакет от графини. Лола из лучших побуждений добровольно решила вернуть Людвигу его письма к ней. Графиня Ландсфельд получила за эту последнюю услугу 5000 франков.

Людвиг тщательно хранил 225 своих писем к Монтес вместе с набросками, карточками, а также со 176 письмами самой Лолы в ящичке из вишневого дерева, который вместе с другими подобными ящичками постоянно находился в его архиве. Уезжая, Людвиг прятал письма или, соблюдая осторожность, брал все ящички с собой.

Король жил переживаниями, связанными с отречением от престола, кровавой революцией, утратой возлюбленной. Лола же тем временем, подобно эксцентричной кинозвезде, пыталась сделать карьеру. В ее жизни появился авантюрист Папон, шантажировавший короля и даже издавший краткую биографию Лолы, а затем один из самых богатых людей Англии, семнадцатилетний граф Георг Траффорд Хилд, за которого Монтес вскоре вышла замуж. Брак оказался несчастливым, и Лола отправилась в турне: Булонь, Аррас, Брюссель, Бордо, Лион, Монпелье, Ним, Марсель. Скандальная слава, сопутствовавшая Монтес и в Старом, и в Новом Свете, и даже в далекой Австралии. Наконец она нашла себе пристанище в Соединенных Штатах Америки. На ярмарках, за определенную плату, любители пикантных историй могли расспросить "графиню о ее любовных приключениях... Есть свидетельства, что в конце жизни Лола обратилась к религии и оставила свое состояние одной из христианских организаций. На ее могиле в Нью-Йорке выбита надпись: "Мисс Элиза Джильберт умерла 17 января 1861 года в возрасте 42 лет".

"За долгие годы службы я не встречал более глубокого, более полного и искреннего раскаяния, как у этой бедной женщины", — рассказывал ее проповедник.

Фатальная история любви шестидесятилетнего монарха и окруженной скандальным ореолом двадцатишестилетней красавицы занимала воображение не только современников, но и многих поэтов, писателей, кинематографистов и драматургов.

Образ этой необычной женщины запечатлен в популярной пьесе австрийского драматурга Франца Грильпарцера “Еврейка из Толедо”, в цикле драм Франка Ведекина “Лулу”. Лола Монтес — героиня знаменитого “Голубого ангела” Карла Цукмайера, а в середине нашего столетия она послужила прототипом для набоковской “Лолиты”.

Уильям Генри Хейс

(1829 — 1877)

Американский авантюрист, пират.
Под предлогом выгодного плавания морской капитан уговаривал дельцов снарядить корабль, после чего использовал его в своих целях. В своих аферах проявлял удивительную изобретательность. Занимался работорговлей, был бродячим певцом, владельцем театра на приисках в Новой Зеландии. Несколько раз сидел в тюрьме. Был убит рулевым.

В 1847 году восемнадцатилетний американец Уильям Генри Хейс нанялся матросом на парусник, совершавший рейсы из Нью-Йорка в Сан-Франциско вокруг мыса Горн. Хейс с детства работал на барже отца на озере Эри. К 1849 году, когда в Калифорнии началась золотая лихорадка, Хейс дослужился до боцмана, а вскоре, хотя и не имел диплома, — до третьего помощника капитана. Еще через два года он уже был первым помощником на бриге “Кантон”, который перевозит пассажиров из Америки в Австралию, где тоже началась золотая лихорадка.

“Кантон” привез в Сидней золотоискателей, совершил два или три рейса на Тасманию за деревом, а потом встал на прикол. Груза на обратный путь в Сан-Франциско достать не удалось. Решено было “Кантон” продать, но покупателя не нашлось. Хейс, который являлся не только первым помощником, но и совладельцем брига, предложил уйти из Сиднея с балластом и поискать счастья в других местах. 27 мая 1854 года бриг отплыл на Гуам, но после сорокасемидневного путешествия оказался в Сингапуре. Неизвестно, чем занимался “Кантон” почти два месяца, но именно в эти недели Хейс впервые познакомился с островами, на которых впоследствии развернулась его деятельность.

В Сингапуре "Кантон" все-таки был продан, и Хейс поспешил в Сан-Франциско, чтобы осуществить свою мечту — купить судно. Он отыскал старый барк "Оранто". Барк нуждался в ремонте, поэтому Хейс, все деньги которого ушли на покупку, вступил в пай с удачливым золотоискателем Джеем Коллинзом.

Хейсу, по прозвищу Буйвол, было двадцать шесть лет. Он был высок, красив, отрастил небольшую рыжую бородку, походил на золотоискателей из рассказов Джека Лондона — сила, уверенность в себе, благородные поступки и широкие жесты сочетались в нем с грубостью, жаждой наживы и беззастенчивостью в выборе средств.

После ремонта барк с американскими товарами на борту отправился в Китай. Хейс, продав товары, должен был вернуться в Сан-Франциско, чтобы разделить прибыль с совладельцем судна.

В Сватоу на борт поднялся толстый китаец с длинной черной косой. Китайца сопровождали телохранители. После долгого вежливого разговора господин Тонг предложил отвезти в Сингапур партию китайских кули. Рейс обещал быть коротким и прибыльным, и Хейс раздумывал недолго. Через три дня "Оранто" отплыл в Сингапур. Трюмы и твиндек были набиты живым товаром.

В следующем году Хейс объявился в Австралии. Там он занимался сомнительными сделками, а по его пятам следовали возмущенные кредиторы. В конце концов его корабль арестовали и продали с торгов, но Хейс не унывал. Он удачно женился и устраивал шикарные приемы. А когда, после долгих отсрочек, суд все-таки постановил принять решительные меры против объявившего себя банкротом капитана, он тайком купил билеты для себя и молодой жены на отплывавший в Америку пароход "Адмелла", причем попросил одного из своих друзей распустить слух, что плывет на другом корабле. И пока кредиторы догоняли тот корабль и обыскивали его, пароход, на борту которого находились Хейсы, прошел совсем рядом. Наблюдая за происходящим, Хейс снисходительно объяснял попутчикам, что перед их взором разворачивается редкое зрелище — захват пиратского корабля.

В Сан-Франциско Хейс нашел судовладельца, который, не зная о его сомнительной репутации, поручил ему свой корабль. Но через несколько дней после отплытия знакомые сообщили судовладельцу о дурной славе капитана, и перепуганный хозяин, несмотря на то, что на борту находился его агент, разослал в газеты письмо с просьбой арестовать Хейса. Все газеты от Рангуна до Гонолулу опубликовали письмо. По прибытии в Гонолулу Хейс был с позором изгнан с корабля, и молодоженам пришлось провести некоторое время на Гавайях, прежде чем какой-то миссионер одолжил им денег на проезд до Сан-Франциско.

В начале 1859 года Хейс вновь появился в Сан-Франциско. Неизвестно, на какие средства он там жил, но полгода о нем ничего не было слышно. Всю весну и лето Хейс подолгу пропадал в порту. Он встречал китобоев, пил с рыбаками, заводил знакомства с барменами. Для новых друзей Буйвол был богатым золотоискателем, который искал подходящую посудину, чтобы заняться делом.

...Затянувшееся пребывание в большом городе, нужда в деньгах, тоска по просторам Южных морей — все это заставило Хейса купить по бросовой цене — восемьсот долларов — бриг "Элленита", который пора была списывать на слом. Хозяин согласился получить наличными пятьсот, а на остальные взял расписку. Пятьсот долларов — это все, что было у Хейса. Но он соорудил на бриге каюты для пассажиров, раздобыл новый такелаж, запасся продовольствием, нанял команду — и все в кредит. Разумеется, никаких возможностей расплатиться с долгами у него не было, но его это не очень беспокоило.

Узнав, что день отплытия назначен и пассажиры большей частью золотоискатели, собираются на борт, кредиторы попытались наложить арест на судно. Хейс нанял адвоката и пообещал ему значительный гонорар, если он сможет хотя бы на сутки успокоить кредиторов. Когда на следующий день, часов в девять утра, кредиторы сбежались в порт, "Элленита" уже миновала Золотые Ворота. На совещании кредиторов было решено нанять и пустить вдогонку портовый буксир. Но дул свежий бриз, и буксир возвратился к вечеру, так и не настигнув "Эллениты".

Жалобу в суд, опубликованную в газетах Сан-Франциско, сочинил адвокат Хейса, который не только не получил гонорара, но и остался в дураках, защищая авантюриста. Кредиторы предъявили Хейсу иск на четыре тысячи долларов, и в тот же день иск был направлен в Австралию с таким расчетом, чтобы судебный исполнитель встретил Хейса в гавани Сиднея. Однако судебный исполнитель так и не дождался "Эллениты".

Удрав из Сан-Франциско, "Элленита" вскоре встретилась с неблагоприятным ветром и лишь 15 сентября после семнадцатидневного плавания бросила якорь у острова Маун на Гавайях. Хейс продал взятые в Сан-Франциско бобы, картофель и лук и закупил сахар и кокосовое масло. Затем бриг пошел на юг, к берегам Зеленого материка.

Возможно, "Элленита" и добралась бы до Австралии, если бы не попала в шторм. К тому времени, когда "Элленита" пересекла экватор, вода поступала так быстро, что уже не только команда, но и все пассажиры, сменяя друг друга, непрерывно вычерпывали ведрами воду.

Ближайшей землей был архипелаг Самоа, куда Хейс и взял курс. 16 октября стало ясно, что и до Самоа "Элленитe" не дойти. Капитан приказал сделать плот, так как в единственной шлюпке все уместиться не могли.

Шлюпка, в которой кроме женщин должны были находиться капитан, помощник и еще несколько пассажиров, взяла плот на буксир. Хейс сошел с "Эллениты" последним.

Ночью налетел шквал и порвал трос, соединявший шлюпку с плотом. С рассветом плот обнаружить не удалось, и Хейс поспешил в Самоа, куда прибыл через четыре дня. В то время на эти острова, формально независимые, претендовали несколько европейских держав. Борьба закончилась победой Германии, превратившей архипелаг в колонию и потерявшей его после первой мировой войны.

Потерпевшие кораблекрушение прибыли в Апию, главный город на Самоа, 16 ноября 1859 года. Там в американском консульстве Хейс под присягой дал показания о причинах и обстоятельствах гибели "Эллениты", а также сообщил, что жители деревни, куда по пути пристала шлюпка, украли у него мешок с деньгами. Неизвестно, насколько эти показания были правдивы, но, несмотря на судебный процесс, ни с кем Хейс так и не расплатился, в том числе и с теми из пассажиров и членов команды, кто дал ему деньги на сохранение.

В Сиднее, куда Хейс прибыл с Самоа, его ждал судебный исполнитель с ордером на конфискацию "Эллениты". В последующие недели Хейс был занят. Его привлекли к суду по нескольким обвинениям, в том числе за попытку соблазнить во время путешествия пятнадцатилетнюю пассажирку, за отказ вернуть деньги пассажирам и так далее. Одновременно Хейс вел дискуссию в газетах, стараясь ответить на каждую статью, порочащую его имя.

От уголовных обвинений за отсутствием прямых доказательств Хейсу удалось избавиться, но пришлось сесть в долговую тюрьму в связи с иском кредиторов. В тюрьме, однако, он провел всего два дня. Он подал заявление о банкротстве, и, так как некому было поручиться за него и некому оплатить его долги, австралийские власти решили отпустить его на все четыре стороны.

19 января 1860 года Хейс вышел из тюрьмы. Имущество его состояло из секстанта, оцененного в тридцать шиллингов и не подлежавшего конфискации как орудие труда. С планами разбогатеть на море пришлось временно расстаться, и Хейс стал... певцом. Присоединившись к бродячей труппе "Негры-менестрели", он больше года разъезжал по австралийским городкам. В начале 1861 года Хейс встретил старых друзей и рассказал им, что мечтает вернуться в море и уже придумал, как это сделать.

...Неподалеку от Сиднея жил на своем ранчо некий Сэм Клифт, попавший в Австралию в 1818 году в качестве каторжника. С тех пор Клифт остепенился, стал одним из самых богатых овцеводов в округе и столпом местного общества. Вот с этим-то Клифтом Хейс и подружился. В авантюриста влюбилась дочь овцевода, и бывший капитан не стал утруждать ее рассказами о своей жене и детях, оставшихся в Сан-Франциско. Хейс обручился с мисс Клифт и в качестве подарка к предстоящей свадьбе получил барк "Лонцестон".

Вскоре Хейс, погрузив в Ньюкасле уголь, ушел в Бомбей. Но до Бомбея он не добрался. Через три месяца в газетах различных портов появилось письмо, подписанное дельцами Батавии. В нем говорилось, что некоторое время назад в Батавию прибыло из Австралии судно "Лонцестон". Оно выгрузило там уголь и подрядилось отвезти в Сингапур груз на общую сумму сто тысяч долларов. Как только "Лонцестон" вышел из порта, купцы, доверившие капитану груз, спохватились: а не тот ли это Хейс, о котором столько говорили год назад? Авантюриста принялись разыскивать, чтобы получить груз обратно. Но тут следы потерялись. И никто не знал, что он делал в течение следующего года. Ясно только, что он не вернулся в Сидней, не женился на мисс Клифт, не вернул батавским купцам сто тысяч долларов. В это время Хейс, вероятно, курсировал в Южно-Китайском море вдали от бдительного ока судебных исполнителей.

Хейс зашел в Китай, где взял на борт несколько сот кули для плантаций в Северной Австралии. Помимо платы за провоз кули он получил еще по десять долларов с головы для того, чтобы уплатить таможенникам иммиграционный сбор. Платить Хейс не хотел и потому придумал следующее.

Когда "Лонцестон" приблизился к порту назначения, Хейс велел притопить трюмы. Перепуганные кули высыпали на палубу и сбились там. Трюк был совершен в тот момент, когда на горизонте показался торговый корабль (по другой версии, портовый буксир). Хейс подал сигнал бедствия и, когда судно подошло ближе, сообщил, что скоро пойдет ко дну, и, беспокоясь за судьбу пассажиров, попросил принять их на борт, за что заплатил по три доллара с головы спасенных. Как только корабль с китайцами на борту скрылся из глаз, заработали помпы, были подняты паруса и "Лонцестон" взял курс в открытое море. Так Хейс избежал нежелательной встречи с портовыми властями, выполнил обязательство доставить кули до места назначения и прикарманил несколько тысяч долларов портовых сборов.

Неизвестно, где и как Хейс расстался с "Лонцестоном" и почему он через год вновь оказался на берегу в роли бродячего певца. Потом были новые корабли, катастрофы, еще одна женитьба, крушение корабля, во время которого погибли его жена и ребенок; некоторое время Хейс был владельцем театра на приисках в Новой Зеландии и, наконец, стал работорговцем, для чего купил бриг "Рона".

Свой первый вербовочный рейс Хейс совершил на остров Ниуэ. Сюда Хейс заходил и раньше и даже оставил на берегу своего агента. Народ здесь жил мирный, и озлобление против работорговцев, распространившееся вскоре на всех "белых", еще не овладело островитянами. На этом и строилась тактика Хейса.

Корабль бросил якорь, и через некоторое время островитяне окружили его. Никто не мешал им взбираться на палубу. Когда на борту набралось шестьдесят человек, Хейс приказал поднять якорь и направился в открытое море.

Через неделю по острову распространился удивительный слух: коварный капитан возвращается. Все население острова собралось на берегу. С "Роны" спустили шлюпку, и капитан Хейс один, без охраны, направился к берегу. Среди островитян стоял и мистер Хэд, агент Хейса, которому отъезд капитана причинил много неприятностей. На вопрос Хэда, что же произошло, Хейс ответил: "Я их предупредил, что мне пора отплывать. А они не пожелали оставить корабль. Не мог же я оставаться здесь целый месяц! Пришлось отплыть всем вместе". Хейс был совершенно серьезен. Затем он обратился к островитянам: "Ваши собратья живы и здоровы. Я их высадил на одном хорошем острове, потому что мы, катаясь по морю, отплыли так далеко, что у нас кончилась пища. Я вернулся за пищей, а ваши родственники ждут моего возвращения". Последним, самым решительным аргументом были слова: "Если бы я был в чем-нибудь виноват, неужели я решился бы один, без охраны, вернуться к вам и разговаривать с вами?"

Хейс умел убеждать. В деревне поднялась суматоха — на корабль понесли кокосовые орехи, мясо и другие продукты. Затем начался общий пир. А когда гости покинули деревню, в хижину к вождю вбежал один из воинов: "Бородатый капитан увез наших девушек!"

Оказывается, во время пира матросы Хейса так расхваливали прелести дальних стран, что несколько девушек решили убежать с ними. Кроме того, потихоньку собрались и ушли на корабль жены и невесты украденных ранее островитян. Когда оставшиеся в деревне жители добежали до берега, они увидели в отдалении огни уходящей "Роны". Корабль увез тридцать девушек и женщин. С тех пор Хейс никогда не высаживался на острове Ниуэ.

На пути к Таити Хейс подобрал с необитаемого, безводного атолла остальных пленников и загнал всех в трюмы. Впоследствии он продал их с аукциона.

Доктор Ламберт писал: "Хейс очищал от людей целые острова и увозил их обитателей на верную смерть на полях и в шахтах Австралии, Фиджи и Южной Америки. Побочным его занятием были набеги на жемчужные плантации с конфискацией жемчуга и ныряльщиц. В открытом море он перекрашивал свой корабль для того, чтобы избавиться от возможного опознания патрульным судном. Он часто в качестве наживки использовал хорошеньких девушек. Особенно соблазнительными были красавицы с Аитутаки. Он набирал несколько девушек и рассаживал их на палубе при подходе к отдаленному острову. Девушки завлекали молодежь, и наивные островитяне подплывали к борту, где их хватали и обращали в неволю".

Помимо "Роны" у Хейса в то время был и другой корабль — бригантина "Самоа", которая объезжала торговые станции Хейса на островах, собирая копру и перламутр. В середине мая 1869 года прогнившую "Рону" пришлось оставить в море, и команда на двух шлюпках в течение двенадцати дней добиралась до ближайшего острова. Хейс, хотя и был огорчен потерей очередного корабля с грузом, рассчитывал, что быстро наверстает упущенное, как только встретится с "Самоа". Ирония судьбы: "Самоа" налетела на риф у того же острова Манихики, к которому пристали шлюпки с Хейсом и командой "Роны". Таким образом, на островке собрались команды обоих судов Хейса, и им пришлось сооружать из обломков "Самоа" лодку, в которую погрузились все сорок моряков, и с невероятными лишениями полтора месяца плыть до Апии.

Там Хейс зафрахтовал шхуну "Атлантик", взял часть своей проверенной в рискованных авантюрах команды и предложил желающим свои услуги. Желающий нашелся — плантатор с Фиджи Сиверайт. Хейс, сопровождаемый плантатором, тут же взял курс на Манихики, где его хорошо знали и миссионер, и островитяне, помогавшие ему строить лодку.

Островитяне обрадовались, увидев Хейса — по-прежнему веселого и добродушного. Они мечтали отправиться в гости к соседям на островок Ракаханга и приготовили для этой поездки много кокосовых орехов, шляп, циновок и других подарков. "Вы были добры ко мне, — заявил он вождю, — и я отплачу вам тем же. Я предлагаю даже отправиться всей деревней, не оставляя никого на острове. Будет, конечно, тесновато, но ведь до Ракаханги доберемся за день".

Все складывалось удачно для Хейса, однако на радостях он выпил лишнего, начал буйствовать, обесчестил десятилетнюю девочку и в бессознательном состоянии был доставлен на борт командой, которая сочла за лучшее убраться из деревни. Наутро Хейс одумался, вернулся в деревню с подарками и извинениями, но островитяне уже не доверяли ему и, хотя не отказывались от поездки на его корабле, женщин и детей решили оставить дома.

Они погрузили на борт "Атлантика" двадцать тысяч кокосовых орехов — почти весь урожай, множество циновок и, поддавшись все-таки на уговоры Хейса, согласились даже захватить с собой нескольких женщин и детей.

Плантатор Сиверайт был настолько потрясен простотой и остроумием операции, проведенной Хейсом, что упросил капитана набрать по пути еще два-три десятка рабов. Хейс отправился к островам Пуканука (или Опасным островам), открытым в 1765 году капитаном Байроном — дедом великого поэта.

Здесь Хейс изобрел новый способ вербовки. Он обратился к местному миссионеру и с его помощью уговорил вождя отправиться с двадцатью мужчинами на остров неподалеку. Неизвестно, попался ли миссионер на удочку или был участником заговора, но еще двадцать рабов оказались на борту.

По дороге к Фиджи пришлось сделать остановку на острове Паго-Паго, чтобы набрать воды. Пленников под охраной отпускали партиями на берег, чтобы они могли вымыться, и одному из них, старику Моэте, удалось скрыться и добраться до вождя островка. Когда тот узнал, сколько полинезийцев захвачено Хейсом, он немедленно побежал к миссионеру. Тот, услыхав, что вождь намерен напасть на корабль и силой освободить островитян, стал его отговаривать и обещал сам все узнать. Миссионер был в сложном положении. Если он даст Хейсу уйти безнаказанно, то пропадут все результаты его трудов по обращению островитян в христианство. Кто поверит после этого, что он не сообщник работорговцев? Но идти против самого капитана Хейса...

Тут зашел на огонек плантатор Сиверайт, пребывавший в отличном расположении духа, так как выгодный рейс подходил к концу. И когда миссионер спросил его, не похищены ли "туземцы" обманом со своего острова, плантатор не счел нужным скрывать правду.

Так Хейс попал в плен. Его поместили в доме миссионера и послали гонца к английскому консулу на остров Тутуила с просьбой забрать пленника. Хейса арестовали и отправили в Апию. Дело уже получило огласку, и даже в английском парламенте раздавались речи о том, что действия пиратов наносят непоправимый ущерб интересам Британской империи.

В Апии, куда прибыл арестованный Хейс, не было тюрьмы для европейцев, и, что с ним делать дальше, было неясно. Правда, существовал уже официальный доклад консула Тутуилы о том, что семеро из захваченных рабов умерли от жестокого обращения, а остальные находятся в плохом состоянии. Замолчать этот доклад, заверенный миссионером, было нельзя. Значит, следовало отправить Хейса в Сидней, где его ждало обвинение еще в нескольких преступлениях. И, конечно, Хейс не был заинтересован в том, чтобы возвращаться в Австралию.

Так шли недели. Чтобы оправдаться в случае будущих упреков, консул отправил командиру английского патрульного судна письмо с просьбой заглянуть в Апию и забрать арестованного. Хейс жил в собственном доме со своей третьей (или четвертой) женой, ходил в гости к соседям, принимал у себя консула и был принят у него. Правда, возможное появление английского военного судна беспокоило Хейса, и он принял меры, разослав по соседним островам с верными людьми письма. Ответ на них не заставил себя ждать.

"В Понапе после пира в честь окончания удачного похода за головами, — писала одна австралийская газета, — пират Пиз узнал, что его друг пират Хейс попал в тюрьму в Апии. Подняв на мачте американский флаг, Пиз ворвался в гавань Апии. Он бросился к тюрьме, сопровождаемый своими головорезами, перебил охрану и освободил Хейса".

На самом деле все происходило несколько иначе.

Пиз вошел в гавань и встал на якорь. Конечно, и речи быть не могло о штурме тюрьмы, хотя бы потому, что ее не существовало. Хейс просто явился к консулу и попросил у него официального разрешения отправиться на корабль своего старого друга, чтобы наладить хронометр. Консул немедленно согласился. Хейс на глазах всей Апии попрощался с женой и уехал на шлюпке к Пизу. Через два часа Пиз поднял паруса и взял курс в открытое море.

В последующие несколько месяцев было известно лишь то, что Хейз с Пизом некоторое время кружили в тех местах, совершая мелкие мошенничества. Например, на Ниуэ Пиз подделал документы и получил на триста фунтов стерлингов чужой копры, а на другом острове купил у английского торговца три тысячи клубней ямса и отплыл, не расплатившись. Том Данбабин писал в книге "Работорговцы Южных морей", что вскоре после этого Пиз был арестован за убийство торговца Купера и отдан под суд в Шанхае. Пиз был оправдан, но к тому времени Хейс уже ушел на его корабле. Какой-то купец нанял его для доставки в Гонконг (Сянган) риса. Хейс рис погрузил, а торговца "забыл" на берегу. Затем он продал рис в Гонконге и исчез.

Когда, где и как погиб Пиз, неизвестно, но уже в 1872 году хозяином его брига был Хейс, который переименовал его в "Леонору" (в честь одной из своих дочерей) и даже осмеливался появляться на нем в Апии, правда, только под американским флагом. Американский крейсер задержал "Леонору", и после трех дней расследования в вахтенном журнале крейсера появилась запись: "21 февраля 1872 года. Расследование дела брига "Леонора" завершено. Капитану Хейсу разрешено возобновить свои обязанности в качестве ее капитана и владельца".

Жизнь Хейса протекала бурно. Ему всегда нужны были деньги, и он никогда не задумывался над тем, какими путями они к нему поступают. Он снова разбогател и снова женился, поселил торговых агентов на многих островах, ибо это было выгоднее, чем возить рабов. Но пират не мог одолеть соблазна легкой наживы.

Однажды Хейс взял груз на Гуаме, принадлежавшем тогда испанцам, и, судя по документам, срочно отправился в Апию. Но, как потом выяснилось, он лишь отошел от порта на небольшое расстояние и лег в дрейф. На третий день в сопровождении нескольких матросов он высадился на берег и направился к лесу. Однако дойти до леса Хейс не успел. Два десятка испанских солдат выскочили из укрытия и окружили его. И хотя Хейс клялся, что решил просто размяться на берегу, никто его не стал слушать: у испанцев были свидетели, что Хейс договорился с политическими ссыльными на Гуаме вывезти их с острова за двадцать четыре доллара с человека.

Так Хейс оказался в Маниле, на Филиппинах, в качестве... политического заключенного.

Известный путешественник капитан Слокам, который потом в одиночку за три года обошел земной шар на яхте “Спрей”, был в то время в Маниле. Он встречался с Хейсом раньше и, так как знал, что испанская тюрьма на Филиппинах далеко не рай, решил навестить заключенного и ободрить его. Но путешественник ошибся. Сочувствовать Хейсу не пришлось. Слокам застал пирата на веранде дома начальника тюрьмы, где тот мирно пил кофе и обсуждал с приехавшим к нему в гости епископом Манилы вопросы религиозного свойства. За несколько дней до того Хейс, не потерявший к сорока шести годам предприимчивости и изобретательности, перешел в католичество, что сделало его весьма популярной фигурой в Маниле.

Еще через несколько дней Слокам увидел, как во главе праздничной религиозной процессии по Маниле шагает босиком, неся самую длинную свечу, поседевший и приобретший в тюрьме благородный и несколько изможденный вид пират Хейс. А вскоре испанские власти в Маниле по настоянию епископа и других влиятельных лиц сняли с Хейса все обвинения и даже выдали ему бесплатный билет до Сан-Франциско.

Из Сан-Франциско Хейс вскоре снова вырвался. Ему удалось уговорить какого-то доверчивого дельца дать ему свою яхту “Лотос” для крайне выгодного плавания в Южные моря. По каким-то неизвестным причинам, которые дали историкам основания подозревать Хейса в очередной авантюре, на борту яхты помимо него, помощника Эльсона и матроса-норвежца Питера, была жена владельца яхты, самого же владельца не оказалось.

Путешествие было нелегким. Хейс изводил придирками норвежца, из-за чего у них то и дело вспыхивали ссоры. Кулаки Хейса все еще были крепки, и норвежец выходил из ссор с синяками и ушибами.

В Апии Хейс пустился в объезд своих владений.

31 марта 1877 года яхта приближалась к острову Вознесения. Было десять часов вечера, и стояла абсолютная тьма. Жена хозяина яхты, по-прежнему сопровождавшая Хейса, и помощник капитана были внизу. На палубе оставались лишь Хейс и норвежец. О том, что случилось, рассказала со слов помощника капитана сан-францисская газета “Пост”: “Капитан говорил с рулевым о курсе. Возник спор, и капитан ушел вниз. Когда он поднялся через несколько минут, матрос ударил его по голове бревном. Хейс упал и тут же умер”.

Судьба убийцы неизвестна. И даже неясно, убил ли он Хейса в гневе, доведенный до крайности избиениями и придирками, или причиной была ревность.

После смерти Хейса появилось много рассказов о том, как он умер. Писали, что норвежец убил Хейса десятью выстрелами из револьвера и после каждого Хейс поднимался и не хотел умирать. Говорили, что его сожрали акулы...

Елена Петровна Блаватская

(1831 — 1891)

Писательница и теософ. Путешествовала по Тибету и Индии. По влиянием индийской философии основала в Нью-Йорке Теософическое общество (1875). Автор историко-этнографических очерков "Из пещер и дебрей Индостана" (1883, под псевдонимом Радда-Бай). Автор многочисленных трудов. Прославилась своими "чудесными" способностями и не менее чудесными приключениями.

Елена Блаватская родилась в южнорусском городе Екатеринославле в семье артиллерийского полковника из давно обрусевшей фамилии Ган и писательницы Елены фон Ган, урожденной Фадеевой, издававшей романы под псевдонимом "Зенеида Р-ва" (В. Г. Белинский называл ее "русской Жорж Санд"). Когда матери не стало, девочке было всего одиннадцать лет. Вместе со своей сестрой Верой (впоследствии Желеховская, писательница и биограф Блаватской) она была передана на попечение родственников. Хотя родные и относились к ней хорошо, но внимания ей уделяли мало. О девочке заботилась только няня, неграмотная, суеверная женщина, разбудившая неуемную фантазию и воображение будущей основательницы теософии страшными сказками о колдунах, ведьмах, нечистой силе. Ко всему прочему Лене внушили веру в то, что она, будучи "воскресным дитятком", может видеть духов и общаться с ними.

Девочка росла очень нервная, впечатлительная, часто впадала в истерическое состояние, нередкими были припадки, судороги, корчи. Тетка Елены впоследствии в своих мемуарах вспоминала, что в детстве у Блаватской "бывали галлюцинации, доводившие ее до припадков. Ей казалось, будто за ней повсюду следуют "жуткие, горящие глаза", но никто, кроме нее, их не видел... Порой на нее нападал смех: она объясняла, что смеется над проказами каких-то существ, невидимых чужому глазу". Сестра Вера вспоминала, что в детстве Лена свои фантазии переживала как реальность.

Особая впечатлительность Елены с возрастом прогрессировала. У нее часто случались видения, связанные с трагическими событиями в ее жизни, в жизни близких. В 1877 году, например, узнав о контузии своего двоюродного брата в одном из боев русско-турецкой войны, она в течение длительного времени видела его по ночам: он заходил в ее комнату, весь в крови и бинтах, усаживался на ее постель и беседовал с нею. В 1878 году, весной, она, внезапно испугавшись, упала в глубокий обморок, длившийся несколько дней. Ее уже считали мертвой и собирались хоронить. Однако она внезапно для всех на пятые сутки пришла в себя и встала с постели здоровая и бодрая.

С юных лет Блаватская стеснялась своей нелепой, мужеподобной фигуры, некрасивого лица, глубокого, утробного голоса. Ее биографы вспоминают случай, когда ей было всего 16 лет и она жила у дедушки с бабушкой. Однажды они заявили категоричным тоном, что она обязана поехать с ними на бал. И тогда молоденькая девушка нарочно ошпарила себе ногу кипятком, в результате чего целых полгода потом пролежала в постели, но своего добилась — на бал не поехала.

Невозможность обычного для женщины счастья — любви вылилась у Блаватской в проповедь аскетизма, в осуждение самой любви. Земная любовь заменялась у нее духовными узами с потусторонними существами. В ее "правилах" сохранения духовной чистоты сердца важнейшим условием является требование избегать телесных контактов с лицами противоположного пола. В своей записной книжке она отмечала: "Счастье женщины — в обретении власти над потусторонними силами. Любовь — всего лишь кошмарный сон". Незадолго до смерти Блаватской ее недруги опубликовали в американской газете "Сан" статью, в которой она обвинялась в распутстве в молодые годы и даже в рождении внебрачного сына. Блаватская обратилась в суд, и газета была вынуждена дать опровержение.

Правда, следует заметить, что замужем Елена все-таки побывала. В 16 лет совершенно неожиданно она заявила, что в целях обретения полной независимости выходит замуж за шестидесятилетнего генерала Н.В. Блаватского. Однако сразу же после венчания невеста сбежала от своего мужа, чтобы "у него и в мыслях не было, что она ему жена".

С этого и начались странствия Блаватской. Вплоть до 1873 года она скиталась по странам Азии, Америки, Африки. По ее словам, за эти годы она совершила три кругосветных путешествия, во время которых с ней случались самые невероятные происшествия и приключения. Впрочем, многие поведанные ею истории придуманы, иначе придется допустить, что какие-то таинственные внеземные силы переносили ее из места на место, из страны в страну.

Из своих десятилетних странствий Блаватская вернулась ревностной поклонницей магии и оккультизма, "тайны" которых она познала на Востоке. Помимо знания подобного рода "тайн" она вывезла с Востока и умение чревовещать, выполнять различные фокусы, требующие ловкости рук и сложной иллюзионной техники, простейшие навыки гипнотизера-любителя, а также подробные сценарии церемониалов древних религиозных обрядов — словом, все то, с помощью чего можно было совершать "чудеса".

По словам Блаватской, во время странствий ей довелось пережить незабываемое приключение: путешествуя по Индии, она встретилась в Гималаях со сверхчеловеческими существами — махатмами, у которых и провела целых семь лет (1863—1870). Эти мифические махатмы, о которых и по сей день пишут многие оккультисты и честь открытия которых принадлежит Блаватской, представляют, по словам последней, общество мудрейших из мудрейших людей, проживающих в самых недоступных горных районах и своей жизнью и прилежным изучением тайн Вселенной достигших божественной прозорливости и сверхъестественной мощи. Махатмы обладают способностью читать чужие мысли и внушать свои другим людям, разлагать вещи на составные части и с помощью тайных сил перемещать эти части в любое место, чтобы там снова придать им их первоначальную форму. Махатмы могут приводить материальные тела в движение, не касаясь их, и, напротив, с помощью невидимых сил препятствовать их перемещению в пространстве. Они способны понимать язык животных и растений, перевоплощаться, принимать любую материальную форму, в их власти материализовать свои образы и мысли, перемещаться в пространстве и во времени, отделять на некоторое время душу от тела, посылая ее в любую точку времени и пространства, в том числе в самые отдаленные точки Вселенной. Это мифическое братство сверхлюдей существует много тысяч лет и в течение всего этого времени неустанно печется о благе человечества, исподволь посредством таинственных сил направляя его в верное русло развития, предостерегая и предохраняя от всевозможных опасностей, в том числе опасности самоуничтожения.

В этом братстве, по утверждению Блаватской, она провела семь лет жизни, во время которых была посвящена во все тайны и тем самым стала первой махатмой женского рода. Ей же выпала честь первой известить человечество о тайне, до сих скрываемой махатмами от людей. Приняв решение обнаружить свое существование, махатмы отправили хелу-женщину (то есть ученицу Блаватскую) в мир, чтобы она до всех людей донесла "учение посвященных". С этой придуманной ею самой миссией посланница мифических махатм, или Радда-Бай, как она себя окрестила, и отправилась в дальнейшие странствия.

В Каире неудачей закончились ее попытки сформировать группу своих последователей. Столь же плачевны были ее результаты в Европе. И только в Америке — родине спиритизма — ее ждал успех. В 1873 году, когда Блаватская оказалась в США, там было более десяти миллионов спиритов, существовали целые спиритические церкви, общества и союзы, издававшие массовыми тиражами свои газеты и журналы. С этими газетами и журналами и установила Блаватская первые контакты, печатая на их страницах статьи по спиритизму.

Своей эксцентричностью, внешностью Блаватская поразила даже привычных ко всему американцев. Вот как описывала Блаватскую ее юная поклонница, встретившаяся с ней на спиритическом сеансе в ноябре 1873 года в Нью-Йорке в доме известного в то время знатока "мира теней" Р. Буша: "Она притягивала окружающих, как мощный магнит. День за днем я следила, как она набивает папиросы и все время курит, курит. На груди у нее болтался повешенный на шею необычный формы кисет в виде головы какого-то экзотического зверька... Широкая в кости, она выглядела ниже своего роста. У нее было большое лицо, широкие плечи и бедра, вьющиеся светло-каштановые волосы".

Из-за нехватки средств Блаватская в Нью-Йорке поселилась в трущобах. Бывали дни, когда она оставалась без гроша в кармане. Друзьям она показывала нож, который прятала в складках широкой юбки, — мол, ей никто не страшен, она вооружена. В Нью-Йорке, как прежде в других городах и странах, с ней продолжали случаться чудеса. Как-то утром она не спустилась к завтраку. Не могла подняться с кровати без помощи, так как духи пришили ее ночную сорочку к матрацу. В другой раз один из духов написал ночью маслом автопортрет и потребовал, чтобы Блаватская украсила рамку цветочками.

Блаватская не собиралась находиться в мире американских спиритов на вторых ролях, хотя все руководящие посты и должности в спиритизме к тому времени были уже поделены. Стоило ли столько лет скитаться по свету, чтобы оказаться второсортной (она еще не приняла американского подданства) иммигранткой, довольствующейся ролью ученицы и последовательницы американских заклинателей духов.

Блаватская окончательно порвала со своей родиной и приняла американское подданство. Она начала борьбу с местными спиритами, утверждая, что те вызывают с того света не духов, а только тени. Настоящие, подлинно высокие духи снисходят лишь к ней, только она владеет настоящей — божественной — магией. Черная же и белая магия — это не подлинное колдовство.

“Чувственные души подчиняются воле как корыстных, мстительных, так и бескорыстных, великодушных; дух же вверяет себя лишь чистому сердцем — это и есть божественная магия”, — писала Блаватская в книге “Изыскания в оккультных науках”.

Себя она, естественно, причисляла к избранным с “чистым сердцем”. Чтобы пребывать в чистоте, надо, учила она, выполнять известные на Востоке требования и правила: избегать половых сношений, не есть мясного, не употреблять спиртное и наркотики, отречься от суеты мира земного, как можно чаще уделять время медитации (молитве). Все это — во имя познания вечных истин.

К этому времени Блаватская познакомилась с ревностным поклонником спиритизма и магнетизма полковником Генри Олькоттом, в то время находившимся в крайней нужде, поскольку на последние свои средства он издал спиритический трактат “Люди с того света”. Трактат этот был написан столь непонятным языком, что даже в период спиритического бума весь тираж его издания осел на складах книжных магазинов.

Блаватской импонировала энергия и внешний вид полковника, которому, несмотря на его бурное прошлое (участник боев гражданской войны, разорившийся землевладелец и рабовладелец, судья, которого хотели линчевать за беззаконие), никак нельзя было дать его шестьдесят лет. Олькотт выглядел респектабельно: в темных очках, с блестящей ученой лысиной в дополнение к солидной окладистой бородке.

Полковника же в Блаватской привлекли ее уверенность в своей избранности, одержимость. Поразил Олькотта и ее облик. “Меня сразу же привлекла, — вспоминал он впоследствии, — ярко-красная гарибальдийская рубаха, которую в то время носила мадам Блаватская. На общем сером фоне этот цвет особенно ярко выделялся. У мадам Блаватской тогда была пышная светлая шевелюра: шелковистые вьющиеся волосы спускались на плечи, напоминая собой тончайшее руно... Мадам Блаватская набила папиросу, и я, ради знакомства, зажег ей огонь”.

Так судьба свела жаждавшую известности и признания Елену Блаватскую и надеявшегося поправить свое финансовое положение Олькотта. По обоюдному признанию после первой же встречи их охватила “внезапная и взаимная любовь”. Правда, любовь эта была необычная, что, впрочем, было для них естественным: ведь они принадлежали к тому миру, где и любовь была не такая, как у простых смертных.

Несмотря на то, что Блаватская причисляла себя к обществу избранных, праведников, сердца и тела которых пребывали в постоянной чистоте, ее тем не менее отличал исключительный цинизм по отношению к тому, что она проповедовала, а точнее сказать, к тем, кому она проповедовала свои идеи. Известному русскому литератору В.С. Соловьеву, вначале увлеченному теософу, она говорила: “Что же делать, когда для того, чтобы владеть людьми, необходимо их обманывать, когда для того, чтобы их увлечь и заставить идти за кем бы то ни было, нужно им обещать и показывать игрушечки... Ведь будь мои книги и “Теософист” в тысячу раз интереснее и серьезнее, разве я имела бы где бы то ни было и какой бы то ни было успех, если бы за всем этим не стояли феномены. Ровно ничего бы не добилась и давным-давно околела бы с голоду. Раздавили бы меня... и даже никто бы не стал задумываться, что ведь и я тоже существо живое, тоже ведь пить-есть хочу... Но я давно уже, давно поняла этих душек-людей, и глупость их доставляет мне громадное иногда удовольствие... Вот вы так не удовлетворены моими феноменами, а знаете ли, что почти всегда, чем проще, чем глупее и грубее феномен, тем он вернее удается”.

В 1875 году Елена Петровна Блаватская и Генри С. Олькотт основали Теософское общество, которое вскоре объединило десятки тысяч фанатиков. Теософия превратилась в настоящую теософскую церковь. Ныне ее прихожанами являются несколько миллионов человек, значительная часть которых проживает в Америке. К теософским учениям обычно относят ряд мистических учений, возникших в XVI—XVIII веках и находящиеся вне прямой церковной христианской традиции. Теософы, как и спириты, признают реальность загробного мира, возможность контакта с существами его населяющими, возможность перенесения материальных тел в пространстве и во времени посредством психических усилий, проникновения через стены, чтения мыслей, запечатанных писем и т. п. Важнейшим элементом теософии является тауматургия, то есть совершение невероятных чудес. На это способны те, кто посвящен в тайны теософии, достиг сверхъестественных возможностей в познании и практической деятельности.

Именно с тауматургии и начала свою деятельность Блаватская. Она по-прежнему выдавала себя за посланницу махатм, которые, для того, чтобы люди ей поверили, наделили ее сверхъестественными способностями. Если же ей и не удавалось добиться желаемого чуда, тогда на помощь приходили сами махатмы, для которых нет ничего невозможного. Человек, который удостоился доверия и поддержки махатм, превращается в божество. В подтверждение своих слов Блаватская ссылалась на так называемые феномены, которые она будто бы могла производить. По ее знаку непонятно откуда в помещении раздавались звуки колокольчиков, звучали гитары, присутствовавших на “магических сеансах” хватала за нос невидимая рука, слуга Блаватской, связанный по рукам и ногам крепчайшими веревками и оставленный в одиночестве, освобождался от уз посредством одних только сверхъестественных сил. С потолка комнаты, где находилась Блаватская, падали письма от ее друзей-махатм, чаще всего от ее учителя Кута Хуми. В них содержались подробные ответы на те вопросы, речь о которых только что шла в этой комнате. Предметы, которые она только что держала в руке, исчезали и оказывались в карманах других людей. Брошь, потерянная одной якобы совершенно неизвестной ранее ей особой и будто бы совсем в другом месте, явилась по желанию Блаватской к ней в дом и оказалась в подушке, произвольно выбранной среди множества других ее подушек. Был у Блаватской и “магический ковчег”, некий “священный шкаф”, которым она очень гордилась. Разбитые предметы, разорванные книги, сломанные расчески, помещенные в него, исчезали и заменялись новыми того же рода. Точно так же в шкафу исчезали письма, содержавшие вопросы к махатмам, а через некоторое время на их месте оказывались пространные ответы и на них.

Все эти сверхъестественные деяния и чудеса возбудили большой интерес к Блаватской и ее организации. Но, пожалуй, пик общественного интереса к Теософскому обществу и ее главе начался после опубликования в 1881 году английским литератором Саннетом книги “Сокровенный мир”, в которой в искусной и будоражащей воображение форме были расписаны вышеназванные феномены. Причем среди тех, кто увлекся произведениями новоявленного пророка, были люди, занимавшие высокое положение в обществе, получившие хорошее образование и считавшие себя до знакомства с Блаватской и ее трудами даже вольнодумцами и атеистами.

Что же их привлекало в учении Блаватской? В упрощенном виде ее идеи нашли свое отражение в программе Теософского общества. Во-первых, заложить основы всеобщего братства без различия пола, народности, расы и веры. Во-вторых содействовать изучению арийских и других учений и сочинений по религии и науке, прежде всего древнеазиатской и, главным образом, брахманской, буддийской и зороастрийской философий. В третьих, исследовать сокровенные тайны Вселенной, особенно же психические силы, дремлющие в человеке.

Все это Блаватская изложила в своей основной книге “Раскрытая Исида” (1877), где доказывала, что теософия — внутренняя сущность религиозных и философских систем древности, магии, спиритизма, то есть представляет своего рода экстракт из самых лучших учений прошлого. Тому, кто отважится отведать этот экстракт, Блаватская обещала после периода ученичества достижение сверхъестественных способностей и приобщение к вечному и священному. Она утверждала, что труд этот возник вовсе не естественным путем большая часть его страниц будто бы исходит от самих махатм с Востока, души которых посещали рабочий кабинет автора по ночам. Когда Блаватская утром вставала и подходила к столу в кабинете, она всегда якобы обнаруживала там огромное количество написанных *не ее почерком* листов, значительно больше того, что она могла бы написать за то же время.

Обманом и лестью Блаватской и Олькотту удалось привлечь в организацию ряд состоятельных людей, на деньги которых они развернули бурную пропаганду идей посланницы загадочных махатм. Число поклонников Блаватской стремительно росло. Росли и финансовые возможности новой религиозно-мистической церкви. Но и этого Блаватской и Олькотту казалось мало. Они переселились в Индию. В Бомбее Блаватская устроила штаб-квартиру общества привлекала к себе “посвященных” в тайны секретного искусства (йогов, факиров, браминов), развернула энергичную деятельность по пропаганде своего учения среди местного населения, а также представителей английской колониальной администрации. Ей сопутствовал успех. Однако растущая популярность Блаватской стала беспокоить официальный Лондон, теософку заподозрили в том, что она — русский агент. Спасло Блаватскую и ее спутников от высылки из страны только покровительство недавно вступивших в Теософское общество влиятельных лиц из состава английской колониальной администрации. Штаб-квартиру тем не менее пришлось перенести в окрестности Мадраса, в местечко Адияр. С этого времени индийское отделение Теософского общества стало называться Адиярской резиденцией.

В 1883 году Блаватская заболела. Врачи посоветовали сменить климат. Блаватская и Олькотт переехали в Париж. Их квартира на улице Верт стала центром парижского Теософского общества. В помещении царил ориенталистский стиль, отовсюду благоухало восточными ароматами, а гостей в дверях встречал слуга-индус Бабула, ранее — помощник фокусника. Внешне он напоминал изображение страшного индийского бога Шивы. Завела Блаватская и своего собственного брамина — молодого индуса по имени Могини, который по приказанию своей госпожи падал ниц перед ней и ползал по полу, словно змей, до тех пор, пока она его не останавливала.

Этот антураж вызывал глубокое впечатление у любопытных французов, спешивших познакомиться с новым чудом из далеких краев, о котором так много писали подкупленные Блаватской и Олькоттом за большие деньги парижские корреспонденты массовых газет и журналов. Первым поддался гипнозу чар Блаватской барон де Пальми, один из влиятельнейших людей парижского высшего света и один из самых богатых людей Франции тех лет. О щедром взносе в фонд Теософской общества сообщили газеты. Примеру барона последовали герцогиня де Помпар, маркиз де Пюисегюр и многие другие неофиты теософской церкви. Известность Блаватской росла как в Европе, так и в Америке. Сто тысяч последователей Блаватской к тому времени составляли паству теософской церкви. И вдруг грянули события в Адиярской резиденции.

Оставленные Блаватской ее верные помощники по производству “чудес” в Адиярской резиденции супруги Кулом поссорились с новым руководством местного Теософского общества, за что их лишили всех теософских постов. Обиженные Кулом опубликовали в индийских газетах разоблачительное письмо по поводу деятельности Блаватской, в котором рассказали, как вместе с двумя индийскими факирами участвовали в устройстве ее якобы сверхъестественных “феноменов”.

Новость возбудила столь большой интерес, что лондонское “Общество психических исследований” (организация мистиков, претендовавшая на объективность своих методов изучения сверхъестественного мира) послало одного из крупных своих специалистов — мистера Ходжсона в Индию. Опытный в различного рода мистификациях, Ходжсон быстро разобрался и в механизме трюков Блаватской. О результате своей поездки он рассказал в отчете, опубликованном в трудах “общества”, которое с радостью расправилось со своим опасным конкурентом.

Ходжсон начал в Индии с мнимых посланий махатм. Он собрал их и сравнил с письмами, написанными Блаватской. Его вывод, подтвержденный позднее лондонской графологической экспертизой, был следующим: послания махатм написаны рукой мадам Блаватской. Затем Ходжсон установил, что демонстрация астральной формы махатмы Кут Хуми, то есть души, была результатом манипуляций с чучелом, сделанным механиком Куломом. Последний изготовил и “магический ковчег”, представлявший собой иллюзионный прибор с выдвижной задней стенкой. В шкаф-ковчег можно было проникнуть через потайную дверь, находившуюся в стене спальни Блаватской. Остальные “чудеса” были того же рода. Мелодичные сигналы, которые подавал Блаватской ее наставник Кут Хуми, исходили из маленького серебряного колокольчика, спрятанного у главной теософки в накидке. Когда она поправляла рукой прическу, раздавались поражающие всех звуки золотой арфы. А письма, которые падали сверху, попадали в комнату через специальные отверстия в потолке и стенах.

Ходжсон, посвятив подробному анализу трюков Блаватской 200 печатных страниц своего отчета, заключил его следующим образом: “Госпожа Блаватская самая образованная, остроумная и интересная обманщица, какую только знает история, так что ее имя заслуживает по этой причине быть переданным потомству”.

После сокрушительного разоблачения начался массовый выход обманутых людей из Теософского общества в разных странах. С ней остались лишь наиболее преданные друзья и наиболее фанатичные теософы. Блаватская же готовилась уйти из этого мира, отвергшего ее саму и ее великую миссию. Уйти туда в Гималаи, где она хотела найти успокоение и умиротворение среди святых людей — своих учителей махатм.

Естественно, никуда она не ушла. Через несколько лет Блаватская возобновила кипучую деятельность. Тем более что в ряде стран усилился интерес к ее учению. Снова стало расти число ее последователей. В 1887 году она покинула Париж и переехала в Лондон, где ее восторженно встречали новые почитатели. Последующие годы Блаватская активно пропагандировала теософское учение. Помимо публичных выступлений и лекций, многочисленных статей в газетах и журналах, писем к знакомым и незнакомым людям в различные уголки мира она за это время написала также и уйму теософских трудов. Часть из них была опубликована 1990-х годах в России, где учение Блаватской нашло своих приверженцев.

Е.П. Блаватская скончалась в самом расцвете своих творческих сил и планов. Это произошло 8 мая 1891 года. Прах Блаватской после кремации был разделен на три части и сегодня покоится в Нью-Йорке, в Адияре и в Лондоне, в ее апартаментах, сохраненных английскими теософами в неприкосновенности.

Каролина Собаньская

(XIX век)

Польская авантюристка. Правнучка королевы Франции Марии Лещинской. Была любовницей генерала И.О. Витта, начальника военных поселений на юге России. Выполняла его задания. В Каролину были влюблены поэты А. Мицкевич, А. Пушкин. Ее называли “Одесской Клеопатрой”.

В один из знойных дней в одесской гавани появилась ослепительно белая яхта. Рядом с торговыми судами она походила на молодую красавицу невесту, облаченную в белоснежную фату парусов.

На пристани возле причала собралось несколько мужчин. Судя по багажу, который прислуга и матросы переносили в шлюпку, и дорожному платью, можно было с уверенностью сказать, что компания собирается совершить морское путешествие.

Двое из мужчин — одним из них был И.О. Витт, другой И. Собаньский — поспешили к экипажу. Третий, помоложе, тоже направился было вслед за ними, но вовремя остановился, поняв, что его помощь запоздает да и вряд ли будет уместна. Мужчины, бросившиеся навстречу даме, имели на то свои права. Более пожилой из них был ее мужем, а другой пользовался особой благосклонностью.

Опираясь на руки сразу двух кавалеров, дама вышла из экипажа, улыбнулась и произнесла низким чарующим голосом: “Благодарю вас, друзья мои”. Величавой походкой направилась она к причалу, где стояли остальные. Роскошное платье из английского ситца подчеркивало линии ее великолепной фигуры, улыбка не покидала лица, глаза смотрели ласково, и вся она излучала, казалось, необыкновенную доброту и покой. Трудно было представить, что эта обольстительная женщина обладала сильным характером, отличалась незаурядной волей и умением подчинять себе.

Милостиво протянув руку молодому человеку для поцелуя, дама обратилась к нему: “Надеюсь, вы не пожалеете, что я уговорила вас совершить вместе с нами этот вояж?”

Он что-то тихо ответил, но за общим шумом разговора присутствующих, оживленно обменивающихся репликами, слова его трудно было разобрать.

Так началась эта поездка по морю, одним из участников которой был польский поэт Адам Мицкевич, отбывавший ссылку в Одессе. Он и был тем самым молодым человеком, к которому обратилась дама на пристани.

Следует назвать других основных участников этой поездки, состоявшейся в августе — октябре 1825 года.

Самым старшим из них был граф Иероним Собаньский, престарелый помещик, успешно торговавший зерном, вложивший в это дело все свои капиталы. В Одессе, куда он перебрался в самом начале двадцатых годов, у него был богатый дом и хлебный магазин, иначе говоря, склад зерна.

Незлобливый, можно сказать, даже радушный, он то и дело шутил, впрочем, часто неудачно. Да и что ему оставалось делать в роли отвергнутого мужа. Жена его, Каролина Адамовна Собаньская, всюду, где приходилось ей жить и бывать, слыла красавицей, ее называли одной из самых блестящих дам светского общества. Среди ее поклонников были люди незаурядные, в том числе поэты Пушкин и Мицкевич. В жизни и творчестве обоих она оставила след, вдохновив на создание прекрасных стихов, ей посвященных.

Юной девушкой Каролину выдали замуж за Иеронима Собаньского, который был на тридцать с лишним лет старше. Отныне ее стали называть “пани Иеронимова из Балановки”, где в имении мужа она прозябала некоторое время. Но скучная провинциальная жизнь и роль жены предводителя дворянства — маршалковой ольгополевского повята, ее никак не устраивала. Она не желала похоронить себя в глуши на Подолии. Не для того получила она прекрасное образование и воспитание в доме отца — Адама Лаврентия Ржевуского, занимавшего пост предводителя дворянства Киевской губернии, впоследствии ставшего сенатором.

Как и вся семья, Каролина кичилась своим происхождением, любила напоминать, что она правнучка королевы Франции Марии Лещинской. Мать ее

Юстина происходила из старинного рода Рдултовских, а по отцу она являлась родственницей княгини Любомирской, которую казнили на Гревской площади в Париже вместе с королевой Марией-Антуанеттой.

Ветви генеалогического древа Каролины восходили и по отцовской, и по материнской линиям к известным в истории гетманам, воеводам и фельдмаршалам, вели чуть ли не к королю Яну Собесскому.

В воспитании Лолины (так называли Каролину близкие) немалую роль сыграла ее тетка графиня Розалия, дочь той самой княгини, которая погибла на эшафоте в Париже.

Лолина была очень красива, но иметь красоту без разума, наставляла тетка племянницу, все равно что родиться без состояния. Красота только тогда имеет цену, когда ее увенчивают две драгоценности: искусство жить и ловкость.

Впоследствии Лолина часто вспоминала свою тетку, преподавшую ей первые уроки “искусства жить”. Племянница оказалась вполне достойной ученицей.

На яхте среди путешественников находился очень красивый, похожий на Каролину, сравнительно молодой человек. Это был старший из ее братьев Генрих Ржевуский. Впоследствии он стал известным романистом, автором “Воспоминаний Соплицы” и других книг, воспевавших старосветскую шляхту былых времен.

Другие братья Собаньской, Эрнест и Адам, были военными. Последний дослужился до звания генерал-адъютанта при царском дворе. Сестра Алина вышла замуж за брата композитора Монюшко и стала жить в Минске. Сестра Паулина не без помощи Каролины стала супругой Ивана Семеновича Ризнича, богатого одесского негоцианта, первая жена которого, рано умершая красавица Амалия Ризнич, поразила сердце Пушкина и была им воспета. Но наибольшую известность приобрела сестра Эвелина, в замужестве Ганская, впоследствии жена Бальзака.

Но вернемся к пассажирам яхты. На борту находился еще один путешественник — не очень приметный внешне, но игравший далеко не последнюю роль. Держался он скромно и чаще хранил молчание, предпочитая слушать других. При этом чуть наклонял голову и, глядя в глаза, как бы поощрял: “Продолжайте, я весь внимание”.

Человек явно не глупый, начитанный, владевший несколькими языками и умевший, когда надо, быть красноречивым, Александр Карлович Бошняк, появился в одесских гостиных всего несколько месяцев назад. До этого он жил в своем херсонском имении близ Елисаветграда, незадолго перед тем полученном по наследству. Жил уединенно, проводя дни в занятиях сельским хозяйством и увлекаясь ботаникой и энтомологией.

Компания собралась своеобразная. Назовем вещи своими именами: рядом с поэтом находились двое — руководитель сыска и его ближайший помощник, агент номер один. Оба они могли предполагать, что поэт-вольнодумец, еще недавно находившийся под следствием и высланный под надзор полиции, поддерживал связь с теми, кто их особенно тогда интересовал.

Получалось, что его хитростью заманили в поездку, а Каролина, сама того не ведая, сыграла роль приманки, на которую он клюнул. Насчет Витта он был предупрежден, а о Бошняке у него возникли справедливые подозрения. Каролину он считал обманутой, как и он сам: она и не подозревает, кто ее окружает, среди каких опасных людей находится.

Мицкевич знал, что Каролина любовница Витта, чего она не скрывала и чем иногда даже бравировала. Но она не любила генерала и говорила, что союз гот ей в тягость, ведь он был женат и надеяться на развод не приходилось. Однако и порвать с ним она не решалась — одной возвышенной любовью сыт е будешь...

Когда-то еще в Вене, желая во всем подражать тетке Розалии, Каролина ечтала иметь такой же, как у нее, салон. Теперь мечта ее осуществилась. В оскошно обставленном доме Собаньской можно было видеть заезжих прикадонн из Неаполя и Рима, скрипачей из Вены, пианистов из Парижа. В ее алоне слышалась гортанная восточная речь, мелькали белые чалмы и шокоадные лица. Бывали здесь и те, кого не шокировала хозяйка, открыто пренебрегавшая законами света. Она знала, что ее называют наложницей, но умела в этом унизительном положении проявлять выдержку, не замечать осуждающего шепота за своей спиной.

День начинался и заканчивался посещением ее дома почитателями и госсями. "Из военных поселений приезжали к ней на поклонение жены генераов и полковников, мужья же их были перед ней на коленях". Еще бы, какикак начальник поселенных войск проводил в этом доме дни и ночи. "Вообще из мужского общества собирала она у себя все отборное". Всякий раз, бывая Собаньской, Мицкевич заставал там чуть ли не всю мужскую часть польской олонии города. Граф А. Потоцкий, граф Г. Олизар, наезжавший в Одессу, князь . Яблоновский — всех не перечтешь — были завсегдатаями ее салона.

Поэту часто приходилось досадовать на то, что бесконечные визитеры, одолгу засиживавшиеся в гостях у Собаньской, мешали их интимным встреам. Для него было истинной мукой часами выжидать, когда наконец прервется есконечаемый поток поклонников и он окажется наедине с Джованной, как н называл ее в стихах.

Что можно сказать об отношениях Мицкевича и Собаньской?

Польские исследователи в один голос заявляют, что поэт был страстно люблен в Каролину. Точные данные на этот счет, однако, отсутствуют. Но есть рекрасные стихи, большей частью написанные в Одессе и поныне очаровыающие свежестью чувства. Они — лучшее свидетельство. В них и восторг люби, и пылкие признания, и радость встреч, и наслаждение, и благодарность а то, что она "счастьем снизошла в печальный мир певца".

Попробуем рассмотреть эти отношения с другой стороны. Какие чувства спытывала Каролина к молодому человеку, который был на пять лет моложе ее? Ей, конечно, льстило, что модный поэт, желанный гость в одесских остиных, пленился ею и сходит с ума. Почему бы, в самом деле, не позволить этому симпатичному и пылкому Алкею ухаживать за ней? Тем более, что н так настойчив и так наивно неопытен. Говорят, что он очень талантлив. В аком случае не мешает, чтобы он воспел ее в стихах. Ее женское тщеславие каждало поэтического восхваления, она мечтала быть прославленной, как когда-то Лаура Петраркой. Каролина ждала хвалебных гимнов, лелея надежду предстать в роли сладкоголосой Эрато — музы любовной поэзии, вдохновиельницы поэтов.

Кому, как не Мицкевичу, восходящей звезде на Парнасе польской поэзии, оспеть ее в стихах и своей рукой вписать мадригал в ее альбом из зеленого афьяна?

Была ли Каролина искренна в своих чувствах? Об этом можно только догадываться. Но несомненно одно — опасная как в политике, так и в любви, Каролина Собаньская заставляла поэта ревновать, то и дело давая повод упрекать ее в притворстве и неверности. "Как от твоих измен мне было больно!" — жаловался поэт.

Это длилось до тех пор, пока он окончательно не убедился, что она "жажде мадригала и сердцем любящим, и совестью играла". Тогда он дал клят ву, что стих его отныне будет каменеть при ее имени. Кончился тяжелый сон настало пробуждение.

Остается выяснить один щекотливый вопрос. Догадывался ли Мицкевич подлинной роли своей возлюбленной? Знал ли о том, что Каролина Собань ская не первый год работала на Витта, с того самого момента, когда в 181 году стала любовницей генерала? И что тот был вполне доволен ею: она ока залась великолепной помощницей, первоклассным агентом.

Судя по всему, Мицкевич пребывал в полном неведении о том, какую рол играла Каролина при генерале. Даже оказавшись на яхте в окружении дву шпионов и догадавшись об их миссии, поэт отвел от нее свои подозрения.

Впрочем, некоторые польские исследователи считают, что Мицкевич пол ностью разгадал двойную сущность Каролины Собаньской.

Свидетельство Мицкевича показывает, что ему было известно о подлой рол Витта, возглавлявшего "в ту пору полицейские власти в южных губерниях". О одного из своих агентов, заявлял далее Мицкевич, Витт получал сведения готовившемся заговоре. Фамилия этого подручного не упоминается ни в од ном официальном документе. Кто же это был? Мицкевич называл Бошняка – "предателя, шпиона, более ловкого, нежели все известные герои этого род в романах Купера".

Этот Бошняк, продолжал Мицкевич, всюду сопровождал своего хозяин графа Витта под видом натуралиста, сумел втереться в разные тайные обще ства и собрал секретные сведения о заговоре декабристов.

Что касается Собаньской, то тут Мицкевич абсолютно ничего не подозре вал. И хотя о деятельности Витта догадывался, он был далек от того, чтоб связывать в одно его личные отношения с Собаньской и дела службы.

Точно так же Пушкин на протяжении почти десяти лет, в течение кото рых общался с Собаньской, ни разу ничего не заподозрил. Нигде ни намеко не обмолвился он насчет нее критически. Не случайно, надо думать, возни "Собаньский, шляхтич вольный" в "Борисе Годунове", а в набросках предис ловия к этой трагедии, где польская тема одна из ведущих, русский поэт вспо минает "о кузине г-жи Любомирской", то есть о Каролине (как известно, слов "кузина" по-французски может означать не только двоюродную сестру, но и вообще родную близкую родственницу).

Мицкевич все последующие годы относился к Каролине Собаньской хот и сдержанно, но вполне уважительно, не однажды встречался с ней и в Риме и в Париже.

Но может быть, у Мицкевича вообще не было причин подозревать Собань скую? И тогда, в Одессе, Каролина отказалась от своей двойственной роли отношениях с ним? Вопреки заданию шефа она лишь делала вид, что наблю дает за поэтом. В отчетах же выставляла его в благоприятном свете, как бы оберегая от опасного генерала.

И все же не может быть, чтобы "рожденная без сердца" Каролина уступи ла чувству, поддалась увлечению. Сожительница и помощница Витта легко переступала через свои личные привязанности и, когда надо было, не заду мываясь предавала друзей и знакомых. Ее рука не дрогнула, и она спокойн написала донос на своего молодого любовника Антония Яблоновского, когд в начале 1825 года выведала у него важные сведения о переговорах межд польскими и русскими конспираторами.

И таких, как Яблоновский, на ее счету, можно думать, было немало. Так то ни о какой загадочной снисходительности Собаньской к Мицкевичу речи дти не должно. Можно лишь говорить об умении и ловкости Каролины, не резговавшей никакими средствами в своей агентурной работе.

Красоты Тавриды сменились в Одессе осенними дождями. Наступила уныая пора.

По-прежнему Мицкевич виделся с Каролиной. Однако теперь встречался с ей чаще всего лишь в свете, на вечерах и в театре, за столом у И.С. Ризнича а Херсонской улице, где будущий зять Каролины устраивал пышные обеды, тобы угодить ей, и где она уже тогда распоряжалась, словно у себя в гостиой. Точно так же она вела себя и в доме Витта во время приемов.

После путешествия в Крым чувство самосохранения инстинктивно удерживало Мицкевича на расстоянии от "одесской Клеопатры", помогая освободиться от гнетущих ее чар.

Перед тем, как покинуть Одессу и отправиться к новому месту службы в Москву, поэт пишет "Размышления в день отъезда". Он говорит о горестях, перенесенных в чужом городе, где, "лживый свет познав", он жил одиноким, опальным странником, теперь уезжающим без напутствий счастья. Как бы ободряя себя, он восклицает:

Летим же — ведь крылья целы для полета!
Летим, не снижаясь, —
все к новым высотам!

Словно по ветру, почтовые несли его на север. Через месяц, за два дня до 4 декабря, он прибыл в первопрестольную, где ему надлежало служить в канцелярии генерал-губернатора.

Вскоре по городу поползли слухи, что по ночам идут аресты, хватают и вывозят в Петербург причастных к тем, кто вышел в декабре на Сенатскую площадь. Пришло известие, что взяты многие его русские друзья. Со дня на день ждал ареста и он. Неожиданно пахнуло ледяным сибирским холодом. "Что творится в Одессе? — беспокоился Мицкевич. — За кем из наших захлопнулась дверь каземата? Кто пал жертвой Витта и его агентов?"

Как потом стало известно, одним из первых поляков, принадлежавших к тайному обществу, был арестован Антоний Яблоновский. За ним следили и взяли прежде других. Впрочем, его судьбу решили еще зимой два слова Собаньской. На вопрос Витта об источнике добытой ею информации она небрежно бросила: "Князь Антоний проболтался". Беспечность и легковерность дорого ему обошлись. Спустя годы Витт признал, что получил сведения "благодаря разоблачениям одной женщины", читай, Собаньской.

После ареста Яблоновского клубок начал быстро разматываться. Взяли многих из поляков. Задача властей облегчалась тем, что в их руках находился список польских конспираторов, с которым в свое время неосторожно обошелся Яблоновский, да и его собственное поведение на следствии не отличалось сдержанностью.

В феврале Мицкевич начал ходить в присутствие. На душе было тяжело.

В тот год осенью польский поэт познакомился с Александром Пушкиным, недавно возвратившимся из Михайловского.

Стоило поэту объявиться в Петербурге, как и здесь вокруг завертелся хоровод осведомителей.

В это время в столице появилась Каролина Собаньская.

Однажды она пригласила к себе на чай обоих поэтов — Мицкевича и Пушкина. В тот вечер русский поэт был явно неравнодушен к хозяйке, женщин действительно очаровательной. А Мицкевич? Как вел себя он, какие чувств испытывал?

Он давно изжил в себе роковую страсть к Джованне. Теперь он пел песн иным кумирам.

Что касается Пушкина, то встреча с Собаньской всколыхнула в нем былое...

В губернском доме на Левашовской улице в Киеве протекала обычная светская жизнь. По вечерам, особенно в дни праздников, здесь собирался весь горо В толпе гостей оказался однажды и Александр Пушкин. Было это в мае 182 года. По пути на юг к месту ссылки он проездом ненадолго задержался в Киеве. Вновь попал он в Киев в начале следующего года и прожил там несколько недель.

В пестром хороводе местных красавиц он сразу же выделил двух элегантных, прелестных полячек, дочерей графа Ржевуского. Обе были замужем, чт не мешало им, кокетничая, обольщать многочисленных поклонников.

Младшей, Эвелине, исполнилось семнадцать, и была она, по словам знавших ее тогда, красивой, как ангел. Старшая, Каролина, отличалась не меньшей красотой, но это была красота сладострастной Пасифаи, она была н шесть лет старше Пушкина.

Величавая, словно римская матрона, с волшебным огненным взором валькирии и соблазнительными формами Венеры, она произвела на поэта неотразимое впечатление. И осталась в памяти женщиной упоительной красоть обещавшей блаженство тому, кого пожелает осчастливить. Пушкин мечта попасть в число ее избранников.

Но там, в Киеве, она вспыхнула кометой на его горизонте и исчезла. Однако не навсегда. Вновь Каролина взошла на его небосклоне, когда поэт неожиданно встретил ее в Одессе.

Пушкин увидел ее на рауте у генерал-губернатора, куда скрепя сердц Собаньскую иногда приглашали из-за Витта. Он сразу заметил ее пунцовую бе полей току со страусовыми перьями, которая так шла к ее высокому росту.

Радость встречи с Каролиной омрачил Ганский — муж Эвелины. Заметив с каким нескрываемым обожанием поэт смотрит на Собаньскую, как боязливо робеет перед ней, он счел долгом предупредить юного друга насчет сво ячепицы. Разумеется, он имел в виду ее коварный нрав, жестокое, холодно кокетство и бесчувственность к тем, кто ей поклонялся, — ничего более.

Пушкин не очень был расположен прислушиваться к советам такого рода тем более что ему казалось, будто он влюблен.

Он искал с Каролиной встреч, стремился бывать там, где могла оказатьс и она, ждал случая уединиться с ней во время морской прогулки, в театрально ложе, на балу. Иногда ему казалось, что он смеет рассчитывать на взаимност (кокетничая, Каролина давала повод к надежде). Ему даже показалось однажды, что он отмечен ее выбором. В день крещения сына графа Воронцова 11 ноября 1823 года в Кафедральном Преображенском соборе она опустила пальць в купель, а затем, в шутку коснулась ими его лба, словно обращая в свою веру

Воистину он готов был сменить веру, если бы это помогло завоевать сердце обольстительной польки. В другой раз он почти уверовал в свою близкук победу во время чтения романа, когда они вдвоем упивались “Адольфом”. Он же тогда казалась ему Элеонорой, походившей на героиню Бенжамена Констана не только пленительной красотой, но и своей бурной жизнью, исполненной порывов и страсти.

Через несколько лет он признался ей, что испытал всю ее власть над собой, более того, обязан ей тем, что “познал все содрогания и муки любви”. Да и по сей день испытывает перед ней боязнь, которую не может преодолеть.

Не сумев растопить ее холодность, так ничего тогда в Одессе и не добившись, он отступил, смирившись с неуспехом и неутоленным чувством.

...И вот Пушкин вновь встретился с Каролиной Собаньской.

Старая болезнь пронзила сердце. Ему показалось, что все время с того дня, когда впервые увидел ее, он был верен былому чувству. Лихорадочно набросал он одно за другим два послания к ней. Но так и не решился их отправить. Поэт доверил сокровенное листу бумаги (“мне легче писать вам, чем говорить”). Перед нами в них предстает Пушкин, поклоняющийся Гимероту — богу страстной любви, сгорающей от охватившего его чувства.

В свой петербургский салон (где, кстати сказать, бывал фон Фок) Каролина привлекала таких поклонников, как Пушкин и Мицкевич, отнюдь не из-за честолюбия, а преследуя совсем иные цели — политического сыска. Как и в Одессе, ее столичный салон был своего рода полицейской западней, ловушкой. Поэтому и вела игру с Пушкиным, как когда-то с Яблоновским и Мицкевичем, распаляя его нетерпение и тем самым удерживая подле себя, чтобы облегчить задачу наблюдения за ним.

Однако страх разоблачения преследовал ее. И все же нашелся человек, который приподнял завесу над неприглядной, позорной стороной ее жизни. В своих записках Ф.Ф. Вигель заявил, что Собаньская была у Витта вроде секретаря и писала за него тайные доносы, а “потом из барышей поступила она в число жандармских агентов”. Это свидетельство мемуариста. И как признавал он сам, преступления, совершенные ею, так и не были доказаны.

Нельзя ли подтвердить эти обвинения каким-либо документом, свидетельствующим против Собаньской?

Надобность в услугах Собаньской отпала. Она вернулась в распоряжение Витта, а Пушкину лицемерный Бенкендорф заявил: никогда никакой полиции не давалось распоряжения иметь за ним надзор.

Когда до Каролины дошли слухи о том, что Пушкин обвенчался, злая усмешка скривила ее губы. С досадой подумалось, что лишь у нее ничего не меняется. Надежды на то, что Витт наконец овдовеет, мало. Хотя и больная, его жена Юзефина может протянуть еще не один год. Значит, все останется по-прежнему. Поздно сворачивать с наезженной колеи. Придется тащиться пристяжной в упряжке Витта.

Для него главное — слава отечества и государя. Значит, и ей надо быть полезной им. Так рассуждала она и тем усерднее выполняла свои обязанности...

Одно из ее донесений Бенкендорфу, посланное из Одессы, перехватили повстанцы Подолии. (В ноябре 1830 года началось восстание в Королевстве Польском, охватившее также некоторые другие прилегавшие районы, в том числе Правобережную Украину.)

Содержание этого письма шефу жандармов нам неизвестно. Но, видимо, это был очередной донос, поскольку, по ее собственным словам, оно вселило в сердца всех, ознакомившихся с ним, “ненависть и месть”.

В эти тревожные дни, когда восстание распространилось на Волынь, Подолию и докатилось до Киевской губернии, Каролина отважилась навестить мать в Погребище.

Всюду на дорогах были сторожевые контрольные посты повстанцев. То и дело раздавалось: "Стой! Кто идет?" Услышав ответ: "Маршалкова ольгопольского повята", ее беспрепятственно пропускали. Тогда она убедилась, что фамилия Собаньских — лучший мандат для патриотов. Каролина улыбалась молодым полякам в свитках с барашковыми воротниками, в кунтушах навыпуск, а внутри ее душила ненависть к этим безродным ляхам. Лишь один-единственный раз ее подвергли досмотру на постоялом дворе между Балтой и Ольгополем. Но и то быстро отпустили, извинившись перед ясновельможной пани.

Вернувшись, она рассказала Витту о своих приключениях и пережитых чувствах. "Даже называть теперь себя полькой омерзительно", — призналась она.

Витт спешил в только что оставленную повстанцами польскую столицу, где ему предстояло в качестве военного губернатора и председателя уголовного суда вершить расправу над пленными патриотами. Те же, кто сумел перейти границу — около ста тысяч офицеров и солдат, — стали изгнанниками, превратились в скитальцев.

Больше всего эмигрантов скопилось в Дрездене. Город буквально был наводнен ими. Не все мирились с поражением, многие жили надеждой, вынашивали замыслы новых выступлений. В этом смысле Дрезден был с точки зрения царских властей опасным гнездом, откуда можно было ожидать в любой момент перелета "журавлей" — эмиссаров эмигрантского центра для организации партизанских действий. Витт располагал на этот счет кое-какими данными, однако явно недостаточными. Самое лучшее опередить противника. Настало время посвятить Каролину в его замысел, решил Витт.

Операция будет состоять из двух частей, начал он. Выполнить первую сравнительно легко. Для этого потребуется разыграть из себя патриотку, хотя это ей и не по душе. Такую, чтобы ни у кого не осталось сомнения на сей счет. Даже у тех, кто знает о ее перехваченном письме.

Вторая часть посложнее: проникнуть в среду эмигрантов, выведать их планы, намеченные сроки выступлений и имена исполнителей.

Каролина поняла, что придется ехать в Дрезден. Понимала и то, как это опасно. Участь Бошняка, казненного повстанцами, отнюдь не прельщала ее. Как и судьба тех царских шпионов, над которыми в августе учинила самосуд разъяренная варшавская толпа, ворвавшись в тюрьму и повесив их на фонарях.

"Меня там просто-напросто прихлопнут эти ваши патриоты", — поправляя кружева на платье, с деланным спокойствием произнесла Каролина.

В успехе она может не сомневаться, успокоил ее Витт, лишь бы удалась первая половина спектакля. Чем убедительнее сыграет она в ней, тем легче и безопаснее сможет действовать во второй.

Ни один человек, заверил Витт, не будет посвящен в операцию, кроме него самого и наместника Паскевича.

Вскоре по Варшаве начали распространяться слухи о том, что за спиной царского сатрапа Витта действует чудо-женщина. Она спешит к каждому, кого генерал собирается покарать. Будто бы посещает казематы, присутствует на допросах. И часто одно ее слово смягчает участь несчастных. По секрету передавали, что она даже помогла кое-кому бежать, причем вывезла в собственной карете за заставу...

Склонная к романтическим преувеличениям, Варшава быстро уверовала в слухи и готова была молиться за избавительницу.

Нашлись и те, кто подтвердил, что им удалось избежать каторги благодаря вмешательству Каролины Собаньской. Витт освободил якобы по просьбе Собаньской двух-трех заключенных, а одному она помогла "бежать". Этого было достаточно, чтобы слух проник в среду эмигрантов.

В числе свидетелей оказался, например, Михаил Будзыньский, связанный с галицийским подпольем. Где только было можно, он с восхищением рассказывал о Собаньской, которая помогла ему спастись и "избавила многих несчастных офицеров польского войска от Сибири и рудников".

Приведу еще одно свидетельство из воспоминаний Богуславы Маньковской, дочери знаменитого генерала Домбровского.

"Когда ни у кого не было надежд, — писала она, — над несчастными жертвами кружил ангел спасения и утешения в лице Каролины Собаньской... Пользуясь влиянием, которое имела на генерала, она каждый час своего дня заполняла каким-либо христианским поступком, ходила по цитаделям и тюрьмам, чтобы освободить или выкрасть пленных...

По ее тайному указанию узников приводили в личный кабинет Витта, где в удобный момент пани Собаньская появлялась из-за скрытых портьерой дверей, и одного слова, а то и взгляда этой чародейки было достаточно, чтобы сменить приговор на более мягкий".

Как видим, авантюристка хорошо поработала на легенду. Витт, как обычно, направлял ее и усердно помогал. Теперь и самый недоверчивый поверил бы в превращение Каролины. Все забыли, что она много лет связана с царским генералом и никогда не числилась в патриотках. А как же ее перехваченное донесение? Его объявили подложным и предали забвению.

Словом, первая половина спектакля прошла вполне успешно. Почва была подготовлена, можно отправляться в Дрезден. Тем более, что был и повод для поездки. Ее дочь, которую в свое время Каролина выкрала у бывшего мужа (причем так искусно, что даже его восхитила своей ловкостью), находилась в Дрездене и собиралась замуж за молодого князя Сапегу.

В Дрездене Каролину встретили чуть ли не как национальную героиню. Одни видели в ней вторую Клаудиу Потоцкую, ангела доброты, ниспосланного для утешения и поддержки изгнанных с родины соотечественников. Во время восстания графиня Потоцкая стала сестрой милосердия, а после в Дрездене ею был основан комитет помощи польским эмигрантам. Другие сравнивали Собаньскую с не менее знаменитой Эмилией Платер — отважной кавалерист-девицей, воспетой Мицкевичем.

Всего несколько недель пробыла Каролина в Дрездене. За это время успела войти в среду эмигрантов, проникнуть на их собрания, где ее принимали за свою и где она многое услышала и запомнила.

С поразительным цинизмом говорила она о том, что исключительно ради намеченной цели общалась с поляками, внушавшими ей отвращение. Ей удалось приблизить тех, нагло повествовала она, общение с которыми вызывало у нее омерзение. Наиболее ценным знакомым стал Исидор Красинский, в прошлом командир уланского гвардейского полка, а затем глава польского комитета в Дрездене, тесно связанный с князем Чарторыйским, одним из лидеров эмиграции. Этот Красинский, по ее словам, хотя и красавец, был ограниченным и честолюбивым. Ей ничего не стоило войти к нему в доверие.

"Я узнала заговоры, которые замышлялись, — признавалась она, — тесную связь, поддерживавшуюся с Россией, макиавеллистическую систему, которую хотели проводить". Ей открыли "мир ужасов", она увидела, "сколь связи которые были пущены в ход, могли оказаться мрачными".

Собаньская послала Витту несколько сообщений, которые "помогли ему делать важные разоблачения". Витт докладывал о полученных им ценных агентурных сведениях наместнику и использовал их в своих донесениях в Петербург.

На совести Собаньской не одна человеческая жизнь. В том числе провал партизанской экспедиции полковника Заливского и гибель многих ее участников; раскрытие подпольной сети патриотов в Кракове и Галиции; захват эмиссаров, перебрасываемых в Польшу для организации партизанских отрядов.

Казалось, услуги, оказанные Собаньской, должны были быть щедро оплачены.

Ни прозорливый Витт, ни она сама не могли предугадать, а тем более знать, как будут реагировать в Петербурге, когда там узнают о похождениях Собаньской. Ведь ни одна душа, кроме двух лиц, не догадывалась о подлинных целях ее метаморфозы и пребывания в Дрездене.

Между тем известие о превращении Собаньской произвело весьма неблагоприятное впечатление, пало тенью на Витта, вызвав недовольство в высших сферах.

Всем казалось, что опала Витта близка. Недруги генерала злорадствовали, подливая масло в огонь. Старый ловелас совсем-де подпал под башмак своей содержанки, во вред отечеству исполняет каждую ее прихоть, танцует под дудку этой обольстительницы, возомнившей себя новоявленной Юдифью, спасающей соотечественников.

Пока Каролина находилась в Дрездене, следуя, как сама она определила свою миссию, "по извилистым и темным тропинкам, образованным духом зла", между Варшавой и Петербургом шла по поводу нее переписка. Частью ее мы располагаем, она проливает свет на те интриги, которые вели между собой царские клевреты.

Началось все с того, что наместник И.Ф. Паскевич предложил царю назначить Витта вице-председателем временного правительства в Польше.

Николай неожиданно ответил резким отказом. Он писал, что связь Витта с Собаньской поставила его в самое невыгодное положение. Что касается отношения к ней, то Николай сформулировал его так: "Она самая большая и ловкая интриганка и полька, которая под личиной любезности и ловкости всякого уловит в свои сети, а Витта будет за нос водить в смысле видов своей родни".

Характеристика, как видим, довольно злая и точная. Кто-то, надо полагать, постарался соответствующим образом настроить царя.

Получив ответ Николая, Паскевич поспешил успокоить его, уверял, что пресловутая полька вполне предана законному правительству и "дала в сем отношении много залогов". Что касается ее родственных связей с поляками, что они "по сие время были весьма полезны", — писал наместник, далее почти открыто называя вещи своими именами: "Наблюдения ее, известия, которые она доставляет графу Витту, и даже самый пример целого польского семейства, совершенно законному правительству преданного, имеют здесь влияние". Веским аргументом был довод насчет преданности ее семьи. Не один год верой и правдой служили престолу ее отец и братья.

Может быть, Николай и прислушался бы к словам наместника. Но чашу терпения царя переполнило другое сообщение по поводу Собаньской.

Из Дрездена поступил о ней отзыв посланника Шредера. Не зная истинную причину появления там польки, обманутый ее провокаторским общением с соотечественниками-эмигрантами, он поспешил об этом оповестить Петербург.

Разгневанный вконец Николай переслал депешу посла наместнику в Варшаву, сопроводив ее припиской о том, что его мнение насчет Собаньской подтверждается. “Долго ли граф Витт даст себя дурачить этой бабе, которая ищет одних своих польских выгод под личной преданностью, и столь же верна Витту как любовница, как России, была ее подданная”.

Это было равносильно приговору. Впрочем, он прозвучал вполне конкретно: графу Витту открыть глаза на Собаньскую, а “ей велел возвратиться в свое поместье на Подолию”.

Удар был неожиданный, а главное, несправедливый. Преданная служба Собаньской не прибавила ей любви тех, ради кого, собственно, она старалась, рисковала, подличала, доносила.

Для Каролины наступили трудные времена. Она оказалась на краю пропасти. Неужели у нее и Витта есть враги на берегах Невы? Может быть, действует проклятие мстительной прабабки? Нет, скорее всего она просто перестаралась тогда в Варшаве и Дрездене.

Поразмыслив, взвесив ситуацию и, конечно, обсудив ее с Виттом, она написала своему главному шефу Бенкендорфу письмо, в котором прекрасным французским языком изложила свою обиду.

Ее письмо поразительно по своей откровенности. Видимо, на это и был расчет. Однако невольно она полностью выявила в нем свою безнравственную сущность. То, чего как раз так не хватало для вынесения окончательного приговора над Собаньской.

Своим посланием Бенкендорфу она разоблачила себя и представила суду Времени решающую против себя улику. (Отдельные места этого послания, где она говорила о том, что делала и узнала в Дрездене, уже здесь цитировались.) Впрочем, не будем спешить с воображаемым возмездием. Обратимся к документу.

Послание Собаньской к Бенкендорфу довольно обширное, поэтому приведем лишь те его места, где наиболее ярко она сама характеризует свою деятельность.

С полным смирением (конечно, ханжеским), безропотно Каролина готова была принять уготованную ей участь. Но ее ужасает мысль, что ее так жестоко осудили, а ее преданная служба так недостойно искажена. Разве не была она откровенной в своих донесениях, которые поставляла еще задолго до польских событий? “Благоволите окинуть взором прошлое: это уже даст возможность меня оправдать”, — намекнула она на свои заслуги по части политического сыска. Никогда женщине не приходилось проявлять больше преданности, продолжала она, больше рвения, больше деятельности в служении своему монарху, чем проявленные ею, часто с риском погубить себя.

По всему видно, что Бенкендорф был посвящен в ее “успехи” и осведомлен о ее “заслугах” в прошлом. Поэтому она не останавливалась подробно на том, что было, а лишь вкратце напомнила об этом. Ей важно было объясниться по поводу последних событий. Прежде всего о пребывании в Варшаве и Дрездене. Впрочем, о своих достижениях в Варшаве она сказала всего одну фразу: “Витт вам расскажет о всех сделанных нами открытиях”.

Главным для нее было рассеять заблуждение о целях ее поездки в Дрезден. Не таясь (ей ли опасаться шефа жандармов, которому она на первый год служит), Каролина открыто заявила, что отправилась в Дрезден по заданию Витта, который дал ей указания, какие сведения она должна была привезти оттуда. Задание было сверхсекретное, поэтому Витт не мог прямо сообщать о нем в своем рекомендательном письме русскому посланнику Шредеру. Единственное, что Витт сделал, намекнул, что он отвечает за убеждения подательницы его письма. К несчастью Каролины, дипломат не уловил смысла этой фразы. Иначе он не удивлялся бы тому, что увидел и узнал о поведении польки, прибывшей из Варшавы. Без особого труда эта самая полька вошла в среду эмигрантов, куда посол, несмотря на все старания, не мог проникнуть.

Уже говорилось о том, что удалось Собаньской в Дрездене: раскрыть планы эмигрантов, их тайные связи с родиной, выявить имена патриотов, готовившихся к действиям на территории Польши.

Все это она подтверждала в письме, сожалея лишь, что стала жертвой недоразумения, а может быть, и навета.

С подобострастием верной служанки она просила если не о справедливости, то о снисходительности, умоляла Бенкендорфа содействовать тому, чтобы монарх, преданность которому была ее второй религией, сменил гнев на милость. "Я более чем несправедливо обвинена", — сетовала она.

Таков этот документ, продиктованный отчаяньем опальной агентки и потому, должно быть, столь откровенной. В другое время Собаньская поостереглась бы так саморазоблачаться. В конце концов она могла бы и промолчать, безропотно подчиниться воле монарха. Никто ее, как говориться, не тянул за язык. Но в том-то и дело, что она была уязвлена в своих лучших верноподданнических чувствах, именно несправедливость и побудила ее высказаться так искренне.

По всей видимости, Бенкендорф не внял просьбе Собаньской. Поздно было хлопотать об отмене решения монарха, да и опасно. Лучше потерять одного агента, чем испытывать самолюбие царя, уже принявшего решение.

Однако возникает вот какой вопрос. Мог ли Николай не знать о секретной работе Собаньской?

Агентурная деятельность Собаньской, в провокационных целях выдававшей себя за противницу самодержавия, велась настолько умело и тонко, была так законспирирована, что даже высшие сановники и сам Николай вполне могли подозревать ее в политической неблагонадежности.

Но возможно также, что фон Фок и Витт просто-напросто не спешили раскрывать источник сведений, которым они пользовались в целях собственной карьеры. Известно, что "в секретных сообщениях Витт не указывал имен своих агентов". Существовало положение, согласно которому даже перед высшими сановниками руководитель сыска имел право не называть имена своих агентов во избежание их деконспирации.

Как бы то ни было, Каролине пришлось подчиниться распоряжению его величества и покинуть Варшаву. Ей надлежало тотчас отправиться в свое имение Ронбаны-мост, заброшенную украинскую деревеньку. По дороге туда Каролина остановилась у сестры в Минске, где надеялась дождаться ответа на свое письмо Бенкендорфу.

Более ста лет письмо это пролежало в секретной папке царского архива и только в начале тридцатых годов нашего столетия было извлечено оттуда на беду репутации Собаньской.

Корнелиус Герц

(1845 — 1898)

Политический интриган и финансовый спекулянт. Каждое его действие подвергалось самым немыслимым истолкованиям, от связи с ним зависела политическая карьера наиболее влиятельных руководителей буржуазных партий, парламентариев и министров. Один из главных участников скандала, связанного с Панамской компанией.

Ныне даже во Франции имя Корнелиуса Герца мало кому известно, кроме профессиональных историков. А между тем в конце XIX века об этом низеньком, коренастом человеке с мясистым носом, хитрыми глазами, вкрадчивой речью писала вся французская и иностранная печать.

Родившийся в эмигрантской семье в Безансоне, Герц в пятилетнем возрасте был увезен родителями в США, где получил азы медицинского образования. Уже американским гражданином он вернулся на родину, участвовал в качестве полкового врача в войне против Пруссии, был награжден орденом Почетного легиона. После войны Герц возвратился в США, закончил медицинский институт в Чикаго (или просто купил диплом врача — такая торговля в то время была обычным способом пополнять институтскую кассу), женился на дочери фабриканта. Занявшись медицинской практикой, Герц, однако, вскоре проявил себя совсем в другой области — мошенничестве. Чтобы избежать наказания за свои проделки, а еще в большей мере расплаты с многочисленными кредиторами, он исчез из поля зрения и появился через некоторое время в Париже. Дебют американского врача без особых средств в роли изобретателя и бизнесмена оказался малоудачным, хотя он угадал выгоднейшие сферы приложения капитала: эксплуатацию только что сделанных тогда важнейших изобретений — телефона и электрического освещения. Первые неудачи не охладили пыла Герца, настойчиво пробивавшего себе путь к большим деньгам. Одной из причин невезения было отсутствие достаточных политических связей, которые бы обеспечили помощь администрации, чем поспешили воспользоваться конкуренты.

Наученный горьким опытом, Герц обзаводится влиятельными друзьями; в их числе был лидер радикалов Жорж Клемансо. В финансировании его газеты "Справедливость" Герц принимал деятельное участие как близкий человек и единомышленник; ему было очень важно завоевать расположение неподкупного Клемансо. Герц — этот будто сошедший со страниц бальзаковского романа герой наживы — не был просто преуспевшим биржевым пройдохой. Это был великий авантюрист, созданный из того же материала, из которого делаются крупные воротилы банков и биржи. Алчность, беспощадность дельца совмещались у него временами с политическим честолюбием и умением заставить других поверить в серьезность своих радикальных убеждений.

Герц очень любил позабавиться, поиздеваться над своими достойными сподвижниками, он умел вкрасться в доверие. Одно время ему искренне верили даже Клемансо (его было очень трудно провести) и Поль Дерулед, позднее обвинявший Клемансо в связи с Герцем. Он умел инсценировать и принципиальность, например, отказался участвовать в политической кампании буланжистов, чем заслужил глухую ненависть некоторых из них.

Во второй половине 1880-х годов Герца уже знали все парижские политики и парламентарии. Его тепло принимают у президента Греви. По рассказам одного современника, Герц подкупал депутатов, чтобы заставить военного министра Фрейсине под угрозами неблагоприятного вотума в палате депутатов передать новоиспеченному миллионеру контракты на выгодные поставки для армии. Понятно, что такому человеку было нетрудно добиваться все более высоких званий в списках Почетного легиона. Когда в 1886 году дело дошло до получения высших чинов, заокеанские газеты напомнили о мошеннических операциях Герца в США. Однако нападки американской прессы получили весьма слабый отзвук в Париже.

Постепенно Герц все расширял сферу своего влияния. Он взял за правило поддерживать контакты с лидерами различных враждующих партий; так, генерал Буланже в бытность свою военным министром написал письмо, горячо поздравляя Герца как близкого друга с продвижением. Дорогие подарки женам министров и депутатов (драгоценности или изысканная обстановка для новой квартиры) были обычным методом, применявшимся Герцем для завязывания и развития добрых отношений с нужными людьми. Старые связи использовались для установления новых. Во многих случаях Герц пускал в ход самые фантастические предложения, призванные, по-видимому, поразить воображение человека, которого никак не удавалось привлечь на свою сторону иным способом. Анри Рошфор, известный в прошлом левый журналист, уверял, что развязный делец пытался убедить его в том, что разрушит тройственный союз противников Франции — Германии, Австро-Венгрии и Италии и что он стремится к роли "благодетеля человечества". У Рошфора Герц не преуспел. Но это было исключением из правила.

Финансовые дела будущего "благодетеля человечества", знавшего "весь Париж", процветали, а это, в свою очередь, расширяло круг "друзей" Корнелиуса Герца. Политическая интрига шествовала под руку с финансовыми спекуляциями. И уже, наверное, даже и самому Герцу было не всегда ясно, что было для него средством, а что — целью, когда он стремился увеличить капитал, а когда — удовлетворить свою страсть к политической игре, к рекламе, к возможности дать выход тем действительным чувствам, что вызывали у него все эти закупленные им на корню "сильные мира сего".

Особняком стоят отношения между доктором Герцем и банкиром Рейнаком. Их первые совместные действия относятся к 1879 и 1880 годам. Несколько позднее для распространения акций компании Рейнак стал получать от нее крупные суммы денег; они шли на оплату рекламы в печати, на взятки и на вознаграждение трудов самого барона. Общая сумма превысила 7,5 миллиона франков.

Когда в 1885 году правительство Бриссона отказало компании Панамского канала в просьбе выпустить облигации выигрышного займа, Герц предложил Шарлю де Лессепсу (сыну главы компании) добиться изменения этого решения правительства и благоприятного голосования в парламенте. При этом "всего" за 10 миллионов франков. Предложение носило характер явной авантюры или просто мошенничества. Тем не менее Шарль де Лессепс выразил согласие заплатить эти деньги в случае, если Герц действительно добьется всего им обещанного. Причина могла быть и была только одна — за Герца поручился барон Рейнак.

Ничего не имея против подкупа парламентариев, Герц, видимо, решил, что на первых порах следует выпотрошить денежные мешки компании в свою личную пользу. За 1885 год он достиг одного — ассигнования ему двумя порциями 600 тысяч франков, взамен которых компания просто ничего не получила. Изменения же правительственного решения и вотума парламента добился Рейнак, а вовсе не Герц. Но зачем опытному банкиру прикрывать своей гарантией заведомую аферу?

Из сохранившихся обрывков корреспонденции Герца и Рейнака, относящейся к 1886 и 1887 годам, очевидно, что доктор имел основание говорить с бароном в угрожающих тонах. Например, в августе 1887 года Герц писал: "Или Вы выполните Ваши обязательства в отношении меня, или поставите меня в печальную необходимость так же пожертвовать Вами и Вашими родными, как Вы сами были безжалостны ко мне и моим родным". Герц то и дело грозил, что барон у него "запрыгает", и неизменно требовал денег, включая и миллионы за проведение через парламент закона о выпуске облигаций выигрышного займа, в "проталкивании" которого он не участвовал, будучи в это время за границей. И тем не менее Герц не встречал отказа; он продолжал вымогательство в устной форме, когда был в Париже, и с помощью шифрованных или нешифрованных писем и телеграмм, когда доктор пребывал в своих заграничных поездках. В бумагах Рейнака после его смерти был обнаружен счет, озаглавленный "шантаж Герца". Из него явствует, что доктор изъял у банкира громадную сумму — 9 382 175 франков и настаивал на выплате все новых денег. Интересно отметить, что Клемансо и премьер-министр Флоке в 1888 году упрашивали Лессепса побудить Рейнака, чтобы он удовлетворил требования Корнелиуса Герца.

В ходе шантажа Рейнак тщетно пытался убедить Герца, что он не располагает больше никакими средствами, переданными компанией Панамского канала для подкупа парламентариев и министров. А для большей убедительности в марте или апреле 1889 года барон переслал вымогателю список лиц, получивших взятки, и сумму, доставшуюся на долю каждого из достойных законодателей. Рейнак не мог не понимать, какое оружие он вкладывает в руки Герца, и тем не менее пошел на этот отчаянный ход. И снова вопрос: зачем?

Известно, что банкир сделал попытку избавиться от шантажа с помощью наемного убийцы. Рейнак предложил некоему Амьелю, бывшему полицейскому агенту, изгнанному со службы, за крупное вознаграждение отравить Герца. Амьель предпочел, возможно, получив аванс, уехать в Бразилию, а оттуда послать Герцу предостережение относительно угрожавшей ему опасности. Герц с помощью своего адвоката Андрие предложил Амьелю уступить за определенную сумму письмо от его нанимателя. Сделка состоялась, и доктор получил письмо Рейнака к Амьелю. По совершенно необъяснимому легкомыслию барон даже не потрудился изменить свою подпись. Судя по показаниям, которые впоследствии давал Андрие, Герц объявил Рейнаку, что письма к Амьелю у него в руках. Рейнак пытался сначала обратить все дело в шутку, потом сказал, что хотел только заставить доктора уехать из Парижа, а кончил предложением прекратить распри, забыть старое и даже просил руки дочери Герца для своего сына. Примерно через полгода после "примирения", видимо, недешево обошедшегося барону, Амьель неожиданно скончался. По одним намекам, он стал искупительной жертвой этого "примирения", по другим сведениям, причиной смерти был приступ астмы. Однако ясно, что Рейнак обратился к услугам Амьеля, когда был выведен из себя все новыми требованиями Герца.

Современники терялись в догадках относительно секрета Рейнака, которым владел Герц. Может быть, убийство Рейнаком какого-то банковского служащего, как впоследствии уверял Герц? Совершение деяний, равносильных государственной измене, например, занятие шпионажем в пользу одной из иностранных держав? Участие в каком-то тайном государственном деле исключительного значения? Во всяком случае, спасение Рейнака от непрекращавшегося шантажа действительно стало рассматриваться правительством как дело государственной важности.

Герц не прекратил вымогательств и после краха Панамской компании, когда Рейнаку вменялось соучастие в преступных действиях администрации, которой инкриминировалось мошенничество и нарушение доверия. Подобное обвинение не мешало Рейнаку продолжать свои дела.

Однако в ноябре 1892 года запахло новым скандалом, связанным с Панамой. Велось строго секретное расследование. Когда 8 ноября один из следователей явился в особняк барона на улицу Мюрилло, дом 20, ему сообщили, что хозяин дома путешествует по южным курортам. В конце второй декады слухи о предстоящих разоблачениях просочились в печать. Стали называть имя Рейнака. Самое интересное, что барон сам снабдил некоторые из газет сенсационной информацией при условии, что они лично его оставят в покое. Барон пытался с помощью взяток помешать выступлениям с разоблачениями в парламенте. 18 ноября буланжистская газета "Кокарда" обвинила члена палаты депутатов Флоке в том, что он в 1888 году получил от Панамской компании 300 тысяч франков для покрытия расходов своих сторонников во время избирательной кампании. На следующий день началось обсуждение этого обвинения в палате депутатов...

Рано утром 19 ноября встревоженный Рейнак приехал на квартиру министра финансов Рувье. Банкир выглядел очень взволнованным и заявил, что для него вопрос жизни или смерти — добиться прекращения газетной кампании и что это вполне может сделать Корнелиус Герц. Рувье ответил, что он готов принять Герца и, следовательно, просить его оказать помощь барону. Рейнак ринулся за Герцем, но вскоре вернулся: доктор сказался больным. (Все это могло происходить только до 11 часов утра, когда началось заседание совета министров, в котором принял участие Рувье). Позже по настоянию Рейнака Рувье согласился сопровождать банкира к Герцу, как разъяснил позднее министр финансов, исключительно из соображений человеколюбия. Рувье, однако, оговорил в качестве условия этого филантропического похода, чтобы при встрече присутствовал еще один свидетель. Сошлись на кандидатуре Клемансо. Лидера радикалов нашли в парламентском здании; он также согласился отправиться к Герцу.

После заседания палаты депутатов Рейнак вместе с Рувье поехали на улицу Анри Мартен, где жил Герц. Прибывший незадолго до этого Клемансо еще снимал пальто в прихожей, когда они вошли. Так по крайней мере позднее утверждал сам Клемансо, но, может быть, он уже успел переговорить с Герцем? Рейнак попросил Герца содействовать прекращению нападок печати. Герц отказал: теперь слишком поздно, надо было бы его ранее поставить в известность. Повторные настойчивые просьбы снова натолкнулись на отказ. Покинув Герца, Рейнак упросил Клемансо съездить с ним к бывшему министру внутренних дел Констану, которому открыто высказал свои подозрения, что тот инспирировал всю кампанию в печати. Констан негодующе отрицал свою причастность к этим газетным статьям и заявил, что не может ничем помочь. Прощаясь с Клемансо, Рейнак заявил:"Я погиб!"

Весь этот эпизод — визит к Герцу и Констану — известен только со слов Клемансо и Рувье. Заслуживают ли доверия их свидетельства? По мнению французского историка Дансета, не заслуживают. О роли самих Рувье и Клемансо в их версии сказано столь мало, сколь возможно было сказать, не нарушая правдоподобия всей истории. Прежде всего, разумеется, "человеколюбие", о котором шла речь, было проявлено и Рувье и Клемансо, чтобы обезопасить самих себя: в интересах обоих было не допустить усиления скандала, причем как из политических, так и из сугубо личных мотивов. Лишь это и могло побудить политиков пренебречь риском, который представляло их совместное путешествие с находившимся под следствием Рейнаком к Герцу, а потом поездка Клемансо к Констанцу, очень опасному и коварному политикану.

...На следующее утро около семи часов слуга банкира, как обычно, постучался в дверь комнаты Рейнака. Но, увы, его услуги барону больше не понадобились, так как он скончался. Узнав об этом печальном событии, Герц в тот же день выехал в Лондон (по другим данным доктор еще неделю оставался в Париже).

Поселившись в 1892 году в Англии, доктор Герц заявил, что он тяжело болен — страдает от сахарного диабета, сердечной недостаточности, последствий простуды и еще ряда заболеваний. Это подтвердили как французские, так и английские медики. В результате просьба о выдаче мошенника, переданная французским правительством, не могла быть даже рассмотрена английским судом, заседавшим в Лондоне, поскольку Герц поселился в Борнемуте и по состоянию здоровья считался неспособным доехать до английской столицы. В конечном счете пришлось под давлением новых французских демаршей изменить соответствующий закон и разрешить слушание дела вне Лондона. На это, разумеется, ушли годы, и результаты рассмотрения дела оказались самыми благоприятными для доктора. Суд счел доказанным лишь, что Рейнак признал себя в одном из своих писем должником Герца: речь, следовательно, могла идти не о выдаче доктора, а об уплате причитающейся ему суммы... В результате все прежние решения французского суда, признававшие Герца виновным в шантаже, столь же мало его трогали, как исключение из списков Почетного легиона. Более того, доктор сумел еще вволю поиздеваться над высшими французскими властями. В 1897 году Герц, узнав о назначении новой парламентской комиссии, предложил ей, если она хочет докопаться до истины, прибыть в Борнемут.

Желая вначале удостовериться, что письмо действительно от Герца, комиссия направила к нему двух депутатов. Авантюрист милостиво соизволил принять их, при этом иронически заметив, что нетрудно было проверить подлинность его подписи, не выезжая из Парижа: ее легко мог удостоверить министр иностранных дел или президент Республики... Герц уверял, что он знает много не вскрытых еще чудовищных вещей и намерен теперь рассказать все. Возбуждение в комиссии достигло предела, она спешно телеграфировала Герцу, что готова 22 июля прибыть в Борнемут и выслушать его показания. Ответ Герца, датированный 20 июля, был совсем иного рода: доктор откладывал свои разоблачения, просил доставить протоколы всех судебных процессов, где он затрагивался, и разъяснял, что долгом комиссии, после того, как она выслушает его, Герца, будет громко признать его невиновность и мученичество, которое пришлось претерпеть... Это было уже открытым глумлением, возможно, что вся игра Герца была очередным шантажом в отношении правительства, где по-прежнему заседали “панамисты”. Ходили слухи, что правительство сумело договориться с доктором в промежуток между посещением Герца членами парламентской комиссии и издевательским письмом от 20 июля...

Герц не прекращал шантаж и в последующие месяцы. Например, он потребовал от французского правительства возмещения убытков в 5 миллионов долларов за то, что одно время по просьбе Парижа за ним было установлено полицейское наблюдение в Борнемуте. Все это продолжалось вплоть до смерти авантюриста в июле 1898 года.

Сонька Золотая Ручка

(1846 — ?)

Настоящее имя — Шейндля-Сура Лейбова Соломониак-Блювштейн. Изобретательная воровка, аферистка, способная перевоплощаться в светскую даму, монахиню или простую служанку. Ее называли “дьяволом в юбке”, “демонической красавицей, глаза которой очаровывают и гипнотизируют”...

Популярный в конце XIX века журналист Влас Дорошевич назвал легендарную авантюристку "всероссийски, почти европейски знаменитой". А Чехов уделили ей внимание в книге "Сахалин".

Софья Блювштейн, в девичестве Шейндля-Сура Лейбова Соломониак, прожила на воле не слишком долго — едва ли лет сорок. Но как начала девчонкой с мелких краж — не останавливалась до самого Сахалина. В игре она достигла совершенства. А талант, красота, хитроумие и абсолютная аморальность сделали эту молодую провинциалку гением аферы, легендарной авантюристкой.

Золотая Ручка занималась в основном кражами в гостиницах, ювелирных магазинах, промышляла в поездах, разъезжая по России и Европе. Шикарно одетая, с чужим паспортом, она появлялась в лучших отелях Москвы, Петербурга, Одессы, Варшавы, тщательно изучала расположение комнат, входов, выходов, коридоров. Сонька изобрела метод гостиничных краж под названием "гутен морген". Она надевала на свою обувь войлочные туфли и, бесшумно двигаясь по коридорам, рано утром проникала в чужой номер. Под крепкий предрассветный сон хозяина тихо "вычищала" его наличность. Если же хозяин неожиданно просыпался — нарядная дама в дорогих украшениях, как бы не замечая "постороннего", начинала раздеваться, как бы по ошибке приняв номер за свой... Кончалось все мастерски разыгранным смущением и взаимными расшаркиваниями. Вот таким манером оказалась Сонька в номере провинциального отеля. Оглядевшись, она заметила спящего юношу, бледного как полотно, с измученным лицом. Ее поразило не столько выражение крайнего страдания, сколько удивительное сходство юноши с Вольфом — остренькое личико которого никогда ничего близкого к истинной нравственной муке изобразить не могло.

На столе лежал револьвер и веер писем. Сонька прочла одно — к матери. Сын писал о краже казенных денег: пропажа обнаружена, и самоубийство — единственный путь избежать бесчестья, — уведомлял матушку злосчастный Вертер. Сонька положила поверх конвертов пятьсот рублей, прижала их револьвером и так же тихо вышла из комнаты.

Широкой Сонькиной натуре не чужды были добрые дела — если прихотливая мысль ее в эти минуты обращалась к тем, кого она любила. Кто, как не собственные ее далекие дочки, встали перед глазами, когда Сонька узнала из газет, что вчистую обворовала несчастную вдову, мать двух девочек. Эти 5000 украденных рублей были единовременным пособием по смерти ее мужа, мелкого чиновника. Сонька не долго раздумывала: почтой отправила вдове пять тысяч и небольшое письмецо. "Милостивая государыня! Я прочла в газетах о постигшем вас горе, которого я была причиной по своей необузданной страсти к деньгам, шлю вам ваши 5000 рублей и советую впредь поглубже деньги прятать. Еще раз прошу у вас прощения, шлю поклон вашим бедным сироткам".

Однажды полиция обнаружила на одесской квартире Соньки ее оригинальное платье, сшитое специально для краж в магазинах. Оно, в сущности, представляло собой мешок, куда можно было спрятать даже небольшой рулон дорогой ткани. Особое мастерство Сонька демонстрировала в ювелирных магазинах. В присутствии многих покупателей и с помощью своих "агентов", которые ловко отвлекали внимание приказчиков, она незаметно прятала драгоценные камни под специально отращенные длинные ногти, заменяя кольца с бриллиантами фальшивыми, прятала украденное в стоящий на прилавке горшок с цветами, чтобы на следующий день прийти и забрать похищенное.

Особую страницу в ее жизни занимают кражи в поездах — отдельных купе первого класса. Жертвами мошенницы становились банкиры, иностранные дельцы, крупные землевладельцы, даже генералы — у Фролова, например, на Нижегородской железной дороге она похитила 213 000 рублей.

Изысканно одетая, Сонька располагалась в купе, играя роль маркизы, графини или богатой вдовы. Расположив к себе попутчиков и делая вид, что поддается их ухаживаниям, маркиза-самозванка много говорила, смеялась и кокетничала, ожидая, когда жертву начнет клонить ко сну. Однако, увлеченные внешностью и сексуальными призывами легкомысленной аристократки, богатые господа долго не засыпали. И тогда Сонька пускала в ход снотворное — одурманивающие духи с особым веществом, опиум в вине или табаке, бутылочки с хлороформом и т. д. У одного сибирского купца Сонька похитила триста тысяч рублей (огромные деньги по тем временам).

Она любила бывать на знаменитой Нижегородской ярмарке, но часто выезжала и в Европу, Париж, Ниццу, предпочитала немецкоязычные страны: Германию, Австро-Венгрию, снимала роскошные квартиры в Вене, Будапеште, Лейпциге, Берлине.

Сонька не отличалась красотой. Была небольшого роста, но имела изящную фигуру, правильные черты лица; глаза ее излучали сексуально-гипнотическое притяжение. Влас Дорошевич, беседовавший с авантюристкой на Сахалине, заметил, что ее глаза были “чудные, бесконечно симпатичные, мягкие, бархатные... и говорили так, что могли даже отлично лгать”.

Сонька постоянно пользовалась гримом, накладными бровями, париками, носила дорогие парижские шляпки, оригинальные меховые накидки, мантильи, украшала себя драгоценностями, к которым питала слабость. Жила с размахом. Излюбленными местами ее отдыха были Крым, Пятигорск и заграничный курорт Мариенбад, где она выдавала себя за титулованную особу, благо у нее был набор разных визитных карточек. Денег она не считала, не копила на черный день. Так, приехав в Вену летом 1872 года, заложила в ломбард некоторые из похищенных ею вещей и, получив под залог 15 тысяч рублей, истратила в одно мгновение.

Постепенно ей прискучило работать одной. Она сколотила шайку из родственников, бывших мужей, вора в законе Березина и шведско-норвежского подданного Мартина Якобсона. Члены шайки безоговорочно подчинялись Золотой Ручке.

...Михаил Осипович Динкевич, отец семейства, почтенный господин, после 25 лет образцовой службы директором мужской гимназии в Саратове был отправлен в отставку. Михаил Осипович решил вместе с дочерью, зятем и тремя внуками переехать на родину, в Москву. Динкевичи продали дом, прибавили сбережения, набралось 125 тысяч на небольшой дом в столице.

Прогуливаясь по Петербургу, отставной директор завернул в кондитерскую — и в дверях чуть не сшиб нарядную красавицу, от неожиданности выронившую зонтик. Динкевич невольно отметил, что перед ним не просто петербургская красотка, а женщина исключительно благородной породы, одетая с той простотой, какая достигается лишь очень дорогими портными. Одна ее шляпка стоила годового заработка учителя гимназии.

Спустя десять минут они пили за столиком кофе со сливками, красавица пощипывала бисквит, Динкевич расхрабрился на рюмку ликера. На вопрос об имени прекрасная незнакомка ответила:

“Графиня Тимрот, Софья Ивановна”.

“О, какое имя! Вы ведь из московских Тимротов, не так ли?”

"Именно так".

"Ах, Софья Ивановна, кабы вы знали, как в Москву-то тянет!"

И Михаил Осипович, испытав вдруг прилив доверия, изложил графине свою нужду — и про пенсию, и про скромный капитал, и про грезу о московском не самом шикарном, но достойном хорошей семьи особнячке...

"А знаете что, любезный Михаил Осипович... — после кратного раздумья решилась графиня, — мы ведь с мужем ищем надежного покупателя. Граф получил назначение в Париж, послом Его Величества..."

"Но графиня! Да я и мезонина вашего не осилю! У вас ведь имеется мезонин?"

"Имеется, — усмехнулась Тимрот. — У нас много чего имеется. Но муж мой — гофмейстер двора. Нам ли торговаться? Вы, я вижу, человек благородный, образованный, опытный. Другого хозяина я бы и не желала для бебутовского гнезда..."

"Так батюшка ваш — генерал Бебутов, кавказский герой?!" — всполошился Динкевич.

"Василий Осипович — мой дед, — скромно поправила Софья Ивановна и поднялась из-за стола. — Так когда же изволите взглянуть на дом?"

Договорились встретиться через пять дней в поезде, куда Динкевич подсядет в Клину.

Сонька хорошо помнила этот городок, а вернее, небольшую станцию, так как из всего города ей был знаком только полицейский участок. Свое первое приключение Сонька вспоминала всегда с удовольствием. В ту пору ей не исполнилось и двадцати, при небольшом росте и изяществе выглядела на шестнадцать. Это через шесть лет ее стали называть Золотой Ручкой, когда Шейндля Соломониак, дочь мелкого ростовщика из Варшавского уезда, прославилась как мозговой центр и финансовый бог "малины" международного размаха. А тогда у нее был лишь талант, неотразимое обаяние и школа "родового гнезда", которым она гордилась не меньше, чем графиня Тимрот. Гнезда не генеральского, а блатного, где она росла среди ростовщиков, скупщиков краденого, воров и контрабандистов. Была у них на побегушках, легко выучивая их языки: идиш, польский, русский, немецкий. Наблюдала за ними. И как истинная артистическая натура, пропитывалась духом авантюры и беспощадного риска.

Ну а тогда, в 1866-м, она была скромной воровкой "на доверии" на железной дороге. К этому времени Сонька уже успела, кстати, сбежать от своего первого мужа, торговца Розенбада, прихватив на дорожку не так уж много — пятьсот рублей. Где-то "у людей" росла ее маленькая дочка.

Итак, подъезжая к Клину, в вагоне третьего класса, где она промышляла по мелочи, Сонька заприметила красавца юнкера. Подсела, поклонилась, польстила ему "полковником" и так простодушно во все глаза (силу которых уже знала хорошо) разглядывала его кокарду, сверкающие сапоги и чемоданчик возле них, что молодой военный немедленно ощутил порыв, свойственный всем мужчинам, встречавшимся на Сонькином пути: защитить и опекать эту девочку с лицом падшего ангела — по возможности до конца своих дней.

На станции Клин ей уже ничего не стоило послать покоренного юнкера — ну, допустим, за лимонадом.

Это был первый и последний раз, когда Сонька попалась с поличным. Но и тут сумела выкрутиться. В участке она разрыдалась, и все, включая облапошенного и отставшего от поезда Мишу Горожанского, поверили, что девушка взяла чемодан попутчика по ошибке, перепутав со своим. Мало того, в протоколе осталось заявление "Симы Рубинштейн" о пропаже у нее трехсот рублей.

Спустя несколько лет Сонька отправилась в Малый театр. И в блистательном Глумове узнала вдруг своего клинского "клиента". Михаил Горожанский в полном соответствии с псевдонимом — Решимов — бросил военную карьеру ради театра и стал ведущим актером Малого. Сонька купила огромный букет роз, вложила туда остроумную записку: "Великому актеру от его первой учительницы" — и собралась послать премьеру. Но по дороге не удержалась и добавила к подношению золотые часы из ближайшего кармана. Все еще молодой Михаил Решимов так никогда и не понял, кто разыграл его и почему на крышке дорогого сувенира было выгравировано: "Генерал-аншефу N за особые заслуги перед отечеством в день семидесятилетия".

Но вернемся к "графине" Софье Тимрот. В Москве ее, как положено, встречал шикарный выезд: кучер весь в белом, сверкающая лакированной кожей и пышными гербами двуколка и классическая пара гнедых. Заехали за семейством Динкевича на Арбат — и вскоре покупатели, как бы не смея войти, столпились у ворот чугунного литья, за которыми высился дворец на каменном цоколе с обещанным мезонином.

Затаив дыхание, Динкевичи осматривали бронзовые светильники, павловские кресла, красное дерево, бесценную библиотеку, ковры, дубовые панели, венецианские окна... Дом продавался с обстановкой, садом, хозяйственными постройками, прудом — и всего за 125 тысяч, включая зеркальных карпов! Дочь Динкевича была на грани обморока. Сам Михаил Осипович готов был целовать ручки не то что у графини, но и у монументального дворецкого в пудреном парике, словно специально призванного довершить моральный разгром провинциалов.

Служанка с поклоном вручила графине телеграмму на серебряном подносе, и та, близоруко сощурившись, попросила Динкевича прочесть ее вслух: "Ближайшие дни представление королю вручение верительных грамот тчк согласно протоколу вместе супругой тчк срочно продай дом выезжай тчк ожидаю нетерпением среду Григорий".

"Графиня" и покупатель отправились в нотариальную контору на Ленивке. Когда Динкевич следом за Сонькой шагнул в темноватую приемную, услужливый толстяк резво вскочил им навстречу, раскрыв объятия.

Это был Ицка Розенбад, первый муж Соньки и отец ее дочки. Теперь он был скупщиком краденого и специализировался на камнях и часах. Веселый Ицка обожал брегеты со звоном и при себе всегда имел двух любимых Буре: золотой, с гравированной сценой охоты на крышке, и платиновый, с портретом государя императора в эмалевом медальоне. На этих часах Ицка в свое время обставил неопытного кишиневского щипача едва не на триста рублей. На радостях он оставил оба брегета себе и любил открывать их одновременно, сверяя время и вслушиваясь в нежный разнобой звона. Розенбад зла на Соньку не держал, пятьсот рублей простил ей давным-давно, тем более что по ее наводкам получил уже раз в сто больше. Женщине, которая растила его девочку, платил щедро и дочку навещал часто, не в пример Соньке. (Хотя позже, имея уже двух дочерей, Сонька стала самой нежной матерью, не скупилась на их воспитание и образование — ни в России, ни потом во Франции. Однако взрослые дочери отреклись от нее.)

Встретившись года через два после побега молодой жены, бывшие супруги стали "работать" вместе. Ицка, с его веселым нравом и артистичным варшавским шиком, часто оказывал Соньке неоценимую помощь.

Итак, нотариус, он же Ицка, теряя очки бросился к Соньке. “Графиня! — вскричал он. — Какая честь! Такая звезда в моем жалком заведении!”

Через пять минут молодой помощник нотариуса оформил изящным почерком купчую. Господин директор в отставке вручил графине Тимрот, урожденной Бебутовой, все до копеечки накопления своей добропорядочной жизни. 125 тысяч рублей. А через две недели к ошалевшим от счастья Динкевичам пожаловали двое загорелых господ. Это были братья Артемьевы, модные архитекторы, сдавшие свой дом внаем на время путешествия по Италии. Динкевич повесился в дешевых номерах...

Главные помощники Соньки в этом деле через пару лет были схвачены. Ицка Розенбад и Михель Блювштейн (дворецкий) отправились в арестантские роты, Хуня Гольдштейн (кучер) — на три года в тюрьму, а затем — за границу “с воспрещением возвращаться в пределы Российского государства”. Сонька любила работать с родней и бывшими мужьями. Все трое не были исключениями: не только варшавянин Ицка, но и оба “румынскоподданных” состояли в свое время с “мамой” в законном браке.

Попадалась она не раз. Соньку судили в Варшаве, Петербурге, Киеве, Харькове, но ей всегда удавалось либо ловко ускользнуть из полицейской части, либо добиться оправдания. Впрочем, охотилась за ней полиция и многих городов Западной Европы. Скажем, в Будапеште по распоряжению Королевской судебной палаты были арестованы все ее вещи; лейпцигская полиция в 1871 году передала Соньку под надзор Российского посольства. Она ускользнула и на этот раз, однако вскоре была задержана венской полицией, конфисковавшей у нее сундук с украденными вещами.

Так началась полоса неудач: ее имя часто фигурировало в прессе, в полицейских участках были вывешены ее фотографии. Соньке становилось все труднее раствориться в толпе, сохранять свободу с помощью взяток.

Она блистала в счастливые времена своей звездной карьеры в Европе, но городом удачи и любви была для нее Одесса...

Вольф Бромберг, двадцатилетний шулер и налетчик, по прозвищу Владимир Кочубчик, имел над Сонькой необъяснимую власть. Он вымогал у нее крупные суммы денег. Сонька чаще, чем прежде, шла на неоправданный риск, стала алчной, раздражительной, опустилась даже до карманных краж. Не слишком красивый, из разряда “хорошеньких” мужчин с подбритыми в ниточку усиками, узкий в кости, с живыми глазами и виртуозными руками — он единственный рискнул однажды подставить Соньку. В день ее ангела, 30 сентября, Вольф украсил шейку своей любовницы бархоткой с голубым алмазом, который был взят под залог у одного одесского ювелира. Залогом являлась закладная на часть дома на Ланжероне. Стоимость дома на четыре тысячи превышала стоимость камня — и разницу ювелир уплатил наличными. Через день Вольф неожиданно вернул алмаз, объявив, что подарок не пришелся по вкусу даме. Через полчаса ювелир обнаружил подделку, а еще через час установил, что и дома никакого на Ланжероне нет и не было. Когда он вломился в комнаты Бромберга на Молдаванке, Вольф “признался”, что копию камня дала ему Сонька и она же состряпала фальшивый заклад. К Соньке ювелир отправился не один, а с урядником.

Суд над ней шел с 10 по 19 декабря 1880 года в Московском окружном суде. Разыгрывая благородное негодование, Сонька отчаянно боролась с судейскими чиновниками, не признавая ни обвинения, ни представленные вещественные доказательства. Несмотря на то, что свидетели опознали ее по фотографии,

Сонька заявила, что Золотая Ручка — совсем другая женщина, а она жила на средства мужа, знакомых поклонников. Особенно возмутили Соньку подброшенные ей на квартиру полицией революционные прокламации. Словом, вела себя так, что впоследствии присяжный поверенный А. Шмаков, вспоминая об этом процессе, назвал ее женщиной, способной "заткнуть за пояс добрую сотню мужчин".

И все же по решению суда она получила суровый приговор: "Варшавскую мещанку Шейндлю-Суру Лейбову Розенбад, она же Рубинштейн, она же Школьник, Бреннер и Блювштейн, урожденную Соломониак, лишив всех прав состояния, сослать на поселение в отдаленнейшие места Сибири".

Местом ссылки стала глухая деревня Лужки Иркутской губернии, откуда летом 1885 года Сонька совершила побег, но через пять месяцев была схвачена полицией. За побег из Сибири ее приговорили к трем годам каторжных работ и 40 ударам плетьми. Однако и в тюрьме Сонька не теряла времени даром: она влюбила в себя рослого с пышными усами тюремного надзирателя унтер-офицера Михайлова. Тот передал своей пассии гражданское платье и в ночь на 30 июня 1886 года вывел ее на волю. Но только четыре месяца наслаждалась Сонька свободой. После нового ареста она оказалась в Нижегородском тюремном замке. Теперь ей предстояло отбывать каторжный срок на Сахалине.

Без мужчины она не могла никак и еще на этапе сошлась с товарищем по каторжной доле, смелым, прожженным пожилым вором и убийцей Блохой.

На Сахалине Сонька, как и все женщины, вначале жила на правах вольного жителя. Привыкшая к дорогим "люксам" европейского класса, к тонкому белью и охлажденному шампанскому, Сонька совала копеечку караульному солдату, чтобы пустил ее в темные барачные сени, где она встречалась с Блохой. Во время этих кратких свиданий Сонька и ее матерый сожитель разработали план побега.

Надо сказать, что бежать с Сахалина было не такой уж сложной задачей. Блоха бежал уже не впервой и знал, что из тайги, где три десятка человек работают под присмотром одного солдата, пробраться среди сопок к северу, к самому узкому месту Татарского пролива между мысами Погоби и Лазарева — ничего не стоит. А там — безлюдье, можно сколотить плот и перебраться на материк. Но Сонька, которая и здесь не избавилась от своей страсти к театрализованным авантюрам, а к тому же побаивалась многодневной голодухи, придумала свой вариант. Пойдут они дорожкой хоженой и обжитой, но прятаться не будут, а сыграют в каторжную раскомандировку: Сонька в солдатском платье будет "конвоировать" Блоху. Рецидивист убил караульного, в его одежду переоделась Сонька.

Первым поймали Блоху. Сонька, продолжавшая путь одна, заплутала и вышла на кордон. Но в этот раз ей посчастливилось. Врачи Александровского лазарета настояли на снятии с Золотой Ручки телесного наказания: она оказалась беременной. Блоха же получил сорок плетей и был закован в ручные и ножные кандалы. Когда его секли, он кричал: "За дело меня, ваше высокоблагородие! За дело! Так мне и надо!"

Беременность Соньки Золотой Ручки закончилась выкидышем. Дальнейшее ее сахалинское заточение напоминало бредовый сон. Соньку обвиняли в мошенничестве, она привлекалась — как руководитель! — по делу об убийстве поселенца-лавочника Никитина.

Наконец, в 1891 году за вторичный побег ее передали страшному сахалинскому палачу Комлеву. Раздетой донага, окруженной сотнями арестантов, под их поощрительное улюлюканье палач нанес ей пятнадцать ударов плетью. Ни звука не проронила Сонька Золотая Ручка. Доползла до своей комнаты и свалилась на нары. Два года и восемь месяцев Сонька носила ручные кандалы и содержалась в сырой одиночной камере с тусклым крошечным окном, закрытым частой решеткой.

Чехов так описал ее в книге "Сахалин": "маленькая, худенькая, уже седеющая женщина с помятым старушечьим лицом... Она ходит по своей камере из угла в угол, и кажется, что она все время нюхает воздух, как мышь в мышеловке, и выражение лица у нее мышиное..." К моменту описываемых Чеховым событий, то есть в 1891 году, Софье Блювштейн было всего сорок пять лет...

Соньку Золотую Ручку посещали писатели, журналисты, иностранцы. За плату разрешалось с ней побеседовать. Говорить она не любила, много врала, путалась в воспоминаниях. Любители экзотики фотографировались с ней в композиции: каторжанка, кузнец, надзиратель — это называлось "Заковка в ручные кандалы знаменитой Соньки Золотой Ручки". Один из таких снимков, присланный Чехову Иннокентием Игнатьевичем Павловским, сахалинским фотографом, хранится в Государственном литературном музее.

Отсидев срок, Сонька должна была остаться на Сахалине в качестве вольной поселенки. Она стала хозяйкой местного "кафе-шантана", где варила квас, торговала из-под полы водкой и устраивала веселые вечера с танцами. Тогда же сошлась с жестоким рецидивистом Николаем Богдановым, но жизнь с ним была хуже каторги. Больная, ожесточившаяся, она решилась на новый побег и покинула Александровск. Прошла около двух верст и, потеряв силы, упала. Ее нашли конвойные. Через несколько дней Золотая Ручка умерла.

Петр Иванович Рачковский

(1853 — 1911)

Организатор политического сыска в России. Заведующий заграничной агентурой Департамента полиции (Париж, Женева, 1885—1902). Вице-директор и заведующий политчастью Департамента полиции (1905—1906). В декабре 1905 года руководил арестами участников вооруженного восстания в Москве.

Из справки, обнаруженной в бумагах министра внутренних дел и шефа жандармов Российской империи фон Плеве после убийства его в 1904 году:

"Петр Иванович Рачковский, потомственный дворянин, действительный статский советник, получил образование домашнее и, не имея чина, поступил на службу в 1867 году младшим сортировщиком Киевской губернской почтовой конторы, затем состоял в канцеляриях: одесского градоначальника, губернаторов киевского, варшавского и калишского, а также в канцелярии X департамента Правительствующего Сената; в 1877 году был назначен судебным следователем по Архангельской губернии, а в 1878 году от этой должности уволен по прошению. Оставшись вследствие того без средств, Рачковский поместился в качестве воспитателя в доме генерал-майора Каханова и вместе с тем стал заниматься литературным трудом, посылая корреспонденции в разные газеты.

В 1879 году в III отделении собственной Его Императорского Величества канцелярии были получены сведения о близком знакомстве Рачковского с неким Семенским, который обвинялся в укрывательстве Мирского после совершения им покушения на жизнь генерал-адъютанта Дрентельна; кроме того, имелись агентурные сведения, что Рачковский пользуется в студенческих кружках репутацией выдающегося революционного деятеля. Ввиду этого он был подвергнут обыску, аресту и привлечению в качестве обвиняемого к дознанию о государственном преступлении. Дело это в том же году было прекращено, так как Рачковский выразил готовность оказывать государственной полиции агентурные услуги. Рачковский вслед за этим был разоблачен как секретный агент революционным кружком при содействии одного из членов этого кружка, Клеточникова, служившего в III отделении собственной Его Величества канцелярии, поэтому вынужден был скрыться на некоторое время в Галицию. В 1881 году, после событий 1 марта 1881 года (убийства народовольцами Александра II), с учреждением в г. Санкт-Петербурге т. н. "Священной дружины", призванной оберегать жизнь нового императора Александра III, проник в ее ряды и завязал близкое знакомство с одним из ее руководителей князем Белосельским. В 1883 году поступил на службу в Министерство внутренних дел и был откомандирован в распоряжение отдельного корпуса жандармов. Весной 1884 года направлен в Париж для заведования заграничной агентурой департамента полиции. По характеру Рачковский авантюрист и искатель приключений. В интересах своей карьеры способен пойти даже на преступление. В департаменте полиции имеются данные, что один из агентов заграничной агентуры, находившийся на связи Рачковского, убил в Париже генерала Сильвестрова, прибывшего с заданием директора департамента полиции тщательно и всесторонне проверить деятельность Рачковского и лично неприязненно и подозрительно относившегося к нему. Однако причастность Рачковского к убийству Сильвестрова установить не удалось. Агент, убивший генерала Сильвестрова, покончил жизнь самоубийством".

Рачковский был одной из самых ярких и в то же время темных личностей царской охранки. Авантюрист по натуре, Рачковский занимался бесконечными интригами, находя в них истинное удовольствие. Вскоре ему стало тесно в России, и Петр Иванович начал мечтать об авантюрах международных, которые принесли бы ему славу и быстрое обогащение. Через другого знаменитого авантюриста Манусевича-Мануйлова, близкого к окружению Александра III, а затем и Николая II, в частности к широко известному в России своими подлостями князю Мещерскому, Рачковский добился своего назначения на должность заведующего заграничной агентурой департамента полиции в Париже. В этом качестве, при своих незаурядных способностях в области политического сыска, Рачковский сумел оказать важные услуги царскому самодержавию в борьбе с революционным движением в России. Именно с Рачковским работали такие "солидные" провокаторы, как Евно Азеф, Лев Бейтнер и Мария Загорская. (Только по одному делу Азеф выдал царской полиции 59 революционеров.)

Рачковский хорошо понимал, что для успешной карьеры ему необходимо радовать начальство раскрытием "громких" дел и проведением энергичных акций в отношении "крамольников" и "смутьянов". Потому-то он и задумал операцию, которая должна была окончательно утвердить его в глазах высокого петербургского начальства как опытного и удачливого мастера политического сыска, надежного слугу царя и престола.

В то время начальство беспокоили масштабы распространения в России антиправительственной литературы, издаваемой партией "Народная воля". Рачковскому через свою агентуру удалось установить, что главная типография народовольцев находится в Женеве. Он решил ликвидировать ее, невзирая на государственный суверенитет Швейцарии. Установив точный адрес типографии, он дал указание своему представителю в Швейцарии — ротмистру Гурину — отыскать среди женевских преступников человека, который помог бы ночью взломать двери типографии. Через несколько дней был завербован швейцарец Морис Шевалье, опытный взломщик.

В 11 часов вечера у Дома народного творчества в Женеве собрались Рачковский, его сотрудники Гурин, Милевский, Бинта, тайный агент "Ландезен" и Шевалье. Типография не охранялась — у народовольцев не было денег на сторожа, к тому же они не думали, что агенты тайной полиции осмелятся в нарушение международных норм разгромить предприятие на территории суверенного государства. По знаку Рачковского Шевалье легко открыл двери. Начался разгром типографии. Прежде всего уничтожили всю отпечатанную и приготовленную к отправке в Россию нелегальную литературу, рассыпали набор, поломали машины. Несколько пудов типографского шрифта разбросали по ночным улицам Женевы.

Рачковский поручил одному из своих тайных агентов, некоему Гольшману, обладавшему бойким пером журналиста и богатым воображением, как можно красочнее описать проведенную в Женеве операцию. Послание ушло в департамент полиции. Этот шаг Рачковского оказался исключительно дальновидным. Полученный в Петербурге доклад о разгроме народновольческой типографии произвел большое впечатление и на директора департамента полиции Дурново, и на министра внутренних дел и шефа жандармов графа Толстого.

О разгроме типографии в Женеве граф Толстой доложил лично императору; самодержец поблагодарил Толстого за хорошо поставленную работу тайной полиции. Рачковского наградили орденом Анны 3-й степени, присвоили высокое по тем временам звание губернского секретаря. Награды получили и сотрудники Рачковского. Одновременно всей компании выдали щедрое денежное вознаграждение из личного фонда царя. Рачковский получил 5000 франков.

Когда народовольцы восстановили типографию в Женеве, команда Рачковского вновь разгромила ее. С тех пор типография не открывалась.

В 1889 году в жизни Рачковского произошел крутой поворот. В конце апреля в предместье Парижа Рамбулье на вилле президента Франции Лубэ встретились министр внутренних дел Франции Констан и министр иностранных дел Франции Федранс. Лубэ сказал, что давно ищет среди русских политиков человека, с помощью которого можно подступиться к Александру III. Констан предложил кандидатуру Рачковского, состоявшего при русском посольстве в

Париже в качестве советника. Правда, добавил министр, в действительности этот генерал — представитель департамента русской полиции в Париже, заведующий ее заграничной агентурой, призванный следить за русскими революционерами-эмигрантами в Европе.

Тщательно изучив все материалы о Рачковском и его связях в Париже, которыми располагал министр внутренних дел Франции Констан, Лубэ сделал вывод: бывший советник французского министерства иностранных дел, а ныне влиятельный журналист Жюль Генсен, помимо своей основной работы находится на службе у Рачковского. Генсен, используя свое влияние, добивался публикации на страницах парижских и других газет статей, подготовленных по заказу Рачковского крупными парижскими журналистами и дискредитирующих русскую революционную эмиграцию в европейских странах. Из справки Констана Лубэ узнал, что ряд популярных журналов Франции усердно выполняют заказы русского авантюриста. Правда, о том, что Рачковский установил прочные связи с парижской полицией и многие префекты и их заместители за соответствующее вознаграждение не только не препятствовали его деятельности, а даже помогали выслеживать русских революционеров-эмигрантов, Констан предпочел умолчать. Впрочем, об этом Лубэ узнал и без министра — через своих людей в министерстве внутренних дел.

Президент Франции Лубэ встретился с Рачковским и предложил ему сотрудничество: "Вы будете помогать в организации новых французских предприятий в России. Вы станете акционером всех тех французских заводов и фабрик, работу которых при вашей помощи удастся наладить в России. Обижены не будете. Мы умеем ценить полезных для дела людей".

Рачковский всегда мечтал стать миллионером. На следующий день министр внутренних дел Франции передал русскому чемодан из желтой кожи, в котором было полтора миллиона франков. Пятьсот тысяч предназначались Рачковскому в качестве аванса. Французские промышленники, которых представляли Лубэ и Констан, были людьми с размахом. Они не боялись переплатить там, где речь шла о будущих миллиардных прибылях.

С этого момента Рачковский стал активным участником многих темных дел и интриг. Возвратившись домой, новый русский миллионер обдумал полученное от Лубэ задание: судьба сделала ему великолепный подарок, но полученные франки предстояло отработать.

Рачковский решил использовать в своих целях паническую боязнь Александра III заговоров и покушений. Петр Иванович собирался с помощью своего агента-провокатора организовать в Париже группу из народовольцев-эмигрантов, которая якобы будет готовить покушение на жизнь императора, и постоянно "информировать" Александра о том, как идет подготовка к захвату этой группы. После чего совместно с французской полицией "раскрыть" и ликвидировать "заговор". Император, бесспорно, будет благодарен не только ему, Рачковскому, но и французскому президенту.

Агент "Ландезен" получил от него задание создать группу террористов-народовольцев. "Ландезен" через своего бывшего петербургского товарища Теплова познакомился с тремя эмигрировавшими в Париж народовольцами — Накашидзе, Степановым и Кашинцевым. Агент Рачковского убедил их в том, что сразу после того как будет убит Александр III, в России начнется восстание народа.

В дальнейшем все развивалось по сценарию Рачковского. Его сообщение о группе террористов-народовольцев, готовящих покушение на царя, было положено на стол Александра III, который теперь внимательно следил за всеми действиями "Ландезена" и Рачковского.

Вскоре на страницах французских газет появилось сообщение министра внутренних дел Констана, где говорилось, что в результате активных мер, предпринятых французской полицией в тесном сотрудничестве с русскими коллегами, арестованы русские эмигранты Накашидзе, Степанов и Кашинцев — члены террористической группы, в которую входил также погибший при испытании бомбы Анри Виктор. Они были арестованы в тот момент, когда собирались выехать в Россию. При аресте у террористов изъяли большое количество изготовленных ими бомб и несколько стволов огнестрельного оружия.

Разумеется, руководитель террористов "Ландезен" и активный участник группы француз Бинта (он же агент французской полиции) успели скрыться.

Через несколько дней французские газеты лежали на столе Александра III. Русский император имел все основания быть довольным работой своей тайной полиции, раскрывшей опасный "заговор". Рачковский был награжден орденом и большой денежной премией. В 1890 году президент Франции Лубэ организовал в Париже громкий процесс по делу арестованных террористов Накашидзе, Степанова и Кашинцева. "Ландезена" и Бинта "судили" заочно. Заговорщиков приговорили к каторжным работам.

Приговор французского суда, как и предполагал Рачковский, в известной мере изменил отношение Александра III к Франции. Получив сообщение о суде в Париже, русский царь собственноручно начертал: "Пока это совершенно удовлетворительно".

Рачковский существенно укрепил свои позиции и в России, и во Франции. Однако министр внутренних дел и шеф жандармов Российской империи фон Плеве после вступления на престол нового императора — Николая II — нашел пути для устранения Рачковского, которого заподозрил в двойной игре. По указанию Плеве приступила к работе специальная комиссия по проверке дел, к которым имел хоть какое-то отношение Рачковский; фактически он попал под следствие. В результате стали выявляться весьма опасные для него факты, в том числе и его связях с французскими правящими кругами. Впрочем, сильные покровители в Петербурге (среди них не последнюю роль играл дворцовый комендант генерал-адъютант Гессе) спасли Петра Ивановича. Царь распорядился прекратить расследование. Тем не менее возвратиться в Петербург Рачковскому не разрешали, позволив обосноваться в Варшаве.

Решение отстранить его от должности, которую он занимал без малого семнадцать лет, явилось для Рачковского полной неожиданностью. Петру Ивановичу оставалось ждать лучших времен: он не без оснований надеялся, что удастся расположить к себе Николая II. Узнав от друзей в Департаменте полиции об истинных причинах своего падения, Рачковский возненавидел Плеве и поклялся с ним рассчитаться.

Рачковский, имевший богатый опыт в политике, отдавал себе отчет: в России назревает революция; мощным толчком к ней стало бездарное ведение войны с Японией.

Искатель приключений жаждал острых ощущений, участия в опасных интригах и комбинациях. Петр Иванович пригласил к себе "короля провокаторов" Евно Азефа, который, будучи агентом тайной полиции, принимал участие в организации 28 покушений на видных царских сановников.

...Плеве, окруженный охранниками-велосипедистами, ехал на доклад к царю в Царское Село. Министра уже ждали: на каждой улице, по которой могла проехать карета, стояли люди Азефа — эсеры Савинков, Созонов, Сикорский и Боришанский. Созонов бросил под карету бомбу огромной взрывной силы — Плеве был убит на месте. Не помогли ему и 800 тысяч рублей из государственной казны, которые он ежегодно тратил на свою личную охрану...

Приехав в Петербург, Рачковский встретился со своим старым знакомым — чиновником для особых поручений при министре внутренних дел Манасевичем-Мануйловым, он стал теперь активным помощником генерала Трепова, имевшего большое влияние на царскую чету. Внимательно выслушав Рачковского, Манасевич-Мануйлов покачал головой: вопрос о его возвращении на работу в тайную полицию весьма непростой, ибо влиятельные лица министерства внутренних дел уже вспоминали о Рачковском: для борьбы с разрастающейся революцией нужны опытные сотрудники политического сыска. Однако против этой кандитуры выступил товарищ министра внутренних дел П.Н. Дурново, которого прочили в министры. Беспокойство товарища министра объяснялось просто.

В 1880-е годы Дурновно, заняв пост директора департамента полиции, попытался заменить Рачковского, заведующего заграничной агентурой в Париже, своим человеком. Но, как оказалось, явно недооценил Петра Ивановича.

Узнав о происках Дурново, Рачковский блестяще провел разработанную им комбинацию, которая не только стоила Дурново поста директора Департамента полиции поста, но едва не погубила всю его карьеру.

Дурново имел несколько любовниц, о чем стало известно Рачковскому. Шеф полиции был влюблен в проститутку и на ее содержание тратил огромные суммы, дошел даже до того, что задолжал своим кредиторам 60 тысяч рублей. Проститутка встречалась также с послом Бразилии в России, которому адресовала нежные письма.

Рачковский первым делом позаботился о том, чтобы Дурново стало известно об измене возлюбленной. Потеряв от ревности голову, директор Департамента полиции приказал тайному агенту проникнуть в дом бразильского посла и добыть письма любовницы. Взломав ящик письменного стола, агент доставил Дурново письма. Прочитав их, любовник пришел в бешенство. В момент бурного объяснения с возлюбленной Дурново избил ее до полусмерти. Вся в кровоподтеках и синяках, с распухшими от слез глазами, она явилась на свидание с бразильским послом и все ему рассказала. Посол написал жалобу Александру III. На деле П.Н. Дурново царь написал: “Убрать эту свинью в 24 часа”. Однако министр внутренних дел упросил царя сделать Дурново сенатором.

И вот пути Дурново и Рачковского снова пересеклись...

Спустя два дня после Кровавого воскресенья император назначил генерал-майора Трепова петербургским генерал-губернатором и одновременно товарищем министра внутренних дел и заведующим полицией свиты Его Величества. Трепов плохо разбирался в политическом сыске, ему требовались опытные помощники. Манасевич-Мануйлов, улучив момент, попросил Трепова походатайствовать за Рачковского перед царем под предлогом укрепления Департамента полиции.

Спустя пять месяцев после убийства Плеве Рачковский получил приглашение от директора Департамента полиции Гарина явиться к Трепову. Генерал встретил Петра Ивановича очень любезно и сообщил, что его примет сам государь император.

Уже на следующий день Николай II принял Рачковского в Царском Селе — он любил лично беседовать с сотрудниками тайной полиции. Царь объявил

Рачковскому о назначении его на должность вице-директора Департамента полиции по политической части. Император распорядился выдать Рачковскому содержание за все время его вынужденной отставки.

В 1905 и 1906 годах Рачковский настолько вошел в доверие к Николаю II, что получил право на регулярные доклады императору, минуя директора Департамента полиции и министра внутренних дел. Это сразу сделало Рачковского важной и влиятельной закулисной фигурой в Российской империи — с мнением его вынуждены были считаться царские сановники. Председатель Совета министров Витте писал: Рачковский, "в сущности, ведал Департаментом полиции..."

Вскоре после назначения Рачковского генерал Трепов оставил все официально занимаемые им посты и перешел на "скромную" должность коменданта царского дворца в Царское Село, а в действительности возглавил "теневой кабинет" царя, фактически тайное военно-полицейское правительство России, созданное Николаем II и его ближайшим окружением для борьбы с революцией.

Влияние и значение Рачковского после этого назначения только усилилось. Трепов, обыкновенный кавалергард, полицейскую службу знал плохо и со временем полностью попал под влияние Рачковского.

Но в это время министром внутренних дел и шефом жандармов стал Дурново. На одном из своих еженедельных докладов царю новоиспеченный министр заговорил об отставке Рачковского, на что царь ответил: "Вы всегда спешите. Подождите, дайте справиться с революцией, дойдет очередь и до Рачковского".

Вице-директор Департамента полиции по политической части Рачковский, добившись реванша в борьбе со своими противниками среди царских чиновников, начал активную борьбу с революционерами. С помощью Азефа ему удалось предотвратить подготовленные эсеровскими боевиками теракты против генерала Трепова, великих князей Владимира Александровича и Николая Николаевича, за что он получил от царя несколько орденов и крупное денежное вознаграждение.

Наибольшую опасность для самодержавия в России Рачковский видел в большевиках. Он сыграл важную роль в подавлении декабрьского восстания в Москве, лично руководил арестом членов Московского комитета РСДРП(б).

За участие в подавлении московского восстания царь щедро наградил Рачковского, выдав ему 72 тысячи рублей. Николай II так расчувствовался, что снял с себя орден Святого Владимира и прикрепил его к мундиру Петра Ивановича.

Французы были встревожены революционными событиями в России и всерьез опасались за судьбу вложенных в ее экономику капиталов. Азеф сообщил Рачковскому, что группа боевиков эсеровской партии готовит покушение на министра внутренних дел Столыпина. Петр Иванович задумался. В последнее время Столыпин, да и некоторые другие царские сановники, напуганные размахом народного движения, начали высказывать либеральные идеи. Рачковский понимал, что покушение эсеров позволит ужесточить борьбу с революционерами, поэтому решил оставить сообщение провокатора без внимания.

В феврале 1906 года в Департамент полиции поступили сведения о готовящемся покушении на московского генерал-губернатора Дубасова. Проверку материала Столыпин поручил Рачковскому, который повел расследование по ложному следу. По его совету директор Департамента полиции сосредоточил все оперативные мероприятия вокруг Изота Созонова, чей брат Егор убил Плеве. Позже выяснилось, что Изот не имел никакого отношения к заговору против Дубасова.

В результате эсеры совершили теракт. Взрывом был убит адъютант Дубасова и ранен кучер. Сам же генерал-губернатор отделался легким ранением.

12 августа 1906 года взорвалась бомба на даче Столыпина. Было убито 24 и ранено 25 человек, в том числе малолетние сын и дочь министра внутренних дел.

Позднее Азеф сообщил чиновнику по особым поручениям при министерстве внутренних дел России, что предупредил о готовящемся покушении на Столыпина Ивана Петровича Рачковского. В тот же вечер объяснительная записка провокатора была передана Столыпину. Министр внутренних дел прекрасно понимал, что расправа с авантюристом может поставить крест на его карьере: в секретной справке заведующего особым отделом Департамента полиции говорилось, что Рачковский был рекомендован императору на должность вице-директора Департамента полиции по политической части Григорием Распутиным. Ссориться же со всемогущим "святым старцем" было смерти подобно. Нужен компромисс...

Через некоторое время Рачковский в кабинете Столыпина написал рапорт об отставке, на котором Столыпин написал: "Уволить в отставку по болезни. Испросить высочайшего повеления о назначении пенсии Рачковскому в размере 7000 рублей в год".

Так завершилась карьера одного из самых блистательных авантюристов тайной полиции.

Тереза Эмбер (Дориньяк)

Тереза Дориньяк считалась наследницей громадного состояния, которое ей завещал одинокий миллионер Крауфорд в благодарность за то, что она ухаживала за ним во время его болезни.

В 1878 году Тереза Дориньяк, дочь богатого крестьянина, вышла замуж за Фредерика Эмбера. Отец Фредерика — профессор права и политический деятель Густав Эмбер (1822 — 1894) — с 1875 года был сенатором, а в 1882 году —

министром юстиции во втором кабинете Фрейсине. Сам Фредерик в 1885—1889 годы был депутатом, причем избирался от республиканской левой партии, хотя позже больше симпатизировал буланжизму.

Тереза Доринъяк с 1877 года считалась наследницей громадного состояния в 100 миллионов франков. Она утверждала, что эти сто миллионов завещал ей одинокий богач Крауфорд в благодарность за то, что она ухаживала за ним во время его болезни.

Но вдруг объявились два племянника Крауфорда, предъявившие другое завещание, по которому состояние дядюшки должно было быть разделено на три равных части между ними и сестрой Терезы, тогда несовершеннолетней Марией Дориньяк. Терезе же была отказана только пожизненная рента в 300 тысяч франков.

Начался длительный процесс между соискателями наследства. Крауфорды выражали готовность отказаться от своей доли наследства, если Мария Дориньяк, когда достигнет совершеннолетия, согласится выйти замуж за влюбленного в него Генри Крауфорда.

Между тем стороны, стремясь разрешить противоречия, сделали несколько шагов навстречу друг другу. В частности, наследство Крауфорда, состоявшее, за исключением замка Маркотт в Испании, из процентных бумаг, спрятанных в несгораемом шкафу, было отдано на хранение Эмберам, с тем чтобы Тереза могла отрезать купоны на сумму 360 тысяч франков ежегодно, при этом остальная сумма должна оставаться нетронутой до окончательного приговора суда или нового соглашения сторон. Дело передавалось из одной инстанции в другую, однако суд не мог вынести вердикт по той простой причине, что вследствие этих компромиссных соглашений изменялись как матримониальные, так и финансовые отношения между сторонами.

Племянники Кроуфорда много путешествовали, причем явно отдавали предпочтение далекой Америке, так что об их местонахождении ничего не было известно даже их адвокатам. Это обстоятельство только затягивало ведение процесса, увеличивая судебные сроки.

Эмберы же под гарантию будущего наследства производили громадные займы, в течение 29 лет достигшие 50 миллионов франков, а, учитывая проценты и комиссионные (иногда до 150%) — 120 миллионов франков. Супруги купили шикарный отель в Париже, имение с замком в его окрестностях и вели жизнь на широкую ногу, ни в чем себе не отказывая. На роскошных балах и обедах, устраиваемых Эмберами, бывали известные политические деятели. Леопольд Флуранс, выступавший как националистический депутат, был близким другом их семьи, женихом Марии Дориньяк, отвергшей руку Генри Крауфорда, и постоянно получал от них деньги то на политические кампании, то занимал лично для себя (правда, при этом имел обыкновение долги свои не возвращать).

В 1897 году во время процесса, возбужденного против Эмберов и одного из их кредиторов, обвинитель Вальдек Руссо высказал предположение, что капиталы Крауфорда, его завещание и сам Крауфорд с его племянниками придуманы богатым воображением Терезы Дориньяк. Однако Эмберы к тому времени обрели вес в обществе, во многом благодаря уважаемому в буржуазном мире имени Густава Эмбера, обаянию миллионов, желанию поддержать супругов для спасения уже отданных им денег и поразительному искусству в одурачивании людей, которым обладала “великая Тереза”. В защиту Эмберов было и то обстоятельство, что суд в течение двух десятилетий, рассматривая вопрос о наследстве, ни разу не подверг сомнению сам факт его существования.

В начале 1902 года газета "Матин" развернула кампанию против Эмберов. В мае того же года судом были окончательно признаны права Терезы Эмбер на наследство, но вместе с тем для удовлетворения претензий кредиторов суд постановил вскрыть несгораемый железный шкаф с документами; причем была назначена точная дата. Кроме того, по настоянию Вальдека Руссо, полиции было предписано задержать Эмберов, предъявив супругам обвинение в мошенничестве.

Когда власти явились к Эмберам, как для вскрытия шкафа, так и для их ареста, хозяев дома не оказалось. Собрав вещи, они исчезли в неизвестном направлении. Несмотря на это, шкаф был вскрыт — в нем оказались только старые газеты.

Через несколько месяцев Эмберы были арестованы в Мадриде и выданы Франции. В августе 1903 года Тереза и Фредерик Эмберы и братья Терезы Эмиль и Роман Дориньяки, разыгрывавшие роль племянников Крауфорда, предстали перед лицом парижского ассизного суда.

Эмберов защищал знаменитый адвокат Лабори, защитник Дрейфуса. Защита была построена на утверждении, что завещание и миллионы действительно существовали, или, по крайней мере, их "несуществование" не доказано обвинением, а Крауфорд — псевдоним французского офицера Ренье. Последний действительно лицо реальное. Ренье с 1870 по 1871 год был прусским шпионом и являлся посредником между Бисмарком и Базеном; в свое время он заочно был приговорен к смертной казни, однако дальнейшая его судьба неизвестна.

По словам Терезы Эмбер-Дориньяк, он получил от пруссаков за свои услуги сотню миллионов франков и жил с нею под псевдонимом Крауфорд. Его сыновья, фигурировавшие под именем племянников Крауфорда, оказались, по ее дальнейшим рассказам, такими же проходимцами, как и он: еще до того как суд вынес постановление о вскрытии железного шкафа с документами, они хитростью выманили у нее деньги и скрылись в неизвестном направлении.

Однако эта история не вызвала доверия ни у слушателей в зале, ни у присяжных, поскольку в ее рассказе было много противоречий. Тереза на суде не проявила изворотливости и искусства, какие демонстрировала раньше: она плакала, говорила о своей честности, но не приводила доказательств в подтверждение своих слов.

Эмберы были приговорены к пятилетнему тюремному заключению, братья Терезы — к двух- и трехлетнему. Удивительно, но к суду не были привлечены ни нотариусы, ни адвокаты, которые вели процессы Эмберов и Крауфордов или удостоверяли их различные сделки, ни финансовые дельцы, помогавшие заключать займы. Скорее всего, эти люди знали истинное положение дел, и действовали они далеко не бескорыстно. На суде Тереза грозилась разоблачить многих влиятельных лиц, которые ей покровительствовали за определенную плату, и утверждала, что ее погубили Вальдек Руссо и Валле, министр юстиции в кабинете Комба, по ее соображениям, ничего общего с правосудием не имеющим. Однако ни одно из своих заявлений она не подтвердила фактами, поэтому из видных политических деятелей был безнадежно скомпрометирован только бедолага Флуранс. Тем не менее через несколько дней после судебного приговора палата депутатов назначила комиссию для расследования причастности к этому делу лиц, которые были знакомы или близки с семьей Эмберов. До февраля 1904 года эта следственная комиссия не раскрыла ничего важного.

Дело Эмбер ярко иллюстрирует ту сумасшедшую погоню за деньгами, на почве которой могут возникнуть подобные авантюры, и то поразительное легковерие, как широкой публики, так и адвокатов, чиновников, политиков и финансистов, которые проявляются всякий раз, когда речь идет о наживе. Никому из лиц, ссужавших Эмберам значительные суммы, даже не пришло в голову проверить сам факт существования наследства Крауфорда и его племянников, которые, участвуя в громком процессе, в течение двадцати лет держали в неведении даже своих адвокатов относительно своего местонахождения, ни, наконец, реальность замка Маркотт, который, по словам Терезы Эмбер, в составе прочего наследства был получен ею от Крауфорда. Обаяние миллионов было так велико, что многие люди, по-видимому, искренне утверждали, что они видели бумаги на бешеные суммы.

Иван Федорович Мануйлов

(1870 — 1917)

Коллежский асессор, кавалер ордена Святого Владимира второй степени, персидского ордена Изабеллы Католической.

Происхождение Ивана Федоровича, как и многих других авантюристов, туманно. Предположительно, он был внебрачным сыном князя Петра Львовича Мещерского и еврейской красавицы Ханки Мавшон. Неизвестно, был ли сын Ханки крещен и наречен Иваном сразу после рождения или позже. Отчество ему дал купец 1-й гильдии Федор Савельевич Манасевич, в доме которого Мануйлов воспитывался с пятилетнего возраста до четырнадцати лет и получил домашнее образование.

В 1886 году князь Петр Львович Мещерский неожиданно кончил жизнь самоубийством, а через два года погибла мать Мануйлова Ханка Залецкая (Мавшон), застреленная из ревности польским офицером.

После смерти князя П.Л. Мещерского Иван Мануйлов напомнил о себе своему сводному брату, князю Владимиру Петровичу Мещерскому, выразив соболезнования в скорбном письме. С 1888 года Иван Мануйлов стал пользоваться поддержкой и доверием Владимира Петровича.

Правда, в одном из памфлетов история жизненных успехов Мануйлова рассказана иначе, с пикантными подробностями: “Еврейского происхождения, сын купца, Мануйлов еще учеником училища обратил на себя внимание известных в Петербурге педерастов Мосолова и редактора газеты “Гражданин” князя Мещерского, взявших под свое покровительство красивого, полного мальчика. Юношу Мануйлова осыпали деньгами, подарками, возили по шантанам и другим вертепам, и под влиянием покровителей у него развилась пагубная страсть к роскоши, швырянию деньгами, картам, кутежам...”

В 1892 году Иван поступил на государственную службу в департамент духовных дел и поселился в Санкт-Петербурге на Большой Морской улице в доме, незадолго до того приобретенном мещанином Павловым.

Столица приняла молодого человека холодно. Дворянство и аристократия не могли простить ему темного происхождения, а столичная интеллигенция и деловые круги видели в нем выкреста, по неудачно пущенной кем-то сплетне. Иван Мануйлов оказался лишенным приличного общества. Он прожигал время в игорных домах.

Первые упоминания об Иване Федоровиче Мануйлове в официальных документах относятся к 1894 году и встречаются в донесениях сыскной полиции.

На горизонте политического розыска блистал в то время звездой первой величины Петр Иванович Рачковский, стоявший во главе заграничной агентуры русского правительства. С этим старым волком и задумал потягаться безвестный в мире агентуры юноша. Он, конечно, не провел старого, заслуженного агента и авантюриста, но Рачковский, несмотря на обиды и огорчения, причиненные ему первым дебютом, не мог не заметить “способностей” юноши и обратил на него внимание начальства. Об этом инциденте сохранилась записка агента Л.А. Ратаева, адресованная начальнику департамента 3-го мая 1895 года. Записка содержит довольно любопытные сведения.

В Париже ранней весной 1895 года Мануйлов познакомился в кафе-шантане с агентом парижской префектуры, состоящим также на службе у Ратаева. Мануйлов, представившись сотрудником газеты “Новости”, сказал, что командирован в Париж министерством внутренних дел для контроля за деятельностью русской агентуры во Франции. Мануйлов предложил агенту сотрудничать с ним. А для солидности сообщил, что знает Рачковского давно, мол, он служил когда-то писцом в судебной палате и за определенные услуги был переведен в полицию, где и составил себе положение, и будто бы в прежние годы Рачковский ходил без сапог и жил мелким репортерством в “Новостях”. Ратаев писал: “Мой агент от предложенного Мануйловым сотрудничества отказался, тогда Мануйлов предложил ему подыскать для своих целей верного человека, обещая дать за это 200 франков, добавив, что вообще он за деньгами не стоит. Вслед за тем Мануйлов пытался узнать у агента об организации русской агентуры в Париже, об ее количестве, о местах собрания русских революционеров, о размещении библиотек, в которых можно приобрести разные революционные брошюры и т. п. Обо всем этом и доложил П.И. Рачковскому”.

Рачковский после беседы с Мануйловым сделал вывод, что перед ним человек несомненно способный и что при опытном руководстве из него может получиться полезный агент...

В июле 1897 года Мануйлов был переведен на службу в министерство внутренних дел и откомандирован для занятий в департамент духовных дел, директором коего был А.Н. Мосолов. Мануйлов в это время был не только чиновником; он считался еще и журналистом и тесно сотрудничал с петербургским охранным отделением.

В Петербурге Мануйлов недолго занимался духовными делами. Ему было предложено отправиться в Рим, получить аккредитацию при папском дворе и заняться тайным наблюдением за прибывающими из России священнослужителями римско-католической церкви.

Иван Федорович не только следил, но и вел в Риме светский образ жизни. Местной публике он был известен как завсегдатай и большой ценитель итальянской оперы и балета, много путешествовал по Италии, посетил Сицилию, Неаполь. Весь сентябрь 1890 года провел в игорных домах Монако, где ему очень везло. Его постоянно сопровождали отставной поручик Казимир Дроецкий и 17-летняя полячка Зося. Его часто видели на художественных выставках, в литературных салонах.

Донесения Мануйлова в Департамент полиции изобилуют именами, точными адресами, подтверждаются приложением различных документов, писем, записок, визитных карточек, копий.

Мануйлов не принадлежал к числу тех агентов, которые вели себя тихо; его всегда сопровождали громкие скандалы.

“Из агентурных сведений из Рима, от 4 сентября 1901 г., усматривается, что на собрании русских и польских социал-демократов было решено сделать дипломатическому агенту при римской курии Мануйлову, шпиону и начальнику заграничной полицейской агентуры, публичный по всей Европе скандал посредством издания о нем особой книги”.

В первой половине 1904 года в Департамент полиции поступил из Рима ряд жалоб двух агентов Мануйлова, Семанюка и Котовича, на неаккуратный расчет с ними Мануйлова, будто бы делавшего за границей массу долгов и производившего “гнусности”; жалобщики угрожали разоблачениями в печати и парламенте относительно деятельности русской политической полиции в Италии.

“В это же время в Риме возникла оживленная газетная полемика по поводу деятельности тайной полиции в Риме. По этому поводу министерство иностранных дел высказало пожелание, чтобы впредь функции агента по духовным делам при императорской миссии в Ватикане и заведование русской тайной полицией в Риме не совмещались бы в одном лице Мануйлова. По этому поводу Департамент полиции ответил министерству, что вся газетная полемика возникла на почве ложных сообщений в прессу, сделанных Котовичем и Семанюком, и что все нападки прессы лишены оснований, ибо Мануйлов никаких действий по розыску в Риме не предпринимал и никаких поручений в этом смысле не получал и даже проживает уже два года в Париже”.

Департамент на этот раз солгал, ибо Мануйлов как раз, помимо духовной функции, выполнял и политическую. О Мануйлове писали все итальянские газеты, и он действительно должен был бежать из Рима. Иван Федорович возвел в практику не доплачивать состоявшим у него на службе шпионам и агентам. Обманутые им агенты — немцы, французы, итальянцы, голландцы и т. д. — обличали его в прессе, жаловались в суд, обращались в департамент и к министру, пытались расправиться с ним. Но Мануйлов был неисправим.

В ноябре 1902 года в римской судебной хронике появилось сообщение, которое в обществе связывали с именем Мануйлова. Это дело об убийстве русской подданной молодой полячки Зоси Ольшевской на почве ревности 27-летним поручиком Казимиром Дроецким, которому покровительствовал Мануйлов.

Возникшие в Италии обстоятельства принудили Мануйлова покинуть страну, но нисколько не повредили его карьере, наоборот, ему стали давать очень деликатные поручения.

В августе 1903 года министр внутренних дел В.К. Плеве санкционировал командировку Мануйлова в Париж на полгода для установления ближайших сношений с иностранными журналистами. В деньгах Мануйлов не нуждался, его труд щедро оплачивался. Он много писал в "Новое время" и "Вечернее время".

В Париже Иван Федорович жил на широкую ногу. Он регулярно посещал казино. Его часто видели в обществе высокой стройной блондинки. Мануйлов много путешествовал по Франции, знакомился с ее старинными городами, увлекался архитектурой, приобретал в салонах картины французских художников.

Русско-японская война поставила перед Мануйловым новые задачи. Военный шпионаж, да еще в период войны — деятельность не только трудная, но и опасная. В справке Департамента полиции от 2 декабря 1904 года сообщалось: "С начала военных действий против нашего отечества Мануйловым была учреждена непосредственная внутренняя агентура при японских миссиях в Гааге, Лондоне и Париже, с отпуском ему на сие 15 820 рублей; благодаря сему представилось возможным, наблюдая за корреспонденцией миссий, получить должное освещение настроений и намерений нашего врага; кроме того, Мануйлову удалось получить часть японского дипломатического шифра и осведомляться таким образом о содержании всех японских дипломатических сношений. Этим путем были получены указания на замысел Японии причинить повреждения судам Второй эскадры на пути следования на Восток. По возвращении в Россию Мануйлов получил от департамента поручение организовать специальное отделение розыска по международному шпионству и наблюдению за прибывающими в столицу представителями некоторых держав, сочувствующих Японии. Энергичная деятельность Мануйлова дала вскоре же осведомленность в отношении английского, китайского и шведского представителей, причем Мануйлов даже сумел проникнуть в тайну их дипломатических сношений, а равно организовал агентуру при турецком посольстве.

В октябре 1904 года, ввиду полученных указаний, что Вена, Стокгольм и Антверпен являются центрами японской военно-разведочной организации, департаментом было признано полезным учредить через посредство Мануйлова в этих городах наблюдение, на что Мануйлову и было отпущено первоначально 770 франков, а затем 800 франков и, наконец, ежемесячно по 5550 франков".

Деятельность Мануйлова была высоко оценена русским правительством. За особые заслуги перед Россией он был награжден орденом Святого Владимира 2-й степени, а в 1905 году — испанским орденом Изабеллы Католической.

Известно, что любимыми героями Ивана Федоровича были д'Артаньян и три его друга, а любимый девиз — "Цель оправдывает средства". Этот девиз, по свидетельству журналиста П. Павлова, был выгравирован на медной пластинке чернильного прибора, сопровождавшего его во всех переездах.

Вот один из любопытных памфлетов, хранящихся в личном деле Мануйлова.

"Во время борьбы за власть Плеве и Витте Мануйлову было поручено раздобыть документы, уличающие Витте в неблагонадежности. Князь Мещерский, игравший тогда заметную роль в высших сферах, ввел Мануйлова к Витте. Здесь Мануйлов каким-то путем выяснил, что нужные документы хранятся у одного из бывших секретарей Витте. Поместившись в номере гостиницы "Бель-Вю", смежном с номером, занятым этим секретарем, его агент при помощи подобранных ключей проникает в номер секретаря, вскрывает его письменный стол и снимает нужные копии с бумаг. Все это было сделано ловко, бесшумно, результатом чего явилось увольнение Витте от должности министра финансов. На организацию кражи документов у Витте Мануйлову была отпущена Плеве крупная сумма денег, но Мануйлов потребовал увеличить эту сумму "на непредвиденные расходы", что привело Плеве в бешенство".

1905 год был самым удачным, самым счастливым в жизни Мануйлова. У него все получалось. Новый год он встретил в Санкт-Петербурге на балу у Елисеевых; много танцевал и увез с собой маленькую балерину Мариинского театра Булатову, сыгравшую впоследствии в его жизни роковую роль. Сразу после Рождества, уже в Париже, он снял особняк для очаровательной 18-летней Катрин Изельман, учащейся Высших женских курсов.

Финансовое положение Мануйлова тоже было надежным. Его доход превышал 50 тысяч рублей в год. Ему высылали значительные суммы Департамент полиции, Главное артиллерийское управление за сведения о современном вооружении европейских стран, Адмиралтейство за услуги Балтийскому флоту...

В основном капитал он хранил в банках и тратил лишь на собственное содержание, на женщин, на предметы роскоши и картины. В его доме на Большой Морской была ампирная мебель, скульптура, коллекция фарфора.

В 1905 году руководителем розыскного отделения департамента стал старый знакомый Мануйлова Рачковский, который вместе с начальником секретного отделения департамента полиции Гартингом основательно занялись Мануйловым. Они пришли к выводу, что сведения Мануйлова не стоят тех денег, которые он получал. 24 июня 1905 года Гартинг представил в министерство внутренних дел доклад о Мануйлове, заканчивавшийся словами: "Принимая во внимание, что сведения г-на Мануйлова не дают никакого материала секретному отделению, между тем как содержание его в Париже вызывает для департамента весьма значительный расход, имею честь представить на усмотрение Вашего превосходительства вопрос о немедленном прекращении г-ном Мануйловым исполнения порученных ему обязанностей и отозвания его из Парижа, с откомандированием его от Департамента полиции, однако продолжать выдачу ему личного содержания до 1 января 1906 года".

Рачковский праздновал победу. Мануйлову был нанесен жестокий удар. Но еще большие неприятности его ждали впереди.

26 декабря 1905 года министр внутренних дел П.Н. Дурново назначил Мануйлову жалование из секретных сумм в размере 7200 рублей ввиду возложенного на него С.Ю. Витте поручения. Мануйлову предстояло встретиться с Гапоном, одним из вдохновителей рабочих забастовок, и уговорить его выехать за границу. Ивану Федоровичу после долгих бесед удалось склонить Гапона к отъезду. Однако далее началась эпопея с 30 тысячами. Мануйлова стали подозревать в присвоении денег, переданных ему для внесения через Гапона в кассу рабочих организаций. Сам же Иван Федорович говорил, что его просто "подставили". Так или иначе Мануйлов был уволен с государственной службы, причем без права занимать в дальнейшем официальную должность.

Первые дни 1906 года он провел с очаровательной Булатовой. В Рождество встретил неотразимую француженку Анни Дюзель, которой когда-то дал рекомендательные письма в Петербург. Вскоре она переехала в его двухэтажный дом в Дубках.

Между тем дела авантюриста шли из рук вон плохо. Пытаясь найти выход из создавшегося положения, Мануйлов метался между Москвой, Петербургом и Парижем, принимая сомнительные предложения.

12 апреля 1906 года Булатова сообщила ему, что ждет ребенка. Положение Мануйлова с каждым днем становилось все опаснее. Балерина была дочерью полковника А.С. Булатова и имела в Санкт-Петербурге надежную защиту.

Мануйлов отправил ее в Дубки, где жила Дюзель. Булатова была приветливой, и Анни стала поверять ей свои сокровенные тайны.

28 мая Мануйлова вызвали в Дубки в связи с убийством Анни Дюзель. Вскрытие показало, что она была отравлена, однако следствие удалось прекратить. В протоколе было написано, что смерть наступила в результате несчастного случая.

Гартинг продолжал расследовать деятельность Мануйлова. Он встречался с его агентами, изучал документы. Выяснилось, что многие агенты не получили обещанного вознаграждения.

В департаментской справке о жизни Мануйлова после увольнения говорилось: "Проживая в Санкт-Петербурге, Мануйлов распространял слухи, что благодаря занимаемому им в министерстве внутренних дел служебному положению и обширным его связям с разными высокопоставленными лицами, он имеет возможность устраивать разные дела во всех ведомствах, в частности, и в Департаменте полиции. Таким словам Мануйлова многие верили, так как он жил весьма богато, вел крупную игру в клубах и проживал, судя по некоторым указаниям, не менее 30 000 рублей в год".

Наконец в январе 1910 года департамент полиции получил сообщение, что Мануйлов продал революционеру Бурцеву разоблачительные документы за 150 000 франков и получил задаток 20 000 франков.

В ночь на 17 января 1910 года у Мануйлова был произведен обыск, наделавший много шума в обществе. Мануйлов старался придать обыску характер сенсационности, заявив, что в обыске участвовали несколько десятков человек и был оцеплен весь квартал. Он выставлял себя "жертвой политического произвола".

Весть об обыске быстро разлетелась по Западной Европе. В Париже это встревожило французскую тайную полицию, поставлявшую Мануйлову секретные сведения.

В представлении вице-директора департамента полиции С.Е. Виссарионова, в частности, говорилось: "Преступная деятельность И.Ф. Манасевича-Мануйлова охватывает период с 1907 года, т. е. по увольнении с государственной службы.

С помощью услуг особых агентов (Радионова, Минца и Симоняна) он распространял в определенных деловых кругах сведения о себе, как о человеке, занимающем высокое служебное положение и обладающем большим вниманием и связями, позволяющими за деньги улаживать различные сложные дела в Департаменте полиции и других государственных учреждениях.

В просителях не было недостатка.

Вид богато обставленной приемной, располагающая к доверию внешность самого И.Ф. Манасевича-Мануйлова, телефон, официальные бланки — все это не вызывало у просителей и тени сомнений.

Цена услуг колебалась от 500 рублей до 15 тысяч рублей.

Установлено и доказано совершение шести сделок подобного рода, на которых в четырех Мануйлову удалось добиться обещанного результата. Дача взяток Мануйловым каким-либо должностным лицам следствием не установлена".

В этом донесении использована двойная фамилия Манасевич-Мануйлов. Это Гартинг предположил, что Иван был сыном Федора Манасевича, купца 1-й гильдии, в доме которого воспитывался. Эта версия подкрепляется завещанием Манасевича в пользу Ивана Федоровича.

Однако дело Мануйлова не было доведено до суда. Процесс мог бросить тень как на Департамент полиции, так и на правительство России.

Получив урок, Мануйлов уже осенью 1911 года вновь жил весело и беспечно; играл на скачках, регулярно посещал балы, пускался в новые приключения.

...В начале века в определенных кругах Москвы и Петербурга был весьма популярен жандармский полковник А.К. Массакуди, представитель одного из богатейших домов России. Семья Массакуди благоденствовала в своем родовом гнезде на стыке Азовского и Черного моря, когда младший брат полковника, член Керченского Союза русского народа, в одной из акций по разгрому евреев переусердствовал и убил человека.

Массакуди вышел на Манасевича, который, хотя и не сразу взялся уладить дело, выдвинул условия: 15 000 рублей и 3000 аванса. Ударили по рукам. Аванс был выплачен, а вскоре Мануйлов получил все 15 000 рублей, хотя по-прежнему ничего не предпринимал. У него был тонкий расчет. Если бы Массакуди прекратил выплаты, то потерял бы всякую надежду на благоприятный исход дела и, следовательно, согласился бы с утратой уже выплаченных сумм. К тому же Мануйлов в крайнем случае мог устроить шумиху в прессе, учитывая его связи с журналистами и издателями. И полковник продолжал давать деньги. Так могло продолжаться сколь угодно долго, но А.К. Массакуди спасла его жена, усилиями которой младший брат был освобожден. Жандармский полковник пытался вернуть хотя бы часть своих денег, но без успеха. Манусевич на его изобличения отозвался фразой: “Совершенно не могу понять, откуда у него против меня такая злоба”.

Мануйлова любили в высшем свете, его принимали и даже уважали. Французский посланник Жорж-Морис Палеолог говорил о нем: “Мануйлов — субъект интересный, ум у него быстрый и изворотливый; он любитель широко пожить, жуир и ценитель предметов искусства; совести у него нет и следа. Он в одно и то же время и шпион, и шулер, и подделыватель, и развратник — странная смесь Панурга, Жиль Блаза, Казановы, Роберта Макэра и Видока. А в общем — милейший человек”.

Лето 1913 года он провел с Булатовой на побережье Черного моря, осенью возвратился в Санкт-Петербург.

Новый, 1914 год Иван Федорович Мануйлов по традиции встречал у Елисеева. Он был спокоен и весел, как всегда, много танцевал. Но благополучие Мануйлова было лишь внешним. Он был полный банкрот.

В начале войны газета “Новое время” пыталась выступать против влияния Распутина, и одним из первых, и весьма зубастых, застрельщиков в этом отношении был Мануйлов, работавший в этом направлении, конечно, не из личных чувств и настроений и даже, может быть, и не из-за одного только гонорара, а главным образом потому, что такова была позиция генерала Е.В. Богдановича и его кружка, с помощью которого Мануйлов рассчитывал поправить свои дела. Однако он вскоре понял, что поставил не на того.

К тому же поступило распоряжение Н.А. Маклакова прекратить всякие выступления Мануйлова в прессе против Распутина.

Директором Департамента полиции, а затем и товарищем министра внутренних дел назначили С.П. Белецкого, бывшего губернатора, а министром внутренних дел — А.Н. Хвостова, камергера, орловского губернатора, члена Государственной Думы.

В обстановке взаимного недоверия оба нуждались в надежном информаторе в окружении Распутина. Хвостов и Белецкий независимо друг от друга пришли к мнению, что такая роль посильна только Мануйлову.

13 декабря 1914 года Мануйлов встретился с Распутиным, а через несколько дней стал для него своим человеком. Мануйлов быстро разобрался в интригах Хвостова и Белецкого и убедил каждого в своей исключительной необходимости.

Используя свое новое положение и возникшую ситуацию, Мануйлов торопился поправить свои финансовые дела. Ему удалось в кратчайший срок рассчитаться с кредиторами. Он выкупил из залога за 100 тысяч рублей некогда принадлежавшую ему известную в Петербурге шкатулку.

На банковских счетах у него скопилось почти полмиллиона рублей. Он работал, прежде всего, как коммерческий агент Распутина, затем действовал совершенно самостоятельно, по своему положению factotum'а председателя совета министров и министра сначала внутренних, а затем и иностранных дел Б.В. Штюрмера, и, наконец, трудился "во имя спасения отечества" — как лицо, весьма и весьма прикосновенное к следственной комиссии генерала Н.С. Батюшина, он наблюдал за валютными операциями всех банков. Во время войны такая миссия имела особо важное значение.

Мануйлов подарил Булатовой дом с башенкой, где-то за Муринским ручьем, но гордая Булатова сожгла его и демонстративно переехала в дом, снятый для нее давним другом Мануйлова.

Мануйлов "работал" по два часа в день, перед обедом, с 13 до 15 часов; принимал посетителей, готовил бумаги. Остальное время отдыхал или развлекался. Принимая у просителя деньги или чек, он всегда говорил: "Надеюсь, не последние".

Возможности Ивана Федоровича расширились, и он вовсю использовал их. Совместно с Распутиным ему удалось освободить попавшего в трудное положение банкира Рубинштейна (за гонорар в сто с лишним тысяч) от судебного разбирательства.

Но в конце августа 1916 года Мануйлова совершенно неожиданно арестовали. Дело из охранки сразу же было передано судебно-следственным властям. Мануйлов, правда, по болезни, скоро был освобожден, но и болезнь не мешала ему "блистать столь же очаровательно", как и раньше, и предупреждать, что лица, осмелившиеся поднять на него руку, тотчас же полетят со своих постов.

И действительно, 15 сентября лишился места генерал Климович, затем столь же неожиданно последовал за ним и министр внутренних дел Хвостов. Споткнулся, наконец, на деле Мануйлова и преемник Хвостова по ведомству юстиции Макаров...

Дело все же было рассмотрено санкт-петербургским окружным судом.

Для того чтобы Манасевичу-Мануйлову не удалось уйти от наказания, обвинительный акт начинался незначительным, но бесспорным мошенничеством его, извлеченным из архивов следствия — эпизодом с сыном судебного пристава П.Ф. Плоткиным, в котором, помимо Мануйлова, участвовал его "секретарь" М.Д. Райхер.

Райхер и Мануйлов уверили Плоткина в том, что Мануйлов занимает должность начальника столичного охранного отделения и может предоставить Плоткину службу в охране. Под этим предлогом они получили от Плоткина 500 рублей, но должности ему не предоставили.

После этого вступления суть дела в обвинительном акте представлялась в следующем виде:

"В июле 1916 г. товарищ директора Московского Соединенного банка прапорщик И.С. Хвостов (получивший эту должность незадолго до того в приданое за своей женой — дочерью председателя правления того же банка графа В.С. Татищева) задумал поместить в парижских газетах статью в форме газетного интервью со своим тестем о положении русской торговли и промышленности в годы войны и о желательности того, чтобы центральная администрация более интенсивно пополнялась людьми опыта и практики.

С этой целью он решил обратиться к знакомому ему ранее в качестве журналиста Манасевичу-Мануйлову и просить его посодействовать появлению этой статьи во французской газете "Temps".

И.С. Хвостов посетил Мануйлова, беседовал с ним на эту тему, и последний обещал свое содействие, прося поскорее доставить ему текст статьи, чтобы он мог просмотреть ее и отослать в Париж своему приятелю из редакции "Temps".

Ни о каких расходах и платежах за хлопоты по напечатанию этой статьи, по утверждению И.С. Хвостова, не было и речи, и вообще он был уверен, что и не могло быть, так как-де ясно, что Мануйлов должен был удовлетвориться построчным гонораром, который, мол, выплатит парижская газета.

Когда статья на французском языке была состряпана, Хвостов собственноручно доставил ее Мануйлову, специально для этого приехав 31 июля из Москвы в Петербург.

Мельком взглянув на статью и оставляя рукопись у себя, Манасевич-Мануйлов вместе с тем предупредил И.С. Хвостова, что с напечатанием статьи некоторое время придется обождать, так как против ряда банков, а в том числе и против Соединенного, в особой комиссии под председательством ген. Батюшина возбуждено дело по расследованию неправильных их действий в связи со спекуляцией.

При этом Мануйлов "дал понять" И.С. Хвостову, что он свой человек в батюшинской комиссии, и пообещал и впредь не оставлять его информацией по всем перипетиям дела. Однако в этот приезд И.С. Хвостов Мануйлова больше не видал и ничего больше от него не узнал.

Вернувшись в Москву, И.С. Хвостов о своем разговоре с Мануйловым доложил правлению банка, и последнее к 11 августа вновь командировало его в Петербург для связи с Мануйловым.

Приехав в Петербург, он в тот же день был у Мануйлова, и последний на этот раз заявил, что положение Соединенного банка весьма серьезно и что вообще за последние дни гонения против банковских заправил весьма обострились. Так, например, серьезнее дело возбуждено против члена совета частного Коммерческого банка М. Шкаффа, который был допрошен комиссией генерала Батюшина, а затем арестован и выслан из столицы. Причем мимоходом Мануйлов добавил, что в показаниях Шкаффа было много такого, что весьма компрометирует Соединенный банк.

"Теперь очередь за этим банком! — многозначительно кинул Мануйлов. — А ведь вы знаете, что в настоящее время властям обыск произвести или арест — что папироску выкурить. Я, правда, прекратить это дело теперь уже не мог бы, но дать ему то или иное направление мне, пожалуй, и удалось бы. Вот и решайте, что для вас лучше: обыск, арест или же вызов представителя банка для собеседования частным образом".

А когда Хвостов заявил, что по делам банка обыск для него был бы губительным и что в данном положении вещей вызов для беседы представителя банка, и притом с наименьшей оглаской, был бы наиболее желательным выходом из положения, Мануйлов, для более подробной беседы по этому поводу, пригласил И.С. Хвостова зайти к нему вечерком — с тем, что он принесет к этому времени из комиссии показания Шкаффа, причем тогда же можно будет условиться и относительно вознаграждения Мануйлову за хлопоты.

Однако выйдя от Мануйлова и пройдя на Невский, И.С. Хвостов, к величайшему своему изумлению, встретил спокойно прогуливавшегося по улице М. Шкаффа. Из разговора с ним И.С. Хвостов убедился, что Шкаффа не только никуда не высылали, но и в комиссии не допрашивали, а следовательно, там не может быть и неблагоприятных для Соединенного банка данных, якобы сообщенных Шкаффом Батюшину.

Это обстоятельство навело И.С. Хвостова на предположение, не шантажирует ли его Манасевич-Мануйлов с какой-то личной целью, и потому, будучи знаком с директором Департамента полиции генералом Климовичем, Хвостов немедленно отправился к нему и сообщил о всех своих переговорах с Мануйловым.

По совету Климовича, “имевшего, добавляет обвинительный акт, сведения и о других неблагоприятных проступках Мануйлова, носивших также шантажный характер”, Хвостов отправился к последнему в тот же вечер, как и было условлено.

Мануйлов встретил его успокаивающе: “Ну, ничего. Все можно устроить!”

А на вопрос И.С. Хвостова, где же показания Шкаффа и в чем они заключаются, Мануйлов не менее успокоительно ответил: “Пустяки, я даже не взял дела с собой. Опасности нет, и все может быть улажено!”

Когда же И.С. Хвостов спросил Мануйлова, во что же он оценивает свое содействие благополучному разрешению дела, тот объявил размер гонорара в 25 тысяч рублей, присовокупив, что часть этих денег он должен будет отдать другим членам комиссии, так как: “Всем хочется денег, да жжется!”

Тут же Мануйлов заметил, что если бы председатель правления Соединенного банка граф Татищев пожелал сам приехать в Петроград и познакомиться через него с членами комиссии, то он мог бы устроить для них хороший завтрак и во время “дружеской” беседы предложить им участие в какой-нибудь финансовой комбинации, что, конечно, будет стоить банку еще 25, но это совершенно застрахует от всяких неожиданностей.

“Я ведь тоже заседаю в комиссии, — закончил Манасевич-Мануйлов, — все рассматривается при мне... И я провожу все, что мне желательно. Поэтому, если зайдет речь о Соединенном банке, то я обязуюсь затушить дело, и все обойдется даже без вызова”.

Поблагодарив за обещание, И.С. Хвостов заявил, что без предварительного согласия правления банка он не может произвести выдачу столь крупной суммы и что поэтому он вынужден просить Мануйлова отложить дело до возвращения его из Москвы, куда он срочно выедет для доклада.

“Только, пожалуйста, чтобы без протоколов!” — проводил его Мануйлов.

От Мануйлова И.С. Хвостов проехал обратно к ген. Климовичу, рассказал ему о своем визите, и Климович посоветовал ему дать Мануйлову завершить шантаж, с каковой целью притворно согласиться на его условия и вручить ему 25 тыс. руб., предварительно записав номера кредитных билетов.

На следующий день И.С. Хвостов выехал в Москву с докладом и подробно изложил правлению как весь ход переговоров с Мануйловым, так и план уловления Мануйлова, предложенный ген. Климовичем. Правление тотчас же пошло навстречу этому плану и ассигновало в распоряжение И.С. Хвостова требуемую сумму, дав ему от имени банка уполномочие и на возбуждение против Мануйлова уголовного преследования.

На такое быстрое и единогласное решение правления повлияло и следующее странное обстоятельство. Как раз в день заседания правления к председателю его явился некий московский 1-й гильдии купец Шик и предъявил визитную карточку Мануйлова с рекомендательной на ней надписью и просьбой оказать предъявителю содействие в его "справедливом деле".

"Справедливое дело" заключалось в предложении Шика банку приобрести за крупную сумму при его посредстве большое лесное имение, причем размеры сделки были таковы, что законный куртаж, который выпадал бы на долю Шика, был бы равен 140 тыс. руб.

Граф Татищев ответил, что это дело требует предварительного ознакомления; нельзя же его решать сразу.

Тогда Шик воскликнул: "Но ведь это просит Мануйлов!"

Появление Шика и домогательства его были истолкованы правлением банка как один из эпизодов начатого Мануйловым длительного шантажирования банка, и поэтому решение было немедленно положить конец предпринятому Мануйловым походу путем обращения к властям.

Утром 18 августа И.С. Хвостов снова приехал в Петроград и, по указанию ген. Климовича, написал заявление начальнику Петроградского военного округа с изложением обстоятельств дела.

На следующий день, предварительно переговорив по телефону с Мануйловым и условившись с ним о месте встречи на квартире последнего, в д. № 47 по ул. Жуковского, Хвостов предупредил полицию и военные власти о месте свидания, послав им список номеров тех кредитных билетов, которые он предполагал передать Мануйлову.

В назначенный час И.С. Хвостов приехал к нему и вручил пакет с 25 000 руб.

"Вчера в комиссии, — сказал при этом Мануйлов И.С. Хвостову, — поднимался вопрос о Соединенном банке, и, благодаря моим настроениям, дело ликвидировано: решено ограничиться одним выговором, причем мне удалось устроить так, что и выговор будет объявлен не гр. Татищеву, а вам. Вы получите телеграмму с вызовом в комиссию, явитесь туда, и там официально вам будет объявлен выговор двумя членами комиссии: мною и еще одним!"

Выслушав это, И.С. Хвостов еще раз поблагодарил И. Ф. Мануйлова, горячо пожал ему руку и ушел, а вслед за ним вышел, направляясь в редакцию, и сам Мануйлов, причем его сопровождал секретарь митрополита Питирима И.З. Осипенко, во время визита И.С. Хвостова пребывавший, очевидно, где-нибудь во внутренних комнатах. У подъезда оба они были остановлены полицией и жандармами, которые вернули их обратно в квартиру и произвели у Мануйлова обыск, обнаружив у него в кармане брюк те самые 25 тыс. руб., что были только что вручены ему Хвостовым.

По словам жандармов, И.Ф. Мануйлов сразу же сказал, что деньги эти получены им от Хвостова, причем заявил, что назначением их было поднятие кампании в пользу реабилитации дяди И.С. Хвостова — б. министра в. н. д. А.Н. Хвостова. К концу обыска Мануйлов заявил, что в конце концов ему вовсе незачем скрывать истинное значение найденных у него 25 тыс. руб.; получены они, мол, им от И.С. Хвостова на ведение в заграничной прессе кампании в пользу проведения на пост министра финансов или торговли тестя И.С. Хвостова, председателя правления Соединенного банка гр. Татищева.

В доказательство этого Мануйлов предъявил лежавшую тут же у него на бюро французскую статью, действительно агитировавшую за это и, по словам Мануйлова, переданную ему И.С. Хвостовым для напечатания в газете "Temps" одновременно с деньгами.

Следователем были допрошены, между прочим, сам ген. Батюшин и члены его комиссии полк. Резанов и прапорщик Логвинский, которые показали, что Мануйлов действительно был сотрудником комиссии в качестве "осведомителя", но членом ее не состоял и в заседаниях никогда не участвовал. Удостоверили они и то, что в то время никакого дела по обследованию деятельности Соединенного банка в комиссии не возбуждалось".

Вышеизложенное, говоря словами обвинительного акта, дало основания к привлечению Мануйлова к следствию по делу об "обманном похищении денег у товарища директора Соединенного банка И.С. Хвостова".

Присяжные заседатели признали Манасевича-Мануйлова виновным во всех предъявленных ему обвинениях полностью, а суд на основании этого вердикта приговорил его к полутора годам арестантских отделений с лишением всех особых прав и преимуществ.

Революция освободила Мануйлова из тюрьмы, и он с горькой иронией порой отмечал эту курьезную ситуацию.

Выйдя на свободу, Иван Федорович стал улаживать свои личные дела. Он пытался отослать из России свою супругу Н. Даренговскую, но она отказалась уехать одна. Временное правительство вновь арестовало Мануйлова, но вскоре отпустило.

Теперь Мануйлов пытался уговорить Булатову выехать за границу. Но эксбалерина больше не верила ему.

Мануйлова снова взяли под стражу, на этот раз большевики, и снова ему удалось выйти на свободу. Он снова умолял Булатову уехать вместе с ним, но она была непреклонна.

Революционер Бурцев, которому Иван Федорович продавал когда-то документы, уговорил Мануйлова ради спасения собственной жизни поскорее уехать, а Булатова, мол, одумается. Павлов и Бецкий в своей книге "Русский Рокамболь" так описывают его неудавшийся побег из России:

"В одно серенькое утро на станцию Белоостров прибыл поездом из Петрограда солидный гражданин иностранного типа; бумаги его, предъявленные в пропускной пункт, оказались в полном порядке, и перед иностранцем уже готова была раскрыться граница, как один из членов пограничной комиссии, матрос, в свое время несший караул в Петропавловской крепости, неожиданно обратился к иностранцу с вопросом, не сидел ли он в этой крепости.

Иностранец протестовал.

"А не будете ли вы, часом, гражданин Манасевич-Мануйлов?" — продолжался допрос.

Последовал еще более резкий протест, но иностранца попросили с переходом границы несколько обождать.

Еще через несколько часов очередной поезд доставил на ст. Белоостров двух каких-то женщин.

"Не волнуйтесь, гражданки! Вам сейчас же все объяснят!" — успокаивал их сопровождавший конвоир.

Женщины эти были — многолетняя подруга Мануйлова артистка Д. и ее горничная.

И не успели их ввести в помещение, где ожидал иностранец, как с уст изумленной Д-ой сорвалось предательское: "Ваничка!.."

И.Ф. Мануйлов был расстрелян у самой границы. Встретил смерть он абсолютно спокойно и в последние минуты роздал своим конвоирам “на память о Мануйлове” все мелкие безделушки, бывшие при нем”. От последней папиросы он отказался...

Григорий Ефимович Распутин

(1872 — 1916)

Настоящая фамилия — Новых. Крестьянин Тобольской губернии, получивший известность “прорицаниями” и “исцелениями”. Оказывая помощь больному гемофилией наследнику престола, приобрел неограниченное доверие императрицы Александры Федоровны и императора Николая II. Был убит заговорщиками, считавшими влияние Распутина гибельным для монархии.

Появившийся впервые в 1905 году в нескольких гостиных, принадлежавших особам высшего света Санкт-Петербурга, Григорий Распутин в свои 30 лет был широкоплечим, мускулистым, среднего роста мужчиной. Одевался он просто: в свободные крестьянские рубахи и мешковатые штаны, заправленные в тяжелые, грубые сапоги. Волосы были длинные и сальные. Разделенные прямым пробором пополам, они ниспадали тонкими прядями по плечам.

Женщины, находившие его отвратительным, позже обнаружили, что это отвращение является новым, волнующим ощущением, что этот грубый, резко пахнущий крестьянин соблазнительно отличается от чрезмерно надушенных и напомаженных офицеров и кавалеров высшего общества. Другие, менее чувствительные, заключали, что его вульгарная внешность была несомненным знаком духовности. Не будь он святым, говорили они себе, этот нечесаный мужик никогда бы не появился среди нас.

Было трудно устоять перед силой твердого пристального взгляда Распутина. Мужчины и женщины, встречавшиеся с ним из любопытства, оказывались зачарованными и плененными его мерцающими глазами и настойчивой таинственной волей.

Взгляд Распутина действовал не только на возбудимых женщин, но и на министров царского правительства. По просьбе императрицы он просил аудиенции и был принят двумя председателями Совета министров России — Петром Столыпиным и Владимиром Коковцовым.

Столыпин позже описал визит Распутина своему приятелю Михаилу Родзянко, председателю Думы: "Он (Распутин) бегал по мне своими белесоватыми глазами и произносил какие-то загадочные и бессвязные изречения из Священного писания, как-то необычно разводил руками, и я чувствовал, что во мне пробуждается непреодолимое отвращение к этой гадине, сидящей напротив меня. Но я понимал, что в этом человеке большая сила гипноза и что он производил довольно сильное, правда отталкивающее, впечатление. Я собрал свою волю в кулак..."

Такая же сцена повторилась с преемником Столыпина Коковцовым. Оба после этих встреч были убеждены, что они преодолели чары этого сибирского мужика. На самом деле оба просто предопределили свои политические судьбы. Встречи были подготовлены женой Николая II Александрой, и, таким образом, Распутину была предоставлена возможность оценить обоих премьер-министров. По окончании этих встреч он сообщал императрице, что эти люди неугодны Богу.

Распутин появился в Санкт-Петербурге как "старец" — божий человек, живущий в бедности, в уединении, как аскет, выражавший готовность стать вожаком других душ в моменты страданий и ударов судьбы. Однако Распутин был лжестарцем. Большинство старцев были безгрешными людьми, оставившими все соблазны и блага мира. Распутин был молод, женат, имел троих детей, позже его могущественные друзья приобрели ему огромный дом в его деревне. Но он овладел некоторыми театральными атрибутами святости. Помимо горящих глаз, он имел плавную речь. Он знал Писание, глубокий сильный голос делал его неотразимым проповедником. Кроме того, он вдоль и поперек исколесил Россию и дважды кающимся грешником ходил до Святой земли. Он говорил, что много грешил, но был прощен и направлен Богом на благие деяния.

Григорий Ефимович Распутин, сын крестьянина, служившего когда-то кучером на почте, родился, вероятно, в 1872 году (называются и другие даты) в селе Покровское, что на реке Туре в Западной Сибири. В 33 года он впервые встретился с царской семьей, в 44 — его не стало.

Рассказывали, что еще мальчиком Григорий раскрыл в себе поразительный дар прорицателя. Он лежал в постели с лихорадкой, когда толпа крестьян пришла к нему в дом, чтобы выяснить, кто украл лошадь. Григорий поднялся с постели, говорится в этой легенде, и указал пальцем на вора. Оскорбленный крестьянин отрицал это, и Григория побили. Той ночью, однако, двое недоверчивых крестьян последовали за подозреваемым и увидели, как тот выводил лошадь из своего сарая в лесу. Григорий приобрел репутацию местного пророка, серьезный успех для мальчика двенадцати лет.

В юности пророк пил, дрался, забавлялся с деревенскими девками. Зарабатывал перевозкой пассажиров и вещей. Хороший рассказчик, уверенный в себе, Григорий добивался любой девушки, которую встречал. Без лишних слов он хватал "жертву" в охапку и начинал расстегивать пуговицы. Естественно, он часто получал пинки, был оцарапан и укушен, но полное превосходство в силе приносило ему успех.

В одну из своих поездок Григорий, уже метко окрещенный своими соседями Распутиным, вез путешественника в Верхотурьинский монастырь — место уединения монахов и заточения еретиков-сектантов. Распутин был поражен как теми, так и другими и остался в монастыре на 4 месяца.

Вскоре после возвращения в Покровское Распутин — ему было тогда двадцать лет — женился на белокурой крестьянской девушке, которая была на четыре года старше его. Всю свою жизнь Прасковья прожила в Покровском. Она знала о его увлечении женщинами. “У него на всех хватит”, — говорила она. Прасковья родила ему четырех детей: двух сыновей и двух дочерей. Старший сын умер в раннем детстве, другой был умственно отсталым; две девочки, Мария и Варвара, позже приехали жить к отцу и получили образование в Санкт-Петербурге.

Чтобы содержать семью, Распутин занимался сельским хозяйством. Однажды во время пахоты ему почудилось видение, и он решил совершить паломничество. Григорий прошел 2000 миль до монастыря на горе Афон в Греции. Через два года Григорий принес в родную деревню дух тайны и святости. Он начал вовсю молиться и благословлять других крестьян, стоять на коленях у их постелей, молясь за их здоровье. Он бросил пить и соблазнять женщин. Распространился слух, что распутник Григорий Распутин стал человеком Бога. Деревенский священник, встревоженный появлением неожиданного конкурента, заподозрил ересь и стал угрожать расследованием. Распутин покинул деревню и снова начал странствовать.

В Санкт-Петербурге Распутин впервые побывал в 1903 году и прожил там пять месяцев. В столице говорили о нем, как о странном сибирском мужике, который грешил и раскаялся и наделен необыкновенной силой. Он был принят самым знаменитым духовным лицом того времени, отцом Иоанном Кронштадтским. Иоанн был святой личностью, его почитали за силу и действенность его молитв, его собор в Кронштадте был местом паломничества всей России. Он был личным духовником Александра III и находился вместе с семьей у постели умирающего в Ливадии.

В 1905 году Распутин вернулся в Санкт-Петербург, где встретился с престарелым архимандритом Феофаном, инспектором Санкт-Петербургской духовной академии и бывшим духовником императрицы Александры. Как и отец Иоанн, Феофан был поражен несомненным пылом распутинской веры и устроил его встречу с другим видным церковным деятелем, епископом Гермогеном. Ко всем этим священникам и епископам подход у Распутина был один и тот же. Он отказывался кланяться им и обращался с ними ласково, с непосредственным добрым юмором, как если бы они были его друзьями и людьми равного социального положения. Он был феноменом, как им казалось, который дан свыше, чтобы способствовать делу церкви, усиливая ее влияние на крестьян. Они принимали его как истинного старца.

В дополнение к благословениям церковных иерархов Распутин начал свою жизнь в столице под покровительством двух дам высшего общества, черногорских сестер-княжен, великой княжны Милицы и великой княжны Анастасии. Дочери короля Николая I Черногорского были замужем за кузенами царя Николая II, и обе были увлечены псевдовосточной разновидностью мистицизма, тогда бывшего в моде во многих салонах столицы.

Именно великая княжна Милица привезла Распутина в Царское Село. Знаменательная дата 1 ноября 1905 года (по старому стилю) проставлена над записью в дневнике Николая: “Мы познакомились с божьим человеком Григорием из Тобольской губернии". Через год Николай записал: "Григорий приехал в 6 часов 45 минут. Он видел детей и беседовал с нами до 7 часов 45 минут". Еще позже: "Милица и Стана (великая княжна Анастасия) обедали с нами. Они говорили о Григории целый вечер".

Появление Распутина во дворце не получило широкого общественного резонанса. Его рекомендации со всех сторон были безупречны. Он имел благословение наиболее авторитетных деятелей церкви; отец Иоанн и епископ Феофан советовали императрице поговорить с благочестивым крестьянином.

Однако никто не ожидал, что Распутин будет во дворце столь желанным гостем. Обычно он приходил за час до обеда, когда Алексей играл на полу в своей голубой пижамке, прежде чем лечь в постель. Распутин садился возле мальчика и рассказывал ему истории о путешествиях, приключениях и старые русские сказки. Часто девочки, императрица, да и сам царь заслушивались этими рассказами. Именно в один из таких вечеров осенью 1907 года впервые встретила Распутина великая княжна Ольга Александровна, младшая сестра царя.

Николай и Александра свободно разговаривали с Распутиным. Для царя Распутин был именно таким, каким описала его сестра, "русским мужиком". Однажды, разговаривая с одним офицером охраны, Николай развил свою мысль: "Он (Распутин) просто добрый, религиозный, прямодушный русский человек. Когда тревоги или сомнения одолевают меня, я люблю поговорить с ним и неизменно чувствую себя потом спокойно". Для Александры значение Распутина было намного серьезнее. Постепенно Александра стала приходить к убеждению, что старец — посланник Бога к ней, к ее мужу, к России. Неопровержимым доказательством его божественной миссии было то, что он мог облегчить страдания ее сыну, больному гемофилией.

"Именно болезнь мальчика привела Распутина во дворец, — писал сэр Бернард Пэйрс. — Какова же была природа влияния Распутина на царскую семью? Основой всему этому несомненно было то, что он мог доставить облегчение мальчику, и не было никаких других причин". Прочие очевидцы согласны с этим мнением.

Вероятно, Распутин лечил мальчика, используя свой гипнотический дар, хотя с точки зрения медицины это не так просто. Александра верила, что Распутин способен остановить кровотечение Алексея, думая, что он достигнет этого силой своих молитв. Когда же Алексей начинал выздоравливать, она приписывала это исключительно молитвам "божьего человека".

Успех в Царском Селе обеспечил Распутину и успех в обществе. Вскоре грубые холщовые рубахи сменились шелковыми блузами голубого, ярко-красного, сиреневого и бледно-желтого цветов, некоторые из которых были сшиты и вышиты цветами самой императрицей. Черные бархатные штаны и мягкие сафьяновые сапоги заменили его мужицкий наряд. Простой кожаный ремень на поясе уступил место шелковому шнурку небесно-голубого или малинового цвета с большими мягкими свисающими кистями. Распутин стал носить красивый золотой крест — подарок Александры.

В этих новых нарядах Распутин оказался в центре всеобщего внимания. Когда великую княжну Ольгу Александровну спросили, что ей не нравится в Распутине, она прежде всего назвала "его странность, распущенность и поступки, приводящие в замешательство других". Ольга получила достаточное представление об этом при своей первой встрече с Распутиным в Царском Селе.

Даже приняв новый облик, Распутин остался мужиком. Он гордился тем, что допущен в светские гостиные. Входя с улицы с потоком гостей, разодетых в меха и бархат, Распутин вручал лакею свой простой длинный кафтан, неизменную одежду русского крестьянина. В изысканном разговоре Распутин пользовался грубыми непристойными выражениями. Это не были слова, выскочившие неумышленно, наоборот, Распутин пользовался ими намеренно, стараясь произвести шокирующий эффект. Он любил в деталях описывать случки лошадей, которые наблюдал ребенком в Покровском, затем неожиданно поворачивался к красивой женщине в декольте и говорил: "Подойди, моя милая кобылка". Он находил, что общество, как и царская семья, очарованы его рассказами и легендами о Сибири. Его манеры за столом ошеломляли людей. Однако для пресытившегося, манерного, падкого на все новое, общества Распутин был экзотическим развлечением.

Сначала Распутин вел себя осторожно в этом новом для него мире богатых людей. Но вскоре обнаружил, что многие женщины интересуются не столь его духовной, сколько чувственной стороной. Распутин реагировал быстро. Его похоть разгоралась, жесты становились возбуждающими, глаза и голос вкрадчиво внушали непристойные мысли. Его первые победы были легкими, последующие еще легче; разговоры о его любовных авантюрах только увеличивали его тайную репутацию. Знатные дамы, жены офицеров, отбывших из столицы по делам службы, актрисы и женщины низших классов искали его общества, новых волнующих ощущений. "У него было столько предложений", — говорил Симанович.

Распутин внушал дамам, что спасение невозможно, пока не искупишь греха, а истинное искупление не может быть достигнуто, пока не совершишь грех. В своем лице Распутин представлял возможности для всех трех стадий: и греха, и искупления, и спасения. "Женщины, — говорил Фюлоп-Миллер, автор нашумевшей книги о Распутине, — находили в Григории Ефимовиче исполнение двух желаний, которые до сих пор казались несовместимыми: религиозного спасения и удовлетворения плотских потребностей... Так как в глазах его последователей Распутин являлся воплощением Бога, половые сношения с ним, в частности, не могли считаться грехом; и такие женщины впервые в жизни находили истинное счастье, не тревожимое угрызениями совести".

Некоторые, удостоенные внимания отца Григория, гордились этим, причем не только дамы, но и их мужья. "Вы уже отдались ему?" — недоверчиво спросил однажды посторонний человек одну из поклонниц Распутина. "Конечно. Я уже была близка с ним, и горда, и счастлива, что так поступила", — как говорят, ответила дама. "Но вы же замужем! Что скажет ваш муж об этом?" — "Он рассматривает это как великую честь. Если Распутин пожелает женщину, мы все видим в этом благословение и выбор Божий, и наши мужья думают так же".

Каждый день несколько поклонниц приходили в квартиру Распутина, сидели в столовой, пили вино или чай, болтали и слушали сентенции святого отца. За столом Распутин гладил руки и волосы женщин, сидевших рядом. Иногда он отставлял стакан с мадерой и брал молодую девушку на колени. Когда он чувствовал вдохновение, то, выбрав какую-нибудь даму, уводил ее в спальню, о которой его обожательницы говорили как о "святая святых". В спальне он успокаивающе шептал ей: "Ты думаешь, я оскверню тебя? Нет, я тебя очищу".

Упоенный успехом, Распутин попытался сблизиться с великой княжной Ольгой. Однажды вечером после обеда Ольга пришла с братом и Александрой в домик Вырубовой. "Распутин был там, — писала она, — и, казалось, был очень рад увидеть меня снова. И когда хозяйка с Ники и Аликс вышли из гостиной на какой-то момент, Распутин встал, положил руки мне на плечи и стал гладить мою руку. Я сразу же отстранилась, не говоря ничего, тотчас же встала и присоединилась к другим...”

Несколько дней спустя Анна Вырубова, красная и всклокоченная, приехала в город, во дворец к Ольге. Она умоляла принять Распутина снова и просила: “О, пожалуйста, он так хочет видеть Вас”. “Я отказала очень резко... Прекрасно зная Ники, я видела, что он мирился с этим человеком исключительно по причине помощи, какую тот оказывал Алексею. Это было несомненной истиной”.

Не все мужья были снисходительны, не всем дамам нравилась грубость старца. Черногорские княжны Милица и Анастасия закрыли свои двери перед их бывшим протеже. Муж Анастасии, великий князь Николай, поклялся “никогда не видеть этого дьявола”. Обе черногорки даже ездили в Царское Село сообщить императрице об их “ужасном открытии”, касавшемся Григория, но Александра приняла их холодно.

Инициатором первого формального расследования деятельности Распутина выступила церковь. После того, как к епископу Феофану на исповедь стали приходить женщины, поддавшиеся влиянию Распутина, он обратился к императрице. Бывший духовник Александры сообщил ей, что был в страшном заблуждении относительно “святого человека”, когда рекомендовал его. Александра послала за старцем и допросила его. Распутин изобразил удивление, невинность и смирение. В результате Феофан, выдающийся теолог, был переведен из Духовной академии епископом в Крым.

Единственная атака, нанесшая некоторый урон авторитету Распутина, последовала от молодого фанатика-монаха по имени Илиодор.

В Распутине Илиодор видел своего союзника. И, когда Феофан впервые привел к нему Распутина, Илиодор приветствовал религиозное усердие, проявляемое старцем. В 1909 году Илиодор пригласил Распутина в обитель недалеко от Царицына. Там, к удивлению Илиодора, старец отвечал на уважение и покорность встречавших их женщин тем, что хватал хорошеньких и целовал их взасос. Из Царицына они поехали в Покровское, на родину Распутина. В поезде Илиодор был обескуражен еще больше, когда Григорий, хвастаясь своим прошлым, открыто хвалился своими сексуальными подвигами, насмехаясь над невинностью Илиодора. Он развязно говорил о своих отношениях с царской семьей. Царь, говорил Распутин, стоял перед ним на коленях и говорил ему: “Григорий, ты Христос”. Он хвастался тем, что целовал императрицу в комнатах ее дочерей.

В Покровском Распутин показал Илиодору пачку писем от Александры и ее дочерей. Он даже дал несколько писем Илиодору: “Выбирай любое. Только оставь письмо цесаревича. Оно у меня только одно”. Три года спустя выдержки из этих писем императрицы к Распутину стали появляться в печати. Они стали основными уличающими документами сенсационного обвинения императрицы в любовной связи с Распутиным.

Илиодор и Распутин оставались друзьями еще два года. Монах продолжал убеждать Распутина изменить свое поведение, но продолжал защищать старца, когда другие нападали на него. В 1911 году Распутин попытался соблазнить монахиню, а когда это не удалось — хотел изнасиловать ее.

Услышав об этом, Илиодор пришел в ярость. Вместе с епископом Гермогеном Саратовским он пригласил Распутина к себе и потребовал объяснений.

Распутин через несколько дней вернулся во дворец и представил свою интерпретацию случившегося. Вскоре после этого по царскому приказу Гермоген был сослан в монастырь. Илиодору было также приказано уединиться, но он не подчинился. Переезжая с места на место, монах резко критиковал Распутина.

Илиодора схватили и поместили на несколько месяцев в монастырь, откуда он сбежал. Оказавшись на свободе, монах дал свое благословение на образование организации женщин и девушек, большинство из которых пострадало от Распутина, организации, ставившей своей единственной целью кастрацию отца Григория. Одна из женщин, 26-летняя Хиония Гусева, которую Распутин использовал и затем бросил, решила пойти дальше и убить старца. Монах расстегнул ей кофточку и повесил на шею нож на цепи, сказав при этом: "Этим ножом убей Гришку".

Сам же Илиодор, переодевшись женщиной, бежал через границу в Финляндию и начал писать книгу о себе и Распутине. Когда книга была закончена, Илиодор сначала потребовал за нее от императрицы 60 тысяч рублей. Этот шантаж был отвергнут, и тогда бывший монах продал свою рукопись американскому издателю. Позже он признал, что в своей книге "хватил лишку".

"Роковое влияние этого человека (Распутина) было главной причиной гибели тех, кто думал найти в нем свое спасение", — писал Пьер Жильяр.

Еще в 1911 году, встревоженный ростом влияния Распутина во дворце, Столыпин приказал провести расследование и представил результаты царю. Николай прочитал доклад, но ничего не предпринял. Столыпин своей собственной властью приказал Распутину покинуть Санкт-Петербург. Александра протестовала, но Николай отказался отменить приказ премьер-министра. Распутин отправился в паломничество в Иерусалим, в течение которого писал многословные, цветистые и мистические письма императрице. Изгнание Распутина было еще одним примером трагической изоляции и отсутствия понимания жизни царской семьи. Конечно, если бы Столыпин знал, какую помощь оказывал Распутин ребенку и матери, он, возможно, не отдал бы такого приказа, однако с политической точки зрения внезапное удаление опасного старца из дворца выглядело решением разумным. Александре представлялось, что Столыпин умышленно разорвал связи, от которых зависела жизнь ее сына, отчего возненавидела премьер-министра.

В 1911 году возмущение старцем было пока предметом частных разговоров. Но через год, когда Коковцов унаследовал пост Столыпина, скандал уже стал достоянием гласности. В Думе явные намеки на "темные силы" у трона стали появляться в речах левых депутатов. Вскоре "вопрос Распутина" стал преобладать на политической сцене.

"Сколь бы это не казалось странным, — писал Коковцов, — но вопрос Распутина стал центральным вопросом непосредственного будущего; он не был снят в течение всей моей службы в качестве Председателя Совета министров". Цензура была упразднена манифестом, и печать начала открыто говорить о Распутине, как о зловещем авантюристе, который контролирует деятельность Синода и пользуется благосклонностью императрицы. Газеты стали печатать обвинения и исповеди жертв Распутина и вопли страдающих матерей. Александр Гучков, лидер октябристов, получил копии писем, имевшихся у Илиодора и приписываемых Александре; он скопировал их и пустил по городу. "И хотя они были абсолютно безупречными, все равно это послужило поводом к самым отвратительным комментариям... — говорил Коковцов. — Мы (Коковцов и Макаров, министр внутренних дел) оба полагали, что письма были поддельными и пущены с целью подорвать престиж монарха, но мы ничего не могли поделать... Публика, жадная до любой сенсации, конечно оказывала им весьма горячий прием".

Нападки на Распутина усиливались. Газета "Голос Москвы" сообщала о том, что "Григорий Распутин является коварным заговорщиком против нашей святой церкви, растлителем человеческих душ и тел", а также "о неслыханной терпимости, проявляемой к вышеупомянутому Григорию Распутину высшими сановниками церкви". Николай отдал приказ запретить всякое упоминание о Распутине в печати под страхом штрафа. Но Распутин давал слишком большой тираж издателям, чтобы они испугались денежных санкций; они продолжали публикации, беззаботно платя штрафы. По городу поползли слухи, что императрица и ее фрейлина Анна Вырубова делили постель с мужиком. Говорили, что он приказывал царю стаскивать с себя сапоги и мыть ему ноги, а затем выталкивал Николая из комнаты, чтобы лечь с Александрой. Он якобы изнасиловал всех великих княжен и превратил детскую в гарем, где девочки, помешавшись от любви, боролись за его внимание.

Николай был глубоко оскорблен тем, что имя и честь его жены втоптаны в грязь. "Я просто задыхаюсь в этой атмосфере сплетен и злобы, — сказал он Коковцову. — Это гнусное дело должно быть прикончено".

Распутин, подобно многим удачливым авантюристам, жил сегодняшним днем. Однако болезнь Алексея привела его в высшее общество России и к трону. И хотя он оставался безразличным к политике, само его поведение приобрело политический смысл. От всех нападок на него министров, депутатов Думы, церковных иерархов и печати он защищался единственным доступным ему путем: воздействуя на императрицу. Распутин приобрел политическое влияние в результате самозащиты.

Александра была его покровителем. Когда министры или епископы обвиняли старца, она мстила им, добиваясь их отставки. Когда Дума обсуждала "вопрос Распутина", а печать кричала о его похождениях, императрица требовала роспуска Думы и жестких мер в отношении печати. Она возненавидела всех его врагов, поэтому неудивительно, что его враги в ответ возненавидели ее.

Степан Белецкий, директор Департамента полиции, позже писал, что могущество Распутина утвердилось в 1913 году. Симанович говорил, что первые пять лет, с 1906 по 1911 год, были годами приобретения Распутиным могущества, которое он использовал в последующие пять лет, с 1911 по 1916 год. В обеих оценках поворотный пункт указан рядом с 1912 годом, временем, когда цесаревич Алексей едва не умер в Спале.

Вот что там произошло. За Распутиным, приехавшим в свою деревню 17 июня, последовала неизвестная ему Хиония Гусева, агент Илиодора. Гусева подловила старца на деревенской улице, поздоровалась с ним и, когда он повернулся, вонзила ему глубоко в живот нож Илиодора. "Я убила антихриста", — закричала она и затем безуспешно пыталась заколоться. Распутин был тяжело ранен, рана в животе открыла внутренности. Его привезли в больницу, где хирург, присланный друзьями из Санкт-Петербурга, сделал операцию. В течение двух недель его жизнь была под угрозой. Затем, благодаря своей огромной физической силе, он стал выздоравливать. Он пролежал в постели до конца лета. Гусева была отдана под суд, объявлена душевнобольной и помещена в сумасшедший дом.

Императрица нуждалась в могущественном союзнике. Распутин был "Божий человек", его репутация сложилась в те решительные моменты, когда его молитвы как по волшебству останавливали кровотечение у цесаревича. Бо предназначил Распутину вести Россию сквозь тяжкие испытания войны. Если она могла доверить ему самое дорогое, чем обладала, — жизнь своего сына, — то почему она не могла доверить ему выбор министров, командующих армиями или управление жизнью всей страны?

Правда, в течение первой военной осени влияние Распутина в Царском Селе было ничтожным. Николай не мог забыть его противодействия войне, которую считал патриотической; императрица была занята с утра до ночи в госпиталях, посвятив себя уходу за ранеными. Однажды Распутин позвонил Анне Вырубовой и попросил о встрече с императрицей. Анна ответила, что та занята и ему лучше подождать несколько дней. Распутин положил телефонную трубку с досадой.

Поздно вечером 15 января 1915 года поезд, везший Анну Вырубову из Царского Села в Петроград, потерпел крушение. Когда Анну нашли и извлекли из-под обломков, положение ее было критическим. В больнице, куда ее доставили, хирург заявил: "Не трогайте ее, она умирает". Николай и Александра пришли к ее постели и безнадежно ждали конца. Распутин узнал о трагедии на следующий день и сразу примчался в больницу. Он провел с Вырубовой гипнотический сеанс, после чего сказал: "Она выздоровеет, но останется калекой".

Точно, как и предсказывал Распутин, Анна поправилась, но с того времени передвигалась только на костылях или в кресле-каталке. Ее преданность Распутину была несомненной. Действуя как посредник, она делала все, чтобы сгладить разногласия между своей госпожой и старцем.

В Александре этот эпизод с новой силой возродил уверенность, что Распутин истинный святой, способный творить чудеса.

Возросшее влияние Распутина при дворе приводило к нему людей из всех слоев общества: банкиров, епископов, офицеров, светских дам, актрис, авантюристов и спекулянтов, крестьянских девиц и старух, приехавших за сотни верст, чтобы просто принять его благословение. Посетители приходили в таком количестве, что многие вынуждены были ждать в очереди на лестнице. Обочина улицы была уставлена автомобилями знатных персон, посещавших Распутина.

Если посетитель нравился Распутину и он решал ему помочь, то он брал перо и безграмотно царапал каракулями несколько слов: "Милай и бисценный друк эта от миня Григорий". Эти клочки бумажек, олицетворявшие близость с самим Распутиным, часто были достаточны для получения поста, продвижения по службе, отсрочки платежа или ручательства за вексель. Некоторые из этих записок, приложенные к прошению, пересылались прямо императрице, которая в свою очередь передавала их царю. Когда Мосолов возглавил дворцовую канцелярию, распутинские записки часто попадали ему на стол. "Все они были составлены на один манер, — писал он, — маленький крестик наверху страницы, затем одна или две строчки, дающие рекомендацию от старца". В конечном счете для экономии времени Распутин составил такие записки впрок. Когда приходили его посетители, он их просто вручал им.

Финансисты и состоятельные дамы клали пачки денег на стол, и Распутин бросал их в ящик стола, не считая. Если его посетитель материально нуждался, он мог достать целую пачку денег и отдать ее. Он без трепета относился к деньгам; его квартира была небогатой, в большинстве случаев вино и еду приносили в дар. Его единственный интерес к деньгам заключался в том, чтобы собрать приданое для дочери Марии, которая училась в школе в Петрограде и жила в одной из комнат его квартиры.

Многие привлекательные посетительницы, думая, что они смогут добиться его помощи одним кокетством, после встречи со старцем бежали в полицейский участок, чтобы пожаловаться на Распутина, который пытался их изнасиловать. Там оформляли их показания и на этом дело закрывалось.

Ежедневно перед домом, в помещении привратника и на лестнице, ведущей к двери Распутина, дежурил целый отряд детективов. Они не только охраняли жизнь старца, но и тщательно фиксировали события.

Эти доклады складывались в огромные кипы на столах полиции. Отсюда они поступали к тем, чей долг был читать их, и ко многим другим, кто, хотя и не имел доступа к ним, но щедро платил. Министры, придворные сановники, великие князья, графини, иностранные послы, крупные промышленники, купцы и биржевые маклеры — все подробно изучали их. Мэрай, американский посол, потрясенно писал в своем дневнике: "Квартира Распутина сделалась сценой невиданных оргий. Они превосходят все мыслимые описания, и постоянные сообщения о них свободно передаются из уст в уста; легендарный разврат императора Тиберия на острове Капри становился после этого умеренным и банальным". Императрица была уверена, что полицейское начальство стремится очернить Распутина. Для нее знаменитые "лестничные записки" были не более чем фикцией.

Распутин всегда заботился о том, чтобы сохранить благочестивое впечатление о себе в Царском Селе. Это был ключ ко всему, к его карьере и жизни. Иногда неожиданный звонок из Царского Села ломал его планы на вечер. И даже в основательном подпитии Распутин ухитрялся сразу протрезветь и ехал консультировать "маму", как он называл императрицу, на государственные темы...

Григорий Распутин, безусловно, один из самых необычных и загадочных личностей, когда-либо появлявшихся на земле. Он был великолепным, убедительным актером. Он обладал чудовищной выносливостью организма и кутил день и ночь напролет, что просто убило бы любого нормального человека. Он излучал огромный магнетизм: премьер-министры, графы, священники и великие князья, как и дамы света, а также крестьянские девушки чувствовали его могущественную притягательность, а когда отношения портились — непреодолимое отвращение.

Вся ужасная сила этого человека была направлена на то, чтобы убедить императрицу, что он является тем, кого она видела перед собой: чистого, преданного Божьего человека, выражающего душу мужицкой России. Надо отдать ему должное, Александра никогда не видела его другим.

Когда же Распутин чувствовал, что его положение пошатнулось, он искусно играл на страхах императрицы и ее религиозной натуре. "Помни, что мне не нужны ни император, ни ты, — говорил он. — Если вы предадите меня врагам, это не повредит мне. Я способен справиться с ними. Но ни царь, ни ты не сможете это сделать без меня. Если меня не будет здесь, чтобы защитить вас, вы потеряете сына и корону через шесть месяцев". Даже когда Александра начала сомневаться в чистоте "старца", она, помня о Спале и недавнем кровотечении из носа цесаревича, не хотела рисковать.

Распутин проницательно обезопасил свое положение и усилил свое влияние встречами с императрицей по самым прозаическим поводам. Его разговоры и телеграммы были ловкой смесью религиозности и пророчества. Императрица, уставшая и встревоженная, находила их успокаивающими.

Политические советы Распутина обычно ограничивались осторожным одобрением действий императрицы, создавая впечатление, что высказанная им идея внушена ему свыше. Когда же его мысли в действительности принадлежали ему и были конкретны, они отражали интересы крестьянской России. Войну он считал бессмысленным кровопролитием. "Она опустошает деревни", — сказал он царю. Тем не менее, когда Палеолог упрекнул его в том, что он убеждает царя прекратить войну, Распутин резко возразил: "Те, кто говорят тебе об этом, полные дураки. Я всегда говорю царю, что он должен воевать до победного конца. Но я также говорю ему, что война несет невыносимые страдания русскому народу. Я знаю деревни, где не осталось ни одного мужика, а только слепые да раненые, вдовы да сироты".

Когда подходил момент назначения министров для правления страной — та сфера, где Распутин оказал наиболее пагубное влияние, — он ничего не планировал заранее. Он предлагал людей на эти высокие посты в правительстве просто за то, что они ему нравились, или говорил, что нравились, или, по крайней мере, не возражали ему. Распутин не горел желанием править Россией. Он просто хотел беззаботной, вольной, распутной жизни. Когда влиятельные министры, презиравшие его влияние на императрицу, выступали против него, он убирал их со своего пути. Назначая своих людей в министерство, он мог быть уверен не в том, что он управляет, а в том, что его не оставят одного.

Николай не всегда подчинялся желаниям жены, но в то же время избегал отвечать открытым отказом. По отношению к старцу позиция царя была лишь соблюдением терпимости и почтения, с налетом добродушного скептицизма. Иногда он признавался, что его успокаивает полурелигиозная болтовня Распутина.

Когда императрица просила при встрече, чтобы он последовал совету "Божьего человека", Николай часто подчинялся. Он знал, как много для нее значит присутствие и молитвы Распутина. Такое положение дел в особенности устанавливалось, когда Николай уезжал в Ставку. Затем, оставив управление внутренними делами императрице, Николай регулярно уступал ее указаниям в назначении министров. И во многом из-за этого выбора министров, предложенных Распутиным, навязанных ее мольбами, царь лишился трона.

Несмотря на неофициальное согласие Николая, чтобы императрица следила только за внутренними делами, она пыталась вмешаться и в дела военные. "Добрый ангел, — писала она в ноябре 1915 года, — давно прошу сообщить о твоих планах, касающихся Румынии. Наш Друг так озабочен ими". В тот же месяц: "Наш Друг боится, что если мы не будем иметь большую армию, чтобы взять Румынию, мы после можем попасться в ловушку". С крайней самоуверенностью Распутин вскоре перешел от вопросов об армии к передаче инструкций о времени и месте нанесения ударов. Его пророческие видения, как говорил он императрице, приходили к нему во сне.

Вполне естественно, что царь делился с женой своими секретами, но он не хотел, чтобы они передавались Распутину. Он писал: "Я умоляю тебя, моя любимая, не сообщать этих подробностей никому. Я написал о них только для тебя... Я умоляю тебя, держи их при себе, ни единая душа не должна знать об этом". Столь же часто Александра игнорировала просьбу мужа и рассказывала все Распутину. "Он не упомянет об этом никому, — уверяла она Николая, — но я должна попросить его благословения для твоего решения". Вмешательство Распутина в военные дела особенно заметно проявилось во время большого русского наступления 1916 года.

Александр Трепов, новый премьер-министр, решил избавить правительство от влияния Распутина. Первым шагом к этому должно было стать освобождение от должности протеже Распутина Протопопова. Прежде чем занять пост премьера, он заручился обещанием царя, что Протопопов будет смещен. Однако после вмешательства императрицы Николай II изменил свое решение.

Тогда Трепов попросил об отставке. Николай, подстрекаемый недавними письмами Александры, отказал ему: "Александр Федорович! Я приказываю Вам исполнять Ваши обязанности с коллегами, которые, я думаю, Вам подходят". Отчаявшись, Трепов послал своего зятя Мосолова к Распутину с целью предложить ему внушительную взятку — дом в Петрограде, оплату всех текущих расходов, телохранителя и 100 тысяч рублей, если он даст добро на смещение Протопопова, а затем сам прекратит вмешиваться в дела правительства. Также в качестве взятки Трепов предложил Распутину сохранить свободу действий в отношении духовенства. Распутин, уже получивший огромную власть и мало пользовавшийся ею для приобретения богатства, ответил отказом.

Распутин, как считали многие, был платным немецким шпионом. Но это маловероятно. Из тех же соображений, из которых Распутин отверг взятку Трепова, он отказался бы от денег. Ни один иностранец не мог предложить ему власти большей, чем он уже обладал; кроме того, он не любил иностранцев, особенно англичан и немцев. Более правдоподобно, что немецкие агенты могли использовать Распутина для получения информации, которой он располагал. Керенский считал, что "было бы необъяснимо, если бы германский Генеральный штаб не использовал его (Распутина)". Он ненавидел войну и не сторонился людей, которые выступали против нее. В его свите всегда были разные люди, многие — сомнительной репутации, и в этот круг легко могли проникнуть секретные агенты. Распутин был таким болтливым и хвастливым, что любой агент мог просто сидеть и внимательно его слушать.

К примеру, по средам Распутина обязательно приглашали на обед к Манусу, петроградскому банкиру, где всегда находилось множество очаровательных красивых и доступных дам. Все много пили, и Распутин болтал без умолку. Манус открыто выступал за примирение с Германией. Палеолог, имевший собственную эффективную сеть информаторов, полагал, что Манус являлся главным немецким резидентом в России.

В 1916 году великие князья, генералы и депутаты Думы — все сходились в одном: Распутин должен быть устранен.

В свои 29 лет князь Феликс Юсупов являлся единственным наследником огромнейшего состояния в России. В Петрограде было четыре юсуповских дворца, в Москве — три, и кроме этого 37 имений по всей России.

Юсупов впервые встретил Распутина перед своей свадьбой. Они часто гуляли вместе в сомнительных ночных заведениях. Если верить Юсупову, Распутин советовал Николаю отречься в пользу Алексея, тогда императрица стала бы регентшей. За год до роковой развязки Юсупов понял, что присутствие Распутина подрывает монархию и что старца нужно убить. 2 декабря 1916 года депутат Владимир Митрофанович Пуришкевич выступил против Распутина в Думе. На следующее утро Юсупов явился к Пуришкевичу и сказал, что собирается убить Распутина, но ему нужны помощники. Пуришкевич сразу согласился. Еще трое заговорщиков были посвящены в план покушения: офицер Сухотин, армейский доктор Лазаверт и молодой друг Юсупова великий князь Дмитрий Павлович. 26-летний Дмитрий был сыном последнего здравствующего дяди Николая II, великого князя Павла.

Запальчивый Пуришкевич, не в силах сдержать свое обещание молчать, вскоре намекнул некоторым депутатам Думы, что с Распутиным должно что-то произойти. Старец заволновался. Однажды после долгой прогулки по Неве он пришел домой и заявил, что река скоро будет полна крови великих князей. В свою последнюю встречу с царем он отказался дать Николаю обычное благословение, сказав вместо этого: “На этот раз ты благослови меня, а не я тебя”.

Успех заговора зависел от того, сможет ли Юсупов заманить Распутина в подвал дворца на Мойке. “Моя близость с Распутиным, так необходимая для нашего плана, росла с каждым днем”, — писал он. Когда в конце месяца Юсупов пригласил его “провести с ним как-нибудь вечерок”, Распутин охотно согласился.

Но согласие Распутина было вызвано не только дружеским расположением. Юсупов намекнул, что княгиня Ирина, известная своей красотой, но еще не знакомая Распутину, будет присутствовать на вечере. “Распутину давно хотелось познакомиться с моей женой, — писал Юсупов. — И, думая, что она в Петербурге, а родители мои в Крыму, он сказал, что с удовольствием приедет. Жены моей в Петербурге еще не было — она находилась в Крыму, с моими родителями, но мне казалось, что Распутин охотнее согласится ко мне приехать, если он этого знать не будет”.

Распутин тщательно приготовился к свиданию. Когда Юсупов приехал в полночь в квартиру Распутина, он застал старца, пахнущего дешевым мылом, одетого в свою лучшую шелковую вышитую васильками рубаху, черные бархатные штаны и сверкающие новые сапоги. Юсупов привез жертву во дворец и, проведя в подвал, сказал Григорию, что хозяйка занята с гостями, но скоро спустится вниз. Сверху доносились звуки граммофона, заведенного другими заговорщиками, изображавшими гостей Ирины.

Оказавшись в подвале один на один со своей жертвой, Юсупов нервно предложил Распутину отравленных цианистым калием пирожных. Распутин отказался. Затем, передумав, жадно съел два. Юсупов наблюдал, ожидая увидеть его корчащимся в агонии, но этого не произошло. Затем Распутин попросил мадеры, которая также была отравлена. Он выпил залпом два бокала, но все было безрезультатно. При виде этого “меня охватило какое-то странное оцепенение: голова закружилась, я ничего не замечал перед собой”, — писал Юсупов. Распутин выпил несколько стаканов чая и попросил Юсупова спеть для него под гитару. Исполняя песню за песней, пораженный убийца пел, а довольный “покойник” сидел, кивая головой и улыбаясь. Столпившись наверху лестницы, едва дыша, Пуришкевич, Дмитрий и другие слышали только дрожащие звуки юсуповского пения и неразличимые отголоски разговора.

Так прошло два с половиной часа. Юсупов в отчаянии бросился наверх. Лазаверт был почти в обмороке. Пуришкевич, самый старший и твердый духом среди присутствовавших, заявил, что Распутину нельзя дать уйти полумертвым. Когда Юсупов вернулся в подвал, Распутин предложил поехать к цыганам. “Мыслями с Богом, а телом-то с людьми”, — сказал он, многозначительно подмигнув. Юсупов подвел Распутина к зеркальному шкафу и показал богато украшенное распятие. Распутин поглазел на распятие и заявил, что ему больше нравится шкаф. “Григорий Ефимович, — сказал Юсупов, — вы бы лучше на распятие посмотрели и помолились бы перед ним”.

Распутин пристально посмотрел на князя, затем вновь повернулся, чтобы взглянуть на распятие. Юсупов выстрелил. Пуля вошла в широкую спину. С пронзительным криком Распутин повалился навзничь на белую медвежью шкуру.

Услышав выстрел, друзья Юсупова вбежали в подвал. Они застали Юсупова с пистолетом в руке. Доктор Лазаверт, пощупав пульс Распутина, поспешно объявил о его смерти. Минутой позже лицо Распутина дернулось, и левый глаз дрожа открылся. Через несколько секунд правый глаз тоже открылся. "Оба глаза Распутина, какие-то зеленые, змеиные, с выражением дьявольской злобы, впились в меня", — вспоминал Юсупов. Неожиданно Распутин, с пеной у рта, вскочил на ноги, схватил убийцу за горло и сорвал погон с его плеча. В ужасе Юсупов вырвался и побежал по лестнице наверх. За ним, карабкаясь на четвереньках и рыча от ярости, полз Распутин.

Пуришкевич услышал "дикий, нечеловеческий крик" Юсупова: "Пуришкевич! Стреляйте, стреляйте! Он жив! Он удирает!" Пуришкевич выбежал на лестницу и едва не столкнулся с Юсуповым, "глаза которого едва не вылезали из орбит. Не глядя на меня... он бросился к двери... в покои своих родителей".

Пуришкевич бросился во двор. "То, что я увидел внизу, могло бы показаться сном, если бы не было ужасною для нас действительностью. Григорий Распутин, которого я полчаса тому назад созерцал при последнем издыхании, лежащим на каменном полу столовой, переваливаясь с боку на бок, быстро бежал по рыхлому снегу во дворе дворца вдоль железной решетки, выходившей на улицу <... > Первое мгновение я не мог поверить своим глазам, но громкий крик его в ночной тишине на бегу: "Феликс, Феликс, все скажу царице!" — ... убедил меня, что это он, что это Григорий Распутин, что он может уйти, благодаря своей феноменальной живучести, что еще несколько мгновений, и он очутится за воротами на улице <...> Я бросился за ним вдогонку и выстрелил. В ночной тишине чрезвычайно громкий звук моего револьвера пронесся в воздухе — промах. Распутин поддал ходу; я выстрелил вторично на бегу — и... опять промахнулся <...> Распутин подбегал уже к воротам, тогда я остановился, изо всех сил укусил себя за кисть левой руки, чтобы заставить себя сосредоточиться и выстрелом (в третий раз) попал ему в спину. Он остановился, тогда я, уже тщательно прицеливаясь, стоя на том же месте, дал четвертый выстрел, попавший ему, как кажется, в голову, ибо он снопом упал ничком на снег и задергал головой. Я подбежал к нему и изо всей силы ударил его ногою в висок. Он лежал с далеко вытянутыми вперед руками, скребя снег и как будто бы желая ползти вперед на брюхе; но продвигаться он уже не мог и только лязгал и скрежетал зубами".

Пуришкевич с помощью двух солдат перенес тело в маленькую переднюю. Юсупов побежал в свой кабинет, схватил резиновую двухфунтовую гирю, вернулся и со всех сил стал бить Распутина по виску. Но и теперь Распутин, казалось, подавал признаки жизни. Пуришкевич вспоминал: "Перевернутый лицом вверх, он хрипел, и мне совершенно ясно было видно сверху, как у него закатился зрачок правого, открытого глаза, как будто глядевшего на меня бессмысленно, но ужасно (этот глаз я и сейчас вижу перед собой)".

Тело завернули в синюю штору, обмотали веревкой и отвезли к Неве, где Пуришкевич и Лазаверт опустили его в прорубь. Через три дня, когда труп был найден, оказалось, что его легкие полны воды. Григорий Распутин, отравленный ядом, простреленный пулями, избитый гирей, утонул.

На третий день, 1 января 1917 года, тело Распутина было найдено. В спешке убийцы потеряли одну калошу на льду рядом с прорубью. После поисков подо льдом тело подняли на поверхность. Невероятно, но у Распутина еще хватило сил, чтобы освободиться от связывавшей его руки веревки. Свободная рука была подняла над плечом: казалось, что последний жест Распутина на этом свете был знаком благословления.

Тело Распутина тайно привезли в часовню дома ветеранов на полпути между Петроградом и Царским Селом, где сделали вскрытие, а затем обмыли, одели и положили в гроб. 3 января Распутин был похоронен в углу императорского парка, где Анна Вырубова строила часовню. Императрица положила на грудь Распутину икону, подписанную ею самой, мужем, сыном и дочерьми, и письмо: "Мой дорогой мученик, дай мне твое благословение, чтобы оно следовало со мной всегда на печальном и мрачном пути, по которому мне еще предстоит последовать. И помни нас с высоты своих святых молитв. Александра".

Мата Хари

(1876 — 1917)

Собственное имя — Маргарета (Грета) Гертруда Целле. Экзотическая танцовщица, одна из первых звезд стриптиза. Знаменита своими любовными приключениями. Во время первой мировой войны, по-видимому, работала одновременно на французскую и германскую разведки. В 1917 году была арестована и расстреляна французами за шпионаж в пользу Германии, хотя до сих пор не доказано, что она была двойным агентом.

Старая монашенка сестра Леонида со скрипом отворила дверь камеры № 12 сен-лазарской тюрьмы Парижа. В сырых утренних сумерках был виден силуэт лежавшего на железной кровати человека. Наклонив голову, чтобы не задеть за косяк, в камеру вошел правительственный комиссар в сопровождении нескольких судебных чиновников.

"Наберитесь мужества, — громко сказал комиссар. — Президент Республики отклонил ваше ходатайство о помиловании. Настал час казни..."

Резко приподнявшись с кровати, Маргарета Гертруда Целле с усмешкой посмотрела на несколько оробевших мужчин. Неспешно одевшись, женщина написала три записки — своей дочери, другу из МИДа и, наконец, русскому офицеру Вадиму Маслову, который, сам того не ведая, сыграл роковую роль в ее судьбе.

"Не переживайте за меня, — сказала она на прощание сестре Леониде, — я умру с достоинством. Вы увидите прекрасную смерть".

На полигоне военного лагеря в Венсенском лесу 12 солдат — зуавов, вскинув по команде офицера ружья, взяли на прицел женщину, одетую в меховое пальто и шляпку. Она не захотела, чтобы ей завязывали глаза и руки, и перед тем, как офицер скомандовал: "Огонь!", учтиво поблагодарила его, послала воздушный поцелуй группе зевак, которые пришли посмотреть на казнь 1. октября 1917 года.

И тут же пуля, поразившая сердце, прервала жизнь Маргареты Целле, известной всему миру как Мата Хари. Ей был 41 год. Никто из близких не пришел забрать ее тело, которое было передано на медицинский факультет Сорбонны. Там будущие эскулапы использовали его в учебных целях, а затем отправили на захоронение в общую могилу.

Кто же такая была Мата Хари, которой посвящены книги, пьесы, кинофильмы, в которых ее роль исполняли Грета Гарбо, Марлен Дитрих и Жанна Моро? Сегодня историки считают, что создававшаяся десятилетиями легенда о коварной шпионке-искусительнице имеет мало общего с действительностью. Многое о Мата Хари стало известно недавно. Многое остается за семью печатями в секретном досье, которое и поныне хранится в глубокой тайне.

Маргарета (Грета) Гертруда Целле родилась 7 августа 1876 года в городке Леуварден на севере Голландии, где возведена ее статуя и создан посвященный ей музей. Ее отец, Адам Целле, был богатым фабрикантом-шляпником. Когда Грете было 10 лет, умерла ее мать. Потом разорился отец, и она переехала жить к своему дяде в Гаагу. В школе девочка отличалась необыкновенной одаренностью и способностью к наукам, но учебу бросила, так как хотела вырваться из-под семейной опеки и начать самостоятельную жизнь.

Однажды в газете Маргарета обнаружила брачное объявление, в котором капитан голландской армии Рудольф Мак Леод искал себе спутницу жизни. В июле 1895 года они поженились и отправились к месту службы капитана на остров Яву в Индонезию, которая тогда была колонией Нидерландов.

Там вскоре выяснилось, что они не подходят друг другу. Мак Леод, которому исполнился 41 год, хотел прежде всего, чтобы его юная жена занималась хозяйством, была бережливой, сидела дома и рожала детей. Маргарета же, напротив, жаждала развлечений, любила офицерские рауты, на которых она, приводя в бешенство собственного мужа, танцевала канкан.

В 1899 году они развелись, грудного ребенка забрал себе Мак Леод, и вскоре Маргарета, не имевшая ни средств к существованию, ни образования, в поисках счастья отправилась в Париж. Ее натура искала бурной жизни, приключений, любовных романов — все это она рассчитывала найти во французской столице.

Спустя несколько месяцев полицейский инспектор Кюрнье рапортовал своему начальству о том, что мадемуазель Целле по прибытии в Париж для пополнения своих скудных ресурсов принялась заводить себе любовников и позировать художникам. Если с первыми не возникло никаких проблем, то живописцы — в частности, известный импрессионист Гийоме — находили, что она слишком "плоская", и не желали запечатлевать ее на своих полотнах. Маргарета запомнила эти слова и в дальнейшем, выступая с танцевальными номерами, явившимися предтечей современного стриптиза, никогда полностью не открывала свою грудь.

Она стала танцовщицей после того, как на сцене увидела номер в исполнении Айседоры Дункан. Грета решила построить свою карьеру на модных в ту пору экзотике и эротике. Однажды ее выступление увидел мсье Гиме, промышленник и владелец музея искусства Востока, где он выставлял свою постоянно пополняемую коллекцию. Он предложил ей выступать в музее, но под другим именем. После долгого обсуждения Грета Мак Леод стала Матой Хари, что в переводе с малайского означало "око дня". Романист Луи Дюмур был свидетелем триумфального выступления танцовщицы в музее мсье Гиме 13 марта 1905 года: "Мата Хари танцевала обнаженной, ее небольшие груди были прикрыты медными резными пластинами, придерживаемыми на цепях. Сверкающие браслеты охватывали запястья, локти и лодыжки; все остальное тело оставалось обнаженным, утонченно обнаженным, от кончиков ногтей на руках и до кончиков пальцев на ногах".

В течение 1905 года Мата Хари тридцать раз выступала в самых престижных салонах Парижа. Шесть раз появлялась она на сцене театра Трокадеро и в домах барона Анри Ротшильда, Сесиль Сорель, знаменитой актрисы театра "Комеди Франсез", а также в высшем свете.

Переписывая свою автобиографию, Мата Хари утверждала, что ее вырастили жрецы храма в Канда Свани, и душа ее была посвящена богу Сва. Из нее готовили танцовщицу, и к тринадцати годам она уже танцевала обнаженной в храме. К счастью, несколько лет назад ее избавил от этой жизни английский офицер, который увидел ее танец и тотчас влюбился в нее...

Мата Хари выступала на сцене Оперного театра Монте-Карло, в миланском "Ла Скала", в венском Арт-Халле. Она стала одной из самых высокооплачиваемых танцовщиц Европы, за десять лет карьеры сколотила солидное состояние. У Мата Хари были самые шикарные апартаменты, самые богатые поклонники, и среди них "шоколадный король" Менье. Но постепенно ее танцы начали приедаться. Наступил период безденежья. Свое тридцатилетие Мата Хари встретила в Берлине.

В конце июля 1916 года она посетила дом своей подруги актрисы Данжвиль, содержавшей салон, где развлекались офицеры. В тот вечер она познакомилась с мужчиной, которого видела до этого в "Гранд-Отеле". Позже она написала, что он стал для нее любовником, ради которого она "была готова пройти сквозь огонь". Вадим Маслов был капитаном Первого русского особого императорского полка. В это время он прибыл с фронта и находился в отпуске, его полк стоял близ Шампани. Во время своего ареста в 1917 году Мата Хари заявила, что ей нужны были деньги якобы для того, чтобы сочетаться браком с царским офицером.

Первая в истории "звезда" стриптиза решила использовать связи с офицерами разных армий для того, чтобы скопить небольшой капитал, который бы позволил ей выйти замуж за 23-летнего Маслова.

Н 21... Под этим кодом она была занесена в списки германской агентуры. Буква означает страну происхождения агента (Голландия), цифра — порядковый номер вербовки. Вполне вероятно, что Мата Хари так и осталась бы "мертвой душой" в списках, если бы не познакомилась в Берлине с очередным любовником, который оказался одним из шефов берлинской полиции и, естественно, поинтересовался прошлым своей пассии. Германский консул в Голландии и один из резидентов секретной службы Германии Крамер вручили ей в Амстердаме 20 тысяч франков и направили с первым заданием во Францию.

Но, оказавшись в Париже, в апреле 1916 года, танцовщица начала прежнюю жизнь: все те же легкие знакомства, богатые любовники... В августе врачи посоветовали Маргарет Целле поехать поправить пошатнувшееся здоровье на курорт в Виттель, находившийся в военной зоне. Нужно было получить специальное разрешение. И тут произошла роковая для нее встреча с шефом французской разведки и контрразведки (5-е бюро) капитаном Жоржем Ладу. (Во время процесса над Мата Хари он отрицал факт ее вербовки, но затем в своей автобиографии "Охотники за шпионами", опубликованной в 1932 году, признал, что заключил с ней негласное соглашение.) В ту встречу она рассказала ему о том, что была "завербована" Крамером. После чего капитан велел новому агенту отправиться в Нидерланды и ждать указаний.

Так началась невероятная запутанная история, в которой и сегодня остается много белых пятен. Из Франции Мата Хари отправилась на пароходе "Голландия" в Бельгию. Но судно перехватили англичане, которые ошибочно приняли Мата Хари за германскую шпионку Клару Бенедикс, тоже танцовщицу.

Не зная, как выпутаться, Н 21 сообщила британскому контрразведчику Базилю Томсону о том, что она работает на союзников-французов. Жорж Ладу какие-либо контакты с ней отрицал и предложил англичанам отпустить Мата Хари в Испанию. Те так и поступили.

Когда на следующей неделе Мата Хари прибыла в Испанию, она вела себя так, словно работала на французскую разведку. 11 декабря она выехала в Мадрид, откуда дала телеграмму ван дер Капеллену с просьбой выслать деньги. Еще она отправила письмо Ладу, в котором описала учиненные ей Скотланд-Ярдом допросы, а также просила дать указания. Когда ответа не последовала, Мата Хара решила действовать.

Авантюристка направилась в германское посольство в Мадриде, надеясь соблазнить немецкого майора фон Калле и получить от него секретную информацию, которую она передаст французам. Этот казавшийся фантастическим план сработал, и офицер стал любовником Мата Хари.

Метод Мата Хари был очень прост: она просмотрела список дипломатов, имевшийся в отеле "Риц" в Мадриде, и нашла имя Калле; он значился как военный атташе. Она написала ему, прося аудиенции. В дом Калле она прибыла вечером того же дня. Она спросила его, почему ее приняли за Бенедикс. Арнольд Калле отослал ее к некому барону де Роланду в Мадриде, потом они поболтали, и, по словам Мата Хари, "я сделала то, что делает в таких обстоятельствах женщина, когда желает завоевать мужчину, и вскоре поняла, что фон Калле мой". Они легли в постель, затем она вернулась в "Риц".

От немецкого офицера она получала важнейшие данные — о том, что во французской военной зоне на побережье Марокко с подводных лодок будет высажено несколько германских и турецких офицеров; о том, что немцам удалось раскрыть используемый спецслужбами шифр, — и передавала их шефу французской разведки в Испании полковнику Жозефу Денвиню, с которым ее познакомили два голландских атташе. Во время большого праздничного вечера в "Рице" Данвинь сказал Мата Хари, что был в восторге от ее общества и что "вел себя как потерявший голову кадет". Француз послал депешу в Париж, но не указал того, что ценные данные он получил от Мата Хари. Полковник был доволен ею и как любовницей и как агентом, который каждый раз приносил ему информацию, полученную непосредственно из уст германского военного атташе фон Калле. Его страстное увлечение Мата Хари оказалось сильнее, чем интерес к ее шпионской деятельности; он предложил по ее возвращении в Париж подыскать апартаменты, где они могли бы встречаться. В качестве сувенира он взял из ее корсета ленточку и перевязал ею фиалку из бутоньерки, которую она носила на груди. Они договорились, что, если ей удастся выпытать у Калле что-нибудь интересное, она тут же напишет ему об этом в военное ведомство, а он, в свою очередь, поговорит о ее работе с Ладу, который по-прежнему не отвечал на ее письма. Французский полковник, конечно, не подозревал о том, что его "любимая женщина" передает слово в слово фон Калле все то, что он ей рассказывает в интимных беседах.

Когда Мата Хари в следующий раз встретилась с Калле, он уже знал, что ее видели в компании Данвиня, французского военного атташе. Он пришел в ярость и сказал, что, поскольку они, немцы, владели ключом к шифру секретных французских донесений, передаваемых по рации, им стало известно о том, что она сообщила о десанте в Марокко. Авантюристке следовало разгадать эту ложь, поскольку ни один военный атташе таких сведений не разглашал бы. После того как гнев Калле прошел, они занялись любовью; он решил устроить ей проверку и сообщил несколько устаревших или даже фальсифицированных фактов, которые Мата Хари приняла за чистую монету. Она полагала, что Калле чересчур болтлив: ей и в голову не приходило, что он может ее проверять. За переданные сведения Калле заплатил ей 3500 песет. В Мадриде она пробыла еще неделю, а 2 января отбыла в Париж, где рассчитывала получить щедрое вознаграждение.

Тем временем Париж жил в атмосфере шпиономании. Его стены были заклеены плакатами с грозным предупреждением: "Молчите, остерегайтесь, вражеские уши подслушивают вас!"

Постепенно тучи сгущались над головой Мата Хари, за которой французская контрразведка установила круглосуточную слежку. Наконец, военный министр генерал Лиоте направил военному губернатору Парижа послание. "Имею честь сообщить вам, что некто Целле, бывшая замужем за Мак Леодом и разведенная с ним, именуемая Мата Хари, танцовщица, голландская подданная, заподозрена в том, что является агентом на службе Германии"...

Спустя три дня после отправки этого письма — 13 февраля 1917 года — Мата Хари взяли под стражу в отеле на Елисейских полях. Власти и пресса представили Н 21 как самого опасного агента кайзера, а ее задержание — как блестящий успех контрразведки. Ладу потом обронил, что Мата Хари жаждала наказания, в чем якобы призналась ему, сказав, что вернулась в Париж в начале 1917 года, несмотря на то, что рисковала быть арестованной, потому что "виселица всегда привлекала ее". Испанский сенатор, знавший Мата Хари, утверждал, что она стала шпионкой ради "жажды новых ощущений", что бесконечные сексуальные приключения наскучили ей. Подобно наркоману, Мата Хари с каждом разом нуждалась во все более сильных дозах стимуляторов, что в конечном счете и привело ее на путь шпионажа, поскольку только риск, которому она подвергалась на этом поприще, приносил желаемое удовлетворение. Как бы там ни было, но в основе истории о шпионке-куртизанке лежит неудержимая страсть к экзотическим авантюрам.

Процесс над Мата Хари открылся 24 июля 1917 года в Париже в обстановке острейшего национального и правительственного кризиса. Французская армия в сражениях не блистала. Напротив, в ней зрел бунт. Страну сотрясали забастовки, а министров обвиняли в измене.

В таких условиях суд приобретал показательно-политический характер, когда участь жертвы была предрешена. Публике объявили: Мата Хари, передававшая секретную информацию противнику, несет тяжкую ответственность за неудачи доблестной армии. Военный судья капитан Бушардон называл танцовщицу "опаснейшим врагом Франции".

В обвинительных материалах фигурировали несколько телеграмм германского военного атташе в Мадриде фон Калле, направленных им в Берлин, которые дешифровала французская контрразведка. В одной из них говорилось: "Н 21 прибудет в Париж завтра. Она просит, чтобы через Крамера на имя ее служанки Анны Линтьене были срочно переведены 500 франков".

Крамер был близко знаком с Матой Хари, и она не смогла опровергнуть этой связи с ним во время следствия. Более того, она была вынуждена признать, что получила от Крамера за время их "дружбы" в 1915 году 20 тысяч франков. В распоряжении французской контрразведки имелись и другие сообщения фон Калле, из которых явствовало, что Мата Хари в свое время получила от него симпатические чернила и другие приспособления для тайнописи. И все же доказательств у обвинения было недостаточно. Мата Хари по большому счету ничего не сделала ни для французской, ни для германской разведок. Она получала и тратила деньги, а задания не выполнялись...

Все ее попытки рассказать о том, что она служила Франции, с негодованием отвергались. "Я невиновна, — заявила Мата Хари на суде. — В какие игры играет со мной французская контрразведка, которой я служила и инструкции которой я выполняла?"

Для самой Мата Хари, наверное, самым тяжелым разочарованием было то, что страстно любимый ею Вадим Маслов, вызванный в качестве свидетеля, в суд не явился. После этого она потеряла всякую охоту бороться за свое спасение. Да и никакая защита не повлияла бы на исход процесса. Он продолжался при закрытых дверях всего два дня и завершился единодушным приговором — расстрел.

Засекреченное досье, в котором содержатся все документы по процессу над Матой Хари, станет по закону открытым только в 2017 году — 100 лет спустя после вынесения смертного приговора. Но уже сейчас известны некоторын показания, свидетельствующие о том, что Мата Хари явно не заслуживала такой участи. Сам младший лейтенант Марне, который столь настойчиво добивался ее расстрела, потом признал, что в деле агента Н 21, собственно говоря, не было никаких серьезных улик. Все основывалось лишь на пустых предположениях и на стремлении возложить на мнимого германского агента вину за собственные промахи.

Последнюю попытку спасти Мату Хари — или, по крайней мере, выиграть время — предпринял ее бывший любовник 75-летний адвокат Эдуар Клюне, утверждавший, что она ждет от него ребенка. Грета Целле поблагодарила старого друга, но отказалась от его помощи.

...Пуля зуава, поразившая холодным утром 15 октября 1917 года сердце Греты Целле, обессмертила Мату Хари. В истории и в нашей памяти — о чем бы мы или наши потомки ни узнали из секретного досье в 2017 году — она останется одной из самых загадочных, мифических и обольстительных женщин. Тех, кто неподвластен времени.

Альчео Доссена

(1876 — 1936)

Итальянский скульптор. Считается гениальным фальсификатором. Герой одного из наиболее громких скандалов в художественной жизни XX века.

Родился Альчео Доссена в городе прославленных скрипичных мастеров Амати и Страдивари — в Кремоне. Судьба никогда его не баловала. В ранней юности он учился делать скрипки, потом стал подмастерьем каменотеса, а в дальнейшем обтесывал надгробия и камины. Уже немолодым Доссена отправился в Рим с честолюбивыми надеждами, но через год началась первая мировая война и его призвали в армию.

Однажды (это было в Рождество 1916 года) солдат Доссена получил несколько дней отпуска. В одном из римских кафе он случайно разговорился с соседом по столику, назвавшимся антикваром Фазоли. За сотню лир тот купил у Доссены небольшой рельеф в стиле Возрождения, высеченный им в дни временного затишья. Правда, Доссена не признался, что этот рельеф он сделал сам, а выдал его за собственность приятеля, но опытного антиквара провести было не так-то просто: он сразу понял что к чему.

В январе 1919 года Доссена демобилизовался, и его встречи с антикваром возобновились. Для скульптора заказы Фазоли и другого антиквара — Палези стали пусть скудным, но единственным источником существования.

Как художник в подлинном, высоком смысле слова Доссена ничего собой не представлял. После двух — трех неудач он оставил мысль об индивидуальном самостоятельном творчестве. Но как фальсификатор, как мастер подделок он не имел себе равных. Талантливый, дерзкий Доссена брался за самые рискованные операции, и все они увенчались успехом. Врожденный дар и тонкое чутье сочетались в нем с виртуозной техникой и неистощимой изобретательностью. Как никто, он умел придать своим творениям поразительную патину древности, а фактуре мраморных скульптур — полную-иллюзию старения. Немало опытнейших антикваров и знатоков обвел этот ученик кремонского каменотеса.

Доссену никогда не прельщал легкий путь копииста. Это был именно фальсификатор и притом высокого класса и необычайно широкого диапазона. Из-под его резца выходили Афины архаической эпохи и скульптуры в стиле итальянских мастеров XV века, готические статуи в духе Джованни Пизано и мраморные саркофаги, удивительно близкие по манере к творениям Мино да Фьезоле или Дезидерио да Сеттиньяно, фронтонные группы и статуэтки, словно три тысячи лет пролежавшие в земле древних этрусков.

Легко представить, какой находкой явился Доссена для антикваров, не страдавших щепетильностью. Снабжая его произведения фальшивыми сертификатами и заключениями авторитетных экспертов, они торговали ими с немалой выгодой для себя. По всей Европе и Америке в антиквариатах, частных собраниях и музеях можно было встретить скульптуры, рожденные в мастерской Доссены и прошедшие через руки Фазоли и Палези. В нью-йоркском музее Метрополитен — прекрасная кора, приписываемая греческому мастеру VI века до н.э.; в музее Сан-Луи — этрусская Диана, в Кливленде — архаическая Афина, в Вене — фронтонная группа из Велии, "реконструированная" известным специалистом по античному искусству Ф. Студницка, во многих иных собраниях — десятки статуй и портретов, принадлежащих якобы резцу Донателло, Верроккио, Мино да Фьезоле, Роселлино и других корифеев ренессансной пластики. Изобретательный фальсификатор превратил даже итальянского живописца XIV века Симоне Мартини в скульптора. Использовав картину Мартини "Благовещение", Доссена сделал по ней две деревянные статуи мадонны и ангела, а Фазоли благополучно сбыл их с рук, обогатив попутно биографию знаменитого живописца.

Труды приносили желанные плоды, но не Альчео Доссене, а его патронам. Только за мраморный саркофаг Екатерины Сабелло, сделанный Доссеной в стиле флорентийского скульптора XV века Мино да Фьезоле и проданный в Америку, они получили 100 тысяч долларов. Всего за несколько лет Фазоли и Палези выручили на фальшивках не менее 70 миллионов лир. Что же касается самого автора, то ему приходилось довольствоваться немногим: подачки хозяев должны были поддерживать скромное существование скульптора, сохранять его "рабочую форму", но ни в коем случае не "баловать" его.

До поры до времени этот расчет оправдывал себя. Подгоняемый постоянной нуждой, Доссена трудился, не покладая рук. Но вот майским днем 1927 года у него умерла жена. В эти тяжелые минуты жизни у скульптора не оказалось достаточно денег для того, чтобы устроить похороны. Убитый горем, он обратился за помощью к Фазоли и Палези. Те в деньгах отказали. Если бы черствые антиквары тогда могли предвидеть последствия своего отказа, они сами принесли бы Доссене несчастную сотню лир.

Ту короткую майскую ночь, которую Доссена провел над телом покойной жены, он не забыл до конца жизни. Новый день он встретил уже не безропотным, покорным исполнителем чужой воли, а человеком, исполненным твердой решимости действовать и мстить. Бояться ему было нечего: ведь сам он никогда не выдавал свои работы за произведения других художников. Это делали за него антиквары.

Война была объявлена. Все европейские газеты подхватили самую громкую сенсацию года. С их страниц смотрело лицо пожилого человека с глубокими морщинами и грустными глазами — "гений фальшивок", как окрестили Доссену журналисты и критики. Фотографии его подделок обошли журналы и газеты всего мира.

Крупнейшие коллекционеры и работники ряда музеев были повергнуты в уныние: мало того, что огромные деньги пустили на ветер, теперь они стали объектом язвительных насмешек и карикатур. Многие не хотели верить. Из Нью-Йорка в Рим специально прибыл крупнейший американский антиквар Якоб Гирш, незадолго перед тем купивший у Фазоли за очень большую сумму статую Афины "архаической" эпохи. В мастерской Доссена представил ему самое убедительное доказательство — отбитую им мраморную руку богини. Гирш признал свое поражение, самое крупное в его многолетней практике. Последних неверующих убедил фильм, снятый в мастерской Доссены доктором Гансом Кюрлихом. Перед объективом кинокамеры скульптор спокойно и невозмутимо создавал свою последнюю, на этот раз легальную подделку — "античную" статую богини.

Популярности Доссены теперь мог позавидовать любой художник. О нем снимали фильм, у него брали интервью, его произведениям посвящали обстоятельные статьи в толстых искусствоведческих журналах. В 1929 году галерея Корони в Неаполе организовала большую выставку его работ. В следующем году такие выставки состоялись в Берлине, Мюнхене, Кельне.

Великий, гениальный... Тогда этими и подобными эпитетами щедро награждали Доссену. Но они могли убедить лишь неискушенную публику. Истинным, глубоким знатокам искусства теперь, когда его работы были собраны вместе, особенно ясно стала непроходимая пропасть, отделявшая самого искусного имитатора от художника-творца. Можно подделать все: стиль, технику, мастерство, индивидуальные приемы, дух эпохи, даже патину времени. Но нельзя подделать самое главное, то, что отличает каждое произведение большого искусства, — чувство, которое художник вкладывает в свое творение, неповторимую эмоциональную окраску, непосредственность своеобразного восприятия мира. Доссена не был исключением. Среди своих коллег по ремеслу он был более удачлив, смел и талантлив, и все же его работы (по сравнению с подлинниками) дышали внутренним холодом, равнодушием автора, пустым и надуманным пафосом.

Надо сказать, что Фазоли и Палези были весьма предусмотрительны, никогда не продавая в одни руки больше, чем одну работу Доссены. Когда же фальшивки собрали в один зал, то стало очевидным некоторое однообразие приемов скульптора. Чем-то трудно уловимым все статуи были похожи друг на друга. Так, например, чувствовалось, что носы изваяны одним и тем же художником. Выдавал фальсификатора и характер повреждений, слишком обдуманных и осторожных. Случай слеп, и он не разбирает, "что более, а что менее важно в скульптуре. Поэтому столь часты находки древних статуй без рук, ног, носа, подбородка или даже головы. А Доссена, как всякий мастер, дорожащий своим созданием, всегда отбивал какие-то второстепенные детали. Кроме того, сильно изуродованная скульптура могла упасть в цене.

Спустя несколько лет, в 1936 году некоторые итальянские газеты поместили коротенькое сообщение: на шестидесятом году жизни скончался скульптор Альчео Доссена. Многим это имя "гениального фальсификатора" уже ничего не напоминало.

Джордж Бэйкер

(1878 — 1965)

Под именем отца Дивайна основал религиозное движение миссий мира. Называл себя "богом М. Дж. Дивайном, деканом Вселенной". Его банкеты пользовались колоссальным успехом, политиканы благоволили к нему, его доходы исчислялись миллионами долларов. Движение распространилось на 25 штатов, где у него имелось 175 "королевств".

"Это движение, — отмечает американский сектовед Маркус Бах, — всегда считалось экстравагантным, и не без основания. Страстные последователи отца Дивайна не только распространяли необоснованные утверждения, они всегда готовы были с энтузиазмом подтверждать их фактами. Они говорили: "Движение миссий мира имеет более миллиона членов, проживающих в Соединенных Штатах, Канаде, Англии, Австралии, Швейцарии, Австрии, Западной Германии. Отец Дивайн баснословно богат. Когда он нуждается в деньгах, он просто думает о них, и они у него появляются. Он владеет гостиницами, фермами, торговыми компаниями, доходными домами и сельскими резиденциями. Его прикосновение меняет судьбу человека, его улыбка покоряет сердца, его гнев может убить вас. Его банкеты бесплатны, они грандиозны и состоят из сорока, пятидесяти и даже шестидесяти блюд. В его школах преподают бесплатно учителя с дипломами докторов философских наук. Отец уже обратил в свою веру людей на других планетах, и поэтому он трудится на нашей. Вы знаете, ведь отец — бог".

Дивайн (в переводе — Божественный) имел и другие звания — Епископ, Основатель, Пастырь и Святейшество. Официально же он именовал себя "богом М. Дж. Дивайном, деканом Вселенной", его называли также "всемогущим богом, мастером и создателем и завершителем всего, что было, есть и будет" и тому подобными громкими титулами.

Движение располагало в начале 1960-х годов 30 миссиями в Нью-Йорке, 25 — в Пенсильвании, 7 — в Калифорнии. Эти миссии — их называли Центры мира — содержали детские приюты, а также бесплатные вечерние школы, в которых преподавались, как написано в проспекте одной из них, "все академические предметы, а также практические классы по американизму, христианизму и братству".

Дивайна называли "немыслимым пророком". Его известность объяснялась не только широкой саморекламой, но и тем, что о нем часто и много писала бульварная американская печать.

Кем же в действительности был этот на вид простой (он похвалялся, что никогда не учился в школе), лысый, низкорослый, плотного телосложения негр, одетый всегда в темный костюм, белую рубашку с ярким галстуком, обутый в начищенные до блеска черные ботинки, с большим бриллиантовым перстнем на пальце, разъезжавший, подобно миллионеру, в черном "кадиллаке"?

Пронырливые газетчики утверждали, что это был некий Джордж Бэйкер, родившийся в 1878 году в Южной Каролине в бедной семье негритянского издольщика. Родители Бэйкера некогда были рабами. В юности Бэйкер примкнул к одной из многочисленных сект и провозгласил себя ее пророком, присвоив себе громкое имя "Сын справедливости". Расистским властям не понравились такие претензии юного Бэйкера. Он подвергался разного рода преследованиям, его неоднократно пытались линчевать, присудили к шести месяцам каторжных работ за призыв к мятежу. Выйдя на волю, Бэйкер перебрался в Балтимору, где работал садовником, потом примкнул к негритянскому проповеднику Сэмюэлю Моррису, известному под именем "отца Иеговы".

Бэйкер стал его помощником ("посланцем"). Вскоре к ним присоединился негритянский проповедник Джон Жикерсон, выступавший под именем Сент-Джон Вайн (св. Иоанн Вино). В 1912 году эта тройка распалась — Моррис остался в Балтиморе, Сент-Джон уехал в Нью-Йорк, а Бэйкер подался в Джорджию. Там во время проповеди в городке Валдоста он был арестован и отдан под суд за нарушение порядка. Суд, учитывая, что Бэйкер выдавал себя за бога, объявил его невменяемым и присудил к принудительному лечению в психиатрической лечебнице, замененному высылкой из Джорджии. Бэйкер уехал в Нью-Йорк, где некоторое время сотрудничал с Сент-Джоном, Дэдди Грэйсом, Биллом Пароходом и им подобными негритянскими святошами. От них он набрался сведений о Библии, теософии, спиритизме и прочих "божественных" науках. Бэйкер перебрался в Бруклин, где стал выступать под новой личиной, судя по всему, заимствованной у Сент-Джона. Бэйкер стал называть себя Мэйтчер (Майор) Дивайн. Вскоре он купил дом, в котором открыл агентство по найму прислуги. Ему помогала жена Пенина, или Пенни. Своим подопечным Дивайн рекомендовал быть честными, не брать чаевых, не принимать подарков, не пить спиртного, не курить, не развратничать. Агентство стало давать доход, что позволило Дивайну основать свою секту — Движение миссий мира.

Движение развивалось вяло. Успех к Дивайну пришел только тогда, когда в США разразился экономический кризис. Его биографы связывают этот поворот со следующим событием. В 1932 году Дивайн был привлечен к суду по жалобе соседей, обвинивших его в дебоширстве. Судья Льюис Дж. Смит взял Дивайна под арест и потом приговорил к годичному заключению и штрафу в 500 долларов. Спустя три дня 50-летний судья Смит неожиданно скончался. Его "бог наказал", стали уверять поклонники Дивайна, а бог, по их убеждению, был не кто иной, как сам Дивайн. Последний "скромно" комментировал: "Я был вынужден так поступить". Вскоре "бог" обрел свободу и с тех пор беспрепятственно осуществлял свою проповедническую деятельность. В условиях экономического кризиса число его сторонников росло как на дрожжах. В начале 1940-х годов они исчислялись десятками тысяч. К тому времени Дивайн разбогател, он стал обладателем большого состояния — обширных загородных резиденций с парками, с площадками для гольфа и плавательными бассейнами, он их называл божественными, или королевскими чертогами, или "обетованными землями", многочисленных торговых предприятий, ресторанов, парикмахерских, пошивочных мастерских, даже салонов по чистке обуви, а также солидных вкладов в банках. Все его владения были записаны на подставных лиц. Сам же Дивайн официально не имел банковских вкладов, никакой собственности, не вел никаких счетов, никогда не платил налогов, не пользовался чеками, за все расплачивался наличными. Он похвалялся: "Я располагаю любыми деньгами. Расходуя 10 центов, получаю доллар, расходуя доллар — получаю сто, расходуя сто — получаю тысячу, расходуя тысячу — получаю миллион".

Движение Дивайна не имело никаких священных текстов, никакого устава, не было у него и богослужений в общепринятом понимании этого слова. Дивайн объяснял, что бог спустился вновь на землю, потому что люди отвергли его пророков, а вселился он в негра, потому что решил проявить себя через самого обездоленного. Его высказывания, реплики, речи, беседы стенографировались его секретарями и печатались в газете движения "Нью дэй" ("Новый день"), помеченной ADFD (Anno Domini Father Devine — Год бога отца Дивайна), которая распространялась среди его последователей.

Вот фрагменты выступлений Дивайна, публиковавшихся в этом органе: "Любовь отца заставила вас делать то, к чему призывает правительство: не совершать преступлений, не развратничать, не скандалить", "Если вы нарушаете закон, не подчиняетесь ему, сквернословите, мой дух, моя любовь и мой разум пойдут и накажут вас. Все, что делаю и разрешаю делать, похвально и в ваших интересах, все это делается для вашего благополучия". Дивайн призывал своих последователей, в частности тех, кого он устраивал на работу, не попрошайничать, не собирать милостыню.

Отец Дивайн не имел ни заместителей, ни старост, ни других должностных лиц в своей секте, за исключением личных секретарей, которые числились у него на службе. После смерти в 1945 году его жены-негритянки Дивайн женился на Эдне Роз Ратчинг, белой девушке (она была моложе его по меньшей мере на 40 лет), получившей титул "Милого ангела", а потом "Матери Дивайна" и унаследовавшей после его смерти отнюдь не маленькое состояние и руководство сектой. Она была стенографисткой, родилась в Канаде, познакомилась с Дивайном, когда ей был 21 год, и вскоре стала его женой.

Считалось, что Дивайн всегда обо всем знал. Когда ему что-либо рассказывали или докладывали, он обычно говорил: "Да, я знаю!" Если его распоряжения запаздывали, то верующие объясняли это тем, что для них еще не настало время. Последователи Дивайна обычно ждали "знака" ("коол" — вызов) от него. Считалось, что тогда на них спускалась "божья благодать".

Когда в каком-нибудь городе стихийно возникало движение его сторонников, Дивайн иногда признавал его, иногда — нет. Все зависело от его воли, от его желания. И тем не менее он находил людей, слепо веривших каждому его слову.

Последователи его делились на два разряда — братьев и сестер и "ангелов". Первые участвовали в различных мероприятиях движения, но при этом вели обычный образ жизни. "Ангелы" отказывались в пользу Дивайна от своей собственности и капиталов, бесплатно жили и питались в его резиденциях, находясь в полном его распоряжении. Как монахи, они меняли свои имена, только вместо имен святых они называли себя, к примеру, Медовая Пчела, Любовь, Славное Солнце, Голубь Жизни, Давид Мир, Виолетта Луч, Смеющийся Джордж, Ной Искренность, Радостный Иов, Преданная Мэри или Счастливый Мир, Магнетическая Любовь, Блестящая Победа, Яркое Солнцесветение и тому подобными выспренными именами.

Что же проповедовал этот черный мессия? Он утверждал, что все его последователи — бессмертны; если даже они умрут, то их дух переселится в другое тело и будет продолжать жить. Он обещал, что никто из них не будет болеть, если строго будет следовать его учению. В случае трудностей и сомнений они должны думать только о нем, об отце Дивайне. Они должны повторять "Спасибо тебе, отец!" до тех пор, пока не обретут полного счастья. Он запрещал своим последователям красть, потреблять спиртные напитки, играть в азартные игры и лотерею, курить, ругаться, развратничать; осуждал расовые и прочие предрассудки, ненависть, жадность, эгоизм. Он призывал оплачивать законные долги. Дивайн запрещал употреблять такие слова, как "негр", "белый", "черный", "цветной". Он не признавал брака и тем самым развода. Требовал от женатых после вступления в его секту разойтись и именоваться братом и сестрой. Запрещал танцевать вместе мужчинам и женщинам. Требовал от членов секты порывать с близкими и родными — с матерью, отцом, сестрой, братом, женой или детьми, если последние не станут его — Дивайна — последователями. Исключения допускались только для несовершеннолетних. Он установил специальный "Международный кодекс скромности", который состоял из следующих предписаний: "Не курить! Не пить! Не ругаться! Не вести себя вульгарно! Не кощунствовать! Не допускать неподобающего смешения полов! Не брать подарков, пожертвований, других видов взятки!"

Тем участникам движения, кто противился его воле, Дивайн угрожал болезнями и смертью, поэтому большинство слепо подчинялись ему. Один из членов его секты писал, что "сторонники отца Дивайна взирали на него с огромным страхом и самой глубокой преданностью, они чувствовали себя близкими к нему, свободно общались с ним, задавали ему вопросы, спрашивали его мнение, обращались к нему с просьбами. Его последователи часто говорили о нем: "Он такой милый!"

Его высказывания часто были нелепы, туманны, экстравагантны. Тем не менее они вызывали восторг у его последователей. Дивайн говорил и о политике. Он выступил с Платформой справедливого правительства, в которой, требуя равенства, ратовал за запрещение профсоюзов, за цензуру печати, отмену страхования, предлагал заменить приветствие "Здравствуй" словом "Мир", наказывать врачей за смерть их пациентов. Он приглашал президента Рузвельта посетить его, обращался за поддержкой к папе римскому, угрожал лишить правительственных чиновников их мест, если они не станут с ним сотрудничать, обещал водвориться в Белом доме, утверждая, что контролирует 20 миллионов голосов. Газеты над ним потешались, его высмеивали, но для него главным было то, чтобы о нем писали, ибо это создавало ему рекламу. В целом "философия" Дивайна приходилась по душе северным политиканам, которые стремились заручиться голосами его последователей. Они охотно посещали собрания движения и выступали на них с хвалебными речами в адрес Дивайна, учение которого, по их словам, положительно сказывалось на нравах общества. Не менее благожелательным было отношение к Дивайну различного рода торговых компаний, универсальных магазинов, в свою очередь заинтересованных в продаже своих товаров его сторонникам. Они не скупились на пожертвования в кассу движения и на рекламные объявления в его органе "Новый день", из 132 страниц которого рекламой было заполнено более 120. Реклама заканчивалась словами "Мир" и "Спасибо Тебе, отец Дивайн".

Однако особую популярность принесли культу Дивайна не эти собрания, а "священные причащения" — грандиозные банкеты, которые он давал ежемесячно для своих сторонников в одной из многочисленных резиденций. В них участвовало по нескольку сот человек. Считалось, что гости, получавшие приглашение откушать за одним столом с Дивайном, удостаивались особой чести. На таких "причащениях" подавались десятки самых разных блюд, много сладкого, мороженого, фруктов, соков и других безалкогольных напитков. Причем каждое блюдо, до его разноса, подносилось лично к Дивайну, который его благословлял и вкладывал в него ложку и вилку. На банкетах Дивайна все блестело и искрилось: приборы были из серебра, посуда — лучшего качества, скатерти и салфетки — накрахмалены. Сам Дивайн восседал в кресле, на высокой спинке которого золотыми буквами было начертано слово "Бог". Так как из-за малого роста его ноги не доставали до пола, ему клали под них подушечку. Во время банкета два женских хора — "Розы" и "Лилии" — и мужской — "Крестовики" — пели песни и гимны. Участники банкета свидетельствовали о чудесных исцелениях. К примеру, одна негритянка кричала: "Я была парализована. Не могла двигать ногами, но когда я Вас встретила, отец, Вы меня вылечили. Я Ваша навечно, Отец!" Затем свидетельствовала белая: "У меня была чахотка. Я кашляла дни и ночи напролет. Мне сказали, что я не жилец на этом свете. Потом Вы, отец, вошли в мою жизнь и моментально меня исцелили. Я люблю Вас, отец, люблю искренне!" Наконец вступал негр: "В молодости я был вором, сидел в тюрьме. Я не признавался судье, но я знал, что я плохой человек. Я поджег машину моего соседа. Об этом впервые говорю открыто. И только когда бог снизошел ко мне в лице отца Дивайна, я переменился к лучшему. Спасибо Вам, отец".

Перед подачей десерта Дивайн произносил громким, уверенным, хриплым голосом проповедь — туманную, но обнадеживающую. Он начинал обычно такими словами: "Мир всем! Хорошего здоровья, доброты, приятного аппетита, хороших манер, хорошего поведения, всем успеха и благоденствия. Да здравствуют жизнь, свобода, подлинное счастье!" Его слова стенографировали 25 молоденьких белых и черных секретарш.

На этом банкет заканчивался. Сытые и довольные гости расходились.

Такие "причащения" пользовались, конечно, особым успехом среди последователей Дивайна.

Бульварная печать, как правило, весьма подробно их описывала, перечисляя многочисленные блюда и отмечая аппетит, с каким их поглощали.

Но были и те, кто открыто разоблачал этого авантюриста от церкви. Сент-Джон Вайн, бывший его компаньон по секте, высмеивал его претензии на святость. Это он сообщил печати, что подлинное имя Дивайна — Джордж Бэйкер. Епископ баптистской церкви Лавсон в Нью-Йорке на протяжении многих лет доказывал в своих проповедях, что Дивайн — нечистоплотный аферист. Некая Виола Уилсон, бывшая проститутка, алкоголичка и воровка, неоднократно сидевшая в тюрьме, была "обращена" Дивайном, вступила в его движение, где приняла имя Преданной Мэри. Она сделала молниеносную карьеру в секте: год спустя после вступления уже возглавляла все финансовые операции секты. Но старую волчицу тянуло в лес. Дивайн вскоре уличил ее в присвоении крупных сумм, снял с ответственного поста и отослал на кухню мыть посуду. Преданная Мэри взбунтовалась, покинула секту и основала свое собственное Универсальное движение "Светоч". Она не переставала обвинять Дивайна во всех смертных грехах, в частности в том, что он занимался вымогательством, присваивал деньги своих поклонников, бил жену Пенни, сожительствовал с другими женщинами. Газеты охотно печатали ее разоблачения.

Но затем Преданная Мэри снова запила, попала в автомобильную катастрофу, раскаялась и стала умолять Дивайна простить ее и разрешить вернуться в секту. Когда она публично заявила, что клеветала и лгала на него, Дивайн проявил к ней снисхождение, и она вновь вернулась в движение, хотя и не занимала уже в нем ответственных постов.

Немало неприятностей причинила Дивайну и другая его последовательница — Веринда Браун. Прислуга по профессии, она вступила в секту, вручив Дивайну свои сбережения — 5 тысяч долларов. Некоторое время спустя Веринда покинула движение, и когда Дивайн отказался вернуть ей деньги, она затребовала их через суд. На процессе в качестве свидетеля обвинения выступала Преданная Мэри. Суд присудил вернуть деньги Веринде, а также уплатить судебные издержки, но Дивайн наотрез отказался платить, хотя его адвокаты советовали ему не упрямиться. Дивайн, однако, стоял на своем и, чтобы избежать тюрьмы, перенес свою штаб-квартиру в Филадельфию, откуда наезжал в Нью-Йорк только по воскресеньям, когда по закону пристав не имел права вручить ему исполнительный лист.

И все же, несмотря на эти и многие другие скандалы и разоблачения, культбизнес Дивайна расширялся и процветал. Банкеты его пользовались колоссальным успехом, политиканы благоволили к нему, его доходы росли. Он даже приобрел личный самолет. Движение распространилось на 25 штатов, где у него имелось 175 "королевств". Он утверждал, что его секта располагала последователями также во многих зарубежных странах.

Дивайн хвастался, что никогда не болел и будет жить "вечно", но смерть пришла и к нему. В 1965 году он скончался, согласно утверждениям его последователей, в возрасте 101 года, а по другим источникам, около 80 лет от роду. Он оставил многомиллионное состояние своей "Матери". Она пыталась продолжать дело своего "божественного супруга", однако не смогла заменить Дивайна. С его смертью прекратились банкеты, перестала выходить газета "Новый день", дивайнисты разбрелись по другим сектам. В изменившихся условиях учение Дивайна выглядело архаичным, старомодным. К тому же власть белой "Матери" после смерти Дивайна оспаривал Иисус Анна Эмануль (настоящая фамилия Роберт Гибсон), 60-летний негр, утверждавший, что он — старший из пяти детей, прижитых Дивайном с его первой женой Пенни, и поэтому пост руководителя секты принадлежит ему.

Некогда Дивайн утверждал, что у него 22 миллиона последователей. Возможно, в период наивысшей популярности секты у него было их несколько десятков тысяч. Из них три четверти — женщины и 10 процентов — белые. После смерти Дивайна число его приверженцев упало до нескольких сотен.

Георгий Гурджиев

(1877 — 1949)

Мистик, основавший свое учение о человеке и космосе на тайных науках. С юности увлекался восточными легендами и обрядами, много путешествовал по странам Востока, где изучал местные культы. С 1912 года выступал в роли "учителя жизни" в Москве и Петербурге. Открыл в Тифлисе Институт гармоничного исследования человека, затем во Франции, в Фонтенбло, близ Парижа, содержал специальную школу, находя последователей своего учения. Во время второй мировой войны перебрался в США, где выдавал свое учение за последнее откровение высшего разума.

Личность Гурджиева окружена тайной и легендами. Согласно им Гурджиев — праведник, обладающий бессмертием, общавшийся с Христом, Александром Македонским; святой, наделенный сверхъестественным даром творить чудеса, обладавший завидными знаниями как в гуманитарных, так и в точных науках, ласковый и заботливый учитель.

Рождению легенд способствовал сам Гурджиев. В поисках смысла жизни, рассказывал он в 1930-е годы своим последователям во Франции, он в течение многих лет путешествовал по Персии, Афганистану, Тибету, Индии. По его словам, во время странствий ему встречались обители, сохранившие религиозные и культурные традиции четырехтысячелетней давности. Ему посчастливилось общаться со старцами, прожившими на свете двести и более лет, но сохранившими бодрость духа и тела, доводилось находить приют в пещерах йети, снежных людей. Добрался великий маг и до страны, населенной сверхъестественными существами — махатмами, сразу же понявшими, что он из их круга... Гурджиев пытался соединить учения восточных магов с европейской наукой, что успешно сделал его ученик Петр Успенский.

"Я увидел человека восточного типа, — рассказывал о своем знакомстве с Гурджиевым Успенский, — уже немолодого, с черными усами и пронзительными глазами, более всего он удивил меня тем, что производил впечатление переодетого человека, совершенно не соответствующего этому месту и его атмосфере. Я все еще был полон впечатлений Востока; и этот человек с лицом индийского раджи или арабского шейха, которого я сразу же представил себе в белом бурнусе или в тюрбане с золотым шитьем, сидел здесь, в этом крохотном кафе, где встречались мелкие дельцы и агенты-комиссионеры. В своем черном пальто с бархатным воротником и черном котелке, он производил странное, неожиданное и почти пугающее впечатление плохо переодетого человека, вид которого смущает вас, потому что вы понимаете, что он — не тот, за кого себя выдает, а между тем вам приходится общаться с ним и вести себя так, как если бы вы это не замечали. По-русски он говорил неправильно, с сильным кавказским акцентом; и самый этот акцент, с которым вы привыкли связывать все, что угодно, кроме философских идей, еще более усиливал необычность и неожиданность впечатления".

"Гурджиев" по-турецки означает "грузин". Фамилию Гурджиев (Гурджан) носят многие греки, пришедшие на граничащие с Турцией земли Армении и Грузии. Георгий родился в Армении в семье малоазийского грека и армянки. Большое влияние на формирование характера будущего "пророка" и "чудотворца" оказал его отец, бедный сапожник, увлекавшийся древними мифами, обрядами и сказаниями о святых людях.

Повзрослев, Гурджиев решил восстановить древнее знание, о котором ему так много рассказывал отец. В поисках тех, кто являлся носителем этого знания, он отправился странствовать. На своем пути Георгий встречал молодых людей, увлеченных идеей восстановления древней "мудрости". Постепенно формировалась группа, которую Гурджиев назвал общиной "Искатели истины". В общине царила жесткая дисциплина. Все беспрекословно подчинялись указаниям Гурджиева. По его приказанию все они покинули свои дома и отправились в путешествие по дальним уголкам России и в соседние с ней страны, на поиски "знания".

Вопреки утверждениям Гурджиева, что маршруты их путешествий проходили по территории Тибета, Китая, Индии, в действительности ни он сам, ни его последователи дальше Средней Азии и Афганистана не добирались. Во время этих странствий они знакомились с ортодоксальными мусульманами, с эзотерическими общинами, вроде суфийского ордена Накшбенди, проповедовавшего идею ущербности и греховности человека и видевшего в Вельзевуле одно из божеств.

Осели "искатели истины" в Ташкенте, где Гурджиев завершил оформление своего учения, впоследствии изложенного им в десяти книгах, разделенных на три серии, под общим названием "Все и вся". Три книги первой серии, названной "Сказки Вельзевула, рассказанные им своему внуку", являются центральными в учении Гурджиева. В них более чем на тысяче страниц излагаются похождения Вельзевула (причем многие термины Гурджиев изобретал сам, соединяя корни слов разных народов в одно слово). Последний восстал против "бессмысленности" устройства нынешней Вселенной, за что был сослан Верховным Владыкой Мира на одну из отдаленных планет — Марс. Оттуда Вельзевул обнаружил, что рядом с ним находится еще одна планета, к тому же населенная людьми. Это была Земля, медленно и постепенно вырождавшаяся, ибо ее население давно забыло о своем священном предназначении и тем самым утратило право на бессмертие. Вельзевул решил спасти землян и открыть им истину. Изложению ее и посвящены страницы упомянутого сочинения.

Гурджиев писал, что человек некогда обладал великим даром — свободной волей, самосознанием и бессмертием. Но это все первоначальное естество человек сегодня утратил, и задачей самого Гурджиева является возвращение людям их естественного состояния, в том числе и бессмертия.

Гурджиев надеялся, что община его будет расти за счет неофитов из русской администрации в Ташкенте. Но просчитался. Военный губернатор города терпеть не мог мистиков и декадентов, в которых он видел исчадие ада, виновников смуты на Руси. Тем более что "искатели истины", как именовали себя ученики Гурджиева, уж очень обносились за время своих странствий и выглядели как оборванцы. И тогда Гурджиева осенило: он забыл включить в "четвертый путь" кроме пути монаха, йогина, факира еще и "путь богача". Нужны деньги, большие деньги для того, чтобы его учение нашло признание у широкой публики. "Искатели истины" должны выглядеть респектабельно, чтобы у них появились последователи. Гурджиев становится предпринимателем.

Ради денег Гурджиев занимался финансовыми махинациями, скупал нефтеносные участки в окрестностях Баку, получал огромные гонорары за знахарские сеансы, выступал в цирке в качестве акробата и даже — в роли гипнотизера. И даже продавал ковры, о чем рассказал ученик великого мага Петр Успенский: "Это был невероятно многосторонний человек; он все знал и все мог делать. Как-то он сказал мне, что привез из своих путешествий по Востоку много ковров, среди которых оказалось порядочное число дубликатов, а другие не представляли собой художественной ценности. Во время посещений Петербурга он выяснил, что цена на ковры здесь выше, чем в Москве; и всякий раз, приезжая в Петербург, он привозил с собой тюк ковров для продажи.

Согласно другой версии, он просто покупал ковры в Москве на "толкучке" и привозил их продавать в Петербург.

Я не совсем понимал, зачем он это делает, но чувствовал, что здесь существует связь с идеей "игры".

Продажа ковров сама по себе была замечательным зрелищем. Гурджиев помещал объявления в газетах, и люди всех родов приходили к нему покупать ковры. Они принимали его, разумеется, за обыкновенного кавказского торговца коврами. Часто я сидел часами, наблюдая, как он разговаривал с покупателями. Я видел, что нередко он играл на их слабых струнках.

Однажды он то ли торопился, то ли устал от игры в торговца коврами. Какая-то женщина, очевидно, богатая, но очень жадная, выбрала дюжину прекрасных ковров и отчаянно торговалась. И вот он предложил ей все ковры в комнате почти за четверть цены тех, которые она выбрала. Сначала она опешила, но потом опять начала торговаться. Тогда Гурджиев улыбнулся и сказал, что подумает и даст ответ завтра. А на следующий день его уже не было в Петербурге, и женщина вообще ничего не получила.

Нечто похожее происходило с ним каждый раз. С этими коврами, в роли путешествующего купца, он опять-таки производил впечатление переодетого человека, какого-то Гарун-аль-Рашида или персонажа в шапке-невидимке из волшебных сказок".

Но самое главное предприятие Гурджиева в те годы — удачная женитьба. Жена его была из старинного знатного шляхетского рода Островских. Она принесла ему не только большое приданое, но и также связи в аристократических кругах.

Все складывается для Гурджиева удачно. Из бродяги он превратился в человека с положением в обществе. Расширился и круг его связей и знакомств. Теперь он общался с людьми из высшего света, в том числе с теми, кто был связан даже с царским окружением.

Во время спекуляций нефтеносными участками в Баку Гурджиев познакомился с крестником покойного царя Александра III, бурятским лекаремшаманом П. Бадмаевым, также ради денег пускавшимся в самые различные предприятия и аферы. Бадмаев был связан с Распутиным и входил в окружение Николая II. Он-то и представил Гурджиева русскому самодержцу. Император встретил главу "искателей истины" очень доброжелательно и заинтересованно, внимательно выслушал его рассказ о том, какие цели преследует возглавляемое им движение.

Окрыленный успехом, заручившись у придворных Николая II нужными бумагами, Гурджиев переехал в Москву и приступил к созданию научно-методического центра "искателей истины". Своему учреждению Гурджиев дал громкое название — "Институт гармонического развития человека". Строительство шло полным ходом. Великий маг дневал и ночевал на месте будущего "института". Всем, кто записывался в него, уплатив, конечно, взнос, он обещал скорое его открытие. В Москве члены группы платили немалые по тем временам деньги, тысячу рублей, и, работая с ним, продолжали заниматься своими делами. "Есть несколько аспектов этой идеи, — говорил учитель. — Работа каждого человека может включать расходы, путешествия и тому подобное. Если же его жизнь организована так плохо, что тысяча рублей в год оказывается для него затруднением, ему лучше за эту работу и не браться. Предположим, по ходу работы ему потребуется поехать в Каир или в какое-то другое место. У него должны быть для этого средства. Благодаря нашему требованию мы узнаем, способен он работать с нами или нет. Кроме того, — продолжал Гурджиев, — у меня слишком мало свободного времени, чтобы я мог пожертвовать его другим, не будучи уверен, что это пойдет им на пользу. Я очень высоко ценю свое время, потому что оно нужно мне и для собственной работы, потому что я не могу и, как сказал ранее, не должен тратить непродуктивно. Есть во всем этом и другая сторона, люди не ценят вещь, за которую не заплатили".

Однако ему не удалось открыть в Москве свой институт: помешали непредвиденные события, о которых Гурджиев, обладавший, по его словам, даром предвидения будущего, даже и не догадывался. Революция, о которой ему ничего не сказали астрологические гороскопы, расстроили его планы.

Купленное имение, в котором должен был разместиться "институт", сожгли крестьяне. Сам Гурджиев вместе с женой едва спасся бегством, забыв при этом фамильные драгоценности супруги. Вскоре, не пережив утраты богатства, его супруга скончалась. Гурджиев отправился в родные края, в Закавказье, где установил контакты с правительством меньшевиков в Тифлисе. Ему удалось заинтересовать своим проектом "гармонического развития" некоторых членов правительства. Они выписали ему ссуду на реализацию этого проекта. Проспект этого "института" начинался так: "С разрешения министра народного образования в Тифлисе открывается институт гармонического развития человека, основанный на системе Г.И. Гурджиева. Институт принимает детей и взрослых обоих полов. Занятия будут проводиться утром и вечером. Предметы изучения: гимнастика всех видов (ритмическая, медицинская и проч.), упражнения для развития воли, памяти, внимания, слуха, мышления, эмоций, инстинктов и т. п.". К этому добавлялось, что система Гурджиева "уже применяется в целом ряде больших городов, таких как Бомбей, Александрия, Кабул, Нью-Йорк, Чикаго, Осло, Стокгольм, Москва, Ессентуки, и во всех отделениях и пансионах истинных международных и трудовых содружеств".

По некоторым свидетельствам кружок Гурджиева в Тифлисе посещал Иосиф Сталин. Это было еще до революции и войны. Великий маг произвел, вероятно, неизгладимое впечатление на юношу, писавшего стихи и уже интересовавшегося политикой. Гурджиев ходил мягкой кошачьей походкой, курил трубку, а куря, обходил собеседника со всех сторон, осматривая человека. Говорил не спеша, на вопросы отвечал, затянувшись несколько раз трубкой и сделав два-три круга по комнате. Трубку держал несколько наотмашь, на весу. Все это действовало на собеседника магически, а в человека излучалось незримое внушение. Не перенял ли тогда эту манеру Иосиф Виссарионович? И еще: сталинская партия была организована по типу "ордена", как об этом и сам вождь как-то обмолвился, то есть по иерархическому принципу, принципу пирамиды. "Орден", где наверху верховный маг или его "медиум".

Когда в Грузии победила советская власть, чудотворцу снова пришлось спасаться бегством, на этот раз в Турцию. Он познакомился с окружением племянника турецкого султана Сабахеддина, а затем и с самим принцем — большим поклонником черной и белой магии, оккультизма и спиритизма. Поэтому Гурджиеву не составило больших трудностей заинтересовать принца, богатого как Крез. Однако история и здесь подшутила над Гурджиевым. В Турции произошла буржуазно-демократическая революция, в результате которой принц лишился всех своих привилегий и состояния.

Очередным местом пребывания Гурджиев избрал Париж. Здесь в 1922 году ему наконец-то удалось реализовать свою давнюю мечту — основать "Институт гармонического развития человека". Помог ему в этом американский богач Дж. Беннет, с которым Гурджиева еще в Стамбуле познакомил принц Сабахеддин. С того момента между ними установились самые тесные отношения ученика и учителя. Беннет внес большую сумму денег на создание "института", а также уговорил еще несколько богатых американцев вложить деньги в реализацию проекта века.

Желающий пройти курс обучения в "институте" Гурджиева должен был внести предварительно весьма и весьма солидный денежный взнос на банковский счет "учителя". Вот почему его учениками могли быть только состоятельные люди. Большое внимание уделял Гурджиев рекламе своего предприятия. В интервью журналистам, представлявшим различные западные массовые издания, он говорил, что знает чудодейственные методы исцеления от всех недугов — физических и психических, волшебные способы самосовершенствования личности, и что получил эти знания во время путешествий по странам Востока от "истинно святых и мудрых учителей". Они открыли ему тайны Вселенной и Человека и наделили его чудесными свойствами, превратив в сверхчеловека — мага и волшебника. Исцеление страждущих Гурджиев связывал с познанием истины, которую якобы можно познать в стенах его "института".

Недостатка в желающих попасть в "институт" Гурджиев не испытывал. Его "институт" стал местом настоящего паломничества. Страждущие стекались со всех концов мира, привлекаемые слухами о "чудодейственных" исцелениях тех, кто еще недавно был серьезно болен телом и духом. У Гурджиева не было ни врачей, ни лекарств, ни больничных палат, ни утомительных процедур. В "институте" лечили нетрадиционными методами, причем исцеляли не какую-то конкретную болезнь, а всего человека, его душу, не подвластную науке. Волшебным средством исцеления являлось магнетическое влияние подлинного мага и чародея — сверхчеловека Гурджиева.

Популярность гурджиевского "института" была связана с общей духовной атмосферой на Западе, когда пробудился значительный интерес к проблемам мистической трансформации личности. Появились многочисленные школы и учения, сулившие невиданные ощущения и перспективы на пути познания божества через духовное самосовершенствование. Одной из таких школ и стал "Институт гармонического развития человека" в Фонтенбло в Париже.

"Институт" очень напоминал монастырь. Правда, срок пребывания в нем ограничивался тремя годами. На протяжении данного времени за ограду, отделявшую учебный корпус от внешнего мира, никого не выпускали. Да и времени у слушателей для этого не было — все они усердно работали на скотном дворе, в саду, огороде, ремонтировали автомобили.

К автомобилю, к механизмам вообще у Гурджиева была неодолимая страсть. Его мистицизм удивительно сочетался с механистическим мировоззрением. На лекциях, которые Гурджиев читал по вечерам своим ученикам после напряженного трудового дня, он сравнивал свой "институт" с авторемонтной мастерской, где восстанавливают изношенные в дальних путешествиях машины. Люди, убеждал Гурджиев, суть не что иное, как машины, спящие автоматы, подчиняющиеся законам механики, не способные ни к каким осознанным действиям, требующие для себя руководителя.

Человек — машина, или человек — фабрика (эти сравнения Гурджиев также часто использовал в своих лекциях), состоит из трех отделений, цехов — голова, грудь, живот. Каждый из цехов получает соответствующее его механизмам сырье: голова — информацию и впечатления, грудь — воздух, живот — пищу. На основе определенного вида сырья вырабатывается и соответствующий вид продукции. Но, к сожалению, из-за неполадок в механизмах из цехов часто выходит брак в виде страха, эгоизма, озлобления, болезней. От брака можно избавиться, исправив механизмы каждого цеха. Для этого "учитель" разработал систему специальных упражнений для головы и груди, а также особую диету для желудка. Вот почему одно из центральных частей курса в Фонтенбло были балетно-акробатические упражнения (Гурджиев в молодости преподавал танцы и акробатику, выступал с акробатическими упражнениями в цирке). Он собирал всех своих учеников в специальном зале, где они должны были выполнять иногда простые, а нередко и сложные и утомительные упражнения, принимать немыслимые позы и пытаться удерживать их значительное время. Были случаи, когда ученики падали в обморок от истощения, перенапряжения и кровоизлияния в мозг.

Гурджиев любил озадачивать своих учеников: он заставлял их запоминать тысячи непонятных тибетских слов, выкапывать детской лопаткой огромное дерево, пилить его ствол столовым ножом... Занимаясь лечением подопечных, он прописывал им свои лекарства и специальные диеты.

При всем своем увлечении техникой Гурджиев не изменял оккультизму и мистике. По его мнению, законы механики — это лишь низший тип законов. В глубинах же Вселенной действуют высшие внефизические законы, и прежде всего так называемые законы творения. Да и человек не такой уж простой механизм. В нем спят непробудившиеся силы, которые могли бы приобщить его к бессмертию. Но для их пробуждения необходимо в первую очередь изменить сами законы космоса, в соответствии с природой которого развивается человек.

Обосновывая данные тезисы, Гурджиев утверждал, что Луна не космическое тело, а живое существо, космическое чудовище. Она высасывает всю энергию, которую вырабатывают живые организмы на Земле, в том числе и люди, потому они и находятся во сне, живут, как автоматы. Но такое положение недолговечно. Вскоре Луна, набравшись сил, посягнет на власть Солнца, тоже живого существа со своим характером и претензиями. Начнется битва двух небесных гигантов. Земля же, лишенная Луной своей энергии, сейчас спит. Однако в момент схватки космических гигантов проснется: начнутся войны, люди как звери будут уничтожать друг друга, большая часть их погибнет в этой небесной драме, и прежде всего те, кто не был к ней готов, кто не усовершенствовал себя по системе Гурджиева, позволяющей успешно освоившему ее слиться с космосом, раствориться во Вселенной. Спасутся, заявил Гурджиев, только те, кто примкнет к нему. Скорее всего они спасутся бегством в другие уголки космоса, которые будут открыты для них лучом творения, познанным в ходе духовной эволюции.

Свое учреждение Гурджиев пытался превратить в доходное предприятие. Он растянул рабочий день своих учеников до 14 часов, в несколько раз увеличил вступительный взнос, читал лекции. Наконец, написал и издал многотомный труд "Все и вся", который надеялся выгодно продать хотя бы своим ученикам.

И вначале Гурджиеву сопутствовал успех. Он стал популярным во Франции, Англии, Германии, даже в Америке. К нему стремились толпы жаждавших чудесного исцеления от духовной и физической импотенции и просто любопытных. Они вносили крупные вступительные взносы на банковский счет учителя, раскупали его книги, ожидая, когда же появится свободное место в гурджиевском монастыре.

Но постепенно климат в Западной Европе менялся. В воздухе запахло порохом, люди стали больше думать о спасении тела, а не духа. Ученики начали разъезжаться по домам. Доходы Гурджиева резко упали. Особняк, сельскохозяйственный инвентарь, автопарк и голландских коров власти описали за долги. "Институт гармонического развития человека" прекратил свое существование. Гурджиев, покинутый всеми, последние дни жизни провел в нищете. Пережив вторую мировую войну, он скончался в 1949 году в Париже, в приюте для бездомных.

Борис Викторович Савинков

(1879 — 1925)

Русский политический деятель, писатель (В. Ропшин), эсер, один из руководителей "Боевой организации", организатор многих террористических актов, антисоветских заговоров и мятежей. Белоэмигрант. В 1924 году был арестован при переходе государственной границы, осужден. По официальной версии — покончил жизнь самоубийством. Луначарский назвал его "артистом авантюры".

Савинков родился в Харькове 19/31 января 1879 года, а учился в гимназии в Варшаве, где отец его Виктор Михайлович служил судейским чиновником. Семья, в которой было трое сыновей — Александр, Борис, Виктор и дочери — Надежда, Вера, Софья, жила без особых забот и запросов. Савинков-отец, по словам его жены, был "человек интеллигентный, чрезвычайно чуткий к справедливому и широкому толкованию законов", за что поляки звали его "зацны сендзя" — "честный судья".

И вот два старших сына отправились в Петербург. Александр поступил в горный институт, Борис — в университет. Братья Савинковы сразу оказались в самой гуще мятежного студенчества.

Борис Савинков, женатый на Вере, дочери писателя Глеба Успенского, и сам был уже отцом, когда за речь на студенческой сходке его исключили из

университета без права поступления в другое учебное заведение. Он был вынужден уехать учиться в Германию. В 1899 году, вернувшись в Петербург, он угодил в крепость на пять месяцев, где попробовал впервые заняться литературой.

После крепости Борис Савинков был выслан в Вологду. Там его и навестили мать со старшим братом Александром, которого высылали дальше, в Якутию. Мать нашла, что Борис с семьей живет в ссылке неплохо. Дело еще рассматривалось в суде, и Борису, как и Александру, грозила ссылка в Сибирь. К тому времени взгляды его коренным образом переменились...

В Вологде Борис Савинков оказался потому, что был социал-демократом плехановского толка и принадлежал к группе "Социалист", а позже — "Рабочее знамя". Там он написал статью "Петербургское рабочее движение и практические задачи социал-демократии", которая, по словам Ленина, отличалась искренностью и живостью. Но...

Савинков был уже знаком с иными взглядами. За границей он познакомился с будущим лидером эсеров Виктором Михайловичем Черновым.

В Вологде социал-демократы и эсеры частенько собирались для обсуждения теории и тактики революционной борьбы, и однажды на занятия кружка явился надменно-бледный Савинков и отрывисто заговорил о том, что пора перестать болтать, что дело выше слов. Этим он снискал всеобщее восхищение.

В июне 1903 года Савинков бежал из Вологды вместе с Иваном Каляевым, знакомым ему еще с гимназических лет и отбывавшим административную ссылку в Ярославле. Они добрались до Архангельска и сели на пароход. Заграничных паспортов у них не было, но тогда никто их и не спрашивал. Через норвежский порт Варде, Христианию и Антверпен Савинков добрался до Женевы, где удостоился приема у знаменитого эсера Михаила Гоца, которому он сказал, что хочет "работать в терроре". Однако тот посоветовал "подождать, пожить, осмотреться", свел его с другими, жаждущими принять участие в политических убийствах. Члены Б.О. (Боевой организации партии эсеров) присматривались к нему.

Руководителя Б.О. на самом деле звали Евно Фишелевичем Азефом. Он же Валентин Кузьмич, он же Виноградов, он же... Азеф начал службу простым осведомителем в царской охранке еще в 1893 году с окладом в 50 рублей в месяц, за десять лет службы оклад возрос до 500 рублей, о высылке которых ему приходилось частенько напоминать шефам в донесениях.

Савинков сказал Азефу, что собирается убить министра внутренних дел Плеве с помощью Ивана Каляева. Уже через две недели Азеф познакомил Савинкова с планом убийства — взорвать бомбой карету Плеве. Для установления маршрутов, времени поездок, системы охраны была создана большая группа. Она должна была действовать под видом извозчиков, газетчиков, разносчиков...

Так начиналась "не жизнь, а кинематографическая лента — боевик о боевике", — как писали о Савинкове в двадцатые годы.

Азеф назначает Савинкова руководителем всей группы, и отныне он — центральное лицо в практическом терроре, хотя метать бомбы предстояло не ему. Эта роль предназначалась таким, как Иван Каляев, который с детства был для Савинкова Янеком.

18 марта 1904 года метальщики бомб были расставлены по маршруту Плеве. Савинков находился в Летнем саду, когда послышался взрыв... Но это был выстрел полуденной пушки в Петропавловской крепости. В тот день покушение не получилось из-за трусости Абрама Боришанского, хотя карета министра промчалась очень близко, едва не сбив его с ног.

Тогда Азеф предлагает новый план.

Савинков превращается в богатого представителя английской фирмы и поселяется в роскошной квартире на улице Жуковского. При нем, в качестве содержанки, Дора Владимировна (Вульфовна) Бриллиант, по мужу Чиркова, революционерка из зажиточной еврейской семьи. "Лакеем" у них служит молодой и румяный Егор Сазонов. Азеф даже настаивал на покупке автомобиля, но Савинков отказался.

В день убийства, 15 июля, Савинков встречал на Николаевском вокзале Сазонова, одетого в железнодорожную форму. Тот нес большой пятикилограммовый цилиндр, завернутый в газету и перевязанный шнурком.

Через несколько часов эта бомба взорвалась.

Савинков пришел на место взрыва, но не заметил трупа Плеве и, приняв окровавленные куски мяса за останки Сазонова, с досадой подумал о неудаче и пошел в... баню. Отлежавшись там, он купил на улице газету и с удивлением увидел в ней портрет Плеве в траурной рамке. В тот же день он уехал на свидание с Азефом в Москву. Они часто встречались, но в разных городах. Их потом называли "генералами от террора", руки свои кровью они не обагряли.

Савинков как организатор не уступал своими способностями служащему охранки Азефу. К тому же он был магнетически красноречив, он вербует в ряды Сазоновых и Каляевых, верящих в него без оглядки.

После убийства Плеве в 1904 году Борис Савинков уехал за границу, где было решено убить в Петербурге — генерал-губернатора Д.Ф. Трепова, в Москве — генерал-губернатора великого князя Сергея Александровича, в Киеве — генерал-губернатора Клейгельса.

Савинков "берет на себя" великого князя. Он появляется в Москве с английским паспортом. Барские повадки ставят его вне подозрений. Начинается наблюдение.

Савинков мечется между Москвой и Петербургом. Энергия его поразительна. Он знакомится с аристократкой Татьяной Леонтьевой и убеждает ее убить ıаря на одном из придворных благотворительных балов. Это решение он принимает самолично.

2 февраля 1905 года Иван Каляев бросил бомбу в карету — и великого князя не стало. Самого же Каляева позже повесили в Шлиссельбургской крепости.

После убийства в Москве Боевая организация стала известна в России. Савинков в это время уже был в Женеве вместе с Иваном Николаевичем (Азефом), который познакомил его с Георгием Гапоном. Савинков по достоинству оценил ораторско-гипнотические способности Гапона. Если несколько месяцев назад тот вел рабочих к Зимнему дворцу с требованием христианской справедливости, то теперь, пригретый эсерами, Гапон пропагандировал теорию тотального террора.

Одна неосторожная фраза стоила Гапону жизни. "...Во всех заграничных комитетах всем делом ворочают жиды, и у эсдеков, и у эсеров. Даже во главе Боеовй организации эсеров стоит жид, и еще какой жирный..." Азеф и Савинков поручили Рутенбергу убить Гапона и Рачковского во время вербовочного свидания в ресторане. Вскоре рабочие-эсеры повесили Гапона, привязав веревку к крючку вешалки...

После революции 1905 года десятки эсеров заседали в Государственной думе, а их Боевая организация продолжала убивать государственных деятелей. ЦК поручил Азефу и Савинкову уничтожить министра внутренних дел адмирала Дубасова и московского генерал-губернатора Дурново.

23 апреля 1906 года в царский день Дубасов направлялся на торжественное богослужение в Кремле. Савинков все рассчитал. Метальщиком бомбы он назначил студента, польского дворянина Бориса Вноровского. Однако Дубасов был лишь ранен, а его адъютант граф Коновницын — убит.

Савинков отличался редким честолюбием. Он был уверен, что делает историю, что его имя непременно войдет в историю. Он аккуратно хранил документацию, записные книжки, выписки, письма, несмотря на подвижный образ жизни. Исследователю потребуется изрядное время, чтобы прочесть тысячи писем к нему от Гиппиус, Мережковского, Арцыбашева, Волошина, Эренбурга, Ремизова, Философова, Щеголева, Плеханова, не говоря уже об Азефе и других деятелях эсеровской партии, от жен, детей, братьев, многих других более или менее известных лиц. Особенное значение он придавал предсмертным исповедям своих соратников по Боевой организации, что говорит о способности Бориса Викторовича завоевывать доверие таких незаурядных людей, как Каляев, Сазонов...

Первая мировая война застала Савинкова на юге Франции. В Париже началась паника. Правительство покинуло столицу. Благодаря своим связям (и масонским тоже) Савинков без труда выправил удостоверение военного корреспондента. Он отправляет свои первые репортажи из Парижа в Россию, пишет их под грохот пушек, доносящийся со стороны Сен-Дени. Он знает, чего хочет русский читатель. И он не кривит душой, когда пишет, что нет для него дороже в мире двух городов: Парижа и Москвы. В 1916 году В. Ропшин послал на родину книгу "Во Франции во время войны". Книга успеха не имела, потому что на родине царили совсем иные настроения.

Савинков имел смутное представление о том, что происходит в России. Большевистская пропаганда против войны и эсеровское требование "земли и воли" подготовили к революции миллионы мужиков в солдатских шинелях. Буржуазия жаждала реформ и... власти, опирающейся на демократию. И все-таки революция оказалась неожиданной для всех.

Попрощавшись с женой и малолетним сыном Львом, Савинков поехал
Петроград. В 1917 году число членов партии эсеров доходило до миллиона. Он
получила большинство голосов на выборах в Учредительное собрание. Наслед
ница народников, она пользовалась поддержкой не только крестьян, но
рабочих и интеллигенции, однако власти как бы боялась, делила ее с мень
шевиками в Советах и кадетами в правительстве. Кроме Керенского, во Вре
менное правительство входили эсеры Чернов, Авксентьев, Маслов.

В апреле 1917 года Савинков приехал в Петроград. В мае 1917 года вместе
Керенским он прибыл в ставку Юго-Западного фронта.

Деятельный и властный, Савинков с воодушевлением принимает предло
жение стать комиссаром 7-й армии и едет в Бугач. На митингах он обвиняе
Петроград, этот источник угарного тумана негосударственной мысли.

Однако настроение его вскоре падает: солдаты не хотят воевать до побед
ного конца. Вообще не хотят воевать.

В конце июня Савинков встречается с Керенским и становится комиссаро
Юго-Западного фронта.

Но еще задолго до этого Савинков приметил генерала Лавра Георгиевич
Корнилова. Оба придерживались того мнения, что для спасения России нуж
ны самые решительные и твердые меры. Савинков поверил генералу, пове
рил в то, что именно этот человек спасет Россию. 17 июля не без его реко
мендации Корнилов был назначен Верховным Главнокомандующим. Бори
Викторович все больше влияет на Керенского. Он рассчитывает на пост воен
ного и морского министра, и Керенский соглашается. Однако вмешался "Пет
роградский совет", и пост министра от экс-террориста ускользнул.

Тем не менее Савинков становится настолько заметной фигурой, что даж
английский посол Бьюкенен писал в своем дневнике: "...мы пришли в это
стране к любопытному положению, когда мы приветствуем назначение тер
рориста, бывшего одним из главных организаторов убийства великого княз
Сергея Александровича и Плеве, в надежде, что его энергия и сила воли мо
гут еще спасти армию..."

Генерал Деникин в "Очерках русской смуты" писал: "Савинков порвал
партией и с советами". Он поддерживал резко и решительно мероприяти
Корнилова, оказывая непрестанное и сильное влияние на Керенского, кото
рое, быть может, увенчалось бы успехом, если бы вопрос касался тольк
идеологии нового курса.

Вместе с тем взгляды Савинкова не во всем совпадали со взглядами Кор
нилова. Брис Викторович облекал его простые и суровые положения в услов
ные внешние формы "завоеваний революции" и отстаивал широкие права во
енно-революционных учреждений — комиссариатов и комитетов. Хотя он
признавал чужеродность этих органов в военной среде и недопустимость их
условиях нормальной организации, но... по-видимому, надеялся, что посл
прихода к власти — комиссарами можно было бы назначать людей "верных"
а комитеты — взять в руки. А в то же время бытие этих органов служило изве
стной страховкой против командного состава, без помощи которого Савин
ков не мог бы достигнуть цели, но в лояльность которого в отношении себ
он плохо верил.

Савинков мог идти с Керенским против Корнилова и с Корниловым про
тив Керенского, холодно взвешивая соотношение сил и степень соответстви
их той цели, которую преследовал. Он называя эту цель — спасением родинь
другие считали ее личным стремлением к власти. Последнего мнения придер
живались и Корнилов, и Керенский".

Но честолюбивым планам Савинкова не дано было свершиться.

8 августа 1917 года накануне Московского Государственного совещания Савинков представляет Керенскому и министру внутренних дел Авксентьеву списки лиц, подлежавших аресту на основании сведений контрразведки. Список правых подписывается, а почти все левые вычеркиваются. И в том числе — большевики. Савинков просит разрешения остаться с Керенским наедине, выражает возмущение по поводу большевиков и дает на подпись свою докладную записку о введении смертной казни. Керенский отказывается ее подписать. Савинков подает в отставку.

Керенский получает телеграмму от Корнилова: "До меня дошли сведения, что Савинков подал в отставку. Считаю долгом доложить свое мнение, что оставление таким крупным человеком, как Борис Викторович, рядов Временного правительства не может не ослабить престижа правительства в стране, и особенно в такой серьезный момент. При моем выступлении 14 августа я нахожу необходимым присутствие и поддержку Савинковым моей точки зрения, которая вследствие громадного революционного имени Бориса Викторовича и его авторитетности в широких демократических массах приобретает тем большие шансы на единодушное признание..." Керенский отставки Савинкова не принимает. Он назначает его военным губернатором Петрограда. Его, целиком разделявшего корниловскую программу наведения порядка в стране.

В конце августа 1917 года вспыхнул мятеж Корнилова с целью установления в стране военной диктатуры. Мятеж был подавлен. Корнилова арестовали.

Савинков категорически отрицал свое участие в заговоре, как "политически ошибочном", не верил в успех вооруженного выступления.

Керенский пережил серьезное потрясение. Министры, как крысы, бежали из Зимнего дворца. Премьер не верил даже юнкерскому караулу и велел его сменять каждый час.

Савинкову не верили. Каждый его шаг контролировали Чернов, Гоц и другие товарищи по партии. В его штабе сидели делегаты от ВЦИК. От него требовали разоружения военных училищ.

31 августа Керенский по телефону уведомил Савинкова, что его увольняют с должности генерал-губернатора. Тот подал в отставку и с должности управляющего Военным министерством. Чернов в своей газете "Дело народа!" требовал ареста Савинкова. Его вызвали на заседание ЦК партии эсеров, чтобы он дал объяснения. Савинков отказался делать это в присутствии Натансона (который, по данным разведки, поддерживал сношения с немцами) — и был исключен из партии эсеров.

В те дни Савинкова поражали интриги, пьянство офицеров, его демократическое сердце обливалось кровью, когда он слышал на улицах монархическое: "Боже, царя храни", хотя руководители Добровольческой армии соглашались с его мнением, что будущей России необходимо демократическое устройство. Был случай, когда к нему на квартиру явился офицер с намерением убить, но был парализован гипнотическим взглядом Савинкова и сознался, что его послали...

После отречения Романовых воинская присяга перестала действовать. Савинков покинул Дон в конце декабря 1917 года, как он потом писал, "наивно веря в то, что господа генералы действительно любят Россию и будут искренне за нее бороться". Он обещал переговорить, в частности, с Плехановым и Чайковским об их участии в подобии правительства на Дону. В Петрограде он Чайковского не нашел, а Плеханов уже умирал. Вскоре Савинков выехал в Москву, намереваясь двинуться дальше, на Дон, но оттуда пришло письмо, что под давлением большевиков Алексеев и Корнилов ушли с Добровольческой армией в степи, в "Ледяной поход".

И Савинков остался в Москве, где было уныло и голодно. И развил при этом бешеную деятельность по созданию подпольной офицерской организации. Его выводили на гвардейских офицеров, объединенных по полковому принципу, но Савинкова коробили их монархические убеждения. Однако их было восемьсот, пренебрегать ими не стоило, и он предложил им от имени Алексеева и Корнилова короткую программу: отечество, Учредительное собрание, земля — народу. Одновременно он создавал боевые левые организации из офицеров-республиканцев, социал-демократов плехановского толка, эсеров, меньшевиков, бывших террористов... И правых и левых как бы объединял Национальный центр. И опять все вертелось вокруг Учредительного собрания и... диктатуры, твердой власти.

Верным помощником его был полковник артиллерии Перхуров. Военными командовал конституционный монархист генерал Рычков. Тайную организацию Савинков на процессе описывал так:

"Снизу каждый член организации знал только одного человека, т. е. отделенный знал взводного и т. д.; сверху каждый член организации знал четырех, т. е. начальник дивизии знал четырех полковых командиров и т. д. Это придавало организации довольно крепкий характер. Во главе стоял штаб, ну-с вот, во главе штаба стоял я".

По подсчетам Савинкова, в организации состояло около пяти тысяч человек и охватывала она, кроме Москвы, еще более тридцати городов. Она называлась "Союзом защиты Родины и Свободы".

На существование такой организации требовались деньги. И немалые. Савинков добывал их любыми путями. От председателя чешского национального комитета Масарика он через генерала Клецанду получил двести тысяч "керенками". Они были даны для осуществления терактов. Хотя имена не назывались — подразумевались Ленин и Троцкий.

В апреле, когда Добровольческая армия была у Екатеринодара, Савинков послал офицера к генералу Алексееву с донесением о своем "Союзе" и получил одобрение и деньги. Создавая полки без солдат, он платил офицерам жалование. Его разведка проникла в Совет Народных Комиссаров, Чека... Во всяком случае, Савинков этим хвалился, как и тем, что его люди организовали партизанскую борьбу в тылу у немцев и готовили к взрыву корабли флота на случай, если немцы войдут в Петроград.

Третьим источником поступления денег были французский консул Гренар и военный атташе генерал Лаверн. От них было получено два с половиной миллиона керенских рублей и заверение, что в начале июля в Архангельске высадится франко-английский десант. К этому времени савинковский "Союз" должен был поднять восстание и захватить Ярославль, Рыбинск, Кострому и Муром.

В мае многих подчиненных Савинкова в Москве расстреляли. Сам Савинков не раз попадал в засады, не раз приходилось Флегонту Клепикову пускать в ход оружие и убивать патрульных. "Но это были мелочи ежедневной жизни, — замечал Савинков. — Настоящая опасность началась с приездом в Москву германского посла графа Мирбаха. С его приездом начались аресты". Он уверял, что Мирбах направлял действия большевиков, выдавал заговорщиков. Порой немецкие солдаты действовали заодно с чекистами. Он приводил примеры. Скорее всего, руководствуясь непрерывно подчеркиваемым "союзническим долгом", Савинков собирал любые обывательские слухи о сотрудничестве большевиков с немцами. Он потерял более сотни членов "Союза". Клепиков теперь уже носил револьвер не в кармане, а в рукаве.

Одно время Савинков жил в Гагаринском переулке у Александра Аркадьевича Дикгоф-Деренталя, литератора. Савинков знал Александра и его жену Любу еще до их свадьбы, потом они встречались уже в Петрограде, где Деренталей разыскал приближенный управляющего Военным министерством Флегонт Клепиков. Всякая встреча с новым собеседником Савинковым обставлялась весьма эффектно, в мужчинах он обретал сторонников, а в женщинах поклонниц — несмотря на малый рост, физически Борис Викторович был очень сильным, а уж о воздействии его репутации, как бесстрастного и опасного человека, и говорить не приходится. Один из агентов французской контрразведки докладывал начальству о Савинкове: "К женщинам эротически равнодушен, однако они являются одним из пунктов его обостренного честолюбия и самолюбия".

Именно Деренталь занялся дальнейшими переговорами с французами о выступлении савинковцев, а также получением на это денег. Савинков говорил: "В июне был выработан окончательный план вооруженного выступления. Предполагалось в Москве убить Ленина и Троцкого, и для этой цели установлено за ними обоими наблюдение. Одно время оно давало блестящие результаты. Одновременно я беседовал с Лениным через третье лицо, бывавшее у него. Ленин расспрашивал это третье лицо о "Союзе" и обо мне, и я отвечал ему и расспрашивал о его планах. Не знаю, был ли он так же осторожен в своих ответах, как и я в своих.

Одновременно с уничтожением Ленина и Троцкого предполагалось выступить в Рыбинске и Ярославле, чтобы отрезать Москву от Архангельска, где должен был происходить союзный десант".

План этот провалился. Савинков выходил на старые эсеровские связи, но, разочарованный, порывал с ними. Покушение на Ленина не состоялось, и Масарик потратился зря. Зато условленное с французами было выполнено сполна, но... союзный десант запоздал.

Савинков отправил крупные отряды в Ярославль и Муром, а в Рыбинске его с Деренталем и Клепиковым уже ждали 400 человек. Города были захвачены, но так же быстро освобождены красными, и лишь Перхуров в Ярославле продержался 17 дней. Савинков ушел в Новгородскую губернию, скитался по деревням и в конце июля пробрался в Петроград, который показался ему умирающим городом. Впоследствии на суде он признавался, что население приволжских городов его не поддержало, что офицеры, которых он посылал на Дон, докладывали ему, с какой ненавистью и там относятся к его выступлению.

Ему достали фальшивый документ за подписью Луначарского, он "переоделся большевиком" — рубаха, пояс, высокие сапоги, фуражка со снятой кокардой — и отправился в Казань, назначенную им же самим сборным пунктом для своей организации в случае неудачи. Его путевых приключений хватило бы ему самому для целой повести. Савинкова арестовывали красные. Он выпутывался и даже получал еще более надежные документы. За те же документы его водили на расстрел крестьяне, измученные поборами красных продотрядов. Тогда его выручило красноречие... Переломив настроение крестьян, он подбивал их на восстание.

Чем ближе он был к Казани, тем больше отдалялась от него мечта о крестьянском восстании. И может быть, поэтому, добравшись до Казани и застав там Флегонта Клепикова, генерала Рычкова, полковника Перхурова и других членов “Союза защиты Родины и Свободы”, он распустил организацию под предлогом, что тайное общество в области, неподвластной большевикам, не нужно. Правивший в Казани под крылышком восставших чехословаков, Масарика, Бенеша, эсеровский Комитет Учредительного собрания отнесся к Савинкову подозрительно. По улицам Казани за ним ходили филеры, как при царе. Его бесили бывшие коллеги по партии. Он им заявлял, что никому не хочет препятствовать восстанавливать Россию. Он видел беспомощные попытки эсеров создать “народную армию” из крестьян, с которыми “народные заступники” не умели говорить, которые разбегались, которых расстреливали. Красных удерживал под Казанью лишь один чешский полк, немногочисленные добровольцы и бывшие члены савинковского “Союза”...

Отчаявшийся Савинков совершил шаг, для многих непонятный и даже названный потом одним из его биографов истеричным театральным жестом, — вступил рядовым в отряд полковника Каппеля, совершавший рейд в тылу Красной Армии. Каппелевцы были людьми действия — они оставляли позади себя разобранные железнодорожные пути, спиленные телеграфные столбы и расстрелянных большевистских комиссаров в ритуальных черных кожанках...

Эсеры не справились с созданием своей армии, большевики справились и взяли Казань, потом Симбирск, Самару, Сызрань...

Савинков направляется в Париж. Но добирался до этого города он весьма сложным путем. Начал с Уфы, где зародилась мысль о “Сибирской директории” во главе с бывшим министром эсером Авксентьевым. Соперничающее “Сибирское правительство” предложило Савинкову войти в его состав. Он предпочел не ввязываться в драку за власть и попросился в Париж, с особой миссией. Авксентьев согласился. Пока Савинков добирался до Европы вместе с супругами Деренталь через Владивосток и Японию, Колчак устроил переворот, Директории не стало, но адмирал подтвердил его полномочия. А еще Борис Викторович возглавлял “Униок” — бюро печати, а скорее, заграничной рекламы Колчака.

Началась иная жизнь. Поездки по европейским столицам. Встречи с государственными деятелями, хлопоты о помощи оружием и боеприпасами Колчаку и признавшему Верховного правителя Деникину. И еще Савинков заседал в “русской заграничной делегации”, защищая интересы России при обсуждении Версальского договора.

Беседуя с Ллойд Джорджем, Савинков чувствовал запах нефти в словах английского премьера, намекавшего на создание “независимого” государства на Кавказе в обмен на сапоги и штаны для армии Деникина.

При встречах Черчилль делал ему выговоры за то, что деникинские офицеры терроризируют евреев. А то вдруг подвел к карте юга России и, показывая пальцем на флажки, отмечавшие деникинский фронт, горделиво сказал: “Вот это моя армия”.

Унижения были на каждом шагу. Революционер Савинков высиживает в приемных у западных владык, вымаливает деньги для Деникина, а от того приезжает генерал Драгомиров и говорит: “Пусть Савинков к нам приедет, мы его расстреляем”.

Савинков был очень умен и горд. Он давно понял, что белым конец, потому что они оттолкнули от себя крестьянство. И продолжал унижаться ради них. Он давно понял, что разговоры о союзнической помощи врагам большевиков — не больше, чем официальная болтовня, прикрывавшая истинные цели, о которых он говорил на суде в 1924 году: “Как минимум, вот нефть — чрезвычайно желательная вещь, в особенности нефть; как максимум — ну, что же, русские подерутся между собою, тем лучше; чем меньше русских останется, тем слабее будет Россия. Пускай красные дерутся с белыми как можно дольше, страна будет возможно больше ослаблена и обойтись без нас не будет в силах, тогда мы придем и распорядимся".

В январе 1920 года Савинкова в Париже посетил старый знакомый Вендзягольский и передал ему приглашение в Варшаву от генерала Пилсудского. Этот будущий диктатор Польши тоже был из социалистов. Вероятно, Савинков был коротко знаком с Пилсудским, главой национального правительства Польши и верховным главнокомандующим ее армии.

Пилсудский предложил Савинкову создать русские вооруженные формирования в Польше. И тот согласился. Потом Савинков туманно объяснял, что это не против России ему предложили действовать, а против коммунистов, и что он смотрел на эти действия, как смотрели многие из русских революционеров на русско-японскую войну, "болея" за японцев. Как писал он П.И. Милюкову, секретным соглашением русские военные ставились в политическое подчинение Савинкову, а с 1 марта ему выплачивались деньги, которые признавались государственным долгом России Польше.

В апреле Юзеф Пилсудский договорился с Симоном Петлюрой за уступку части Галиции и Западной Волыни помочь создать "самостийну" Украину, и 7 мая поляки уже захватили Киев. Тогда-то Вендзягольский снова доставил в Варшаву Савинкова, уже по историческим причинам освободившегося от обязательств, данных им Колчаку и Деникину.

Новоиспеченный первый маршал Польши благословил Савинкова на создание воинства из остатков армии Юденича и Деникина, нашедших прибежище у поляков. Обосновавшись в местечке Столужица, Савинков приступил к делу с весьма скудными средствами, потому что изгнанные вскоре из Украины поляки дрожали над каждым грошем. Однако Савинков сколотил отряд тысяч в двадцать пять. Он думал создать крестьянскую армию, а получалась белая, золотопогонная, во главе с генералами, которые сносились с копившим силы в Крыму Врангелем и получали поддержку французов.

Савинкову приходилось изворачиваться, он считал, что для борьбы с большевиками все средства хороши. Так 16 июля он посылает радиограмму Врангелю: "С разрешения Начальника Государства (Пилсудского) мною на территории Польши формируется Отдельный русский отряд трех родов оружия для самостоятельного действия", под командованием генерала Глазенапа, который, однако, не устраивает Савинкова, и Врангеля просят прислать ему заместителя. А еще раньше, 3 июля, Савинков заверял Врангеля, что видит в нем "единственного носителя русского национального знамени", 8-го он писал военному министру Великобритании Черчиллю, что считает его непримиримым врагом большевиков, и просил помочь Польше, а следовательно, ему, Савинкову.

Пилсудский требовал действий, а Врангель требовал переправить генеральскую армию к нему в Крым.

Когда под натиском Красной Армии поляки отступили почти до Варшавы, а потом, разгромив Тухачевского, вернулись за Неман, было заключено перемирие. И вот тут-то Пилсудский призвал к себе председателя "Русского политического комитета" Бориса Савинкова и, по словам его, приказал: "Дайте в двадцать четыре часа ответ, будете ли вы воевать?" Тот ответил согласием.

В сущности, Савинков был командующим без войска. Всего было тысяч шестьдесят, и они могли бы представлять собой значительную силу, если бы, еще не выступая, не передрались между собой.

“Мне это показалось настолько диким и бессмысленным, — вспоминал Савинков, — что я решил, что мне остается одно: разделить участь тех людей, которые, до известной степени, шли по моему приказу. Я решил пойти вместе с ними в поход добровольцем”. И вот он опять рядовой в небольшом отряде войска Балаховичей, наступавшего на Мозырь. Но это странный рядовой, в телохранителях которого числится едва ли не весь отряд.

За время этого похода Савинков, несмотря на свое исключительное положение, твердо усвоил, что распоряжаться он может только от имени того, за кем сила. По безмерному самолюбию его удары наносились со всех сторон. Поляками, французами, англичанами...

Савинков уже делал ставку не на белых, а на “зеленых”, мечтая поднять крестьянскую Россию на большевиков. Но получилось так, что созданные им “Информационное бюро” и “Русский эвакуационный комитет” в сущности работали на иностранные разведки — единственный источник поступления денежных средств. То же было и с созданным им “Народным Союзом защиты Родины и Свободы”. Поход закончился неудачей. Сам Борис Викторович еле унес ноги.

Всю первую половину 1921 года Савинков едва ли не еженедельно упражнялся в политической литературе, печатая свои статьи в основанной им в Варшаве газете “За свободу”.

В статьях он призывал к крестьянской революции, к созданию народной армии, к борьбе против реставрации Романовых, к возрождению Учредительного собрания. Отвергая реставрацию монархии, Савинков оправдывался, подчеркивал свое место в истории России и невольно признавал, что в стране было не все так плохо до того, как социалисты всех мастей приступили к решающей фазе своей разрушительной работы.

Соответственно он составил программу “Народного Союза защиты Родины и Свободы”. Коротко: борьба с советской властью, большевиками, царистами, помещиками, укрепление “в собственность” земли, перешедшей в руки крестьян во время революции, установление демократического правового строя, признание государственной самостоятельности за всеми народами, входившими в Российскую империю.

И все это “силами русского народа, а не призывом к вооруженному вмешательству иностранцев”. Однако 13 июня 1921 года в Варшаве на учредительном съезде “Союза” присутствовали польский полковник Сологуб, французский майор Пакелье и мосье Гакье, офицеры английской, американской, итальянской военных миссий в Варшаве. После принятия программы был избран Всероссийский комитет “Союза” во главе с Савинковым. Существует подробный реестр средств в валютах разных стран, которые получал Савинков от иностранных разведок за сведения, доставлявшиеся его курьерами из Советской России. В одной Москве чекисты взяли сотни членов “Народного Союза защиты Родины и Свободы”.

Вскоре после образования “Союза” последовала нота Советского правительства, в которой раскрывались связи савинковцев с польским генеральным штабом, в том числе сведения о выдаче им двух килограммов яда для отравления красноармейских частей в момент восстания и требование изгнать из Польши руководителей антисоветских организаций. Скрепя сердце, поляки в октябре подписали протокол о высылке из Польши всех руководителей савинковского “Союза”...

Савинков уехал в Париж, не дожидаясь выдворения. Уехал, облегченно вздохнув, потому что отпала необходимость заботиться о двадцати тысячах бывших солдат его “Народной армии”, бедствовавших за колючей проволокой лагерей, и прекращались унизительные отношения с польским штабом. “Я садился в поезд, и сердце мое радовалось, что я уезжаю из этой проклятой страны, что вы меня выкинули вон”, — сказал он потом на процессе.

Но Савинков не собирался ставить на себе крест. Он вел громадную переписку и старался держаться в форме, обрел опять свой щеголеватый вид, носил дорогие модные элегантные костюмы. И вообще он следил за собой, приказывая себе в дневнике: “Не забыть — неукоснительно, каждое утро — пять страниц из Достоевского, час на правку рукописи, чистить ногти (1р. в 3 дня. — подстригать)...”

Он ездил за помощью к Муссолини в Италию. Их встречу на курорте Леванто устроил охранник дуче Данила Амфитеатров, сын известного в свое время русского писателя и журналиста Александра Амфитеатрова, пребывавшего теперь в эмиграции. Многие тогда восторгались фашизмом, видя в нем путь национального возрождения своей родины. Социалист, бывший член II Интернационала, Муссолини провозглашал ненависть к большевикам и понимал, что успехом своего движения он обязан страху перед ними, но у них же он учился способам воздействия на массы и диктатуре именем народа. Теперь Муссолини рисовался, поучал Савинкова, подарил ему свою книгу с надписью: “Синьор Савинков! Идите за мной, и вы не ошибетесь!”, но денег не дал.

Савинков вновь совершает турне по европейским столицам, собирая дань на борьбу с большевиками. Но акции его у западных разведок были сильно подорваны после того, как его люди не сумели совершить покушение на советского наркоминдела Чичерина, ехавшего на Генуэзскую конференцию. “На террор люди идут только тогда, — объяснял потом эту неудачу Савинков, — когда они знают точно, что народ с ними... Террор требует огромного напряжения душевных сил, а вот этого теперь нет”.

Впрочем, в Советской России отношение к нему было серьезное и даже посвоему почтительное. Здесь изучали его повадки, благо многие большевики, в то время пребывавшие у власти, не раз имели дело с Савинковым в ссылке и за границей. Савинков получил осторожное приглашение в особняк на рю Гренель, в котором полномочно представительствовал Красин. Тот напомнил о недавних неудачах Савинкова и предложил явиться с повинной на родину, намекнув, что революционеру там дело найдется. И хотя Савинков не сказал ни да, ни нет (“Были у меня колебания, были уже большие колебания”), в эмиграции по этому поводу поднялась целая буря.

Перед Каннской встречей, где Антанта вместе с японцами и немцами договорились о созыве в Генуе экономической конференции с участием России, Савинков ездил в Лондон, был принят Ллойд Джорджем, потом Черчиллем и другими министрами. Английский премьер задал ему вопрос о том, как он смотрит на признание советской власти Великобританией. Савинков отвечал осторожно и просил предъявить большевикам три требования: признать свободу мелкой частной собственности, свободу личности и свободу советского управления, то есть свободные выборы в Советы. Ллойд Джордж обещал, но на переговорах в Каннах и Генуе речи об этом не было.

Кое-какие средства перепадали от Масарика и Бенеша, когда Савинков посещал Прагу. Чехи вывезли из Сибири очень много русского имущества и золота и часть средств тратили на поддержку русской эмиграции...

Савинковские эмиссары еще пересекали границу, еще были связи и люди, но их становилось все меньше, потому что ОГПУ, заменившее ЧК, набралось опыта и начало тотальное наступление на все, что могло угрожать диктатуре большевиков. Савинков чувствовал, что делу его жизни приходит конец. В 1923 году он уже был готов заявить, что прекращает борьбу с большевиками. Как всегда, последним прибежищем его была литература, в которой он пытался облечь свои сомнения в художественную форму.

Еще летом 1922 года при переходе границы был задержан адъютант Савинкова, бывший офицер Л.Д. Шешеня. На допросе в ОГПУ он выдал других савинковцев. Взяв заложниками их семьи, ОГПУ затеяло большую игру с "Народным Союзом защиты Родины и Свободы". Была разработана "легенда" существования в России большой антибольшевистской организации, членов которой имитировали чекисты. Эмиссары организации встречались с варшавским представителем НСЗРС Философовым и в Париже даже с самим Савинковым, которому подробно докладывали о деятельности организации, вручали валюту на содержание его газеты и фальшивые разведдонесения. Правдоподобность докладов и донесений подтверждалась письмами схваченных людей Савинкова и специально публикуемыми в печати сообщениями о диверсиях.

Осторожный Савинков в сентябре 1923 года послал в Россию полковника Сергея Эдуардовича Павловского, который тоже был схвачен и подсоединен к игре, но впоследствии не выдержал своей роли, убил тюремного надзирателя и был застрелен при попытке к бегству.

Савинков был полон самых радужных надежд на крупную, разветвленную подпольную организацию в России. Ему уже мерещился переворот. Он видел себя в роли правителя страны, создающего министерства.

Савинков решил отправиться в Россию вместе с супругами Дикгоф-Деренталями. Готовился он к этому основательно, и веря и не веря возможности действовать. Он призвал из Праги сестру Веру с мужем и вручил им свой архив, запечатав его и дав указания, как следует распорядиться документами в случае своей гибели, а также составив завещание. Он попрощался с Мережковским и Гиппиус, оставив ей свое поэтическое наследие. В Варшаве пробыл недолго и 15 августа проследовал вместе с Деренталями и руководителем варшавского отделения НСЗРС Фомичевым к "окну" в границе. Пилсудского он не известил о своем переходе, и когда польская разведка доложила об этом маршалу, тот написал на полях донесения: "Не верю".

Поверить было действительно трудно, и потому возникла версия о сговоре Савинкова с большевиками, будто бы обещавшими ему не только неприкосновенность, но и руководящее участие в своих делах.

Поляки переходу не препятствовали. На границе группу встретил сманивший Савинкова и заранее выехавший провокатор из ГПУ Федоров (он же Мухин) с группой чекистов, представившихся членами подпольной антисоветской организации. Принимая "меры предосторожности", все двинулись к Минску.

16 августа 1924 года в Минске, в одном из домов на Советской улице, в комнату, где завтракал со своими Савинков, ворвалась толпа чекистов и направила на него револьверы, маузеры, карабины. "Ни с места! Вы арестованы!" По его же описанию, он лишь заметил: "Чисто сделано... Разрешите продолжить завтрак!"

После тщательного обыска все были доставлены в Москву и размещены в камерах внутренней тюрьмы ОГПУ на Лубянке.

Уже 21 августа в руках следователей были собственноручно написанные признания Савинкова. Он перечислял организованные им в царское время террористические акты и каялся, что выступил против “рабоче-крестьянской власти”. Все это перемежалось с заверениями, что он “всю жизнь работал только для народа и во имя его”, что он был революционером, демократом и любил Россию. И еще Савинков требовал, чтобы его называли не преступником, а военнопленным.

Савинкову предъявили целый “букет” обвинений, в том числе в получении денег от империалистов, в шпионаже для Польши и в том, что он хотел отравить красноармейцев цианистым калием. 26 августа начался процесс. Председателем был Ульрих, а обвинителя не было вовсе, как и защиты. Савинков лениво защищался, почти не спорил об уликах.

Высшая мера наказания была заменена десятью годами, потому что “мотивы мести не могут руководить правосознанием пролетарских масс”. Возможно, Савинкова обманули видимостью, будто внутри органов есть противоборствующие силы, что часть готова на союз с социалистами, и ему обещали, что потом его освободят и включат в политические деятели. Савинкову разрешили писать открытые письма за границу, но они явно не похожи на савинковские, хотя кое-какие обороты его есть.

“Дело Б.В. Савинкова” широко освещалось в печати. Только в “Правде” было опубликовано более десятка статей. Террорист ценился высоко. Гордо возвещалось, что дело Савинкова “войдет в историю”, что Савинков — “собирательное имя”.

Венцом была статья А. Луначарского от 5 сентября “Артист авантюры”. Он вспоминал случай в Вологде. Называл Савинкова театральным человеком, романтиком, сентиментальным, но отдавал должное его популярности и смелости. Луначарский писал о том, как Савинков любит интригу, как ему нравится “всякая игра в камарилью”, ложь, шпионство...

Известно письмо Савинкова к Дзержинскому от 7 мая 1925 года: “...либо расстреливайте, либо дайте возможность работать; я был против вас, теперь я с вами...”

И еще: “Я помню наш разговор в августе месяце. Вы были правы: недостаточно разочароваться в белых или зеленых, надо еще понять и оценить красных. С тех пор прошло много времени. Я многое передумал в тюрьме и — мне не стыдно сказать — многому научился. Я обращаюсь к Вам, гражданин Дзержинский. Если Вы верите мне, освободите меня и дайте работу, все равно какую, пусть самую подчиненную. Может быть, и я пригожусь...”

7 мая утром Савинкова в тюрьме посетила Любовь Ефимовна, болтала о женских пустяках, а на другой день ей сообщили о самоубийстве. Она закричала по-французски: “Это неправда! Этого не может быть! Вы убили его!”

Днем Борис Викторович будто бы попросил, чтобы его вывезли на природу. В сопровождении четырех чекистов его доставили на служебную дачу, использовавшуюся для встреч с секретными сотрудниками — “сексотами” в Царицыне. Он выпил коньяку. Вечером его привезли обратно, и он, ожидая конвоя, ходил по кабинету следователя на пятом этаже, где окно было открыто настежь, а подоконник — низкий, сантиметров 20—30 от пола. В это окно он и выбросился. Разбился насмерть.

В 1937 году, умирая в колымском лагере, бывший чекист Артур Шрюбель рассказал кому-то, что он был в числе тех четырех, кто выбросил Савинкова из окна пятого этажа в лубянский двор...

Событие было настолько значительным, что целая группа чекистов во главе с Дзержинским сочиняла ночью сообщение для газет. Шум прокатился по миру великий. Советские издательства публиковали произведения В. Ропшина. За границей много гадали, почему Савинков покончил с собой. Одни писали злорадно — сговорился, а его надули.

Томас Эдвард Лоуренс

(1888 — 1935)

Британский разведчик. Окончил Оксфордский университет. В начале первой мировой войны молодой археолог был завербован британскими секретными службами. В 1916 году его внедрили в ряды арабских повстанцев. Благодаря своим приключениям стал человеком-легендой, "Лоуренсом Аравийским". Автор книг "Восстание в пустыне" и "Семь столпов мудрости". Погиб в результате несчастного случая.

Тот вечер выдался особенно душным в Каире, и гости, собравшись на очередной дипломатический раут, который устроил шеф британской военной миссии — Арабского бюро — генерал Клейтон, с нетерпением ожидали того момента, когда можно будет покинуть отель, не обидев хозяина приема.

Англичане и французы, присутствовавшие на рауте, были союзниками в только что вспыхнувшей мировой войне.

Маркиза Маргерит д'Андюрэн, неизменно вызывавшая восхищение мужчин не только своим шармом, но и весьма легкомысленным отношением к святости брака, была в тот вечер чем-то сильно озабочена. На прием она пришла без мужа. Впрочем, маркиз Пьер д'Андюрэн, преподнесший своей жене не только титул, но и весьма приличное состояние, давно уже махнул рукой на ее шалости. Война застала их в Египте во время свадебного путешествия, и маркиз не очень торопился возвращаться в родные пенаты. Маргерит тоже не торопилась в Париж, поскольку коллекция ее поклонников пополнилась еще одним, на сей раз молодым английским офицером.

Белокурый, голубоглазый молодой человек стоял в углу зала, держа в руке фужер с сельтерской, в котором плавали кусочки льда. Потом со скучающим видом подошел к ней, церемонно поклонился и, тихо шепнув: “Я жду вас в номере на втором этаже”, вышел из зала.

...Это было самое странное свидание в богатой любовными приключениями жизни Маргерит. Офицер сказал очень просто, как будто они были знакомы много-много лет: “Моя дорогая маркиза, помогите Британии. Нам крайне необходимо, чтобы вы познакомились с Саид-пашой. Завтра вас примет генерал Клейтон. Мы не останемся в долгу. Согласны?”

Нет, она не могла устоять перед странной, гипнотизирующей обворожительностью его голоса и согласилась. Через несколько месяцев маркиза Маргерит д’Андюрэн стала любовницей одного из вождей арабских племен и начала поставлять необходимую информацию. Военный разведчик Лоуренс получил из Лондона благодарность за очередную вербовку...

Лоуренс был незаурядным военным разведчиком. Он прекрасно знал арабский язык и наречия многих бедуинских племен, изучил не только их быт и нравы, но и религию. Еще до начала первой мировой войны он исколесил практически всю Аравию, установил тесные связи с вождями наиболее крупных арабских племен, знал их слабые стороны, что и позволило ему выдвинуться в первые ряды организаторов арабского восстания.

Томас Эдвард Лоуренс родился 15 августа 1888 года в Северном Уэльсе. Его отец Томас Чапмен, ирландский землевладелец, сбежал с нянькой своих детей Сарой Лоуренс, оставив жену, четырех детей и большую часть своего состояния. Он взял ее фамилию. После длительных скитаний по Шотландии и Британии семья осела в Оксфорде. Когда родился сын, жили они довольно бедно.

“Школа, — писал Эдвард впоследствии, — была бесполезным и отнимавшим много времени занятием, которое я ненавидел от всей души”. Уже тогда он увлекался историей. В университете Лоуренс написал дипломную работу на тему “Влияние крестовых походов на средневековую военную архитектуру Европы”, которая была отмечена первой премией. Высокая оценка работы Оксфорда была не случайной. Прежде чем сдать диплом, Лоуренс побывал в Сирии, где изучил все известные доселе развалины замков крестоносцев.

Проучившись год, Лоуренс поступил в университетский стрелковый клуб и офицерский кадетский учебный корпус.

“Моя бедность, — писал Лоуренс в мемуарах, — позволила мне изучить те круги людей, от которых богатый путешественник отрезан своими деньгами и спутниками. Я окунулся в самую гущу масс, воспользовавшись проявлением ко мне их симпатий... Среди арабов не было различия ни в традициях, ни этнических различий, за исключением неограниченной власти, предоставленной знаменитому шейху. Арабы говорили мне, что ни один человек, несмотря на его достоинства, не смог бы быть их вождем, если бы не ел такой же пищи, как и они, не носил бы их одежды и не жил бы одинаковой с ними жизнью”. Культуру древних и жизнь современных арабов Лоуренс изучал не один. Им руководил известный археолог профессор Хоггарт, человек, сыгравший не последнюю роль в резком повороте судьбы подававшего большие надежды молодого историка. Дело в том, что Хоггарт был профессором не только археологии, но и в шпионаже, которым занимался долгие годы, работая на британскую разведку. Готовясь к мировой войне, Англия постоянно держала на границе Турции с Египтом ту или иную “экспедицию”, которую неизменно возглавлял профессор Хоггарт. Известный английский писатель Р. Олдингтон не без иронии замечает: “Так как честность — лучшая политика, было принято решение произвести топографические съемки, прикрываясь археологической экспедицией, в составе которой был и Лоуренс, направленный на Синай по требованию военного министерства”.

Лоуренс проработал бок о бок с профессором Хоггартом с 1910 по 1914 год, неоднократно выезжал по его заданиям в Сирию и Палестину для сбора необходимой британской разведслужбе информации и установления перспективных контактов. Начав военную карьеру в географическом отделе военного министерства, Лоуренс перешел затем в филиал Интеллидженс сервис, постоянно действовавший в Каире под названием Арабского бюро, которое с началом первой мировой войны превратилось в координационный центр английской секретной службы на Арабском Востоке.

Английскими и неанглийскими историками исписаны не одна сотня страниц, посвященных тому, как Лоуренс стал незаменимым человеком в свите саудовского короля Хуссейна, а затем вторым "я" одного из его сыновей — Фейсала, под властью которого находились многие племена. Удачно брошенный лозунг объединения арабов для борьбы с Турцией, воевавшей в союзе с Германией против Антанты, позволили Фейсалу — Лоуренсу поднять восстание среди местного населения, сплотить его и создать вполне боеспособную армию, состоявшую из диверсионных отрядов, которая доставляла много неприятностей регулярным турецким войскам. До самых последних дней войны полковник Лоуренс находился при армии Фейсала в качестве официального военного советника и офицера связи арабского фронта со ставкой английского командования на Среднем Востоке. Время от времени меняя мундир офицера британской армии на арабские одеяния, а бронемашину на верблюда, Лоуренс вел свою армию в бой против грозных турецких соединений — и побеждал.

Арабы верили Лоуренсу, потому что он был ловким актером, умевшим завоевывать доверие вождей, получать власть над территориями и людьми, "без расточительства" подкупать шейхов, маскироваться и играть свою роль в "чужом театре", не зная отдыха, с риском для жизни, но всегда безошибочно.

В многотомном труде "История шпионажа", выпущенном итальянским институтом "Агостини", посвящено немало страниц "Лоуренсу Аравийскому", в частности, там говорится: "Только в лоне Арабского бюро Лоуренс смог до конца раскрыть свой талант авантюриста. Он был по-лисьи хитер, дьявольски ловок, не считался ни с кем и плевал на начальство, чем восстановил против себя почти весь британский генеральский штаб. Только небольшая группа экспертов ценила его поистине энциклопедические знания и умение вести дела с арабами. Лоуренс знал, что у него имеются влиятельные друзья в Лондоне. Поэтому он, не стесняясь, гнал от себя тех, которые мешали ему или просто не нравились ему. Самоуверенный и дерзкий, мечтательный и надменный, Лоуренс в двадцать лет стал офицером отделения Интеллидженс сервис в Каире, лучше всех изучил арабов и имел наиболее широко разветвленную и хорошо организованную агентурную сеть на территориях, занятых турками. Замкнутый, тщеславный, обожающий преклонение перед собой, он был храбр перед лицом опасности и авантюристичен до предела. Лоуренс превратился в настоящего кочевника, носил одежду бедуинов, прекрасно ездил на верблюдах, был неприхотлив в еде, легко переносил жару и жажду и превратился в конце концов в руководителя арабских повстанческих отрядов, которые весьма эффективно боролись против турок. Он был похоронен в лондонском соборе святого Павла среди британских военных героев и артистических знаменитостей".

Майор Стэрлинг, один из офицеров связи со штабом британских войск, вспоминал: "Прибыв в Абу-Эль-Лиссал, я нашел Лоуренса, только что возвратившегося из успешного набега на железную дорогу, в его палатке сидящим на великолепном персидском ковре, добытом из какого-то турецкого поезда. Он был одет, как обычно, в белые одеяния с золотым кинжалом Мекки за поясом. Снаружи, развалившись на песке, находилось несколько арабов его охраны, занятых чисткой винтовок... Охрана была весьма необходимой предосторожностью, так как голова Лоуренса была оценена в 20 тысяч фунтов стерлингов, а арабы являлись вероломным народом, пока они вам не присягнули и пока они не получают денежного вознаграждения. Любой человек из охраны Лоуренса с восторгом отдал бы за него жизнь... Что же позволяло ему властвовать и держать в своем подчинении арабов? На этот вопрос ответить трудно. Арабы отличаются своим индивидуализмом и дисциплине не подчиняются, но, несмотря на это, любому из нас было достаточно сказать, что Лоуренс хочет, чтобы то или другое было сделано, и это делалось. Каким образом он приобрел себе такую власть над ними? Частично это может быть объяснено тем, что Лоуренс прикидывался сторонником освободительного движения арабов. Последние поняли, что он оживлял их дело, что он стоял наравне с шейхами или потомками пророка, что эмир Фейсал обходился с ним как со своим братом, как с равным, что он, по-видимому, обладал безграничным запасом золота, а средний араб является самым продажным человеком...”

В апреле 1920 года в Сан-Ремо состоялось совещание союзников Антанты. Под давлением Франции Англия вывела свои войска из Сирии, и французы заняли Дамаск, куда в сентябре 1918 года с небольшим отрядом арабов на верблюдах первым вошел Лоуренс, воспользовавшись отступлением турок. Лучший “друг” англичан Фейсал, свергнутый с трона, осыпал проклятиями своего вероломного “брата” полковника Лоуренса.

Но удача сопутствовала ему далеко не всегда. Во время шпионской миссии в городе Дераа, железнодорожном узле между Амманом и Дамаском, Лоуренс был схвачен, избит и изнасилован турецкими солдатами губернатора Хаким Бея. В книге “Семь основ мудрости” Лоуренс писал о том, что с ним произошло: “Этот человек при помощи своих охранников жестоко выпорол меня, а затем, когда я был совершенно сломлен, они принялись омерзительно развлекаться со мною”.

Существует мнение, что Лоуренс окончательно порвал с Интеллидженс сервис и удалился от практических дел, потому что был глубоко оскорблен тем, что англичане не выполнили обязательств перед арабами. Но есть и более прозаичное объяснение: Лоуренс как военный разведчик выполнил поставленную задачу и занялся другими делами.

В 1921 году Уинстон Черчилль, возглавлявший министерство по делам колоний, предложил ему пост политического советника в новом управлении по делам Среднего Востока. Когда возник вопрос о вознаграждении, Лоуренс запросил тысячу фунтов в год. Черчилль, заметив, что это была самая скромная просьба, с какой к нему когда-либо обращались, назначил новому советнику денежное содержание в сумме 1600 фунтов стерлингов.

На конференции в Каире в марте 1921 года Лоуренсу удалось убедить Черчилля посадить на трон Ирака изгнанного из Сирии Фейсала. Таким образом, полковник оплатил свой старый долг бывшему “брату”. После этого Лоуренс подал в отставку и, несмотря на уговоры Черчилля, оставил министерство по делам колоний. В августе 1922 года он неожиданно поступил рядовым в британский воздушный флот под фамилией Росс. Сам Лоуренс мотивировал это следующим образом: “Каждый должен или сам поступить в авиацию, или помогать ее развитию”.

Маршал авиации, командующий вооруженными силами Хью Тренчард послал начальнику личного состава ВВС распоряжение: “Настоящим постановляю, что полковнику Т. Э. Лоуренсу разрешено поступить на военную службу в английские военно-воздушные силы в качестве рядового авиатехника под именем Джона Хьюма Росса до получения от него какой-либо информации или его просьбы об увольнении”. Однако Лоуренс не смог сохранить свое инкогнито. Примерно через шесть месяцев службы его признал один из офицеров, который считал полковника своим старым врагом. Он передал эти данные газетам за небольшое вознаграждение. После этого английская разведка решила отправить его подальше, где скандал с разоблачением мог быстрее угаснуть. Лоуренса вновь перекрестили в бортмеханика Шоу и священнослужителя Пир-Карам-шаха. Первый титул предназначался для общения с англичанами, а второй — для индусов: его послали в Индию, в приграничный поселок-форт Мирам-шах, близ Афганистана.

В то время на афганском престоле сидел эмир Аманулла, он по своей доброй воле решил провести в стране некоторые социальные реформы. Это не понравилось Лоуренсу. Было решено любыми средствами сорвать планы Амануллы, убрать его с престола и заменить послушным эмиром. Одним из главных исполнителей этого плана и стал Лоуренс — Пир-Карам-шах.

Прибыв в форт Мирам-шах, Лоуренс стал наводить “мосты” с Кабулом. В средствах он не был стеснен, ему разрешили подкупать и перекупать продажных мулл, бандитов, которые постоянно переходили в этих приграничных районах из Индии в Афганистан и наоборот.

Лоуренс узнал, что бывший бухарский эмир Сеид Алим-хан поселился под Кабулом и ведет торговлю каракулем с Лондоном. У него есть самые достоверные сведения о действиях басмачей, которым он подкидывает деньги, вырученные от сбыта шкурок каракуля. Кроме того, еще одно привлекло Лоуренса. Бывший эмир Бухары имел надежную связь с Бачайи Сакао. Этот головорез был настолько жесток и беспощаден, что убил собственного отца, жену, муллу... Лоуренс решил, что о лучшем союзнике можно лишь мечтать. С помощью Бачайи Сакао Лоуренс решил дискредитировать все начинания эмира Амануллы, а затем прибрать к рукам всю власть в Афганистане через своих лиц.

Но найти сразу Бачайи Сакао не удалось. Бандит грабил караваны где-то в горах и старался не показываться возле населенных пунктов. Иногда он переходил границу и проводил в кутежах целые недели под Пешаваром. Наконец Бачайи Сакао все же был представлен Лоуренсу. Зная хищный нрав разбойника, Пир-Карам-шах сразу пошел ва-банк: если Сакао поможет ему сбросить Амануллу, он, Пир, гарантирует ему кабульский трон.

“Что в первую очередь надо сделать? — наставлял бандита Лоуренс. — Развернуть среди населения агитацию против реформ Амануллы. Идеи, которые могут вызвать недовольство людей, состоят в следующем. Во-первых, Аманулла отвергает ношение чалмы, которая узаконена пророком. Он хочет, чтобы все носили шляпы. Во-вторых, Аманулла отвергает исламские одежды, которые носили предки афганцев. Он отдал распоряжение всем женщинам снять чадру. В-третьих, он повелел женщинам и девушкам ходить в школы. Он решил, что мужчинам необязательно носить усы и бороду. В-четвертых, он усматривает добро в пренебрежении к религии. Аманулла отправляет наших жен за границу учиться хорошим манерам, что противоречит установленному. В-пятых, он хочет, чтобы мы лечились у врачей. Он уничтожил лунное летоисчисление...”

Бачайи Сакао воспринял этот инструктаж как приказ действовать. Через неделю-другую начались бунты, выступления с оружием в руках против правительства.

Одновременно Пир-Карам-шах распространил через своих агентов сфабрикованные фотографии полуголых девиц, внешне похожих на афганских женщин, сидящих на коленях у мужчин. Подпись под фотографиями гласила: "Вот как эмир Аманулла исполняет святые веления пророка и священного шариата о том, что никто не имеет права показывать чужим мужчинам свою жену".

Это вызвало бурю гнева во всех уголках Афганистана. В Лондоне были довольны. В одном из посланий Лоуренс писал: "Только что распространил по стране заявление нижеследующего содержания от имени всех правоверных: "Мы, все мусульмане, устраняем Амануллу от царствования над нами и признаем себя согласно божьему велению и указаниям великого пророка истинными подданными эмира Бачайи Сакао. Мы добровольно признаем его правителем Кабула... Да не останется в живых тот, кто не хочет вечности для падишаха. С наилучшими вестями и пожеланиями Пир-Карам-шах".

Последняя фраза: "с наилучшими вестями и пожеланиями" — служила кодом. Немедленно подняв со своих аэродромов в Индии военные самолеты, английское командование направило их на территорию Афганистана. Некоторые боевые машины долетали до самого Кабула. А под шум авиационных моторов Бачайи Сакао уже вел тайные переговоры с британским послом в Афганистане Хэмфрисом. Британская газета "Дейли мейл" 28 февраля 1929 года сообщила: "Хэмфрис помог Бачайе Сакао встать у власти". Вполне понятно, что главным действующим лицом всей этой авантюры был не Хэмфрис, а полковник Лоуренс.

Бачайи Сакао захватил Кабул и провозгласил себя эмиром Афганистана. Действуя по указанию Пир-Карам-шаха, Бачайи Сакао развернул бурную антисоветскую деятельность. Лоуренс же прекрасно понимал, что трон Бачайи Сакао непрочен, и в феврале 1929 года он вернулся в Лондон. Именно тогда члены лейбористской партии послали запрос в английском парламенте относительно "похождений Лоуренса на границах Афганистана".

Лоуренс решил поставить точку в своей авантюристической биографии. Решил заняться словотворчеством.

Его перу принадлежат две книги: "Восстание в пустыне" и "Семь столпов мудрости". Свою афганскую авантюру он не успел воплотить в книгу.

...Вечером 19 мая 1935 года мощный мотоцикл мчался на полной скорости по извилистому переулку деревушки Дорсет. Ездок был в восторге от скорости, от почти чувственного возбуждения. Меньше чем за минуту машина промчалась от его домика до армейского лагеря. Он заглянул на почту и отправился в обратный путь. Подъезжая к своему дому, мотоциклист резко свернул в сторону, чтобы не налететь на мальчишек на велосипеде, вылетел из седла и ударился головой о край тротуара. Свидетели подоспели на место происшествия уже тогда, когда мотоциклист был при смерти. Им оказался сэр Томас Эдвард Лоуренс, 47 лет... Через семь дней, не приходя в сознание, он умер в местном госпитале. Куда спешил бывший английский военный разведчик? Из некоторых источников известно, что за день до катастрофы Лоуренс получил от одного из своих друзей письмо, в котором тот предложил ему организовать встречу с Гитлером. Обдумав это предложение, Лоуренс помчался на почту (он жил за городом), чтобы отправить срочную телеграмму о своем согласии на встречу. На обратном пути с мотоциклом произошла авария. Известно также, что незадолго до смерти Лоуренс завязал тесные отношения с английскими фашистами и их фюрером Освальдом Мосли.

Неделю спустя десятки людей заполнили крошечную местную церковь в Моретоне, чтобы проститься с ним. Здесь были генералы, известные литераторы и даже сам Уинстон Черчилль, больше знавший авиатора Шоу как полковника Лоуренса Аравийского.

Так кем же был полковник Лоуренс?

Сам о себе Лоуренс однажды сказал так: "Я, в общем-то, похож на ловкого пешехода, который увертывается от автомобилей, движущихся по главной улице".

Хан Антониус Ван Меегерен

(1889 — 1947)

Голландский художник. Журналисты назвали его "великим фальсификатором". Писал картины в духе старинных мастеров и выдавал их за творения великих художников. Автор самой крупной живописной подделки всех времен — "Христос в Эммаусе" Вермеера Дельфтского.

Хан Ван Меегерен родился 3 мая 1889 года и был третьим из пяти детей в семье школьного учителя. Его мать увлекалась музыкой и рисованием, но эти таланты ей развить не удалось — она вышла замуж. Несмотря на недовольство отца, Хан все свободное время проводил в мастерской учителя Кортелинга, который развил в мальчике вкус к старинной манере письма. Для учителя и ученика подлинная живопись кончалась XVII веком.

В восемнадцать лет Ван Меегерен поступил в Дельфтский технологический институт, чтобы слушать там курс архитектуры. Одновременно он учился в Школе изящных искусств. Хан был увлечен живописью.

Закончив четвертый курс, летом 1911 года юноша познакомился с Анной де Воохт, которая весной следующего года стала его женой. В это время Анна уже ждала ребенка. Супруги постоянно испытывали материальные затруднения. И чтобы хоть как-то поддержать семью, Хан начал продавать свои первые картины. Он все чаще задумывался над тем, чтобы стать профессиональным художником.

В Дельфте раз в пять лет организовывался конкурс живописи для студентов. Золотая медаль, вручаемая за лучшее произведение, приносит лауреату известность. Ван Меегерен решил попытать счастья. Он приступил к работе над акварелью. Сюжетом избрал интерьер церкви Сен-Лоран в Роттердаме. Сложность модели позволяла ему использовать свои познания в архитектуре и продемонстрировать прекрасное владение традиционной манерой письма.

Жюри конкурса единодушно присудило Ван Меегерену первую премию. Он стал местной знаменитостью, его акварели хорошо продавались.

Хан стремился обеспечить себе твердое социальное положение и поступил в Академию изящных искусств в Гааге. Ему присвоили 4 августа 1914 года звание мастера искусств.

Акварель “Интерьер церкви Сен-Лоран” в наши дни считается его самым знаменитым произведением. Он втайне сделал с нее копию с целью продать ее одному богатому коллекционеру. Ван Меегерен намеревался выдать эту копию за оригинал. Жена художника заклинала его не делать этого.

Между тем мастерство его продолжало совершенствоваться. Вскоре один торговец картинами заключил с ним контракт. В 1916 году открылась первая выставка Меегерена.

Друг художника Ван Вайнгаарден обладал подлинным даром перекупщика. Меегерену пришла мысль взяться за реставрацию не представляющих большой ценности полотен XVII и XVIII веков. Прекрасное владение техникой позволяло ему придать этим картинам достоинство настоящих произведений искусства. Эта деятельность оказалась очень доходной.

В 1928 году Ван Меегерен со своим другом обнаружил картину, в которой они признали работу Ван Халса. Если бы была установлена подлинность этого портрета, он принес бы им целое состояние. Друзья с большой тщательностью и осторожностью взялись за реставрацию картины. Затем они показали ее известному художественному критику и искусствоведу доктору Хофстеде де Грооту. Он признал подлинность произведения и предлагал найти покупателя. После того как картина была продана, известный критик Бредиус заявил, что это — подделка. Ван Вайнгаарден вынужден был вернуть покупателю деньги. Он решил разыграть Бредиуса. Ему он показал свою собственную картину, выдав ее за творение Рембрандта. Критик признал подлинность картины. Торжествующий Вайнгаарден театральным жестом разрезал полотно. Бредиус, осмеянный и подавленный, очередной раз показал свою некомпетентность в искусствоведении.

К сорока годам Меегерен развелся с Анной де Воохт, завел роман с женой одного из критиков и в 1929 году женился на ней. После свадьбы время от времени у него бывали небольшие романы с натурщицами. Отец отрекся от своего сына-художника.

В 1935 году Ван Меегерен написал одного Франса Хальса, одного Терборха, двух Вермееров.

Жизнь и творчество Вермеера Дельфтского и по сей день во многом остаются неизвестными. Из поля зрения ученых выпадают целые периоды его биографии. Меегерен решил этим воспользоваться. Он решил создать совершенно “новую” область творчества великого художника, не оставившего после себя религиозных композиций, благо, что их не с чем было сравнивать, разве что между собой, одну фальшивку с другой.

В поисках сюжета Ван Меегерен остановился на известном евангельском рассказе о явлении воскресшего Христа своим ученикам в Эммаусе. А в качестве композиции он избрал картину известного художника Караваджо, написанную на ту же тему. Оставалось самое трудное — написать картину так, чтобы ни у кого не было сомнений в ее принадлежности кисти великого художника.

Меегерена мучил вопрос: как добиться того, чтобы холст и подрамник были подлинными? Довольно легко найти у антиквара картину XVII века, не представляющую художественной ценности. Нужно очистить несколько слоев живописи, не повредив подмалевок. Это очень сложная операция. При написании картины нельзя пользоваться веществами, которые вошли в обиход позднее эпохи великого мастера Вермеера. Это можно установить с помощью химического анализа. Ван Меегерен научился сам приготовлять краски, нашел поставщиков других редких веществ. Однако самой главной проблемой был кракелюр.

Именно на этом и удавалось разоблачить большинство подделок. Масляная живопись сохнет очень медленно. Для полного высыхания требуется по меньшей мере полвека. Позднее появляются кракелюры — трещины на картине, со временем они множатся. Гениальная мысль Меегерена заключалась в том, чтобы, очистив прежнее изображение, писать новое, тщательно сохраняя каждую трещинку первоначальной подмалевки. Для того чтобы добиться надлежащего затвердения красок, после долгих поисков художник решил обратиться к последним достижениям современной химии. К концу 1934 года ему удалось изобрести такие масляные краски, которые в специальной печи при температуре 105°С затвердевали по истечении двух часов настолько, что их не брал обычный растворитель.

На протяжении веков на поверхности картины накапливается пыль, которая въедается в малейшие трещинки живописи. Ван Меегерен находит гениальное решение. После того как высохнет слой лака на картине, он покрывает все полотно тонким слоем китайской туши. Тушь просочится в трещины, заполненные лаком, затем художнику остается лишь смыть китайскую тушь и лак с помощью скипидара, а тушь, проникшая в трещины, остается и создает видимость въевшейся пыли. Наконец художник покрывает картину еще одним слоем лака сверху.

Картина потребовала семь месяцев ежедневной напряженной работы. Наконец художник окидывает придирчивым взглядом свое творение. Картина удалась. Оставалось ее подписать. Целыми днями тренировался ван Меегерен: даже малейшее, незаметное простому глазу промедление в начертании букв может насторожить подозрительных экспертов и графологов.

Но как обнародовать картину? У ван Меегерена всегда была богатая фантазия. Своему другу, голландскому юристу К.А. Боону, он рассказал романтическую историю о том, как он, ван Меегерен, нашел "Христа в Эммаусе" в Италии, как контрабандой, в обход таможенных законов перевез картину на каком-то паруснике чуть ли не с риском для жизни в Монте-Карло. Боон, как и следовало ожидать, не стал делать из этого секрета, и вскоре многие уже знали о находке художника.

Осенью того же года в одном из солидных английских журналов появилась публикация о сенсационной находке шедевра Вермеера. О "Христе в Эммаусе" заговорили искусствоведы, критики, антиквары. В Рокбрюн приехал для переговоров торговец картинами Хугендейк. В конце концов картина была продана музею Бойманса в Роттердаме. Ван Меегерен получил 340 тысяч, а Хугендейк как посредник остальные 210. В сентябре картина была впервые показана в музее среди 450 шедевров голландской живописи. Успех был потрясающий. У картины постоянно толпились восторженные посетители. Подавляющее большинство специалистов и критиков объявили “Христа в Эммаусе” одним из лучших и наиболее совершенных творений Вермеера Дельфтского.

Это был долгожданный триумф. Цель была достигнута, и Ван Меегерен мог торжествовать полную и безоговорочную победу. Он продолжал работать над фальшивками. Ему хотелось, чтобы его картины висели в лучших национальных музеях.

Летом 1938 года Меегерен со своей женой переселяется в Ниццу в квартал Симмеских озер. Они покупают там роскошную виллу из мрамора. Одних спальных комнат здесь только двенадцать. В здании находятся большой музыкальный зал, галерея и библиотека. Все комнаты шикарно меблированы. На вилле постоянно устраиваются вечеринки.

В 1938—1939 годах художник написал две картины в духе жанровых полотен выдающегося голландского художника XVII века Питера де Хооха. Одну картину — “Пирующую компанию” — приобрел коллекционер ван Бойнинген, другую — “Компанию, играющую в карты” — роттердамский коллекционер ван дер Ворм. Фальсификатор положил в карман 350 тысяч гульденов.

Капитал от продажи “Христа в Эммаусе” и “Пирующей компании” позволял Меегерену расходовать ежемесячно 600 тысяч франков. Со своей женой он вел разгульный и расточительный образ жизни. Меегерен много пил, начал употреблять морфий.

Тяготы войны не коснулись Ван Меегерена. Богатые люди умеют устраиваться при любой власти.

За три года Ван Меегерен написал пять новых “Вермееров”, и все — на религиозные темы. Правда, примерно в это же время возникли слухи, что здесь что-то нечисто. Каким образом в одних руках оказалось столько картин великого мастера? Впрочем, на эти разговоры мало кто обращал внимание.

В 1943 году Рейкмузеум в Амстердаме — крупнейший музей Голландии — купил “Омоновение ног”. А картина “Христос и грешница” попала в коллекцию самого Геринга.

Новым посредником для художника становится Ван Страйвесанде. Меегерен передает ему своего “Христа и грешницу”, а затем случайно узнает, что он тесно связан с нацистскими кругами. Однако уже было поздно. Баварский банкир Алоис Мидль уже прослышал об открытии неизвестной картины Вермеера и информировал об этом Вальтера Хофера — агента гитлеровского режима, которому поручены розыск художественных ценностей в оккупированных странах. Меегерен уже не контролирует ход событий. В конце концов в сделку вмешивается голландское государство. За картину назначена цена в миллион 650 тысяч гульденов (около 6 миллионов франков). Немцы требуют купить этот шедевр голландского национального достояния, и продажа картины превращается в государственное дело. После тайных переговоров сделка была заключена: в обмен на картину третий рейх возвращает Голландии 200 подлинных полотен, которые были украдены нацистами во время вторжения. После получения этих картин голландское государство выплачивает наличными деньгами запрошенную сумму Мидлю и Ван Страйвесанде. Последний отдает около 4 миллионов франков Меегерену. Художник не удовлетворен. Он знает, что Мидль и Вальтер Хофер работают на рейхсмаршала третьего рейха и коллекционера произведений искусств Германа Геринга.

В период с 1939 по 1943 год Ван Меегерен создает тринадцать подделок. Пять из них не были проданы. Остальные восемь принесли 7 миллионов 254 тысячи гульденов, то есть примерно 250 миллионов франков, из которых Меегерен получил по меньшей мере 170 миллионов.

В нацистских архивах обнаруживаются следы, которые приводят к Ван Меегерену. 29 мая 1945 года художника арестовывают по обвинению в сотрудничестве с врагом. Фальсификатор оказывается в отчаянном положении. События принимают абсурдный оборот. Меегерен обвиняется в сотрудничестве с нацистами и разграблении художественного национального состояния. Однако он же вернул в Голландию 200 подлинных ценных картин. На допросах Меегерен хранит молчание, которое истолковывается следователями как доказательство его вины.

12 июля художник делает сенсационное признание, что именно он написал обсуждавшиеся на суде картины. Следователи устраивают своеобразный судебный эксперимент, в ходе которого Меегерен должен показать, что он умеет имитировать мастера XVII века. Художник обещает создать на глазах у полицейских нового Вермеера. В конце июля в своем большом доме на Кайзерхрахт под постоянным наблюдением Ван Меегерен начинает писать своего седьмого и последнего Вермеера. Это — "Христос среди учителей". Вся Голландия взбудоражена. Все обсуждают сенсационное дело художника-авантюриста. Юридически трудно доказать его виновность, поскольку он раскрыл себя и поскольку покупатели его подделок отнюдь не случайные люди.

В июне следующего года по приказу министерства юстиции была создана специальная комиссия по расследованию. В нее вошли эксперты, историки искусства, химики.

Утром 29 октября 1947 года у дверей четвертой палаты амстердамского городского суда собралась огромная толпа. Сюда примчались журналисты со всего мира. Слава Ван Меегерена стала поистине всемирной. 12 ноября объявляется решение суда. Хан Ван Меегерен приговорен к минимальному наказанию — одному году лишения свободы. Его подделки не уничтожаются, а возвращаются их владельцам.

26 ноября 1947 года Меегерен поступил в клинику Валериум. Перед этим он подписал просьбу о помиловании на имя королевы. 30 декабря художник умер от сердечного приступа. В это время он был самым популярным человеком в стране...

Через три года состоялся аукцион, на котором распродавались работы "великого фальсификатора". Его "Христос среди учителей" был продан за три тысячи гульденов.

Габриела Пети

(1893 — 1916)

Во время первой мировой войны входила в организацию, взявшую на себя переправку в нейтральную Голландию французских и английских военнопленных, а также бельгийцев, желавших вступить в бельгийскую армию, которая сражалась во Франции против немцев.

Первая мировая война. Захваченный немцами Брюссель. В доме № 68 по Театральной улице снимает квартиру молодой немецкий лейтенант Хеннинг. Он снимал две комнаты — одну для себя, другую для своей любовницы. Комна-

та лейтенанта всем своим видом демонстрировала, что здесь проживает военный — повсюду валялись топографические карты, а на столе стояли в рамках фотографии наиболее известных генералов и фельдмаршалов германской армии. Лишь одна фотография резко контрастировала с фотографиями грузных стариков в пышных мундирах, усыпанных орденами. Это была фотография хорошенькой возлюбленной Хеннинга. Кое-кто из жителей бельгийской столицы мог бы сказать, что молодую красавицу, изображенную на фотографии, зовут Габриела Пети. Однако вряд ли даже кто-либо из них догадался, что Габриела играла разом две роли — и возлюбленной немецкого офицера, и... самого лейтенанта Хеннинга!

Габриела Пети родилась в Турне в 1893 году, так что к началу войны ей был 21 год. Она рано лишилась матери и воспитывалась в монастыре, где научилась бегло говорить по-немецки. Впоследствии она переехала к тетке в Брюссель и служила продавщицей в одном из модных универсальных магазинов столицы. Война нарушила планы Габриелы, собиравшейся вскоре выйти замуж. Жених Габриелы вместе с ней перешел голландскую границу и вступил в бельгийскую армию во Франции. Но Габриела вернулась в Бельгию.

Еще раньше девушка вошла в организацию, взявшую на себя переправку в нейтральную Голландию французских и английских военнопленных, а также бельгийцев, желавших вступить в бельгийскую армию, которая сражалась во Франции против немцев. Одним из руководителей этой организации была английская медицинская сестра Эдит Кавелл, позднее казненная немцами по обвинению в шпионаже. Вскоре Габриеле удалось использовать свои актерские способности. Она постригла коротко волосы и стала часто переодеваться в мужское платье, в том числе и в мундиры немецких офицеров. Есть сведения, что в военном мундире она пробиралась даже на фронт. Считают, что именно Габриела была тем таинственным лейтенантом в Аррасе, который был замечен, когда подавал сигналы английским и французским войскам, но сумел скрыться.

Габриела Пети работала в тесной связи с Алисой Дюбуа. Вместе с другими участниками бельгийских тайных организаций Габриела была связана с английской разведкой. Несколько раз она тайно переходила границу и ездила в Англию. Целая армия немецких сыщиков стала охотиться за ней после того, как германская контрразведка получила сведения о деятельности Габриелы. Не раз ее спасал счастливый случай. Так, когда она впервые после длительной тренировки перед зеркалом поехала в офицерском мундире на поезде из Лилля в Гент, ее сразу же заподозрил сидевший в том же купе германский капитан. В отель Габриела прибыла в сопровождении своего нового знакомого — капитана. Вскоре она скрылась через боковую дверь, оставив на вешалке шинель. Вернувшись в свою квартиру, она обнаружила слежку и спешно уничтожила все компрометирующие веши, включая военное обмундирование. Ей удалось ускользнуть от агентов и даже вернуться в отель уже в качестве продавщицы газет. Она слышала, как капитан и представитель тайной полиции спрашивали, не вернулся ли лейтенант за своей шинелью.

Немецкая контрразведка тем временем собрала немало сведений о Габриеле. Однако она была неуловима. Вновь и вновь под самым носом у немецкой охраны она переходила границу с важными поручениями. С ее помощью из Голландии было передано известие об одном бельгийце, предавшем несколько своих земляков немецкой полиции. Изменник был убит.

Одним из главных занятий Габриелы была по-прежнему переправка военнопленных, а также разведчиков, находившихся в Бельгии, через бельгийско-голландскую границу. Как-то раз она сопровождала очередную группу из четырех человек — двух бельгийских офицеров, одного английского солдата и британского разведчика, возвращавшегося в Голландию. У всех были фальшивые документы, однако они мало помогли бы при тщательной проверке. В частности, английский солдат, знавший лишь свой родной язык, имел бумаги на имя какого-то голландца.

Первая часть пути из Брюсселя прошла сравнительно спокойно, но когда группа вступила в пограничную полосу, опасности стали подстерегать на каждом шагу. Габриела вела все переговоры с патрулями, и ей удавалось отлично дурачить германских солдат. Долго тянулась процедура контроля на пограничной заставе, но в конце концов и она прошла благополучно. Габриела и ее спутники двинулись по дороге, ведущей к самой границе. Неожиданно из небольшого леса вышел немецкий полицейский и заявил Габриеле, не скрывая своего торжества: "Вот уже месяцы, мадемуазель, как я Вас дожидаюсь!" Он потребовал, чтобы вся группа пошла с ним, и быстрым движением поднес к губам свисток, желая вызвать охрану. Но бельгийский офицер одним прыжком подскочил к немцу и вонзил ему нож в грудь. Габриела первая пришла в себя после общего замешательства. Она направилась навстречу медленно приближавшимся двум немецким часовым, а остальные беглецы оттащили труп в канаву, забросали его кустарником и посыпали песком следы крови на земле. Габриеле удалось "заговорить" и этот очередной патруль. У самой границы немецкий офицер задал Габриеле несколько вопросов и, по-видимому, был в нерешительности.

"Вы не встретили ли по дороге немецкого полицейского офицера?" — наконец спросил он.

Габриела ответила, что да, встретила, и тут же описала приметы убитого.

"Он мне говорил о подозрительной девушке и сообщил по телефону, что имеется в виду молодая француженка", — продолжал немец.

У Габриелы был готов ответ: ведь она и ее спутники встретили этого полицейского офицера и тот сам убедился в беспочвенности своих подозрений! Вскоре Габриела и другие участники ее группы были уже на голландской территории.

В другой раз на пути в Голландию Габриела приехала в гостиницу близ границы. Гостиница была полна немецкими солдатами. Габриела быстро удалилась в свою комнату, куда к ней вскоре пришел встревоженный хозяин, один из участников тайной организации.

В гостинице, заявил он, появилась явно подозрительная супружеская пара. Судя по паспортам, это были Анри Дюрье и его жена, однако мужчина, хотя и был в штатском, очень походил на германского военного. Из окна своей комнаты Габриела узнала в "мадам Дюрье" некую Флору, особу легкого поведения, давно уже поступившую на службу в немецкую полицию. Ее сопровождал, как впоследствии выяснилось, немецкий унтер-офицер, до войны работавший в Бельгии в качестве директора филиала одной немецкой фабрики роялей. Как человека, знакомого со страной, немецкая полиция и послала его по следу разведчицы, причинявшей столько хлопот германскому командованию. Однако немец не знал ее в лицо, поэтому к нему и приставили в качестве спутницы Флору, не раз видевшую Габриелу. Впрочем, "супруги Дюрье" мало подходили друг другу. Он едва скрывал брезгливость, которую испытывал к своей второй половине, а Флора и вовсе не скрывала чувства облегчения, когда ее угрюмый супруг на время удалялся и она могла выпить не один стакан крепкого вина со своими поклонниками из числа немецких солдат, особенно с рослым услужливым ландштурмистом (он оказался, как выяснилось, агентом тайной полиции, посланным проследить за "супругами Дюрье"). Вернувшись к своим начальникам, этот агент мог лишь доложить, что он вместе с другим солдатом доставил и уложил мертвецки пьяную мадам Дюрье в комнате одного из местных жителей. Мнимому супругу удалось добудиться ее только к вечеру, и лишь на следующий день достойная пара отбыла в Голландию.

Габриела перешла границу вместе с несколькими бельгийцами в ту же ночь, когда она увидела Флору.

Разумеется, в Голландии супругам Дюрье никак не удавалось напасть на след Габриелы и определить, какими путями она переходит границу. Зато сама супружеская пара находилась под наблюдением антантовских разведчиков. Не отыскав Габриелу, Флора пыталась добиться каких-то успехов, которые оправдали бы ее в глазах начальства. Она встретила одного из известных участников бельгийского подполья, Жана Бордена, который не знал о службе Флоры в немецкой полиции. С его помощью она надеялась получить сведения о Габриеле и о других союзных разведчиках. Но Борден был вскоре предупрежден Габриелой и ее товарищами. Флора привезла немцам фальшивые сведения. Немцы, впрочем, не поддались на обман, быстро сообразив, что их пытаются надуть. Флоре перестали поручать подобные задания, а ее "супруга" перевели в другую часть. А Габриела тем временем продолжала свою смертельную игру с немецкой контрразведкой. Девушка снова вернулась в Бельгию и едва сразу же не была задержана при обыске на тайной квартире, находившейся вблизи границы. Габриела издалека увидела приближавшихся полицейских. Она и хозяйка квартиры успели уничтожить все опасные бумаги. Обыск не дал никаких результатов, и производившие его неопытные полицейские поверили Габриеле, что она случайно оказалась на этой квартире в поисках ночлега. Однако это был последний счастливый случай... Габриела была арестована на улице поджидавшим ее немецким полицейским патрулем. При ней нашли уличающие ее бумаги. Девушка отказалась купить жизнь ценой предательства бельгийских организаций, которые вели тайную войну против немецких оккупантов. Военный суд приговорил Габриелу к расстрелу. Ее казнили 1 апреля 1916 года.

Николай Герасимович Савин

(? — 1937)

Международный авантюрист. Присвоил себе титулы — граф Тулуз де Лотрек и маркиз Траверсе. Дворянского происхождения. Служил корнетом в кавалерийском полку, но был вынужден уйти в отставку. Организатор крупномасштабных махинаций. Один из самых гениальных аферистов своего времени.

Николай Герасимович Савин был безусловным "кумиром" аферистов всех рангов, в светских же кругах о нем ходили многочисленные анекдоты и легенды. Можно смело сказать, что в период реализации его знаменитых афер никто не пользовался такой известностью и своеобразной популярностью, как граф Тулуз де Лотрек или проще — отставной корнет Савин.

Природа наделила этого человека, как никого другого, такими своеобразными, яркими и выдающимися качествами и свойствами, что имя Николая Герасимовича Савина могло бы вполне заслуженно войти в анналы истории России и других стран. Он имел необыкновенно острый ум, позволявший ему находить самые неожиданные решения, особенно финансовых проблем, недоступных даже специалистам высшего класса. Он отличался необыкновенной смелостью и в самых сложных и опасных ситуациях никогда не терялся. Савин, обладавший ярким даров слова, был необычайно остроумным рассказчиком, умевшим становиться душой любого самого избранного и взыскательного общества. Этому в сильной степени способствовали высокая эрудиция, отличное образование и знание почти всех европейских языков.

Внешность его была настолько идеальна с точки зрения мужественности и красоты, что перед ним не могла устоять ни одна девушка любого общественного положения, на которую он обращал внимание. К тому же он обладал как бы гипнотической способностью обольщения.

Но природа наделила Николая Герасимовича Савина еще одной удивительной чертой, которая всю жизнь не давала ему по-настоящему воспользоваться благами жизни, которые без особого труда как бы сами шли к нему в руки. Он не мог ими воспользоваться до конца, потому что по природе был авантюристом, придумывавшим все новые и новые планы — махинации по добыче денег. Однако к ним он вовсе не питал уважения, и они моментально от него "уплывали". Многие задуманные им мероприятия могли быть действительно полностью реализованы и принесли бы Савину богатство и славу. Но отставной корнет не в силах был их завершить, так как сам попадал в сети своих мошеннических планов. Он прерывал свои затеи, чтобы обманом захватить чужое богатство и бежать, а затем объявиться в новом месте и в новых условиях опять расставлять свои мошеннические сети. Савин нигде не имел и не хотел иметь пристанища, это был вечный скиталец по всему свету.

Сын очень зажиточного помещика Калужской губернии Боровского уезда, Савин в детские и юношеские годы был баловнем судьбы и не знал отказов всем своим прихотям от отца, который его безумно любил. Получив всестороннее домашнее образование, Николай Герасимович в 20 лет начал свою служебную карьеру, как и подобало юношам из знатных дворянских семейств, в гвардейской кавалерии в чине корнета (младший офицерский чин в русской кавалерии). Этот привилегированный род войск требовал от офицеров больших затрат, а молодой корнет не знал границ для своих личных расходов на шикарную жизнь. Поэтому несмотря на большую денежную поддержку отца, Савин, ощутив недостаток средств, пошел на мошенничество и, прослужив в гвардии всего несколько месяцев, вынужден был уйти в отставку.

Он влился в жизнь столичной "золотой" молодежи, благо денег у него более чем достаточно — Николай Герасимович получил наследство после смерти отца, которого доконала разгульная жизнь сына. Владея несколькими имениями, домами и другим имуществом, Савин вел разгульную и бесшабашную жизнь. Особым его вниманием, конечно, пользовались женщины, "начиная от увлекательных француженок и кончая смуглыми негритянками", как писали газеты. Некоторых из них он одарил необычайно дорогими подарками. Одни получили экипажи с лошадьми и дорогой сбруей, другие — прелестные дачи с садами, третьи — капитальные дома в городах, а одной из них досталось даже целое имение.

Однако деньги имеют свойство быстро "таять". В результате такого беспредельного мотовства очень скоро от миллионного состояния остались лишь одни воспоминания и многочисленные кредиторы с векселями.

Теперь наступило естественное в таком положении горькое отрезвление. Первой мыслью, осенившей Савина, была попытка вернуться на военную службу. Начавшаяся в 1877 году русско-турецкая война вынудила правительство объявить призыв отставных офицеров, не особенно разбираясь и придираясь к их прежней, часто даже совсем не идеальной службе. Но несмотря на такое положение, попытка отставного корнета вновь вернуться на службу в кавалерию была отклонена по распоряжению высшего военного руководства.

Эта неудача и на этот раз не сломила Савина. Как человек, жаждавший острых ощущений и наметивший для себя цель, Савин все-таки поступил на военную службу, но не офицером, а добровольцем в 9-й армейский корпус генерал-лейтенанта барона Криденера, штурмовавшего занятый турками город Плевен (Плевна) на севере Болгарии. Этот корпус из-за достаточно бездарных и нерешительных действий генерала понес огромные людские потери и все же не смог взять город. Сражаясь в первых рядах штурмующих войск, Савин получил тяжелое ранение левой руки и вынужден был пойти на лечение в один из подвижных лазаретов "Красного креста". Хотя операция прошла удачно и Николай Герасимович полностью выздоровел, но от продолжения военной службы ему пришлось отказаться, и он вынужден был вернуться в Россию.

Без состояния и средств, отставной корнет "за душой" имел только большие амбиции, приобретенные в его прошлой беззаботной жизни. Они и толкнули его на самую неблаговидную деятельность, связанную с обманом окружающих его людей.

Все началось в годы царствования Александра III — Миротворца. Из спальни великой княгини Александры Иосифовны в Мраморном дворце были похищены драгоценные ризы икон. Вскоре был обнаружен виновник кражи — адъютант великого князя Николая Константиновича (сына потерпевшей), корнет лейб-гвардии Гродненского гусарского полка Савин. На допросе Савин во всем сознался и указал, где именно он заложил драгоценности (на кругленькую сумму в полмиллиона рублей). Однако при этом пояснил, что действовал не по своей инициативе, а был всего лишь орудием, послушным исполнителем воли великого князя, и ему же отдал вырученные деньги, которые понадобились члену августейшего семейства, чтобы ублажать некую танцовщицу англичанку.

Расследование велось в строжайшей тайне, но скандальные подробности все же просочились сквозь стены служебных кабинетов и стали достоянием всего Петербурга. Дабы замять скандал, великого князя объявили душевнобольным и выслали "для лечения" в Ташкент, где он через несколько лет и умер. Савина же исключили из полка и предложили ему уехать из России.

Вскоре корнет объявился в Париже, в ореоле политэмигранта. Какое-то время пребывал героем дня. В многочисленных интервью Савин заявлял, что деньги, вырученные за продажу риз, понадобились отнюдь не для удовлетворения прихотей капризной англичанки, а исключительно для революционных целей. Более того — великий князь тоже являлся членом партии революционеров!

Савин познакомился с многочисленными "заграничными" мошенниками (тогда их называли мазуриками). В их обществе бывший корнет быстро преобразовался в "афериста-артиста" в полном смысле этого слова. Его "наставники" мгновенно разглядели в Савине талантливейшего авантюриста-организатора, которому они готовы были полностью подчиняться. Но русский аферист, проводя свои гениальные махинации, не подпускал их близко к своей особе — они только иногда выполняли его мелкие поручения.

Вскоре вокруг корнета засуетились кредиторы. Спасаясь от них, он уехал в Америку и появился в Сан-Франциско под звучным именем графа де Тулуз-Лотрек (знаменитый художник прославит эту фамилию несколько позже).

Апартаменты в самом роскошном отеле, вспышки магния, журналисты... С какой целью граф явился в Калифорнию? О, он охотно удовлетворит любопытство прессы. Русское правительство поручило ему разместить крупные заказы для строительства Транссибирской магистрали. Но прежде чем предоставить эти заказы, он хотел бы поближе ознакомиться с деятельностью крупных машиностроительных корпораций...

Виднейшие промышленники и финансисты, столпы машиностроения и рельсового проката добивались чести быть представленными графу. Тот охотно знакомился с ними, принимал крупные авансы за посредничество и... в один прекрасный день исчез. Исчез так же внезапно, как и появился. В полицию и прокуратуру посыпались жалобы, но — поздно. Корнет вернулся к священным камням Европы...

Смелость и талант Савина в организации крупномасштабных махинаций убедительно подтвердились в наделавшей много шума среди дипломатов так называемой "итальянской афере".

Однажды Савину попались в руки газетные сообщения о том, что конный парк итальянской армии сильно устарел и требует обновления. У него моментально созрел план использования этой ситуации в своих целях, благо еще с юных лет и особенно служа в гвардейской кавалерии, он неплохо разбирался в лошадях. В качестве богатого русского коннозаводчика он появился в Италии, представился итальянскому правительству и предложил свои услуги по поставке лошадей для кавалерии и артиллерии. Разработанный им документальный план по обновлению конного парка армии был рассмотрен Особой комиссией при итальянском военном министерстве в Риме. Этот план был признан настолько рациональным и выгодным, что по распоряжению короля Савину персонально была поручена поставка лошадей для армии. Таким образом, русский отставной корнет, желая того или нет, стал одним из видных государственных деятелей Италии.

Дела Савина шли вполне успешно. Поставка лошадей для итальянской армии происходила по разработанному им плану. Король и военное правительство Италии выказывали Савину свое расположение. Для закупки лошадей ему выделили огромные суммы денег. Но... "в одно прекрасное утро" Савин бесследно исчез из Рима, прихватив с собой большую сумму денег. Авантюрист не мог не провернуть эту махинацию, хотя она для него, по всей вероятности, была не столь выгодна, как предоставленная ему важная работа.

Полиция сбилась с ног, разыскивая его в Берлине, Лондоне, Париже, Вене, а Савин тем временем скитался по "европейскому захолустью" — Балканам. И в конце концов объявился в Софии. Заполняя регистрационную книгу отеля, приезжий написал: "Великий князь Константин Николаевич".

Весть о приезде высокого гостя быстро разнеслась по болгарской столице. В холле отеля толпились приветственные делегации. К счастью для Савина, русский посланник, лично знавший великого князя, в это время был болен, и самозванца почтительно приветствовал один из чиновников посольства России.

Членам болгарского правительства "великий князь" сообщил, что он легко может устроить им заем в Париже. Сколько хочется? Двадцать миллионов франков? Согласен протежировать не меньше, чем на тридцать...

Финансы Болгарии были тогда более чем в плачевном состоянии. И у министров разгорелись глаза — не иначе, само небо послало сюда этого человека. И если "великий князь" действительно спасет страну и ее народ, то... что же, тогда он достоин возведения на трон, который был в ту пору вакантным.

Вероятно, корнет и сам не ожидал подобного эффекта. Неудивительно, что голова его закружилась. Еще несколько шагов — и он превратится в коронованную особу! И вдруг все рухнуло.

В отель для оказания услуг высокому гостю был вызван лучший софийский парикмахер, ранее подвизавшийся в Петербурге. Войдя в номер, он тут же убедился, что перед ним отнюдь не Константин Николаевич. Но возмездию не суждено было свершиться и на этот раз — за полчаса до того, как полиция явилась арестовывать претендента на трон, он успел покинуть Софию.

Потом его видели во всех крупнейших столицах Европы. И всякий раз он представал под новой маской. То с пышной бородой, то совершенно выбритый, то с бакенбардами, то с эспаньолкой... Он появлялся и спустя несколько дней исчезал. Изобретательность его в вымогательстве денег не имела границ.

...На Английской набережной в Ницце по утрам в одно и то же время появлялся высокий представительный господин с пышной седой бородой, веером покрывавшей его грудь. На голове его был матовый полуцилиндр, в руке — палка с серебряным набалдашником, изображавшим череп, в петлице — пестраяорденская розетка. Кто он? На этот вопрос никто не мог ответить. Ясно было одно: несомненно, это богатый и солидный человек.

И вдруг — неприятная история. Нефтепромышленник из Батума заявил полиции, что стал жертвой ограбления. Респектабельный господин с орденской розеткой в петлице подошел к нему на набережной, внезапно взял под руку и, любезно улыбаясь, прошептал: "Или вы мне сейчас же даете тысячу франков, или я вас сию же минуту отхлещу по щекам". Нефтепромышленник сначала подумал, что это дурная шутка — тем более что господин при этом любезно улыбался. Потом он счел, что перед ним сумасшедший. Однако размышлять было некогда — незнакомец настойчиво повторил свою угрозу, пришлось раскошелиться. Позже жертва шантажа все же обратилась в полицию.

Савина (а это был, конечно, он) без труда разыскали. Услышав предъявленное обвинение, "граф де Тулуз-Лотрек" пришел в негодование. Это гнусная клевета! Да вы знаете, с кем имеете дело?! Он немедленно телеграфирует министру внутренних дел!

Полицейский комиссар принес извинения. А через несколько дней ему опять пришлось пригласить его в полицию — на этот раз по жалобе владельца отеля, где тот остановился: "граф" внезапно исчез, не заплатив по счету. Хотели обратить взыскание на его имущество — он вселялся с двумя тяжелыми чемоданами, которые служащие отеля тащили с трудом, но с уважением, и которые остались в его номере. Но чемоданы оказались битком набиты камнями...

Мошеннику, однако, опять удалось выйти сухим из воды. Он не только заставил владельца отеля взять назад свое обвинение, но и... ухитрился здесь же, в комиссариате, подзанять у него немного франков.

В дни безденежья (аферист называл это "черной серией") корнету Савину приходилось прибегать к трюкам столь же нахальным, сколь и остроумным. К примеру, приходил он в дорогой ресторан, заказывал роскошный обед, не торопясь, с аппетитом поглощал изысканные блюда, запивая изысканными винами... А в кармане-то из всей наличности — только засахаренный таракан! Подавался десерт, корнет подкладывал в него "сладкого дружка", затем подзывал метрдотеля и с брезгливой миной указывал на насекомое. Чтобы избежать грандиозного скандала, метрдотель рассыпался в извинениях и был до изнеможения счастлив, когда рассерженный посетитель покидал заведение. Об оплате обеда, само собой, и речи не возникало...

Или закажет, бывало, корнет себе ботинки. У очень дорогих мастеров обувного дела. И обязательно одинакового фасона и одинакового цвета. Получив заказ, примеряет. Одному сапожнику заявляет, что жмет правый ботинок, другому — левый. "Жмущие" оставляет на доработку, а хорошие забирает. Расчет, разумеется, потом. Обувщики, разумеется, не спорят: зачем заказчику один ботинок, обязательно придет за вторым...

Несколько раз корнет Савин удачно шантажировал заведение, которое само умело раздевать кого угодно. Имеется в виду казино в Монте-Карло.

Побродив по залам казино, Савин зашел в бюро, отделенное от главного зала лишь стеклянной стенкой, и потребовал так называемый виатик — ссуду на отъезд, которая выдавалась администрацией вконец проигравшимся игрокам. Получивший ссуду терял право являться в казино до ее погашения.

Администрация без колебания выписала вексель и выплатила "графу" тысячу франков — верхний предел виатика. Уж очень внушительной была внешность "неудачливого игрока". Тот небрежно кивнул и удалился.

Удалился, чтобы через две недели опять явиться в казино — правда, в другом "прикиде", с другой прической, обманув бдительного швейцара. Подойдя к столику, где шла большая игра, он бросил крупье луидор и тихо сказал по-русски: "На! Подавись, чертова кукла!"

"На какой, вы сказали, номер?" — переспросил крупье, но "граф" сделал вид, что не расслышал.

"Ставки окончены!" — объявил крупье.

Вышел номер 17.

"О! Я выиграл! Вы должны дать мне 720 франков!" — воскликнул "граф".

"Но, месье, вы неясно назвали номер... Я переспросил, но вы не ответили..."

Лицо графа побагровело. Глаза метали молнии. Он загремел, нарушая благообразную тишину казино: "Разбой! Грабеж!"

Инспекторы игры со всех сторон кинулись к "графу", приговаривая в испуге: "Успокойтесь! Вот ваши деньги! Крупье будет наказан!"

Получив 720 франков, он, возмущенный и удовлетворенный, покинул игорный зал. Сопровождавший его администратор прошипел ему вдогонку: "На этот раз ваш шантаж удался, месье. Но если вы еще раз явитесь в казино, то пожалеете об этом".

Целый месяц корнета не было в Монте-Карло. А потом он появился, снова каким-то образом пробравшись мимо бдительных швейцаров. И прямиком — в помещение администрации. Там его узнали сразу же.

"Как вы смеете? Немедленно убирайтесь!"

Корнет, он же граф, невозмутимо улыбаясь, ответил:

"И не подумаю. Разве что — если вы дадите мне тысячу франков на дорогу. Я опять проигрался. — Корнет, с улыбкой, начал снимать с себя пиджак. — Вот сейчас разденусь догола, выйду в зал и обращусь к публике — "вот как меня обобрали в этом притоне!"

"Вы не посмеете..."

"Еще как посмею! Только троньте меня — я так заору, что сюда сбежится вся публика!"

Администрация казино дрогнула. Пришлось опять заплатить тысячу франков. На сей раз "графа" сопровождали до вокзала "двое в штатском"...

Этот визит стал лебединой песней корнета на Ривьере — больше он не появлялся ни в Ницце, ни в Монте-Карло. Последние годы блистательный аферист, превратившись по ходу судьбы, как и положено, в дряхлого и жалкого старика, прожил в Шанхае. Зарабатывал на хлеб тем, что продавал богатым иностранцам мифические манускрипты, собирал деньги на издание какой-то газеты. К розетке экзотического ордена прибавил еще какие-то ленточки, к графскому титулу — титулы барона и князя... Впрочем, в Шанхае это никого не впечатляло. Так что в больнице, где он умер в 1937 году, над изголовьем его кровати было написано одно слово: "Савин".

Марта Рише

(конец XIX — начало XX века)

Агент Второго бюро. Во время первой мировой войны получила задание проникнуть в немецкий разведывательный центр. Добывала для Франции важные сведения. В 1933 году награждена орденом.

Одним из наиболее удачливых французских шпионов-двойников была Марта Рише — 20-летняя красавица, муж которой погиб на фронте в первый год войны и которая тщетно пыталась поступить в военную авиацию. С нею познакомился начальник французской военной контрразведки капитан Ладу и

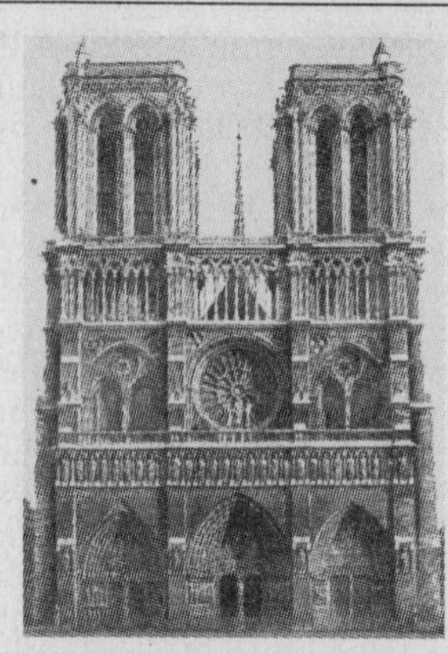

убедил пойти к нему на службу. Кажется, впрочем, вначале Ладу не очень доверял своей новой подчиненной: в обстановке шпиономании, царившей тогда во Франции, Марта возбудила подозрения одного из своих друзей. Он знал о ее знакомстве с журналистами, за которыми было установлено наблюдение.

Первое выступление Рише в роли разведчицы окончилось полной неудачей. Ее послали в Швецию в надежде, что там она сможет завербоваться на немецкую службу, однако германская разведка сразу же заподозрила в молодой француженке агента Второго бюро, и Марте пришлось (после ряда опасных приключений) спешно покинуть Швецию и вернуться в Париж.

Летом 1916 года Марта Рише отправилась на модный испанский курорт Сан-Себастьян, где богатые туристы из воевавших стран весело прожигали жизнь. Она приняла свою девичью, по-немецки звучащую фамилию Бетенфельд. В Испании находился в то время крупный немецкий разведывательный центр, который возглавлял, помимо посла, военный атташе фон Капле и военно-морской атташе фон Крон.

Немцы установили строгую иерархию среди своих тайных агентов: руководители центра, затем — сплошь немцы, как штатские, так и офицеры армии и флота действительной службы или запаса, которых война застала в Испании. Следующим звеном являлись агенты-вербовщики (“секретари”). Главную массу агентов составляли осведомители, состоявшие, как правило, из испанцев. Немцы им не доверяли и даже считали, что значительная часть осведомителей работала на обе стороны. Кроме этой иерархии агентов, были шпионы, не включенные в нее и получавшие время от времени специальные задания. Следует добавить, что по мере ухудшения военного положения Германии информация осведомителей становилась все более тенденциозной — они представляли события в угодном для их нанимателей духе. В одном сообщении о результатах воздушного налета на Париж весной 1918 года говорилось, что в городе насчитывалось 600 убитых и миллион (!) раненых. Помимо шпионажа, немецкий разведывательный центр был занят организацией различных диверсий, в частности, поскольку дело шло о Франции, отравлением съестных припасов, заражением скота, разрушением гидростанций, взрывом военных заводов.

С германским разведывательным центром вела упорную борьбу английская агентура. Английские прогулочные яхты часто являлись наблюдательными пунктами, с которых британские разведчики следили за прибытием немецких подводных лодок в Испанию для пополнения запасов горючего. Англичане подкупили главаря контрабандистов в Южной Испании, чтобы его люди также наблюдали за прибытием и отплытием подводных лодок. Немцы попытались переманить нужного человека. Для этой цели была даже откомандирована одна смазливая девица из Гамбурга. Английский полковник Тортон очень нервничал, наблюдая за быстрым развитием романа между контрабандистом и обольстительной немкой. В конечном счете все окончилось благополучно — для англичан. Девица спутала все карты немецких властей. Ей показались недостаточными 10 тысяч песет, подаренных ей влюбленным контрабандистом. Испанец вернулся из Мадрида с царапинами на носу и ярым англофилом...

Все же англичанам не удалось проникнуть в немецкий разведывательный центр. Эта задача была поставлена перед Мартой Рише.

В казино города Сан-Себастьян за Мартой стал ухаживать немец, который при случайной встрече познакомил ее с германским морским офицером, назвавшимся Стефаном. Узнав, что француженка испытывает нужду в деньгах, Стефан при следующей встрече предложил ей работать на немцев. Марта согласилась, ясно дав понять, что она ожидает хорошей оплаты, и потребовала свидания с начальником Стефана.

Встреча состоялась рано утром на пляже. Высокий худой немец в темных очках, встретивший Марту, усадил ее в роскошный "мерседес", который быстро помчался по незнакомым улицам. Немец вручил Марте конверт с 3 тысячами песет и список вопросов, касавшихся противовоздушной обороны Парижа и морального состояния населения французской столицы. Марте было вручено также специальное перо с серебристо-черными шариками. При растворении их в воде получались симпатические чернила — колларгол, — только незадолго до того изобретенные немецкими химиками. Получив адрес в Мадриде, куда следовало направлять добытые сведения, Марта простилась со своим спутником.

Капитан Ладу мог быть доволен. Высокий худой немец был бароном фон Кроном, военно-морским атташе в Мадриде и племянником одного из светил немецкого генерального штаба — генерала Людендорфа. Вернувшись из Парижа в Испанию, Марта уже на пограничной станции в Ируне встретила фон Крона. Выяснилось, что письмо, которое от имени Марты должен был послать Ладу, почему-то не прибыло по назначению: один из необъяснимых промахов французской разведки. Но фон Крон не придал этому особого значения. Ведь, хотя с запозданием, он получил от Марты, как ему казалось, полезную информацию. К тому же 50-летний барон увлекся своей молодой спутницей, и она стала его любовницей.

По поручению Крона Марта снова уехала в Париж. Капитан Ладу не мог ей сообщить ничего вразумительного относительно пропавшего (или вообще неотправленного) письма.

В удобной квартире на улице Баркильо в Мадриде, которую снял фон Крон для Рише, морской атташе даже стал принимать своих агентов. Вместе с бароном Марта отправилась на юг Испании, в Кадис. Немцы пытались завязать связи с вождями марокканских племен, используя их ненависть к французским колонизаторам. Марта сумела подслушать из соседней комнаты через окно обрывки разговора фон Крона с каким-то незнакомым человеком. Она услышала, как он по-немецки сообщил точное место в испанских водах, где шесть лодок будут ждать транспорта. Большего ей не удалось услышать: фон Крон захлопнул окно. Марта немедленно написала открытку в Париж, сообщая добытые важные сведения. Но дальше ей еще больше повезло. Фон Крон решил послать Марту в Танжер с инструкциями для германской агентуры. Он передал ей на первый взгляд нераскрытую коробку почтовой бумаги. Однако добрая половина листов, как предупредил Марту барон, содержала текст, написанный симпатическими чернилами. Для поездки в Танжер требовались французская и английская визы. Сравнительно легко получив визу во французском посольстве, Марта рискнула и прямо пошла к английскому консулу в Мадриде, сообщив, кто она и с какой целью отправляется в Танжер, а также подслушанные сведения о подводных лодках. Консул дал визу. В Танжере носильщик, который принес вещи Марты в номер отеля, произнес условный пароль "С32" (под этим номером Рише значилась в списке агентов фон Крона). Получив коробку с почтовой бумагой, мнимый носильщик назначил на следующий день Марте свидание в портовой таможне. Но он не явился. Принятые англичанами меры не дали возможности немцам доставить оружие в Марокко.

К этому времени фон Крон не только находился под влиянием своей красивой подчиненной, но и щедро тратил на нее казенные деньги, выдавая без всякого основания "премии" и "наградные". В Париж поступала ценная информация.

Через некоторое время фон Крон поручил Марте важную миссию. Она отправилась в Аргентину с инструкциями тамошним германским агентам и, главное, с двумя термосами, в которых находились сельскохозяйственные вредители — долгоносики. Германская разведка надеялась заразить долгоносиками пшеницу, отправлявшуюся из Аргентины в страны Антанты. На пароходе наконец Марта встретила помощника, присланного из Парижа, — лейтенанта Мари. Французские разведчики действовали решительно: сначала они утопили долгоносиков, а потом просушили их и смешали с пшеницей, которую Марта везла для прокорма прожорливых вредителей. Листки с инструкциями немецким агентам были отправлены в Париж. Взамен Рише написала колларголом какой-то ничего не значащий текст и окунула бумагу в морскую воду. Прибыв в Буэнос-Айрес, она передала германскому морскому атташе термосы с обезвреженными долгоносиками и бумаги, которые, как предупредила Марта, вымокли, когда вода залила ее каюту через иллюминатор. Разумеется, немцы не могли прочесть вымокший текст и не знали, что делать с переданными им термосами.

Многие предложения Марты Рише не были одобрены Вторым бюро, занимавшим непонятно пассивную позицию во всей этой истории. А потом планы Рише нарушила автомобильная катастрофа. У Марты была сломана нога, осколками стекла ранена голова, у ехавшего с ней фон Крона было изрезано все лицо.

В это время у Рише зародился план, который должен был завершить ее работу агента-двойника. Однажды она потревожила Крона во время строго соблюдавшегося им дневного отдыха и попросила денег. Не желая вставать, он дал ей ключ и назвал код сейфа. Марта надеялась похитить списки немецкой агентуры в Испании. В Сан-Себастьяне, куда Марта приехала с фон Кроном, она познакомилась с французом-дезертиром, которого она надеялась использовать в своих целях. Барону Марта сказала, что собирается привлечь этого француза на немецкую службу. Однако вышло иначе. "Друзья" этого француза, которым он представил Марту и которые ее пригласили покататься на лодке, оказались агентами немецкого посла или фон Капле. Разведчицу спасло от гибели самообладание. Поняв, какая опасность ей угрожает, она опрокинула лодку и, хотя еще не вполне оправилась от ранения, сумела добраться до берега; местный доктор оказал ей первую помощь, и Марту по ее просьбе доставили в отель "Континенталь", принадлежавший француженке. Немцам туда вход был закрыт. Марта позвонила по телефону барону и сообщила, что должна несколько дней пробыть в отеле, после того, как во время плавания поранила о скалы плечо. Барон сообщил ей, что должен уехать. Марта ответила, что она воспользуется его отсутствием, чтобы навестить друзей, и отправилась в Париж.

Марта подробно изложила капитану Ладу своей план ограбления сейфа фон Крона. Для этого ей нужны были лишь снотворное и помощник, который дожидался бы в условленное время под окнами кабинета барона, чтобы принять содержимое сейфа. Но Ладу отнекивался, считая этот план слишком опасным. Только после долгих уговоров капитан, видимо, сдался и на другой день передал Марте несколько пакетиков со снотворным. Марта рассказала одному из своих друзей, также работавшему в разведке, о полученных ею порошках. Он спокойно высыпал содержимое двух пакетов в бокал с пивом и выпил его. Пакетики содержали совершенно безвредную смесь.

Избавившись по дороге от слежки агентов фон Капле, Марта снова приехала в Сан-Себастьян, а потом — после ряда задержек, вызванных, как ни странно, французским консульством, — в Мадрид. Вскоре Рише назначил свидание приехавший в испанскую столицу новый французский начальник разведки. Он даже не знал конспиративного имени Рише — Жаворонок!

Марта решила, что надо кончать. Она прямо в лицо сообщила ошеломленному фон Крону о своей службе во французской разведке. Барона хватило только на неудачную попытку с помощью испанского полицейского арестовать Марту по обвинению в шпионаже. Но было уже поздно. Марта связалась с германским послом князем Ратибором. Приняв вид оскорбленной женщины и выложив ему пачку любовных писем фон Крона, адресованных ей, француженка назвала комбинацию сейфа военно-морского атташе! Посол был убежден, что французам известна вся шпионская сеть, созданная фон Кроном. Вскоре его отозвали из Испании.

В Париже Марту принял полковник Губэ, пытавшийся отчитать ее за самовольное оставление поста. Она уже не застала там капитана Ладу, арестованного по доносу одного из своих подчиненных — Ленуара, в действительности германского агента. Лишь значительно позднее Ленуар был разоблачен и казнен. Ладу был оправдан судом уже после окончания войны. Он описал в книге историю Марты Рише, которая и сама после награждения ее орденом в 1933 году выступила в печати со своими известными воспоминаниями. Но ряд моментов в приключениях Жаворонка, агента Второго бюро и немецкого агента “С-32”, так и остался невыясненным.

Артур Виргилио Альвес Рейс

(1896 — 1955)

Действия, предпринятые Рейсом и компанией, были беспрецедентными. Не хватало статей уголовного кодекса Португалии, чтобы квалифицировать весь букет совершенных преступлений: это и заговор, подделка договоров и писем, использование фальшивого диплома, изготовление в обход закона 580 тысяч банкнот и их частичная эмиссия.

Экономика Португалии в начале 1920-х годов была в довольно жалком состоянии. Инфляция, правда, не достигала германских масштабов.

Банк Португалии, капитал которого находился в основном в частных руках, с 1887 года пользовался исключительным правом эмиссии банкнот. С конца 1920-х годов банк употреблял эту свою привилегию с большим энтузиазмом и усердием, его типографии уже не справлялись с заданиями, заказы размещались на зарубежных предприятиях.

Богатые недра таких "провинций", как Ангола и Мозамбик, оставались неиспользованными. Экономическое положение этих заморских провинций было таким, что мало кто из живших там португальцев отваживался вкладывать туда капитал. Их деньги не признавались даже в "метрополии".

Португалия напоминала получившее пробоину судно, "спасатели" которого в лице иностранных компаний ждали очередной волны, чтобы высадиться на него.

В этой ситуации в Португалии развернулась уникальная в своем роде афера, принесшая большие опустошения и вместе с тем способствовавшая росту благосостояния определенного круга лиц, не принимавших в ней никакого участия.

Впервые они собрались все вместе в мае 1924 года для того, чтобы начать коллективную охоту на золотого тельца. Встреча происходила в Гааге, в гостиничном номере. Артур Виргилио Рейс прибыл из Лиссабона, Адольф Густав Хеннис — из Берлина, Карел Маранг ван Иссельвеере был жителем Гааги, Жозе душ Сантуш Бандейра жил в Гааге у своего брата, португальского консула. Кто они?

Артур Виргилио Альвес Рейс, духовный отец будущего предприятия, родился в 1896 году в семье бухгалтера и компаньона одного похоронного бюро, "человек, сделавший сам себя". Окончил гимназию, начал изучать машиностроение. Учеба продолжалась год, после чего он счел свое образование завершенным и решил для начала обзавестись семьей. Его выбор пал на особу из зажиточной семьи, и на полученное приданое можно было безбедно жить. В 1916 году 20-летний юноша направляется служить в Анголу. Конечно, не в качестве солдата. Он изготовил себе диплом несуществующего политехникума при Оксфордском университете. Оксфорд — это отличная визитная карточка, которая легко открывает любые двери. Диплом удостоверяет, что сеньор Артур Виргилио Альвес Рейс получил степень бакалавра практически во всех известных научных дисциплинах. Образцом ему послужил диплом приятеля.

Для того, чтобы для сомнений не оставалось никаких оснований, Рейс делает копию своего диплома, которую ему заверяет сговорчивый нотариус.

В Луанде Рейс делает быструю карьеру. Он является одновременно инспектором общественных работ и главным инженером железных дорог. Почти все, о чем он смело заявил в своем дипломе, Рейс подтверждает на практике. Он и толковый техник, и удачливый торговец. Он почти сказочным образом обращает в деньги все, что попадается на его пути и в далекой африканской стране, и в ходе деловых наездов в Европу. В 1919 году Рейс оставляет свои посты и становится частным торговцем. В 1922 году обладателем состояния в 600 тысяч эскудо он возвращается в Лиссабон, где вместе с двумя партнерами основывает фирму "Альвес Рейс", которая занимается продажей американских легковых автомобилей фирмы "Нэш". Между тем беснующаяся инфляция обесценивает его капиталовложения в Анголе, остальное уходит на жизнь. Рейс не отличается скупостью, в Лиссабоне у него шикарная 12-комнатная квартира на семью из четырех человек, три слуги и шофер. Состояние тает, предприятию грозит продажа с молотка. И тут Рейс вспоминает девиз американских бизнесменов: "Время — деньги!" и решает реализовать его буквально. Он узнал, что "Амбако" — трансафриканская железнодорожная компания, базирующаяся в Анголе, получила от Португалии заем в 100 тысяч долларов. На морское путешествие в США уходит восемь дней. Там Рейс немедленно открывает счет в банке. Конечно, того, что там значится под чертой, может хватить лишь на скромный завтрак. Это ничуть не смущает Рейса. На этот счет он выписывает чек на 40 тысяч долларов, на которые скупает контрольный пакет компании "Амбако". Не теряя времени, раньше, чем пароход, доставляющий почту, приходит в Нью-Йорк, он телеграфом переводит 35 тыс. долл. со счетов "Амбако" на свой нью-йоркский счет. На какую-то мелочь в 5 тысяч долларов он вообще не обращает внимания, банк подождет. На оставшиеся у "Амбако" доллары Рейс скупает контрольный пакет "Саус Ангола майнинг ко", и вот он снова солидный предприниматель. Все очень просто, надо только чего-то по-настоящему захотеть, — вот девиз этого уже много повидавшего в жизни 24-летнего человека, который сидит напротив своих новых партнеров и курит одну сигарету за другой. Артур Рейс невысок, его рост — 165 сантиметров, но широкоплеч и мускулист. Высокий лоб над карими глазами, редкие, зачесанные назад волосы.

В январе 1924 года Рейс скорее всего случайно познакомился с человеком, назвавшимся Жозе душ Сантуш Бандейрой. Кто-то сказал Рейсу, что у Бандейры есть интересы в нефтяном бизнесе. Это, как выяснилось, не соответствовало действительности, но зато у Бандейры были самые различные связи. Он мог использовать их сейчас в общих целях. Жозе было уже 43 года, а за спиной — ничего достойного внимания. Ограбление со взломом, укрывательство краденого, спекуляция спиртным привели его вместо вершин финансового мира — цель, которой он собирался достичь, отправляясь в Южную Африку, — за тюремную решетку, где он пробыл на казенном довольстве семь лет.

Карел Маранг ван Иссельвеере, родившийся в 1884 году, к началу первой мировой войны располагал вызывавшим уважение счетом в банке. Но когда Карел Маранг получил приглашение Бандейры, его фирма оптовой торговли была безнадежным должником.

Самой мрачной фигурой в этом блестящем квартете был скорее всего Адольф Густав Хеннис. Никто не считал Хенниса немцем, хотя на это недвусмысленно указывало его имя, которое, кстати, оказалось ненастоящим. Оставаться неузнанным — было в интересах этого человека, родившегося 20 ноября 1881 года и получившего при рождении имя Иоганна Георга Адольфа Дёринга. Он происходил из гугенотской крестьянской семьи, окончил один класс деревенской школы и получил позднее место сигарного мастера в Хельсе (под Касселем). В 1909 году он занимает у своего приятеля крупную сумму денег, после чего оказывается в бегах, оставив в Хельсе жену и двоих детей. Он появляется во Франкфурте-на-Майне, потом в Нью-Йорке, где основывает сигарную фабрику, потом в Бразилии. В Бразилии он представляет известную американскую компанию "Зингер", производящую швейные машинки. Когда началась первая мировая война, Дёринг решил, что его германское подданство может принести неприятности, и обзаводится швейцарским паспортом, по которому он значится сыном швейцарца и бразильянки. С тех пор его зовут Адольф Густав Хеннис. Под этим псевдонимом он возвращается в Германию и становится по поручению одной из посреднических фирм партнером Карела Маранга. После того как деловые связи с голландским партнером рассыпались, Хеннису удается найти пути получения прибыли даже из самой инфляции. Его счет в банке измеряется пятизначными величинами, которые он с радостью округлил бы до шестизначных.

Вот эта "великолепная четверка" обсуждала в Гааге скоординированные действия по эксплуатации природных богатств Анголы. Реальные предложения исходят, естественно, только от Рейса и его компании "Саус Ангола майнинг". Жозе душ Сантуш Бандейра через своего брата имеет некоторый доступ к различного рода дипломатическим привилегиям. Рейс принимает это во внимание. Но в большей степени он прислушивается к Хеннису, который достаточно повидал мир и набрался опыта в проведении различных денежных операций.

В начале июля 1924 года Рейса арестовывают. "Амбако" выдвигает против него обвинения в финансовых махинациях, нью-йоркский банк намерен взыскать с него недостающие 5 тысяч долларов. Почти два месяца Рейс проводит в следственной тюрьме Порту. Потом он находит общий язык с "Амбако", друзья помогают уладить разногласия с банком.

Именно в эти два месяца в его голове зарождается и зреет невероятный, сумасшедший, фантастический план. Рейс заказывает и штудирует литературу о банковской и финансовой системе Португалии, ищет и находит несогласованности и "мертвые поля" в системе регулирования, которые прямо-таки ждут того, кто ими воспользуется.

В конце августа Рейс выходит на свободу. Друзья устраивают в его честь банкет, о чем сообщается в прессе.

Через несколько дней Артур Виргилио Альвес Рейс приступает к делу. Прежде всего он обзаводится официальными бланками. Бланки состоят из одного или двух листов, заполненных с обеих сторон. На первую и вторую страницы двух четырехстраничных бланков он записывает текст безобидного контракта с государственной организацией. Третьи страницы в обоих экземплярах начинаются со слов: "Совершено в двух экземплярах и подписано". С этими бесхитростными бумагами Рейс 23 ноября 1924 года появляется в конторе нотариуса доктора Авелино де Фариа, в его присутствии ставит свою подпись на третьей странице, так, чтобы оставалось место для других подписей, и заверяет ее. Так как контракт предполагает осуществление международных сделок, Рейс заверяет печать нотариуса в британском, германском и французском консульствах.

Теперь Рейс составляет текст “настоящего” договора и переводит его на французский язык. Содержание текста наивно до неприличия, что делает его почти гениальным. Артур Виргилио Альвес Рейс согласно этому контракту объявляется полномочным представителем международного консорциума финансистов, который готов предоставить Анголе кредит в 1 миллион фунтов стерлингов, оставив за собой право пустить в обращение в этой португальской колонии эквивалентную сумму в эскудо.

Кому из здравомыслящих финансистов могла бы прийти в голову мысль вложить в экономически деградирующую колонию государства, сотрясаемого хозяйственными и политическими кризисами, твердые деньги с единственной целью увеличения объема денег, находящихся в обращении, и подстегивания инфляции? Любой специалист при внимательном чтении текста решил бы, что к нему приложил руку или безнадежный простофиля, или сумасшедший миллионер. Рейсу пришлось изрядно попотеть, чтобы облечь договор в рутинные тяжеловесные юридические формулы. В какой-то степени это ему удалось, так что из явной несуразицы получился солидный документ. Остальное необходимое для полного эффекта было достигнуто за счет многих подписей, печатей и штампов. Текст договора секретарь Рейса Франциско Феррейра, бывший армейский офицер, печатает в два столбца — на португальском и французском языках. Для него на этом рабочий день кончается, у Рейса же начинается ночная смена.

Прежде всего на третьей странице бланка появляются подписи управляющего Банка Португалии Камачо Родригеса и его заместителя Ж. да Мотта Гомеша. Их Рейс просто копирует с банкнот, а затем обводит чернилами. К ним добавляются подписи верховного комиссара по делам Анголы Ф. да Кунья Рего Чавеса, министра финансов Д. Родригеса и специального представителя Анголы Д. Кошты. Что касается последних трех подписей, то их написание не так уж важно. Проверить их трудно, к тому же они нотариально заверены.

Со всей возможной тщательностью Рейс отделяет первый лист одного из своих бланков и заменяет его новым, отпечатанным все тем же Феррейрой. Он украшен белым бантом и сургучом печати с гербом Португалии. Подмена практически незаметна.

Печать Рейс заказал для одного гимнастического союза, но потом все, что касалось гимнастики, исчезло, печать же осталась в руках Рейса.

Вскоре Рейс предъявляет свое произведение компаньонам. Невероятно, но омытые всеми (и не самыми чистыми) водами делового мира Маранг и Хеннис не разглядели подделки. По крайней мере так позднее утверждал Рейс.

Прожженный мошенник предусмотрел и еще один вид прикрытия. В маленькой типографии под Лиссабоном он заказал конверты для “своего друга сеньора Камачо Родригеса, президента банка”. На них тоже красовался герб Португалии и штамп: Банк Португалии Управляющий личная переписка.

Родригес такими конвертами никогда не пользовался. Но этот факт не снижал их достоинств. Главное — они были красивыми и производили впечатление.

Сначала было задумано отпечатать эскудо в Германии. Предполагалось, что там в изготовлении денег накоплен большой опыт. Потом решили, что Карел Маранг вступит в контакт с голландской типографией ценных бумаг “Иоган Эншеде и сыновья”. Разговор состоялся 2 декабря 1924 года, но желаемого результата не принес. Слишком трудоемко заново печатать банкноты и изготовлять для них новые типографские пластины. На это уйдет много времени. К тому же 100-процентной идентичности с теми образцами, которые представил Маранг (купюры в 1000 и 500 эскудо), все равно не достичь. А почему бы не обратиться к постоянному партнеру португальского банка? Маранг смущен, он не знает, о какой фирме идет речь. И все-таки, изрядно напрягшись, он вспоминает, что на одной из банкнот видно название фирмы "Вотерлоу и сыновья". Или это мелким шрифтом было напечатано на каком-то документе? Он решается: "Вы говорите о "Вотерлоу и сыновья" в Лондоне?" Минхер Гуйсман кивает.

На следующий день Карел Маранг получает у "Эншеде и сыновей" рекомендательное письмо для лондонской фирмы. Теперь ему необходимо получить полномочия от Артура Альвеса Рейса. Пришлось прибегнуть к помощи Антонио Бандейры, консула. Его письмо само по себе совершенно безобидно, но впоследствии оно станет уликой против Антонио.

"Я, нижеподписавшийся, португальский посланник в Гааге, настоящим подтверждаю, что предъявитель сего письма Карел Маранг ван Иссельвеере, голландский гражданин и бизнесмен, является генеральным представителем Альвеса Рейса, португальского гражданина, проживающего в Лиссабоне.

Гаага, 3 декабря 1924 г. *Сантуш Бандеира"*.

Ранним утром 4 декабря Карел Маранг отбывает в Лондон.

Фирма "Вотерлоу и сыновья" в те времена пользовалась безупречной репутацией и в Англии, и за рубежом. На ее восьми предприятиях трудилось 7 тысяч подданных британской короны. Она же выпускала и королевские почтовые марки.

Возраст фирмы — 114 лет. Ее тогдашним президентом был 53-летний сэр Вильям Альфред Вотерлоу, который за свои заслуги перед Англией во время мировой войны получил дворянский титул. В чем состояли эти заслуги, не знал никто, кроме него самого и того, кто пожаловал ему титул "Knight of the British Empire" (род личного дворянства с титулом "сэр", ниже баронета.)

Дирекция размещалась в четырехэтажном желтом кирпичном доме на Винчестер-стрит. Здание было совершенно безвкусным.

Карел Маранг появился перед его парадным входом в послеобеденные часы 4 декабря. В тот момент, когда он вошел в строго обставленный в викторианском стиле кабинет, сэр Вильям еще держал в руках рекомендательное письмо, в котором говорилось:

"Сэр! Имеем честь рекомендовать Вам предъявителя сего письма м-ра К. Маранга ван Иссельвеере из Гааги. Этот джентльмен обратился к нам с заказом на изготовление португальских банкнот. Мы изучили предложенные образцы и считаем, что эту работу Вы можете выполнить гораздо успешнее, и поэтому мы посоветовали м-ру Марангу обсудить этот вопрос с Вами. Наше предложение состоит в том, чтобы Ваша фирма взяла на себя производство банкнот, мы же охотно возьмем на себя посредничество в их поставке. Были бы Вам обязаны, если бы Вы сообщили нам о своем мнении.

С уважением, "Иоган Эншеде и сыновья".

Сэр Вильям рассматривает визитную карточку гостя, в которой гость фигурирует под титулом "Генеральный консул Персии", затем читает бумагу, которая объявляет Маранга полномочным представителем Альвеса Рейса.

Сэр Вильям снимает трубку и приглашает члена правления фирмы Фредерика В. Гудмана, директора отдела "иностранные банкноты".

Маранг вкратце описывает нищенское хозяйственное положение португальской провинции — Анголы. По просьбе португальского правительства в Нидерландах создан синдикат, к которому принадлежит и сам Маранг. Синдикат готов для эмиссии банкнот предоставить кредит в сумме 1 миллион фунтов стерлингов. Банк Португалии согласен. Фирма "Вотерлоу и сыновья" должна отпечатать соответствующую сумму денег в португальских банкнотах, переправить их в Лиссабон, откуда деньги с середины февраля 1925 года будут поступать в Анголу. Именно там деньги получат соответствующую допечатку "Ангола".

"Полномочный представитель" достает из бумажника образцы банкнот. Сэр Вильям, бегло взглянув на них, не скрывая удивления, передает Гудману. Тот кивает головой: "Сэр, это не наша продукция. Эти банкноты..." "Скорее всего, их сделали в Америке", — перебивает его президент фирмы. Он уверенно вспомнил, что тогда заказ португальского банка получил конкурент, другая лондонская фирма — "Брэдбэри, Вилкинсон". Зачем же сейчас упускать улов с крючка?

Гудман понимает маневр шефа. Он извиняется и на минуту выходит из кабинета, возвращаясь с банкнотой в 500 эскудо, на которой изображен портрет Васко да Гамы: "Мистер Маранг, эти банкноты еще год назад мы изготавливали для Банка Португалии. Может быть, Вы остановитесь именно на них. Соответствующие типографские пластины сохранены".

Маранг, подумав, кивает. Ему знакомы эти банкноты, имеющие хождение в Португалии с 1922 года. Он интересуется, сколько это будет стоить: "Вы понимаете, калькуляция..." Сэр Вильям подходит к своему письменному столу, с деловым видом перебирает бумаги, как будто даже делает заметки.

"Это составит 1500 фунтов, сэр. Но пластины — собственность Банка Португалии, и без его официального и юридически заверенного заказа мы не отпечатаем ни одной ассигнации".

Маранг согласен: "Разумеется, сэр, Вы получите такой заказ. Но я просил бы Вас учитывать деликатность этого дела. В Банке Португалии опасаются утечки информации: возможно противодействие "Банко Ультрамарине" (португальский заморский колониальный банк), который до сих пор обладал исключительным правом денежной эмиссии для Анголы. В курсе дела только президент Банка Португалии сеньор Родригес и его заместитель сеньор Гомеш".

Сэр Вильям: "Будьте спокойны, сэр, наша фирма умеет отвечать доверием на доверие".

17 декабря Маранг при очередной личной встрече вручает два нотариально заверенных договора: один — между Банком Португалии и колониальным управлением Анголы, второй — между управлением Анголы и Артуром Виргилио Альвесом Рейсом. Из последнего договора следует, что сеньор Рейс уполномочен при определенных условиях организовать новую эмиссию ангольских денег, имеющих хождение в метрополии и в провинции Ангола. В отдельном документе голландская фирма "Маранг и Коллиньон" в лице сеньора Карела Маранга ван Иссельвеере названа представителем Рейса, полномочным размещать заказы, подписывать контракты и вести всю организационную работу.

Сэр Вильям направляет все три документа своему лондонскому нотариусу, который должен их перевести и заверить. Нотариус возвращает и оригиналы, и переводы, подтвердив, что все в порядке. Сэр Вильям делает еще один шаг. Он направляет доверительное письмо президенту Банка Португалии, в котором запрашивает у последнего полномочия на изготовление банкнот. В силу своего конфиденциального характера письмо направляется в Лиссабон не по почте, а со специальным курьером, которого по предложению Маранга должен подыскать его секретарь Жозе Бандейра, брат португальского посланника в Гааге.

6 января 1925 года Маранг доставляет тщательно запечатанное и подписанное Камачо Родригесом, президентом Банка Португалии, ответное послание.

Письмо датировано 23 декабря 1924 года. Все проблемы, таким образом, решены. Между "Вотерлоу и сыновья", Лондон, и "Маранг и Коллиньон", Гаага, подписывается контракт, согласно которому лондонское предприятие обязуется в течение месяца изготовить и поставить фирме "Маранг и Коллиньон" 200 тысяч ассигнаций с изображением Васко да Гамы, каждая достоинством в 500 эскудо.

Как джентльмен старой школы сэр Вильям не может не подтвердить президенту Банка Португалии получение его ответного письма. 7 января 1925 года его послание обычным почтовым путем направляется в Лиссабон. В нем говорится:

"Глубокоуважаемый сэр! Имею удовольствие подтвердить получение Вашего доверительного письма от 23 декабря 1924 г. Его содержание принято нами к сведению, о чем Вам с благодарностью сообщаю. В. А. Вотерлоу".

Письмо было аккуратно зарегистрировано в канцелярии лондонской типографии, но до Банка Португалии оно так никогда и не дошло.

10 февраля 1925 года Карел Маранг получил в Лондоне первую партию в 20 тысяч банкнот на общую сумму в 10 миллионов эскудо. Он упаковывает деньги в чемодан и направляется в Лиссабон. Документы Маранга, заверенные Антонио душ Сантушем Бандейрой, португальским консулом в Гааге, освобождают его от таможенного досмотра. На квартире Артура Рейса, где помимо прибывшего из Лондона гостя и хозяина присутствуют Адольф Хеннис и некий Адриано Сильва, обсуждается вопрос о том, как пустить деньги в обращение. Все согласны с тем, что 100 миллионов эскудо — это не та сумма, с которой можно оперировать непосредственно в розничной торговле. Генеральный план, автором которого является Рейс, состоит в том, чтобы учредить собственный банк и осторожно скупать акции Банка Португалии. Получив соответствующий пакет акций, можно занять место в его административном совете, а тогда откроется достаточно реальных возможностей для того, чтобы в зародыше задушить возможные кривотолки. Дело в том, что на новых банкнотах проставлены серийные номера тех купюр, которые уже имеют хождение. Рано или поздно совпадения будут выявлены. Пока же Сильва должен проверить подлинность полученных банкнот.

25 февраля и 12 марта 1925 года оставшиеся 180 тысяч ассигнаций с изображением Васко да Гамы оказываются в Лиссабоне. Но еще до того момента, когда поставки были завершены, Адриано Сильва оказывается под арестом. Произошло это в Браге, на севере Португалии, где работники местного отделения Банка Португалии обратили внимание на незнакомца, развернувшего необыкновенную деловую активность и расплачивавшегося со своими партнерами толстыми пачками банкнот в 500 эскудо. Деньги подвергаются экспертизе, выясняется, что они настоящие, и Сильва на свободе. Но и из других мест поступают сведения о том, что поползли слухи о появлении фальшивых денег. 6 мая 1925 года газета "Диарио де нотисиаш" печатает изображение банкноты в 500 эскудо, сопроводив его следующим текстом: "Администрация Банка Португалии проинформировала нас, что для беспокойства по поводу якобы появившихся в обращении фальшивых ассигнаций в 500 эскудо нет никаких оснований".

Рейса, Хенниса и компанию все эти события одновременно и порадовали, и встревожили. Они направили в министерство финансов по установленной форме запрос на разрешение создания банка с многозначительным именем Банк Анголы и метрополии. Петицию подписали Артур Виргилио Альвес Рейс, Жозе душ Сантуш Бандейра и Адриано Сильва. Запрос был отклонен советом

Банка Португалии на том основании, что в создании подобного банка нет нужды, ангольскую провинцию успешно обслуживает "Банко Ультрамарине". Рейс и компания не сдаются, и наконец 15 июня совет банка в третьей инстанции приходит к заключению, что новый банк "при определенных условиях" может быть полезным народному хозяйству, и устанавливает ему уставной капитал в размере 20 млн. эскудо.

Учредители банка кое о чем позаботились, в уставе банка говорится о том, что он занимается "коммерческими, предпринимательскими и финансовыми операциями, которые связаны или могут быть связаны с банковским делом". И новый банк всячески стремился оправдать свое солидное имя. Велась большая работа с потенциальными клиентами, шел активный поиск и выполнение различных заказов, выдавались деньги под соответствующие гарантии, скупалась движимость и недвижимость, прежде всего происходила массовая закупка акций Банка Португалии, которые в связи с тяжелым экономическим положением страны поначалу были весьма дешевы, но потом в связи с этими закупками курс этих акций стал расти. Все в новосозданном банке было необычным, легко устанавливались контакты, и так же легко они прекращались.

В деловых кругах о новом банке говорилось много добрых слов. Банк предоставлял кредиты под низкие проценты, активно участвовал в различных предприятиях и таким образом фактически помог обрести новое дыхание некоторым отраслям промышленности. Рейс и Сильва купались в славе "капитанов экономики" и привыкали к обращению "ваше превосходительство". Хеннис и Маранг оставались в тени. Они овладевали рычагами управления банка, анализировали, планировали, собирали сведения о фирмах, об имеющихся возможностях помещения капиталов. Жозе Бандейра занимался приобретением акций Банка Португалии, что наталкивалось на ряд преград. Например, частное лицо (португальское происхождение обязательно) могло владеть только ограниченным числом акций. Но Бандейра, судя по всему, отлично справлялся с вверенным ему участком деятельности. Выполняя свою миссию, недавний неудачник несказанно радовался тому, что ему все-таки удалось восхождение на Олимп деловой жизни. Успеху Бандейры в немалой степени способствовали все те же крупные денежные купюры, вызывавшие уважение и внутри страны, и за рубежом.

Немало неприятностей оказавшимся в зените славы вундеркиндам португальских финансов доставляла пресса, которая не спешила присоединиться к хору их доброжелателей. В печати задавались неприятные вопросы, и прежде всего о том, откуда у банка столько денег. В конце концов эти вопросы достигли цели — министерство иностранных дел потребовало проведения расследования.

Между тем деньги из сейфов Банка Анголы и метрополии поступали в обращение. Дела шли, сейфы пустели. Аппетит приходит во время еды, денег требовалось все больше. 25 июля 1925 года Карел Маранг сообщает лондонской фирме "Вотерлоу и сыновья" о своем возможном визите: "Рад привезти хорошие новости для Вас из Лиссабона". Через четыре дня он оказывается в кабинете сэра Вильяма: "Я привез письмо сеньора Камачо Родригеса, в котором он просит Вашу фирму отпечатать еще 380 тысяч банкнот с изображением Васко да Гамы по 500 эскудо каждая. Вы могли бы использовать те же пластины". Сэр Вильям просит его извинить и на некоторое время покидает своего посетителя, взяв в руки представленный документ. Эксперты фирмы проверяют его подлинность. Их ответ положительный. Маранг передает ему номера серий новых банкнот. Это номера — близнецы тех банкнот, которые уже есть в обращении, точно так же, как и в первый раз. С такими случаями сэр Вильям уже сталкивался, к тому же эти банкноты предназначаются для Анголы, где они получат соответствующую допечатку.

И в этот раз Маранг просит сохранять молчание. Сэр Вильям, которому опять ассистирует один из управляющих его предприятия, принимает заказ к выполнению.

Банк Анголы и метрополии вновь в центре внимания прессы. Деньги в нем не задерживаются, почти сразу отправляясь в бесконечные круизы. И вот на календаре 4 декабря 1925 года — роковой день в судьбе банды. Ровно год прошел с первого появления Маранга в фирме "Вотерлоу и сыновья".

В этот день сеньор Камачо Родригес принимает в своем доме банкира из Порту, который недвусмысленно заявляет о том, что в стране в огромном количестве циркулируют фальшивые деньги. Родригес спешит в банк, где как раз собрался административный совет. Один частный лиссабонский банк настоял на аресте какого-то ювелира, который явился в банк с огромной кипой "васкодагамовских" банкнот. Служащий банка, принимавший наличные деньги, обратил внимание на этого ювелира еще раньше, когда тот в пункте обмена валюты значительные суммы эскудо в тех же ассигнациях обменивал на фунты стерлингов и иные валюты. Об этом наблюдательный служащий сообщил руководству банка.

Совет банка решил поставить в известность криминальную полицию. Обыск в доме упомянутого ювелира дал не только явные улики нарушений в бухгалтерском учете, но и прямые указания на его связь с Банком Анголы и метрополии, что не прошло мимо внимания следствия. Были арестованы ювелир и владелец пункта по обмену валют. Прямо на улице был задержан Адриано Сильва — управляющий подозрительным банком, который еще весной несколько дней отсидел в следственной тюрьме. В банке арест был наложен на 4 тысяч новых банкнот с изображением все того же Васко да Гамы. Но тут для следствия наступила горькая минута разочарования и беспомощности. Никто не был в состоянии ответить на вопрос о том, какие деньги фальшивые, а какие настоящие. Первая версия исходила из того, что типографские пластины похищены.

Длительные поиски неутомимого Луиса де Кампос-э-Са увенчались успехом: 6 декабря 1925 года, в воскресенье, он обнаружил четыре пары банкнот с одинаковыми номерами.

Что же дальше? Еще никто не знал о масштабах фальшивомонетничества, конечно, кроме арестованного Сильвы и Рейса. Но Сильва поначалу настаивал на своей невиновности. И тогда к расследованию подключили прессу. Было сообщено, что все "васкодагамовские" ассигнации подлежат обмену. В этот момент общая сумма заказанных Рейсом и компанией у "Вотерлоу и сыновья" банкнот составляла 580 тысяч. К счастью, преступление было раскрыто раньше, чем вся эта масса ассигнаций хлынула в обращение. Целые пачки денег в искомых банкнотах были обнаружены в доме посла Венесуэлы в Португалии графа Симона Планес-Сауреса... Дон Симон сам попался в руки злоумышленников, когда они попросили посла, отдыхавшего на одном из озер к северу от Гааги, доставить в Лиссабон два чемодана "с конфиденциальными материалами". Гонорар графа, вероятно, соответствовал рангу посла и выражался в сумме 200 тысяч эскудо. Дон Симон был объявлен персоной нон грата.

6 декабря был арестован и Артур Рейс, только что вернувшийся из Анго-

лы, где он вместе с Хеннисом проворачивал очередные операции. Компаньоны были полны оптимизма. Идея оживить промышленность и транспорт была с восторгом встречена в Анголе. К тому же для осуществления стратегического замысла — стать хозяином экономической жизни Португалии — не хватает всего 16 тысяч (из 45 тысяч) акций Банка Португалии.

Судно, на котором они возвращались из Анголы, еще только приближалось к лиссабонскому порту, когда с проходившего мимо катера "финансистов" предупредили об опасности. Хеннис все понял сразу и пересел в шлюпку, которая беспрепятственно высадила его на берег. Рейс и слышать ничего не хотел о бегстве и остался на корабле.

В тот же день Хеннис из окна одного из портовых ресторанов наблюдал, как его партнер покидает порт в полицейской машине. Ранним утром 7 декабря 1925 года коммерсант Иоганн Георг Адольф Деринг с чемоданом, заполненным долларами и фунтами стерлингов, оказывается на борту парохода, который увозит его в Германию. Тем же утром сэр Вильям получает в Лондоне телеграмму от президента Банка Португалии: "Наплыв фальшивых банкнот в 500 эскудо. Как можно скорее направьте эксперта. Проведите расследование со своей стороны".

Сэр Вильям тут же дает знать о том, что эксперт командирован. Через пару дней он сам отправляется в Лиссабон.

Тем временем слухи о португальской денежной афере просачиваются на страницы зарубежных изданий. 9 декабря 1925 года британская "Дейли телеграф" публикует статью под заголовком "Фальшивые португальские банкноты, изготовленные в России". В тот же день, когда "Дейли телеграф" опубликовала свое сообщение, сэру Вильяму позвонил из португальского представительства в Лондоне полковник Лукаш. Это был разговор с весьма тяжелыми последствиями. Вскоре после него полковник появился в помещении лондонской фирмы и попросил предъявить ему соответствующие контракты. "Сэр, бумаги, по-моему, фальшивые. Я не являюсь экспертом по почеркам и подписям, но мне кажется, есть все основания считать их поддельными".

Для сэра Вильяма А. Вотерлоу в эту минуту рухнул весь мир.

В Лиссабоне население было уведомлено, что до 22 декабря необходимо в любом банке обменять имеющиеся "васкодагамовские" банкноты на любые другие. 24 декабря совет Банка Португалии опубликовал торжественное заявление к акционерам банка и заявил об отставке правления. В заявлении указывалось на формальные ошибки, допущенные в контрактах и письмах (считавшихся подлинными), которыми обменивались Банк Португалии в лице своего президента и лондонская фирма.

6 мая 1930 года началось слушание дела основных обвиняемых. Его рассматривала специальная судебная коллегия, процесс проходил в помещении военного суда Португалии.

Это был уникальный во многих отношениях процесс. Действия, предпринятые Рейсом и компанией, были беспрецедентными. Не хватало статей уголовного кодекса Португалии, чтобы квалифицировать весь букет совершенных преступлений. Здесь имели место заговор, подделка договоров и писем, использование фальшивого диплома, изготовление в обход закона 580 тысяч банкнот и их частичная эмиссия. Таков неполный перечень важнейших обвинений, предъявленных Артуру Рейсу.

Первый день судебного разбирательства ознаменовался любопытным конфузом, когда Жозе, обращаясь к главному обвиняемому Рейсу, назвал его "ваше превосходительство". Председателю суда по всей форме пришлось извиниться.

Артур Рейс мало изменился. Следов более чем четырехлетнего заключения и потрясения, которое он пережил, практически не было заметно, хотя, находясь под следствием, он пытался покончить с собой. Новая деталь в его облике — очки. Рейс выступает в течение пяти часов. Его речь — это и признание собственной вины, и яростная защита. Рейс прямо заявляет, что если следовать букве закона, то Банку Португалии можно предъявить аналогичные обвинения. Банк функционирует в форме акционерного общества с ограниченной ответственностью. В соответствии с португальским торговым правом это общество должно быть внесено в специальный реестр, что было сделано лишь после того, как он, Артур Виргилио Альвес Рейс, находясь под следствием, дал соответствующие показания. До этого момента Банка Португалии де-факто вообще не существовало. Что же касается его собственных действий, то, как бы их ни оценивать, они не имели целью личную наживу. Рейс стремился оживить экономику Португалии и Анголы. При этом ему помогали только два человека: Карел Маранг и Адольф Хеннис. Но и их, как и всех остальных обвиняемых, следует рассматривать как невинных жертв его махинаций.

Артур Рейс и позже придерживался этой позиции. В апреле 1932 года он выступил на страницах британской газеты “Уорлд доминион” с заявлением, что все его партнеры были “слепыми участниками, простыми орудиями достижения моих целей”.

В Лиссабоне приговор оглашается 19 июня 1930 года. Артур Виргилио Альвес Рейс, Жозе душ Сантуш Бандейра и Адольф Хеннис получают по 8 лет заключения в каторжной тюрьме и по 12 лет ссылки в колонии или вместо этого 25 лет ссылки в колонии. Остальные обвиняемые приговариваются к менее длительным срокам заключения, среди них Адриано Кошта да Сильва и Антонио Карлуш душ Сантуш — консул.

Банк Португалии выступает в суде в Гааге с иском на возмещение убытков в размере 10 миллионов гульденов. В качестве ответчиков называются К. Маранг, А. Бандейра, Ж. Бандейра, А. Хеннис и А. Рейс. Рассматривать иск к братьям Бандейра, Хеннису и Рейсу голландский суд не правомочен. Что же касается претензий к Марангу, то они отклоняются.

Артур Виргилио Альвес Рейс выходит из лиссабонской тюрьмы 7 мая 1945 года. Как и Жозе Бандейра, он предпочел весь срок отсидеть в Лиссабоне. Остаток жизни Рейс посвятил Богу, к которому он обратился еще в тюрьме. Нельзя с уверенностью сказать, что до этого он был атеистом, но беспокойные дела, несомненно, отвлекали его от обязанностей правоверного католика. В конце концов Бог, как мы видели, наказал его. С тех пор Рейс решил приблизиться к Богу с другой стороны. Выйдя из тюрьмы протестантом, он примкнул к протестантской общине, насчитывавшей в Португалии менее 20 тысяч последователей. До конца своих дней Рейс помогал своим братьям по вере в качестве проповедника-любителя.

Его возвращение к бизнесу, к участию в делах своих сыновей сопровождалось сплошными неудачами. Рейс умер 8 июля 1955 года от инфаркта. Газета “Диарио популар” откликнулась на его смерть: “Человек, придумавший и осуществивший самую фантастическую из известных денежных афер, наводнившую страну банкнотами в 500 эскудо, не имел в конце жизни даже нескольких сентаво”.

Португальский писатель Евгенио Батталья попытался в конце 1920-х годов в “социальном” романе с провоцирующим названием “Фантастический банк: мошенничество или патриотизм” представить махинатора, прототипом которого вероятнее всего был Артур Рейс, в роли благодетеля нации. В конце концов герой книги становится премьер-министром. Призыв к "сильной руке" не остался неуслышанным: Антонио ди Оливейра Салазар в 1932 году стал премьером, и Португалия на 36 лет погрузилась во тьму власти насилия.

Мария Игнатьевна Закревская-Бенкендорф-Будберг

(1892 — 1974)

В Москве в свое время ее считали тайным агентом Англии, в Эстонии — советской шпионкой, во Франции русские эмигранты одно время думали, что она работает на Германию, а в Англии, что она — агент Москвы. На Западе ее назвали "русской миледи", "красной Мата Хари".

"Железная женщина" — так назвал Марию Закревскую-Бенкендорф-Будберг еще в 1921 году Максим Горький. В это прозвище вложено больше, чем может показаться на первый взгляд. Горький всю жизнь знал сильных женщин, его тянуло к ним. Мура (так звали ее друзья) была и сильной, и новой, и, кроме того, она считалась правнучкой или, может, праправнучкой Аграфены Федоровны Закревской, жены московского губернатора, которой Пушкин и Вяземский посвящали стихи. Пушкин называл Аграфену Федоровну в письмах *медной* Венерой. Это был второй смысл прозвища Горького. И третий проявился постепенно, как намек на "Железную маску", на таинственность, окружавшую эту женщину.

На самом деле Мария Игнатьевна была дочерью сенатского чиновника, Игнатия Платоновича Закревского, не имевшего отношения к графу А.А. Закревскому, женатому на Аграфене. Первый муж Муры, И.А. Бенкендорф, не

принадлежал к линии графов Бенкендорф и не имел графского титула. Н
заканчивала Закревская и Кембриджский университет, как утверждала, и н
была переводчицей шестидесяти томов русской литературы на английски
язык. Единственное, что было правдой — это ее второе замужество, которо
дало ей титул баронессы Будберг. И хотя с самим бароном она рассталась очен
быстро, чуть ли не на следующий день после бракосочетания, с его имене
не расставалась до самой смерти.

Ее называли "красной Мата Хари". По некоторым версиям, Закревска
работала сразу на три секретные службы: советскую (ВЧК), английскую и гер
манскую. Кроме того, она любила мужчин и не скрывала этого. Ее избранни
ки отвечали ей страстной и преданной любовью. Среди ее сердечных привя
занностей — писатели Максим Горький и Герберт Уэллс, английский развед
чик Локкарт, председатель ревтрибунала ВЧК Петерс.

Первый законный супруг Марии Игнатьевны граф И. А. Бенкендорф, прежд
чем был застрелен летом 1918 года, узнал, что его жена влюблена в английс
кого дипломата Локкарта.

Роберт Брюс Локкарт впервые приехал в Россию в 1912 году в качестве вице
консула. Он не знал страны, но быстро обзавелся друзьями, полюбил ночны
выезды на тройках, ночные рестораны с цыганами, балет, Художественны
театр, интимные вечеринки в тихих переулках Арбата. В 1917 году он ненадолго уехал домой в Шотландию, но затем возвратился — но уже в другую Москву, в другую Россию. Он приехал как специальный агент, как осведомител
глава особой миссии, чтобы установить неофициальные отношения с боль
шевиками. Встретившись с Мурой в посольстве, он был очарован ее жизне
способностью и стойкостью. Скоро оба страстно влюбились друг в друга. В на
чале сентября 1918 года ночью Муру забрал из постели Локкарта наряд чекистов во главе с преданным помощником "железного Феликса" Яковом Петер-
сом. Невыяснено, привез ли он Муру сразу в ЧК или к себе на квартиру, гд
пытался перевербовать. Так или иначе, но Закревская оказалась в подвала
Лубянки. По свидетельству английских источников, 4 сентября 1918 года сэ
Роберт Брюс Локкарт, которого чекисты уже считали главным действующим
лицом "заговора Антанты", обратился в комиссариат по иностранным делам
с просьбой об освобождении Муры. Получив отказ, он отправился на Лубянку к Петерсу. В результате Локкарт был немедленно арестован и провел в заключении несколько недель. Мура же была освобождена и даже получила возможность посещать Локкарта в Кремле, ибо английский разведчик проводил
свое заключение в комфортабельной квартире бывшей фрейлины императрицы. В октябре Локкарту в числе других представителей "миссии Антанты" был
разрешено вернуться "домой в обмен на освобождение российских официальных лиц, задержанных в Лондоне..."

После освобождения Локкарт отбыл в Англию, и Закревская осталась в
Москве в полном одиночестве, больная легкой формой испанки. Когда кончились деньги, она продала свои девичьи бриллиантовые серьги, последнее,
что у нее было. Денег хватило, чтобы добраться до Петрограда в коридоре ва-
гона третьего класса. Она выехала туда зимой 1919 года. Но в Петрограде ее
арестовали и освободили лишь после звонка на Лубянку. Мура понимала, что
она должна работать, чтобы прожить. Но как и где?

В это время пролетарский писатель Максим Горький организовал издательство "Всемирная литература", и Закревская узнает, что в издательстве нужны переводчики с английского на русский. Она познакомилась с писателем
Корнеем Чуковским. И хотя Мура никогда не переводила на русский язык,

поскольку знала его слабее английского и французского, Чуковский обошелся с ней ласково и дал кое-какую конторскую работу. Вскоре он приводит Закревскую к Горькому.

В то время у писателя в его большой квартире бывало много людей, и неизвестно было — кто живет здесь постоянно, а кто — временно. Здесь, кроме писателя, его сына, М.Ф. Андреевой и ее родственников, бывали В. Ходасевич, Ф. Шаляпин, Б. Пильняк, Л. Рейснер. М. Добужинский и многие другие, в том числе и члены правительства — Луначарский, Коллонтай, Ленин.

Постепенно Мура перебралась в квартиру Горького и уже через неделю оказалась в доме необходимой — стала личным секретарем писателя, помогала разбирать корреспонденцию, отбирала для него наиболее важные статьи из газет и журналов, выполняла машинописные работы. И просто умела слушать и вести разговоры о музыке, поэзии, искусстве. Комнаты Муры и Горького находились рядом. Горький восхищался не только ее талантом собеседника. Она была моложе писателя на 24 года. Кстати, свой роман "Жизнь Клима Самгина" он посвятил ей, Марии Игнатьевне Закревской.

В 1921 году в доме Горького появился знаменитый английский писатель Герберт Уэллс, старый знакомый Горького. Он хотел посмотреть Россию, увидеть результаты революции, которую приветствовал. Уэллс немедленно покорил всех своим умом, веселым разговором, энтузиазмом. Мура состояла при нем переводчиком — она была официально приставлена к нему по распоряжению Кремля. Уэллс знал Закревскую еще в Лондоне, до замужества, девять лет назад, когда ей было двадцать. К концу второй недели пребывания в Петрограде Уэллс внезапно почувствовал себя подавленным, и Мура, улыбаясь ему своей лукавой и кроткой улыбкой, уводила его гулять на набережную, в Летний сад. В результате Уэллс очутился у ее ног. И, уехав, посылал ей письма с оказией.

Зимой 1921 года Мура уехала в Эстонию, где у родственников мужа жили ее дети. В Таллинне она была арестована как советская шпионка. Ее выпустили. Но, поскольку въездная виза истекала через три месяца, в конце своей поездки она вышла замуж за барона Николая Будберга, эстонского подданного.

Горький и Мура состояли в переписке, и она время от времени получала чеки из Дрезденского банка, куда переводились гонорары Горького.

Весной 1922 года она наконец приехала к Горькому в Херингсдорф, и вскоре они все поселились в Саарове.

Чем привлекала Мура и Горького, и Уэллса, и множество других мужчин? Сияющее миром и покоем лицо, большие, глубокие глаза, яркий и быстрый ум, понимание собеседника с полуслова... Стройная и крепкая, элегантная даже в простых платьях. Драгоценностей она не носила, ее запястье туго стягивали мужские часы на широком кожаном ремне.

Живя с Горьким, время от времени Мура уезжала "к детям", на месяц-полтора. Мало кто знал подробности этих поездок, где и с кем она бывала. Даже спустя двадцать лет она молчала о своих встречах с Гарольдом Никольсоном, завтраках с Сомерсетом Моэмом, дружбе с Витой Саквилл-Уэст, приемах во французском посольстве. Виделась Мура и с Локкартом, который позднее описал первую после разлуки встречу в своей книге воспоминаний.

Горький понимал, что Закревская не вернется с ним на родину. Она все чаще ездила в Лондон, где встречалась с Локкартом и возобновила отношения с Уэллсом. Вскоре, окончательно выбрав Лондон, она поселилась в двух шагах от дома Уэллса. Она сказала ему, что останется с ним столько, сколько он захочет, но замуж за него не выйдет никогда. Эта связь длилась около тринадцати лет, до самой смерти писателя, и Уэллс очень страдал от того, что

Закревская отказалась от замужества с ним. По завещанию после смерти Уэллс оставил Муре сто тысяч долларов, на которые она и жила почти до конца.

Осенью 1974 года она переехала в Италию и 2 ноября умерла в доме одного из предместий Флоренции, где проживал ее сын. Он перевез тело матери в Лондон, где ее отпели в православной церкви и похоронили 11 ноября того же года...

Бывший советский разведчик Леонид Колосов пытался отыскать документы, связанные с работой Муры. Однако личного дела авантюристки в архиве службы внешней разведки не оказалось, хотя обнаружились оперативная справка на нее и ряд документов из других дел, в которых Закревская играла не последнюю роль.

Но разведчик не нашел в доступных ему документах ничего, свидетельствующего о международном шпионаже, и даже в немецком секретном архиве не оказалось доказательств. И немцы в конечном итоге пришли к выводу, что самое вероятное из всех невероятных предположений заключается в том, что она была агентом ЧК. Леонид Колосов, в принципе соглашаясь с германскими документами, считает, что слово “агент” слишком высоко для определения секретной деятельности Закревской. Она, по его мнению, была осведомителем у чекистов, попросту говоря, “стукачкой”. Колосов выдвинул и такое предположение — именно Мура отравила М. Горького по указанию своего начальника Ягоды.

Но это всего лишь недоказанное предположение, основанное на недомолвках, намеках тех, кто имел отношение к разведывательной деятельности. И жизнь Марии Игнатьевны Закревской-Бенкендорф-Будберг по-прежнему окутана тайнами и легендами.

Яков Григорьевич Блюмкин

(1900 — 1929)

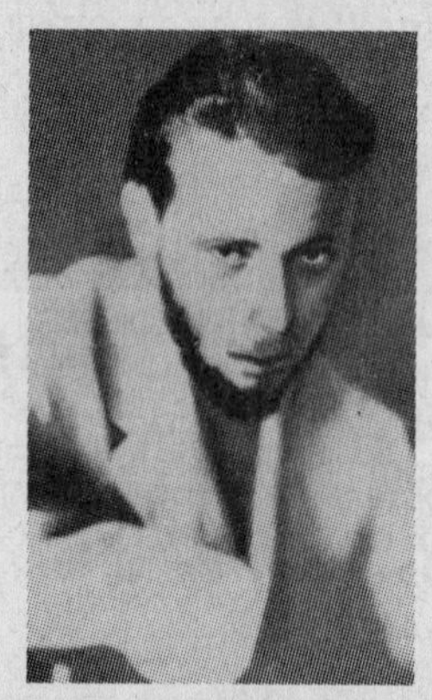

Левый эсер, сотрудник ВЧК. Организатор покушения на германского посла Мирбаха. В 1919 году порвал с левыми эсерами и вступил в партию большевиков. В 1929 году, будучи резидентом ОГПУ на Ближнем Востоке, установил тайную связь с высланным в Турцию Троцким. После возвращения в Москву был расстрелян.

Яков Блюмкин родился в марте 1900 года в бедной еврейской семье. Его отец был мелким коммерческим служащим. В 1906 отец умер, и семья из шести человек осталась без кормильца. Однако мать сделала все, чтобы сын получил образование. В восемь лет Яша стал посещать начальное духовное училище. Обучение было бесплатным — все расходы брала на себя религиозная община. Кроме традиционных предметов, там преподавались уроки гимнастики.

Денег в семье постоянно не хватало. Летом Яша работал посыльным в какой-либо конторе или магазине. После окончания духовного училища в 1913 году он поступил учеником в электротехническую контору Карла Фрака, а затем — в мастерскую Ингера. "Электротехническим ремеслом, — писал позже Блюмкин, — занимался вплоть до Февральской революции 1917 г., получив квалификацию и звание подмастерья".

Яков поступил в техническое училище инженера Линдемора, однако студентом так и не стал — не было денег. В это же время Блюмкин начинает интересоваться социальными вопросами. Он проникается идеями революционного народничества. Его первые стихи печатали журнал "Колосья", детская газета "Гудок" и солидное издание "Одесский листок".

Февральская революция застала его в Одессе. Яков становится агитатором первого Совета рабочих депутатов, выступая на предприятиях, призывая поддержать революцию и послать депутатов в Совет.

В Харькове он быстро установил контакты с организацией эсеров. В это время в стране развернулась кампания по подготовке к выборам в Учредительное собрание. Особые надежды эсеры возлагали на поддержку крестьян. Блюмкин выезжает в Симбирск, где призывает голосовать за партию эсеров, затем ведет агитацию в Алатыре. Здесь его застает сообщение о большевистском перевороте в Петрограде. Он возвращается в Одессу.

В январе 1918 года Блюмкин с оружием в руках борется за установление советской власти в Одессе. Затем записывается добровольцем в матросский "Железный отряд" при штабе 6-й армии Румынского фронта. Бойцы избрали его своим командиром. Блюмкин участвует в боях с войсками Центральной рады, с гайдамаками. В марте 1918 года его отряд влился в состав 3-й советской Украинской армии.

Советская Республика находилась в это время в тяжелом положении. На Украине части Красной Армии вели тяжелые бои с войсками германских интервентов и Центральной рады. 12 марта 3-я армия оставила Одессу и отступила на Феодосию. Блюмкина вводят в Военный Совет армии в качестве комиссара, затем назначают помощником начальника штаба, а в апреле он уже исполняет обязанности начальника штаба.

Блюмкин участвовал в экспроприации денег в Государственном банке (захвачено было 4 миллиона рублей). Красный командир Блюмкин предложил командующему армией П.С. Лазареву взятку в десять тысяч рублей. Столько же он хотел оставить себе, а остальные деньги намеревался передать партии левых эсеров. По требованию Лазарева и под угрозой ареста Блюмкин возвратил в банк три с половиной миллиона рублей. Куда делись остальные пятьсот тысяч, выяснить так и не удалось.

В середине мая 1918 года, после расформирования 3-й советской Украинской армии, Блюмкин приезжает в Москву, где поступает в распоряжение ЦК партии левых эсеров. Он неплохо зарекомендовал себя в боях с германскими интервентами и войсками Центральной рады, чем и привлек к себе внимание левоэсеровских лидеров. Его направляют во Всероссийскую чрезвычайную комиссию (предполагалось использовать его для подготовки террористических актов против видных представителей Германии в России для срыва Брестского договора). По предположению заместителя председателя ВЧК левого эсера В.А. Александровича, Блюмкину было поручено организовать отделение по борьбе с международным шпионажем.

Работа в ВЧК вскружила Блюмкину голову. Его самолюбию льстил страх контрреволюционеров и обывателей перед вооруженными людьми в кожаных куртках. В разговорах со знакомыми он изображал себя человеком, наделенным правом решать судьбу арестованных. По его словам, своим приятелям — поэтам Есенину и Мандельштаму — он даже предлагал прийти в ЧК посмотреть, как в подвалах Лубянки расстреливают "контру". "Вон, видите, вошел поэт, — говорил он друзьям в писательском кафе. — Он представляет большую культурную ценность. А если я захочу — тут же арестую его и подпишу смертный приговор. Но если он нужен тебе, — обратился Блюмкин к Мандельштаму, — я сохраню ему жизнь". В действительности Блюмкин не имел права решать вопрос о наказании арестованных, тем более о расстреле.

Блюмкин с головой окунулся в новую для него работу. Он подбирает штат сотрудников, обращается в отделы ВЧК с просьбой переслать ему все сведения о немецком и союзническом шпионаже. Однако главная его забота — найти способы проникновения в германское посольство. Его интересуют не столько раскрытие разведывательной деятельности немцев, сколько выяснение возможности убийства германского посла графа Мирбаха.

В это время в гостинице "Эли" покончила жизнь самоубийством шведская актриса Линдстрем. ВЧК арестовала всех "подозрительных" постояльцев, в том числе родственника германского посла, военнопленного австрийской армии графа Роберта Мирбаха. Блюмкин несколько дней допрашивал арестованного, затем предъявил ему обвинение в шпионской деятельности в пользу Австро-Венгрии. Если бы это обвинение подтвердилось, Роберт скорее всего был бы расстрелян. Блюмкин обещал ему сохранить жизнь и освободить из-под ареста, если он согласится работать на ВЧК. Мирбах принял это условие и 10 июня дал Блюмкину подписку о сотрудничестве.

Блюмкин был в восторге от того, что завербовал родственника германского посла. ВЧК, полагал он, освободит арестованного офицера, и он на правах родственника станет посещать посла и выуживать у него интересующие сведения. Кроме того, документы по делу Мирбаха, полученные ВЧК от датского генерального консульства, облегчат возможность осуществления террористического акта против какого-либо германского дипломатического представителя, если, конечно, будет принято решение ЦК левоэсеровской партии. Террорист в нужный момент сможет беспрепятственно проникнуть в помещение посольства и выполнить порученное ему задание. В напарники себе Блюмкин взял товарища по партии, земляка Николая Андреева, одного из создателей одесского батальона Красной гвардии им. В.И. Ленина.

На легковом автомобиле Блюмкин и Андреев с портфелями в руках подкатили к зданию германского посольства. Они предъявили свой липовый мандат и потребовали свидания с послом. Естественно, сначала с ними разговаривали двое молодых людей, потом советник Рицлер. И лишь после настойчивых требований Блюмкина к ним вышел сам Мирбах. Двадцать пять минут шел разговор о племяннике посла, после чего Блюмкин вытащил из портфеля револьвер и стал стрелять в Мирбаха, Рицлера и переводчика. Жертвы упали. Но Мирбах был только ранен, он стал подниматься, и тогда Андреев подошел к нему вплотную и бросил под ноги бомбу. Она не взорвалась. Блюмкин, разбежавшись, метнул ее вновь. На этот раз взрыв был таким сильным, что вылетели окна и посыпалась штукатурка. Блюмкин выпрыгнул в одно из окон и сломал себе лодыжку. К тому же, перелезая через ограду посольства, его ранили в ногу — охрана начала стрельбу. Но он все же дополз до автомобиля, и они укатили в штаб левоэсеровского отряда Попова.

Из машины его на руках вынесли матросы. Остригли, побрили, переодели и отнесли в лазарет. Когда через несколько часов в отряд прибыл Дзержинский и потребовал выдачи Блюмкина, ЦК левых эсеров ответил отказом. “Узнав об этом, — писал Блюмкин, — я настойчиво просил привести его в лазарет, чтобы предложить ему арестовать меня. Меня не покидала все время незыблемая уверенность в том, что так поступить исторически необходимо, что Советское правительство не может меня казнить за убийство германского империалиста”. Действительно, ревтрибунал решил Блюмкина и Андреева (заочно) “заключить в тюрьму с применением принудительных работ на 3 (три) года”.

Блюмкин вместе с другими ранеными попал в городскую больницу, где он назвался красноармейцем Беловым. Через три дня авантюрист сбежал через окно. Сначала скрывался в Москве, потом перебрался в Рыбинск, в Кимры. Здесь он даже поработал под фамилией Вишневского в уездном Комиссариате земледелия. Потом установил связь с резервным подпольным ЦК левых эсеров. Блюмкину велели ехать в Петроград и ждать. Он сидел в Гатчине и “занимался исключительно литературной работой, собиранием материалов о июльских событиях и писанием о них книги”. В ноябре 1918 года ЦК партии левых эсеров направил его на Украину для организации убийства гетмана Скоропадского. Не без участия Блюмкина был убит немецкий главнокомандующий генерал Эйхгорн. И только революция в Германии спасла Блюмкина от нового суда. Потом совместно с коммунистами Блюмкин организовывал на Подолии ревкомы и повстанческие отряды, был членом нелегального Совета рабочих депутатов Киева:

“В марте по дороге в Кременчуг, — писал Блюмкин, — я попал в районе Кременчуга в плен к петлюровцам, подвергшим меня жесточайшим пыткам. У меня вырвали все передние зубы, полузадушили и выбросили, как мертвого, голым на полотно железной дороги. Я очнулся, добежал до железнодорожной будки, откуда на следующий день 13/III на дрезине был доставлен в Кременчуг в богоугодное заведение”.

Когда в апреле 1919 года Киев стал советским, Блюмкин явился в Киевскую ЧК, которую возглавлял его бывший начальник М. Лацис, и стал возмущаться заочным приговором ревтрибунала и, главное, тем, что Ленин назвал его и Андреева “негодяями”. А Блюмкин таковым себя не считал, наоборот, был уверен, что он один из лучших бойцов революции.

Блюмкина везут в Москву, где он снова повторяет всю свою историю. Особая следственная комиссия по его делу докладывает в Президиум ВЦИК. 16 мая 1919 года секретарь ВЦИК А. Енукидзе подписал постановление: “Ввиду добровольной явки Я.Г. Блюмкина и данного им подробного объяснения обстоятельств убийства германского посла графа Мирбаха Президиум постановляет: Я.Г. Блюмкина амнистировать”.

Вскоре после освобождения Блюмкин вышел из партии левых эсеров и в 1921 году был даже принят в РКП(б). Хотя срок условного освобождения его еще не закончился! Просто он понял, что с левыми эсерами покончено и здесь больше нет никаких перспектив. А членство в РКП(б) сулило карьеру. Его снова взяли в ЧК. Он участвовал в знаменитой Энзелийской операции Каспийской флотилии. Тогда ее корабли под командованием Ф. Раскольникова совершили дерзкий рейд в иранский порт Энзели; разгромив его, взяли богатые трофеи.

В 1920—1921 годах Блюмкин был слушателем Военной академии РККА. Было там специальное отделение для недоучившихся героев гражданской войны.

“В 1920 году я после десанта в Энзели, — писал Блюмкин, — был командирован в Персию для связи с революционным правительством Кучук-хана. Там я принимал деятельное участие в партийной и военной работе в качестве военкома штаба Красной Армии, был председателем Комиссии по организации Персидского правительства на съезде народов Востока в Баку, захватил 31 июля 1920 года власть для более левой группы персидского национально-революционного движения, для группы Эсанулы, больной тифом, руководил обороной Энзелигуй".

В январе 1920 года Сергей Есенин эпатировал своими резкими высказываниями публику в кафе "Домино". Дело как будто пустяковое, но вмешательство в него группы чекистов насторожило поэта: он уехал сначала в Харьков, потом в родное село Константиново, затем на Кавказ.

"...Я из Москвы надолго убежал: с милицией я ладить не в сноровке..." Осенью поэт снова появился в Москве с циклом новых великолепных стихов и 18 октября 1920 года был арестован на квартире поэта Александра Кусикова в Большом Афанасьевском переулке. Привели его на Лубянку, посадили в камеру. Через неделю его выручил Блюмкин. Сохранился документ: "Подписка. О поручительстве за гр. Есенина Сергея Александровича, обвиняемого в контрреволюционной деятельности по делу гр. Кусиковых. 1920 года октября месяца 25-го дня, я, ниже подписавшийся Блюмкин Яков Григорьевич, проживающий по гостинице "Савой" № 136, беру на поруки гр. Есенина и под личной ответственностью ручаюсь, что он от суда и следствия не скроется и явится по первому требованию следственных и судебных властей. Подпись поручителя Я. Блюмкин 25.Х.20 г. Москва. Партбилет ЦК Иранской коммунистической партии". Бланк отпечатан на пишущей машинке. Блюмкин — член ЦК Иранской компартии!

Непонятно, почему, говоря о своей деятельности в Иране, Блюмкин не упомянул о своем участии в создании Иранской компартии, членом ЦК которой он был и которая возникла на базе социал-демократической партии "Адалят".

В 1924 году Блюмкин, не расстававшийся с мечтой стать писателем, подрядился написать брошюру о Дзержинском в серии "Люди революции". Он тесно сотрудничает с Троцким, практически становится его секретарем.

По свидетельству И. Дойчера, биографа Троцкого, "Блюмкин безгранично верил в Троцкого. Он был привязан к наркому обороны всей силой своего пылкого сердца". Попав после амнистии в поезд Троцкого, а затем в его секретариат и охрану, Блюмкин исполнял множество работ разного рода. Он готовил материалы и статьи, редактировал тексты, собирал необходимые цифры, составлял собрание сочинений Троцкого, писал предисловия, вел переговоры по распоряжениям шефа, инструктировал боевиков, готовил листовки, проводил линию Троцкого в ВЧК и военной разведке. "Троцкий — образец совершенного человека", — твердил он. Наркомвоенмор, в свою очередь, высоко оценивал своего молодого сотрудника. "Я взял его к себе в свой военный секретариат, и всегда, когда я нуждался в храбром человеке, Блюмкин был в моем распоряжении".

"В апреле 1923 года, по инициативе тт. Зиновьева, Дзержинского, — писал Блюмкин в автобиографии, — я был привлечен к выполнению одного высокоответственного боевого предприятия". Сегодня можно достаточно уверенно предположить, что этим заданием были спецоперации в Германии, где, по планам Коминтерна, как раз в это время должна была произойти победоносная революция. Как известно, затея с германской революцией провалилась, и в 1925 году Яков Григорьевич появляется в... Наркомторге! Здесь он работает год на должностях начальника организации торговли, председателей ряда комиссий, консультанта при наркоме и т. д.

Превращение террориста в торгового работника могло бы вызвать удивление, если не знать, что Яков Григорьевич с 1923 по 1929 год работал в ОГПУ и ИНО за границей в качестве резидента. Ясно, что торговля была лишь прикрытием для особо важных тайных операций. Не исключено, что именно в этот период он разъезжал по Турции и Ближнему Востоку под именем купца Якуба Султан-заде, продавая древнееврейские хасидские рукописи и книги, полученные из фондов Библиотеки им. В.И. Ленина.

В 1925 году Блюмкин снова официально работает в ГПУ, связи с которым, надо полагать, никогда не терял. Когда Троцкий и Радек стали оппозиционерами, Блюмкин не делал секрета из солидарности с ними. Хотя по характеру своей работы он не мог принимать участия в деятельности оппозиции, Блюмкин счел своим долгом сообщить о своей позиции руководителю ГПУ Менжинскому. Однако, поскольку его искусство как контрразведчика ценилось высоко и он не принимал участия в деятельности оппозиции и никогда не нарушал дисциплины, ему разрешили придерживаться своих взглядов и оставаться на своем посту. Он остался в партии и на работе в ГПУ даже после исключения оппозиции из партии...

В 1926 году Блюмкин был представителем ОГПУ и Главным конструктором государственной внутренней безопасности Монгольской республики в Угре — Улан-Баторе. Одновременно у него были резидентские задания в сопредельных с Монголией странах — Тибете, Внутренней Монголии, некоторых районах Китая. В частности, он состоял советником по разведке и контрразведке в гоминьдановской армии генерала Фын Юйсяна — того самого, которого Москва по радио просила оказать всяческое содействие экспедиции Николая Рериха, отправлявшейся из Угры через Гоби в Тибет...

Деятельность Блюмкина в Монголии вызвала серьезные нарекания начальника разведупра Берзина, который докладывал наркому Ворошилову: “Поведение Блюмкина весьма разлагающим образом действует на всех инструкторов и в дальнейшем может отразиться на боеспособности Монгольской армии... Считаю, что в ближайшее время его нужно отозвать из Монгольской армии”. По-видимому, предложение Берзина было принято, и в ноябре 1927 года Блюмкин прибывает из Монголии в Москву. Несколько месяцев он слоняется по столице в ожидании нового назначения, в марте—июне 1928 года отдыхает в Гагре и, только вернувшись оттуда, получает предложение отправиться на нелегальную работу “на Восток”. Два месяца, разъезжая по стране, он готовит нужных ему для нового задания людей и исчезает на полгода, лишившись на это время возможности следить за политической жизнью в Советском Союзе. “Условия моей конспирации заставляли меня моментами скрывать знание русского языка...”

Страной, куда был направлен Блюмкин для нелегальной работы, была... Индия! По плану, разработанному Троцким и его советниками, Конная армия Буденного должна была ударить через Афганистан на Пенджаб и Белуджистан, вызвать здесь народное восстание против англичан, и, когда они увязнут в боях, Красная Армия во главе с Тухачевским должна была двинуться через западную границу на Польшу и Германию. Для организации подпольной работы в северо-западных провинциях Индии и был, по всей вероятности, направлен Блюмкин.

Но дело сорвалось: в марте 1929 года англо-индийское правительство нанесло внезапный удар по рабочим организациям, произведя массовые аресты, а уже в апреле Блюмкин объявился в Константинополе! “12 апреля, — писал он позднее в своих показаниях, — проходя по улице Пера, у туннеля я случайно встретил сына Троцкого, Льва, с которым я был хорошо знаком и раньше, поздоровавшись с ним, я уверил его в моей лояльности и попросил информацию”. В том, что она была ему крайне необходима, убеждает собственное признание Якова Григорьевича, крайне болезненно воспринявшего сообщение о высылке Троцкого из России в феврале 1929 года. “Высылка Троцкого меня потрясла, — говорил он. — В продолжение двух дней я находился прямо в болезненном состоянии”. И вот теперь ему предоставлялась возможность лично встретиться со своим кумиром.

“16 апреля, разумеется, с соблюдением строжайшей конспирации, чтобы не провалить себя, я имел продолжительное свидание с Троцким. Его личное обаяние, драматическая обстановка его жизни в Константинополе, информация, которую он мне дал при беседе, — все это подавило во мне дисциплинарные соображения, и я представил себя в его распоряжение”.

Полтора месяца провел Блюмкин в Константинополе, встречаясь с сыном Троцкого, читая оппозиционную литературу, составляя записки для своего бывшего патрона, строя всевозможные планы. 30 мая он снова уехал в Индию, где тогда разворачивались драматические события, связанные с так называемым Мирутским процессом. В первых числах августа он появился в Константинополе, а 14 августа прибыл в Москву, имея от Троцкого задания по установлению конспиративной связи в СССР. После этого он исчез на полтора месяца, до первых чисел октября...

Первые сведения о появлении Блюмкина в Москве поступили в ОГПУ 16 октября 1929 года. В “Деле № 86411” сохранилось заявление сотрудника журнала “Чудак” Б. Левина, который спешил известить чекистов, что 14 октября в квартиру Идельсон — жены художника Фалька — явился совершенно деморализованный Блюмкин, умоляя спасти его от ГПУ. На попытки успокоить его он почти не реагировал и только твердил, что он — представитель оппозиции в ГПУ, что он за границей был у Троцкого, что ему необходимо спрятаться, так как его преследуют.

Потом, попросив обменять ему на рубли сто долларов, он куда-то ушел, вернулся остриженный и без усов, часто звонил по телефону, спрашивая Михаила Абрамовича и какую-то Лизу. Просил купить ему расписание поездов и другой костюм. Вечером стал упрашивать съездить в чайную за Казанским вокзалом, где ему должны передать чемодан. Подруги хозяйки поехали в чайную, и там действительно какая-то девушка передала для Блюмкина чемодан, в котором было много долларов. Часть денег Блюмкин рассовал по карманам, часть переложил в портфель. Во время разговоров Яков Григорьевич нервничал, все время заряжал и разряжал револьвер.

Хранится в деле и служебная записка той самой Лизы, о которой упоминал Левин. Ею оказалась сотрудница ГПУ Лиза Горская, которая в записке на имя начальника секретного отдела ОГПУ Я. Агранова сообщала, что с 5 октября несколько раз встречалась с Блюмкиным. По ее словам, Блюмкин производил впечатление потерянного человека: принимал взаимоисключающие решения, рассуждал о смысле жизни. Под большим секретом рассказал ей о встречах с Троцким, раскаивался в содеянном и обещал повиниться перед начальством и партией. Говорил, что был у Радека, и в присутствии Смилги признался в своем проступке, и теперь опасался, что кто-либо из них выдаст его Трилиссеру. Тут Лиза сообразила, что вовсе не обязательно ждать, пока раскаяние одолеет Блюмкина, что сообщить обо всем Трилиссеру может она сама. Услышав страшную новость, Михаил Абрамович посоветовал Лизе не встречаться больше с Блюмкиным и велел вызвать его в ОГПУ. И тут выяснилось, что Яков Григорьевич исчез...

Но вскоре сам позвонил Горской и сказал, что решил не идти ни туда, ни сюда, ни в ОГПУ, ни в ЦК партии, а предпочитает исчезнуть на время и просил ее помощи. Об этом звонке Лиза тут же доложила Трилиссеру и, получив от него инструкции, отправилась на встречу с Блюмкиным. Минут двадцать она убеждала его явиться с повинной к Трилиссеру, но он упорно твердил одно: пойти — значит погубить себя, лучше на время скрыться. Остановившись на этом решении, он просил Лизу проводить его на вокзал, зайдя предварительно в квартиру за вещами. "В квартиру я, по указанию т. Трилиссера, отказалась пойти, и тогда Блюмкин решил поехать без вещей, — писала в записке Горская. — Мы вышли на улицу, мне пришлось сесть с ним в машину (т. Трилиссер дал мне указание не делать этого, но наши товарищи опоздали, и я уже остановить его не могла). Поехали на какой-то вокзал, где я надеялась арестовать его с помощью агента ТО ОГПУ или милиционера. Поезда на Ростов уже не было. Узнав, что поезда нет, Блюмкин окончательно растерялся, говорил, что раз он не уехал сейчас, то "катастрофа неизбежна", что он будет расстрелян, что он обсуждал с Радеком (а может быть, с Троцким — этого я точно не помню) вопрос о каких-то экспроприациях, что не только он один связан в Троцким, но еще кто-то из работников нашего нелегального аппарата. На обратном пути с вокзала — по Мясницкой — наши товарищи встретили нас и задержали".

Когда на следующий день один из руководящих работников ОГПУ, Агабеков, явился на службу и узнал об аресте Блюмкина, он был ошеломлен. "Арестован Блюмкин, любимец самого Феликса Дзержинского. Убийца германского посла в Москве графа Мирбаха. Ведь еще два месяца тому назад, когда Блюмкин вернулся из своей нелегальной поездки по Ближнему Востоку, он был приглашен на обед самим Менжинским... Его мнением о положении на Востоке интересовались Молотов, тогда бывший главой Коминтерна, и Мануильский. Он бывал частым гостем у Радека. Наконец, он жил на квартире у министра в отставке Луначарского в Денежном переулке. А теперь он в тюрьме... Казалось невероятным..."

Перед арестом Блюмкин повернулся к такси, где сидела Горская, и сказал: "Ну, прощай, Лиза. Я ведь знаю, что это ты меня предала..." Потом всю дорогу до ГПУ он молча курил...

Блюмкина судили и вменили ему в вину такие преступления: недопустимый визит к Троцкому, объявленному контрреволюционером; доставку в СССР подстрекательских писем от него; попытку восстановить нелегальную организацию троцкистов; вербовку Горской в организацию троцкистов на роль связной; нелегальный провоз оружия.

Блюмкин признал свою вину только по трем пунктам. При голосовании в ОГПУ голоса разделились. За тюремное заключение высказались Трилиссер, Берзин, его зам по разведке Артузов. За смертную казнь голосовали: Ягода, Агранов, Паукер, Молчанов и др. Менжинский ввиду щекотливости ситуации воздержался. Сталин и Политбюро ЦК партии утвердили приговор. 3 ноября 1929 года Блюмкина расстреляли. Узнав об этом решении, он спросил: "А о том, что меня расстреляют завтра, будет в "Известиях" или "Правде"?"

Когда комендантский взвод под начальством Агранова взял его на прицел, Блюмкин, как передавали, успел крикнуть: "Стреляйте, ребята, в мировую революцию! Да здравствует Троцкий! Да здравствует мировая революция!" И добавил две строки из "Интернационала": "Вставай, проклятьем заклейменный, весь мир голодных и рабов..."Это были его последние слова. Грянул залп.

Александр Зубков

(1900 — ?)

Русский авантюрист. Происхождение туманно. В 27 лет женился на прусской принцессе, которой минул уже 61 год. Разразился международный скандал.

В Рейнской столице Шаумбургский дворец входит в комплекс резиденции федерального канцлера. Именно здесь, 5 ноября 1949 года, был поднял черно-красно-золотой стяг Федеративной Республики Германия. Конрад Аденауэр провел в этом здании 14 лет. После него в кабинете на втором этаже с окнами, выходящими в прекрасный парк и на Рейн, работали канцлеры Людвиг Эрхард, Курт Георг Кизингер, Вилли Брандт и (до переезда в новое ведомство) Гельмут Шмидт. Одним словом, Шаумбургский дворец вошел в историю.

В 1862 году Бонн украсился новым зданием в стиле неоклассицизма, которое служит ныне рейнской резиденцией федерального президента. Построил его крупный торговец сахаром, который разбогател на гешефте с Россией. Потом этот дом перекупил коммерции советник Рудольф Хаммершмидт, который тоже сделал свое состояние в российских пределах.

В отличие от "Виллы Хаммершмидт" в фундамент соседнего дворца Шаумбург был заложен иной капитал. В то время многие немецкие нувориши, разбогатевшие в других странах, стремились обрести на склоне лет покой в

Бонне и слившемся с ним теперь Бад-Годесберге. Вот и текстильный фабрикант Вильям Лешиг, вернувшийся из Америки, создал себе здесь в 1859 году райский уголок. Между домом и набережной он заложил обширный парк, который восхищает и сегодня.

Вилла и парк — настоящее поместье — очень понравились молодому принцу Адольфу Вильгельму Виктору цу Шаумбург-Липпе. Он приобрел его в 1890 году и поселился здесь вместе с молодой женой. А избранницей его была 24-летняя красавица, прусская принцесса Фредерика Амалия Вильгельмина Виктория. Она была сестрой последнего германского кайзера Вильгельма II и внучкой знаменитой английской королевы Виктории, в честь которой и носила основное имя.

Счастье длилось четверть века. Шаумбургский дворец, как с тех пор он стал называться, неизменно присутствовал в светской хронике кайзеровской, а потом и веймарской Германии. В 1916 году, умирая, принц оставил все в наследство обожаемой Виктории. Но она вскоре почему-то продала резиденцию брату своего супруга, оговорив за собой право пожизненного проживания в ней. Однако закончить свои дни там принцессе не удалось. В ее жизни появился Александр Зубков.

Невероятная история, случившаяся в Бонне в 1927 году, невольно вызывает в памяти бессмертный образ Остапа Бендера и мадам Грицацуевой, только в прусском варианте.

Происхождение и прошлое Александра Зубкова достаточно туманны. По сведениям, опубликованным однажды журналом "Штерн", он родом из Иваново, сын якобы текстильного фабриканта, изучавший в Москве медицину, но вынужденный бросить учебу из-за революции. Оказавшись в Германии в числе белоэмигрантов, он перебивался с большим трудом, работая то мойщиком посуды в ресторане, то матросом, то танцором, а то и строительным разнорабочим.

Когда Зубков появился в Бонне, он был в рваных брюках и без гроша за душой. Но — молод, достаточно хорош собой и предприимчив. Сам он писал о том времени так: "В Кельне у меня вышли все деньги. И тогда мне пришла в голову спасительная идея навестить дальнего родственника в Бонне, чтобы подзанять денег. А он часто бывал в гостях у принцессы. Он и достал мне приглашение на чай. Поскольку мои штаны имели штопку, пришлось одолжить у него пару коричневых брюк. Они подошли, но были слишком коротки..."

27-летний выходец из России произвел неизгладимое впечатление на принцессу, которой минул уже 61 год. От страсти Виктория потеряла голову. И вскоре, спустя лишь пару недель после знакомства, было объявлено о предстоящей свадьбе вдовствующей принцессы Виктории цу Шаумбург-Липпе с господином Александром Зубковым.

Разразился скандал на всю Европу. Глава династии Гогенцоллеров экс-кайзер Вильгельм II, проживавший в эмиграции в Голландии, категорически отказался дать согласие на брак своей сестры. Все европейские королевские и княжеские дома решили бойкотировать это событие. Но влюбленную принцессу остановить уже было нельзя.

Венчание состоялось в большом садовом зале дворца Шаумбург, где спустя немногим более двух десятилетий стал заседать боннский кабинет. Причем венчал русский священник по православному ритуалу. Отныне невеста стала называться "фрау Александр Зубков, Виктория, урожденная принцесса Прусская". А Александр Зубков на положении законного супруга поселился во дворце Шаумбург на тогдашней боннской Кобленцерштрассе, ныне Аденауэраллее.

Супруг "принцессы Вики", как звали ее в аристократических кругах, зажил на широкую ногу. Увядающая фрау Александр Зубков быстро почувствовала, что запоздалое безумство страсти к добру не приведет. Но было уже поздно. Молодой супруг предпочитал кутежи домашнему чаепитию. Принцесса и не заметила, как по приглашению гостеприимного мужа во дворце поселились по углам какие-то люди из числа его русских собутыльников.

В итоге всего за несколько месяцев морганатического брака Александр Зубков прогулял, пропил, растратил 12 миллионов тогдашних золотых марок. Более того, у принцессы появились еще долги на 660 тысяч марок. Российский авантюрист буквально пустил ее по миру.

Расплачиваться было нечем, и в 1929 году ее личное имущество было продано с молотка. В газетах сообщалось о предстоящей распродаже предметов искусства, принадлежавших "фрау Александр Зубков, урожденной принцессе Прусской Виктории". Среди них были мебель, картины, антиквариат, сервизы, изделия из серебра.

Разоренная и обнищавшая Виктория была вынуждена покинуть дворец, в котором прожила 38 лет, и поселилась в скромном домике в Мелеме, южном пригороде Бонна. Вскоре последствия роковой страсти доконали ее. В том же году она скончалась в обычной местной больнице.

Зубкова же немецкие власти еще раньше выставили из страны, воспользовавшись в качестве предлога тем, что он избил посыльного в одном из берлинских баров. Русский супруг прусской принцессы был объявлен нежелательным иностранцем.

В 1929 году эту скандально известную личность заметили в Люксембурге, где он подвизался официантом на ярмарке текстильных образцов. В 1932 году он выступал на подмостках варшавского кабаре, занимая публику болтовней об "ужасающей жизни" со стареющей принцессой в Шаумбургском дворце. Затем след Александра Зубкова теряется.

Вполне вероятно, что дворец Шаумбург хранит и другие роковые истории.

Принудительная распродажа имущества принцессы Виктории не коснулась самого здания, поскольку формально оно оставалось собственностью брата ее первого мужа. Накануне войны имперское правительство купило его у семейства Шаумбург-Липпе за 709 тысяч рейхсмарок — внушительную сумму. Все военные годы вермахт держал там свои различные управления. На их месте в 1945 году оказались военные органы союзных держав, в том числе Главный штаб бельгийских оккупационных войск. И так до той поры, пока вместе с резиденцией федерального канцлера в Шаумбургский дворец не вселились политические страсти, тоже не обходящиеся без драм и трагедий.

Здесь престарелый канцлер Аденауэр мучительно расставался со своим креслом. На прощальном приеме для иностранной прессы, устроенном в большом зале дворца, выходящем на террасу и в парк, бывший канцлер выглядел грустно и все время отпускал колкости в адрес своего преемника Эрхарда, терпеливо попыхивавшего рядом толстой сигарой. А какие только интриги не плелись в коридорах власти, чтобы через пару лет свалить "отца экономического чуда" и посадить на его место канцлера большой коалиции Кизингера! Потом и ему пришлось спешно освобождать кабинет, ибо на выборах победил Брандт. А тому, в свою очередь, не осталось однажды ничего иного, как в драматической ситуации принять драматическое решение о досрочной отставке.

Эрих Ян Ганussен

(начало XX века)

Астролог и предсказатель будущего. Друг Гитлера, его доверенное лицо и духовный наставник. Карьера его была ошеломляющей, но недолговечной.

Еще до прихода к власти в ближайшем окружении Гитлера было много астрологов, алхимиков, прорицателей и других шарлатанов. С 1931 года всех их оттеснил ловкий авантюрист Эрих Ян Ганусcен.

Эрих Ганусcен, он же Гершман Штейншнейдер, до переезда в Германию долгое время жил в Австрии. Зарабатывал самыми различными способами: был актером, фокусником-иллюзионистом, астрологом, ясновидцем. Не чурался темных афер, из-за одной из которых и вступил в конфликт с австрийской полицией и вынужден был перебраться в Германию. Приехав в эту страну, он нашел широкие возможности для приложения своего таланта комбинатора и авантюриста. И хотя Германия 1920-х годов переживала веймарскую "смуту" (когда над многими умами властвовали колдуны и маги — знак творческого бессилия вождей), Ганусcена отдали под суд за шарлатанство и колдовство. Чтобы доказать, что он не шарлатан, а ясновидец, Ганусcен заявил, что видит на вокзале вора, у которого в сумке несколько миллионов украденных денег. Суд послал полицейских, которые согласно приметам, указанным Ганусcеном, поймали вора. Ошеломленные судьи вынуждены были оправдать прорицателя.

Ганусcен стал устраивать сеансы ясновидения, читать лекции по астрологии, которые привлекали большую аудиторию, особенно после того, как он в число своих пророчеств включил и политические вопросы. Вскоре Ганусcен разбогател, основал свою астрологическую газету, специализировавшуюся на политических проблемах, вступил в фашистскую партию и стал в качестве ясновидца и звездочета агитировать в пользу нацистских лидеров. Он подделывает свой паспорт (прибавляя частицу "ван" и превращаясь из галицийского еврея в арийца) и, приняв христианство, вступает в ряды штурмовиков, где и заводит близкое знакомство с рядом нацистских лидеров. Особенно дружен он с руководителем штурмовиков, графом Гельдорфом, и с подручным Гиммлера Гейдрихом. Через последнего Ганусcен знакомится сначала с Гиммлером, а затем и с самим Гитлером. С этого момента он — большой друг фюрера, его доверенное лицо и духовный наставник, между ними обнаружилось тесное духовное родство.

Почти все писатели приписывали самоуверенность Гитлера его огромной вере в астрологию и тому, что он постоянно общался с астрологами, которые рекомендовали ему его образ действий. Но это почти наверняка не так. Информатор из Голландской дипломатической миссии придерживается той же точки зрения. Он говорит: "Фюрер не только никогда не составлял своего гороскопа, но он в принципе был против всяких гороскопов, потому что чувствовал, что может быть подсознательно управляем ими". Показательно также и то, что Гитлер незадолго до войны запретил по всей Германии практику предсказания и определения судьбы по звездам.

Правда, ситуация выглядит так, словно Гитлер мог находиться под влиянием и управлением некоего астрологического общества, и именно это придавало ему чувство уверенности в своей непогрешимости. Вероятно, подобные версии возникли в самом начале нацистского движения. В начале 1920-х годов Гитлер постоянно брал уроки ораторского искусства и психологии масс у Гануссена, который к тому же был практикующим астрологом и предсказателем будущего. Эрих Гануссен, чрезвычайно умный человек, научил Гитлера, как добиться потрясающего драматического эффекта во время митинга. Насколько удалось выяснить, Гануссен не проявлял к нацистскому движению никакого особого интереса и никогда не говорил, каким курсом должно оно следовать. Возможно, Гануссен имел какие-то контакты с астрологической группой, очень активной в Мюнхене в то время. Через Гануссена Гитлер мог как-то связаться с этой группой. Фон Виганд писал: "Когда я в 1921—1922 годах впервые познакомился с Адольфом Гитлером, он был связан с кружком, где твердо верили в звездные предзнаменования. Ходила сплетня о приходе "нового Карла Великого" и наступлении "нового Рейха". Я так никогда и не узнал от фюрера, насколько глубоко он верил тогда в эти астрологические прогнозы и пророчества. Он не отрицал, но и ничем не подтверждал свою веру. Во всяком случае, он был не прочь воспользоваться этими прогнозами для роста своей популярности, веры в себя и в свое тогда юное и лишь пробивающее себе дорогу движение". Вполне возможно, что именно с этого момента и начался миф о связи Гитлера с астрологами.

Карьера Гануссена была ошеломляющей, но недолговечной. В одном из немецких университетов ему присвоили звание профессора оккультных наук. Он построил Дворец оккультизма со сложной трюковой техникой. К Гануссену обращались за прорицаниями и Геббельс, и Риббентроп, и Геринг, не говоря уже о Гитлере. Гануссен предсказал фюреру необыкновенный успех и славу, которые его ждут скоро. Потом будет большая война и трагический конец.

В отличие от ученого мага К. Гаусгофера, который вдохновлял фюрера предсказаниями о величии и о "тысячелетнем рейхе", Гануссен умел говорить только о том, что ему явилось перед "внутренним экраном".

Судя по всему, Гануссен обладал "магическим" даром, он как бы притягивал будущее и прошлое к себе (на себя) в состоянии почти безумного транса, "шаманил", слыша в себе сумасшедшие ритмы. Он слышал музыку сфер, из которых чудесным образом выпадало будущее. Для мага такого плана будущее — уже совершенное. Оно существует, уже заготовлено в параллельных мирах.

Гануссен брал какую-либо вещь в руки, долго и сосредоточенно держал ее в руках и, "намагнитившись" информацией, рассказывал о характере ее владельца, о его прошлом: называл его имя и фамилию, профессию, чем он болел и т. д. И это казалось чудом.

Когда нужно было найти особо опасного преступника, Гануссен помогал полиции и успешнее всего, когда ему давали в руки какую-либо улику, даже окурок.

Но уже осенью 1933 года его убирают со сцены. Близкое знакомство ясновидца с фюрером вызвало у других сподвижников Гитлера лютую зависть и ненависть. Они приняли решение скомпрометировать Гануссена перед Гитлером, чтобы затем безнаказанно расправиться с ним.

Однажды февральской ночью Гануссену приснился невероятный сон. Он увидел объятый пламенем рейхстаг, а через сутки рейхстаг действительно запылал...

Почувствовав опасность, Гануссен решил бежать в Прагу. О намерениях Гануссена узнал Гейдрих, и это ускорило падение личного мага фюрера. Гануссен был убит штурмовиками.

Чудом сохранился, очевидно спасенный дочерью "Великого Гануссена" Эрикой Фуке, подробный дневник провидца с записями всех его пророческих снов и видений. В нем он описал (еще в 1933 году) атомную бомбу, солнечные электростанции, пересадку сердца и многое другое.

Последняя запись в этом дневнике — 2024 год. Страшное видение — гибель Нью-Йорка. Трагический конец города, погруженного в огненное озеро.

Лафайет Рон Хаббард

(1911 — 1986)

Американский писатель-фантаст. Его перу принадлежит более 600 художественных произведений, изданных на 30 языках мира. Основатель церкви сайентологии, или Нового понимания. Автор бестселлера "Дианетика, или Наука о счастье человека" (1950), музыкальных композиций к своим книгам, сценариев. Деятельность его организации была запрещена в ряде стран.

"Жажда убийства сверкала во взгляде чудовища. Зонгри схватил самый большой и тяжелый меч, сорвав его со стены вместе с ножнами. Раскрытыми от ужасами глазами Ян увидел, как одним могучим ударом Зонгри рассек профессора от головы до пят. Бездыханное тело повалилось на пол. Потоки крови пропитали ковер..."

Такими пассажами в 1940-е годы радовал своих читателей Лафайет Рон Хаббард, публиковавшийся в популярной серии "Удивительные научно-фантастические истории". В те годы среди американцев особым спросом пользовались истории о чудовищах, фантастических существах-мутантах, порожденных атомной радиацией.

Рассказы Хаббарда были популярными, но мечтал он о карьере мэтра словесности. Как свидетельствует "Таймс мэгэзин", на лекции в Ньюарке (сентябрь 1949 года) у него вырвалось затаенное признание: "Смешно писать, получая пенс за слово. Если кто-то действительно хочет сделать миллион долларов, то лучший путь — основать собственную религию".

Не прошло и года, как Хаббард опубликовал книгу "Дианетика: наука о душевном здоровье". В предисловии сказано: "Дианетика — это приключение. Это экспедиция, исследующая незнакомое царство, лежащее на два сантиметра ниже вашего лба". Но пафос книги в другом: энтузиаст внепланетных ужасов все решительнее примеряет костюм гения всех времен и народов, "открывателя нового духовного измерения". Прошло еще несколько лет, и он торжественно объявил: "Мы — глашатаи Нового века... Сайентология — пропуск в это грядущее время".

Хаббард проводил психотерапевтические сеансы по совершенствованию духовных способностей. Однако амплуа рядового психотерапевта его не устраивало, и спустя четыре года он учредил в Вашингтоне Основоположную церковь, ознаменовавшую появление новейшей религии. Лечебные сеансы сопровождались глубокомысленными теологическими рассуждениями и ритуалами, полными внеземной тайны. Постепенно формировалась церковь саейентологии — пожалуй, наиболее скандальная из новейших культов. По словам ее лидеров, у них было более чем 5 миллионов последователей.

Мечта Хаббарда сбылась — он стал ворочать миллионами и на склоне лет мог позволить себе все, что угодно.

Как правило, основатели религии "Нового века" претендуют на уникальную просветительскую миссию, на создание миропонимания, соответствующего грядущему времени. Они апеллируют к знаниям, пытаясь вписать свои идеи в массив современной науки.

"Сайентология, — убежденно говорил Хаббард, — это религиозная философия высшего уровня, поскольку она обеспечивает человеку подлинное познание себя и истины". Для достижения этой цели, уверяет он, применяется новейшая техника, способная реализовать задачи, которые поставил перед собой Христос: достижение мудрости, хорошего здоровья и наивысшего духовного совершенства. Основу образуют сеансы "обработки", или "прослушивания", с применением особого прибора, называемого "Е-измерителем", или "измерителем Хаббарда" — разновидность гальванометра, способного фиксировать электропроводимость кожи, меняющуюся в зависимости от душевного состояния человека. Цель всей процедуры состоит в том, чтобы постепенно освободить психику человека. Для этого прослушиватель повторяет вопрос пациенту до тех пор, пока прибор не покажет, что реакция стала "нормальной" и ответ уже не связан с болезненным состоянием психики. Тогда настает очередь других вопросов...

Рассуждения нового мессии в упрощенной форме воспроизводят теорию психоанализа З. Фрейда. Речь идет о понятии бессознательного, о душевных травмах как причине невроза, о влиянии детских переживаний на психику взрослого человека. Хаббард воспроизвел принципиальную схему сеансов психотерапии, практиковавшихся Фрейдом и его последователями: отыскание причин невроза, выведение прежнего опыта на уровень сознательного, терапию словом. Поэтому в тех случаях, когда они клинически оправданы для данного заболевания, то неизбежно оказывают благотворное лечебное воздействие. В психоаналитической традиции проводится мысль о бессознательном как об особом, во многом автономном образовании. Однако сама по себе она никакой религиозной подоплеки не имеет, не говоря уже о том, что сам Фрейд был оппонентом религии.

В США действует жесткий прогрессивный налог. Им не облагаются лишь организации, которые не ставят целью получение прибыли — религиозные, филантропические, просветительские. Поэтому Хаббард и попытался назвать мистикой явления, вполне поддающиеся научному объяснению. Процесс этот в основном завершился к 1955 году, когда Хаббард объявил себя пророком новой "религии", представляющей собой новейший вариант буддизма.

Он создал учение о "тетане" — особом духе, который после смерти человека переселяется в другое тело, и "тете" — духовной первооснове движения и развития неодушевленной материи. Последнее понятие приравнивается к концепции Бога. Конечно, это не развитие, а откровенное опошление буддизма, сложной религиозной доктрины. Из него Хаббард взял и предельно вульгаризировал одно из центральных положений — представление о вечном переселении душ (инкарнации).

Почему же авантюрист предпочел буддизм?

В ту пору он входил в моду. К тому же учение об инкарнации позволило тривиальной психотерапевтической практике придать иные, космические измерения, прежде уже освоенные Хаббардом в жанре научной фантастики.

Каждый из нас, говорил новый пророк, имеет за спиной множество жизней, уходящих в бесконечное прошлое, в другие миры и планеты, о которых нам не дано помнить. Таким образом "Е-измеритель" (да и сама процедура "прослушивания") получает принципиально новое, уже мистическое значение — не скромный инструмент спасения "одноразового" человеческого существования, а единственный способ ликвидации во всей Вселенной болезненных последствий круговращений "тетана". Вместе с тем — это "научный" прибор, и каждый может следить за прогрессом в "обработке" собственной души.

Хаббард почитается как великий "пророк" и "спаситель", радикально изменивший ход всей цивилизации. Сам он говорил об этом без лишней скромности: "Дианетика — это веха для человека, сравнимая с открытием огня и превосходящая изобретение колеса и арки". Более того, Хаббард даже ввел новую хронологию человеческой истории. Для его сторонников, например, 1979 год означает "29 А. Д." ("после выхода дианетики").

Церковь сайентологии пыталась синтезировать две несовместимые вещи: зачатки естественнонаучных знаний в области психологии и психотерапии и религиозные представления. Последствия такой интеллектуальной авантюры двояки. Прежде всего она, несомненно, позволяет использовать религиозные предрассудки и неосведомленность людей, озабоченных собственными психологическими недугами. Вместе с тем и профессиональные врачи и богословы единодушно выступают против нувориша, посягающего на давно сложившиеся сферы профессиональной деятельности; с этим связаны скандальные эпизоды, которыми изобилует история церкви сайентологии.

Хаббард поставил дело на коммерческую основу. Он говорил: "Деньги — символ. Когда они у тебя есть — это символ успеха. И не имеет никакого значения, если кто-то утверждает прямо противоположное". Все многообразные программы церкви — платные, и прейскурант разработан с провизорской аккуратностью. Цены в различных штатах — неодинаковые. Первые шесть сеансов обычно стоят около 70 долларов. Но все зависит от местного спроса. В Портленде, к примеру, за час "прослушивания" нужно было заплатить 150 долларов. Нередко достижение первой стадии "очищения" обходилось в 2,5 тысячи долларов, а поддержание такого состояния — до 5 тысяч долларов в год. Одного молодого американца "обчистили" на 23 тысячи долларов, а он так и не достиг второй ступени. Известны люди, заплатившие церкви более 100 тысяч долларов. По сообщению германского журнала "Штерн", аналогичные цены были и на европейских рынках. Только в 1979 году доход от продажи сочинений Хаббарда составил 15 миллионов марок.

При заключении письменного договора в него обычно включается обязательство новичка не требовать возвращения аванса. Хотя такой документ юридической силой не обладает, он удерживает людей от обращения в суд. Меркантильность пронизывает всю деятельность церкви. Ее руководство, например, всеми способами стремится заставить рядовых последователей безвозмездно трудиться в свою пользу или, в крайнем случае, платит гроши.

В результате церковь ворочает огромными средствами. Уже в 1959 году Хаббард смог купить роскошное поместье в Англии, прежде принадлежавшее индийскому махарадже, и сделал его своей штаб-квартирой. Цена сделки осталась тайной. Но доподлинно известно, что в 1977 году за шесть зданий в Голливуде Хаббард выложил 5,5 миллиона долларов наличными. Ненамного дешевле обошелся ему и роскошный отель в Клиуотере (Флорида), который был превращен в тренировочный центр для инструкторов высшего ранга. Позже за несколько миллионов долларов было приобретено еще шесть зданий в центре этого курортного города с его бешеными ценами.

В 1983 году журнал "Тайм" писал, что собственность Церкви сайентологии (по самым скромным подсчетам) составляет более 280 миллионов долларов, а в наиболее удачные годы ее доход достигал 100 миллионов долларов. О личном состоянии Хаббарда ходят легенды. Он перевел в зарубежные банки огромные средства, размеры которых неизвестны. "У нас немало собственности в разных точках земного шара, — хвастался Хаббард. — И мы купим еще больше: несколько стран, например". Одним из его приобретений была флотилия кораблей, на которой его функционеры посещали разные страны.

Нужно отдать должное Хаббарду: он достаточно быстро понял, что успех обеспечивает не риторика, а неутомимая административная деятельность, постоянная борьба с недругами как внутри, так и вне церкви. Именно на этом поприще ярко засверкал его талант прирожденного мафиози и неустрашимого демагога.

Прежде всего он занялся возведением себя в ранг великого "пророка". Он, например, настаивал, что пережил множество воплощений и его подлинный возраст составляет 74 триллиона (!) лет. В этом плане он превзошел Калиостро и Сен-Жермена. Однажды Хаббард доверительно сообщил, что до сих пор время от времени поднимается к небесам. В земной жизни он — неутомимый путешественник по Азии, глубоко усвоивший опыт тибетских лам, индийских святых, буддийских гуру, мужественный офицер, получивший ранение и чудесным образом исцелившийся сам, знаток физики и математики, доктор философии и т. д. В действительности университета он не закончил, в сражениях не участвовал и был уволен на пенсию из морской пехоты по болезни, от которой страдал всю жизнь.

Каждый, кто осмеливается высказать хоть малейшее сомнение в истинности его учения или нарушить церковные порядки, немедленно подвергается изощренной системе давлений и репрессий. В церкви имеются штатные "офицеры этики", обязанные неусыпно контролировать уровень нравственности. В результате многих людей удерживает в церкви лишь чувство страха и вины. Во время "прослушивания" делается немало признаний, носящих интимный характер. Они тотчас же фиксируются и хранятся в специальных досье до подходящего случая...

Но, конечно, главную угрозу для Хаббарда представляли выступления авторитетных органов печати и деятельность различных правительственных учреждений, с которыми он находился в постоянном конфликте. Кульминацией стал июнь 1977 года, когда сотрудники ФБР, нагрянув на штаб-квартиры Церкви в Вашингтоне и Лос-Анджелесе, конфисковали более 100 тысяч документов. Были обнаружены детальные планы действий, направленных против самых разнообразных врагов. В их числе дорожный инцидент с мэром Клиуотера, отказавшим церкви в ряде требований, список сайентологов, откомандированных в местную газету с целью шпионажа, меры по дискредитации газеты "Санкт-Петербург таймс" и ее репортера, выступившего с критикой Церкви, схема взлома юридической фирмы, представляющей интересы этой газеты, и т. д. К тому же Бюро налогов потребовало от церкви выплатить 6 миллионов долларов в виде штрафов, которые сайентологи скрыли в 1970—1974 годах.

Хаббард считает, что лучшая защита — нападение. Лишь за 1970—1979 годы Церковь выставила 59 судебных исков против различных учреждений, включая иск в 750 тысяч долларов против ФБР и более сотни исков против издателей, авторов, частных лиц, когда-либо выступавших против сайентологии.

Увы, сам Рон Хаббард почти всю свою жизнь провел в бегах от закона. Уроженец штата Небраска, житель Нью-Йорка, он постоянно искал место, "чистое" от врагов. В 1954 году для своей штаб-квартиры он выбрал Феникс (штат Аризона). Спустя пять лет он перенес ее в Англию. Но в 1968 году британское правительство запретило деятельность сайентологов, и Хаббард со своей свитой переселился на специально оборудованный паром "Аполлон". В 1975 году он вышел на сушу и после настойчивых, но тщетных попыток поставить под свой контроль местные власти в Клиуотере, скрывался на тайных базах церкви, имея под рукой автомобиль и полмиллиона долларов наличными на случай незапланированного бегства. Он ждал кодового известия: наступил "совсем чистый день", чтобы открыто вернуться к управлению созданной им империи.

В марте 1980 года Хаббард исчез с общественной сцены. Одни говорят, что он стремился избежать дальнейших стычек с властями. Другие, в том числе его сын, уверяют, будто Хаббард, долгие годы страдавший от "тяжелых физических заболеваний, ныне либо умер, либо утратил всякую компетентность". Его жена, напротив, заявляет, что он здоров и удалился на "заслуженный отдых".

Николай Максимович Павленко

(1912 — 1955)

Один из самых удивительных авантюристов сталинской эпохи. Во время войны создал собственную воинскую часть.

Коля Павленко, сын мельника из села Новые Соколы, был, пожалуй, самым смекалистым среди своих семерых сестер и братьев. Не дожидаясь, когда отца раскулачат, в 1928 году шестнадцатилетний подросток ушел из дома в город. Чтобы устроиться на работу, приписал к своему возрасту четыре года. Впоследствии Павленко не раз использовал в поддельных документах этот способ: изменял год и место рождения. Поступил в инженерно-строительный институт, но, проучившись два года, бросил.

Сотрудники НКВД, некто Керзон и Сахно, привлекли его "к разработке материалов против троцкистов Волкова и Афанасьева" и как "сознательного" и "преданного" рекомендовали в серьезную организацию — Главвоенстрой. С двумя курсами института молодой Павленко успешно справлялся с работой прораба, старшего прораба, заведующего стройучастка. Уже тогда Николай Максимович хорошо освоил методику приписок, научился "работать" с документами и, что самое главное, понял, что под крышей военного ведомства можно хорошо погреть руки...

Июнь 1941 года Николай Павленко встретил в форме воентехника 1-го ранга со "шпалой" в петлице. Стрелковый корпус, в котором он служил, с тяжелыми боями отходил на восток. В октябре Павленко подделал командировочное удостоверение (он якобы был послан на поиски аэродромной части), взял с собой верного шофера сержанта Щеглова, и они оба исчезли.

Благополучно миновав посты заградотрядов, Павленко и его сообщник добрались до Калинина (ныне — Тверь). Здесь у него были родственники, знакомые по прежней работе в строительной артели. Казалось бы, дезертиру лучше бы затаиться, "лечь на дно", обзавестись поддельными документами, освобождавшими его от призыва, и спрятаться в тихой конторе. Но Павленко замыслил невероятное, особенно если учесть обстановку всеобщей подозрительности во время войны, — создать собственную воинскую часть.

Тридцатилетний Павленко начал с подготовки документальной базы для "воинской" части. В марте 1942 года в застольной компании первых "бойцов", которыми стали ближайшие родственники Павленко и его друзья, уклонившиеся от призыва в армию, объявился профессиональный мошенник Л. Рудниченко. На глазах изумленных зрителей он за какой-то час с помощью нехитрого инструмента вырезал из резиновой подошвы гербовую печать и штампы с надписью "Участок военно-строительных работ Калининского фронта" ("УВСР-5").

Бланки, продаттестаты, командировочные удостоверения и другие документы были напечатаны в типографии за взятку продуктами. Обмундирование закупили на базарах. Были налажены связи с некоторыми работниками швейной фабрики имени Володарского и Калининской облпромкооперации. Из проверенных людей Павленко сделал "офицеров", а себе присвоил для начала звание военного инженера 3-го ранга. По сфабрикованным официальным письмам — на бланках с печатью — командир "УВСР-5" добился, чтобы из военной комендатуры города к нему для прохождения дальнейшей службы направляли отставших от своей части или выписанных после ранения из госпиталя рядовых бойцов.

Новое воинское подразделение по подрядным договорам с различными организациями, ничего не подозревавшими об истинном происхождении "УВСР-5", стало выполнять дорожно-строительные работы. Все денежные поступления по таким договорам Павленко лично делил между своими офицерами и лишь незначительную часть расходовал на питание ничего не подозревавшего "рядового личного состава".

Однако дело требовало более надежного прикрытия. Молодой, энергичный, интеллигентного вида военный инженер 3-го ранга внушал доверие окружающим. Пообещав начальнику одного из эвакопунктов врачу 1-го ранга Биденко бесплатно отремонтировать строения, Павленко добился его согласия взять под свое покровительство "УВСР-5" и даже зачислить бойцов на все виды довольствия эвакопункта.

После ликвидации Калининского фронта часть Павленко перебралась под крыло 12-го РАБа (район авиационного базирования), где его люди также были зачислены на все виды довольствия. Эту операцию он провернул за крупную взятку осенью 1942 года, подкупив некоего подполковника Цыплакова.

Часть Павленко, поменявшая вывеску на "УВР-5", двигалась вслед за наступающими советскими войсками, сохраняя безопасное расстояние до передовой. На пути до границы СССР люди Павленко заработали по договорам около миллиона рублей. Для увеличения объема выполняемых работ требовалось пополнение. Тогда Павленко начал вербовать солдат, отставших от своих частей. "Ты дезертир! Тебя надо судить! Под расстрел пойдешь! — кричал Павленко на проштрафившегося бойца. Но потом, сменив гнев на милость, добавлял: — Ну ладно, так и быть, я тебя прощаю. Оставайся в моей части..."

Начальник штаба "УВР" М. Завада говорил: "Людей вербовали, как правило, из лиц, отставших от воинских частей... Шоферов брали вместе с машиной... Когда подходили к советской госгранице, в "УВР" было более двухсот человек. Половина из них — дезертиры и лица, укрывавшиеся от призыва в действующую армию".

Часть Павленко прошла вслед за советскими войсками всю Польшу и закончила свой "боевой" путь под Берлином. Здесь "строители" занялись откровенным грабежом местного населения. Ничего не подозревавшие о преступной сущности "УВР" честные солдаты могли пожаловаться вышестоящему начальству, поэтому Павленко расстрелял двух самых ретивых, продемонстрировав решительность в борьбе с "мародерами". К концу войны часть Павленко превратилась в вооруженную банду, одетую в форму советских военнослужащих.

Уже после победы набравший силу и обнаглевший командир "УВР" с помощью обмана и крупных взяток установил связи с военпредами Управления вещевого и обозного снабжения Министерства обороны СССР, а также с представителями временной военной комендатуры Штутгарта и получил в свое распоряжение железнодорожный эшелон из тридцати вагонов. Помимо десятков тонн муки, сахара, круп и сотен голов домашнего скота, на нем вывезли десять грузовиков, пять тракторов, несколько легковушек и другую технику. На родину банда возвращалась с богатой добычей, с орденами и медалями. По фиктивным документам о мнимых подвигах бойцов "УВР" Павленко получил свыше 230 наград, которые раздал своим наиболее отличившимся соратникам. Себя же наградил двумя орденами Отечественной войны I и II степени, орденом Боевого Красного Знамени, орденом Красной Звезды, медалями.

По возвращении в Калинин Павленко сразу же демобилизовал всех, кто ничего не знал о преступном характере подразделения. После продажи награбленного каждому из своих "солдат" выплатил от 7 до 12 тысяч рублей, "офицерам" — от 15 до 25 тысяч, себе же оставил 90 тысяч рублей.

Оставив в Калинине часть вывезенной техники, Павленко создал и возглавил гражданскую строительную артель "Пландорстрой". Но под его руководством уже не было сообщников — они разъехались по разным городам, а без них трудно было поставить дело с размахом. В начале 1948 года он связался со своим ближайшим помощником Ю. Константинером, после чего, похитив 300 тысяч артельных средств, скрылся. Скоро во Львов по его вызову съехались другие "офицеры", прибыл и умелец Рудниченко, который быстро изготовил печати и штампы. Так появилась "УВС-1" (Управление военного строительства) со множеством строительных филиалов в западных областях страны.

С 1948 по 1952 год "УВС-1" по подложным документам заключило шестьдесят четыре договора на сумму 38 717 600 рублей. Почти половина договоров проходило по линии Минуглепрома СССР. От имени своей "воинской части" Павленко открыл текущие счета в двадцать одном отделении Госбанка, через которые по фиктивным счетам получил более 25 миллионов рублей.

Располагая большими деньгами, Павленко считал себя неуязвимым. У него было безошибочное чутье на продажных чиновников. Располневший и импозантный полковник (это звание он присвоил себе в 1951 году) давал взятку даже за решение пустякового вопроса. Он был своим в местных органах власти. Его уважали, с ним считались. Павленко отбирал себе охрану через местные органы МГБ, которые тщательно проверяли кандидатов на предмет отсутствия связи с бандеровцами.

5 ноября 1952 года в следственную часть по особо важным делам Главной военной прокуратуры поступило возбужденное военной прокуратурой Прикарпатского военного округа уголовное дело о фиктивной организации "УВС-1", возглавляемой инженер-полковником Павленко Николаем Максимовичем. И это во время правления Сталина, когда царила атмосфера всеобщей подозрительности! Только случай помог разоблачить Павленко.

После войны проводились кампании по подписке на государственный заем. Чтобы создать видимость настоящей воинской части, Павленко и его "офицеры" скупали на "черном рынке" облигации и распространяли их среди ничего не подозревавших вольнонаемных. Так вот, один из них, получив облигации на меньшую сумму, чем он заплатил, написал жалобу в военную прокуратуру, обвинив Павленко в срыве кампании государственной важности.

Работник ГВП направил запрос в Министерство обороны, чтобы выяснить, где расположена военно-строительная часть полковника Павленко. Вскоре пришел ответ: запрашиваемая часть по спискам министерства не значится. На запрос в МВД и органы госбезопасности пришел аналогичный ответ.

Проверка была продолжена, и в короткий срок удалось выяснить, что "УВС-1" существовала совершенно легально. Более того, она имела обширную разветвленную структуру: подчиненные "УВС-1" стройучастки и площадки размещались в Молдавии, Белоруссии, в прибалтийских республиках. Штаб части, располагавшийся в Кишиневе, ничем не отличался от настоящего: здесь было и знамя части с посменными часовыми возле него, и оперативный дежурный, начальники различных служб, и вооруженная охрана в форме рядовых и сержантов Советской Армии, не допускавшая на территорию никого из посторонних под предлогом секретности объекта.

Реальной личностью оказался и командир части "полковник" Павленко. Крепкий, подтянутый, интеллигентного вида человек в очках, он не только не скрывался от посторонних, но и красовался в праздничные дни на трибунах и в президиумах рядом с "отцами" города.

Операцию по ликвидации загадочной организации готовили тщательно. Решено было взять штаб "УВС-1" и все его подразделения, разбросанные по западным регионам страны, в один и тот же день, 14 ноября 1952 года. Захваченные врасплох "бойцы" Павленко не оказывали вооруженного сопротивления. В результате операции были задержаны более 300 человек, из них около 50 так называемых офицеров, сержантов и рядовых. Были арестованы сам "полковник" и его правая рука "начальник контрразведки майор" Ю. Константинер.

В процессе ликвидации фиктивной военно-строительной части были обнаружены и изъяты 3 ручных пулемета, 8 автоматов, 25 винтовок и карабинов, 18 пистолетов, 5 гранат, свыше 3 тысяч боевых патронов, 62 грузовых и 6 легковых автомашин, 4 трактора, 3 экскаватора и бульдозер, круглые печати и штампы, десятки тысяч различных бланков, множество фальшивых удостоверений личностей и техпаспортов...

Для расследования дела была создана бригада из ответственных работников ГВП во главе с В. Маркалянцем, Л. Лаврентьевым и опытных военных следователей с периферии. Но даже высококлассным профессионалам потребовалось два с половиной года (включая судебное разбирательство), чтобы полностью восстановить криминальный портрет Павленко и активных соучастников задуманного им предприятия.

Александр Тихонович Лядов — один из следователей, занимавшихся делом Павленко, рассказывал: "Дело это было сверхсекретное. В 1952 году я работал старшим следователем прокуратуры Центрального округа железных дорог. После допросов арестованных и свидетелей мы сдавали протоколы старшему группы, и портфели с делом опечатывались. В ходе следствия пришлось выехать в Ровенскую область. В городе Здолбунове "воинская часть" Павленко строила подъездные пути к восстанавливаемому цементному и кирпичному заводам. Должен сказать, строил он отлично. Приглашал специалистов со стороны, по договорам. Платил наличными в три-четыре раза больше, чем на госпредприятии. Проверять работу приезжал сам. Если найдет недостатки, не уедет, пока их не исправят. После откатки сданного пути выставлял рабочим бесплатно несколько бочек пива и закуску, а машинисту паровоза и его помощнику лично вручал премию, здесь же, принародно. Тогда многие рабочие получали 300—500 рублей в месяц. А Павленко мог отдать сотню на газету. Но я об этом никому не рассказывал, все равно не поверили бы.

Или вот такой эпизод. На допросе одного начальника главка задаю вопрос: вы знали, что Павленко делает дорогие подарки должностным лицам и их женам? Неужели это не вызывало у вас подозрений? Тот в сердцах отвечает: "Ну как мне могло прийти в голову, что Павленко жулик, если во время праздничного парада он стоит на трибуне рядом с областным руководством, которое его хвалит за работу, ставит в пример хозяйственникам..."

"Сидим мы с ним в ресторане, — продолжает начальник главка, — я про себя подсчитываю, сколько мне придется заплатить. А Павленко, словно читая мои мысли, заявляет: "Я плачу! Ты сколько получаешь? Тысячи две, не больше?" У меня само собой вырвалось: "А вы сколько?" Он засмеялся и так небрежно: "Десять тысяч... Эту работу гражданскую мы делаем между прочим, а основная у нас секретная" — тут я язык и прикусил, не решился дальше расспрашивать..."

Действительно, в Павленко трудно было заподозрить преступника. Преуспевающий солидный человек, ездит на "Победе"...

В день ареста Павленко при обыске в его квартире, помимо прочего, были найдены и генеральские погоны.

На суде несостоявшийся генерал сказал: "Я никогда не ставил целью создание антисоветской организации". И далее заявил: "Заверяю суд, что Павленко еще может быть полезен и он вложит свою лепту в организацию работ..." Однако приговор трибунала Московского военного округа от 4 апреля 1955 года был суров: "полковник" Павленко был приговорен к высшей мере наказания, а шестнадцать его "офицеров" — к лишению свободы сроком от 5 до 25 лет.

Чеслав Боярский

(1912 — 1967)

Талантливый изобретатель, авантюрист, фальшивомонетчик. Получил патенты за изготовление пластмасс, за электробритвы, за ротационные моторы...

Старший комиссар отдела по борьбе с фальшивыми деньгами месье Эмиль Бенаму не сомневался: работает одиночка. Деньги появляются только в единичных, "авторских" экземплярах. Сначала это была банкнота в 1 тысячу старых франков, на которую эксперт Банка Франции обратил внимание в 1951 году. Распознать подделку было так же трудно, как и шесть лет спустя, когда появились вызвавшие подозрения банкноты в 5 тысяч франков. И вот последние произведения мастера фальшивок — новые 100-франковые банкноты. "Новыми" они были только в смысле обновленной валюты (в 1960 году во Франции была проведена денежная реформа), сами же купюры загадочным образом были "состарены".

Он не мог бы перечислить все совещания, заседания и беседы с представителями национального банка, министерства внутренних дел, где пытались найти разгадку этого феномена. За 12 лет так и не удалось нащупать хоть какую-нибудь ниточку. Конечно, проводились многочисленные анализы, прежде всего бумаги, на которой были напечатаны фальшивые деньги. Вывод — все эти банкноты изготовил один и тот же человек. Неизвестно было даже, мужчина это или женщина. Не один раз комиссар призывал Банк Франции обратиться к помощи населения в выявлении преступника. Каждый раз он наталкивался на ответ: это совершенно невозможно, так как невозможно указать ни один достоверный признак, по которому и дилетант мог бы отличить поддельные деньги от настоящих. Надо заботиться о спокойствии населения. Таким образом, французскому национальному банку не оставалось ничего другого, как только аккуратно принимать фальшивые банкноты и обменивать их на настоящие. Один постоянный признак установить все же удалось: автор на относительно крупных партиях своих банкнот не менял номера серий. Но так как банкноты поступали в обращение поштучно, проследить за их номерами было практически невозможно.

1963 год. В почтовом отделении на бульваре Бессьер работают чертовски наблюдательные люди. Оттуда поступило сообщение о том, что некий посетитель с пачкой 100-франковых банкнот приобрел различные ценные бумаги. Служащий по номерам банкнот определил, что они фальшивые. Но человек уже вышел на улицу и как раз садился в машину. Служащий все-таки успел запомнить номер и дал описание посетителя: ему лет 50, он крепкого сложения...

Бенаму тут же связывается с полицейским управлением. Владельцем “рено” оказывается Алексис Шувалов, родившийся в 1927 году в семье русских эмигрантов в Ницце. Бенаму записывает полученные данные и уже через несколько минут инструктирует своих людей: пока что нужно организовать тщательное наблюдение, никаких арестов, подробный инструктаж на почте, постоянная связь с управлением...

Проходит почти три недели, прежде чем Шувалов 23 декабря 1963 года снова появляется на почте. Служащий спокойно принимает пачку банкнот и протягивает клиенту облигации. Потом Шувалов направляется с теми же целями в другие банковские филиалы. Он повторяет свой обход 30 декабря 1963 года, 7 января 1964 года, 17 января в дело вступает полиция. Алексис Шувалов сначала все отрицает. Затем вспоминает, что получил их от кузена Антуана Довгье. Последний, оказавшись в полиции, дает показания, что получил деньги от своего друга Чеслава Боярского, который живет в Монжероне, там он построил себе красивый дом.

Через пару часов несколько машин останавливаются перед домом в Монжероне, авеню Сенар, 33. Это скромный, но с большим вкусом построенный дом с ухоженным садом. Полиция прибыла, не имея ордера на обыск, след был настолько горячим, что решили не тратить времени на официальный запрос. Боярский протестует, но его просто отодвигают в сторону. “Что находится в чемодане?” “Не ваше дело!”

Боярский пытается бороться с полицейскими: “Это незаконно! Это налет!”

Чемодан открыли. В нем оказалась пачка новеньких банкнот. “Это фальшивые деньги! Они конфискованы, месье Боярский!”

Когда позднее содержимое чемодана проверяют эксперты Банка Франции, выясняется, что деньги настоящие.

Обыск в конце концов завершается безрезультатно, но полиция считает, что найденные деньги сами по себе являются уликой и поводом для серьезного разговора в Париже с их владельцем. Подозреваемый отметает все обвинения в изготовлении фальшивых денег, к этому моменту готов и официальный ордер на арест. Практически одновременно с ордером Бенаму получает сообщение из Банка Франции, содержание которого нам уже известно. Комиссар воспринимает его, не дрогнув. За свою многолетнюю службу в отделе по борьбе с фальшивыми деньгами он вывел на чистую воду более 200 мошенников, он знает своих клиентов. Все они, большие и маленькие, делятся на разговорчивых и скрытных. Боярский скрытен. На вопросы отвечает обдуманно и неохотно.

Алжирец переводит разговор на дом Боярского. Хозяин гордится своим домом. Он понимает в этом толк, это его профессия, он инженер-строитель. Боярский сам спроектировал свою виллу, сам участвовал в строительстве и с начала до конца осуществлял авторский надзор за строительством. Это именно то, что хотел услышать Бенаму.

Снова полицейские наряды отправляются в Монжерон. Простукиваются все стены, перекрытия, весь дом снизу доверху. Внимательнейшим образом обследуется подвал. Работа идет непрерывно в течение восьми часов. Все устали, уже потеряли надежду. В гостиной свертывают ковер, на котором стоит большой письменный стол хозяина дома. И как раз под этим столом полицейских ждет удача: здесь находится мастерски замаскированный спуск в подвальное помещение. Его площадь — всего 6 квадратных метров, но здесь есть все необходимое, начиная от рулона бумаги до пресса.

Через несколько месяцев в этом подвальном помещении в присутствии свидетелей произойдет чудо. Боярский пояснит со всеми подробностями, что он делал, чтобы изготовлять совершеннейшие во всем мире фальшивки. Чиновники следствия вне себя. Этот человек обладает удивительными, феноменальными способностями. Перед ним бледнеет вся история изготовления фальшивых денег.

Все в облике этого человека значительно: высокий лоб, узкий, несколько великоватый нос, энергичный подбородок, живые глаза за стеклами очков и, наконец, тяжелая, прямая походка. Рост Боярского — 158 сантиметров. Но человек, которого один французский судебный репортер окрестил "профессор Косинус", так как форма его головы блестяще иллюстрирует ставшее нарицательным прозвище высокообразованных людей — "яйцеголовые", на самом деле явление исключительное, хотя и в негативном смысле. Журналисты, собравшиеся в зале суда, не клеймят, а скорее сочувствуют ему. В их репортажах звучит тихая мелодия реквиема по потерянному гению, которому общество не смогло предложить ничего иного, кроме карьеры преступника. Репортер из "Монд" пишет о его "удивительных, необыкновенных способностях", считая его "самым оригинальным фальшивомонетчиком своего времени".

13 лет понадобилось французским стражам порядка, чтобы арестовать авантюриста, который успел выпустить фальшивых денег на сумму 249 миллионов франков (в этой цифре суммированы старые и новые франки. Действительный эквивалент фальшивых банкнот так и не был установлен. Французский национальный банк на процессе заявил об ущербе в 1,1 миллиона франков. Нанесенный ущерб оценивается и в 3,6 миллиона франков). Уже один этот факт вынудил публику, собравшуюся в зале суда, отнестись с уважением, а затем с симпатией к главному обвиняемому, по мере того, как слушатели узнавали о его жизни.

Чеслав Боярский родился в 1912 году в польском городке Ланцут в семье мелкого коммерсанта. В львовском политехникуме изучал политическую экономию, через несколько лет получил в университете Данцига диплом инженера-строителя. В начале второй мировой войны он был офицером польской армии. В 1940 году в Марселе вступил в ряды Сопротивления, победу встретил в составе батальона польских добровольцев в Париже.

Многие его боевые друзья возвратились на родину. Чеслав Боярский решил, что во Франции он найдет лучшее применение своим способностям. В Бобиньи, северном пригороде Парижа, он снимает маленькую квартиру и превращает ее в мастерскую. Там он самозабвенно работает, изобретает, получает патенты: за изготовление пластмасс, за электробритвы, за ротационные моторы... Но ему не удается найти заказчика, его изобретения оказываются никому не нужными. Дипломы Боярского о высшем образовании не признаются во Франции, он не может занять положение, на которое рассчитывает. Уже немолодой человек продолжает мастерить, выдумывать, изобретать. В 1948 году он женится на молодой француженке из состоятельной семьи. Сюзанна, а также ее родители верят в его талант, поддерживают честолюбивого изобретателя. Но это не выход. Чеслав Боярский не может жить подаянием. В тот же год у какого-то старьевщика за 200 старых франков он приобретает неисправное биде "старого режима". Из него он делает мельничную установку для переработки бумаги. Инженер-строитель, абсолютно не знакомый с полиграфией, штудирует специальную литературу и строит небольшой пресс. Потом он занимается изучением паутины тончайших линий и точек на банкнотах, которые также очень далеки от технических чертежей, в коих он практиковался в Данциге. Чеслав чертит, рисует, занимается гравировкой, работает резцом, смешивает краски. Отрешенно, упорно, отчаянно он идет к своей цели. То, чего он не может получить от общества нормальным путем, он сделает сам. И с той же точностью, какая присутствует в клубке линий и портретах Мольера и Гюго, он имитирует также следующие слова: "Подделка государственных банкнот, а также использование фальшивых денег в соответствии со ст. 139 уголовного кодекса караются пожизненным тюремным заключением. Это наказание распространяется и на тех, кто ввозит фальшивые банкноты во Францию".

Результаты, которых за два с половиной года труда достиг неутомимый поляк, не прошедший обучения ни в производстве бумаги, ни в технике печати, не говоря уже о графических работах, заслуживают эпитета "гениальные". Его банкноты просто совершенны. Он подумал и о водяных знаках. Для того, чтобы окончательно снять все возможные подозрения, Боярский изобретает специальную установку, которая "старит" деньги. Эксперты Банка Франции, выступая в суде, признают, что невозможно было предупредить общественность, назвав признаки, по которым можно было бы отличить продукцию Боярского. Даже им, экспертам, с огромным трудом, да и то не всегда, удавалось идентифицировать банкноты. "Стреляным воробьям" показался подозрительным хруст, который издавали банкноты, если их усердно мять. Но кому придет в голову мять деньги? Единственная реальная улика — это повторяющиеся номера банкнот, но она начинает "работать" только тогда, когда фальшивые банкноты поступают целыми пачками.

На первую изготовленную самостоятельную банкноту Боярский приобрел петушка для рождественского стола 1950 года. За долгое время это был первый вклад главы семьи в семейный бюджет. До 1954 года отвергнутый обществом гений изготовлял 1000-франковые банкноты. Он сам пускал их в оборот, всегда по одной купюре, затесавшейся среди настоящих денег. Постепенно Боярский освобождается от всех финансовых забот, но в конце 1954 года останавливает, несмотря на подбадривающее молчание прессы, свое прибыльное производство, вновь посвятив себя изобретательству. Но на этом поприще удача так и не улыбнулась ему. В 1957 году Боярский начинает производство банкнот в 5 тысяч франков. Инфляция сказывается и на его промысле. Кто будет безучастно смотреть на то, как финансовые воротилы выпуском новых денег обесценивают оплату квалифицированного труда? Рабочие и служащие борются за свои права забастовками. Чеслав Боярский лишен права на забастовку. Ему остается только расширить свое производство, но он по-прежнему сбывает свои банкноты самостоятельно. В 1960 году он строит виллу в Монжероне, в ее подвале в 1962 году Чеслав начинает выпуск банкнот в 100 новых франков.

Его друг Антуан Довгье, которого Боярский неоднократно спасал от неуплаты долгов, в конце концов становится его сообщником. Боярский предупреждает его: ни в коем случае нельзя его деньгами расплачиваться в банке или на почте. Довгье за 70 настоящих франков получает 100 франков Боярского, такой курс они установили. Довгье вовлекает в дело своего родственника Шувалова, рассчитываясь с ним по курсу 75 настоящих франков за 100 франков Боярского. Время идет, никаких тревожных сообщений не появляется. Постепенно соучастники Боярского смелеют. Для Шувалова Боярский — фальшивомонетчик совершеннейшего класса, которого нельзя уличить. Опасаться нечего... Для Боярского Шувалов стал гибелью.

После оглашения приговора Бенаму заявил: "Возможности искусства Боярского ошеломительны. Если бы он во Франции подделывал доллары, его бы, вероятно, вообще никогда не арестовали".

Американский журнал "Тайм" писал о фальшивых деньгах Боярского: "Это была настолько чистая работа, что... даже во Франции, где производится 80% всех фальшивых денег, Боярский заслуживает славы Леонардо да Винчи".

Процесс начался 12 мая 1966 года. Человек, сидевший на скамье подсудимых, после двух с лишним лет предварительного заключения очень мало походил на энергичного изобретателя и предпринимателя. У него было бледное, измученное лицо. Чеслав Боярский тяжело болен. У него туберкулез легких и костный рак.

Несмотря ни на что, Чеслав Боярский продолжает верить в свой призрачный шанс. Он не подозревает, что жить ему осталось всего несколько месяцев. Боярский правоверный католик, и он надеется на милость правительства, которое предоставит ему — фальшивомонетчику — возможность работать экспертом по деньгам. Он уже предложил свой вариант бумаги для производства денег, которую, как он считает, невозможно подделать. Но это весьма и весьма шаткие надежды.

Прокурор Шарасс потребовал для подсудимого пожизненного заключения: "Когда же нам применять статью 139 в полном объеме, как не в этом случае? В 1958 году 20 лет тюрьмы получил фальшивомонетчик Верзини. Но по сравнению с Боярским он — мелкая рыбешка".

Боярский в своем последнем слове сказал: "Я глубоко сожалею о том, что причинил столь значительный ущерб Банку Франции. Я совершенно искренне уверяю вас, что никогда не хотел принести вред кому бы то ни было. Не отнимайте у меня надежды исправить свою вину, принести пользу; подарить моим детям улыбку".

14 мая 1966 года огласили приговор. Надежда Чеслава Боярского на то, что он еще сможет улыбнуться своим детям, рухнула. Его приговорили к 20 годам тюрьмы. Председатель суда объяснил "мягкость" приговора глубоким раскаянием подсудимого. Боярский был потрясен, он спрятал лицо в ладонях.

Чеслав Боярский не увидел бы свободы и при более мягком приговоре. Он умер через несколько месяцев.

Мадам Вонг

(1920 — ?)

Китайская авантюристка, "королева пиратов". Настоящее имя — Шан. Ее банда была организована по принципу китайских тайных обществ. Полиции так и не удалось выйти на ее след. Стражи порядка стран Юго-Восточной Азии предлагали в 1964 году 10 тысяч фунтов стерлингов только за фотографию пиратки. Единственным ее увлечением были азартные игры.

Мало что известно о ее жизни до конца тридцатых годов. Красавица Шан была танцовщицей в одном из кабачков Гонконга (по другой версии — в одном из ночных клубов Кантона), когда однажды за кулисы к ней зашел шикарно одетый господин средних лет и заявил Шан, что она ему нравится и он хочет на ней жениться, что зовут его Вонг Кунгкит и что он служит у самого генералиссимуса Чан Кайши.

Танцовщица была так поражена манерами и костюмом господина Вонг Кунгкита, что сразу согласилась на его предложение, даже не подозревая, с кем связывает свою дальнейшую жизнь...

Свою карьеру Вонг Кунгкит начал с деяний уголовных. Торговал детьми, женщинами, наркотиками. Имел тесную связь с так называемым "Братством нищих" — тайной гангстерской организацией, у которой повсюду были свои глаза и уши. "Братья" похищали детей богатых родителей и требовали за них выкуп, но это было не страшное зло. Гораздо ужаснее выглядело другое занятие — уродовать, по примеру средневековых компрачикосов, краденых детей, чтобы потом зарабатывать на них деньги.

То, что Вонг Кунгкит, будучи самым настоящим гангстером, одновременно состоял на службе у Чан Кайши, вполне объяснимо. В своей деятельности генералиссимус опирался на темные силы Шанхая, Гонконга, Тяньцзиня и других китайских городов.

К 1940 году, когда Вонг Кунгкит решил уйти с государственной службы, у него уже был солидный капитал, дававший возможность начать любое дело.

Господин Вонг Кунгкит выбрал пиратство и через некоторое время стал грозой торговцев на реке Янцзы, в устье которой расположен Шанхай, где пересекались интересы всех преступных кланов тогдашнего Китая и где можно было сбыть любое количество награбленного и “отмыть” какие угодно деньги.

Начав с Янцзы, Вонг Кунгкит вскоре вышел в Южно-Китайское море, где грабил торговые и пассажирские суда, независимо от того, под флагом какого государства они плавали.

Но в 1946 году Вонг Кунгкит погиб. История его смерти загадочна, полагают, что в ней повинны конкуренты пирата.

Когда в конце концов два ближайших помощника Вонг Кунгкита пришли к вдове, чтобы та чисто формально (поскольку все уже было решено этими двумя) одобрила бы названную ими кандидатуру на пост руководителя корпорации, мадам Вонг спокойно выслушала помощников своего погибшего мужа. Дело происходило в будуаре мадам, где она, сидя перед трюмо, занималась вечерним туалетом. Пришедшие, рассевшись в небрежных позах, говорили о том, что “фирме” больше нельзя оставаться без хозяина, что за дело должна взяться твердая мужская рука и они готовы взвалить на себя тяжелую ношу руководства, пусть только мадам укажет, кого из них двоих она предпочитает.

“К сожалению, вас двое, — ответила мадам, не отрываясь от туалета, — а фирме нужен один глава...”

После этих слов мадам круто повернулась, и мужчины увидели, что в каждой руке она держит по револьверу. Небольшие, даже изящные (их изготовил по заказу в спецмастерской, украсил перламутром и подарил жене в день рождения покойный Вонг Кунгкит), они напоминали игрушки, однако грянувшие выстрелы разрушили эту иллюзию. Спрятав револьверы в ящик туалетного столика, мадам вызвала охрану и приказала убрать трупы.

Так состоялась “коронация” мадам Вонг, ибо после этого случая охотников говорить с нею о власти в корпорации не нашлось.

Заняв место мужа, мадам Вонг произвела ревизию доставшегося ей хозяйства. Выяснилось, что ее флот составляет сто пятьдесят джонок, новейших торпедных катеров и канонерок. Современные джонки — это быстроходные корабли, оснащенные сильными двигателями, самым современным радио- и навигационным оборудованием, и хорошо вооружены.

Состав флота показался мадам Вонг недостаточным, и она решила приобрести в Европе подводную лодку, но сделка по каким-то причинам не состоялась.

Первой крупной операцией, проведенной под руководством мадам Вонг, стало ограбление в 1947 году голландского парохода “Ван Хойц”. Он шел из Кантона в Шаньтоу, когда темной ночью его атаковали семь джонок мадам Вонг. Пароход был взят на абордаж и ограблен дочиста. Как утверждала впоследствии полиция, “улов” пиратов составил 400 тысяч фунтов стерлингов.

В 1951 году на весь Дальний Восток прогремел случай с английским пароходом “Мэллори”. Когда пароход проходил Тайваньский пролив, у него прямо по курсу оказалась неизвестно откуда взявшаяся джонка. Чтобы не наскочить на нее, “Мэллори” сбавил ход до малого, чем тотчас воспользовались люди на джонке. Они пришвартовались к английскому пароходу и молниеносно высадили на него вооруженную группу в составе двадцати пяти человек. Угрожая команде американскими автоматами, налетчики заперли ее в одной из кают, а сами принялись перегружать на джонку все ценное, что находилось на борту “Мэллори”. Работа продолжалась несколько часов, после чего джонка скрылась.

Но грабеж в открытом море был не единственным способом пополнения казны мадам Вонг. Она не гнушалась и рэкетом, о чем красноречиво свидетельствует следующий факт.

В августе 1951 года в одну из контор британского пароходства, расположенную в Гонконге, поступило письмо следующего содержания: "Ваш фрахтер, который отплывает 25 августа, будет атакован. Если Вы отложите отправление, это Вас не спасет. Можете обеспечить безопасность судна, заплатив 20 тысяч гонконгских долларов".

Проанализировав ситуацию, пароходство пришло к выводу, что запрашиваемую вымогателями сумму надо заплатить, иначе будет хуже. Кто были эти вымогатели, англичане прекрасно знали, но у них не было никого, кто мог бы защитить их от рэкетиров, — английские военные корабли были заняты в то время на войне в Корее, а гонконгская полиция уже давно выбивалась из сил, гоняясь за пиратами мадам Вонг.

О том, как опасно игнорировать "просьбы" мадам Вонг выплатить ей те или иные суммы, говорит случай с пароходной компанией "Куангси". От мадам Вонг ей поступил "счет" на ежегодную выплату в 150 тысяч долларов. Компания отказалась платить, и на ее кораблях начали взрываться мины замедленного действия, а те корабли, которые обнаруживали взрывчатку еще в порту, затем бесследно исчезали в море. Убытки компании во много раз превысили "квоту", установленную мадам Вонг. Так что приходилось платить, и морская полиция Гонконга подсчитала, что сумма выплат составляет ежегодно 150 миллионов гонконгских долларов.

Во время корейской войны у американцев постоянно исчезали по пути следования транспорты со стратегическими грузами, которые конвоировались военными кораблями. Чтобы положить этому конец, американцы создали специальную группу агентов военной разведки. Но ей не удалось напасть на след пиратов. К тому же молодчики мадам Вонг украли у разведчиков патрульное судно, которое так и не нашли, несмотря на все старания. Есть сведения, что в те годы мадам Вонг существенно расширила свои связи, побывав в Макао, Сингапуре и даже в Токио. Там она встречалась с нужными ей людьми, а в редкие минуты отдыха играла в азартные игры, которые являлись ее единственным увлечением. Разумеется, после пиратского "бизнеса".

Территория, контролируемая пиратами, была сравнима с территорией средней европейской страны, такой, скажем, как Англия или Голландия. Соответственно этому был и урон, наносимый корпорацией экономике Китая. Полиция многих городов пыталась выйти на след мадам Вонг, но она была неуловима. Более того, в картотеке полиции даже не было портрета мадам, что чрезвычайно затрудняло ее розыск.

И вот, чтобы восполнить пробел, полиция таких стран Юго-Восточной Азии, как Тайвань, Филиппины, Таиланд, Япония (по одному этому "списку" можно судить о размахе преступной деятельности мадам Вонг), предлагала в 1964 году 10 тысяч фунтов стерлингов тому, кто предоставит фотографию преступницы. А тот, кому удалось бы поймать мадам Вонг, мог назначать собственную цену за ее голову, и власти перечисленных выше стран обязывались уплатить ее.

Однажды (спустя месяц после объявления о вознаграждении) в полицию города Макао поступил конверт с надписью: "Это Вас заинтересует, потому что касается мадам Вонг". Конверт вскрыли и обнаружили там фотографии двух мужчин, убитых и жестоко изуродованных. В записке, которая прилагалась к фотографиям, говорилось, что эти люди наказаны за то, что пытались тайно сфотографировать мадам Вонг.

Второй случай, не менее жестокий, произошел с одним из членов банды мадам Вонг, который предложил передать японской полиции кое-какую информацию о своей “хозяйке”. Переговоры с этим человеком велись тайно, без свидетелей, и японцы надеялись, что наконец-то нападут на след “дамы-невидимки”. Осведомителю была назначена встреча, и он прибыл в обговоренный пункт. У него были отрублены руки и вырезан язык...

Но чем же объясняется неуловимость мадам Вонг и ее поистине дьявольская осведомленность обо всем, что планируется против нее? Почему полициям восточно-азиатских стран так и не удалось установить даже приблизительную численность этой корпорации?

Все дело в том, как считают многие криминалисты, что в основу организации мадам Вонг были положены вековые традиции и принципы китайских тайных союзов и обществ, корни которых уходят в средневековье и дальше. Эти союзы особенно широко были распространены в южных районах Китая и носили экзотические названия — “Белая, Голубая и Красная кувшинки”, “Большие и Малые ножи”, “Два дракона”, “Старые братья”, “Белое облако”, “Белый лотос”, “Три палочки ладана” и, наконец, общество Неба и Земли и знаменитая “Триада”.

Прием в члены таких обществ сопровождался сложными обрядами и ритуалами, имевшими магический характер, что делало их похожими на древние китайские ордалии, то есть на процесс, когда выяснялись правота или виновность и когда этот процесс сопровождался разного рода испытаниями, доставлявшими участвовавшим в нем физические страдания.

Подобные обряды особенно практиковались членами тайного общества “Триада”, которое до сих пор существует в государствах Юго-Восточной Азии. Общество это отличается жестокой субординацией и дисциплиной, культом вождей, считающихся непогрешимыми, а потому требующих безоговорочного подчинения.

Как считают исследователи, их опыт, особенно опыт “Триады” по внедрению в общественную жизнь и конспирации своей деятельности, взяла на вооружение мадам Вонг. Более того, поговаривают, что она была не столько “королевой пиратов”, сколько одним из руководителей могущественной “Триады”!

Впрочем, прямых доказательств того, что мадам Вонг служила сразу двум господам — своей корпорации и “Триаде”, — нет. Но то, что она использовала опыт последней в деле внутреннего устройства своей корпорации, — бесспорно. “Империя” мадам Вонг устроена по принципу тайных обществ — безусловном подчинении рядовых членов вождям. Английская полиция утверждает, что китаянка имеет в своем распоряжении не менее трех тысяч боевиков, связанных железной дисциплиной и готовых на все во имя интересов своей корпорации. Португальские же криминалисты считают, что “воинов” у мадам Вонг около восьми тысяч. А ведь есть еще информаторы, причем ими являются не только китайцы и другие “азиаты”, но и многочисленные европейцы.

В шестидесятых — семидесятых годах размах преступной деятельности мадам Вонг достиг такого уровня, что ею занялся Интерпол. При этом выявилась очень мощная сеть преступных организаций, разбросанных буквально по всему миру и подчиненных мадам. Ее агенты по доставке крупных партий наркотиков и золота, а также по торговле “белыми рабами” обнаружились, например, в Амстердаме и Нью-Йорке, в городах Среднего Востока и Латинской Америки.

Мадам Вонг владела большим количеством недвижимости в виде десятков ресторанов и публичных домов в Гонконге, Сингапуре и Макао. Мадам торговала девушками для увеселительных заведений, которых агенты Вонг вербовали в странах Западной Европы и в Америке под предлогом высокооплачиваемой работы секретарей, гидов, стюардесс. Вместо офисов они попадали в портовые притоны и чайханы, откуда уже не было возврата в нормальную жизнь.

И все же основную долю своих дивидендов мадам Вонг получала от операций с золотом и драгоценностями. Корабли ее флотилии, разбросанные на пространстве от Персидского залива до Шанхая, доставляли контрабандное золото в пункты сбыта. За это пираты имели от 5 до 10 процентов чистой прибыли. А поскольку через руки мадам Вонг за год проходило на миллиард долларов драгоценного металла, то на ее долю после сделки оставалось 50—100 миллионов долларов. Правда, нужно было делиться с посредниками, но и тогда пираты и их руководительница не оставались внакладе, получая 20—25 миллионов.

Новое направление в деятельности корпорации принесло и новые заботы. Если раньше клиентами мадам Вонг были откровенно уголовники, то теперь ими стали банкиры, антиквары, ювелиры.

Словом, мадам Вонг требовалось приобрести солидность и респектабельность, чтобы завоевать доверие у своих новых клиентов, и она это с успехом проделала, еще раз доказав всем, что пойдет на все ради своих интересов. С этой целью мадам стала оказывать кое-какие услуги английской полиции Гонконга и даже приняла участие в ликвидации мелких пиратских банд. Кроме того, она стала просто-напросто наводить полицию на своих конкурентов по золотому промыслу, из-за чего многие из них разорились. Зато сама мадам снискала репутацию чуть ли не борца с преступностью, а вдобавок получала, если верить утверждениям некоторых газет, десять процентов от суммы конфискованного у тех, на кого она наводила.

Говорят, что в семидесятых годах пожилую мадам Вонг, в роскошных мехах и бриллиантах, время от времени встречали не только за игорными столиками в казино, но и на всевозможных раутах у банкиров и бизнесменов. Об этом писал в 1978 году итальянский журналист Альберто Салани. Правда, доказать, что это была именно мадам Вонг, невозможно, поскольку она всегда выступала под вымышленным именем. Этим приемом мадам пользовалась, видимо, всегда, и подтверждение тому — случай, который произошел с вице-президентом Филиппин Мануэлем Пелаесом.

В июне 1962 года вице-президент устраивал прием в своем загородном доме, расположенном неподалеку от Манилы. Гостей было около двух сотен, и среди них — мадам Сенкаку, поразившая всех тем, что, играя в рулетку, делала умопомрачительные ставки. Посмотреть на игру собралась целая толпа любопытных, в том числе и сам господин Пелаес. После игры он сказал своей гостье: “Вы так спокойно играете и делаете такие ставки, как могла бы играть сама мадам Вонг, если верить слухам о ней...” — “А я и есть мадам Вонг, — ответила гостья. — Сенкаку — мой псевдоним”. Приняв это за шутку, присутствовавшие при разговоре вежливо рассмеялись. Но спустя неделю Пелаес получил письмо из Макао, состоявшее из одной лишь фразы: “Благодарю Вас за приятно проведенный вечер. Вонг — Сенкаку”.

Дэвид Брандт Берг

(род. 1919)

Основатель и руководитель организации "Дети Бога". Высшим принципом жизни объявил любовь во всех ее видах.
Принял имя Давида Моисея (он же пророк Мо). Предсказывал "конец света" в 1993 году.

Свою пастырскую деятельность Дэвид Берг начинал в качестве проповедника небольшой баптисткой церкви в Аризоне. Вскоре он переселился в Хантингтон Бич (Южная Калифорния) и стал работать на телевидении для известного фундаменталиста Фреда Джордана. Одновременно он приобрел кафетерий. Это были бурные годы молодежных движений, появления "хиппи", "юродивых во Христе" и прочих неприкаянных бородачей. Берг начал работать с религиозными диссидентами, в основном с наркоманами. На ранчо, предоставленном в его распоряжение Джорданом, он организовал коммуну "Подростки для Христа". Впоследствии ее стали называть "Революционеры ради Христа". В печати она фигурировала как "Дети Бога", и это название закрепилось.

Как считалось, главной заботой Берга в ту пору было создание классов по изучению Библии. Но Берг уже тогда пытался поставить дело на коммерческую основу. Он настойчиво призывал детей бросать учебу в школах, чтобы все силы и средства отдать процветанию коммуны.

Берг ощущал безнадежную обыденность своей деятельности, не сулившей ему материального благополучия. Нужны были новые идеи. Но они как-то обходили его стороной, и Берг пошел по проторенному авантюристами от церкви пути. В 1969 году он объявил, что получил "свыше" пророческое послание. Суть его такова: дьявол овладел миром и прельщает людей материальными ценностями, чтобы отвратить их от Христа. В качестве возмездия штат Калифорния в ближайшее время будет разрушен роковым землетрясением, в котором погибнут все, за исключением тех, кто примкнет к "Детям Бога". По столь важному поводу Берг срочно собрал своих питомцев и повелел им все силы отдать "обращению" новичков, предупредить, что катастрофа близка.

Вероятно, Берг во снах уже видел толпу американцев, умоляющих его обменять свое имущество и чековые книжки на “спасение”. Но ничего подобного не произошло, поскольку всем было известно, что через всю Калифорнию тянется гигантский тектонический разлом, постоянно грозящий землетрясением. И столько было предсказаний, пророчеств, запугиваний, что им давно перестали верить всерьез. Но Берг не отчаивался, и удача нашла его.

История его взлета начиналась совершенно банально. Берг воспылал любовью к своей секретарше с библейским именем Мария. Дэвид рассказами о “царствии небесном” сумел заморочить голову доверчивой послушнице. Но случилось то, чего боится любой отважившийся на измену мужчина: законная супруга проповедника Джейн застала своего благоверного на месте преступления. Джейн подняла такой крик, что сбежались все соседи, среди которых были и “Дети Бога”.

Берг же вдруг торжественно заявил, что эта старая ведьма должна немедленно прекратить свои визги, дабы не оскорблять Бога: он, Моисей, недавно получил свыше великое откровение о “старой и новой церквах”, в котором Господь поведал ему, что есть “старая церковь” — это Джейн, и есть “новая церковь” — это Мария. И Всевышний предписал верному Моисею отныне оставить старую церковь и ходить исключительно в новую, что он и делает.

Джейн стояла открыв рот, не в силах вымолвить и слова. Однако случилось невероятное: другие свидетели скандала ему поверили!

Коммерческий ум Берга сразу же усмотрел весьма заманчивые перспективы. В конце 1969 года он сочинил первое “Письмо МО”, в котором изложил возвышенный план спасения пропащих душ через неразборчивое ублажение тела. Коротко говоря, ее суть сводилась к следующему.

Высшим принципом бытия, жизни и веры Берг провозгласил универсальную, исключений не допускающую всеобъемлющую любовь. Если вы любите Бога, то и Бог любит вас. Но если вы любите других, то вы проявляете к ним божественную любовь и тем самым выражаете свою любовь к Богу. Радикальная новаторская идея Берга состояла в толковании божественной любви: все, что приносит удовольствие, и есть любовь. В первых письмах, например, обличая религиозных ханжей и догматиков, он поощрял выпивку — но только если она приносит удовольствие! Основная идея его учения — свободная, а проще говоря, групповая любовь, в том числе гомосексуальная.

Авантюрист не ограничился проповедями, а лично организовал совместные купания обнаженных “детей” и с нескрываемым удовольствием наблюдал за практическим торжеством собственных принципов. В деле “спасения”, считал Берг, не может быть мелочей: а поэтому собственноручно занимался выбором фасонов для своих “дочек”. Забота его была трогательно-конкретной. Он, например, настоятельно рекомендовал воздерживаться от ношения трусиков, колготок и прочих непрактичных деталей.

В это же время секс-революционер создал величественную теологическую систему, основная идея которой состоит в том, что блуд — эффективное и санкционированное “свыше” средство спасения душ и надежный путеводитель к Христу. Детей, зачатых в ходе такого миссионерства, Берг торжественно объявил “детьми Христа”. Он систематически крапал свои послания. “Пророк Мо” сделал верную ставку в этой игре.

“Письма Мо” были отмечены литературным изобретательством: обличение пороков мира в них ненавязчиво сочеталось с двусмысленными сюжетами, фривольными иллюстрациями. По мере того как их тираж увеличивался, росло число последователей Берга. Они стали называть себя “Семьей любви”.

Однако родители детей все чаще стали обращаться в суды, деятельностью Берга заинтересовался главный судья штата.

Пророк Мо в этой не простой для себя ситуации проявил удивительную находчивость и проворство.

В октябре 1972 года произошел его разрыв с Фредом Джорданом. Расставание было тягостным и скандальным. Джордан обвинил Берга в присвоении 98 тысяч долларов наличными, не говоря уже о полумиллионе долларов, которые Джордан потратил на рекламу его "Детей Бога". Организация Берга лишилась своей центральной резиденции. Тогда Берг отдал распоряжение: "Из соображений безопасности, ввиду активизации сатанинских сил, "Дети Бога" должны рассредоточиться, разбиться на мелкие группы, не столь заметные для вражеских взоров". Постепенно организация переходила на полулегальный таборный образ жизни, расползалась по многим штатам.

Сложнее обстояло дело с финансами, расставание с которыми никак не входило в планы "отца". Берг объявил, что получил новое категорическое "откровение свыше". Америка вплотную подошла к гибели, дальнейшее пребывание здесь становится опасным, и "Дети Бога" должны срочно ее покинуть. Что же касается Берга, то ему высочайше предписывалось забрать средства организации и переселиться в Европу, откуда и руководить операцией по дальнейшему "спасению" человечества. Сделать это было проще простого, поскольку деньги, добытые "детьми", всегда переводились непосредственно на счет Берга или его сына. Начиная с 1972 года "Дети Бога" стали постепенно покидать США и расселяться по белому свету. Когда в 1974 году главный судья Нью-Йорка Луис Левкович опубликовал разоблачительный доклад о деятельности "Детей Бога", многие из них уже покинули страну.

"Семья любви" приняла весьма своеобразный вид. Сам "пророк Мо" поселился недалеко от Флоренции на шикарной вилле, предоставленной ему богатым итальянцем Эммануэлем Каневаро. Здесь, вдали от любопытных глаз, "Моисей" жил в свое удовольствие в окружении самых доверенных и любимых поклонниц. Отсюда он управлял своей могущественной империей, рассылая "Письма Мо". Письма строго классифицировались. Одни предназначались для общего сведения и даже для продажи, другие — лишь для членов общин, третьи носили "закрытый характер": только для руководства организации. Он не обращал внимания на проклятия правоверных иудеев за трактовку образа Моисея и заигрывание с арабскими странами (от некоторых он получал солидную финансовую помощь).

Все большее значение в обогащении "семьи" стала занимать проституция. Методика соблазнения разрабатывалась Бергом с особым тщанием. Он, например, придерживался мнения, что лучше всего мужчин отлавливать на дискотеках. "Поддразнивай его, флиртуй с ним, затем — спи. И все во имя Христа". Особенно увлекаться, однако, не следовало: "Нет нужды проводить с ним всю ночь — достаточно двух часов". Но вот на бухгалтерский учет и документацию время жалеть не надо. Дэвид Берг настойчиво напоминал миссионеркам, что они должны регулярно представлять подробные отчеты о контактах с "рыбой" (людьми вне общины) и своевременно докладывать о личных достижениях: сколько клиентов приняли решение "обратить к Христу" либо всю душу, либо некоторую толику денег.

Руководители "Семьи любви" заявляли, что к началу 1982 года она состояла из восьми тысяч так называемых полных членов, обративших к Христу более двух миллионов человек. У организации было 800 коммун более чем в 70 странах.

В крупнейших городах Берг скупил ряд дискотек, называемых клубами бедных ребят. Неплохой доход давала торговля плакатами, магнитофонными записями, кофе и майками с лозунгами "Детей Бога", шуточными медальонами. Основную же прибыль приносили откровенное попрошайничество и продажа литературы, издаваемой организацией. Каждому верующему вменялось в обязанность "свидетельствовать" — заниматься продажей на улице от шести до десяти часов каждый день. Стал выходить даже собственный журнал "Новости новой нации" и печатались отобранные для всенародного ознакомления "Письма Мо". Считается, что в 1975 году доход только от продажи литературы составил более 5 миллионов долларов. Выручка поступала в распоряжение самого Берга. В 1978 году, по оценкам журнала "Штерн", его личная собственность составила 20 миллионов марок. А ведь все началось с банальной измены жене. Чтобы вступить в секту "Дети Бога", люди должны были бросить работу или учебу, переписать на имя секты все свои сбережения, имущество, равно как и ожидаемое наследство. В одном из секретных циркуляров Берг писал: "Они (новые члены) должны отдать все, чтобы у них не осталось ничего, куда бы они могли вернуться".

В 1977 году корреспонденты журнала "Штерн" дважды нападали на след Давида Берга. В первый раз его видели на острове Тенерифе, где "пророк Мо" занимал со своими приближенными 14 домов и квартир. Он каждый вечер появлялся с большой компанией в шикарном баре "Лос капричос" в Пуэрто-де-ла-Крус. Его спутницы были всегда доступны любому туристу, у которого имелись деньги. Это стало известно местной полиции. В день, когда она вызвала Давида Берга на допрос, он бежал с острова.

Спустя полгода Давид Берг поселился на фешенебельном португальском курорте Эсторил, близ Лиссабона. Он жил в роскошной вилле. Когда фотограф журнала "Штерн" Аксель Карп запечатлел веселую компанию Давида Берга в казино Эсторила, главный пастырь "Детей Бога" исчез, даже не зайдя в свой дом.

Для членов же секты он остался "отшельником, который жил скромно и много молился"...

Пьер Де Варга

(род. 1920)

Его жизнь представляет собой поражающую воображение смесь приключенческого романа и краткого курса для профессиональных махинаторов, орудующих в сфере экономики.

Уроженец Венгрии, именуемый Варга Хирш Пьер, известен под разными именами: де Варга или Варга Пьер (или Петер), де Варга Хирш де Тамази, или де Варга де Томасси, или Фишер.

Если определить его подлинное имя практически не представляется возможным, то дату рождения удалось установить с большей точностью. Родился 21 марта 1920 года в Будапеште, согласно свидетельству о рождении, выданному венгерскими властями по просьбе его отца. В течение долгого времени в многочисленных досье, заведенных на него, в графе "дата рождения" фигурировал 1910 год. Указанная дата явилась следствием ошибки, допущенной при записи в актах гражданского состояния.

С ноября 1940 года по январь 1941-го обучался в химической школе Лиона. К этому времени относится просьба префекта департамента Рона о его высылке, мотивируемая подозрительностью его образа жизни, поскольку необычно большие расходы, совершаемые им, не шли ни в какое сравнение с его реальными доходами, а также его связью с мадам А. известной под фальшивым именем Мадре де Керлан Соня, родившейся в Москве и выдающей себя за журналистку.

Он пытался обосноваться в Виши вместе со своей подругой, имевшей репутацию женщины легкого поведения, но ему было отказано в выдаче вида на жительство. В апреле 1941 года он отправляется в замок Шаливуа Пар-Мерри (департамент Шер), в котором находится детский приют, где пребывал сын его сожительницы. Сожителям удается осесть здесь только в сентябре, после отбытия пятнадцатидневного заключения в тюрьме города Шалонсюр-Сон за пересечение без особого разрешения демаркационной линии.

Сумев заручиться доверием матери-настоятельницы религиозной коммуны, которая содержала заведение, выдавая себя за барона и представляя свою спутницу в качестве законной супруги "баронессы де Варга", он вскоре забирает руководство приютом в свои руки и под прикрытием филантропии предпринимает ряд недопустимых действий. Вследствие этого префект департамента Шер был вынужден 8 июня 1942 года вынести постановление о заключении его под стражу сроком на один месяц в соответствии с декретом от 15 ноября 1939 года о мерах, применяемых к лицам, представляющим опасность для общественного порядка.

Эта мера предшествовала обвинению в воровстве, злоупотреблении доверием и перепродаже краденого вследствие жалобы, поступившей от владельцев замка Шаливуа.

Спустя некоторое время он оказывается во главе информационно-разведывательного центра в Бурже, работающего на оккупационные власти. В этот период он носит псевдоним Фишер или Хирш.

Пользуясь расположением немцев и предоставленным ему иммунитетом, он принимается за противозаконную деятельность. Несмотря на протекцию, это приведет к его аресту и переводу в Компьен в апреле 1944 года, а затем и к депортации в лагерь Нойенгамме, последовавшей 17 июля 1944 года.

Со своей стороны Варга утверждал, что его депортация была результатом его деятельности в рядах Сопротивления.

Он был репатриирован 20 мая 1945 года, имея серьезные телесные повреждения, полученные в результате истязаний, которым подвергался в лагере.

27 мая 1945 года он был назван в числе тех, кто получил Военный крест за участие в боевых действиях в период с 1939 по 1945 год. 1 сентября он награждается почетной грамотой, подписанной генералом де Голлем, а 6 мая 1946 года удостаивается благодарности маршала Монтгомери.

Поступив 1 апреля 1947 года в Новое акционерное общество на должность редактора-информатора, он заявил, что имеет дипломы Высшей школы политических наук и Высших коммерческих курсов. По неизвестным причинам он оставляет эту работу 1 марта 1949 года. К этому времени (май 1949 года) относится информация о том, что де Варга поддерживает активные контакты с Германией, без указания об их значении и характере.

Затем он в течение четырех месяцев работает во Французской торговой компании, а в сентябре 1949 года становится коммерческим директором общества "Лингвил".

23 ноября 1949 года, покинув общество "Лингвил", он открывает собственное дело "Дантель пластик" — общество с ограниченной ответственностью, — имеющее целью приобретение, продажу и переработку пластмасс. Это предприятие было ликвидировано в судебном порядке 8 апреля 1952 года, оставив задолженность, исчисляемую в размере 13 миллионов старых франков. Помимо выплаты по долгам, де Варга был приговорен 30 октября 1952 года к уплате 50 000 франков штрафа за незаконную торговую деятельность.

1 января 1953 года, после регистрации в установленном порядке, он открывает у себя на дому юридическую консультацию, утверждая, что имеет соответствующие полномочия коммерческого суда департамента Сена и является специалистом в области гражданских и торговых споров.

Начиная с этого времени он "не вылезает" из круговорота сомнительных дел. Его интересуют главным образом лица, оказавшиеся в трудном положении.

Несмотря на многочисленные жалобы и претензии со стороны как отдельных лиц, так и организаций, его дела процветают, а уровень клиентуры значительно повышается, как, впрочем, и размах его деятельности. Если прежде он обходился услугами только одной машинистки, то теперь на него работают более сорока служащих.

Обладая умом, честолюбием, способностью приспосабливаться к любым обстоятельствам, бегло говоря на нескольких языках (венгерский, французский, немецкий и русский), имея широкие профессиональные познания, несмотря на отсутствие дипломов, он сумел обзавестись широким кругом связей в самых высоких сферах политики и юриспруденции, что вместе с тем не могло не породить большого количества врагов и завистников.

Неуклонное расширение рамок его профессиональной деятельности позволяло ему жить на широкую ногу и выстроить уже в 1953 году роскошную виллу в Марей-Марли (департамент Ивлин) с подъездными путями, а несколько позже приобрести при весьма туманных обстоятельствах поместье-резиденцию в Уст-сюр-Си (департамент Дром), включающее каменный дом с парком и хозяйственными постройками.

Он являлся обладателем льготного вида на жительство со сроком действия 10 лет, считая с 8 октября 1949 года, но был лишен его 1 января 1959 года. Вследствие его неоднократных столкновений с правосудием он был лишен также и права иметь обычный вид на жительство (выдаваемый на три года). Все это привело к тому, что он имел временный документ, который необходимо было продлевать ежегодно.

Главным направлением его деятельности в это время становятся вопросы, связанные с защитой прав жертв дорожных происшествий. В 1961 году, в соответствии с законом от 1 июля 1901 года, по его инициативе учреждается ассоциация, ставящая целью защиту автомобилистов и предупреждение несчастных случаев на дорогах. Но ее деятельность выглядит подозрительно, и министр внутренних дел вынужден распространить циркулярное письмо, предостерегающее широкую публику против “действий некоторых лиц, которые под предлогом оказания содействия улучшению условий дорожного движения и безопасности на дорогах создают общества и ассоциации с единственной целью обратить себе на пользу, путем применения мошеннических средств, бескорыстие общественности и ее стремление к взаимопомощи”.

На основании множества жалоб, поступавших из Ниццы, Амьена, Тулузы, Труа, он дважды — в феврале, а потом в июне 1963 года — подвергался тюремному заключению по обвинению в мошенничестве, злоупотреблении доверием, подделке чеков и неправомерном использовании бланков, подлоге, выдаче чеков без обеспечения и фальсификации. 23 ноября 1965 года он приговорен судом к восьми годам тюремного заключения, трем годам запрета на проживание и 100 000 франков штрафа. Приговор был подтвержден постановлением кассационного суда от 28 октября 1966 года. В соответствии с положениями декрета об условно-досрочном освобождении, определяющими условия снятия наказания, он был освобожден на следующий день после выхода декрета, то есть 17 апреля 1968 года. Решением от 26 июля 1968 года в связи с состоянием здоровья Варги министр внутренних дел дал согласие на отсрочку запрета на проживание в одиннадцати департаментах.

В 1970 году Варга приступил к выполнению обязанностей одного из директоров в акционерном обществе ФИКОДИП. Капитал общества был поделен между четырьмя акционерами, одним из которых являлась дочь де Варги Катрин.

Спустя несколько лет, в 1976 году, Варга выполняет те же функции в обществе СОФИКОП с капиталом в 100 000 франков, поделенным на 100 частей, из которых Катрин де Варга и Патрик Аллене де Рибмон имеют по пять частей каждый, а последний при этом является управляющим делами и консультантом по налоговым вопросам. Основанное в 1962 году, это общество специализируется на рассмотрении спорных вопросов общего характера и проведении экономических и финансовых исследований.

Параллельно с официально заявляемыми профессиональными занятиями де Варга в личных целях продолжал деятельность, которую можно охарактеризовать как находящуюся на грани нарушения закона.

Варга практически никогда не заявлял о своих доходах налоговым органам, что не мешало ему получать до 60 000 франков в месяц.

Будучи “неплатежеспособным” в силу сложных отношений с налоговым управлением и состоя в черном списке французских банков, он не имеет права располагать банковским счетом. Способ, благодаря которому Варга умудрялся помещать свои деньги в банк, и по сию пору остается загадкой. Два поколения полицейских из бригады по финансовым делам обломали себе на этом зубы, но ни один из них не смог понять, куда исчезают деньги, “заработанные” аферистом. Кое-кто считал, что у него в квартире имеется потайной сейф. Полиция прозондировала стены — ничего! Возникала также мысль о счете в одном из швейцарских банков, но и здесь не было найдено никаких следов.

Не имея собственных счетов, де Варга был вынужден для ведения дел располагать большим набором подставных лиц всех калибров. Его квартира была оформлена на имя дочери. Он пользовался банковскими счетами отца, племянницы, приемного сына и даже своего преподавателя рисования. Некоторые из этих подставных лиц образовали вокруг него настоящий двор, при котором нередко можно видеть приятных молодых женщин, очарованных, вероятно, различными сторонами его личности. Варга являл собой что-то вроде Распутина махинаций, отличающегося многогранностью, разнообразным очарованием и острым умом. Он интересуется парапсихологией: в 1952 году, под двумя фамилиями — Х. Джон и П. де Варга, выходит книга о спиритизме, озаглавленная "Ясновидение и сопутствующие ему феномены".

В тюрьме, подражая Верлену, он написал небольшой томик стихов под общим названием "Пауза", который был отпечатан на "средства автора".

Он занимался живописью и под псевдонимом Пьер Валли изображал на своих полотнах фантастические сюжеты. Не теряя при этом деловой хватки, он использовал своего преподавателя живописи как подставное лицо и направил его талант на то, чтобы провернуть хитроумную комбинацию. "Художнику" заказывались огромные полотна, выполненные краскопультом, которые затем по бешеным ценам перепродавались казино "Де Шарбоньер". Картины, вовсе не претендующие на то, чтобы составить конкуренцию Пикассо, прямым ходом отправлялись в подвалы заведения. Но они позволяли руководству казино заявить в налоговые органы о значительных денежных расходах, что снижало сумму прибыли, облагаемую налогом. Варга, разумеется, втихую возвращал деньги казино. В обмен дирекция казино выдавала ему часть полученной в результате этих махинаций прибыли, которую он делил с художником... Любимыми банковскими счетами Варги были счета его секретаря Эрмины Дельфур. Эрмина имела три счета, в том числе два находившихся постоянно в распоряжении де Варги.

Этот аферист, достаточно умелый, чтобы иногда добиваться для себя амнистии, но недостаточно всемогущий, чтобы совсем уйти от суда, попался по-настоящему только однажды, в деле, связанном с обществом "помощи" жертвам дорожных происшествий. По выходным он объезжал больницы и предлагал пострадавшим в дорожных происшествиях доверить защиту их интересов обществу, которое могло бы добиться от страховых компаний выплаты положенной пострадавшим компенсации за нанесенный ущерб. Варга выплачивал пострадавшим заранее оговоренную сумму, а затем яростно бился за то, чтобы получить максимально возможное от страховых компаний. Вся разница шла в его карман...

Он вышел из тюрьмы 17 апреля 1968 года, воспользовавшись медицинской справкой, выданной с согласия начальника кардиологической службы тюремного госпиталя Нелли Азера. Впоследствии эта женщина с чувствительным сердцем станет его близким другом.

Освободившись, де Варга показывает, на что он способен. Он заводит знакомства в самых различных кругах. Озабоченный поисками "покровителей", он начинает с того, что становится "другом", то есть осведомителем инспектора полиции.

Но основная его деятельность развертывается в сфере деловой жизни. Он управляет имуществом, принимает участие в составлении и подписании купчих, пишет справки, отвечает администраторам, занимается разделом имущества, ликвидациями, продажей, страхованием и займами. Он становится гением мошенничества. Одной из его специальностей является организованное банкротство... Система проста и столь же вечна, как и легковерность. Де

Варга отыскивал одного или нескольких простофиль, которые соглашались вложить свои деньги во многообещающее дело. Как правило, это ресторан с блестящими возможностями. Но как только деньги вложены, торговля начинала чахнуть, и в конечном счете заведение закрывалось. Общество объявлялось банкротом, и наивному финансисту некуда было деваться со своими жалобами, поскольку дело прогорело. "Непредвиденные трудности, неверная оценка расходных статей", — утешал огорченный де Варга.

Он неоднократно прибегал к этой несложной, но прибыльной операции. Используя особые познания в данной области некоего Жан-Жака Арлабосса, ресторатора, уже привлекавшегося к суду за нарушение закона об акционерных обществах, он потопит немало парижских ресторанов, многие из которых имели громкое имя: "Ля Табльдот", "Ле Кав де Муфтар", "Ле Трабукэр" и даже "Лаперуз", излюбленное место встреч деловых людей, находящееся на набережной.

Но интересы де Варги, конечно, не ограничивались только этим. В полусвете мошенников в белых воротничках аферист имел репутацию серьезного "босса", умеющего заставить уважать себя и способного в случае необходимости перейти к жестким действиям.

С теми, кто проявлял повышенное внимание к деятельности де Варги, могло произойти все что угодно. Так, например, судья Пети, который вел дело общества защиты пострадавших в дорожных происшествиях, чудом уцелел при взрыве заминированной посылки, доставленной ему на дом. Другое совпадение — в 1973 году Пьера де Варгу проверяют налоговые органы. Один из инспекторов, выходя из дома афериста, внезапно чувствует боль в правом плече. Оказалось, что это была пуля 22-го калибра, которую сделали почти безобидной, удалив часть пороха из патрона.

Инспектор понял скрытое за этим происшествием предупреждение, но не смог докопаться до его источника, поскольку в тот день он осуществлял проверку в двух местах: у содержательницы публичного дома и у де Варги. Таким образом, было трудно определить, за что именно стреляли.

И именно де Варге принц и депутат парламента де Брей поведает о своих несчастьях. Жан де Брей орошает колени афериста слезами и просит помочь ему выбраться из осиного гнезда "Пюбли М. Г.". Он задолжал 1 миллион франков банку "Гальер", взятые для претворения в жизнь идеи с "Киоскидео".

Де Варга, несомненно, понимает, что за простофиля попал ему в лапы, и видит выгоду, которую он может извлечь из этого знакомства. Чуть позже он с блеском продемонстрирует ему свои таланты. Он начинает с того, что вынуждает двух создателей "Пюбли М. Г.", Лепина и Маркаряна, передать де Брею в качестве гарантии 660 из 1000 акций общества, а во всем остальном положиться на него. Принц, который не может прийти в себя от такой разворотливости — к такому он просто не привык,— вручает бразды правления обществом де Леону, который становится его президентом—генеральным директором. Но "Киоскидео" никто не желает покупать, и дела вновь заходят в тупик. В июне 1976 года Банк Франции ликвидирует банковские счета Лепина—Маркаряна. Де Леон принимает решение подать на Лепина в суд, обвиняя последнего в мошенничестве и злоупотреблении доверием, и пытается, как он говорит, "уменьшить размеры возможного ущерба".

Как водится, долги опять ложатся на плечи принца, который, сохраняя верность своей излюбленной тактике, займет 500 000 франков в банке "Демаши", чтобы погасить задолженность банку "Гальер"... Из этой суммы 115 000 франков перекочуют в кошелек де Варги — в знак благодарности за его услуги. Тем не менее Жан де Брей будет вынужден занять еще 580 000 франков в "Креди фонсье коммюналь д'Альзас-Лоррэн", чтобы выкупить, как гласит обвинительное заключение, платежные обязательства у некоторых клиентов "Пюбли М. Г.". Последний заем он получит при посредничестве Эрмины Дельфур под залог 180 гектаров своих лесных угодий в Нормандии. Состояние принца тает со скоростью сугроба, согреваемого весенним солнцем. В качестве компенсации де Варга устраивает ему по низкой цене — всего лишь 200 000 франков! — квартиру в Каннах, ранее принадлежавшую Маркаряну. Операция с "Пюбли М. Г.", ее призрачные видеостойки и все, что было с этим связано, обошлись принцу, по словам Рибмона, в сущие пустяки — около полутора-двух миллионов франков...

И все же исключительные качества нового партнера покоряют принца, несмотря на упорную оппозицию де Леона, который с первой встречи демонстрирует ожесточенную враждебность в отношении Варги — в кругу поддельных дворян не принято доверять друг другу: в лице афериста он видел серьезного конкурента и, как знаток, ощущал, какие темные глубины скрываются за благопристойной внешностью этого человека.

Он делится своими опасениями с принцем, но тот, конечно же, не прислушивается к нему. Напротив, необычный финансовый консультант, хитроумный представитель золотой воровской элиты, знающий все ходы и не выбирающий средств, когда необходимо раздобыть деньги, должен идеально соответствовать тому типу партнера, который нужен принцу. Для того чтобы выкарабкаться из своего граничащего с катастрофой финансового положения, ему необходим напористый и лишенный предрассудков "эксперт", способный вдобавок удовлетворить его противоестественный и тайный вкус к "своеобразным" личностям. Два этих человека, во всяком случае внешне, прекрасно ладят друг с другом.

На суде Варга будет утверждать, что рассказал Жану де Брею о своем уголовном прошлом. Несмотря на это, между ними установились сначала деловые, затем доверительные и, наконец, дружеские отношения. Настолько близкие, что бывший министр несколько раз в неделю, а иногда даже поздно вечером, наведывался в квартиру Варги на улице Дарданелл, не считая многочисленных телефонных звонков, которыми они обменивались ежедневно. К концу 1976 года влияние афериста на принца становится всеобъемлющим. Принц бесконтрольно выдавал ему немалые суммы денег, чтобы "пустить их в оборот". Он ставил свою подпись на незаполненных бланках, передаваемых мошеннику, всерьез подумывал поручить ему управление всем своим состоянием и посвятить его в семейные дела. Как говорят сотрудники принца, он вознамерился даже пристроить большую часть своего имущества в Швейцарии, дабы выйти из-под контроля налоговой администрации. Для этого с помощью своего друга, женевского банкира Леклерка, он предполагал создать за границей общества и поручить управление ими Варге. Как аферист, так и швейцарский банкир опровергают эти утверждения.

И все-таки самым значительным предприятием, осуществленным "адским трио" в составе де Брея, Варги и Рибмона, остается афера с рестораном "Королева Педок". Эта сомнительная и катастрофическая по своим последствиям коммерческая операция, по мнению полиции, явится истинной побудительной причиной убийства Жана де Брея.

Всего лишь несколько недель спустя после знакомства с Варгой принц соблазняется предложением Рибмона приобрести некогда знаменитый ресторан

"Королева Педок", находящийся на улице Пепиньер. Подумать только: принц де Брей — содержатель ресторана у вокзала Сен Лазар! Один из бывших министров и его коллег иронически замечает: "Как же низко он должен был пасть, чтобы соглашаться на то, чего не купил бы и овернец, приехавший из провинции".

Идея, естественно, была подсказана Рибмону Варгой, который в свою очередь перехватил ее у одного из своих провинциальных "корреспондентов", Жана Бесса. Этот страховой агент из Тулузы не портит своим присутствием общей картины. В 1972 году он был приговорен условно к тюремному заключению за "злоупотребление доверием". От него Варга узнает, что заведение "Королева Педок" — название позаимствовано из романа Анатоля Франса, — которое в довоенные годы пользовалось популярностью, продается за два с половиной миллиона франков.

Де Рибмон, коему также удалось завоевать доверие Жана де Брея — в августе 1976 года он проводил свой отпуск в доме принца на острове Мальорка,— предлагает ему добиться предоставления займа на приобретение ресторана. С другой стороны, он просит своего друга Варгу "ассистировать" им в этой операции, где его "специальные познания в области финансовой деятельности, а также широкие связи и возможности", несомненно, пригодятся... "Королева Педок" — не более чем один из проектов, которыми два жулика размахивают перед носом ослепленного принца. Помимо этого, Рибмон намечал приобрести с помощью Жана де Брея фабрику по изготовлению одежды и клинику Амбруаз-Паре в Нейи. Принц, конечно, хватается за эту оказию. "Он видел в этом,— объяснят потом аферисты,— возможность наилучшим образом распределить свое состояние, главным образом недвижимость, а также найти подходящее место для возвращающегося из Америки сына". Это чистая правда. Предусматривалось, что Виктор-Франсуа, будущее которого тревожило де Брея, получит должность в дирекции ресторана.

Принц, считая по своему обыкновению, что такое дело выпадает только раз в жизни, спешит в отделение Национального парижского банка в Бернэ договариваться о займе в размере 4 миллиона франков. В банке он поясняет, что средства будут поделены следующим образом: 3 миллиона предназначаются для приобретения клиники Амбруаз-Паре и 1 миллион для покупки "Королевы Педок". Соглашение подписывается 31 декабря 1975 года. Кредит выдается на семь лет и должен быть оплачен в срок до 1981 года. Он обеспечивается 801 гектаром лесных угодий, а на случай возникновения затруднений с погашением принц заявляет о ежегодных доходах в сумме 600—700 тысяч франков, поступающих от вырубки и продажи леса. Это уже не просто небольшое кровопускание, а значительная потеря крови. Жан де Брей балансирует над пропастью. Почти все его имущество заложено, а личный кредит в банках приближается к нулю. Именно в это время жена де Брея обратится к известному адвокату Бадинтеру с просьбой добиться раздела их общего имущества. Она останавливает свой выбор на адвокате-социалисте по той причине, что его политические воззрения расходятся с политическими взглядами принца.

4 миллиона франков в нарушение условий контракта о предоставлении займа направляются исключительно на покупку "Королевы Педок". О планах приобретения клиники в Нейи в суматохе забывают. В качестве единственной гарантии принц получит от Рибмона акции "Королевы Педок" и примет из рук в руки 600 000 франков из тех 4 миллионов, которые он занял для Рибмона.

По словам финансового советника, эти деньги представляют собой скрытые комиссионные, прибыль принца в этом деле.

Акции, минуя бывшего министра, попадают в карман к Варге. Формально аферист не имел никакого отношения к этой сделке, но, находясь в тени, он полностью контролировал ее через свою дочь. 3 декабря 1975 года, за месяц до получения займа, Варга от имени своего отца подписывает с Рибмоном соглашение, в котором оговаривается, что сразу после покупки ресторана к ней переходят 50% акций "Королевы Педок", а также обязательство осуществлять выплаты по кредиту. С этого дня Варга является владельцем половины ресторана.

2 января 1976 года Варга присутствует при оформлении покупки ресторана в агентстве Национального парижского банка в Терне. В тот же день Рибмон положит 8200 акций в сейф, арендованный им буквально в нескольких метрах отсюда в филиале банка "Сосьете женераль". Принц никогда не узнает даже, какого цвета эти акции.

Месяц спустя его сын принят на работу в "Королеву Педок" в качестве атташе дирекции с неполным рабочим днем — вторую половину дня он посвящает делам общества "Пюбли М. Г.",— но отец сетует на то, что здесь он не приобретает никакого опыта. Думается все же, что он не прав. Наблюдая за деятельностью Варги, Виктор Франсуа должен был бы научиться многому, так как через полгода, с великолепной наглостью, тот обратился к де Брею с просьбой разрешить ему воспользоваться его акциями для получения в банке "Демаши" краткосрочного кредита на сумму 700 000 франков. Это говорит о том, что уже тогда "Королева Педок" переживала трудности и нуждалась в притоке свежих капиталов. Де Брей, наивности которого не перестаешь удивляться, соглашается даже не поморщившись. И 21 июня 1976 года принадлежащие ему акции помещены в банк "Демаши" в обмен на 700 000 франков. Недурной ход афериста, который, невзирая на финансовые трудности заведения, разъезжает на "мерседесе", арендуемом рестораном, и имеет в нем бесплатный стол.

Он доходит до того, что для украшения стен продает "Королеве Педок" написанные им самим картины по цене 200 000 франков за штуку.

На полицейских из бригады по борьбе с бандитизмом, обнаруживших следы этой комбинации, сразу после убийства принца снисходит озарение. С точки зрения полицейских, Пьер де Варга, организатор махинации и подстрекатель убийц, подготовил ликвидацию Жана де Брея с единственной целью не возмещать 4 миллиона франков, потраченных на мошеннические операции.

Пьер де Варга вел себя совсем не так, как подобает понимающему свою вину, раскаявшемуся преступнику. Он ожесточенно отрицает свою причастность к убийству, а иногда даже переходит в контратаку, опровергая один за другим аргументы обвинения. Он считает, что попал в ловушку и является жертвой "широкого заговора, направленного на то, чтобы взвалить на него всю вину". Его защита строится на одном доводе: убийство принца было бы равносильно для него уничтожению курицы, несущей золотые яйца.

По словам Варги, покупка "Королевы Педок" была только первым этапом в их совместной деятельности. Жан де Брей намеревался участвовать и в других операциях. Он уже дал свое согласие — мы видели, на каких условиях,— на передачу своих акций банку "Демаши" в обмен на 700 000 франков. Это было только началом, утверждает аферист. В октябре подошли сроки платежа по ссуде в размере 500 000 франков, полученной в банке “Креди отелье” и предназначенной для той же “Королевы Педок”. Кроме того, принц дал вексельное поручительство под заем, предназначенный для переоборудования в пивную магазина самообслуживания “Ля Дам Жанн” — неплохая программа для падшего аристократа. Но это еще не все. Варга путано объясняет, что Жан де Брей выступил поручителем при покупке в коммерческих целях здания (1 миллион франков) и нескольких ресторанов, в том числе “Эрмитажа” в Плесси-Робинсоне и “Кло Сент Антуан” в Фешролле (2 миллиона). Он был готов также содействовать “спасению” ресторана “Табуке”, оказавшегося в критическом положении в результате руководства, осуществляемого Варгой (500000 франков), и не отказался от мысли стать владельцем клиники Амбруаз-Паре, переговоры о покупке которой аферист проводит весной 1977 года. Одним словом, на него сыпался золотой дождь. “Теряя принца, — причитает Варга, — я теряю целое состояние, исчисляемое в 4 миллиона 650 тысяч франков”, — уточняет он, включая сюда те капиталовложения, которые бывший министр должен был сделать в будущем.

Но тогда зачем подготавливать убийство столь щедрой “дойной коровы”? Может быть, для того, чтобы уйти от необходимости выплачивать ежемесячно 72 000 франков по ссуде в 4 миллиона, предоставленной Национальным парижским банком в Бернэ? “Абсурд”,— коротко отвечает делец. Смерть принца ускорила разорение ресторана. Если бы не это, то еще была бы возможность поправить положение и спасти “Королеву Педок”. “В действительности,— восклицает он,— Жан де Брей пал жертвой политического заговора, а я не более чем козел отпущения. Я очень удобная фигура. Посмотрите сами, мой партнер Аллене де Рибмон, раскрутивший дело с “Королевой Педок”, оправдан за отсутствием состава преступления, тогда как я был вынужден пять лет гнить в камере предварительного заключения вследствие вопиющей судебной ошибки”.

Однако обвинительное заключение доказывает вину Варги. Во-первых, указывает помощник прокурора, все блистательные проекты займов существовали только на бумаге. Ни один из них не вступил в стадию реализации. Кроме того, мизерная, в глазах банков, платежеспособность принца не позволила бы ему получить такие суммы. Похоже, что источник золотых яиц иссяк. Что бы там ни утверждали де Варга и де Рибмон, “Королева Педок” дышала на ладан еще до убийства принца. Стало быть, вовсе не скандал заставил исчезнуть клиентов и вызвал опасения кредиторов. Во всяком случае, именно такой вывод содержится в отчете, подготовленном после убийства двумя специалистами в рамках расследования по делу о “банкротстве”. В отчете указывается, что “Королева Педок” прекратила платежи по своим обязательствам за шесть месяцев до гибели принца. В первом обвинительном заключении, в котором приводятся эти подробности, подчеркивается, что решение о ликвидации де Брея было принято именно в мае 1976 года... По мнению тех же экспертов, финансовое положение ресторана в декабре 1976 года было совершенно безнадежным. Поэтому смерть Жана де Брея не внесла никаких изменений в судьбу обреченной на разорение “Королевы Педок”. О банкротстве заведения (с “дефицитом в размере 3 500 000 франков” — неплохая для мошеннической комбинации сумма) объявляется 7 февраля 1977 года, а в мае 1977 года выносится постановление о его ликвидации в судебном порядке. Карьера

"Королевы Педок", превращенной в китайскую красавицу, будет продолжена под типичной для "Чайна тауна" вывеской.

Что касается Рибмона и Варги, то 20 декабря 1979 года они вновь встретятся на скамье подсудимых исправительного трибунала и получат соответственно восемнадцать (из которых девять условно) месяцев и два года тюремного заключения строгого режима за "банкротство и злостное нарушение законодательства об обществах".

Семь месяцев спустя, в июле 1980 года, происходит небольшая сенсация — Варга покидает свою камеру. После обжалования приговора в апелляционном порядке и блестяще проведенной адвокатами Ломбаром, Шпинером и Пиньо защиты его полностью оправдывают. "Мозговой центр" преступления, "тайный консультант", который организовал убийство принца для того, чтобы завладеть "Королевой Педок", как установило правосудие, не несет ответственности за разорение ресторана... Тяжелый удар для прокурора, сразу лишающегося одного из главных доказательств обвинения. Тем более что в положении Рибмона изменений к лучшему не происходит. Оно даже усугубляется тем, что 14 марта 1979 года его приговаривают к уплате наследникам принца 1 409 211 франков, которые он обязался возместить в случае преждевременной кончины Жана де Брея.

Трудно сказать, как следует относиться к этому — как к крайнему проявлению иронии судьбы или свидетельству исключительной изворотливости Варги, — но именно непричастный к преступлению Рибмон будет объявлен ответственным за банкротство, и именно ему придется расплачиваться за финансовые последствия махинаций своего компаньона. Несмотря на то, что он действительно невиновен, поскольку суд признает отсутствие состава преступления в его действиях. Судья считает, что "в деле отсутствуют доказательства его сговора с убийцами Жана де Брея, а также того, что ему вообще было известно о планах убийства".

Можно ли рассматривать мошенничество с "Королевой Педок" как достаточно весомую причину для устранения принца?

Такой вопрос не будет поставлен...

Из предосторожности прокурор всячески избегает его. Он догадывается, что твердо ответить на него трудно. Известно, что аферист не убивал разоренных им рестораторов. Что касается случая с Жаном де Бреем, то вряд ли он рискнул бы подать в суд, так как у него самого рыльце было в пушку.

"Таким образом, — делается вывод в окончательном обвинительном заключении,— результаты, полученные в ходе дополнительного следствия, хотя и подтвердили элементы обвинения, выдвинутого против подсудимых, в частности против де Варги, тем не менее не позволили выявить какие-либо другие мотивы преступления, кроме тех, которые были определены на момент окончания производства по данному делу.

Де Варга, через подставных лиц владеющий половиной акций общества по эксплуатации ресторана "Королева Педок", не терял надежды стать его полноправным хозяином, а значит, имел достаточные основания убрать кредитора, чья смерть позволяла аннулировать за счет договоров страхования задолженность перед банком.

Таковы единственно правдоподобные побудительные причины преступления, установленные на основе конкретных фактов, выявленных в ходе судебного расследования". Суд вернулся к тому, с чего начал.

Сон Мен Мун

(род. в 1926)

Основатель "Церкви унификации".

Сон Мьюонг Мун (он же Мун Сон Мен, или просто Мун) родился 6 января 1926 года в Северной Корее в семье последователей пресвитерианской церкви. В молодости он ненадолго примкнул к пятидесятникам, затем вступил в секту корейского проповедника по имени Паик Мун Ким, в обители которого (она называлась "Монастырь Израэля") провел некоторое время. За активные выступления против власти был арестован. Из заключения его вызволили в 1950 году во время корейской войны американские войска. В их обозе он проследовал в Южную Корею, где стал заниматься "самостоятельной" проповеднической деятельностью. В начале 1950-х годов "пророк" построил здесь свою первую церковь — из пустых консервных банок, выброшенных американскими военнослужащими. Потом появились деньги, политические связи...

В Южной Корее Мун трижды сидел в тюрьме, в последний раз в 1955 году за изнасилование и сексуальные извращения. Был четырежды женат, в 1960 году женился в пятый раз на 18-летней студентке сеульского университета Нах Хок Дж. Она выступала в роли "матери мироздания", сам же Мун — в роли "отца". Говорят, что у них тринадцать детей. Мун утверждал, что сам Христос не успел совершить главного: жениться и создать идеальную семью, с которой бы началось царство Божье на земле. Эту миссию Христос поручил Муну, который якобы и спасет человечество. Мун утверждал, что Ева сперва жила с дьяволом, превратившимся в сатану, а потом уже соблазнила Адама.

Муну покровительствовали клика южно-корейского диктатора Ли Сын Мана, а затем — генерала Пака.

Свой первый вояж в США Мун совершил в 1958 году. Затем он стал часто наведываться в эту страну, которая в 1972 году превратилась в основной плацдарм его деятельности.

В 1966 году Мун основал так называемый "корпус просветительства за победу над коммунизмом", на базе которого была создана в Японии организация — филиал "мунистов" под названием "Секе рэнго". Во главе "Секе рэнго" стал некий Осами Кубоки, который по совету Муна в августе 1970 года самолично отправился в гости к южнокорейскому диктатору Пак Чжон Хи и нижайше просил его о помощи, поскольку-де тот является “антикоммунистическим лидером”.

Однако не все шло гладко у миссионера-разведчика, вплоть до того, что его деятельность навлекла на себя массовые нападки японской прессы. Скандал грозил пойти дальше, и тогда пришлось вмешаться самому Муну. Он был одним из организаторов съезда “азиатской антикоммунистической лиги”, который состоялся на берегу озера Мотосу в префектуре Яманаси.

Японские “мунисты” издают журналы, газеты. Муну принадлежит радиостанция “Свободная Азия”, которая имеет штаб-квартиру в Сеуле, он также вещает на регион и с территории США. Известен случай, когда министерство юстиции США попыталось было воспрепятствовать ее незаконной работе. Однако дружки Муна обратились в ЦРУ, и муновски бредовые мысли снова заполнили эфир. “Разве можно так расстраивать меня, — жаловался на министерство Мун. — Эти крючкотворы просто забыли, кем наша радиостанция была создана. Почетными членами ее правления стали: Эйзенхауэр, Трумэн и так далее, и так далее...”

Сценарий покорения Японии был разработан Муном с помощью южнокорейского ЦРУ. Добавим: не только южнокорейского, но и американского. Мун любит похваляться среди своих приятелей, как на первой встрече “мунистов”-активистов в Сан-Франциско его обласкал и посулил щедрую помощь тогдашний шеф южнокорейского ЦРУ Ким Чон Пиль, а вместе с ним и “один высокий чин” из ЦРУ.

В активе Муна шесть наивысших призов от южнокорейского ЦРУ и 227 вымпелов и благодарностей от полицейских властей. Изображая на своем челе незапятнанную скромность, он любит повторять известную японскую мудрость: “Возле маяка темнее, чем вдали от него”, подчеркивая этим, что не он сам определяет себе цену, осыпает себя похвалами, а, мол, люди объективные, стоящие поодаль...

Мун, поселившись в США, усиленно обхаживал сильных мира сего. Его принимали президенты Кеннеди, Джонсон, Никсон, он общался с конгрессменами, политиками, бизнесменами, устраивал собрания, не жалел денег на рекламу своего движения, не скупился на комплименты в адрес американцев. 73 американских города провозгласили его почетным гражданином!

В чем причина такого шумного успеха авантюриста Муна в правительственных верхах США? Мун обладал крупными денежными суммами. Он щедро снабжал долларами охочие до подачек избирательные фонды республиканских и демократических партий. В милитаристских наклонностях Муна нет оснований сомневаться хотя бы уже потому, что лично ему принадлежат предприятия по производству зенитных орудий, винтовок и пневматических ружей.

Журналист из “Ньюсуик” спросил нового пророка: “Вы бизнесмен, состояние ваше исчисляется миллионами, вы живете во дворце стоимостью 825 тысяч долларов, обладаете двумя яхтами и прочими благами. Зачем вам эта финансовая империя?”

“Бог очень добр ко мне. Но я не миллионер, я религиозный лидер. Я покрыт благодеяниями. И многие говорят, что, к чему бы я ни прикоснулся, все превращается в золото. В известной степени это так. Но я знаю, почему Бог ко мне благоволит. Потому что ему известно: ничто не принадлежит мне лично, даже цент моих сбережений. Мы трудимся во славу Божью. Если бы я получал прибыль от трудов моих последователей, я бы их лишился. Но они признают мою честность и преданность”.

“Почему вы не выделяете хотя бы часть этих средств на помощь голодающим, к примеру?”

“У нас имеются кое-какие службы. Вместе с тем я хотел бы, чтобы вы меня поняли: многие могут помогать бедным и сиротам, и они это в действительности делают; моя же роль сводится к одному — заставить людей познать Бога”.

Но Мун явно зарвался, когда стал утверждать, что вскоре будет хозяином США. В какой-то момент Мун даже являлся персоной нон грата в американских верхах. Его просьба о принятии руководимой им секты в члены Совета церквей города Нью-Йорка была в 1975 году отклонена 31 голосом против 8. Тогда Мун решил перебраться в Париж, однако французское министерство внутренних дел отказало ему в визе. В Англии мунистам тоже не удалось как следует обосноваться. В конце 1981 года мунисты перебрались в Германию.

В суматохе, возникшей после убийства южнокорейского президента Пак Чжон Хи, звезда Муна померкла на некоторое время. Южнокорейская печать пустила тогда “утку”, что Мун “замучен коммунистами”.

С приходом президента Рейгана в Белый дом Мун вновь оказался в Соединенных Штатах. Но на этот раз вокруг южнокорейского авантюриста разгорелась борьба в американских верхах. Некоторые демократы посчитали его выгодной мишенью для нападок. Была создана даже Ассоциация бывших мунистов, члены которой стали подавать на своего бывшего идола жалобы в суд, обвиняя его в обмане, шулерстве, жульничестве.

В 1982 году, выступая в одном из американских судов по такому обвинению, Мун вполне серьезно утверждал, что он неоднократно беседовал с Иисусом, Моисеем, Буддой. На вопрос судьи, о чем шла речь, Мун, не смущаясь, заявил, что беседа была “за пределами языка” и посему он ничего не может сказать о ее содержании.

В январе 1981 года Мун по распоряжению федерального суда в Нью-Йорке был арестован и обвинен в злостной неуплате налогов. Мун оправдывался тем, что, согласно американской конституции, он, как лидер религиозной организации, не обязан платить налоги. Адвокаты Муна добились отсрочки разбирательства его дела и освобождения обвиняемого под залог в 250 тысяч долларов.

В июне 1982 года американский суд признал Муна виновным в сокрытии от налогового управления дохода более чем в 16 миллионов долларов. Он был осужден на 18 месяцев тюремного заключения и на уплату штрафа в размере 25 тысяч долларов.

Мун приобрел газету “Вашингтон стар” (тираж от 7000 тысяч до 1 миллиона экземпляров в день) и стал на ее основе издавать новую — “Вашингтон таймс”. Это второй печатный орган, принадлежавший Муну в США. До этого он владел в Нью-Йорке ежедневной газетой “Ньюс уордл”.

Мун вскоре облюбовал Уругвай, где установилась жесткая диктатура. Представитель Муна полковник Бо Хи Парк получил от своего шефа 51 миллион долларов и пустился во всякого рода спекулятивные аферы. Хотел поехать в Монтевидео и сам Мун, но власти ввиду протестов общественности отказали ему в визе.

Между тем новый диктатор в Сеуле Чон Ду Хван тоже стал покровительствовать Муну. В конце 1981 года Мун организовал в Сеуле антикоммунистический форум, на который пригласил 800 гостей из 109 стран. Конференция обошлась ему в 2 миллиона долларов.

В Японии, выступая перед собравшимися, глава “церкви объединения” Мун изложил свое кредо следующим образом.

Для начала “святой” поинтересовался, все ли прихватили с собой деньги, которые потребуются церкви “на мелкие расходы” (сто тысяч иен с каждого).

Затем “пророк” зычно предупредил о необходимости отныне и вовек помнить завет “не прелюбосотвори”. Пояснил, что всех собравшихся на церемонию бракосочетания он отныне причисляет к своим активистам. Это великое благо. И посему каждый активист обязан работать неутомимо, без выходных, по 16—20 часов в сутки, а всю выручку отдавать в казну “церкви объединения”. Театрально воздев руки к небу, мессия напомнил, что деньги в руках простых людей — сущая грязь, зараза. Лишь в непогрешимых руках самого “отца” они очищаются и могут приносить добро.

В немом повиновении слушала толпа “отца” Муна. А он вдохновенно продолжал: “Вы — армия, состоящая из верных солдат бога. Мы должны сколотить ударный кулак антикоммунистических сил и возглавить новый крестовый поход против мирового коммунизма. Моя воля — закон для каждого из вас. Я безгрешен. Отрекитесь от сатаны и поклоняйтесь пришедшему к вам спасителю Муну. Служите ему, привлекайте в наш клан новых членов. Бог поручил мне великую миссию — объединить воедино все христианские течения и изгнать “сатанинские силы коммунизма”.

Церемония бракосочетания длилась в тот раз трое суток: 1600 пар молодых людей скрепили под его бормотание свой союз...

Мун имеет филиалы своей “церкви объединения” в 130 странах мира. Есть неопровержимые данные, что при личном участии Муна в Уругвай был доставлен бежавший из швейцарской тюрьмы главарь итальянской масонской ложи “П-2” Личо Джелли.

В книге “Империя Муна”, вышедшей во французском издательстве “Де куверт”, известный телерепортер Жан-Франсуа Буайе отмечал: “Эта часть континента, накаленная до предела революционной борьбой против фашистских диктатур, не могла не встревожить Муна, который поспешил приписать народное негодование сатанинским, а стало быть, коммунистическим проискам. Никарагуанские “контрас” сполна получают от секты деньги, оружие, продовольствие. В Уругвае, в период правления военного режима, эмиссаров Муна приняли как долгожданных гостей, отдав в их руки одну из ежедневных газет “Ультимас нотисиас”, две типографии, третий по значимости банк страны и самый шикарный отель в Монтевидео. Пригрели их и в фашистском Парагвае...”

Фактов проникновения сектантов Муна в различные отрасли экономики, финансов, идеологии латиноамериканских стран великое множество, равно как и примеров всяческих финансовых махинаций и умения уйти от наказания вообще либо избежать суровых мер.

Дональд Кроухерст

(род. в 1932)

Изгнанный из ВВС и армии, электронщик и несостоявшийся бизнесмен, решил прославиться и разбогатеть, совершив в одиночку морское кругосветное путешествие. Когда оказалось, что его авантюра обречена на провал, он пошел на невиданный подлог, который в конце концов привел его к трагедии.

После завершения исторического одиночного плавания сэра Френсиса Чичестера на его знаменитой “Джипси Мот IV” многие стали мечтать о покорении

мирового океана. Один из французских мореплавателей-одиночек так выразил свои ощущения: “Когда месяцами слышишь только шум ветра и моря, вечный язык природы, боишься быть безжалостно брошенным обратно к людям...”

Дональд Кроухерст был из тех, кто поднимали паруса на роскошных дорогих яхтах, оснащенных самым современным морским оборудованием и приборами. Однако его нельзя было отнести к отважным мореходам. Одиночное плавание Кроухерста оказалось наиболее загадочным из всех, когда-либо предпринимавшихся путешественниками.

В мае 1967 года Кроухерста не было в числе поклонников, восторженно встречавших в Плимутском порту своего кумира Френсиса Чичестера, который на “Джипси Мот IV” возвращался из кругосветного плавания, принесшего ему славу, богатство и новый высокий титул. 35-летний Дональд Кроухерст считался неплохим моряком, он восхищался Чичестером, проштудировал все его книги, однако на помпезную встречу не поехал. Он предпочел в этот день прогулку по Бристольскому заливу на своей маленькой яхте.

Кроухерст с раздражением говорил друзьям, что не понимает, отчего поднята такая шумиха вокруг Чичестера. Но больше его раздражало, что плавание принесло отважному мореходу целое состояние — деньги от спонсоров и рекламных компаний.

Дональд к тому времени оказался банкротом. Он родился в семье эмигрантов. Его отец был железнодорожным чиновником. Дональд поступил на военную службу в британские ВВС в качестве инженера-электронщика, но после нескольких дисциплинарных взысканий ему предложили оставить службу.

После этого юный Дональд подал заявление о приеме в армию. Его опять приняли и послали на курсы по изучению электронного оборудования. Но и эта карьера была недолгой. Однажды, проведя ночь в городе, он угнал чужую машину, чтобы вернуться в казарму, но был задержан полицией. Вновь пришлось подать рапорт об увольнении.

Сменив несколько работ, Кроухерст поступил в электронную фирму в Бриджуотере главным инженером-конструктором. Он женился на очаровательной умной ирландской девушке Клер. Через несколько лет в их семье было уже четверо детей.

Но непоседливый бывший офицер все никак не мог остепениться. От природы обладая пытливым умом, Кроухерст часами возился в своем гараже с электронными приборами, а по выходным дням выходил на своей двадцатифутовой яхте в море и курсировал вдоль побережья.

Название яхты Кроухерста — "Золотой горшок" — как нельзя лучше отражало его мечту разбогатеть. Открыв собственное дело, он придумал и собрал небольшой радиопеленгатор для яхтсменов в виде пистолета. Окрыленный успехом, он уговорил свою мать продать дом, а деньги вложить в его компанию "Электрон утилизейшн".

Сначала бизнес Кроухерста процветал. Он нанял шестерых сотрудников и даже купил новую машину "ягуар". Правда, вскоре он попал в аварию, после которой с черепно-мозговой травмой его доставили в больницу. Вероятно, травма повлияла на его психику: по мнению жены, Дональд, мягкий и приветливый, все чаще стал впадать то в бешенство, то в меланхолию, часами сидел, угрюмо уставившись в окно.

В 1967 году Кроухерсту пришлось обратиться за финансовой помощью к местному воротиле бизнеса Стэнли Бесту. Он попросил у него 1000 фунтов стерлингов. А в это время праздновал свой триумф Френсис Чичестер.

Дональд, прочитав восторженные отчеты в газетах о плавании Чичестера, решил использовать возможность для рекламы своей фирмы.

Десятки яхтсменов мечтали превзойти достижение отважного мореплавателя на "Джипси Мот IV". Самым значительным шагом вперед могло бы быть непрерывное кругосветное плавание через все океаны земного шара без захода в порты. Но это плавание было и самым рискованным. Смельчаку предстояло десятимесячное сражение один на один с морской стихией на протяжении тридцати тысяч миль.

Кроухерст решил испытать судьбу, отправившись в морское путешествие. Правда, у него не было яхты — "Золотой горшок" годился только для плавания через Ла-Манш. Новую яхту он купить не мог. Стэнли Бест, разочаровавшись в предприятии Кроухерста, требовал вернуть долг.

Городские власти Гринвича решили установить "Джипси Мот IV" в сухом доке как памятник в честь исторического плавания сэра Френсиса Чичестера. Зная об этом, Кроухерст обратился в городское управление с просьбой предоставить ему яхту в аренду сроком на один год. С письмом ознакомили Чичестера, который поинтересовался личностью потенциального арендатора. Когда выяснилось, что о нем в яхтклубе никто ничего не знает, "Джипси Мот IV" заняла свое место на пьедестале почета.

В марте 1968 года газета "Санди таймс" решила провести непрерывную кругосветную гонку на приз "Золотой глобус". Правилами предусматривалось, что яхтсмены могут стартовать в разное время и из разных портов. Было установлено два приза: один за самое быстрое плавание и другой — для первой яхты на финише. Участников гонки отбирала специальная комиссия. Среди претендентов на победу оказались некий Чей Блит, пересекший Атлантику на гребном судне; Джон Риджуэй, бывший офицер специальной авиадесантной службы, партнер Блита по переходу через Атлантику; 28-летний офицер торгового флота Робин Нокс-Джонстон и... Дональд Кроухерст.

Кроухерст бросился в Стэнли Бесту и сумел-таки уговорить своего благодетеля дать ему в долг еще 6000 фунтов стерлингов. Он убедил Беста, что для него это будет самая выгодная финансовая операция. "Судя по нынешнему составу участников, я смогу выиграть оба приза. Идеальной возможностью для меня было бы стартовать на тримаране, оснащенном современными электронными приборами, разработанными мною", — писал он Бесту. Бизнесмен, согласившийся выделить требуемую сумму, позже рассказывал: "Жена говорила мне, что я, должно быть, сошел с ума. Но Дональд умел подойти к человеку и обладал удивительным даром убеждения".

Положив деньги в банк, Кроухерст быстро нашел две кораблестроительные фирмы, которые готовы были взяться за авральную работу. Стоял уже май, а по условиям гонки участники должны были стартовать не позднее 31 октября.

В последующие недели, наблюдая за успешной подготовкой к гонке своих соперников — Риджуэя, Блита и Нокса-Джонстона, Кроухерст все больше впадал в отчаяние. Кроме него, только офицер британских ВМС Найджел Тетли собирался стартовать на тримаране, то есть яхте с тремя корпусами. Вскоре яхта Тетли была готова к отплытию.

Дональд тем временем посещал занятия по радиотелеграфии. Он нанял бывшего репортера с Флит-стрит Роднея Холлуорта, владельца информационного агентства в Тейнмауте, Девоншир. Холлуорт организовал Кроухерсту поддержку общественности. Дональд назвал свою яхту "Тейнсаутским электроном".

Наконец яхта была готова. Но Кроухерста поджидала неприятность: столкнувшись с паромом в одном из пробных заплывов, он повредил один из трех корпусов яхты. После этого в "Электроне" стали проявляться различные дефекты. Например, на определенной скорости в результате вибрации ослабевали болтовые и винтовые крепления. Кроухерсту было от чего прийти в отчаяние.

30 октября, в ночь перед отплытием, Дональд признался жене: "Я недоволен яхтой, она плохая. И я не готов к гонке". И слезы покатились по его щекам. Клер позже себя корила, что не услышала его крик о помощи и не отговорила от участия в гонке.

Дональд Кроухерст отплыл на своем тримаране практически без предварительных испытаний и обкатки. Его провожал почти весь Тейнмаут. Небольшая каюта была заставлена ящиками и припасами.

Несмотря на поспешное отплытие, мореплаватель начал гонку успешно. Через две недели он достиг берегов Португалии. Но здесь начала сказываться плохая сборка тримарана. В одном из корпусов обнаружилась течь. Вышел из строя руль автоматического управления. Чтобы укрепить его, пришлось снять болты с других частей яхты.

Вскоре в результате попадания морской воды отказал электрогенератор. Кроухерст лишился освещения и радиосвязи.

В пятницу 13 ноября, находясь все еще недалеко от Португалии, Дональд записал в дневнике: "Поломки генератора вполне достаточно, чтобы прекратить гонку. Но я не хочу этого делать. Если я сдамся, то разочарую слишком многих людей, а самое главное — Стэнли Беста. И, кроме того, мою семью".

И тогда он решил продолжать плавание в южном направлении и попытаться починить генератор, чтобы связаться с Бестом. К этому времени мореплаватель прошел уже 1300 миль, но по прямой получалось всего 800. Он безнадежно отстал от других участников гонки. Предстояло пройти еще 28 000 миль! Дональд понял, что гонку он проиграл, и стал соображать, как избежать позора.

Через несколько дней Кроухерсту удалось наладить генератор. Из сообщений по радио он узнал, что один из его соперников находится в районе Новой Зеландии, а второй огибает мыс Доброй Надежды. Кроухерст, находясь у острова Мадейра, отстал от них на тысячи миль. Он заказал разговор с Бестом.

Согласно записям в бортовом журнале, Кроухерст собирался сообщить, что вынужден прекратить гонку, чтобы на будущий год предпринять новую попытку. Но... Дональд солгал своему покровителю. Он сказал, что все идет хорошо, за исключением одной-двух технических неполадок, и предупредил, что по причине поломки генератора возможно отсутствие связи. Кроухерст запланировал для своего кругосветного плавания новый маршрут.

10 декабря он послал радиограмму своему пресс-агенту Роднею Холуорту, сообщив о новом рекорде скорости — 243 мили за один день. Назавтра об этом сообщили все английские газеты.

Никто из следивших за гонкой даже не подозревал, что Кроухерст ведет сразу два бортовых журнала. В одном он фиксировал свои истинные курс и положение — святая обязанность всех моряков, управляющих суднами. В другом было описание маршрута, которое он собирался предъявить арбитрам гонки после своего триумфального возвращения.

Когда весь мир считал, что тримаран Кроухерста борется со штормами в самой бурной зоне Атлантического океана, сам мореплаватель преспокойно дрейфовал при полном штиле в Южной Атлантике, держась подальше от проходивших судов.

К концу января, когда по официальной версии Кроухерст должен был находиться где-то в Индийском океане, он понял, что надо отремонтировать третий корпус, иначе тримаран просто пойдет ко дну. Дональду пришлось взять курс на Аргентину. Он рассчитывал, что если пристанет в какой-нибудь маленькой бухточке, то вряд ли кто узнает его. На поиски стоянки ушло несколько дней.

Наконец он выбрал Рио-Саладо, которое, судя по лоции, представляло собой деревеньку из нескольких домов и сараев. 6 марта он сошел на берег. Выбор оказался удачным. До ближайшего города была не одна сотня миль. Здесь не было даже телефона.

Беспечный сотрудник береговой охраны упомянул в своем журнале о прибытии эксцентричного англичанина, но докладывать вышестоящим инстанциям по этому поводу посчитал лишним. Кроухерст же провел на берегу несколько дней, пополнив запасы и отремонтировав яхту, после чего вновь поднял парус.

Соблюдая полное радиомолчание — ведь по легенде у него был неисправен генератор — в течение последующего месяца Кроухерст обошел вокруг Фолклендских островов. Он решил, что раньше 15 апреля раскрывать свое местонахождение не стоит.

К этому времени другие участники гонки закончили отважное плавание. Гонку продолжал только Тетли. Он тоже был уже на пути домой, в 150 милях от Фолклендов, где притаился Кроухерст на своем тримаране.

А тем временем дома у пресс-агента Холлуорта настали беспокойные времена. Почти три месяца он не получал от своего подопечного никаких сообщений. Его никто не видел. Можно было только предполагать, что "Тейнмаутский электрон" находится где-то у берегов Австралии или в южной части Тихого океана.

Наконец 9 апреля Дональд решил напомнить о себе и послал через Буэнос-Айрес радиограмму: "Девон-Ньюс Эксетер Курс Диггер Рамрес Журнал капут 17697 Какие новости океане".

Это была мастерски составленная головоломка, в которой отсутствовала какая-либо информация. Но за неимением другого Холлуорт ухватился за это сообщение. Диггер Рамрес он расшифровал как Диего-Рамирес — крошечный остров юго-западнее мыса Горн.

Никто не мог связаться с Кроухерстом и подтвердить его местонахождение, однако Холлуорт напечатал во всех английских газетах сообщение, что его парень огибает мыс Горн и претендует на приз за самое быстрое время.

Дональд Кроухерст вновь был на трассе гонки.

30 апреля он достиг намеченного пункта и нарушил радиомолчание, поздравив Нокса-Джонстона с первенством на финише. Теперь он соперничал с

Найджелом Тетли за "скоростной" приз. Но Кроухерст, поразмыслив, решил, что ему не стоит выигрывать гонку, поскольку его фальшивый журнал с подробностями о штормах в Индийском океане и шквалистых ветрах в Тихом не выдержит проверки арбитров. Если же он придет к финишу вслед за Тетли, то его будут чествовать как героя. А главное, ему не надо будет предъявлять организаторам гонки журнал.

В Атлантике, на обратном пути домой, Кроухерст намеренно замедлил ход. Но Тетли сообщили, что тримаран совсем близко от него, поэтому он решил прибавить ход. Однако на траверзе Азорских островов Тетли попал в сильный шторм, и его яхта затонула.

Когда Кроухерст узнал об этом из радиограммы, то перед ним возникла дилемма: он не мог проиграть, поскольку опережал Нокса-Джонстона на два месяца, но и не мог выиграть, ибо в этом случае раскрылся бы его обман. Он послал радиограмму, выразив сочувствие Тетли, который спасся на резиновой лодке и был подобран торговым судном. После чего прекратил гонку.

По иронии судьбы, его радиостанция действительно вышла из строя. Его радио еще могло принимать радиограммы, когда он получил сообщение от Холлуорта, что в Тейнмауте вывешивают флаги в его честь.

К 22 июня Кроухерст вошел в мертвый штиль зеленого планктона Саргассова моря. Ему удалось исправить радиостанцию, и он отправил обычные радиограммы Холлуорту, жене и на Би-би-си. Затем, в последующие сутки, у Кроухерста, очевидно, помутился рассудок. За несколько дней он написал двенадцать тысяч слов бессвязного бреда о космосе, разуме и математике.

Последняя запись в журнале сделана в 11 часов 20 минут 1 июля. Неизвестно, что произошло потом. Вероятно, Кроухерст выбрался на палубу, подошел к поручням и нырнул в тихое Саргассово море, чтобы уже не вынырнуть.

Через девять дней "Тейнмаутский электрон" заметили с судна британских ВМС. На тримаране никого не было, в каюте лежали изобличающие Кроухерста журналы.

Когда печальную новость сообщили в газетах, страна погрузилась в траур, скорбя об утрате одного из самых отважных своих сыновей. Был образован фонд помощи семье Кроухерста. Нокс-Джонсон передал в него свой приз "Золотой глобус" в 5 тысяч фунтов стерлингов.

Удивительная авантюра Кроухерста вскрылась уже позднее, когда оба его журнала были тщательно изучены в Англии.

До сих пор некоторые считают, что Дональд собрал плавающие в Саргассовом море обломки, соорудил из них плот, поставил парус, поплыл к ближайшему берегу — островам Зеленого Мыса и живет там, скрываясь от людей. Нашлись и такие, кто видел его то на Азорских островах, то на Канарских островах.

В его смерть жена не верила долгие годы...

Д.Б. Купер

(XX век)

Один из наиболее таинственных американских преступников. Захватив самолет, получил выкуп в размере 200 тысяч долларов наличными и за одну ночь стал человеком-легендой!

Террористы — угонщики самолетов — объект постоянной головной боли правительств цивилизованных государств и причина страха экипажей авиалайнеров и их пассажиров. Каким же образом неизвестный американец сумел зах-

ватить самолет, получить за него выкуп и исчезнуть, оставшись легендарным героем в памяти людей?

Обожаемый миллионами людей, которые по сей день продолжают восхвалять его, Купер тем не менее угрожал жизни 150 пассажиров, если власти не явятся к нему с деньгами.

Но отчаянная смелость преступника и тот факт, что в конце концов никто при этом не пострадал, привлекли внимание всей Америки и превратили таинственного авантюриста в современного Робин Гуда.

Действительно, это было фантастическое по замыслу преступление. И по сей день, через двадцать с лишним лет, никто так и не знает, что же произошло с преступником. Погиб ли он после своего отчаянного прыжка в ночь? Умер ли от неизлечимой болезни? Или до сих пор жив и пользуется своей преступной добычей?

Никто не знает, как закончилась эта необычная история, но очень многие знают, как она начиналась 24 ноября 1971 года в аэропорту Портленда, штат Орегон.

Сотни пассажиров толпились у выходов на посадку, стремясь поскорее попасть домой или к друзьям, чтобы вместе отметить национальный праздник Америки. И ни один из них не обратил внимания на спокойного невысокого парня с сумкой. Среди толкотни и праздничной суеты он держался подчеркнуто невозмутимо, спрятав глаза за стеклами темных очков.

Наконец пассажиры рейса на Сиэтл прошли на посадку.

Д.Б. Купер — это имя человек назвал, покупая билет,— встал с кресла в зале ожидания и направился к ожидавшему пассажиров "Боингу-727". Единственным багажом, который он взял с собой, была все та же сумка. Войдя в самолет, Купер сел так, что кресло стюардессы, которое она занимает при взлете и посадке, оказалось напротив.

В следующие двадцать пять минут, пока самолет пробивался сквозь облака к Сиэтлу, он продолжал изображать обычного пассажира. А потом, примерно на середине 400-мильного маршрута, нажал кнопку над своим креслом и вызвал стюардессу.

Тина Маклоу, услышав сигнал, решила, что пассажиру захотелось пить или ему понадобилось одеяло.

К ее ужасу, мужчина вручил ей короткую, но не оставляющую сомнений записку: "У меня с собой бомба. Если я не получу 200 тысяч долларов, разнесу всех на куски".

Ошеломленная Маклоу раз за разом перечитывала записку. Не отрывая от девушки взгляда, Купер приоткрыл сумку как раз настолько, чтобы она убедилась: это не дурная шутка и не блеф. Девушка отчетливо увидела внутри сумки прямоугольные плитки динамита, провода и детонатор. Потом мужчина закрыл сумку и проводил взглядом стюардессу, которая старалась ничем не выдать себя.

Как только Маклоу передала угрожающее послание потрясенному экипажу, пилот тут же связался с наземным контролем в Сиэтле и сообщил о происшествии на борту. Уже через несколько минут группа лучших агентов ФБР, полицейские снайперы и даже несколько подразделений национальной гвардии заняли аэропорт. Власти были уверены, что предстоит долгая ночь переговоров.

Всем участникам событий, включая Купера, оставалось лишь одно — ждать. В ближайшие тридцать пять минут самолет должен был совершить посадку в Сиэтле.

Когда на подходе к Сиэтлу самолет начал снижаться, командир сделал краткое сообщение для пассажиров. Он предупредил, что высадка будет несколько задержана. Причину объяснять не стал. И пассажиры восприняли новость с беспокойством.

Пока соседи Купера по салону сердито рассуждали о сорванных деловых встречах и несостоявшихся праздничных обедах, он встал с кресла и, прижимая к груди сумку, прошел к кабине экипажа, где находились командир и два его помощника.

"А сейчас, джентльмены,— спокойно сказал он,— попрошу сидеть спокойно и не оглядываться". Следующие двадцать пять минут шли оживленные переговоры по радио. Купер объяснил сначала тем, кто находился на башне контроля за полетами, а потом старшему полицейскому офицеру, что его требования таковы: 200 тысяч долларов в подержанных купюрах и четыре парашюта в обмен на освобождение всех заложников.

Власти поняли, что выхода нет. Они не имели права рисковать жизнью ни в чем не повинных людей, которые могли погибнуть от взрыва при захвате самолета спецгруппой.

К захваченному лайнеру направились два агента ФБР. Переодетые в форму работников аэродромного обслуживания, они вкатили на борт самолета тележку, на которой красовался мешок с пломбой. Раскрыв его, Купер заликовал: внутри лежали деньги и парашюты.

Угонщик сдержал слово и позволил всем пассажирам покинуть самолет. Невероятно, но факт: только оказавшись в главном зале ожидания аэропорта, встреченные толпой репортеров пассажиры узнали, что были заложниками при захвате самолета преступником.

Пока освобожденные пассажиры, узнав ошеломляющую новость, приходили в себя сначала от удивления, а потом и от шока, Купер готовился приступить к осуществлению второго этапа своего тщательно продуманного плана.

Экипаж лайнера под угрозой взрыва бомбы оставался на своих местах. Купер потребовал, чтобы самолет дозаправили и выдали летчикам все необходимые данные для полета в Мексику.

Во время переговоров с наземными службами аэропорта и пилотами Купер проявил такое знание деталей воздушного сообщения и технических возможностей самолета, что представители власти поняли, что имеют дело с хорошо подготовленным, умным и расчетливым преступником.

Как только его требования были выполнены, Купер приказал капитану Биллу Скотту поднять самолет в ночное небо. К хвосту "боинга" сразу же пристроился реактивный истребитель ВВС США.

Но угонщик, человек осторожный и сообразительный, судя по его поведению, заранее просчитал все варианты действий властей.

Вскоре после того как самолет набрал высоту, Купер приказал капитану

Скотту взять курс на юг. При этом он проявил отличное знание не только летного дела, но и сложных вопросов аэродинамики.

"Летите с опущенными на пятнадцать процентов закрылками, — сказал Купер.— Шасси пусть остаются выпущенными. Скорость — чуть меньше девяноста метров в секунду. Откройте заднюю дверь и не поднимайтесь выше двух тысяч метров".

Капитан Скотт, пораженный столь точными инструкциями (ему тоже стало ясно, что угонщик — не обычный преступник), быстро просчитал ситуацию и сообщил Куперу, что при таком режиме полета у них может скоро кончиться горючее. Купер спокойно ответил, что капитан может приземлиться в Рино, штат Невада.

Выходя из кабины пилотов, угонщик приказал экипажу замкнуть стальную дверь, отделяющую кабину от остальной части "боинга", до самого конца полета и привести в действие систему, открывающую заднюю дверь самолета, как только он выйдет из кабины. Капитан подчинился, и салон "боинга" в мгновение ока заполнил поток холодного разреженного воздуха.

Следующие четыре часа Скотт и его товарищи летели навстречу неизвестности, в точности выполняя данные Купером инструкции. И лишь после того как они благополучно приземлились в Рино, выяснилось, что их единственный пассажир буквально растаял в ночи.

Позже тщательное изучение показаний приборов "черного ящика" позволило установить, что Купер покинул самолет в 8 часов 15 минут утра — через тридцать две минуты после взлета в Сиэтле. Под покровом темноты и облаков, которые скрыли его от сопровождавшего "боинг" истребителя, Купер бросился вниз, привязав к поясу деньги.

На первый взгляд, это преступление с точки зрения его исполнения казалось безупречным. Еще бы! Купер не только успешно скрылся, но и обвел при этом вокруг пальца полицию, ФБР и ВВС Соединенных Штатов, которые вместе противостояли ему!

И тем не менее данные "черного ящика" показали, что он все-таки совершил ошибку — единственную, но очень серьезную. В тот момент, когда Купер покидал самолет, "боинг" летел над юго-западной частью штата Вашингтон. Это пересеченная местность, заросшая густым лесом.

Кроме того, за бортом самолета температура воздуха была ниже нуля. Легкий костюм и плащ — слабая защита от холода. Таким образом, шансы Купера выжить после прыжка были небольшими.

Группы наземного поиска то и дело попадали в непроходимые болота. В этих условиях власти были вынуждены организовать поиск с воздуха. Так продолжалось две недели подряд. Но самолеты, снабженные чувствительными сенсорными датчиками, никого не нашли.

Газеты начали писать о том, что Купер объявится где-нибудь вновь. Словно в ответ на эти предположения через три недели после угона самолета в редакцию газеты "Лос-Анджелес таймс" пришло загадочное письмо.

"Я вовсе не современный Робин Гуд,— говорилось в нем.— К несчастью, мне осталось жить лишь четырнадцать месяцев. Угон самолета был для меня самым быстрым и выгодным способом обеспечить последние дни своей жизни. Я ограбил авиакомпанию не потому, что считал такой шаг романтическим или героическим. Ради подобных глупостей я никогда не пошел бы на такой огромный риск. Я не осуждаю людей, которые ненавидят меня за мой поступок, не осуждаю и тех, кто хотел бы видеть меня пойманным и наказанным, тем более что этого никогда не произойдет. Я не сомневался, что меня не поймают. Я уже несколько раз летал на различных маршрутах. Я не собираюсь залегать на дно в каком-нибудь старом, затерянном в лесной глуши городишке. И не подумайте, что я психопат: за всю свою жизнь я не получил даже штрафа за неправильную парковку".

Письмо вызвало сенсацию. Купер не считал себя героем, но общество сочло иначе.

В редакции газет и на радио хлынул поток писем, авторы которых восхищались его ловкой проделкой.

Майки с именем авантюриста мгновенно стали такими же модными, как прежде одежда с надписью "Мир и любовь".

Тысячи готовы были поклясться ему в вечной любви, если бы только он объявился.

Но Купером были очарованы далеко не все. ФБР составило весьма убедительный психологический портрет преступника, однако решило не предавать его гласности.

Было немало и тех, кто сомневался, что именно Купер написал письмо в редакцию газеты.

Жители того района, над которым Купер выпрыгнул из самолета, прежде всего лесорубы, не сомневались, что письмо — ловкая подделка. Они были убеждены, что Купер погиб либо во время прыжка, либо чуть позже, и продолжали в глухой местности вести поиски полученных преступником денег. Тем же занимались по выходным дням сотни любителей приключений, которые отправлялись за "добычей Купера", хотя этих скорее привлекали нехоженые тропы, чем серьезный поиск сокровищ.

В то время как искатели — и люди подготовленные, и любители — наводнили район, где должен был приземлиться Купер, власти продолжали попытки обнаружить с воздуха хоть какие-нибудь следы угонщика-призрака или его добычи. Кстати, официальные лица тоже сомневались в подлинности письма в "Лос-Анджелес таймс" и были уверены, что Купер погиб после своего знаменитого прыжка. Но все поиски окончились неудачей. Через год после угона самолета ФБР заявило в печати, что уверено в смерти преступника.

А еще через четыре года, 24 ноября 1976 года, дело Купера было официально закрыто.

С этого времени, если, конечно, допустить, что Купер все-таки жив, ему формально могли предъявить лишь обвинение в уклонении от уплаты налогов.

После этого многие решили, что услышали имя Купера в последний раз.

Однако в 1979 году преследовавший оленя охотник наткнулся в лесу на табличку с надписью: "Люк во время полета должен быть плотно закрыт". Это оказалась предупредительная табличка с задней двери злополучного "Боинга-727". Новость вызвала такой ажиотаж, что тысячи искателей кладов вновь кинулись в глухие леса, где она была обнаружена.

Однако, несмотря на отчаянные усилия искателей сокровищ, пропавшая добыча долго оставалась ненайденной. И вот в 1980 году, ровно через девять лет после того, как Купер выкинул свой номер, отец и сын Гарольд и Брайан Ингрэмы шагали по берегу Колумбия-ривер, к северо-западу от Портленда. Вдруг восьмилетний мальчик заметил пачку старых, выцветших на солнце двадцатидолларовых купюр. Когда их собрали, всего оказалось 6 тысяч долларов.

Купюры эти были принесены течением сверху, с севера. Эксперты сверили их серийные номера с номерами на банкнотах, которые в свое время были выданы террористу. Никаких сомнений не осталось — найденные деньги оказались частью "добычи Купера".

Для многих эта находка стала доказательством того, что Купер действительно погиб во время прыжка с парашютом.

Случайная находка Ингрэмов послужила искрой для очередного взрыва интереса к деньгам Купера со стороны как местных жителей, так и приезжих, которые вновь потянулись в этот район в надежде разбогатеть.

И вновь их надеждам не суждено было сбыться. Больше никто никаких денег не нашел.

Однако в 1989 году некий водолаз-любитель в поисках следов “добычи Купера” нашел в реке, примерно на милю выше того места, где Ингрэмы обнаружили деньги, маленький парашют.

К великому разочарованию тех, кто взволновался в связи с этой находкой (несмотря на то, что прошло много лет, искателей удачи не стало меньше), было установлено, что парашют этот никакого отношения к Куперу не имеет.

Эрл Коссей, который укладывал парашюты для Купера, заявил, что найденный нельзя даже сравнивать с теми, что получил угонщик самолета. Скорее всего, сказал Коссей, этот парашют использовался при пуске осветительной ракеты. А может быть, это вообще детская игрушка.

Водолаза, который нашел парашют, нанял калифорнийский юрист, бывший агент ФБР Ричард Тосо. Вот уже десять лет каждый последний четверг ноября — День благодарения он проводил в поисках следов Купера.

Тосо, написавший книгу под названием “Д. Б. Купер, мертвый или живой”, утверждает, что угонщик самолета утонул и его останки непременно должны были застрять между свай, которые вбиты в дно реки через каждые полмили на случай наводнения.

“Купер понятия не имел, где находится, когда выбрасывался с парашютом, — пишет Тосо. — Он упал в воду спиной с пачками денег, привязанными к поясу, и пошел ко дну. Он и сейчас где-то там, на дне. И остальные деньги тоже там, зацепившиеся за острый камень или занесенные илом”.

Несмотря на ежегодно предпринимаемые поиски, Ричард Тосо, как и сотни других искателей кладов, так ничего и не нашел. Но отказываться от своей затеи не намерен.

Выжил ли Д. Б. Купер, куда девались остальные деньги — все это и сегодня остается такой же загадкой, как много лет назад.

И похоже, она не будет разгадана никогда.

Юрген Шнайдер

(XX век)

Немецкий авантюрист.
Торговал недвижимостью.
Приобретал один элитарный объект за другим в Берлине, Мюнхене, Франкфурте, Гамбурге. Наконец был осужден за мошенничество.

Юргену Шнайдеру когда-то принадлежали самые роскошные дома в Германии. Но вот уже несколько месяцев ему принадлежит только скромная камера в американской тюрьме. Ее он может обменять только на аналогичную — в тюрьме немецкой. Избавиться от этих неприятных “объектов недвижимости” господин Шнайдер мог бы, заплатив семь миллиардов марок, которых у него нет.

Когда две Германии превратились в одну, самым прибыльным бизнесом оказалась торговля недвижимостью.

Глубокомысленные западные эксперты постановили, что архитектура ГДР эстетически ужасна, идеологически чужда демократическому обществу и

чрезвычайно вредна для здоровья, поскольку при строительстве зданий использовались сомнительные стройматериалы, например, асбест.

Восточная Германия пошла на снос. Или под реконструкцию. Процесс получил двусмысленное название "санирование" — оздоровление. На месте социалистической архитектуры, которая по мании величия сильно превосходит московскую, воздвигаются современные западные строения — скромные, узкие, дешевые.

Счастливцы, въехавшие в только что отстроенное жилище, обнаруживают, что новая квартира "слегка жмет в плечах", а соседский телевизор слышен не хуже собственного.

Доктор Юрген Шнайдер, потомственный торговец недвижимостью, презирал дешевизну, экономию и поспешность. Он даже отказался называться маклером или торговцем недвижимостью, чтобы не ассоциироваться с бизнес-чернью, которая суетливо покупает, ремонтирует и перепродает — побыстрее и подешевле.

На визитных карточках Шнайдера значилось: "частный инвестор". Инвестиции его были чрезвычайно занимательны, хотя и не слишком разнообразны. Сначала Юрген Шнайдер разводил... такс. Доходы от этой деятельности позволили ему в короткий срок сколотить необходимый начальный капитал для самостоятельной торговли недвижимостью, тогда еще в Западной Германии.

Случилось это в 1981 году. Тогда же он стремительно сформировал собственный деловой стиль, которого неуклонно придерживался до самого финала своей карьеры: не гнаться за стремительными доходами, дорого покупать самые дорогие объекты в самых престижных местах, дорого реставрировать и дорого сдавать в аренду.

Образцово-показательную операцию такого рода Шнайдер осуществил в 1986—1991 годах, заработав пару сотен миллионов марок и несокрушимую репутацию. Он купил отель "Fuerstenhof" во Франкфурте (бывший под опекой Общества охраны памятников) за 40 миллионов марок. Вложил в реставрацию — слово "санирование" еще не вошло в обиход — 200 миллионов и перепродал японской фирме за 450 миллионов.

Он охотно признавался в своей слабости к старой архитектуре и не выносил современных штучек из стекла и бетона. Вся его деловая активность была, по его словам, вызвана исключительно заботой о сохранении исторического облика родины. Он любовно подбирал расцветки фасадов, форму окон и рисунок дверных ручек в соответствии с оригинальными проектами. Если промышленность Германии не удовлетворяла его придирчивый вкус, заказы переправлялись в страны, которые производили строительные материалы лучшего качества. Например, в Бельгию и Великобританию.

В довольно стремительном темпе Шнайдер делал архитектурно-финансовую карьеру, приобретая один элитарный объект за другим в Берлине, Мюнхене, Франкфурте, Гамбурге... Отели, торговые центры, апартаменты-люкс.

Разумеется, такая деятельность проводится только и исключительно в кредит. Он и брал кредиты — документально обосновывая размеры необходимых ему сумм. В кредитах ему не отказывали никогда. Во-первых, потому что его документация была неизменно безукоризненна и неопровержимо доказывала, что здание, под которое он берет кредит в долг пятьдесят миллионов марок, после сдачи в аренду принесет двести. Во-вторых, сам Шнайдер выглядел безукоризненно-консервативно в своем темном двубортном костюме, из нагрудного кармашка которого выглядывал со вкусом подобранный в тон платочек. В-третьих, он появлялся у подъездов банков на роскошном ухоженном “мерседесе” модели... пятнадцатилетней давности. Что, с одной стороны, доказывало его пристрастие к изысканной старине, а с другой — демонстрировало: у этого человека уже пятнадцать лет назад были деньги на собственный “мерседес”.

После объединения Германии фирма Шнайдера развернулась по-настоящему. Он стал самым крупным инвестором в недвижимость ее восточной части, скупив, к примеру, в Лейпциге около шестидесяти процентов всех объектов, выставленных на продажу.

Дороже и роскошнее, чем Юрген Шнайдер, не строил никто. Самым эффектным из его приобретений был торговый пассаж “Maedler” в центре Лейпцига с легендарным рестораном “Погребок Ауэрбаха”. Именно в этом уютном заведении коварный черт по имени Мефистофель дурил головы беззаботным выпивохам. Черт всех и попутал.

31 марта 1994 года — в “зеленый четверг”, день предпасхальной недели, доктор Юрген Шнайдер выплатил праздничные премиальные своим сотрудникам, распил с ними пару бутылочек шампанского и отбыл с женой на пасхальные каникулы в Тоскану. Пасхальные каникулы в солидных фирмах принято растягивать подольше. Поэтому, когда шеф не объявился к началу рабочей недели — 5 апреля, никто его не хватился. Хватились 7-го, когда было уже поздно.

7 апреля поверенный Шнайдера, по случайному совпадению тоже Шнайдер, передал в бюро фирмы и правлению “Deutsche Bank” — главного кредитора Шнайдера — два экземпляра одного и того же письма. Стиль письма отличался изысканной вежливостью, а содержание — наглостью. “Неожиданно обнаружившиеся признаки тяжелого нездоровья мешают мне продолжать мою деловую активность. Надеюсь, что “Deutsche Bank” будет наблюдать за завершением строительства начатых мною объектов. Врачи рекомендуют мне избегать любых стрессов и в связи с этим не разглашать мое нынешнее местопребывание”.

Этот текст привел правление фирмы “Schneider AG” и правление “Deutsche Bank AG” в оцепенение — приблизительно в равной степени. Самый крупный инвестор за всю послевоенную историю торговли недвижимостью — сбежал. Или, если буквально переводить с немецкого — “нырнул”, залег на дно. Зачем? Ведь у него было огромное личное состояние и самая прекрасная немецкая недвижимость, которая должна была приносить неимоверные доходы. На него работала половина строительных предприятий страны — от огромных фабрик до крохотных мастерских.

Надо сказать, что опытный германский пролетариат, закаленный в боях с буржуазией, этими вопросами не задавался. И был прав. Сообщение о письме появилось сначала в утренних радионовостях, а рабочий день у строителей начинается раньше, чем у банкиров, так что некоторые мелкие фирмы успели отчасти предотвратить свои убытки. Они рванули на незаконченные стройки доктора Шнайдера и вынесли оттуда все, что не было привинчено накрепко.

Через пару часов самые важные строительные объекты Шнайдера была взяты под охрану службой безопасности "Deutsche Bank". Последний, оправившись от первого изумления, решил прежде обезопасить дорогостоящее имущество, а уж потом разбираться. Самые верные сотрудники Шнайдера, которые знали, что шеф опасался шантажа и круглосуточно находился под охраной двух частных детективов, еще некоторое время упорно уверяли, что герр Шнайдер чист и его, несомненно, похитили. Через неделю прокуратура получила доступ к бухгалтерским книгам и строительной документации. О похищении больше никто не заикался.

Состояние Юргена Шнайдера скроено было исключительно из долгов, которые он, оказывается, умел делать с тем же размахом, с которым реставрировал памятники архитектуры. В общей сложности он был должен пятидесяти немецким и европейским банкам. Сумма кредитов, по которым он никогда не смог бы рассчитаться, составляла в марте 1992-го — 2,496 миллиарда марок, в марте 1993-го — 3,818 миллиарда, в марте 1994-го — 6,347 миллиарда.

Кроме миллиардных долгов, он оставил десятки незавершенных строек и на девяносто миллиардов неоплаченных счетов от строительных фирм, большей части которых теперь грозило разорение. Чтобы предотвратить эту катастрофу, потребовалось телевизионное обращение канцлера Коля к немецким банкам. Канцлер призвал финансовую элиту дать строителям возможность списать свои убытки по делу Шнайдера и предотвратил тем самым появление сотен агрессивно настроенных банкротов.

Когда этот вопрос был решен, банкам и прокуратуре пришлось искать ответ на следующий, который в сложившейся ситуации представлял не более чем академический интерес. Но тем не менее занимал правосудие в наибольшей степени. Кем был Шнайдер — мошенником или идиотом? Разорился ли он от того, что переоценил свои силы и утратил чувство реальности? Или с самого начала запланировал это грандиозное надувательство? Ответ потребовал нескольких месяцев напряженной экспертизы всех имевшихся в распоряжении следствия документов. Он заключался в том, что Шнайдер был не просто мошенником, но — совершенно выдающимся мошенником.

Кредиты, которые он получал под свою деятельность, во много раз превосходили реальную стоимость всех его объектов. Это достигалось тремя несложными способами. Способ первый состоял в том, что в каждом здании завышалось общее число метров полезной площади, что, естественным образом, повышало предполагаемые доходы от возможной аренды. В торговом центре "La Facettes" во Франкфурте-на-Майне было 20 000 квадратных метров, пригодных для аренды. Так было написано в документах, которые Шнайдер предоставил "Deutsche Bank". Банк откликнулся на это сообщение, выдав 415 миллионов маров в кредит под реконструкцию. На самом деле квадратных метров было всего 9000 и стоимость всех работ составляла не более 200 миллионов марок. Кстати, число 9000 было крупно написано на заборе, ограждавшем строительство, и следовательно, не составляло никакой тайны.

Способ второй был несколько хитроумнее. Одно и то же здание многократно перепродавалось, всякий раз дорожая. Шнайдер основал более пятидесяти мелких фирм, которыми руководил через подставных лиц, и формально перегонял купленные дома с баланса одной фирмы на баланс другой. Небольшую, прекрасно оборудованную виллу в Кенигштайне, которая служила резиденцией “Schneider AG”, подчиненные босса перепродавали друг другу, пока она не стала стоить 37,5 миллиона марок. Эта цифра и стала основанием для банка выдать соответственную сумму в кредит под залог виллы. Дорожать-то она дорожала, но исключительно на бумаге, поэтому банк, завладевший виллой, после банкротства обнаружил, что более 15 миллионов выручить за нее невозможно. В конце концов, не Шнайдер виноват в том, что банки выдают кредиты, ориентируясь на последнюю продажную стоимость здания. Он только использовал создавшееся положение.

Еще герр Шнайдер любил предъявлять банкам кредиты на будущую аренду, в которых цифры вписывались нехитрым методом “с потолка”. В том же торговом центре “Le Facettes” аренда по двум комнатам должна была приносить 57,5 миллиона в год. На самом деле — не более одиннадцати. Из комбинации этих трех приемов доктор Шнайдер и извлек за несколько лет около семи миллионов марок кредитов.

Разумеется, он извлекал прибыль из собственного дарования и для себя лично. Но очень скромную по сравнению с размахом всего предприятия. На его личном счету в марте 1994 года находились сбережения в размере всего двухсот пятидесяти миллионов марок. Вернее, они должны были там находиться. Это последний аргумент в пользу того, что Юрген Шнайдер был отнюдь не идиотом, а именно мошенником.

Начиная с 1993 года он понемножку перекачивал указанные двести пятьдесят миллионов окольными путями на счет в английском банке, где вся сумма к марту 1994 года и оказалась. Испарившись в предпасхальный четверг из собственного офиса, Шнайдер повторил всю операцию еще раз, справедливо полагая, что найти деньги в Англии — исключительно вопрос времени. Поэтому он сновал разделил эту сумму на части и отправил гулять по всему свету. Изрядно попутешествовав, миллионы снова оказались вместе, только теперь в Швейцарии. Отправился путешествовать и их владелец. А по его следам — многочисленные сотрудники самых разнообразных сыскных организаций.

Услужливые граждане и неутомимые журналисты умудрялись в один и тот же день видеть доктора Шнайдера в весьма удаленных друг от друга частях света. 9 мая его видели в Мюнхене и Парагвае. 30 мая на африканском побережье и в герцогстве Лихтенштейн. Сообщения поступали из Канады, с Карибских островов и Филиппин, из Испании, Швейцарии, Югославии и Ирана. В это время Шнайдер загорал на пляже в райском местечке неподалеку от Майами.

Долетев вместе с супругой до Вашингтона под собственным именем, он продолжил путь с фальшивым паспортом. Снял апартаменты в Майами, которые обходились ему в три тысячи долларов ежемесячно, и прикинулся итальянцем. Единственную маскировку, о которой позаботился беглец, будет точнее все же назвать демаскировкой. В Германии Шнайдер прикрывал свою лысину маленьким элегантным шиньончиком. В Майами он расстался с этой деталью туалета и отпустил усики. Свою жизнь в амплуа миллионера в отставке Шнайдер был все же вынужден время от времени прерывать отправкой связных в Европу для пополнения денежных запасов.

Связной-то его и подвел. Итальянец Полетти пренебрег мерами предосторожности, не ушел вовремя от "хвоста" и был замечен, когда входил в апартаменты, занятые неизвестной пожилой парой. Шнайдера арестовали в момент, когда он предавался любимому делу — открывал дверь банка. Быть может, даже, если б не вмешательство ФБР, ему бы удалось взять что-нибудь в кредит.

Деньги сгинули безвозвратно. Доказать, что тринадцатимесячный отдых Шнайдера в Штатах был вызван чем-либо иным, кроме состояния здоровья, пока не предоставляется возможным. Его обвинили в мошенничестве и сокрытии доходов от налогов. Но какие могут быть доходы у человека, задолжавшего семь миллиардов?

С тех пор, как его переодели в тюремную форму Майами — безрукавку и шорты защитного цвета — начальство многих немецких банков вздохнуло с облегчением. Хотя почему, собственно?

Майкл Марковиц

(1946 — 1985)

Эмигрировал из Румынии в США. Считался бензиновым королем Америки.

Федеральное бюро расследований и нью-йоркская полиция в 1997 году составили список представителей российской организованной преступности, убитых (в крайнем случае, раненых), как говорится, на боевом посту. Всего числом в 60 человек. Среди них оказался и Майкл Марковиц.

В ночь на 1 мая, согласно поверьям, ведьмы, злые духи и всякая нечисть слетаются на Лысую гору в Шварцвальде (Германия), и Сатана там правит бал. Тем временем многочисленные их помощники, ассистенты и ученики, оставшись дома без присмотра, резвятся, пробуя свои силы в ремесле, которое поэт охарактеризовал, как "сеять зло без сожаленья". В Вальпургиеву ночь 1986 года на 66-й улице в районе Бруклина прогрохотало несколько выстрелов. Выглянувшие из окон жители увидели, как серебристо-серый "роллс-ройс", принадлежавший жившему по соседству Майклу Марковицу, врезался в припаркованную у тротуара машину. Из "роллс-ройса" раздались крики и прозвучала мольба о помощи. Но никто не подумал о том, чтобы выйти на улицу, — у Марковица была очень плохая репутация, и соседи были уверены, что он в очередной раз поскандалил с кем-то из "своих" или впал по привычке в истерику. Уличный охранник все же подошел к "роллс-ройсу" и увидел, что Марковиц истекает кровью. Он проговорил имя того, кто стрелял в него, но охранник не понял или не захотел понять. “Какое-то иностранное имя”, — говорил он потом. “Я заплачу вам любую сумму”, — выдавливал из себя Марковиц последние предсмертные слова. Он надеялся, что за свои деньги еще может выторговать себе спасение, и не догадывался, что судьбу, с которой он играл так жестоко и самоуверенно, ни купить, ни продать нельзя.

Так закончил свои дни 42-летний эмигрант из Румынии Майкл Марковиц. А начиналось все с радужных надежд на долгую и счастливую жизнь. Почему бы и нет? Но судьба держит в руках карту каждого из нас, и линии порой располагаются не так, как хотелось бы.

Майкл родился в 1946 году в Бухаресте, в благополучной еврейской семье, где его приход в этот мир расценивался как подарок и утешение после трагических военных лет. У отца (неясно, что делавшего во время войны) была собственная текстильная фабрика с приличным доходом. Но захватившие власть коммунисты национализировали фабрику, и разорение семьи выбило отца “из седла”. От этого удара он уже не смог оправиться. В середине 1960-х семья эмигрировала из Румынии в Израиль. Там Майкл окончил университет, получив степень магистра математики и инженерных наук. Отслужив в израильской армии, он женился на сержанте Лие Зигельбаум — крупной интересной блондинке.

У супругов Марковиц было уже двое детей, когда Майкл вдруг почувствовал, что Израиль тесен для его широкой натуры. В 1979 году он вывез свою семью из Израиля, и в потоке эмигрантов из СССР и стран Восточной Европы Марковицы въехали в Соединенные Штаты.

Об Америке Майкл еще с детства имел представление, как о месте, где с неба непрерывно льется золотой дождь. Где только законченный идиот может не воспользоваться предоставленными возможностями (включая возможность работать, проявляя свой ум и талант) и не разбогатеть. По приезде в Америку Майкл решил, что для начала он должен заработать миллионов пять-шесть. Первые его шаги в этом направлении он сделал благодаря способностям и образованию. Он разработал счетчик для такси — тот самый, который сегодня установлен на нью-йоркских “кэбах”, — регистрирующий платежи и выдающий пассажирам квитанции об уплате. Работал Майкл над счетчиком на пару с израильским бизнесменом Эфраимом Шуркой, пообещавшим ему обеспечить протекцию у тогдашнего главы городской Комиссии по такси и лимузинам Джея Турова. В начале 1981 года, когда счетчик был готов, Эфраим “нажал на педали” с целью добраться до Турова. Однако дальше посредника по имени Хайм Шворц не пробился. Этот Шворц взялся — за определенную мзду, конечно, — довести дело до Турова и представить ему счетчик. За неимением ничего лучшего Марковиц и Шурка согласились принять и оплатить услуги Шворца. Однако, едва познакомившись с проектом Марковица, Шворц тут же заявил, что — надо же! — он сам, оказывается, изобрел точно такой же счетчик для таксомоторов, и теперь для нью-йоркских такси будут приняты Джеем Туровым его счетчики. Грабеж среди бела дня! А что делать? Против лома, говорят, нет приема. Против таких лихачей, как Шворц и Туров, Марковиц и Шурка оказались бессильны.

Так первая попытка Марковица относительно честно (не считая готовности заплатить любую взятку тому, от кого что-то зависит) заработать парочку миллионов рухнула, оставив ему только гордое (но материально никак не подкрепленное) сознание, что счетчики все же его изобретение.

“Он блестящий парень. У него необыкновенная голова. Если бы он занялся честным бизнесом, то добился бы необыкновенного успеха", — говорил о Марковице федеральный прокурор Майкл Голд. Но Марковиц, огорченный неудачей, в дальнейшем пренебрег честным бизнесом. "Это Америка! Я люблю Америку! Здесь есть где развернуться! Важно не быть дураком!" — часто говорил Марковиц. Он сошелся с хорошо известным в преступных кругах американским дельцом Джозефом Школьником, который посвятил его в тайны "бензинового бизнеса". Марковиц усвоил, что "капают" доллары только из утаенных налогов на бензин, и разработав свою собственную систему махинаций ограбления государства на сумму около полутора миллионов долларов в месяц, создал цепь бензозаправочных станций в Лонг-Айленде. Суть его подхода заключалась в том, что он нанимал какого-нибудь не знающего ни слова по-английски польского или афганского иммигранта и назначал его номинальным президентом компании. Бензин продавали, а налог государство не получало. Когда же являлся чиновник из налогового управления выяснить, что происходит, он обнаруживал, что ему не с кем объясняться — его не понимают. Оставалось удалиться ни с чем. А когда он приходил в следующий раз, то "президента" в компании уже не было и найти его не представлялось возможным. Марковиц спокойно клал в свой карман 26-процентный налог на бензин.

Дела шли блестяще. Марковиц жил со своей семьей на Аркансо Драйв в Бруклине, в собственном доме стоимостью 800 тысяч долларов. Внешне дом выглядел более чем скромно (чему очень способствовала замусоренная, заросшая кустарником лужайка), но зато изнутри дом блистал роскошью, как понимали это его хозяева — Майкл и Лия Марковиц. Дом спускался вниз на три подвальных этажа. В нем было четыре спальни с зеркальными стенами и потолками, бассейн, джакузи, две столовых. Комнаты были забиты всевозможными достижениями бытовой электроники — телевизорами, телекамерами, магнитофонами, проигрывателями, телефонами, компьютерами... Майкл был хорошим семьянином — не пил, не курил, не прикасался к наркотикам. Любил сидеть дома и лишь изредка играл в карты у приятеля-соседа, где ставки были не ниже 2000 тысяч долларов за игру.

Особую привязанность испытывал Майкл к своим престарелым родителям. Он купил для них дом в Бруклине за полмиллиона и дачу в Монтеселло за 150 тысяч долларов и положил на имя отца 20 миллионов долларов в швейцарский банк.

Каждое утро Майкл Марковиц — высокий грузный мужчина — отправлялся в шикарном автомобиле в свой офис, располагавшийся в новом здании в Лонг-Айленде Сити и оборудованный новейшими компьютерами, факс-машинами, первоклассной конторской мебелью. Большую часть времени Майкл проводил в своем кабинете, где пересчитывал кипы зеленых денежных купюр в буквальном, а не в переносном смысле издававших запах бензина. Начав с покупки захудалой бензоколонки во Флатбуше в начале 1980-х годов, Майкл теперь стал совладельцем 200 бензоколонок в Квинсе и Бруклине. К "делу" были привлечены "джентльмены удачи", прибывшие из СССР, которых Майкл, по словам его знакомого, "ненавидел и презирал", но без которых не мог обойтись в деле.

Словом, все шло, как надо, и годовой доход исчислялся миллионами долларов. Тут бы вздохнуть с облегчением. Но нет! В нашем полосатом мире за взлетом следует падение, за удачей — просчет, а то и провал, за найденным источником обогащения — жестокая конкуренция. Не избежал действия этого закона и Марковиц. Его бензиновые операции вызвали завистливое раздражение. И ни у какой-то там мелкой сошки, а у представителей славной итальянской мафиозной организации "Коза ностра". В один не лучший для Марковица день звезду его финансового успеха затмила мощная фигура (весом в 450 фунтов) Лари Иориццо. Он объяснил Марковицу, что столь успешная "деловая" активность не может протекать вне контроля над нею со стороны определенных лиц. Никто ничем не угрожает, естественно, но встретиться, поговорить и договориться с Майклом Франчезе — крупным авторитетом из мафиозной семьи Коломбо — не мешает. Дважды повторять приглашения не понадобилось. Встреча состоялась и завершилась соглашением о совместной работе и разделе доходов. Встречу эту Лори Бреветти — тогдашний руководитель отдела по борьбе с организованной преступностью в Бруклине — охарактеризовала как "историческую". Ибо впервые был найдет общий язык и открыт путь тесному сотрудничеству между старой "Коза ностро" и новым пополнением преступного мира Америки за счет прибывших из СССР и стран Восточной Европы "нетрудовых элементов". Согласно принятой конвенции доходы от бензиновых операций отныне должны были делиться в пропорции: 75% — итальянцам, 25% — Марковицу и его сообщникам. Через год Марковиц на своих передовых предприятиях поднял прибыли до 1 миллиарда долларов. Неплохо вроде бы, но честности в разделе добычи не наблюдалось. Козаностровцы, к которым Марковиц и его люди относились с придыханием, большого уважения к своим советско-восточно-европейским союзникам не испытывали. Как сказал потом Иориццо, у него "был приказ от Франчезе всячески надувать Марковица", что он и делал, так что альянс работал по принципу: "вор у вора дубинку украл". Но даже и при таком раскладе на долю Марковица оставалось около 50 миллионов долларов в год.

Стиль его жизни все более походил на тот, что показывали в "гангстерских" фильмах. Он завел армаду дорогих автомобилей, включая "роллс-ройс", два "мерседеса", "линкольн", "таун-кар", "кадиллак". Иногда Майкл сам сидел за рулем, но чаще его, как и положено настоящему мафиози, возил личный шофер. Одевался Майкл в кожу. На груди его соперничали друг с другом золотые цепи, а пальцы украшали кольца с внушительными бриллиантами. Он начал вкладывать деньги в недвижимость: купил 5 квартир в башне Трампа на Пятой авеню в Манхэттене, несколько особняков на Вест-сайде, большое здание на Ист 23-й улице и дом в Вене.

Как и все, кто ступил на путь преступления и длительное время движется по нему преуспевая, Марковиц потерял осторожность и вообразил себя неуловимым и безнаказанным.

Однако в конце 1982 года в цепи "воры воруют — полиция их ловит" произошел перелом в пользу последней. Органы правопорядка раскрыли суть операций с бензином. Лари Иориццо был взят "за жабры" и... раскололся, посвятив следователей в тайны и детали бензинового альянса. В 1985 году Марковиц почувствовал, что "ищейки идут по его следу". Вместе со своим адвокатом, одетый со всем шиком, на какой был способен (что означает: в костюм из акульей кожи и ювелирные изделия всех мыслимых видов), Марковиц отправился в Олбани держать ответ по предъявленным ему обвинениям в составлении фальшивой налоговой декларации. Когда же власти в беседе с ним упомянули о грозящем судебном преследовании по поводу связи с мафией, Марковиц согласился сотрудничать и даже выступить в качестве свидетеля обвинения в судебных процессах.

Так Марковиц бросил кости в своей последней игре — в двойной игре "и вашим, и нашим", которая, скорее всего, и стала причиной его убийства.

С одной стороны, Марковиц продолжал оставаться в преступном бизнесе. Хотя ему было запрещено заниматься бензином, он, действуя через подставных лиц, разрабатывал и осуществлял свои новые "схемы". Пытался наладить какой-то фанерный бизнес с СССР. Потом, когда с фанерой не заладилось, задумал выпускать журнал, в котором публиковались бы материалы советских журналистов (не прообраз ли "Курьера"?). С другой стороны, он стал осведомителем ФБР. Правда, те сотрудники, которые имели с ним дело, утверждали, что осведомитель он был подозрительный — сообщал ФБР только то, что было уже известно и без него, как бы играл с ФБР в "кошки-мышки". Однако обернулась эта игра другой, именуемой "крыса", что на воровском жаргоне означает "провокатор". Именно это слово увидел Марковиц написанным черной краской на своем доме в Бруклине.

По словам знакомых, Майкл был не на шутку напуган. Он быстро перевез свою семью в купленную им квартиру в Манхэттене. "Вообще-то мне нечего бояться, — твердил он своим дружкам. — Властям я ничего толком не говорю, зато исправно сообщаю мафии все, что удается узнать в офисе ФБР".

Свой последний вечер Марковиц провел у приятелей. Затем он вышел, сел в свой "роллс-ройс" и двинулся с места. В этот момент кто-то, кого, скорее всего, Марковиц знал, остановил машину. Марковиц открыл стекло и стал разговаривать с подошедшим. Беседа закончилась выстрелами и смертью Марковица.

Валентина Ивановна Соловьева

(род. в 1951)

Учредитель фирмы "Властелина", работавшей по принципу пирамиды. По низким ценам предлагала вкладчикам автомобили, квартиры и особняки. К концу своей недолгой деятельности она перешла в основном на депозитные вклады — просто собирала деньги, обещая огромные проценты. Причислила себя к лику святых.

После ареста хозяйки "Властелины" в ее сейфе нашли паспорт Аллы Пугачевой.

Там же сыщики обнаружили то ли расписку, то ли справку о том, что "живая легенда" эстрады сдала фирме "Властелина" очень большую сумму денег. Зачем она их туда сдала, не указано. И так всем ясно. Какое-то время "Властелина", а точнее ее хозяйка — госпожа Соловьева — играла в Москве, Подмосковье и по всей стране роль той самой прекрасной "тумбочки", в которую если раз положишь, то потом очень долго сможешь брать деньги без счета.

Правда, продолжалось это недолго — с декабря 1993-го по октябрь 1994-го. После этого Соловьева из благодетельницы вдруг превратилась сначала в беглую, а потом и заключенную под стражу супермошенницу.

Паспорт Алле Борисовне милиционеры, говорят, вернули быстро, а вот денежки — нет.

Валентина Ивановна Соловьева хоть и причисляет себя сейчас к лику святых, была всегда женщиной простой. Миллиарды рублей и многие тысячи долларов она хранила в грубых рогожных мешках, потом в картонных упаковочных коробках от сигарет и телевизоров. И жила она, уже будучи миллиардершей, в скромной малогабаритной двухкомнатной квартирке. Из причесок предпочитала самую обычную шестимесячную завивку. Несмотря на солидные габариты, любила пироги, кофты с люрексом и душевные песни в исполнении известных артистов. Особенно уважала Надежду Бабкину, которой, говорят, она, однажды расчувствовавшись, подарила аж "Мерседес-600".

Бабкина, как говорится в одном из многочисленных томов следствия по уголовному делу "Властелины", была последней, кто посетил Соловьеву в ее доме перед тем, как уже, объявленная мошенницей, та "ударилась в бега". То ли даренный "мерседес" певица хотела отдать обратно, то ли вложенные во "Властелину" свои деньги получить назад, неизвестно.

Валентина Соловьева начинала свою деловую жизнь очень и очень скромно. Поначалу она была скромной кассиршей по фамилии Шанина в маленькой парикмахерской в крошечном подмосковном городке Ивантеевка.

Это уже потом лившиеся к ней потоки новых вкладчиков приходилось регулировать специальным нарядам милиции, и деньги она принимала только от коллективов и по очереди с предварительной записью.

Валентина Ивановна придумала романтическую сказку о том, что появилась она на свет будто бы в кочевом таборе и была плодом любви трагического мезальянса — роковой цыганской красавицы и благородного офицера, ставшего потом генералом и эмигрировавшего в Швейцарию. Мать, с позором изгнанная из табора, будто бы бросила новорожденную на произвол судьбы, и девочка наверняка бы замерзла, если б ее вдруг не подобрала сердобольная русская женщина, вырастившая несчастную сиротку, как свою родную дочь.

Позже, когда начали раскручивать дело о пропавших миллиардах "Властелины", следователи нашли женщину, вырастившую Валентину, в глухой деревне Калужской области. И выяснилось, что она вовсе не приемная, а самая настоящая родная мать хозяйки "Властелины", которая от своих миллиардов не дала родительнице ни копейки, и та с великим трудом добывала себе пропитание, торгуя на рынке укропом.

Утирая слезы, мать Соловьевой рассказывала следователям самую обычную, по-своему драматическую и вовсе не романтическую историю. Жила она в Гомельской области и в тяжкие послевоенные годы, чтобы не умереть с голоду, завербовалась на лесозаготовки в Сибирь. Потом в поисках лучшей доли добралась аж до Сахалина, дальше в России ехать некуда — море. И не в таборе у романтического костра с песнями и плясками, а в общежитейском грязном бараке, и не от благородного офицера, а от случайного солдатика она забеременела и родила дочь. Было это весной 1951 года.

Солдат, как водится, отслужил свое, уехал и пропал. Но в конце концов он оказался лучше тысяч других случайных отцов. Через три года вспомнил, одумался и взял свою невенчанную сахалинскую жену с ребенком к себе в Куйбышев.

Рассуждая в меру своих способностей вместе со следователями о причинах фантастической деловой карьеры дочери, мать Валентины смогла припомнить лишь одно существенное обстоятельство, которое на ее взгляд могло повлиять на умственные способности дочери. Лет в семь или в восемь Валентина по неосторожности упала в погреб, ударилась там головой о что-то твердое и потеряла сознание. Вытащив дочь, мать вызвала "скорую", которая приехала, когда девочка уже очнулась. Врачи сказали что-то вроде обычного: "до свадьбы заживет" и уехали. Больше к медикам мать не обращалась. Потом, когда заметила, что по ночам дочь вдруг вскакивала, хваталась за голову и подолгу плакала, водила ее к бабкам-знахаркам на заговор. Вроде бы помогло.

"Всем бы так падать в погреб", — мрачно пошутил один из следователей.

Став миллиардершей, Валентина Соловьева любила рассказывать своим гостям — а у нее в Подольске собирался чуть ли не весь московский бомонд, сколько и каких только учебных заведений она в своей жизни не кончила. Начиная со студии при цыганском театре "Ромэн" и кончая курсами при Прокуратуре РСФСР и школой американского бизнеса.

На самом же деле она бросила школу, не кончив и девятого класса. Познакомилась с молодым человеком по фамилии Шанин и уехала с ним в подмосковную Ивантеевку. Там она работала кассиршей в маленькой парикмахерской. Родила двоих детей и была, говорят, счастлива. Но потом уже в сорок лет нашла себе другого мужа и стала Соловьевой. В 1991 году открыла в Люберцах семейную фирму ИЧП "Дозатор", занимавшуюся торгово-посредническими операциями. Но не прошло и года, как с мужем переехала в Подольск и заключила там с руководством местного электромеханического завода, одного из крупнейших когда-то предприятий оборонного комплекса страны, договор о посредничестве по сбыту производимых им конверсионных товаров — холодильников и стиральных машин. Прошло еще несколько месяцев, и, взяв в компанию нескольких руководящих работников завода, Соловьева создала ИЧП "Властелина", которое разместилось в здании бывшего заводского профкома. Вот там-то и начала строиться, быстро ставшая гигантской, ее финансовая пирамида.

А происходило это так. Валентина Ивановна предложила работникам завода сдать ей по три миллиона девятьсот тысяч рублей с тем, чтобы через неделю получить "Москвич", который тогда (это был 1994 год) стоил восемь. И действительно выполнила эти обещания. Первые счастливчики разъехались на машинах, приобретенных менее чем за полцены. И вместе с ними по городу, по области, затем в Москву и по всей России полетела слава о подольской волшебнице. И потекли к ней денежки все новых и новых вкладчиков, для которых сроки получения машин были уже другими — месяц, потом три, потом полгода.

Кроме автомобилей, и снова по смешной цене, Соловьева стала предлагать своим вкладчикам квартиры и целые особняки. Только с работников подольского электромеханического завода Соловьева собрала более двадцати миллионов долларов под обещания построить им дешевое жилье.

К концу своей недолгой деятельности она перешла в основном на депозитные вклады — просто собирала деньги, обещая огромный процент. Но уже при условии минимального вклада не менее 50 миллионов рублей. С мелочью возиться уже не было времени и сил. Потом этот лимит возрос уже до 100 миллионов. Отдельным частным вкладчикам такое было не под силу, и люди скидывались, посылали в Подольск с деньгами представителя, который потом, получив обратно вклад с "наваром", должен был разделить все между участниками складчины.

Пирамида "Властелины" заработала. В отличие от МММ и других подобных ей мошеннических фирм, стремившихся расширять круг вкладчиков и тративших огромные деньги на рекламу, Соловьева делала главную ставку на коллективных вкладчиков. Зная, как слаб человек и что "все мы — люди", она засылала своих "агентов влияния" во властные структуры — от районного до всероссийского масштаба. И особенно в правоохранительные органы, к помощи которых, когда пирамида рухнет — а это Соловьева предвидела, — она сможет обратиться в трудный час.

Расчет мошенницы был точным. Не прошло и двух лет, как по спискам "Властелины" (если бы они велись) можно было бы чуть ли не составлять адресный справочник административных и правоохранительных учреждений. Деньги текли рекой не только из городов России, но и с Украины, из Белоруссии и Казахстана.

Люди, наблюдавшие столпотворение вкладчиков у дверей офиса "Властелины" в Подольске, могли лишь предполагать, какие гигантские суммы шли в руки Соловьевой. К концу рабочего дня большие коробки с наличностью громоздились вдоль стен кабинета Соловьевой рядами в три этажа.

Уже потом из материалов следствия стало известно, что в день Соловьева собирала до 70 миллиардов рублей.

Узнав, что муж Соловьевой работает в ее фирме шофером и грузчиком, многие удивлялись — не низковата ли должность для супруга генерального директора? Они просто не знали, что грузил и возил он мешки и коробки с пачками денег.

Соловьева вела массовую обработку и столичной интеллигенции. И прежде всего — известных артистов. В ее дом и в подольский концертный зал "Октябрьский" стремились из Москвы лучшие творческие силы столицы — Е. Шифрин и Е. Петросян, В. Ланової и И. Кобзон, А. Пугачева и Ф. Киркоров. Не говоря уже об упоминавшейся любимице Соловьевой Н. Бабкиной.

Говорят, что была договоренность о том, что во время своих гастролей в Москве к ней приедет и сам Майкл Джексон. Но не приехал. Не успел — ее посадили.

В свое время у деревни Остафьево под Подольском была усадьба князей Вяземских. Там бывали Гоголь и Грибоедов, Жуковский и Карамзин. По аллеям старого парка гулял А. С. Пушкин. В наши дни разместившийся в здании бывшего барского дома исторический музей пришел в полный упадок. И вдруг по милости поселившейся рядом Соловьевой музей получил и новую мебель, и оборудование, и автомобиль, и деньги на премии сотрудникам.

Золотой дождь вдруг пролился и на подольскую школу для детей с недостатками физического и умственного развития. Группа подольских школьников на деньги "Властелины" съездила в ФРГ. А ко дню учителя все школы Подольска получили в подарок магнитофоны, телевизоры, радиоприемники, а учителя — денежные премии. Церкви Святой Троицы Соловьева помогла с ремонтом и купила новые колокола.

Все эти явно рекламные расходы окупались для "Властелины" поступавшими к ней деньгами новых вкладчиков.

Но к осени 1994 года отлаженный механизм пирамиды Соловьевой начал давать сбои. Первыми это почувствовали вкладчики, для которых наступил срок получения машин, квартир и денежного "навара". Выплаты стали проходить с перебоями. Многим говорили, что в связи с временными трудностями сейчас денег нет, но они обязательно будут потом, и предлагали перезаключить договор с отсрочкой еще раз удвоенной выплаты, но только через полгода. Многие соглашались. Впрочем, иного выхода им никто не предлагал.

В конце августа 1994 года к офису Властелины приехали представители Московского управления по борьбе с организованной преступностью и потребовали вернуть вложенные ими деньги. Но охрана “Властелины” к Соловьевой их не пропустила. Крепкие москвичи вступили с охранниками в драку, в которой досталось и нескольким случайно подвернувшимся вкладчикам.

Через несколько дней прокуратура области возбудила по этому поводу уголовное дело. Но затем его спустили на тормозах.

После этой истории выплаты вкладчикам были приостановлены вообще. Но не всем. С высокопоставленными сотрудниками правоохранительных органов, которые вкладывали средства по примеру своих подчиненных, Соловьева рассчиталась. Остальным она продолжала объяснять, что у фирмы “временные трудности”.

Пока о близком крахе “Властелины” знали лишь немногие, неискушенные люди все еще продолжали сдавать ей свои деньги. А другие, уже разочаровавшиеся, создали очередь, чтобы забрать свои вклады обратно и желательно с процентами.

В те дни Соловьева работала так: с утра она принимала вклады, днем, подсчитав полученные деньги, она часть оставляла себе, а часть раздавала особо настойчивым вкладчикам. Люди успокаивались и снова начинали ей верить. Но уже не все. Милиционеры и бандиты понимали, что если Соловьева вдруг скроется, то отданных ей своих денег они не получат никогда. Поэтому сотрудники МВД установили за Соловьевой наружное наблюдение. Бандиты же тем временем пытались договориться о возврате вкладов с “крышей” Властелины. Но безуспешно. Официальных же заявлений в прокуратуру от вкладчиков о мошенничестве Соловьевой к тому времени пока еще не поступало.

В начале октября 1994 года давно приглядывавшаяся к Соловьевой налоговая инспекция попробовала повторить уже предпринимавшиеся ранее попытки заглянуть в ее бухгалтерию. И тут снова сработали ее связи. Инспекторов осадили. Преодолеть барьеры частной охраны ИЧП “Властелина”, а также дружеских и деловых связей Соловьевой в кругах власть имущих удалось, в конце концов, лишь офицерам налоговой полиции.

Едва взглянув на дела “Властелины” изнутри, они так и ахнули — типичная мошенническая финансовая пирамида. Да еще какая!

Выяснилось, что фирма, официально заявлявшая о том, что крупный процент по вкладам она выплачивает за счет доходов от удачных вложений собранных денег в разного рода прибыльные производственные и коммерческие предприятия, в действительности абсолютно никакой инвестиционно-коммерческой деятельности не вела и не ведет. Более того — в это трудно поверить — но, ворочая миллиардами, Соловьева практически не имела ни серьезной бухгалтерии, ни точного реестра всех своих вкладчиков. Это ей было не нужно. Она знала, что вскоре пирамида рухнет.

“Властелина” была просто гигантским насосом по выкачиванию денег из доверчивых людей. Причем насосом одноразового действия, изначально рассчитанным на то, что как только он засорится, его просто выбросят.

Система была предельно проста. Получали деньги с новых вкладчиков, часть собранной суммы оставляли себе, остальное шло на выплаты тем, кто сдал раньше. На следующий день снова собирали, часть прикарманивали, остальное отдавали. И так далее.

7 октября 1994 года прокуратура Подольска возбудила уголовное дело по обвинению фирмы “Властелина” в мошенничестве. В бумагах фирмы не ока-

залось ни одного документа, свидетельствовавшего о том, что при огромной задолженности перед вкладчиками она обладает хотя бы какими-то реальными источниками для ее покрытия, кроме нового сбора денег.

В страхе перед разоблачением Соловьева бросилась искать кого-то, кто дал бы ей спасительный кредит. Была она, говорят, даже в Белом доме. Но никто ей ничего не дал. И в то же время встревоженные быстро распространявшимися слухами о неплатежеспособности фирмы валом пошли вкладчики. Они требовали не обещаний, не новых расписок, подтверждающих готовность Соловьевой выплатить в будущем пусть даже и еще раз удвоенный процент по вкладу, а реального расчета в установленный договором срок.

Тогда, кстати, выяснилось, что люди, сдававшие Соловьевой свои деньги, при подписании договора в большинстве своем не обращали внимания на содержавшуюся в нем очень странную оговорку: "Все возникающие спорные вопросы при исполнении данного договора решаются сторонами путем переговоров без обращения в органы арбитража и суда" — Валентина Ивановна Соловьева была женщиной очень предусмотрительной.

Но те "органы" обратились к ней сами. От первой серьезной встречи с ними Соловьева, мягко говоря, уклонилась. И довольно своеобразно. В ночь с 19 на 20 октября 1994 года вместе с мужем и детьми она скрылась, ударилась в бега. Через десять дней для расследования дела "Властелины" была создана специальная следственно-оперативная группа. Валентину Соловьеву объявили в розыск, который длился семь месяцев.

И чего только за это время о ней не говорили и не писали! И что она, мол, убита и труп ее растворен в кислоте, и о пластической операции, произведенной в Германии. Говорили и о том, что вместе с семьей под надежной охраной Соловьева спокойно живет то ли в Париже, то ли на секретной вилле МВД под Москвой. Рассказывали, что для ее поисков МВД привлекало даже экстрасенсов, по указаниям которых милиционеры в поисках ее трупа перекапывали газоны, дворы и подвалы старых домов.

История семи месяцев ее подполья, как и все, что всегда окружало Соловьеву, представляет собой мешанину из правды и полуправды, слухов, фантазий, тонкой и грубой преднамеренной лжи, заманчивых обещаний и надежд, шантажа и угроз с уголовщиной, приправленной эффектными акциями показной благотворительности.

Продолжая настаивать на своей абсолютной честности, Соловьева объясняла причину своего побега тем, что "свои люди" в милиции вовремя сообщили ей о том, что в состав группы, которая будет вскоре производить ее арест, включен человек, имеющий задание убить ее "при попытке к бегству".

Зачем? Для того, чтобы своими разоблачениями она не смогла скомпрометировать связанных с ней высокопоставленных работников правоохранительных органов.

Могло ли такое быть? Чисто теоретически — да. Практически — маловероятно. Тем более, что есть и другая, противоположная версия возможной линии поведения в этом деле милиции и других правоохранительных органов. Любителями слухов широко обсуждалась версия о том, что Соловьева вовсе никуда не убегала, а просто на время спряталась от слишком настойчивых вкладчиков, и милиционеры ее не только не ищут, а наоборот охраняют.

Зачем? А для того, чтобы дать ей возможность подсобрать и отдать стражам порядка вложенные ими во "Властелину" денежки. Потому что, если Соловьеву посадят или не дай Бог убьют, денег им не видать.

Тоже теоретически и такой вариант возможен. И на нем, как и на первом, сама Соловьева сыграла и играть продолжает. И связи не помогли.

Поняв, что скандал вот-вот разразится, она, естественно, обратилась к заранее и весьма благоразумно финансово повязанным ею друзьям из правоохранительных органов: “Спасайте, иначе погорите сами. И вложенные деньги потеряете, и звезды на погонах, и должности!”

И кое-кто, вероятно, действительно старался ей помочь. Ведь явно же не случайно несколько операций по ее выслеживанию и захвату, в частности на квартире суперпрестижного дома на Кутузовском проспекте, сорвались. Пришли, а там пусто. Очень похоже было, что ее предупредили.

Когда пожар разоблачений разгорелся и стало ясно, что даже те люди в правоохранительных органах, которые, может быть, и захотели бы помочь Соловьевой, уже сделать ничего не могут, она включила тот первый из уже упомянутых нами вариантов. Заявила, что пала жертвой заговора правоохранительных органов, которые разрушили ее процветающее дело, и только они виноваты в том, что “Властелина” не может выполнять свои обязанности перед вкладчиками.

Потом Соловьева написала письмо председателю комитета по безопасности Государственной думы Илюхину, в котором представила подробный список, по сколько миллионов и кто из генералов и полковников МВД и госсоветников юстиции ей принес в надежде сорвать большой куш. Тогда же собственноручно она изобразила всех их на рисунке, приобщенном ныне к ее уголовному делу.

В одном из писем своим вкладчикам она писала:

“...Причина трудностей в том, что со мной захотели рассчитаться некоторые высокопоставленные работники правоохранительных органов. На меня оказывают очень сильное давление с тем, чтобы помешать мне выполнить свои обязательства перед вами. С подачи следователей мне приклеили ярлык “мошенницы”, что меня глубоко оскорбляет и нарушает мои права. Я никого никогда не обманывала и не собиралась этого делать ни за что.

Если мне дадут возможность продолжить работу, я гарантирую, что рассчитаюсь с каждым из вас в течение недели!

Автомашины буду выдавать сама по одной тысяче каждый день. Все квартиры, приобретенные для вас, будут предоставлены вам в течение двух месяцев с момента возобновления работы фирмы и безо всяких доплат.

Меня поддерживает только вера в Господа Бога, ваше доверие и сознание того, что я смогу рассчитаться со всеми вами, независимо от положения и ранга.

Да храни вас и меня Господь Бог”...

А подмосковные сыщики после неудачных поисков беглой Соловьевой обратились в конце концов за помощью к коллегам из ФСБ. И бывшие чекисты не подвели. На Тверской у Белорусского вокзала 7 июля 1995 года ее наконец-то взяли.

И еще полтора года разбирались следователи в хитросплетениях искусных психологических ловушек фирмы “Властелина” и откровенной лжи ее хозяйки.

На одном из этапов следствия она попросила изменить ей меру пресечения (то есть выпустить из-под ареста) под залог в триллион рублей. Сказала, что эти деньги в ее распоряжении имеются.

“Хорошо, — ответили ей, — передайте вашим людям на свободе, у которых есть этот триллион, пусть переведут его на расчетный счет Ассоциации пострадавших вкладчиков. Как только деньги будут перечислены, вы сможете уехать домой". И на этом дело кончилось. Больше к вопросу об освобождении Соловьева не возвращалась.

Измученные следователи признавались журналистам, что допрашивать Соловьеву было мучительно и бессмысленно. Она или молчала, или лгала, пытаясь привлечь на свою защиту максимально большее количество самых разных людей. Начиная с бывшего председателя Совета Федерации и до рядовых следователей, которые, по словам Соловьевой, якобы били ее и пили водку во время допроса.

В действительности же следователи провели гигансткую работу, проверив около двадцати двух тысяч индивидуальных и коллективных заявлений вкладчиков "Властелины" из семидесяти двух регионов России, сдавших ей в разное время 604 764 686 000 рублей. Проверили и данные о ее связях более чем с семьюдесятью различными предприятиями и ста семьюдесятью банками и их филиалами по всей стране. Полученные ответы лишь укрепили их изначальное мнение о том, что создание фирмы "Властелина" — классическая финансовая пирамида, мошенническая операция по выкачиванию денег из чрезмерно доверчивых граждан.

Никакой серьезной коммерческой работы, даже с автозаводами, автомобили которых Соловьева для затравки действительно по дешевке выдала своим первым вкладчикам, она не вела. Немногие существующие документы, а главное, свидетели рассказывали, как тех счастливчиков, вызванных в Подольск для получения "Москвичей", сажали в автобус и везли в рядовой торговый центр АЗЛК. Там приехавший вместе с ними человек Соловьевой раскрывал имевшийся при нем чемодан с наличными деньгами и расплачивался за машины на общих основаниях. Получив от него ключи от новеньких "Москвичей" и пожелания счастливого пути, никаких вопросов о том, как же при этом "Властелина" сводит концы с концами, радостные вкладчики себе и другим, естественно, не задавали.

Сама же Соловьева, помимо баек о собственной коммерческой деятельности, рассказывала следователям и о том, что ее фирма рухнула лишь потому, что доверилась некому весьма процветающему коммерческому банку. Он будто бы взял у нее наличными для очень перспективного вложения в нефтедобычу 370 миллиардов рублей и обещал через полгода вернуть долг с большим "наваром" из расчета 100% в месяц. То есть она получила бы три триллиона рублей. Этого хватило бы для расчета по всем долгам "Властелины". А их у нее набралось на один триллион рублей. Сама же Соловьева говорила, что вместе с обещанной прибылью должна и была готова отдать людям машин, квартир и денег аж на четыре триллиона. Она уверяла, что непременно сделала бы это, если бы коварный банк ее не обманул.

Проверили и это. Ложь. И Шумейко, имя которого Соловьева приплетала к этой мифической сделке, оказался ни при чем. Так что в конце концов она была вынуждена принести ему официальные извинения. А главное — никакой сделки не было. Не брал тот банк от "Властелины" никаких наличных денег. А в четырех других банках, где у "Властелины" действительно были открыты счета, следователи обнаружили в общей сложности лишь 181 719 100 рублей.

Проверка этих счетов показала, что открыты они, судя по всему, были главным образом для создания видимости бурной коммерческой деятельности "Властелины". И если возил муж Соловьевой в банки на своей машине мешки и ящики наличных денег, то главным образом для того, чтобы их там профессионально пересчитывали и обменивали на более удобные "Властелине" крупные купюры в официальной банковской упаковке. Куда потом отправлялись эти купюры, по сей день неизвестно.

Помимо тех ста восьмидесяти миллионов рублей, которые были обнаружены на счетах в четырех банках, следователям удалось найти и описать имущество "Властелины" — включая два строившихся коттеджных поселка — на общую сумму в 30 миллиардов рублей.

У самой Соловьевой в ее крошечной, принадлежащей местному совхозу, квартирке в поселке Остафьево имущества оказалось всего ничего — на 18 миллионов рублей, плюс еще небольшая двухкомнатная квартира на Рязанском проспекте в Москве, оформленная на ее муже. Еще одна двухкомнатая квартира числится за ее дочерью в поселке Лесные поляны. За Л.В. Соловьевым числится также подержанный "Москвич-2141", тот самый, на котором в основном и возили мешки и ящики с деньгами.

Есть в той милицейской описи и еще квартиры в Москве:

- девятикомнатная на Сретенском бульваре стоимостью 400 000 долларов США;
- три трехкомнатные у Белорусского вокзала по 120 000 долларов каждая;
- четыре двухкомнатные в Митино и Северном Бутово по 59 000 долларов каждая.

Для кого предназначалось это жилье, пока не ясно.

Итак, на 30 миллиардов имущества, арестованного по описи, долгов у "Властелины" по версии следователей на триллион рублей, а по признанию самой Соловьевой аж на все четыре. То есть найдено у Соловьевой в лучшем случае лишь три процента от того, что ей надлежит отдать людям. В худшем — менее одного.

Где все остальные деньги? Этого, скорее всего, мы не узнаем. Так же как вполне могут остаться без ответа и многие другие поставленные в связи с этим делом любопытные и весьма щекотливые вопросы.

Почему, например, из множества очень высокопоставленных лиц, публично с подачи Соловьевой названных Илюхиным, причастными к делу "Властелины", в суд на него за клевету подал лишь один Шумейко, а остальные помалкивают? Почему К. Боровой, так горячо взявшийся поначалу защищать вкладчиков "Властелины" и ее хозяйку, которую запросто называл тогда Валей, вдруг потерял к этому делу всякий интерес? А в недавнем разговоре, говорят, даже сделал вид, что забыл ее фамилию.

Почему в нарушение общепринятых установленных законом норм и правил содержания и допроса подследственных заключенную хозяйку "Властелины" вызывал к себе для личного разговора министр внутренних дел Куликов?

Сама Соловьева рассказывала сокамерницам байки о том, что министр якобы целовал ей ручки. Врет она, конечно. Не стал бы министр целовать ей руки. Но вот о чем он все-таки мог с нею говорить? Очень любопытно. И почему об этом не знают члены специально созданной по делу Соловьевой следственно-оперативной группы, которым по долгу службы положено знать о ней все?

Сможет ли суд ответить хотя бы на часть этих вопросов, о многих из которых под градом едва ли не каждодневных скандальных сенсаций люди постепенно забывают или уже забыли?

Будет ли достаточно убедительно опровергнута еще одна из получивших широкое хождение версий о том, что воистину бешеные деньги, присвоенные Соловьевой, давно уже конвертированы и спрятаны, или умело вложены? И что при грозящем ей за мошенничество наказании от трех до десяти лет тюрьмы она, отсидев положенное, вполне еще успеет воспользоваться ими. И будет иметь возможность поделиться наследием "Властелины" не только со своими родными и близкими — может, маму, наконец, вспомнит, — но и еще кое с кем.

Пока же в ожидании суда в следственном изоляторе в Капотне Соловьева рассказывает, что собирается написать о своей жизни роман. И ни в чем не признаваясь и не раскаиваясь, по-прежнему обещая всем все вернуть сполна, пишет на волю обещания типа того, что рассылала своим вкладчикам, пока была в бегах:

"...Мне необходима ваша помощь сейчас! И молю Бога как истинная православная дочь российская, не перед судом и следствием я должна отчитаться, а перед каждым из вас. А если со мной и детьми что-нибудь произойдет — это будет дело рук и души наших с вами общих врагов, тех, у которых руки давно в крови народной.

Ваша Валентина-Великомученица".

Мария Бергер

(1956—?)

Ее называли "Черной вдовой". Одиннадцать лет Интерпол и ФБР шли по ее следу. Несколько раз казалось, что она уже под контролем, но каждый раз ей удавалось вывернуться.

Мария Бергер родилась в Москве. Поначалу жизнь складывалась довольно гладко. Единственный ребенок в интеллигентной семье, достаток, любовь и забота родителей, учеба в престижной Центральной музыкальной школе при московской консерватории по классу фортепьяно. В общем, счастливое детство.

Мизансцена изменилась в одночасье. Когда ей было 14 лет, родители погибли в автомобильной катастрофе. Марию взяла к себе сестра матери Клара — известная виолончелистка и роскошная светская женщина. Тетушка была всего на 15 лет старше своей племянницы и, по-видимому, имела весьма своеобразное представление о воспитании детей. Вскоре она уже спала со своей племянницей в одной постели, часто уезжала на гастроли, предоставляя девочке богатые возможности для самостоятельного развития. К пятнадцати годам Мария значительно опередила сверстников в знании реальной жизни. Она вела вполне богемный образ жизни, была завсегдатаем модных артистических тусовок, свободно курила, любила пропустить рюмочку, превосходно владела не только английским и французским, но и забористым русским. Казалось, жизнь обещала праздник. Мужчины самого разного возраста и общественного положения сходили с ума от дивно сложенной еврейской красавицы. Но она была совершенно равнодушна к похотливым воздыханиям самцов, хотя это приятно льстило ее самолюбию. Уже тогда обнаружил себя серьезный дефект ее природы — она не могла ни любить, ни привязываться — ни к людям, ни к животным, ни к предметам. Она была эмоционально пуста, холодна и расчетлива. В этом была ее слабость... и ее сила.

В 1973 году тетушка решила выехать на историческую родину. Документы оформляли полгода. Вылет был назначен на середину июля. Весь май и начало лета прошли в заботах — сдача выпускных экзаменов в ЦМШ, затем подготовка к отъезду, затянувшееся прощание с многочисленными друзьями. За два дня до отъезда Мария Бергер совершила свое первое убийство.

Вечером Мария зашла попрощаться в мастерскую к своему давнему поклоннику, известному театральному художнику Тофику Байрамову. Несчастный был влюблен в нее давно и безнадежно. И вот сейчас она уходила из его жизни навсегда. На прощанье бедняга Тофик решил добиться своей заветной цели. Он подсыпал в кофе три таблетки этаминала натрия и овладел наконец уснувшей Марией. Ночью она проснулась в одной постели с толстым и лысым Тофиком. Голова гудела, мысли путались. Мария с отвращением смотрела на оплывшие, волосатые телеса художника. Она встала, умылась, выпила крепкий кофе. Холодная ненависть к подонку переполняла ее. Мария взяла в ванной комнате опасную бритву, вошла в спальню и спокойно перерезала горло сомлевшему Дон-Жуану. Захрипев и забившись, он умер во сне. Мария осмотрела комнаты, прибралась и хладнокровно уничтожила все следы своего пребывания в мастерской. Через три дня она уже потягивала прекрасное австрийское пиво, рассеянно глядя в мутную глубину Дуная.

В Израиль они прибыли лишь спустя семь месяцев. Там Марию ждал весьма неприятный сюрприз. Буквально через месяц ее призвали в армию и отправили на опасный участок израильско-сирийской границы. Это никак не входило в ее планы. После убийства что-то сорвалось в ней. Отпали любые сдерживающие факторы. Теперь она действовала без тени сомнения — решительно, быстро и четко. В одну из увольнительных, переодевшись в гражданскую одежду, имея надежные, заранее приобретенные документы, она перешла ливанскую границу и через несколько часов уже летела в Париж рейсом авиакомпании "Пан Амэрикэн" из Бейрута.

Первое время в Париже без друзей и знакомых приходилось довольно туго. Деньги скоро кончились. Пробавляясь случайными заработками, подыгрывала в дешевых кафе за нищенскую оплату, работала посудомойкой, изредка отдавалась за деньги, если мужчина был состоятельным и не слишком отвратительным. Круг ее знакомств постепенно расширялся. Как и в Москве, ее тянуло к богеме. В Париже она пристрастилась к ночной жизни и наркотикам. Она знала много художников, музыкантов и актеров, сама пыталась петь и рисовать. Несколько раз влюблялась. Однако каждый раз предметом ее любви была женщина. Время летело быстро и беззаботно.

Новый поворот в ее судьбе произошел, когда она познакомилась с членами одной из молодежных левацких группировок. Через пару недель после знакомства, нанюхавшись кокаина, она вместе со своими новыми друзьями за компанию приняла участие в ограблении пригородного банка с захватом заложников. План был продуман плохо, возможности отхода не проработаны. Не прошло и 15 минут, как полиция блокировала банк. Террористы требовали денег, транспорт до аэропорта и самолет. Мария сразу поняла, что дело плохо. Ее друзья нервничали, у некоторых началась ломка, истерика. Они ни за что ни про что убили заложников. Тем временем группа захвата готовилась к штурму. Пока шли переговоры с полицией, Мария увела в подсобное помещение молодого служащего банка. Там она разыграла душещипательную сцену, выставив себя невольной жертвой обстоятельств. Молодой человек не устоял и поверил красавице террористке. Он показал ей скрытый канализационный люк. Перед тем, как уйти, она беспощадно застрелила доверчивого парнишку и закрыла люк изнутри, чтобы ее приятели не смогли последовать за ней. Пройдя по канализации несколько кварталов, ей удалось незамеченной выбраться наружу. Марии повезло, во время штурма банка все шестеро грабителей были убиты.

Оставаться в Париже тем не менее было опасно. Началась кочевая жизнь. Лондон, Амстердам, Милан, Мюнхен, Стокгольм, Лиссабон, Барселона. Менялись города и менялись имена. Луиза Моро, Ирма Кох, Мария фон Штефенберг, Эльза Грюн. И везде одно и то же — богемная тусовка, наркотики, леворадикальные идеи. Она была по-прежнему решительна и беспощадна и во взглядах, и в поступках. Со временем ей удалось завоевать определенный авторитет. В Барселоне Мария Бергер вступила в баскскую террористическую организацию "ЭТА". После ряда успешных актов, таких, как убийство заместителя начальника национального бюро по борьбе с терроризмом Хуана Домингеса, взрыв на базе испанских ВВС в Саламанке, похищение американского дипломата Гордона Джейкобса и некоторых других, она получила международное "признание". Интерпол и ФБР объявили розыск, за ее поимку была объявлена награда.

Но Мария была уже на другом конце света. В 1978 году она действовала в составе специальной террористической группы в Никарагуа, на ее боевом счету ряд громких политических убийств деятелей самосовской администрации. Когда фронт национального спасения имени Фарабундо Марти пришел к власти, она приняла активное участие в ликвидации диктатора Самосы в парагвайской столице Асунсьоне. Ее звали тогда Клаудиа Рамирес.

Далее следы Марии поведут в Медельин. Около четырех лет она была доверенным человеком кокаинового короля Пабло Эскобара и занималась поставкой наркотиков в южные штаты. В 1984 году на нее вышел агент ФБР Мелвилл Сторм со специальной антитеррористической группой. Ему удалось убедить Марию, что она находится под надежным "колпаком" и ей на сей раз никуда не деться. У нее был выбор — начать работать на ФБР либо бесследно исчезнуть.

С этого момента Мария Бергер стала по существу двойным агентом. Около трех лет ей удавалось водить всех за нос. Мелвилл Сторм до беспамятства влюбился в нее. По привычке воспользовавшись этой слабостью, Мария незаметно подчинила его волю. Она сдала ФБР места складирования и каналы поставок крупных партий наркотиков и вместе с ними кокаиновых эмиссаров. Ее незапятнанная репутация позволяла долгое время быть выше подозрений. Но всему есть предел. Контрразведка Эскобара вычислила, откуда дует ветер.

Люди Эскобара вывезли ее за город, на последнюю встречу с хозяином. Марии грозила мучительная смерть под пытками. Но она уже имела в колоде запасного туза. В обмен на жизнь террористка пообещала выдать Эскобару агентов ФБР из его ближайшего окружения. Для этого начальник контрразведки по кличке Дон должен был устроить ее встречу с Мелвиллом Стормом. Пабло Эскобар согласился.

Наступил последний акт этой яркой драматической жизни. Марии удалось заманить Сторма в ловушку. Прямо в постели она выудила из обезумевшего от долгожданного счастья американца имена его главных осведомителей, а затем выдала Сторма колумбийцам. Мария сообщила Дону имена агентов. Наедине. Это была ее первая и последняя ошибка. Даже не ошибка — недочет. Имена надо было называть самому заказчику. Впрочем, она не могла знать, что один из названных осведомителей является родным братом Дона... Полуобгоревшие трупы Марии Бергер и Мелвилла Сторма были обнаружены на дне глубокой пропасти, в разбившемся вдребезги "оппель-адмирале". Это был типичный несчастный случай.

..."Черная вдова" — смертельно ядовитый паук, особенно опасны самки. После выполнения самцом задачи по продолжению рода он беспощадно уничтожается и поедается своей бывшей подругой.

Михаэл де Гусман

(? — 1997?)

Один из организаторов финансовой пирамиды, связанной с добычей золота. В результате махинаций сколотил многомиллионное состояние. Выбросился из вертолета.

Сага о новом Клондайке восходит к 1988 году, когда группа австралийских геологов, заинтригованных золотом, которое вручную, по-дедовски добывало индонезийское племя дайак, начала изыскания. Год спустя взяли девятнадцать геологических проб. Результаты, как говорили специалисты, оказались двойственными, так что ни одна уважающая себя фирма не взялась расширить исследования. Австралийцы покинули месторождение Бусанг. Кроме де Гусмана, опытнейшего специалиста, проведшего в джунглях Индонезии и Филиппин 14 лет, и Джона Фельдерхофа. Оба были убеждены, что в зонах землетрясений всегда присутствует золото и в Бусанге его должно быть много.

Вскоре Фельдерхоф отправился на родину, в Канаду. Там он встретился с дельцами фондовых бирж, и уже к 1993 году в Калгари Дэвид Уолш зарегистрировал компанию “Бре-Х”. Первым делом она приобрела (за скромные 89 000 долларов) сомнительный Бусанг.

В джунглях “Бре-Х” построил отличный поселок с космическими антеннами, факсами, вертолетной площадкой, белоснежными туалетами и прекрасной школой для детей аборигенов, живущих поблизости. Для бурения геологических проб была нанята респектабельная австралийская фирма.

Де Гусман с нанятыми им техниками-филиппинцами дни и ночи проводил на площадках. Взятые образцы отправлялись в ближайший город Самаринду, где исследовались в независимой лаборатории. Фельдерхоф навещал поселок каждый месяц. В сообщениях для прессы золотые запасы месторождения постоянно возрастали: от 2, 5 миллиона унций они поднялись до 30 миллионов, затем подскочили до 70 и постепенно приблизились к 200 миллионам унций. В денежном эквиваленте запасы Бусанга оценивались в 70 миллиардов долларов!

Соответственно росли и цены акций “Бре-Х”: начав с нескольких центов за штуку, они очень быстро поднялись до 200 долларов за штуку.

На биржах начался бум! В игру включились фирмы из США, Канады, Индонезии, Бостонский фондовый гигант “Фмделити груп” вступил с 15 миллионами, три самых больших (и очень осторожных) пенсионных фонда Канады внесли 73 миллиона, некий бухгалтер из Цинциннати инвестировал 50 000, большую часть денег взял в долг, — так поступали сотни и сотни тысяч людей. Но никто не знал, что участвует в... финансовой пирамиде всемирного масштаба.

У Михаэла де Гусмана была в Маниле семья: жена и шестеро детей. Он навещал их каждые полгода. В Индонезии Михаэл принял ислам и, как разрешено правоверному мусульманину, взял еще трех жен. Самой молодой из них он подарил дом стоимостью 123 000 долларов. Еще он любил баскетбол, караоке и — работу. Будучи в поле, каждое утро поднимался в три часа утра и отправлялся на склад, где до отправки хранились образцы очередных проб. Правда, что он делал на складе, никто не знал...

Джон Фельдерхоф, компаньон Гусмана, также производил на всех впечатление честного и талантливого человека. Однажды он даже привез в джунгли своего 17-летнего сына Стефена.

Естественно, индонезийские власти, наблюдая подобную активность, не могли остаться равнодушными. Очень скоро семья пожизненного президента страны Сухарто предложила “Бре-Х” свою высокую протекцию. Ценя это внимание, компания назначила старшему сыну президента, Сигиту Харджоюданто, ежемесячный оклад в 1 миллион долларов и 10 процентов золотых запасов, которые предстояло добыть. Но тут вмешалась дочь президента, Сити Хардиянти, уверяя, что ее помощь “Бре-Х” нужнее. Спор рассудил президент.

В компаньоны он определил своего приближенного, мультимиллионера Мохамада Хасана, индонезийского лесного барона по кличке Боб. Хасан “удовлетворился” 30 процентами всего месторождения. Именно миллионер Боб рекомендовал “Бре-Х” для сотрудничества индонезийскую компанию “Фрипорт”. Ни о чем не догадавшиеся специалисты “Фрипорта” взялись за образцы золота. И у них сразу возникли вопросы, отвечать на которые новые хозяева Бусанга явно избегали.

Тогда, чтобы разрешить конфликт, образцы отправили в Торонто. Там нашли, что они “соленые” (так геологи называют пробы с искусственно добавленными минералами, например, с добавленным золотом). Запахло грандиозным скандалом.

Затем обнаружилось, что и в самых первых образцах золото было не подземного, а речного происхождения. Именно такое золото намывали вручную люди из племени дайак. И именно от него отказались австралийские геологи.

Почему же “Бре-Х” так долго удавался обман?

Образцы скальных пород имеют форму цилиндров. Геологические фирмы разрезают цилиндры пополам и одну половину крошат для анализа. Вторая маркируется и сохраняется — для подтверждения идентичности пробы. “Бре-Х” никогда не сохраняла вторые половины проб. “Бре-Х” верили, так как ее представляли очень респектабельные люди.

19 марта 1997 года главный геолог фирмы “Бре-Х” Михаэл де Гусман выбросился из вертолета, направлявшегося в Бусанг. В кабине он был один. Пилоты забеспокоились, когда услышали шум воздуха за спиной. Обернувшись, они увидели, что кабина пуста, а дверца распахнута настежь.

Только приземлившись, пилоты нашли предсмертное письмо хозяина, в котором он сообщал, что решил свести счеты с жизнью, поскольку тяжело страдает гепатитом, от которого ему все равно не вылечиться. Тело все же отыскали в болоте по пути следования вертолета. Идентификация трупа по отпечаткам пальцев оказалась не вполне убедительна. Полиция сомневалась, что это труп де Гусмана и что де Гусман не находится в бегах.

В смерть Михаэла не верит и его манильская семья. Жена Тереза считает, что письмо подделано, потому что в обращении есть ошибка, которой де Гусман никогда бы не сделал. Ее имя написано как “Thess”. Михаэл же всегда писал “Tess”.

Но дело не в одной только жизни или смерти де Гусмана. Причины аферы и финансового скандала расследуются полицейскими и финансистами Канады и Индонезии.

Невиданный пожар, случившийся в Бусанге в январе 1997 года, уничтожил все документы. Офис “Бре-Х” пуст. На месторождении техники разобрали дорогостоящее оборудование. Инвесторы были в отчаянии. Пожалуй, один только миллионер Боб не утратил присутствия духа. Ведь он потерял 30 процентов... от ничего. “Это хорошая реклама для Индонезии, — шутил он. — Теперь-то уже все знают, где находится эта страна”.

Мария Францева

(род. 1960)

Бывшая хозяйка банка “Чара” (основанного в 1993 году), имевшего около 60 тысяч вкладчиков. Выплаты были прекращены в ноябре 1994 года. По некоторым данным, своим клиентам банк задолжал около 500 миллиардов рублей. Одна из грандиознейших афер за всю историю России.

Мария родилась в семье врачей. Отец ее был известнейшим кардиохирургом, профессором, лауреатом Государственной премии СССР. В доме часто бывали такие люди, как Никита Богословский, Роберт Рождественский, Иосиф Кобзон, Юрий Рост...

В 1978 году девушка закончила школу и поступила в Московский институт культуры на факультет художественной литературы и искусства. В 1982 году

закончила его с красным дипломом. После института недолго работала в Государственной центральной театральной библиотеке.

Еще в институте познакомилась с аспирантом Владимиром Рачуком, который был на 12 лет старше ее. Отец Рачука был в свое время начальником главка по кинематографии. Именно он возглавлял делегацию фильма “Летят журавли” в Каннах. В 1986 году они поженились. Два года спустя у них родилась дочь Анастасия. Рачук преподавал историю в школе, давал частные уроки, занимался фотографией.

Когда началась перестройка, Рачук создал гостиничную фирму “Чара”. Она занималась размещением гостей в частном секторе Москвы. Потом супруги начали расселять коммуналки, сдавать в аренду нежилые помещения. В 1992 году гостиничная фирма была перерегистрирована в индивидуально-семейное предприятие, которое занялось страхованием.

Тогда же у Рачука возникла идея создать банк. В сентябре 1993 года банк заработал, Рачук стал председателем совета. “Чару” называли интеллигентным банком. Среди клиентов банка было много известных личностей. Многих Францева знала как друзей родителей. Именно с ними работала Мария, выслушивала их просьбы и пожелания. Деньги полились потоком. Тем более проценты были очень высокими.

“В какой-то момент, — вспоминает одна из сотрудниц банка, — у Францевой от денег просто “крыша поехала”. Как-то в 1993 году к ней подошел ее заместитель и попросил премию для сотрудника. Францева говорит: “Десять тысяч хватит?” Ей объясняют, что маловато. Тогда она вытащила две пачки по десять тысяч долларов каждая. Она даже не смогла понять, что речь идет о двадцати тысячах рублей”. Или она могла позвонить из Франции, где отдыхала, и заявить: “Вышлите мне 300 тысяч долларов. Мне на пляж выйти не в чем”.

В начале 1994 года Рачук сделал ее номинальным директором ИСП “Чара”. Управляющим банком был назначен Эльдар Садыков, сын знакомого Рачука.

...1 апреля 1996 года оперативники одного из подразделений столичной милиции задержали Марию Францеву, известную хозяйку банка “Чара”. Телезрителям она запомнилась как “дама в бриллиантах”, которые сверкали на каждом пальце ее холеных рук, когда она твердо заявила с экрана, что "Чара" выполнит свои обязательства.

Францева находилась в федеральном розыске с осени 1995 года, с тех пор, как по факту мошенничества в "Чаре" было заведено уголовное дело. Лицензию у "Чары" отобрали. Общий объем долга банка перед вкладчиками по некоторым данным более 500 миллиардов рублей. Число обманутых вкладчиков превышает несколько десятков тысяч.

Известно, что Францева спешно покинула пределы России в начале 1996 года. По слухам, она уехала в Испанию, где владеет недвижимостью. Отъезду предшествовали таинственная смерть ее мужа Владимира Рачука, председателя правления банка "Чара", и новое замужество Францевой, последовавшее на сороковой день после кончины Рачука. Очередной избранник Марины был молод и находился в близком родстве с покойным криминальным авторитетом Отари Квантришвили. Сенсацией было то, что при обыске на квартире Францевой в Армянском переулке была найдена записка Францевой под названием "расходы", в которой указано, сколько денег ежемесячно уходило у нее на оплату солнцевских бандитов — 450 тысяч долларов. Некоторые осведомленные сотрудники "Чары" повествуют о предсмертной записке Рачука, в которой якобы он называл суммы, которые ушли у него на взятки должностным лицам.

25 ноября 1995 года программы новостей на всех телеканалах объявили о скоропостижной кончине Владимира Рачука. Предположения сменяли друг друга: самоубийство (повесился, утопился в ванной), сердечный приступ, убийство (утопили, повесили).

Банк к тому времени уже не выполнял свои обязательства перед вкладчиками. Их толпы осаждали здание "Чары". В день похорон милиция объявила: Рачук умер от сердечного приступа, остальное — домыслы.

Почти официальная версия смерти такова. В этот день Рачук имел неприятный разговор в московском отделении Центробанка, в котором участвовали деятели культуры, сдавшие свои капиталы в "Чару". В 14 часов он пришел домой и заперся в ванной. В квартире присутствовала его личная охрана, представленная бывшим сотрудником КГБ Анатолием Букиным. Его привлек странный звук за дверью ванной. Он поспешил взломать ее и увидел тело Рачука на полу. Анатолий Букин делал Рачуку искусственное дыхание, а жена вызвала "скорую". Врачи констатировали смерть от сердечного приступа. Анатолий Букин впоследствии был изгнан Францевой из банка, как говорят, за излишние познания о ее личной жизни.

Тело Рачука после вскрытия было спешно кремировано, поэтому повторной экспертизы провести было невозможно.

Бывшие же сотрудники банка в один голос продолжают утверждать: Владимир Рачук был найдет повешенным (или повесившимся). Само дело о смерти Рачука исчезло из архивов прокуратуры. Сотрудники банка свидетельствуют, что перед смертью Рачук находился как бы в состоянии наркотического опьянения — ничего не понимал, руки дрожали.

Во многих банках службы безопасности осуществляют связь с преступными группировками, контролирующими тот или иной сектор экономики. В "Чаре" кабинет представителя этой службы некоего Жени Бауманского (до объявления банкротства банка) находился рядом с кабинетом самого Рачука. Женя входил в бауманскую бандитскую группировку, с которой поддерживали хорошие отношения и Отари Квантришвили, и Вячеслав Иваньков (Япончик).

Летом 1994-го Рачук с Францевой ездили отдыхать в Испанию. Там их нашли люди Сильвестра (делового партнера Япончика) и отвезли на яхту авторитета. На ней супружескую чету продержали неделю, пока не получили честное слово Рачука перечислить в один из банков, расположенных на территории Северного Кипра, несколько миллионов долларов. Дав согласие на этот шаг, Рачук, однако, по приезде в Москву написал заявление в РУОП. А Францева пожаловалась знакомым в "спецслужбы". И за Сильвестром в Москве три дня ездила машина наружного наблюдения. Через пару месяцев невдалеке от банка "Чара" "мерседес" Сильвестра был взорван.

Такие сверхсложные взаимосвязи с криминальным миром и с сотрудниками КГБ делают версию естественной смерти Рачука маловероятной. Зато успешное задержание Францевой в офисе "Чары" умные люди объясняют хорошим информационным каналом, который имеют оперативники в криминальных кругах. Францеву "сдали" российским милиционерам люди Япончика в отместку за то, что близкие соратники Марины Францевой и покойного Рачука "сдали" Япончика американским спецслужбам.

Известно, что в банке "Чара", который резко перестал выполнять свои обязательства перед вкладчиками, воровали. Большими суммами и по мелочи. В банке своеобразно относились к деньгам. В конце дня все средства скапливались в комнате главного бухгалтера Надежды Дукачевой — близкой подруги Францевой. В одной куче лежали доллары, в другой — рубли. Оборот одного дня составлял 1 миллион долларов и 3 миллиарда рублей. У Рачука в сейфе всегда хранилось не менее 2—3 миллионов долларов. Францева вообще не понимала слово "экономия", она швыряла деньгами налево и направо. На отдыхе за границей она тратила деньги так, как никто из западных миллионеров.

Чета Рачуков жила в Москве в собственном особняке, который им "пришлось купить", потому что жить в доме, где Владимир Рачук раньше работал дворником, стало неприлично — соседи косились на его шикарные автомашины.

В феврале 1994 года управляющим банка стал друг детства Рачука Эльдар Садыков. Он промышлял тем, что перечислял в различные банки под кредитные договоры деньги, которые так никогда и не вернулись на счета "Чары". Во всех фирмах, куда он перечислял деньги, он сам являлся либо учредителем, либо входил в совет банка. Впрочем, тем же самым промышляли и Францева, и ее муж Рачук. Они наоформляли кучу фирм, в которых были учредителями, туда-то и переводили средства вкладчиков. Затем эти деньги перегонялись на зарубежные счета.

Младший брат Садыкова Рустам, руководивший фондовым отделом, предпочитал наличные. Однако одну значительную операцию по переводу крупной суммы в долларах (2,5 миллиона) на счет фиктивной фирмы в США, которую возглавляли его друзья, он все же провел. Впоследствии, а именно через год после смерти Рачука, именно друзья этого Рустама Волков и Волошин помогли американскому ФБР посадить Вячеслава Иванькова (Япончика). Япончик попытался "выбить" из Волкова и Волошина долги "Чаре", те самые 2,6 млн. долларов. Но вместо этого попал в американскую тюрьму за вымогательство.

Жулики Волков и Волошин по-прежнему благоденствуют в США. Рустам Садыков предпочитает проводить время в других странах.

Стефан де Лисецки

(род. в 1961)

Родился в Монако. Организатор громкого скандала, в результате которого распался брак принцессы Стефании с Даниэлем Дюкруэ.

В считанные секунды муж принцессы Монако Стефании Даниэль Дюкруэ стал самым крупным объектом фотоохоты, которая началась 25 июля в бельгийском городе Спа. Рядом с ним папарацци, нанятые Стефаном де Лисецки, хозяином агентства “Трейдерс пресс”, заметили 24-летнюю стриптизершу Фили Утман. 6 августа ловушка захлопнулась. 390 цветных фотографий и видеофильм, рассказывающие о любовных утехах, которым предавались Даниэль и Фили на вилле в Вильфранш-сюр-мер, вызвали скандал. Захватывающая история, но это еще не все. Несомненно, за всем этим скрывался заговор.

Стефану де Лисецки ко времени описываемых событий было тридцать шесть лет. Он жил с Катериной Блатон, богатой наследницей брюссельского короля недвижимости, бывшей женой автогонщика Джекса Икс. В 1990 году Стефан создал акционерное общество “Трейдерс пресс” с головным офисом в Брюсселе. Но на самом деле общество не приносило практически никакой прибыли, в Бельгии не было зарегистрировано и служило лишь для прикрытия и поддержания имиджа Стефана, этого авантюриста и плейбоя. Однако Лисецки всегда мечтал иметь в своем распоряжении группу фотоохотников и от случая к случаю давал им задания.

Лисецки любил похвастаться своим парком автомобилей с бельгийскими номерными знаками: “ягуар”, “MG”, джип, “порше” принадлежали семье Блатон. В Париже офис “Трейдерс пресс” расположился в апартаментах Катерины Блатон, арендная плата за которые составляла 27 тысяч франков в месяц. Плата давным-давно была просрочена. В начале июля Лисецки позвонил директору банка и попросил его потерпеть. “Я сейчас проворачиваю одно дельце, — сказал он, — и скоро расплачусь”.

Об этом “дельце” Стефан думал два года. Он затаил злобу на Даниэля Дюкруэ несколько лет назад, когда тот, будучи еще телохранителем принцессы монакской, в буквальном смысле слова выбросил его на улицу из одного тайного местечка. Лисецки не мог простить нанесенного ему оскорбления. Да и не хотел, ибо он был уроженцем Монако и к тому же крестным отцом Стефании.

Лисецки нашел в Брюсселе подходящих исполнителей — стриптизершу Фили Утман и ее дружка Ива Худжвиса. 22-летний Ив, здоровенный парень с косичкой, был уволен из бельгийской армии за отклонение в психике. Получаемой пенсии ему явно не хватало. Вместе с Фили он танцевал в стриптизе, подрабатывая во второразрядном кабаре. Давал уроки гимнастики в одной из гимназий. Что касается Фили, то в 1995 году она завоевала звание "Мисс стриптиз" на фестивале "Эротика". После чего, хлопнув дверью, ушла из своего агентства, чтобы делать карьеру самостоятельно. Молодые люди идеально подходили для выполнения коварного замысла Стефана де Лисецки, бывшего любовника Фили. Он решил скомпрометировать Даниэля.

Лисецки назначил в своем офисе встречу фотографам. 35-летний Доминик С., длинноволосый, с маленькой бородкой, тонкий и прямой, как жердь, бывший парашютист, завоевавший известность папараццо, идеально подходил для крупного дела. Второй — Дидье Ф., по прозвищу Трамино, зарабатывал на жизнь фотографированием обнаженных женщин. Первую операцию решили провести в Спа. Во время ралли Спа — Франкоршан. Дюкруэ уже три года участвовал в подобных соревнованиях.

15 июля 1996 года Фили Утман вызвала по своему мобильному телефону Лисецки. Двумя днями позже в 14 часов 49 минут "Балморал инфо сервис" в Брюсселе получило по факсу просьбу об аккредитации четырех фотографов агентства "Трейдерс пресс" за подписью Лисецки. В запросе фигурировало имя Фили Утман. Ответ пресс-атташе Клодины де Партц был категоричным: аккредитацию получают только профессиональные журналисты. После телефонных уговоров удалось выпросить пропуск для Доминика С.

24 июля во время предварительных заездов Фили Утман зашла в павильон участников соревнований, имея пропуск, который раздобыл для нее Фредерик Буви, член команды Дюкруэ. "Да, — вспоминал Буви, — я повстречал Фили за несколько дней до соревнований в "Зимних играх", кабаке одного брюссельца. Я решил, что неплохо бы иметь с собой девушку, и взял Фили в Спа. Эту красотку, с которой я иногда проводил время, вскоре заметил и Даниэль. Что же касается Лисецки, то я раньше проворачивал с ним кое-какие дела, но вот уже четыре или пять месяцев с ним не встречаюсь".

Фотографы были начеку, готовые в любую минуту поймать в объективе поцелуй Фили и Дюкруэ. Но Меги, мать Даниэля, ни на шаг не отходила от сына, и их план провалился. Снимки были малоубедительными: ласковое поглаживание Даниэля по лицу; Фили держит в руках шапочку принца-консорта. Ничего особенного. А принцесса Стефания уже через день приехала в гостиницу "Демэн де от Фань". Единственным утешением было то, что Дюкруэ сделал первую ошибку, сообщив номер своего мобильного телефона новой поклоннице.

26 июля Фили уехала в Стекенэ, где она вместе со своим дружком Ивом снимала дом. И стала ждать телефонного звонка Лисецки, в полной уверенности, что Дюкруэ у нее на крючке.

29 июля она донимала мужа принцессы телефонными звонками. Они были зафиксированы в 12.49, 13.23, 14.41, 15.13, 15.33, 19.10... В тот же день, в 19.40., она позвонила и Лисецки. На следующий день после двух телефонных разговоров с Дюкруэ Фили снова перезвонила Лисецки в Париж. В 16.43 Лисецки вызвал по мобильному телефону своего фотографа. Была выбрана вилла. Ив Худжвис должен был подписать контракт на аренду. 31 июля Лисецки при-

ехал в Ниццу, где купил авиабилеты для Фили и ее подружки Изабель К., тоже танцовщицы. Вылет наметили на 5 августа. Рассчитывался Стефан по кредитной карточке. Соглашение об аренде заключили по телефону с Фредерикой М., директором агентства недвижимости в Вильфранш-сюр-мер. Контракт подписал Ив Худжвис и отправил по почте. После недолгих препирательств по поводу скидки на 20 процентов виллу сняли на месяц за 70 тысяч франков. “У нас тогда появлялись некоторые сомнения и подозрения, — вспоминал Фредерика М. — Чек на 40 тысяч франков в качестве задатка был подписан с обратной стороны. Мы решили потребовать задаток в 60 тысяч франков наличными. И буквально через несколько часов их посыльный принес нам пакет с суммой, куда входили и задаток, и деньги за проживание. Взамен он просил дать ему бланк счета с печатью агентства. В Воскресенье, 4 августа, появились первые жильцы, которых мы раньше никогда не видели. Они потребовали открыть им виллу”.

5 августа в 14.05 Фили Утман и ее подружка Изабель К. прибыли на поезде на Северный вокзал Парижа. Какой-то тип встретил девушек и отвез в офис “Трейдерс пресс”. Там их ожидал Робер, преданный шофер, прибывший из Брюсселя на “мерседесе”. Он вручил им пакет с 80 тысячами франков наличными. Фили, Изабель К. и Доминик С. вылетели самолетом из аэропорта Орли в 17.55 и в 19.05 прибыли в Ниццу. Они приехали на виллу № 93-бис, расположенную на высоком берегу залива Вильфранш. Эта вилла стала ареной самого болезненного скандала для княжества Монако.

6 августа фотографы устроились в лесу на холме прямо перед виллой. Вилла находилась в безлюдном месте, поэтому Дюкруэ был уверен, что по извилистой дороге, ведущей сюда, никто за ним не следовал. Девушки прекрасно сыграли свою роль. Фили осталась снаружи, а Изабель К. пыталась завлечь внутрь дружка Дюкруэ, которого они взяли за компанию. На краю бассейна они выпили бутылку красного вина. Все шло по плану. Фили и Дюкруэ резвились в бассейне. Щелкали затворы фотоаппаратов, жужжала видеокамера, фиксируя девять пылких минут. Через какое-то время Дюкруэ уехал. На следующий день он должен был вернуться. Вечером. Ив Худжвис позвонил Фили. Они долго беседовали.

Через три дня Лисецки отправился в одну из фотолабораторий Парижа, где для него сделали цветные фотографии. Он убедился, что это не просто сенсация, а атомная бомба. Даниэль Дюкруэ не менее четырех раз приезжал к Фили на виллу в Вильфранш-сюр-мер, но, проявляя осторожность, при выезде из Монако всякий раз менял машину. Позже сторож виллы утверждал, что видел машины красного и темного цвета, а уже 20 или 21 августа он позвонил в агентство недвижимости и сообщил, что со вчерашнего дня дом пуст.

15 августа Ив приехал к Фили в Вильфранш-сюр-мер и провел там несколько дней.

17 августа в доме Даниэля зазвонил телефон. “Приятель, ты хорошо позабавился, — услышал он, подняв трубку. — Теперь ты человек конченый”. Как ни странно, но именно эта фраза, сказанная в расчете уязвить “жертву” побольнее, стала моментом, с которого начался крах заговора и ее руководителя Лисецки.

18 августа Дюкруэ позвонил Фили на виллу. “Ты что, решила меня подставить? — кричал он в трубку. — Говори прямо!” Фили пыталась его успокоить. На вилле сейчас же обсудили создавшееся положение. Роскошные каникулы на Лазурном берегу становились опасными.

На следующий же день заговорщики возвратились в Бельгию авиарейсом

Ницца — Брюссель. Вскоре отношения между партнерами по операции крайне обострились. Обещание Лисецки заплатить участникам авантюры деньги осталось обещанием. Скандальные фотографии продали лишь в Италии и Испании. Лисецки утверждал, что его счета заблокированы. Фили требовала денег за видеофильм, который не был предусмотрен контрактом. Ив Худжвис выходил из терпения. Тогда Лисецки предупредил его, что именно Ива можно обвинить в сводничестве на том основании, что вилла была арендована на его имя. Не забыл он пригрозить и фотографам.

Фили и Ив, охваченные страхом, признались одному из своих знакомых, что приняли участие в забавной игре, которая должна была принести им деньги, а обернулась кошмаром.

Тем временем обиженный и покинутый принцессой Монако Даниэль подал жалобу в суд.

Дмитрий Олегович Якубовский

(род. 1963)

Родился в городе Болшево. Окончил Всесоюзный юридический заочный институт. С 1987 — секретарь правления Союза адвокатов СССР. В сентябре 1992 года работал полномочным представителем правоохранительных органов в правительстве РФ, после чего бежал за границу. В 1994 году осужден за организацию кражи редких книг из библиотеки.

Родился Дмитрий Якубовский 5 сентября 1963 года в подмосковном городе Болшево в семье военного инженера. Отец его, кандидат наук, подполковник, старший научный сотрудник НИИ N 4 Министерства обороны, облучился на работе и умер в 42 года. Дмитрию было 16 лет, его брату Стасу — 13 (ныне проживает в Цюрихе), младшему, Саше, — 10 (ныне проживает в Торонто). Это не просто дружная семья, а семья, отличающаяся исключительной способностью к самопожертвованию ради ближнего, к взаимовыручке. В трудные минуты, переживаемые одним, на помощь немедленно устремляются все остальные. В данный момент семья морально поддерживает Дмитрия.

После смерти отца Дмитрий решил пойти по его стопам и, окончив десятый класс, попробовал поступить в ленинградский Институт военных инженеров, но не прошел, несмотря на успешно сданные экзамены, по вполне прозаической причине: у матери не все в порядке с “пятым пунктом”. Тогда однокашники отца помогли мальчишке устроиться в Пермское высшее военное училище ракетных войск стратегического назначения. Несмотря на свое пышное название, училище готовило не инженеров, а строевых командиров, оттого и начальство там было весьма специфическое. Смышленый юноша пришелся не ко двору, и к конце первого курса его выгнали. А когда выгоняют из военного училища, отправляют не домой, а в действующую армию, рядовым. Так что пришлось Дмитрию Якубовскому, несмотря на молодость лет, служить рядовым в сухопутных войсках в славном городе Златоусте, что под Челябинском. Демобилизовался он восемнадцатилетним, когда сверстники его только-только отправлялись служить.

Приехал Дима домой, а там мать с двумя несовершеннолетними пацанами. И не оставалось ему ничего другого, кроме как устроиться грузчиком. Разгружал он вагоны все лето 1982 года. А осенью решил поступать во Всесоюзный юридический заочный институт. Для этого нужно было работать по специальности, вот и пришлось сменить прибыльную профессию грузчика на низкооплачиваемую должность мелкого клерка в прокуратуре, правда, Генеральной прокуратуре СССР.

Считается, что для того, чтобы устроиться работать в прокуратуру, надо взятку давать. Устройство в прокуратуру Союза обошлось Дмитрию в 5 рублей 80 копеек. Именно столько стоил справочник Московской городской телефонной сети, откуда выписывал он телефоны всех организаций, имеющих отношение к юриспруденции.

Дмитрий Якубовский обладает одним важным качеством, определившим, без преувеличения, его судьбу. Он умеет разговаривать по телефону. Он может запросто позвонить министру, генеральному прокурору, кому угодно, и разговаривать с ними так, что они никогда не бросят трубку. Наконец, он умеет во время телефонного разговора добиться желаемого. Его жена Манина шутила: “Гербом нашей семьи должен быть телефон”.

Начальник отдела союзной прокуратуры послал подальше наглого молодого человека, переадресовал к рядовому сотруднику, а рядовой сотрудник решил, что молодого человека начальник не просто так к нему послал, а тем самым как бы протежирует ему. В общем, Якубовского в прокуратуру взяли. А через три месяца, естественно, выгнали. За то же самое, за что взяли: за рвение, за большие организаторские способности.

“Профком поручил мне заниматься билетами в театр. Я взялся за дело, но для меня было унизительно ходить выклянчивать билеты, шоколадки кассиршам дарить, губную помаду. Я же не себе прошу билеты, это же общественное поручение. Короче, я решил поставить дело на регулярную основу. Взял письмо у зам. генерального прокурора; с этим письмом пошел к зам. министра культуры, чтобы дали прокуратуре бронь. И все театры дали, кроме Большого. Тогда я взял у зам. министра, Иванов его была фамилия, специальное письмо на Большой театр, мы с помощником его туда поехали, нас снова послали подальше. И я сделал так, что это стало делом чести для Иванова — пробить для прокуратуры бронь в Большой театр. И он пробил... И все было бы хорошо, но в кассах Большого театра работал отставной полковник Левко Владимир Григорьевич, Герой Советского Союза, горевший под Москвой и где только не горевший. И он, оказывается, приятельствовал с нашим Героем Советского Союза, из прокуратуры, Акуличевым. Этот Акуличев получил свою Звезду героя еще в 1941 году и с тех пор ничего не делал, только с другом своим Левко водку пил. И вот пришел однажды Акуличев к Левко за билетами, а тот ему и говорит: “Ничего я тебе не дам, пока не выгонишь одного своего больно шустрого сотрудника. А пока не выгнал, у него билеты и проси”. Короче, не поленился Акуличев пойти к генеральному прокурору и рассказать, как нехорошо я себя веду в Большом театре".

Пришлось Дмитрию Якубовскому снова воспользоваться телефонным справочником. После прокуратуры его внимание привлекло магическое словосочетание: "Госснаб СССР". И хотя устроился он работать не в сам Госснаб, а на центральную базу его хозяйственного управления, новая работа открывала определенные перспективы, особенно в отношении полезных знакомств. Воспользовавшись знакомством с заместителем директора Лобненского завода стройфаянса (уважаемый человек, на всю Москву унитазы делал) и по его рекомендации, Дмитрий Якубовский перешел на работу в Главмосремонт, где, преодолевая ступеньку за ступенькой и демонстрируя недюжинные организаторские способности, дослужился до начальник отдела снабжения Ленинского ремстройтреста. И тут Дмитрий заскучал — потянуло его опять в область юриспруденции (тем более, что к тому времени он учился в юридическом институте, хотелось применить знания).

Итак, Дмитрий открыл телефонную книгу. И попал на совершенно легендарного в юридической области человека, в течение десятков лет руководившего Московской городской коллегией адвокатов (и защищавшего чуть ли не Пауэрса), К.Н. Апраксина, между прочим, отчима нынешнего борца с коррупцией Андрея Макарова. Услышав, что звонивший работает в строительном управлении, Константин Николаевич страшно обрадовался: "Вы знаете, нам Моссовет выделил помещение, но его надо отремонтировать, а там еще и жильцы неотселенные. Не взялись бы вы за эту работу?"

Апраксин взял Якубовского своим помощником с испытательным сроком в два месяца. За это время 21-летний Якубовский не только добился от Моссовета квартир для отселения жильцов, но и включил дом в план работ Главмоспромстроя, элитной строительной организации. А еще через два года четырехэтажное здание Московской коллегии адвокатов, что на Пушкинской улице, 9, было уже закончено. После такого успеха Якубовский получил несколько лестных предложений, на одно из которых откликнулся. Летом 1987 года Ельцин назначил московским прокурором Льва Баранова, и Баранов пригласил Якубовского стать начальником хозяйственного отдела.

В московской прокуратуре Якубовский первым делом превратил свой отдел в управление, состоящее из нескольких отделов. Одно из достижений Якубовского, о котором до сих пор вспоминают московские прокуроры, — система факсимильной связи, связавшая между собой все районные прокуратуры. Тогда это была новинка, и начальство эффектное нововведение запомнило и одобрило. Особенно когда выяснилось, что оно и в самом деле существенно облегчило работу. Две недели провел Якубовский в приемной Сайкина, пока не добился закрытого решения Мосгорисполкома, по которому прокуратуре выделялись квартиры, автотранспорт и прочие блага. Такие вещи долго не забываются... И прокуроры об этом помнят.

А потом между Якубовским и Барановым пробежала кошка, и, когда после снятия Ельцина с должности секретаря московского горкома под городскую прокуратуру стали копать, в том числе и под Якубовского, Лев Баранов его защищать не стал.

"Баранов рассуждал так: раз меня взял Ельцин, я человек Ельцина и со всякими инструкторами горкома общаться не должен. А когда Ельцина сняли, инструкторы и стали его доставать, по всякому поводу жаловаться Зайкову. Стали копать и против меня. Состряпали дело, будто я кого-то сбил на машине. А я за рулем не ездил, даже прав не имел, а машину купил для своего приятеля гаишника (им в милиции новых машин не давали, а нам в прокуратуре дали). Короче, вызвал меня Лев Петрович и говорит: “Уходи по-хорошему”. Я ответил ему словами Штирлица из “Семнадцати мгновений весны”: “Я, конечно, могу уйти, но тогда, мой фюрер, вы останетесь один на один с очень многими врагами в этом здании”. Так и случилось: я ушел, и они его схарчили...”

Якубовскому было куда уходить. Его звал к себе Г.А. Воскресенский, сначала сменивший в коллегии адвокатов скончавшегося Апраксина, а потом создавший Союз адвокатов СССР и ставший председателем его правления. Якубовский ушел из прокуратуры к Воскресенскому, стал секретарем Союза адвокатов СССР и в этой должности проработал вплоть до 1990 года, когда волей судьбы (и с помощью телефонной книги, разумеется) вознесся еще выше по номенклатурной лестнице. Правда, и книга была необычная, номенклатурная.

Сидел он однажды в своем кабинете в Потаповском переулке, скучал, глядел через окно на мутную октябрьскую погоду. Была суббота. Стал просматривать почту и обнаружил, что с фельдъегерской почтой прибыл новый справочник “вертушечных” телефонов. Взгляд уперся почему-то в служебный телефон министра обороны маршала Д.Т. Язова. А вот интересно, подумал Якубовский, он сам трубку снимает или адъютант? Набрал номер. В трубке прозвучало: “Язов”. От неожиданности бросил трубку на рычаг. Первая мысль: вдруг еще узнает, откуда я звоню, да еще и трубку бросаю. Вторая мысль: а ведь это хорошо, что он сам по телефону отвечает, значит, с ним можно и поговорить, и познакомиться.

Короче, после десятиминутных интенсивных размышлений Якубовский перезвонил Язову: “Дмитрий Тимофеевич, здрасьте, это секретарь Союза адвокатов Якубовский Дмитрий Олегович. Я хочу с вами посоветоваться. Вот вы сейчас имеете проблемы со статусом нашей собственности при объединении Германии, а у нас есть идеи, передовые методики...” Язову в тот день, видимо, тоже делать было нечего. “Ну что ж, говорит, приезжайте, поговорим”.

Такой случай упускать было нельзя. Знакомство с членом Политбюро, министром обороны — это вам не знакомство с директором завода по выпуску унитазов. Это был уже иной уровень, и перспективы открывались, от которых дух захватывало. Но ехать с пустыми руками было нельзя. Как опытный человек, Якубовский понимал, что одно дело — поговорили и разошлись, а другое — явиться с бумагой и закрепить на ней резолюцию.

Что ж, бумага появилась: молодой секретарь Союза адвокатов предлагал свои услуги по оценке и юридически грамотной передаче собственности уходящих из объединенной Германии советских войск. Письмо, кстати говоря, несмотря на спешку, получилось дельное, по-военному четкое, содержащее точные юридические формулировки и знание предмета (например, предлагалось завершить всю работу по передаче имущества до начала земельных выборов, запланированных на 15 декабря и могущих “изменить отношение к советской собственности не в нашу пользу”).

Язов принял Якубовского, напоил чаем, поговорили о том о сем. Потом спрашивает: “А что тебе, собственно, нужно-то?” “Да вот я написал свои соображения на бумаге. К кому бы вы могли меня переадресовать?” Ему и в голову не могло прийти, что министр обороны будет лично читать две машинописные странички. Язов начертал: “Генералу армии Моисееву М. А. Прошу рассмотреть. Язов”.

Опыт хождения по моссоветовским кабинетам подсказал Дмитрию, что резолюцию Язов написал нехорошую, уклончивую. Положение надо спасать: “Дмитрий Тимофеевич, а вот ваше-то какое мнение? Ведь это правильно, что мы должны защитить нашу собственность?” Это ловушка: какой же дурак скажет, что мы нашу собственность не должны защищать! "Правильно", — отвечает Язов. "Вы согласны со мной?" — напирает Якубовский. "Согласен", — отвечает Язов. "Вот и напишите, что согласны". Язов дописывает: "Я согласен". Это уже резолюция хорошая, даже очень хорошая. Но Якубовскому и этого мало: "Дмитрий Тимофеевич, а где сидит Моисеев?" — "А вот тут по коридору..." — "А вы не позвоните ему, не скажете, что я сейчас приду?" Язов нажимает кнопку на пульте: "Михаил Алексеевич, сейчас к тебе зайдет товарищ Якубовский из Союза адвокатов..." Вот тут надо прощаться как можно быстрее, пока Моисеев не забыл, кто и от кого к нему идет.

Не успел Якубовский выйти из приемной Язова, а к нему навстречу по коридору уже бежит генерал Моисеев: как же, министр поручил принять. Приводит в кабинет. Якубовский, вторично сосредоточившись, рассказывает ему существо вопроса. Моисеев поначалу начинает отнекиваться: да не нужно нам никакой помощи, но, увидев резолюцию министра, как человек военный, говорит: "А что ее рассматривать, записку твою. Раз министр говорит, что согласен, значит, принимается к исполнению". И он расписал бумагу Якубовского всем своим замам, начальнику тыла Вооруженных Сил, командующему Западной группы войск и прочим военачальникам. А еще через неделю Якубовский уже летел в Германию оказывать помощь в оценке и передаче имущества.

Дни перед отъездом он потратил не зря. Во-первых, изучил предмет, которым ему предстояло заниматься. Во-вторых, лично обошел всех военных начальников, которым было поручено это дело. Наконец, в-третьих, сумел поставить в известность о предстоящей миссии самого Анатолия Ивановича Лукьянова.

Семью Лукьянова Якубовский знал с 1986 года. Второй женой Якубовского была Лена Муравьева, а папа у нее был номенклатурный, зампред Мособлисполкома, курировавший дачи. На номенклатурных этих дачах, в Барвихе, познакомился Дмитрий с дочерью Лукьянова и с ее мужем (а лукьяновским, соответственно, зятем) Костей. Он и сейчас с ними поддерживает добрые отношения. В день взятия "Белого дома", 4 октября, Дмитрий попеременно звонил из Торонто по прямому телефону то начальнику московской милиции Владимиру Панкратову, то Лене Лукьяновой, бывшей у оппозиционеров чем-то вроде координатора, и таким образом имел информацию параллельно от двух противоборствующих сторон. Самое удивительное, что и Панкратов, и младшая Лукьянова от разговора не уклонялись, подробно рассказывали заморскому Якубовскому о том, что творится в Москве.

Лукьянов знал, что Лена с Костей дружат с молодым юристом Якубовским. Поэтому он не удивился, когда к нему пришел Костя и рассказал, что на днях в Германию вылетает Якубовский с важной миссией, "по поручению Язова". "Что ж, — сказал председатель Верховного Совета СССР, — дело важное, приедет — пусть ко мне придет, поделится впечатлениями".

В Германии Якубовский проявил себя лучше некуда. Во-первых, он обнаружил, что у командующего Западной группой войск даже нет переведенных на русский язык новых немецких законов, регулирующих права собственности. Во-вторых, о существовании многих юридических документов командование даже не имело ни малейшего понятия. Немецкое законодательство, регулирующее отношения собственности после объединения Германии, было, в общем-то, выгодным для советской стороны. Там был заложен простой принцип: то, что было реквизировано у преступных организаций, признанных таковыми Нюрнбергским процессом, остается за собственником, владеющим имуществом на момент воссоединения Германии. А так как наша армия, по праву оккупанта, забирала лучшие особняки и земли, а эти лучшие особняки принадлежали, как правило, фашистским организациям, почти на все имущество права были подтверждены. По земельным книгам выискивались прежние владельцы, и в магистратах производилась перерегистрация собственности. В квартирно-эксплуатационном управлении Западной группы войск Якубовский взял сведения о недвижимости, а в штабе 16 воздушной армии — о балансовой стоимости наших аэродромов. И по всем подсчетам, советской военной собственности в Германии набралось от 20 до 30 миллиардов немецких марок.

С этими сведениями по приезде Якубовский пришел к Лукьянову. Тот его внимательно выслушал, прочитал все бумаги и из своего кабинета позвонил Язову: сделано большое дело, надо довести до конца. И за подписью министра обороны вышла директива, адресованная заместителям министра, командующему ЗГВ, командующим армиями ЗГВ, командующим родов войск и т. д. Директивой этой предписывалось "образовать рабочую группу из генералов, офицеров Вооруженных Сил СССР и юристов, представляемых Союзом адвокатов СССР, для организации реализации и использования движимого и недвижимого имущества советских войск на территории бывшей ГДР физическим и юридическим лицам". У группы было два руководителя: заместитель начальника штаба тыла Вооруженных Сил СССР Ю.А. Беликов и секретарь Правления Союза адвокатов СССР Д.О. Якубовский. Самым интересным нам представляется пункт 3 этой директивы: согласно ему, все контракты и договоры, подписываемые от имени Вооруженных Сил, должны быть в обязательном порядке предварительно согласованы с Якубовским. Вот такие полномочия.

Директива была подписана 5 ноября. В связи в праздниками вылет группы был назначен на 10 ноября. За этот период Лукьянов должен был переговорить с Горбачевым, который, как выяснилось, лично курировал все, что связано с Германией.

Язов, подхлестнутый звонком Лукьянова, решил не просто послать в Германию группу, а послать на своем личном самолете с шеф-пилотом в чине полковника. И вот на подлете к польской границе в салон выбегает этот шеф-пилот и говорит, обращаясь к Якубовскому: "Товарищ генерал (он и вообразить не мог, что в самолете министра может лететь кто-то ниже рангом), приказано вернуться". Тут, поскольку мы приближаемся к очередной кульминации нашего рассказа, предоставим слово самому Дмитрию Якубовскому:

"Когда бледный шеф-пилот мне это сказал, я сразу понял, что дело пахнет керосином. И я ему говорю: "Товарищ полковник, вы, как военный человек, должны понимать, что если мне директивой министра обороны приказано убыть, отменить эту директиву могут только два человека — сам министр или верховный главнокомандующий. Если вы считаете, что необходимо вернуться, возвращайтесь, если нет — летите дальше, но вы будете нести ответственность за исполнение или неисполнение этой директивы". Полковник аж присел: "Я не знаю, говорит, чей приказ, мне его прапорщик, телеграфист из центра управления воздушным движением, передал". "Прапорщик, говорю, ну-ну..." Решили лететь дальше. А на земле, видимо, подумали, что я вознамерился угнать самолет и чуть ли не воздушный бой завязался над Польшей. Когда я потом приехал к Лукьянову, он так сказал: "Действовали по-военному прямолинейно".

Короче, самолет принудительно вернули. Садимся на Чкаловском аэродроме, я думаю: наверное, выведут в наручниках. У трапа меня встречает генерал-майор, командир 67-й Чкаловской дивизии, оказывает знаки внимания (по принципу: дали личный самолет министра, потом отобрали, значит, может случиться, завтра снова дадут): вот вам чай, вот вам кофе. "Нет, говорю, мне только телефон нужен спецсвязи". И по прямому проводу звоню Язову, докладываю ситуацию. "Не может быть, — говорит Язов. — Перезвони мне через пятнадцать минут". Через пятнадцать минут уже совсем другим тоном он мне говорит: "Я вас очень прошу, поезжайте к Архипову, это он самолет вернул, он вас ждет в три часа, вы обо всем договоритесь". А я разгоряченный был и почему-то заорал на Язова: "Мне с Архиповым не о чем говорить". И трубку брякнул. И тут же испугался: я же на министра обороны наорал. И со страху прямо с аэродрома поехал к Лукьянову".

Архипов был начальником тыла Вооруженных Сил СССР, то есть Министерств обороны и внутренних дел и КГБ, поэтому он подчинялся не только Язову, но и лично Горбачеву.

"Лукьянов сказал мне следующее. Когда он первый раз пытался поговорить с Горбачевым по поводу моей миссии, Горбачев его не принял, но дал команду Архипову самолет с миссией в Германию не пускать. Когда же я примчался с аэродрома к Лукьянову, он сказал: "Я, конечно, слишком крупнокалиберная артиллерия, но я включаюсь". И пошел на прямой разговор с Горбачевым. Тот ему сказал: "Толя, ты в это дело не лезь, я сам с этими германскими делами разберусь. А этого мудака Якубовского надо убрать куда-нибудь".

Это сейчас только Лукьянов признался, что имел такой разговор с Горбачевым. А тогда он просто сообщил мне: "Дмитрий, вы попали на периферию крупной политической игры. Вы должны исчезнуть, причем совершенно".

Прошло совсем немного времени, и я понял, почему наш самолет вернули, и сообразил, какая опасность мне угрожала. Дело в том, что вскоре Горбачев подписал с немцами соглашение, и по нему мы не 30, и даже не 20 миллиардов марок от них получали за оставляемую собственность, а лишь 13 миллиардов. Горбачев был лично заинтересован в том, чтобы эти деньги мы не затребовали с немцев.

Любопытно, что, по сведениям А. И. Лукьянова, наша страна не получила и этих денег. В одном интервью бывший спикер парламента сообщил: "Горбачев отдал собственность, которая стоит тридцать миллиардов марок, а получил взамен кредиты на восемь миллиардов марок". Кредиты, добавлю, полагается не только брать, но позже и возвращать..."

В числе "полезных знакомых" Якубовского был, в частности, председатель государственной ассоциации "Агрохим", бывший министр минеральных удобрений Н.М. Ольшанский. За месяц до описываемых событий Якубовский оказал ему услугу по, так сказать, адвокатской линии. И вот, узнав о переплете, в какой попал Якубовский, тот ему предложил поехать в Базель, где у "Агрохима" была открыта дочерняя швейцарская фирма "Ферсам". Уезжая, точнее убегая из страны, Дмитрий Якубовский никак не думал, что в ближайшее время в Россию вернется. Крах коммунистического режима и крах Горбачева предвидеть было невозможно.

Кстати, именно Якубовский познакомил Николая Ольшанского с Борисом Бирштейном.

Мало кто понимал Дмитрия Якубовского, всеми силами рвущегося в Россию. На нынешний взгляд, живет в достатке, красавица жена, канадка, которая уж точно постоянно жить в России не будет, за границей родившаяся дочь...

После путча 1991 года, а особенно после ухода Горбачева с президентского поста, Якубовский понял, что час настал. Сначала через верных ему людей в МВД и прокуратуре прощупал, не заведено ли какое-нибудь дело, нет ли санкции на арест...

Ему ответили: нет.

А тут подвернулся удобный случай. Позвонил генерал армии Константин Кобец, который после разгрома путча был в фаворе, стал советником Ельцина и сколачивал вокруг себя команду инициативных, молодых сотрудников. О Якубовском он вспомнил потому, что тот в свое время ощутимо помог ему в проведении избирательной кампании. "Я могу приехать только под вашу личную гарантию", — ответил ему Якубовский. "Что тебе нужно?" — "Мне нужно, чтобы вы лично прилетели в Цюрих, взяли меня за руку и привезли в Москву". Ничего себе просьба! А знаете, что ответил Кобец? "Вылетаю", — ответил он. И вылетел.

7 марта 1992 года в сопровождении генерала армии Кобеца Дмитрий Якубовский прибыл в Москву. Кобец отдал ему свой кабинет государственного советника в Белом доме (у него еще были кабинеты в Кремле и в Министерстве обороны). И вместе с Кобецом Якубовский, засучив рукава, начал готовить военную реформу. Якубовский всех поражал своей работоспособностью, истовым отношением к делу. Многие относили это за счет молодости. "Молодой еще, перебесится..."

Именно тогда, попав в номенклатуру Белого дома, познакомился Дмитрий Якубовский и с Шумейко, и со Степанковым, и с Баранниковым. Наконец, настали времена, когда К. Кобец попал в опалу, а Шумейко, напротив, ушел в правительство, стал первым вице-премьером. Шумейко предложил Якубовскому должность советника правительства. Тот, будучи человеком щепетильным, пришел к Кобецу. "Иди, — сказал Кобец, — и для дела, и для тебя самого это будет полезно".

И Якубовский ушел к Шумейко, не предполагая, разумеется, что этот шаг вскоре приведет его к еще одному экстренному бегству из страны... В функции Якубовского входила координация работы правоохранительных органов (которые курировал первый вице-премьер).

Координация координацией, но, в силу своего характера и обаяния, Якубовский быстро сходился с людьми, переводя формальные, служебные отношения в неформальные. Вспоминая спустя три года о встрече с Якубовским, А.И. Лукьянов заметил: "Что я могу сказать о Якубовском, какое впечатление у меня осталось... Я в день принимал очень много людей, и у меня больше запечатлевается образ поведения, чем сам вопрос, который ставился. Он из тех людей, с которыми я встречался в то время, — самый яркий. Это был человек, во-первых, раскованный, потому что обычно люди, которые ко мне приходили, были немножко скованными. Во-вторых, человек искренне заинтересованный в том, чтобы наша собственность не пропадала, и говорили мы бурно, чего обычно со мной не случается, я человек, спокойный. Это я запомнил, он был искренне заинтересованный человек". К этому стоит добавить еще чувство юмора, о котором упоминают все, кто пересекался с Якубовским по службе, а также умение и желание помочь даже в тех ситуациях, когда это требовало от него немалых усилий. Так что новыми друзьями Дмитрий Якубовский обзаводился легко. Зачастую это были достаточно высокопоставленные друзья. С одной стороны, это очень помогало по работе, с другой — облегчало решение многих личных проблем.

Многие отказывались поверить, что молодой парень, не достигший еще тридцати лет, может запросто общаться, например, с самим шефом безопасности Баранниковым. Сосед Якубовского по даче в Жуковке академик А.В. Старовойтов, глава федерального агентства правительственной связи, поверил в это только когда собственными глазами увидел, как к Якубовскому на дачу приехал Баранников с супругой обмывать новые звания (в один день Якубовскому присвоили звание полковника, а Баранникову — генерала армии).

Любопытный штришок. О рождении своей дочери Дмитрий Якубовский узнал от Баранникова. Первый звонок ранним утром 1 августа 1992 года раздался от него: “Старик, поздравляю, у тебя дочь”. И последовало приглашение. Якубовский поехал на дачу к Баранникову (напротив — дача Степанкова, чуть далее — Дунаева, замминистра внутренних дел), где обнаружил всю троицу у костра. Баранников в тренировочном костюме жарил шашлык из осетрины. Посидели, выпили. Идиллия!.. Пройдет совсем немного времени, и Степанков подпишет ордер на арест молодого папаши, а Баранников пустит по его следу убийц.

“Моя задача, когда я пришел в правительство, была простой: я должен был ориентировать силовые структуры на работу в одном направлении, заняться, так сказать, идеологией их функционирования. И очень быстро я обнаружил, что есть силы, которые пытаются перетянуть эти ведомства на свою сторону. Я имел широкий круг общения, огромную информацию из разных структур и пришел к выводу, что уже летом 1992 года секретарь Совета безопасности Ю. Скоков пытался ориентировать силовые структуры на себя, с тем чтобы перейдя в коммунистическо-фашистскую оппозицию, увести их за собой. Я стал внимательно присматриваться к кадровым назначениям Скокова и четко увидел, что он ведет свою игру. Человека выгоняют с компрометирующими обстоятельствами из КГБ, а Скоков тут же назначает его в МВД — свой человек. Человек работает полковником, завтра он уже генерал-лейтенант — и до гробовой доски предан Скокову. И так далее, Я увидел, что силовые структуры раздваиваются. Часть остается за президентом, а часть — и значительная — начинает понемногу работать против него. Я, разумеется, докладывал о своих наблюдениях и выводах, и за это быстро поплатился.

Поначалу от меня решили избавиться тихо: 8 июля подсунули Гайдару на подпись распоряжение правительства, согласно которому все советники правительства сокращались (причем совершенно не скрывалось, что ради меня одного формально упразднили всех советников — они, разумеется, остались, но стали называться иначе). Тогда у Шумейко возникла идея создать новую должность: полномочный представитель правоохранительных органов в правительстве. Должность ввели, меня на нее зачислили, причем одновременно я состоял в так называемом действующем резерве Федерального агентства правительственной связи и информации при президенте. Моя должность полномочного представителя соответствовала рангу первого заместителя министра Российской Федерации.

Короче, я продолжал изучать расстановку сил в силовых ведомствах, не только не растеряв своих полномочий, но и приобретя новые. А процесс развивался. Если в июне 1992-го произошло сближение Скокова и Руцкого (они вместе выбивали Бурбулиса), то в августе сблизились Руцкой и Баранников (они сошлись на Бирштейне и на Молдавии, куда вместе — втроем — летали урегулировать приднестровский конфликт). Это было уже опасно. И я открыто стал с этим бороться.

Тогда стали бороться со мной. Начался настоящий детектив: мне отключили связь, блокировали на даче, арестовывали машины. Они не хотели открыто со мной расправляться. Хотели, чтобы я испугался их давления и уехал сам. Но я не испугался и пришел к Баранникову за разъяснениями. Баранников, разумеется, не стал признаваться, что пять минут назад он сам этим концертом дирижировал. Он сказал мне: “Немедленно вылетай в Вашингтон, где твой шеф Шумейко в Международном валютном фонде находится. Прилетишь вместе с ним. А я за эти три дня в своем ведомстве наведу порядок, твой вопрос утрясу. Вернешься с Шумейко — пойдем к Борису Николаевичу”. Это было логично: Шумейко обо мне и моих изысканиях Ельцину уже докладывал, и тот против встречи не возражал.

Короче, прилетаю я к Шумейко. А по пути в аэропорт, кстати, вся комедия продолжалась. Дунаев вез меня в Шереметьево в багажнике своей машины. Милиция блокировала, Дунаева хотели отсеять, сделали вид, что пытаются меня арестовать в самолете. Но я улетел. Докладываю Шумейко обстановку. Решительно настроенный, Шумейко летит в Москву, приказав мне ждать указаний... Первое, что сделал Баранников, когда увидел Шумейко в Москве, — сообщил ему, что я канадский шпион. Я потратил два месяца на то, чтобы заставить Владимира Филипповича заглянуть в Большую советскую энциклопедию и убедиться, что в Канаде нет шпионской организации. Не создали. Может быть, напрасно, но чего нет, того нет. Причем ссылались даже на некую записку Примакова Ельцину насчет меня, которой, как позже выяснилось, не существовало в природе".

И вот тут начались знаменитые звонки Якубовского Степанкову, Дунаеву, Баранникову. Но если сейчас прочесть информацию, опубликованную в "Московском комсомольце", складывается интересная картина. Во-первых, собеседники явно не хотят видеть Якубовского в России, всячески уговаривают его отказаться от мысли приехать. Во-вторых, и ссориться с ним, озлоблять тоже не желают. В-третьих, избегают ссылаться друг на друга (валят на Ерина — "вот Ерин против тебя что-то имеет", — единственного силового министра, которого Якубовский не знал лично, а потому не мог с ним из-за границы связаться). Побаивался Якубовского и Шумейко, под которым вскоре тоже земля закачалась.

Однако вся компания продолжала общаться с Димой! Он даже выполнял их некоторые поручения. В мае Баранников просит Якубовского переговорить со Степанковым, чтобы он не снимал своего первого зама Землянушина, и 5 ноября Якубовский сообщает Баранникову, что со Степанковым он об этом договорился. Уже после отъезда Якубовского у него за границей побывали в гостях Степанков (дважды), Дунаев, наконец, Шумейко (дважды), не говоря уже о сошках помельче.

Наконец, в июне 1993 года Якубовский понадобился прокуратуре. Он был нужен Степанкову и Баранникову для того, чтобы убрать Шумейко. Сначала по телефону "сдать" Шумейко его уговаривал Бирштейн ("Он продал тебя", — науськивал он Якубовского на бывшего шефа). Затем Степанков выступил гарантом безопасного приезда и даже дал письменное указание начальнику московской милиции Панкратову обеспечить охрану Якубовского (правда, в документе этом содержалось довольно странное указание: "...любое общение Якубовского с гражданскими или военными властями разрешается с санкции генерального прокурора и с разрешения начальника ГУВД" — это скорее не охрана, а конвой!). Якубовский согласился на все условия и прилетел в Москву.

Первым Якубовского в Москве посетил Дунаев. Он сообщил Дмитрию, полагая, что тот играет в их игру, о плане убрать Шумейко — с использованием счетов, якобы открытых вице-премьером в иностранных банках. Якубовский прекрасно знал, что материал поступил к ним от Бирштейна, и знал, что он полностью сфальсифицирован. И он предупредил сначала Дунаева, потом Баранникова, что они имеют дело с фальшивкой.

Сейчас, задним числом анализируя события, Якубовский жалеет, что предупредил их об этом. Надо было, считает он, промолчать, а они, использовав фальшивку, которую легко было разоблачить, сами попались бы и, несомненно, проиграли бы.

Однако, не до конца разобравшись в ситуации, он сообщил Дунаеву о фальшивке. Утром позвонил Баранников: "Дима, полковник, революционер! Приезжай срочно ко мне". Якубовского не насторожило даже то, что у кабинета

Баранникова его дважды обыскали. Он честно рассказал министру безопасности все, что знал по этому делу (любопытна, например, такая деталь, свидетельствующая о том, насколько грубо сфабрикован был "уличающий" Шумейко документ: по трастовому договору первый вице-премьер поручал управлять своим счетом... скромному билетному кассиру, который никогда не имел дело с банковскими операциями). Баранников крепко задумался. В результате объявленный на 17 июня 1993 года доклад первого заместителя генерального прокурора Н. Макарова был снят с повестки дня сессии Верховного Совета без объяснения причин. Доклад состоялся только 24 июня, и в нем отсутствовали упоминания о "счетах", хотя и поднимался вопрос о закупках детского питания (от чего Шумейко пришлось отбиваться на протяжении трех месяцев).

Якубовский не помог сожрать Шумейко. Результат не замедлил себя ждать. 22 июня Степанков пригласил Якубовского к себе на дачу и там сообщил ему: "Дима, я должен возбудить уголовное дело. Но ты не волнуйся, ситуация абсолютно управляемая. Я назначу вести дело следователя, какого ты порекомендуешь, чтоб ты знал, что я тебя не обманываю". И Якубовский назвал ему нескольких следователей (о чем потом крупно пожалел: подвел людей).

Дело, кстати, действительно было возбуждено — "по фактам внешнеэкономической деятельности компании ВАМО" (детское питание для Московской области), и по нему пытались притянуть и Шумейко, и Якубовского.

Сразу после выступления Н. Макарова раздалось два звонка. Первый — от Степанкова, подлинного автора доклада: "Жду тебя завтра в три часа". Второй — от Шумейко, главного героя доклада: "Приезжай в три". Поскольку в три уже договорились со Степанковым, с Шумейко встреча произошла 25-го ранним утром.

Шумейко был в растерянности: "Что делать?" Было ясно, что на него двинулась вся прокурско-гэбистская махина, за которой просматривался Руцкой. Якубовский посоветовал создать антикомиссию, которая должна была бы действовать по принципу: вы мне рубль, я вам два. (Такая комиссия действительно была создана во главе с другим Макаровым, Андреем. После того как Руцкой и компания оказались за решеткой, работу комиссии, конечно же, спустили на тормозах.)

Степанков был краток: "Когда я тебя звал в Москву, я давал тебе гарантию безопасности. Так вот она истекает сегодня в двенадцать часов ночи". Объяснение было такое: "Позавчера я встречался с Баранниковым, министерство безопасности стало против тебя открыто работать, они пытаются обходить меня. Так что уезжай". "Это невозможно, — ответил Якубовский. — Да и Баранников меня завтра к десяти утра приглашал к себе на дачу". "Вот телефон, — сказал Степанков. — Можешь ему позвонить".

"Виктор Павлович, — сказал Якубовский, набрав в кабинете Степанкова номер Баранникова. — Вот тут мне рекомендуют немедленно уехать. Как быть?" "Чушь", — сказал Баранников и, как в свое время Язов, попросил перезвонить через пятнадцать минут.

Через пятнадцать минут Баранников спросил: "Ты еще здесь?" И, вслед за Степанковым, дал срок до полуночи... Якубовский бросился к своему другу Панкратову, которому было поручено его охранять. К счастью, тот оказался в кабинете. От него позвонил Шумейко: "Владимир Филиппович, я только что говорил с Виктором Павловичем. В общем, мне рекомендуют уехать".

Шумейко ответил: "Мне тоже".

И они разлетелись. Шумейко — в Сочи, по указанию президента, "в отпуск". Якубовский в сопровождении Панкратова — первым же рейсом в Лондон, поскольку в паспорте была открытая английская виза. А оттуда в ставший уже родным Цюрих.

Как только Якубовский отбыл из Москвы, Степанков выдал постановление о задержании и приводе для допроса. Такая формулировка могла бы изумить кого угодно (ведь Якубовский только что провел неделю в беседах со Степанковым и его замом Макаровым, что за нужда в новом допросе), но Якубовский понял эту информацию правильно: тем самым Степанков запрещал ему возвращаться в страну.

И если бы не журналист Андрей Караулов, разыскавший в июле в Цюрихе друга своего детства Якубовского (их отцы работали вместе, а семьи жили на одной улице в Болшево), неизвестно, как сложилась бы судьба его дальше. Возможно, он снова занялся бы бизнесом. Возможно, возобновил бы свои телефонные звонки, требуя гарантий безопасности и немедленного возвращения. А возможно, он разделил бы судьбу Артема Тарасова — метался бы по миру, преследуемый российскими спецслужбами. Но Андрей сделал из Дмитрия Якубовского фигуру не только политическую (каковой он уже был, возможно, не отдавая себе в этом полного отчета), но и общественную. Телезрители увидели его в передаче "Момент истины", где он поведал, как неназванное доверенное лицо Руцкого (Бирштейн) шантажировало его, требуя "сдать" Шумейко. Якубовского узнала страна.

Образованная Ельциным специально для сбора компромата на Руцкого комиссия Андрея Макарова немедленно начала работу с материалами, которые были в распоряжении Якубовского, либо были с его помощью отысканы. Иногда Макаров передавал журналисту Александру Минкину те или иные документы, которые время от времени публиковались в "Московском комсомольце", в зависимости от требований момента и политической конъюнктуры. Причем ни Минкина, ни Макарова, судя по всему, не волновал вопрос, как отразятся на репутации самого Якубовского эти публикации.

Скандальные коррупционные разоблачения сыпали на голову друг друга обе противоборствующие стороны. Стороны полагали, что они делают большую политику, а добились только одного: народ наш теперь убежден, что воруют в верхах все — и те и другие.

Наконец — последнее таинственное появление Дмитрия Якубовского в Москве. Если верить Александру Руцкому, выступившему в "Парламентском часе" (и запись эта без конца повторялась, настолько ей придавалось важное значение): Якубовский прилетел 23 июля президентским самолетом, в аэропорту "девятка" оттеснила пограничников, посадила Дмитрия в бронированный автомобиль и увезла его, вместе с какими-то важными документами, в неизвестное министру Баранникову место. Хотя бойцы министра Баранникова уже стояли возле самолета с ордером на арест, выписанным Валентином Степанковым. Жил Якубовский, по сведениям одних газет, дома у Андрея Караулова. А по сведениям других, в Кремле. Сразу по приезде против него было возбуждено уголовное дело по факту незаконного пересечения границы, так что арест можно было бы облечь в законные рамки.

Но мало кто знает, каким образом уезжал тогда из России Дмитрий Якубовский. Известно только, что из Москвы он убыл 30 июля, а до Торонто добрался только 4 августа. Сам он говорить на эту тему отказывается. Потому предоставим слово начальнику государственно-правового управления президента Александру Котенкову.

"Мы понимали, что руководители всех трех правоохранительных органов (Степанков, Баранников и Дунаев — Ерин был в отпуске) кровно заинтересованы не только в том, чтобы задержать Якубовского, но и в том, чтобы он замолчал навсегда. Поэтому были предприняты все меры безопасности, когда было решено вывезти его из страны. Однако первая попытка выехать поездом с Казанского вокзала окончилась неудачей: на перроне возникли группа омоновцев и почему-то телевизионная группа (очевидно, с провокационной целью снять задержание Якубовского). Поэтому, не выходя из машины, Якубовский и сопровождающие развернулись и уехали обратно.

На следующий день мы тщательно проанализировали все варианты. Остановились на таком: выехать из Москвы на автомашинах, доехать до любого аэропорта, откуда можно вылететь за границу без проверки документов российскими пограничниками (подчиняющимися Баранникову). Мы даже не исключали возможности, что в самолет могли пропустить, потом заставили бы его сделать вынужденную посадку и арестовали в любом другом городе. Так что вылет из России исключался. По договоренности с армянскими коллегами было решено вылетать из Еревана. Дмитрий в обсуждении не участвовал, мы нашли бы более простой и быстрый способ его отправки. В разработке операции принял участие ограниченный круг лиц, только пять человек.

Было принято решение ехать не на служебных машинах, а на двух мощных БМВ одной из частных фирм, которая дала согласие нам помочь. Руководитель фирмы из нашего кабинета вызвал по радиотелефону обе машины в определенную точку, велел заправиться и не задавать лишних вопросов. Уже через полчаса он доложил, что все готово к выезду. Вот вам преимущество частной собственности перед государственной системой — мы так быстро не собрались бы.

В 23.00 мы заехали за Димой и его двумя телохранителями, разными дорогами на разных машинах добрались до условленного места на кольцевой автодороге, где нас ждали БМВ. Перегрузили бензин, сменили на БМВ номера (тут пришлось повозиться, так как поставить "волговские" номера на иномарку оказалось сложно — отверстия не совпадали). Начался дождь, что мы сочли благим предзнаменованием, способствующим скрытности нашего отъезда, и мы отправились.

Мы договорились с одним из членов правительства, что он будет нас сопровождать на протяжении первых ста километров. Около Каширы он поморгал фарами, показывая, что все чисто, и развернулся обратно. Я ехал в машине с Дмитрием и представителем фирмы, предоставившей автомобили. Во второй машине — Виталик и Саша (телохранители Якубовского) и еще один охранник. Как только мы тронулись, Дима просит представителя фирмы: "Дай мне пистолет". Тот отвечает: "Он не мой, дать не могу, сам его держу незаконно". Тогда я отдал ему свой: "Бери, только, ради Бога, ни за что не дергай". Он положил пистолет себе на колени и так его держал более 2000 километров.

Не буду говорить о нравах нашей милиции, но, сами понимаете, два мчащихся на бешеной скорости БМВ с московскими номерами — лакомый кусок для гаишников, так что неоднократно нас останавливали. Однако у нас был специальный талон без права досмотра, и это нас здорово выручало. Каждый раз Дима судорожно хватался за пистолет, и я так и не уговорил его выпустить пистолет из рук.

Нам надо было добраться до Сочи, где нас ждали. Честно говоря, выезжая, мы даже не обсудили маршрут. На полпути Дмитрий стал задавать вопросы: ведь если ехать через Харьков, значит, надо дважды пересекать украинскую границу. А вдруг там сейчас паспортный контроль? Я на этот счет ничего не знал. И чтобы не рисковать, через три часа движения мы перешли с благоустроенной дороги Москва — Харьков на другую, воронежскую, трассу.

Далее мы двигались через Воронеж и Ростов. Останавливались на три-четыре минуты, перекусывали прямо в машине, въехали в Краснодарский край, где был еще один прокол, смена колеса, и до Сочи добрались без хлопот. В Дагомыс мы въехали в половине двенадцатого ночи. Нас уже ждали с восьми вечера.

На площадке возле цирка нас должен был встретить человек из Армении, чтобы сопроводить в Ереван. Поскольку у цирка никого не обнаружилось, мы отогнали машину в тупичок, я пересадил Дмитрия во вторую машину, а сам один вернулся к цирку. Наконец, ко мне подъехал "Мерседес", из которого вышел человек, которого я знал в лицо. Все вместе мы прибыли на дачу, где стали решать, как поедем в аэропорт, где ждал самолет. Решили не пользоваться машинами, на которых приехали, попрощались с водителями и уже минут через пятнадцать на "рафике" отправились в Адлер. Въехали прямо на летное поле, где уже ждал "Як-40" с поднятым трапом. Как только "рафик" подъехал, трап опустили, мы поднялись в самолет, и он тут же взлетел. Все было очень четко. Неудивительно: самолет тоже был частный. Через полтора часа нас встречали в Ереване.

Вернувшись назад, скажу, что в Москве мы просчитывали разные варианты, как улететь из Еревана. Оттуда рейсов в Европу крайне мало, а в Швейцарию нет совсем. Можно было лететь в Париж, но ближайший рейс был только через несколько дней. Провести несколько дней в Ереване — это перспектива нам как-то не улыбалась. Тогда одна частная московская фирма согласилась оплатить коммерческий рейс из Еревана в Швейцарию. Когда мы приземлились в Ереване, то увидели стоявший на соседней полосе арендованный самолет. Тут мы совершенно успокоились, а зря.

Мы поднялись в самолет, познакомились с экипажем, тут же армянские пограничники поставили нам отметки в паспорта. Но выяснилось, что командир экипажа хоть и знал, что нужно взять пассажиров в Ереване, но не был поставлен в известность, куда лететь.

Я с командиром самолета уединился и спрашиваю, когда взлетаем. Он говорит: "Сначала скажите, куда. Я могу лететь хоть до Монреаля. Все оплачено". "Хорошо, — отвечаю. — Цюрих". "А теперь, — он говорит, — мы должны подать заявку, согласовать маршрут..." "И сколько это займет времени?" — спрашиваю. Он говорит: "Обычно день-два..." Меня удивило, что самолету, присланному из Москвы в Ереван, не была поставлена конкретная задача и не был оформлен маршрут до Швейцарии. Дмитрий сразу занервничал, я попросил всех оставаться в самолете, а сам с командиром пошел в диспетчерскую. Маршрут, конечно же, надо было утверждать с Москвой, так как все воздушное пространство над СНГ контролируется Москвой, тем более что самолет был российский, а не армянский. Командир связался с диспетчером авиаотряда, тот подтвердил, что, по его сведениям, в Ереване должно быть определено, куда лететь самолету, и заверил, что сейчас же займется решением вопросов с маршрутом в Цюрих, коридорами, пролетом и т. п. Услышав это, мы как-то успокоились. Если мне не изменяет память, Диминой дочке в тот день исполнился год, и он предложил нам отметить это дело. Стюардесса принесла коньяк, но не успели мы выпить по рюмке, как в салоне обозначился российский пограничник, прапорщик, и потребовал наши документы.

"Что такое? — спрашиваем. — Наши документы уже оформлены армянскими пограничниками. Документы на вылет самолета также оформлены". Но он настаивал на своем. Все паспорта были у меня, я ему их отдал. У Димы паспорт советский, даже, как это у нас часто бывает, несколько паспортов. И он по ошибке предъявил пограничнику тот из них, где не было швейцарской визы. За что тот сразу же ухватился. (Самое смешное, что у телохранителей вообще не было никаких виз, кроме канадских, как позже выяснилось, но к ним вопросов не было.) "Я не могу вас пропустить, — говорит пограничник Якубовскому. — У вас нет швейцарской визы". "А вас что за дело? — спрашиваю. — Это проблема швейцарских властей". Дмитрий тут же вынимает другой паспорт —

с визой. "Вас это устраивает?" Пограничник не ожидал такого развития событий, ему поставили задачу придраться хоть к чему-нибудь. Он ушел из самолета, но, как я заметил, у трапа остались вооруженные люди в пограничной форме. Нас рассекретили. Бесспорно, команда уже прошла, мы были на крючке...

Тогда Дмитрий связался с Канадой и решил вызвать самолет оттуда. Из Канады сообщили, что самолет может быть в 00.00. Я дал команду отдыхать, но в 22.00 быть на месте. В свои планы мы посвящать никого не стали. Нас отвезли в гостиницу, мы помылись, поужинали, отдохнули. И тут Дмитрий проявил самостоятельность, которую я ему простить не могу.

Он, не поставив в известность даже собственную охрану, вместе с армянскими охранниками поехал в аэропорт, чтобы лишний раз связаться с Швейцарией и Канадой и проверить, как там наш самолет. Когда мы хватились, обнаружилось, что его в комнате нет, машины у нас нет, гостиница далеко, телефонов в номерах нет. В общем, понервничали. А он, видите ли, решил нас не беспокоить, не будить... Наконец, в аэропорту нас встречает, говорит, что самолет из Канады прибудет только в 12.00 дня...

Когда в 14.00 приземлился шестиместный самолет, вызванный Якубовским, по моей просьбе его загнали за угол, чтобы российский экипаж не увидел (лишняя подстраховка), дозаправили. Зарубежный самолет, к счастью, не вызвал интереса у российских пограничников, поэтому когда мы бегом в него перебежали и тут же взмыли, им оставалось только глазами хлопать. Маршрут этого самолета был запрошен из Тегерана, поэтому мы должны были лететь через Иран, затем через Турцию на Грецию. Преодолев границу Ирана, мы с Дмитрием чокнулись, выпили. И снова сглазили. Уже на территории Турции (мы видели в иллюминаторы озеро Ван) самолет сделал крутой вираж на 180 градусов, к нам вышел командир и говорит по-английски: "Приходится возвращаться. Турки неожиданно закрыли нам коридор и поставили жесткое условие: если мы немедленно не покинем воздушное пространство Турции, они примут меры. Поэтому я вынужден был сначала развернуться, а потом уж докладывать вам".

Командир предложил такой вариант: "Летим в Тегеран. Фирма покупает вам билеты на ближайший рейс в любую европейскую страну". Дмитрий согласился, он был готов лететь куда угодно, лишь бы выбраться из этого региона. Пилот связался с Тегераном, оттуда запросили, есть ли у нас иранские визы. У нас их, естественно, не было. Вариант Тегерана отпадал. Все остальные пути вели через Турцию, которая, не знаю уж с чьей подсказки, нас категорически не пропускала. Единственное, что оставалось: сесть в Объединенных Арабских Эмиратах, в Дубаи. Что мы и сделали...

Короче, из Дубаи мы полетели во Франкфурт, через полтора часа пересели на самолет до Цюриха. Там выяснилось, что у Виталия и Саши нет швейцарских виз, их не хотят выпускать из аэропорта, мы два часа утрясали этот вопрос. Но это все семечки по сравнению с тем, что могло ждать нас в России. Перекочевали мы в Швейцарию и утром вылетели в Торонто. Там закончилась моя миссия.

А потом к Якубовскому в Торонто приезжали члены межведомственной комиссии по борьбе с коррупцией А.М. Макаров и А.Н. Ильюшенко. Им долго не давало визу канадское посольство. На обратном пути, приземлившись во Внукове, они затребовали бронетранспортер и так на бронетранспортере въехали в Кремль, привезя оригинал трастового договора, по которому А.В. Руцкой управлял своими счетами в швейцарских банках. А еще через пять дней Б.Н. Ельцин распустил парламент. А еще через две недели сами знаете, что произошло".

Сергей Пантелеевич Мавроди

Президент АО "МММ", используя отечественный и мировой опыт, создал финансовую "пирамиду". Рынок вкладчиков АО составил 11 миллионов человек.

Сергей Пантелеевич Мавроди построил "пирамиду" под названием АО "МММ", которая неизбежно должна была рухнуть. И рухнула. Конечно, ускорили крах правительство и пресса, арест самого архитектора "пирамиды", но крах был неотвратим. Механизм высоких котировок был прост: последние в очереди за акциями платят первым. Но проигравших, как и во всяких лотереях, должно быть большинство.

Подобные массовые психозы имели место в разных странах и эпохах. Это и недавние истории (1992—1993) с сербским банком Ездимира Василевича и румынским обществом "Каритас" (в игру с последним было втянуто 40% населения). Это и банковские опыты Джона Лоу (Франция эпохи Регентства), и американские аферы "позолоченного" века, и немецкие "лавины" времен Веймарской республики, и голландская тюльпанная лихорадка XVII века, когда за одну луковицу отдавали каменный дом и сорок коров.

По структуре "МММ" можно изучать историю стихийного формирования российского рынка: сначала кооперативы и малые предприятия, потом ТОО и ИЧП, акционерные общества закрытого и позже — открытого типа. Предпринимательский гений Сергея Мавроди споткнулся на АОЗТ "Инвест-Консалтинг". Оно было зарегистрировано в феврале 1994 года в Москве. Главный директор — Сергей Мавроди, главбух — его брат Вячеслав. Уставной капитал — 2,5 миллиона рублей. Счет в "Национальном пенсионном банке" (председатель правления С. Мавроди). Деятельность: консультации, выпуск и куплипродажа ценных бумаг. "Инвест-Консалтинг" заявил в налоговую инспекцию, что хозяйственной деятельности в первом квартале не имел. Финансовая проверка закончилась для "безгрешных" печально: акционерное общество утаило от государства выручку на 24,5 миллиарда рублей. По закону, все эти деньги АО обязано было отдать в казну. Плюс 100 процентов штрафа. Всего — 49,1 миллиарда.

Мавроди лег на дно. Шестнадцать дней он не выходил из собственной квартиры. Распорядился закрыть приемные пункты "МММ". На приглашения Департамента налоговой полиции РФ, депутатские и правительственные Сергей Пантелеевич никак не реагировал. Поэтому было решено доставить его на допрос в принудительном порядке.

Около 14 часов к дому, где проживал г-н Мавроди (Комсомольский проспект, 41), подъехали несколько автомобилей с сотрудниками Департамента налоговой полиции и управления по экономическим преступлениям ГУВД Москвы. Бойцы спецподразделений налоговой полиции оцепили здание, после чего "налоговики" поднялись на восьмой этаж, где находилась квартира предпринимателя. Хозяин квартиры отказался впускать визитеров. Около четырех часов полицейские пытались уговорить его открыть дверь, а затем спецназовцы по веревкам влезли в квартиру через балкон. В дверь квартиры первым вошел заместитель начальника Департамента налоговой полиции РФ Вячеслав Панкин. По его словам, квартира удивила его своей неухоженностью: "Сам он лежал на диване... Кто там еще был? Два охранника, два его брата, а на полу — множество бутылок с шампанским и вином, когда я увидел его, то первым делом спросил: "Зачем же вы сами позакрывали все обменные пункты? Что, хотели вызвать народную революцию?"

Сотрудники департамента в течение пяти часов проводили обыск в квартире Мавроди. Вход в подъезд усиленно охранялся от представителей прессы (за исключением американских журналистов). Примерно в 21.20 началась совместная операция спецслужб по доставке г-на Мавроди в департамент. Сначала в подъезд вошли 15 милиционеров и 10 полицейских в камуфляже и в черных масках. Президент был выведен на улицу под конвоем. Он был в домашней одежде. Сергея Пантелеевича усадили в красную "шестерку", которую чуть не перевернула возбужденная толпа. В ней звучали призывы к расправе с полицейскими и крики "руки прочь от Мавроди". После отъезда "Жигулей" лица в штатском вынесли под охраной автоматчиков из подъезда несколько коробок с документами и персональный компьютер.

Мавроди доставили в департамент для допроса. Однако он заявил, что после 21 часа допросы запрещены УПК. И разговор пришлось отложить до утра.

После того как доставили президента АО "МММ", здание Департамента полиции окружила толпа — около тысячи человек. Начальнику Департамента Сергею Алмазову и его заму Валерию Панкину пришлось переночевать в своем офисе.

Правоохранительные органы уже в течение полутора месяцев обсуждали вопрос о возбуждении уголовного дела по факту сокрытия прибыли от налогов (см. 162 ч. 2 УК России) фирмой "Инвест-Консалтинг". Данные, полученные при проверке этой фирмы, были переданы в Главные управления по организованной преступности и по экономическим преступлениям МВД России. "Инвест-Консалтинг", а заодно АО "МММ", начали разрабатывать в оперативном порядке. Вскоре после того, как котировка акций упала со 100 до 1 тысячи рублей, было решено возбудить уголовное дело.

Однако, чтобы не закрыть дело по данной статье и довести дело до суда, следствию было необходимо доказать, что в действиях "Инвест-Консалтинга", скрывающего налоги, был преступный умысел. Но даже в этом случае этот преступный умысел можно было списать в суде на бухгалтерскую ошибку. К тому же выяснилось, что срок уплаты налогов "Инвест-Консалтинга" еще не истек...

Сергей Мавроди сумел создать эту странную компанию, экономический, рыночный смысл которой по большому счету равен нулю.

Всеобщее благоденствие вкладчиков в результате деятельности "МММ" могло наступить только в случае непрерывности процесса, то есть если "МММ" постоянно бы привлекала вклады новых людей. Новые вклады шли бы на выплату дивидендов предшествующим вкладчикам. А чтобы купить акции по повышенной цене у новой очереди вкладчиков, понадобились бы еще более новые деньги, при этом во все больших количествах.

В эту игру можно было играть долго, поскольку население в России — сто пятьдесят миллионов. Играть до тех пор, пока рынок вкладчиков не придет к насыщению.

Правда, сам Сергей Пантелеевич видит причину краха "МММ" в другом. В интервью газете "Совершенно секретно" летом 1998 года он говорил: "Концентрация денежной массы в одних руках вообще не выгодна государству, иначе какие остаются рычаги для управления народом? Когда некоторое количество денежной массы остается невостребованным (основы экономики), происходит настоящая война за обладание этими средствами. Я же давал возможность заработать всем, вне ступеньки на иерархической лестнице, только поэтому я стал неугоден. Конечно, не обошлось и без личной заинтересованности чиновников, рассуждающих по принципу: зарабатываешь — и с нами поделись. Основной вопрос, который волнует так называемые правоохранительные органы, — где деньги лежат. И деньги ищут отнюдь не ради материального благополучия вкладчиков. <...> Когда наконец долги по акциям начали погашать, правоохранительные органы пришли и забрали два миллиарда, предназначавшиеся для выплат. Почти полгода держат эти деньги, и уже сегодня на среднем банковском проценте кто-то получил, вероятно, кругленькую сумму".

"МММ" — его любимое детище. Даже со своей будущей женой Сергей Пантелеевич познакомился тоже благодаря "МММ" — на телевидении, где проводился конкурс моделей для рекламы фирмы. Елена победила и стала "Королевой "МММ". В 1995 году она вспоминала: "Нет, мы не были похожи на обычных влюбленных. Сергей вообще не похож ни на кого. Он не водил меня в рестораны. С первой же встречи у нас с ним нашлось много тем для интересных бесед и споров. Я рассказала ему о работе модели — его это заинтересовало. Он создал и подарил мне модельное агентство "МММ-моделс". <...> А свадьбу мы сыграли не сразу — до официальной регистрации долго руки не доходили. Ведь в течение трех лет Сергей хронически пребывал под угрозой привлечения к "уголовной ответственности". Да, пожалуй, чувствовала себя в некотором роде декабристкой. Символично, что поженились мы как раз во время путча октября 93-го. Только через год после свадьбы пресса узнала, что я его жена. До печально известных событий с АО "МММ" не нужно было себя афишировать. Во-первых, из соображений безопасности, а во вторых, Сергей вообще не любит публичности. И свой портрет на билетах АО он напечатал только затем, чтобы люди знали в лицо человека, которому они доверили свои деньги. Но, когда его вывели под юпитеры и его увидел чуть ли не весь белый свет, не было смысла дальше скрываться. И он захотел, чтобы появилась я, как его половина, как его продолжение.

Злые языки сразу понесли: Мавроди, мол, купил себе красивую жену. Да пусть они хоть лопнут от зависти, потому что кроме денег у Мавроди — бездна достоинств. После минутной беседы с ним все люди смотрят на него, как на Бога, у него удивительная аура. Сергей — идеал мужчины. Он лидер абсолютно во всем. Человек чести и слова. У него феноменальная память, он цитирует классиков, даже Библию, наизусть знает всего Высоцкого, Галича. Гениален Сергей не только в финансовой, но и в интеллектуальной сфере. Он остроумен и изобретателен. Мгновенно находит решение в любой сложнейшей ситуации и заставляет ее работать на себя. Он обладает даже даром литератора, в его статьях всех поражает грамотность слога. Не будь он крупным бизнесменом, он легко стал бы талантливым ученым либо мыслителем-философом. Еще в школе Сергей был самым юным победителем престижнейших математических олимпиад. А в институте, не зная формул и даже ни разу не побывав на лекции, с лету решал самые сложные задачи. Он настоящий гений. А гениев, как правило, во всем обвиняют...

Коллекционирую ли я квартиры в Москве? Ну, мы с Сергеем живем в разных квартирах. Гениальные идеи не рождаются по заказу, для полета мыслей нужна свободная обстановка, поэтому ему лучше работается в одиночестве".

Гениальность Сергея Мавроди в том, что он продавал миф: он понял, что именно за это люди не пожалеют никаких денег. В то время как правительство предлагало свой рецепт счастья: терпеть и трудиться, Сергей Пантелеевич призвал пойти другим путем.

Он не жалел денег на рекламу своего детища.

"МММ" прибегло к древнейшему рекламному трюку всех шулеров — первый раз проиграть. И второй, и третий, миллионы выигравших стали мощной рекламой. Так же, кстати, завоевали доверие и банк "Чара" и фирма "Властелина".

И народ пошел за акциями. И как не пойти — они же абсолютно ликвидны. Об этом же в рекламе сказано. Удар пришелся точно в цель.

Очень тонко была разработана и телереклама.

Леня Голубков — это Иванушка-дурачок наших дней. Русский классический фольклорный образ, перенесшийся в конец XX века. Старший брат Иван иначе как оболтусом "малого" не называет — опять-таки классическая ситуация русской народной сказки.

Леонид Голубков палец о палец не удосужился ударить, а вот везет ему! Все-то у него есть: дом — полная чаша, дородная супруга, превратившаяся из сварливой бабы в шелковую под благотворным воздействием высокодоходных акций АО "МММ", и пара путевок в придачу — на чемпионат мира по футболу.

В лице Марины Сергеевны эксплуатируется высокая мечта русской женщины опереться на крепкое мужское плечо. Проблема одиночества у Мавроди решалась просто — покупайте акции АО "МММ".

Так же решена проблема вступающих в жизнь молодоженов Игоря и Юли. Неопытных бизнесменов подвели поставщики — и вновь на помощь приходит Мавроди.

Очень трогательны старики пенсионеры, старосветские помещики наших дней, то есть до предела обедневшие. Но благодаря акциям их жизнь устраивается.

И все вместе телегерои воплощали в жизнь народную мечту: лежать на печи и получать деньги.

Реклама "МММ" — это настоящий микросериал из разряда "мыльной оперы". Жители страны с нетерпением ждали, что произойдет дальше с Леней, что нового учудили молодожены, как дела у стариков. Голубков рисовал график благосостояния своей семьи и в своих фантазиях дошел до покупки дома в Париже. А в одном из последних роликов Леонид с братом Иваном попадает в Америку...

Мавроди был неистощим на выдумки. Каждый его ход был продуман. Например, с 29 по 31 июля 1994 года туристическая группа, составленная из журналистов центральных газет, провела на Кипре. Поездку им организовал пресс-центр АО "МММ". Несмотря на разразившийся в июле скандал, полет не отменили. Самолет благополучно приземлился на Кипре, где гостей ждала гостиница на берегу моря. Фирма Мавроди оплатила жилье и питание. Таким образом журналисты как бы подписали контракт о дружбе и взаимопомощи.

Вообще АО "МММ" было рекламодателем щедрым и изобретательным. И если бы Мавроди ограничивался чем-то банальным вроде трех бабочек ("Из тени в свет перелетая") или курса котировок! Нет, он полюбил помещать в прессе целые послания. На одной странице, например, газета сообщала о беспорядках вокруг Варшавки и о сожжении чучела Лени Голубкова, а на другой соседствовали два слезливых материала. Сделаны они явно профессионалом — чувствуется рука матерых газетчиков. Заявление Мавроди от 28 июля 1994 года дышит благородным гневом и полно обобщений, хотя новые акции "МММ" еще не прошли государственную регистрацию. "По сути, нас приостановили накануне грандиозного прорыва, после которого Россия, по нашим прогнозам, должна была в самом ближайшем будущем стать богатейшей страной мира, практически все россияне, акционеры "МММ" — обеспеченными людьми, а акции "МММ" росли бы теми же темпами в валюте".

"Почему мы верим "МММ" и не верим чиновникам?" Открытое письмо подписали семеро служащих, двое военнослужащих, двое коммерсантов, один пенсионер и один педагог, указаны и фамилии. "...мы, десять миллионов акционеров, чиновничьим байкам о нашей фирме не поверим, как сейчас не верим сообщениям об огромном налоговом долге "МММ". Любопытно, что именно этим налоговым долгом Мавроди в своем послании аргументирует чистоплотность фирмы: раз есть налог (пусть утаенный), значит, есть и прибыли, а раз так, то нет системы "пирамиды", когда новые денежные поступления идут на выплаты дивидендов старым акционерам. Вскоре АО "МММ" объявило конкурс на лучшее письмо "Что изменило в моей жизни АО "МММ".

"МММ" истратило на рекламу в газетах порядка 240 миллиардов рублей, столько же — на телеклипы (в сумме же, как сообщило "Информ-ТВ", это составило около 40 процентов его актива).

А чего стоит акция в московском метрополитене, когда целый день Сергей Пантелеевич катал за свой счет москвичей и гостей столицы.

Неудивительно, что Мавроди почувствовал себя властителем дум миллионов собственных вкладчиков. "Надо же, не обманули", — прошептали потрясенные покупатели акций и пошли за Сергеем Мавроди на край света.

Кто еще три месяца назад знал, что "МММ" расшифровывается как три Мавроди? Сергей Пантелеевич становится бешено популярным. Его уже прочат в президенты. И неизвестно, как развернулись бы события, если бы он счел такую комбинацию для себя подходящей. Президент не президент, но основать влиятельную собственную партию, пройти в парламент, претендовать на министерское кресло к новом послевыборном правительстве он вполне мог бы. Но уходить в политику стоило только в том случае, когда денежный поток окончательно иссякнет.

А между тем Мавроди затеял второй виток своей эпопеи. Он сбросил цену старых акций АО "МММ" со ста тысяч до одной. И вскоре образовал новую структуру "Инвест-Консалтинг".

"МММ" по-прежнему предлагало всем обогащаться. Из рекламы следовало, что "акционерное общество открытого типа "Торгово-финансовая компания "МММ" с первого февраля приступает не только к широкой свободной продаже своих акций, но и их свободной покупке. Сначала в Москве, а потом и в других городах России будут созданы специальные пункты, где любой человек в любое время сможет купить эти акции и вновь продать их. При этом "МММ" покупает акции дороже, чем они продавались накануне. А разница между продажей и покупкой, которая остается в кармане акционера, будет зависеть от времени, в течение которого акция находится в ваших руках. Иначе говоря, акция "МММ" станет чем-то похожа на доллар, стоимость акций "МММ" будет неуклонно расти. И, по прогнозу Мавроди, к концу этого года она увеличится примерно на две с половиной — три тысячи процентов! Несложные подсчеты показывают, что, вложив тысячу рублей в акцию "МММ", уже через неделю можно получить прибыль в 400 рублей!

Самое интересное, что на этом сравнение доллара с акцией "МММ" не заканчивается. Мы уже привыкли к ежедневным сообщениям о курсах иностранных валют, придется привыкать и к котировкам акций "МММ". Объявление их стоимости будет происходить регулярно по радио, по основным каналам телевидения после информационных программ, а также публиковаться в прессе.

Мавроди определял сам и котировку и размер эмиссии акции. И никто вначале не интересовался, а чем, собственно, эти бумаги обеспечены?

А прочему бы не спросить? Но некому было. На манипуляции АО "МММ" правительственные чиновники обратили внимание тогда, когда было поздно. Когда господин Мавроди мог себе позволить игнорировать желание налоговой службы вступить с ним в контакт и заявлять Министерству финансов, чтобы оно оставило его в покое, не то он спустит на него своих вкладчиков.

Правительство прокомментировало это заявление как безответственное. Но на самом деле столь крупномасштабный шантаж был чреват глубочайшей дестабилизацией в стране.

Известный американский политолог Стивен Коэн говорил: "Я понимаю, почему многие российские граждане отдают им свои деньги: это выражение их надежды, отчаяния. На Западе те, кто делает инвестиции, никогда не рассчитывают получить больше 10—15 процентов в год. Если кто-нибудь предложит мне вложить 1000 долларов под 100, 200, 300, 400 или 500 процентов, я могу быть уверен, что этот человек или фирма — просто жулик. Если я доверяюсь "ловкачам", то я рискую, и мой риск потерять деньги невероятно велик. <...> Я могу понять психологию простых граждан. Но никак не могу понять, почему российское правительство позволяет действовать таким фондам. <...> По сообщениям российской печати, "МММ" нарушает требования налоговых органов. Возникает вопрос: почему российское правительство, которое имеет консультантов из западных стран, допустило это? Ответ можно только предположить: возможно, это проявление глупости. Возможно, это говорит о коррупции. Или что правительство занято другими делами..."

Скандала с "МММ" не могло не быть. Вероятно, он планировался обеими сторонами — и финансистами, и правительством. Дело не в благодушии или недальновидности правительства. Пока "МММ" выполняло полезную задачу отвлечения горячих денег с потребительского рынка, АО для чиновников словно не существовало. Тем более шла приватизация, распределялось за бесценок государственное имущество. Было не до "МММ". Но вот финансы стабилизировались. Это резко снизило спекулятивные возможности на финансовом рынке. Закончилась Чубайсова "прихватизация". И взоры чиновников обратились в сторону преуспевающего Мавроди и его компании. Писатель Анатолий Стреляный, доверенное лицо депутата Госдумы Сергея Мавроди, категоричен в своем мнении: "11 миллионов вкладчиков "МММ" выступили на финансовом рынке. Это огромная сила. В правительстве началась паника. Поначалу власти отнеслись снисходительно, им даже выгодно было, что деньги населения как-то связывались и это тормозило инфляцию, но когда они увидели, что миллионы обыкновенных граждан через "МММ" готовы вступить в рынок собственности... Вся эта собственность уже давно поделена и обмыта в финских банях. Хорошо известно, кто назначен в миллионеры, кто — в миллиардеры, кто — в триллиардеры. Мавроди со своими акционерами смешал карты да еще посмел покуситься на акции "Газпрома". Когда бюрократия увидела, что народ намерен проводить свою собственную приватизацию, у нее волосы встали дыбом. И началось массированное наступление".

Предпосылки для скандала созрели и внутри самой фирмы этой финансовой "пирамиды", построенной Мавроди. "Пирамида" стремительно разрасталась. Ее просто некуда стало строить дальше. Необходимо было как-то сбить курс акций. Это можно было сделать или плавно, или скачком, через обвальную панику. Мавроди получали свои сверхдоходы по принципу "деньги — реклама — деньги".

Общий объем эмиссий акций "МММ" составил сто миллиардов рублей. Стоимость акций по котировкам "МММ" превысила номинал в сто раз. Практически весь объем эмиссий был размещен. Им показалось мало, и после эмиссий акций напечатали и распродали еще такое же количество билетов. И на такую же сумму. Их тоже все продали! Следовательно, у населения находилось на руках на десять триллионов рублей ценных бумаг "МММ". Это почти пять процентов государственного бюджета России!

Разумеется, Мавроди обвинил во всех грехах правительство. А временное пребывание под стражей сделало его мучеником. Он говорил своим акционерам: "Давайте вместе биться за нормальные условия для нашей совместной деятельности, чтобы от нас отвязалось государство". Мавроди пообещал инвестировать 100 миллионов долларов в экономику Мытищенского района, если его там изберут депутатом. И ведь избрали же. Как не избрать. Но уже в 1995 году его партию народного капитала вкладчики не поддержали. "Что ж, значит, бороться за свои деньги они сами не пожелали", — рассудил Сергей Пантелеевич.

Подобная "пирамида" стала возможна благодаря галопирующей инфляции. Проблемы у "МММ" появились именно после замедления темпов инфляции.

Правительство начало строительство собственной "пирамиды". ГКО (государственные краткосрочные займы) — была "пирамидой" для избранных, в отличие от мавродиевской — народной. Но суть от этого не меняется. В августе 1998 года рухнула и государственная "пирамида".

А в это время Мавроди уже был в бегах. Причем он скрывался не только от правоохранительных органов, но и от кровожадных вкладчиков, многие из которых потеряли в афере с "МММ" целые состояния. Говорят, Мавроди до августовского кризиса неплохо зарабатывал. Каждое утро садился к компьютеру и через посредников играл на фондовом рынке России. Его и раньше вполне устраивало общение с компьютером. Он никогда не любил презентаций, светских тусовок, так что его жена Лена вынуждена была посещать ночные клубы одна, правда, в сопровождении телохранителей. Сергей Пантелеевич только сетует, что пришлось избавиться от "мерседеса" и нельзя свободно выйти на улицу, спокойно позвонить по телефону, встретиться с нужным человеком. Угнетает его и то, что не может открыто развернуть несколько новых глобальных, сверхприбыльных проектов, способных затмить собственное детище — "МММ".

Виктор Козни

(род. 1965)

За счет собранных ваучеров очень прибыльных предприятий "Гарвард Кэпитал & Консталтинг" из никому не известной компании превратился в самый мощный и богатый в Чехии инвестиционный фонд. К осени 1993 года его капитал превысил миллиард долларов. А личное состояние президента Козни достигло, по оценкам чешских экономистов, двухсот миллионов.

Впервые о существовании Виктора Козни из Чехословакии английская публика узнала совсем недавно. После репортажа в газетах о том, как он пригласил двух друзей в самый дорогой и модный лондонский ресторан “Гаврош”.

Сначала Козни заказал бутылку шампанского “Круг” из винограда урожая 1949 года стоимостью в девятьсот долларов. После шампанского официант принес мусс из лобстеров и омаров с белым бургундским “Монтраше”. Бутылка “Монтраше” обошлась в две тысячи. Виктор Козни оказался первым посетителем, кто осмелился заказать жемчужину потрясающего винного погреба “Гавроша” — красное бургундское “Романи конти” из винограда урожая 1985 года стоимостью восемь тысяч долларов. Однако, сделав глоток, Виктор поморщился и заявил, что вино еще слишком молодо, поэтому пить его он не будет, и отослал в подарок поварам на кухню. Он заказал знаменитое “Шато латур” из винограда урожая 1961 года. Это вино стоило “всего” чуть больше трех тысяч долларов. Перепробовав несколько вин, он был вынужден в конце концов остановиться на “Оте брионе” из винограда урожая 1945 года. Бутылка этого вина стоила три с половиной тысячи долларов. Всего же обед обошелся чешскому нуворишу в двадцать с лишним тысяч долларов. Однако на Виктора Козни огромная сумма счета не произвела никакого впечатления. Он с улыбкой расплатился, оставив для официантов королевские чаевые.

Через несколько дней Виктор Козни снова посетил “Гаврош”, на этот раз с тремя друзьями. Поужинали на тринадцать с лишним тысяч долларов. Причем половину счета составила цена двух бутылок коллекционного “Шато латура” из винограда урожая 1961 года.

Английские газеты вновь запестрели заголовками — “Такого в Лондоне еще не было!”, “Таинственный незнакомец, не моргнув глазом, выкладывает за ужин в сверхдорогом лондонском ресторане двадцать тысяч долларов!”, “Кто этот экстравагантный молодой человек?”

Однако все попытки репортеров поближе познакомиться с загадочной личностью, кутившей в “Гавроше”, ни к чему не привели. Англичанам только удалось узнать, что деньгами в “Гавроше” сорил молодой чех, сколотивший на приватизации государственных предприятий у себя на родине не одну сотню миллионов долларов. Стал известен и постоянный адрес "приватизатора". Оказалось, что, сбежав из Чехии, он обосновался на Багамских островах.

Не успел стихнуть шум по поводу ужинов в "Гавроше", как в феврале в английской столице вновь заговорили о таинственном чешском богаче, который, не торгуясь, выложил двадцать миллионов долларов за роскошный лондонский дом композитора Эндрю Ллойда Уэббера, автора знаменитого мюзикла "Кэтс" ("Кошки"). Этот особняк с огромной террасой и шестью спальными комнатами, расположенный в самом фешенебельном районе английской столицы Бельгрэйвия, больше года числился самым дорогим домом на рынке недвижимости не только в Лондоне, но и во всей Англии. Больше года владелец не мог найти покупателя.

Некоторое время имя нового владельца дома хранилось в тайне. Однако вскоре пронырливым репортерам удалось выяснить, что его приобрел Виктор Козни.

Детство у будущего миллионера оказалось нелегким. Мать уехала за границу в 1968 году, через четыре года покончил счеты с жизнью отец, после чего его воспитывала тетя.

В 19-летнем возрасте в 1984 году Козни уезжает из Чехословакии в США и поступает на физический факультет Гарварда. Однако после первого же семестра выясняется, что для учебы в престижном американском университете у него не хватает знаний. Правда, это не мешало разъезжать студенту на дорогом "вольво". Людям, знавшим Виктора Козни во время его учебы в Гарварде, он больше запомнился не своими способностями к наукам, а склонностью к самозабвенному вранью. Так, например, всем друзьям и знакомым Виктор рассказывал, что с отличием закончил самую престижную гимназию в Праге, в четырнадцать лет поступил в лучший пражский университет, по окончании которого бежал в Германию, где познакомился с известным профессором из Лос-Аламоса. Американский физик будто бы с первого взгляда разглядел в нем все задатки гения, оплатил проезд в Соединенные Штаты, учебу в Гарварде и авансом пригласил после окончания университета на работу в знаменитом ядерном центре Лос-Аламоса.

Профессор в его жизни на самом деле был. Хотя не из Лос-Аламоса, а из университета Нью-Мексико. Виктор Козни как-то сумел убедить его в своих способностях, и тот действительно оплатил ему билет до США. Умевший себя подавать, молодой физик ухитрился настолько втереться в доверие к профессору, что тот даже пригласил его пожить у себя в доме. Правда, вскоре у профессора открылись глаза, и он указал молодому человеку на дверь.

Потерпев неудачу с физиком, Виктор устроился на работу в дом к одной супружеской паре учить детей. Обладающий располагающей внешностью, юноша привлек внимание хозяйки, богатой ветреной женщине. Она влюбилась в учителя своих детей, развелась с мужем и уехала с молодым любовником из дома. Именно она, а не профессор из Лос-Аламоса, поначалу платила за обучение Виктора в Гарварде. Именно она купила Виктору очень дорогой "вольво".

Быстро поняв, что в физике ему ничего не светит, Виктор Козни перевелся на экономический факультет, однако и там не блистал успехами. В это время он бредил проектами покупки целой авиакомпании "Истерн Эйрлайнз". Однако денег на покупку у него не было. Удивительно, но, несмотря на провалы в учебе, ему удалось получить диплом об окончании Гарвардского университета.

К этому времени Виктор уже бросил свою немолодую покровительницу и женился на дочери богатого банкира из Бостона. Как ни возражал ее отец, девушка не смогла устоять перед пылкими признаниями в любви чешского красавца, но очень скоро пожалела, что не послушалась предостережений отца. После того, как она забеременела, он ее бросил.

В 1989 году Козни объявился в Лондоне и устроился на работу в финансовый отдел торгового банка "Роберт Флеминг". Самым любопытным в лондонском периоде жизни авантюриста является то, что, несмотря на яркую внешность, никто из работников банка его не запомнил. После шести месяцев работы там Виктор возвратился на родину, где в это время происходили большие события.

После "бархатной революции" к власти в Чехословакии пришли демократы, объявившие курс на приватизацию государственной собственности. "Отцом" приватизации в этой стране стал Вацлав Клаус, позже занимавший кресло премьер-министра. В 1992 году он начал программу приватизации, по которой каждый гражданин страны получал книжку ваучеров на сумму 40 долларов. Ее можно было обменять на акции приватизированных предприятий, еще вчера бывших государственными. Однако граждане Чехословакии не торопились покупать ваучерные книжки. Приватизация находилась под угрозой срыва. В этот критический для реформ момент в Праге и по всей стране началась громкая рекламная кампания частной фирмы "Гарвард Кэпитал энд Консалтинг". Каждый день телевидение по нескольку десятков раз крутило рекламные ролики этой компании. Все газеты на самых видных местах печатали ее объявления, а на улицах чешской столицы и других чешских городов длинноногие девицы в коротких шортах раздавали прохожим ее рекламные проспекты.

Предложенная "Гарвардом" схема приватизации была проста и понятна всем. Каждый гражданин, доверивший компании свою книжку с ваучерами, через год и день должен был получить денег по меньшей мере в десять раз больше стоимости всех его ваучеров. И народ валом повалил в "Гарвард". Чтобы сдать ваучеры, с ночи у офиса компании выстраивались длинные очереди. Любопытно, что перед главным офисом был поднят на флагштоке звездно-полосатый американский флаг, что еще больше укрепило доверие граждан к компании.

Создал "Гарвард К. & К." в конце 1991 года Виктор Козни, работавший после возвращения на родину "экономическим консультантом". Позже Виктор признался журналистам, что приехал в Чехословакию, имея всего три тысячи долларов. Однако его откровенность никогда не простиралась так далеко, чтобы рассказать, откуда же он взял деньги на рекламную кампанию "Гарварда", проведение которой обошлась ему, по самым скромным подсчетам, в полмиллиона долларов.

Тем временем американцы возмутились, что авантюрист воспользовался названием уважаемого университета, и пытались предупредить чехов о том, к чему может привести сотрудничество с фирмой, возглавляемой таким проходимцем. Один из профессоров, который обучал Козни экономике, написал, что за всю свою многолетнюю преподавательскую деятельность не встречал такого лжеца. Предупреждение разослали во все газеты, но оно так и не было напечатано.

Чешские власти с самого начала с большим недоверием отнеслись к обещаниям компании "Гарвард". К тому же Козни мог превратиться в монополиста на инвестиционном рынке и сосредоточить в своих руках большую долю акций очень прибыльных предприятий. Министр приватизации Томаш Джезек обратился по радио и телевидению к жителям страны. Он посоветовал чехам осторожнее относиться к обещаниям быстрого обогащения и не отдавать свои ваучерные книжки в "Гарвард". Однако его призыв услышали единицы. За несколько месяцев более восьмисот тысяч человек сдали ваучерные книжки в новый инвестиционный фонд.

Через год первые вкладчики потребовали обещанные деньги, но им снова и снова предлагали ждать.

Чешское правительство обратилось к частному детективному агентству "Кролл" с просьбой проверить, чем занимался Виктор Козни в Америке. В результате выяснилось, что, хотя личную репутацию авантюриста нельзя назвать безупречной, к уголовной ответственности в США он ни разу не привлекался, а значит, прекратить его деятельность в судебном порядке невозможно.

За год активной деятельности и скупки за счет собранных ваучеров акций очень прибыльных предприятий "Гарвард Кэпитал & Консталтинг" из никому не известной компании превратился в самый мощный и богатый в Чехии инвестиционный фонд. К осени 1993 года его капитал превысил миллиард долларов. А личное состояние президента Козни достигло, по оценкам чешских экономистов, двухсот миллионов. Только его оклад как президента фонда, не считая имевшихся у него акций, составил сорок пять миллионов.

В декабре 1992 года в Праге был арестован бывший сотрудник тайной полиции Вацлав Валлис. Одним из пунктов предъявленного ему обвинения значилась продажа президенту "Гарварда" секретной экономической информации и компромата на многих чешских политиков. Валлис говорил, что продал Козни видеокассету, которая могла поставить крест на карьере одного очень видного политика. Виктор все отрицал, утверждая, что Валлис шантажировал его, угрожая предать огласке некоторые факты его жизни, способные нанести ущерб его деловой репутации. Речь, в частности, шла об угрозе поведать чехам о том, что несколько лет назад Виктор бросил в Америке жену с ребенком и не платит ей алименты. С помощью шантажа бывшему полицейскому, по словам Козни, якобы удалось выманить у него десять тысяч долларов, но больше никаких денег он шантажисту не платил. Валлис был осужден на три года, а с Козни все обвинения в подкупе государственного чиновника с целью получения секретной информации были сняты.

Поняв, что пора сматывать удочки, Виктор выехал в отпуск за границу и не торопился возвращаться. Он остановился в Цюрихе. Там Козни снял целый этаж в самой дорогой гостинице. Потом на всякий случай получил ирландское гражданство и заявил о намерении перенести центр своих деловых операций в Дублин. Однако позже он предпочел обосноваться на Багамских островах.

Приехавший на Багамы с подругой и двумя маленькими дочерьми, Виктор Козни принялся распускать слухи, что на острова его пригласил известный британский бизнесмен и филантроп сэр Джон Темплтон. Для самого Джона это было новостью. Он заявил, что до приезда Козни в Лифорд Кей, поселок миллионеров, расположенный поблизости от столицы Багамов Нассау, он никогда не слышал о молодом чехе и, следовательно, при всем желании не мог его пригласить, хотя и признал, что тот произвел на него сильное впечатление своей энергией и напором.

За большие деньги Козни купил огромный участок земли на берегу моря и построил громадную виллу. Отсюда он управлял своей империей, насчитывающей двадцать девять инвестиционных фондов и пятнадцать компаний, разбросанных по всему свету. Ни у кого из трехсот богачей, живущих в Лифорд Кее, нет было такого роскошного дома. А ведь по соседству с Виктором жили такие известные люди, как писатель А. Хэйли, С. Потье и знаменитый актер Шон Коннери.

В 1995 году, вскоре после приезда на Багамы, на одном из званых обедов

Козни познакомился с Майклом Дингменом, пожилым солидным американским мультимиллионером. Несмотря на большую разницу в возрасте (тридцать четыре года), они подружились и вскоре стали работать на пару.

Когда этот альянс объявил о намерении вкладывать деньги в чешскую экономику, в Праге вздохнули с облегчением. Однако вскоре с помощью нескольких ловких сделок и финансовых маневров Козни перевел активы "Гарварда" в одну из компаний на Кипре, принадлежавшую ему и Дингмену. Этим ходом он лишил многочисленных чешских вкладчиков последних надежд вернуть деньги. Акции "Гарварда" стали стоить не дороже той бумаги, на которой они были напечатаны. В Чехии разразился промышленный и финансовый скандал. А в это время авантюрист проводил время на Багамах и кутил в самых дорогих ресторанах крупнейших городов мира...

Использованная литература

Архангельская Т. Сюркуф, гроза морей. — М.: Неделя, 1968, № 35.

Басилов В. Избранники духов. — М.: Политиздат, 1994.

Белоусов Р. Король риска. — М.: Коронапринт, 1990.

Белоусов Р. Одесская Клеопатра. — М.: ЛГ-Досье, 1993, № 3.

Белоусов Р. Под черным флагом. — М.: АСТ, 1996.

Берберова Н. Железная женщина. — М.: Политиздат, 1991.

Берже Н. Самсон хан Макинцев. — М.: Русская старина, 1876, № 4.

Бернштейн А. Сонька Золотая Ручка. — М.: Мошенники, 1998, № 1.

Беррес Л. “Чара” — мать Марина Францева. — М.: Мошенники, 1998, № 4.

Биркин К. Временщики и фаворитки. В 3 т. — Спб.: 1871.

Бланделл Н. Ошибки и катастрофы. — Минск: ИнтерДайджест, 1996.

Блон Ж. Великий час океанов. В 3 т. — М.: Славянка, 1993.

Богословский А. Король и танцовщица. — М.: Человек, 1996, № 3.

Большой Энциклопедический словарь. — М.: Российская энциклопедия, 1998.

Борисов А. Не по Ваньке шапка. — М.: Inter ПОЛИЦИЯ, 1997, № 5.

Боссарт А. Мышеловка. — М.: Cosmopoliten, 1996, № 11.

Бретон Ги. Истории любви в истории Франции. В 5 т. — М.: Крон-Пресс, 1993.

Бухаркова О. Когда я стану министром финансов. — М.: Совершенно секретно, 1998, № 5.

Быков Д. У вымени в плену. — М.: Столица, 1994.

Бэкон Ф. История правления короля Генриха VII. — М.: Наука, 1990.

Бэлза С. Предшественник Хлестакова. — М.: Неделя, 1968, № 6.

Бэлза С. Тайна графа Сен-Жермена. — М.: Неделя, 1968.

Вадимов А., Тривас М. От магов древности до иллюзионистов наших дней. — М.: Искусство, 1979.

Вайкс А. Крапленые карты Казановы. — М.: Мошенники, 1997, № 12.

Валишевский К. Бунт Стеньки Разина. — М.: Смена, 1992, № 2, 3.

Варнавский А.И. Хаббард, такой молодой... — М.: Комсомольская правда, 1993, 29 июля.

Вахрин С. Экипаж мятежного галиона. — М.: Вокруг света, 1990, № 1, 2.

Велидов А. Похождения террориста. — М.: Современник, 1998.

Верлиндер Ч., Мартин Г. Покорители Америки. — Ростов-на-Дону: Феникс, 1997.

Вермуш Г. Аферы с фальшивыми деньгами. — М.: Международные отношения, 1990.

Верн Ж. История великих путешествий. В 3 т. — М.: Детская литература, 1958.

Вершвовский М. Следствие было недолгим. — Л.: Детская книга, 1991.

Воробьев Б. Под флагом смерти. — М.: Современник, 1997.

Гребельский П. Пиратские истории. — СПб.: Союз, 1994.

Глобус Н. Экономические преступления. — Минск: Литература, 1996.

Григоренко А. Сатана там правит бал. — Киев: Украина, 1991.

Григорьев Е. Пришел, увидел... — М.: Независимая газета, 1996.

Деко А. Ее признала вся Европа. — М.: Вокруг света, 1993, № 5.

Де Сад (маркиз де Сад). Жюстина. — Кишинев: “Ада”, 1990.

Дорожи Ж., Понто Ж.-М. Расследование тайных дел. — Прогресс, 1989.

Дюма А. Людовик XV. — Кишинев: Литера, 1991.

Ефимов А. Одиннадцатый самозванец. — М.: Смена, 1994, № 12.

Ефимова А. Большая политика в семейном кругу. — М.: Столица, 1995, № 17.

Савинков Б.В. (В. Ропшин). То, чего не было. Вступ. ст. Жуков Д.Б., Савинков и В. Ропшин. Террорист и писатель. — М.: Современник, 1992.

Записки Видока, начальника парижской тайной полиции. — Киев: Свенас, 1991.

Знаменитые авантюристы XVIII века. — СПб.: Вестник иностранной литературы, 1899.

Иванова И. Корнет Савин. — М.: Мошенники, 1998.

Иннес Х. Конкистадоры. — М.: Вокруг света, 1990, № 8, 9, 10.

Карнович Е. Замечательные и загадочные личности XVIII и XIX столетий. — СПб.: Изд. А. Суворина, 1884.

Кирхейзен Ф. Наполеон I. Его жизнь и его время. — М.: Современные проблемы, 1913.

Казанова Д. История моей жизни. — М.: СП “Вся Москва”, 1990.

Кассис В., Колосов Л. Из тайников спецслужб. — М.: Молодая гвардия, 1988.

Кафанова Л. Майкл Марковиц — бензиновый король Америки. — М.: Мошенники, 1997, № 4.

Кер Ж. Ловушка для принца. — Париж: Пари-Матч, М.: За рубежом, 1997, № 5.

Ключеров Г. Три попытки Марины Мнишек. — Труд-7, 1996.

Коваленко Ю. Дамы и господа. — М.: Неделя, 1993.

Колосов Л. Мура. — М.: Труд-7, 1997.

Копелев Д. Золотая эпоха морского разбоя. — М.: Остожье, 1997.

Костомаров Б. "Властелина". — М.: InterПОЛИЦИЯ, 1997, № 1.

Костомаров Н. Русская история в жизнеописаниях ее главнейших деятелей. Кн. 1. — М.: "Книга", 1990.

Крестьянские войны в России XVII—XVIII вв. — М.: Наука, 1974.

Кубышкин А. Врач, юрист, журналист... флибустьер. — М.: Латинская Америка, 1993, № 10, 11.

Кудрин Н. "Дело Эмберов". — "Русское богатство", 1903, № 9.

Кудрявцев В. и др. Исторический лексикон. XVIII век. — М.: Знание, Владос, 1996.

Купер-Оукли И. Граф Сен-Жермен. — М.: Беловодье, 1995.

Лангер В. Кем он себя считал. — М.: ЛГ-Досье, 1995, № 5—6.

Лащ М. Толпа скандировала: "Руки прочь от Мавроди!" — М.: Коммерсант-DAILY, 1994.

Либман М., Островский Г. Поддельные шедевры. — М.: Советский художник, 1966.

Лукаш И. Граф Калиостро. — М.: Дружба народов, 1991.

Лунинский Э. Княжна Тараканова. — Л.: Слайд, Киноцентр, 1991.

Львов О. Казанова — дерзкий покоритель сердец. — М.: Мир звезд, 1990, № 1.

Максимова Т. Пятая жена генерала Димы сбросила Змеиную кожу... — М.: Комсомольская правда, 1998, № 104.

Мальгин А. "Приказываю исчезнуть". — М.: Столица, 1993.

Манухов С. Вроде Мавроди. — М.: InterПОЛИЦИЯ, 1998, № 3.

Метерлинк Р. Античные легенды и сказания. — М.: Республика, 1992.

Можейко И. В Индийском океане. Очерки истории пиратства в Индийском океане и Южных морях (XV—XX века). — М.: Наука, 1980.

Можейко И. Пираты, корсары, рейдеры. — СПб: Вистон, Санто, 1994.

Мордовцев Д.Л. Авантюристы. Полное собрание сочинений. Т.9. — Изд-во П.П. Сойкина, 1914.

Муратов П.П. Образы Италии. — М.: Республика, 1994.

Мыльников А. Искушение чудом, "русский принц", его прототипы и двойники самозванцы. — Л.: Наука, 1991.

Мэсси Р. Николай и Александра. — М.: Интерпракс, 1990.

Непомнящий Н. Пиастры, пиастры, пиастры... — М.: Олимп; АСТ, 1996.

Непомнящий Н. Антология непознанного. Кн. 1. — М.: Прибой, 1998.

Николаев Р. Корнет Савин. Он же граф Тулуз де Лотрек. Он же Маркиз Траверсе. — М.: Мошенники, 1997, № 11.

Роек Т. Леди Гамильтон, ни в чем не знавшая меры. — М.: Неделя, 1991.

Парадисис А. Жизнь и деятельность Балгазара Коссы. — М.: 1961.

Парнов Е. Трон Люцифера. — М.: Политиздат, 1991.

Поллинг Б. Энциклопедия скандалов. — М.: Вече, 1997.

Продавцы золотого воздуха. — М.: Какаду, 1997, № 8.

Прохватилов В. За все ответит Голубков? — М.: Литературная газета, 1994, № 34.

Пуришкевич В. Убийство Распутина. — М.: Интербук, 1994.

Рогожинский Ж. Энциклопедия пиратов. — М.: Вече, 1998.

Рон Хаббард. Что мы знаем о нем? — М.: Родина, 1991, № 11—12.

Рябцев Г. Пираты и разбойники. — Минск: Литература, 1996.

Святой черт. Тайна Григория Распутина. Сост. Кочеткова А. — М.: "Книжная палата", 1990.

Скрынников Р. Борис Годунов. — М.: "Наука", 1983.

Скрынников Р. Смуты в России в начале XVII в. Иван Болотников. — Л.: Наука, 1988.

Смирнов Г. Вопросительные знаки над могилами. — М.: Современник, 1996.

Соколов М. Мавродины уроки. — М.: Столица, 1994.

Солянов Ф. Ванька-Каин — вор, сыщик и поэт. — М.: ЛГ-Досье, 1995, № 3.

Супруненко Ю. Первооткрыватель поневоле. Сб. Тайна тысячелетий. — М.: Вокруг света, 1995.

Таннева-Вырубова А.А. Распутин. — М.: Панорама, 1990.

Трус Н. Великие скандалы и скандалисты. — Минск: Литература, 1997.

Уилрайт Д. Мата Хара. — Смоленск: Русич, 1996.

Усенко О. Самозванчество на Руси: норма или патология. — М.: Родина, 1995, № 1, 2.

Филоп-Миллер Р. Святой демон Распутин. — М.: Республика, 1992.

Фрейденберг М. Степан Малый из Черногории. — М.: Вопросы истории, 1975, № 10.

Хейг К. Елизавета I Английская. — Ростов-на-Дону: Феникс, 1997.

Целис Г. ...Плюс мавродизация всей страны. — М.: Огонек, 1994, № 40—41.

Цвейг С. Казанова. — М.: Книга, 1991.

Черняк Б. Тайны старого и нового света. — М.: Остожье, 1996.

Шавельский. "История дела Эмбер-Крауфорд". — "Вестник права", 1902, № 9.

Шакина М. Сергей Мавроди как отец российской мечты. — М.: Новое время, 1994, № 31.

Шнайдер из "Погребка Ауэрбаха". — М.: Мошенники, 1997, № 10.

Штрайх С. Роман Медокс. Похождения русского авантюриста. — М.: Федерация, 1930.

Эксвемелин А. Пираты Америки. — М.: Мысль, 1968.

Энциклопедический словарь Брокгауза Ф.А. — Ефрона И.А. В 86 томах. — М.: "Терра", 1994.

Содержание

С 81 **100 великих авантюристов.** Автор-составитель И. А. Муромов.— М.: Вече, 2003. — 608 с. (100 великих)

ISBN 5-7838-0437-1

Новая книга серии "100 великих" посвящена авантюристам. Одни из них испытывали судьбу, становясь пиратами, другие появлялись под чужими именами. Одни строили финансовые пирамиды и плели политические интриги, другие создавали новые религии, подделывали произведения искусства, шпионили... Но так или иначе, все они пытались влиять на ход мировой истории. Представим самых известных — граф Калиостро, Емельян Пугачев, маркиз де Сад, Ванька Каин, Наполеон Бонапарт, Григорий Распутин, Сонька Золотая Ручка, Мата Хари...

100 ВЕЛИКИХ АВАНТЮРИСТОВ

Генеральный директор *Л.Л. Палько*
Ответственный за выпуск *В.П. Еленский*
Главный редактор *С.Н. Дмитриев*
Редактор *И.И. Никифорова*
Корректор *Б.И. Тумян*
Разработка художественного оформления
и подготовка к печати — «Вече-графика» *Д.В. Грушин*
Верстка *О.В. Гуриной*

Гигиенический сертификат № 77.99.2.953.П.16227.11.00
от 29.11.2000 г.

129348, Москва, ул. Красной сосны,24.
ООО «Издательство ВЕЧЕ 2000» ИД № 01802 (код 221)
от 17.05.2000 г.
ИД № 05134 (код 221) от 22.06.2001 г.
ЗАО «ВЕЧЕ» ЛР № 040410 от 16.12.1997 г.

E-mail: veche@veche.ru
http://www.veche.ru

Подписано в печать 30.01.01. Формат 60×90 $^{1}/_{16}$.
Гарнитура «Таймс». Печать офсетная. Бумага газетная. Печ. л. 38,0.
Тираж 10 000 экз. Заказ № 0302280.

Отпечатано в полном соответствии
с качеством предоставленных диапозитивов
в ОАО «Ярославский полиграфкомбинат»
150049, Ярославль, ул. Свободы, 97.